巴蜀文化通史

《巴蜀文化通史》学术委员会

章玉钧　隗瀛涛　李绍明　林　向　胡昭曦　贾大泉
谭继和　万本根　陈玉屏　罗　鸣　沈伯俊　彭邦本

主　编
章玉钧　谭继和

副主编
罗　鸣　彭邦本

编辑部
主　任　侯水平　向宝云
副主任　万本根　李　庆

"十二五"国家重点图书出版规划项目

四川建设西部文化强省重点项目

章玉钧　谭继和　主编

巴蜀文化通史
方言卷

李国太　黄尚军　袁雪梅　曾为志　著

四川人民出版社

编者的话

巴蜀文化通史

编者的话

《巴蜀文化通史》编撰工程是中共四川省委批准、省委宣传部直接组织和领导，由四川省繁荣发展哲学社会科学协调小组立项、四川省社会科学院牵头的四川省西部文化强省建设重点支持项目，也是"十二五"国家重点图书出版物出版专项规划及国家出版基金（2016年度）资助项目。一直关心四川文化传承创新的省老领导杨超、杨析综、何郝炬、冯元蔚、廖伯康、聂荣贵、李永寿等同志率先向省委、省政府倡议启动编撰工作。在编撰研究过程中，得到了陶武先、柯尊平、王少雄、甘霖等历届省领导的大力支持和亲切指导，我们谨致衷心的敬意和感谢。

本书编撰委员会于2006年设立，编撰工作由此启动，至2020年全面完稿，历时十五年。编撰委员会名誉主任陶武先，主任王少雄、柯尊平，副主任殷建中、贾松青、侯水平、隗瀛涛、李绍明；顾问蔡美彪、李学勤、张海鹏；编委会成员有章玉钧、林向、胡昭曦、贾大泉、谭继和、万本根、陈玉屏、罗鸣、沈伯俊、彭邦本、向宝云、王素、舒大刚、邓经武、赵振铎、龙晦、龙显昭、刘平斋、吴野、钱来忠、曹顺庆、陈德述、任新建、李明泉、张忠仁、王毅、王庭科、冉光荣、杜肯堂、李学明、孙锦泉、陈廷湘、刘复生、佘正松、李健、李刚、李诚、江玉祥、江章华、蒋维明、季富政、高大伦、段志洪、侯德础、谢元鲁、甘绍成、张明富、张凤琦等。编委中，有些作为学术委员会成员，自始至终参与本书研讨和审定；有的承担了分卷的撰著；有的在本书酝酿和编撰的相关会议上提供了不少宝贵意见；有的应邀对有关书稿审阅并提出有益的建议。总而言之,编委们都为本书编撰出版做出了各自的贡献。另还专门请宗性(中国佛学院)审读了《宗教文化卷》。

编撰工作具体依托四川省社会科学院进行,院历届领导贾松青、侯水平、李后强、向宝云、高中伟等都给予大力支持、督促和帮助,多次召开院党委或院办公会议,听取编辑部汇报,决定有关事项并检查落实。编辑部成员张彦、彭东焕、印国玲在具体组织协调、制订规范规则、联系作者、学术讨论记录(含录音)、编写简报等方面做了大量工作。

《巴蜀文化通史》是集思聚智的学术成果,撰著参与者及分工情况详见于各卷后记。以下谨按卷次列出主要撰著者名单,共同见证这部著作的出版:

《通论卷》　　　　　　　谭继和著
《农业与水利文化卷》　　彭邦本编著
《工商文化卷》　　　　　张学君著
《城市文化卷》　　　　　何一民等著
《建筑文化卷》　　　　　庄裕光著
《交通文化卷》　　　　　蓝勇等著
《民族文化卷》　　　　　赵心愚、杨铭等著
《宗族与会社卷》　　　　张力著
《移民文化卷》　　　　　陈世松著
《方言卷》　　　　　　　李国太、黄尚军、袁雪梅、曾为志著
《民俗文化卷》　　　　　徐学书、喇明英、况红玲等著
《哲学思想卷》　　　　　蔡方鹿、刘俊哲、金生杨著
《史学卷》　　　　　　　粟品孝、周鼎、李晓宇著
《宗教文化卷》　　　　　李远国、向世山等著
《教育卷》　　　　　　　徐辉、徐仲林等著
《文学卷》　　　　　　　邓经武著
《艺术卷》　　　　　　　苏宁、沈博、幸晓峰著
《科技文化卷》　　　　　查有梁、王迎川、周世祥等著

《传播文化卷》　　　　　赵志立著
《文献要览卷》　　　　　舒大刚、李冬梅等著
《巴蜀文化大事记》　　　张彦、陈德言、王林、彭东焕编著
《巴蜀文化研究论著索引》 李敬洵编

由于多领域的地域文化通史尚属首创，不同门类各有其文脉演变、内在逻辑与历史进程，故未对各卷涉及本领域涵盖的时间起止及个别体例做统一的要求。编著者虽务求如清人顾炎武所说"庶几采山之铜"，而力避"买日钱""废铜以充铸"，但因见闻学识所限，书中疏漏不足之处，尚祈望读者正之。

最后要说的是，全书从编撰到出版来之不易，还得益于四川人民出版社历任社长罗韵希、解伟、黄立新，副社长骆晓平，总编辑刘周远的关心和支持。特别是谢雪编审从中协调、统筹以及众多编辑"为他人作嫁衣裳"的辛勤付出。巴蜀文化界学术界的领军人物、尊敬的马识途先生在2018年一百零四岁时为本通史题写书名。在此，我们表示深深的谢意。

章玉钧　谭继和　罗鸣　彭邦本
2021年11月

总 序

◎ 章玉钧

呈献在读者面前的这部多卷本《巴蜀文化通史》，是国家重点图书出版物出版专项规划项目、国家出版基金资助项目和四川省西部文化强省建设重点支持项目的学术成果。这个项目由中共四川省委宣传部直接组织和领导，四川省社会科学院牵头，川渝合作，组织和邀约四川省、重庆市七十多位巴蜀文化研究专家参加，得到四川省委、重庆市委和国家有关部门的重视和支持，获得国家和省文化产业经费的资助。全书二十二卷二十八册，约一千六百万字。编撰出版工作历时十五年终告完成。参加本书编修的专家学者们团结协同、切磋琢磨、集思聚智、甘苦备尝，贡献了创造性的劳动。四川人民出版社和各卷责任编辑认真敬业，严谨审慎，做出了辛勤奉献。在此，谨就编撰《巴蜀文化通史》的缘起与旨归、定位与特色、架构与方法、集成与出新，作一概括的介绍，以助读者对全书先有个总体的了解。

缘起与旨归

编修《巴蜀文化通史》之议，酝酿已久。20世纪80年代至90年代，巴蜀文化和蜀学研究在四川逐步升温，在选编出版徐中舒、蒙文通、顾颉刚、任乃强、邓少琴、冯汉骥等大师关于巴蜀文化的论著[①]后,陆续编写出版了《巴蜀文化图典》[②]《巴蜀文化研究丛书》[③]《巴蜀文化系列丛书》[④]。大家既为"地域文化热"的兴起而振奋,又在同地域文化研究先行地区的比较中,看到我们的差距,深感传承、整合和弘扬巴蜀文化,要抓牵头的东西,抓具有基础性、全局性和带动性的项目。2001年,一直关注文化的四川省老领导杨超、杨析综率先提出编撰《巴蜀文化通史》的倡议,杨超还构想系统整理自古以来的巴蜀文献,编成《巴蜀全书》。他们登高一呼,高屋建瓴,对学界有很大的启发和鼓舞。经过反复酝酿,省里八位老同志[⑤]于2005年10月联名致信四川省委、省政府,建议启动《巴蜀文化通史》的编撰工程。在组织四川高校和研究机构数十位专家学者进行论证,并征得重庆市有关领导和专家学者的赞同后,省委批准立项,审定了全书的框架设计。2006年7月,《巴蜀文化通史》多卷本编撰工程正式开展。

大家渴望编撰《巴蜀文化通史》并积极付诸行动,是基于这样的共识:民族文化是一个民族的根、脉、魂,是民族精神的载体,是支撑民族生存和发展的脊梁。全球文明古国各具优长,唯有中华文明几千年来一脉贯通地连续发展至今,重要原因是有由甲骨文、金文发展而来的形、音、义相结合的汉字为重要载体和文化纽带,用其写成的文史典籍代代承传,从未间断,起到全民族凝心聚力的巨大作用,激励中华民族历经磨难而不衰,直至迎来民族走向伟大复兴的盛世。巴蜀文化是多源汇成一脉、多元聚为一体的中华文

---

① 徐中舒《论巴蜀文化》、蒙文通《巴蜀古史论述》、顾颉刚《论巴蜀与中原的关系》、任乃强《四川上古史新探》、邓少琴《巴蜀史迹探索》,均由四川巴蜀史研究会编辑,由四川人民出版社于20世纪80年代出版。此后还有《冯汉骥考古学论文集》1985年由文物出版社出版,另有《缪钺全集》2004年由河北教育出版社出版。
② 该图典由川渝合作编成,刘茂才、滕久明任编委会主任,万本根、俞荣根任主编,四川人民出版社1999年出版。
③ 该丛书由杨超、杨析综任编委会主任,首批六册。李绍明《巴蜀民族史论集》、隗瀛涛《巴蜀近代史论集》、林向《巴蜀考古论集》、胡昭曦《宋代蜀学论集》、谭继和《巴蜀文化辨思集》、徐南洲《古巴蜀与〈山海经〉》,均由四川人民出版社2004年出版。
④ 该丛书由杨超、杨析综任编委会主任,谭洛非、邓星盈、万本根任主编,共十册,四川人民出版社2001年出版。
⑤ 八位老同志是杨超、杨析综、何郝炬、冯元蔚、廖伯康、聂荣贵、李永寿、章玉钧。

化中一个重要的区域文化，是博大精深的中华文明的一枝奇葩，在中华民族文化谱系中占有独特的地位。她绚丽多彩、大器包容，在与兄弟地域文化交流互益、吞吐融会中发展繁荣，形成并展示出独特的神韵和魅力，使哺育她的中华文化更添灿烂辉光。对于川渝地区各族同胞而言，巴蜀文化就是我们世代生存之根、承传之脉、发展之魂。

巴蜀大地钟灵毓秀、文脉悠长，堪称多种人类遗产荟萃的聚宝盆。巴蜀文化有许多独具的特色和亮点，足以令我们为先辈的创造感恩并自豪。茂县营盘山、成都平原从宝墩到三星堆、金沙以及长江三峡、宣汉罗家坝等处文化遗址的多次惊世发现，结合古文献资料，无可辩驳地证实了巴蜀作为长江上游的上古文明中心，丰富了中华文明的基因，显示出古蜀古巴文化永恒的魅力。周秦以来，中华思想文化素以儒学、道学为主干；佛学西来后，更以儒释道交融互补为特色。蜀地仙道发源很早，成为天师道的创教地；儒学从西汉起就在此代代传承，文翁石室、周公礼殿、孟蜀石经彪炳千秋；在佛教中国化的进程中，巴蜀出了许多大德高僧，尤其是禅学大师，成为中国禅学中心之一。作为中国重要地域学术文化的蜀学，富有哲思传统和文史之长，"易学在蜀""史学莫隆于蜀""文宗自古出巴蜀""自古诗人例到蜀"等赞语，无不彰显历代巴蜀学术文化的璀璨夺目，成就非凡。巴蜀的音乐、舞蹈、碑刻、石窟、书法、绘画、诗词歌赋、戏剧、织锦、酿酒、制茶、肴馔等享有盛誉，非物质文化遗存丰赡多彩。巴蜀悠久的农耕文化与繁盛的工商文化相得益彰，并曾在水利开发、天然气开采、钻井术、天文、数学、医药等科技领域独占鳌头，纸币"交子"首发领先全球。巴蜀是中国历史上一个典型的移民区域，又长期是汉族和许多少数民族相聚和融合的地区，开拓了对外交往的条条蜀道，形成了连通中亚、南亚的南方丝绸之路和藏羌彝民族走廊。移民文化与原生文化、汉文化与少数民族文化、本土文化与外来文化在这里交融互动，使巴蜀文化具有很强的开放性、包容性、创新性和辐射性，这些特性被学者喻为"水库效应"。巴蜀儿女自古敢为天下先，尤其是百余年来向现代化转型时期，巴蜀文化哺育和造就了众多的杰出人物和文化精英，红色文化光耀史册，三线建设举国之重，"改革之乡"①闻名遐迩。在2008年"5·12"汶川特大地震等自然灾害的救援和重建过程中，四川人民表现出的英勇、睿智、大爱、感恩，也都凝聚着巴蜀文化浴火重生的精神。

当今中国正处于世界百年未有之大变局，建设社会主义文化强国，着力提升文化软实力，关系到"两个一百年"奋斗目标和中华民族伟大复兴中国梦的实现。身为当代学人，要在马克思主义指导下，树立高度的文化自觉和自信，十分珍视本土优秀的传统文化，处理好传统文化与现代化、本土文化与外来文化的关系，立大志愿，开大视野，用大手笔来发掘和系统梳理传统文化资源，传承、整合、弘扬巴蜀文化，致力于培根铸魂、固本延脉，使我们优秀的文化基因永续传承，与当代社会相协调，让富有恒久魅力、具有当代价值的巴蜀文化在提高全民精神素质，推进文化强省强国，铸牢中华民族共同体意识和助推构建人类命运共同体的进程中发挥应有的作用。

编撰多卷本的《巴蜀文化通史》，具有深远宏大的文化价值、学术价值和应用价值。一是对巴蜀文化几千年的发展轨迹及其创造、积累的宝贵文化财富，作出系统梳理和规律性总结，可以回应巴蜀民众了解"我是谁""我从哪里来"的文化寻根需求，丰富人们的精神世界，尤其是在道德规范和价值取向上得到涵养和化育。二是可以较全面地展示巴蜀文化的神韵和亮点，系统阐扬蜀史、蜀学、蜀文、蜀艺，构筑宽阔的学术研究平台，为巴蜀人文社会科学走向繁荣，促进传统文化的创造性转化和创新性发展，发挥立其大本、凝聚人心、导向助推的作用。三是同兄弟地域文化的研究成果相互呼应、相得益彰，有助于深入了解中华文化，传承中华文脉，为我们的母亲文化增光添彩，一起来展示她的独特魅力，进而与世界多元文化中不同民族文化平等交流互鉴，为建设新时代中国特色社会主义文化，增强我国的文化竞争力和软实力添砖垒瓦。四是更进一步促进川渝文化合作，可以为繁荣、丰富当代巴蜀先进文化建设，尤其是推进文化创意产业和康乐旅游产业，发掘深层次的文化内涵，提供坚实的学术依据，从而开启思路、激发灵感，以文塑旅，以旅彰文，把潜在文化资源（包括物质文化遗产和非物质文化遗产）

---

① 邓小平1982年对家乡四川的深情赞语。

转化为现实的生产力和文化软实力。五是有助于改变四川高校和研究机构在巴蜀文化和蜀学研究上各自为政、力量分散的状况，使之汇聚并形成有较高水平的老中青结合的研究队伍。与《巴蜀文化通史》珠联璧合的《巴蜀全书》，作为四川有史以来最大规模的古籍文献整理工程，经由四川大学古籍整理研究所提出并担纲，在四川省社会科学院和兄弟高等院校协力下，2012年以来，已出版阶段性成果两百余种，就是蜀学研究正在形成合力的又一明证。

定位与特色

为了实现前述宗旨，参与编撰的同仁都力求使《巴蜀文化通史》既是文化集成，又是学术创新，努力做到观点有一定创新性，知识含量丰富，资料翔实，文笔流畅，总体上进入巴蜀文化研究的学术前沿，在科学性、系统性、创新性、前瞻性、可读性等方面力争成为当代巴蜀学人可以"预流"——预于时代学术潮流的成果，成为在巴蜀文化研究上服务于现实并可继往开来的学术著作。但我们悬鹄虽高而未必力所能逮，故难免"取法乎上，仅得乎中"之憾。

这部书的研究对象是巴蜀文化，性质是通中寓专、通专结合的文化通史，角度是把地域史学与文化学及相关学科契合起来，贯穿全书的编撰理念是"三通"，即纵通、横通与会通。这里就分别说一说本书的"文化"本位、"巴蜀"立位和"三通"定位。

（一）"文化"本位

世界上对"文化"的定义已经有好几百种。我们以唯物史观为指导，本着天人合一、以人为本的中华人文精神[①]来解读文化。"惟天地万物父母，

[①] 天人合一、以人为本，打破天道与性命的隔阂，既避免把天人合一引向神学化，也避免陷入人类中心主义，而把敬畏、顺应自然与发挥人的主体能动性相统一，蕴含天人相依相待、互动互益的张力。

惟人万物之灵。"①人作为自然演化的产儿，受惠于天地万物，在群体劳动实践中成为地球上的万物灵长，既能创制工具，又能用语言交流，进而创制文字，由此有了文化及其积累、传承，于是便创造了"人化的自然界"。同时，在法天、法地、法万物的进程中，人也改变和提升着自身。汉字的"文"，原意是文身、文饰、纹理，以文来显示，以文来变化，讲规矩、礼貌，与禽兽区别开来。这是外在的，更是内在的。文的外化于行与内化于心，开物成务与锻塑成人，乃是人类与自然进行精神与物质相互变换中联袂互动的双重效应。自然力所为乃造化，人类心力所创是文化。文化从何而来？由人化文；文化落脚何方？以文化人。荀子讲"化性起伪"，"伪"就是人为的东西。要改变自身才能更好地改变世界。文化就是这样"人化"与"化人"（或曰"人为"与"为人"、人性的外化与内化）相统一，在双向建构中螺旋式上升，推动着人居世界的演进。人，既是创造文化的能动主体，又是文化所创造的价值主体。这与古语"人文化成"②的解读可以相通，也跟西方"文化"一词兼容"耕作、栽培"（外化）和"养育、教化"（内化）的语义相衔接。《中庸》讲至诚尽性，内外交修："惟天下至诚，为能尽其性。能尽其性，则能尽人之性；能尽人之性，则能尽物之性；能尽物之性，则可以赞天地之化育；可以赞天地之化育，则可以与天地参矣。"③这段话，恰可理解作为内化与外化相统一的文化的功能。

这样的广义文化，它对外与天地万物相成相济，内结构则包含着精神文化、语文符号、规范体系（行为习俗和法律）、社会制度和社会组织、物质产品等要素。④这些文化要素，大体可划分为相互联结、相互渗透的三个层面：外层是作为基础的物态文化，即经过人的劳动形成的"人化"自然或器物层面，体现人与自然的互动关系及其物质成果；中层是语文符号、制度文化和行为习俗文化等，可称为"交往文化"，体现出人与人的互动关系即社会关系，也是精神文化的外在表现；内层则是以价值观为核心的精神文化，

---

① 《尚书·周书·泰誓上》，《十三经注疏》上册，中华书局1979年影印本，第180页。
② 《易·贲卦·彖辞》："观乎天文以察时变，观乎人文以化成天下。"
③ 《礼记·中庸》，《十三经注疏》下册，中华书局1979年影印本，第1632页。
④ 《中国大百科全书·社会学卷》，中国大百科全书出版社1991年版，第409页。

体现出人的心灵世界在真、善、美、圣（科学、道德、艺术、哲学、宗教）诸多领域与境界的创造。清代龚自珍说过："圣人之道，本天人之际，胪幽明之序，始乎饮食，中乎制作，终乎闻性与天道。"[①]文化的上述三个层面，既如血脉相通，总体上联动互进，在变迁时序上又往往呈现有速有缓、或前或后的不平衡发展状态。这种总体性与异步性的统一，是在研究和描述文化史时需要仔细琢磨和体现的。

综上所述，文化是在天人相合相分、互动互益进程中人的生命存在及其取得的全部成果，或简单地说，文化就是人类独有的生存方式。人们总是生活在世代传承而又不断积累、不断丰富的文化之中。这文化如水，滋润万物；若风，吹拂人间；又好比血液，灌注循环于特定民族或地区人群的心灵深处，产生凝聚力和认同感，积淀、凝结为人们稳定的生存方式。因此，人类的文化既有共通性，又有民族性、地域性和时代性，是多元的、多样的，而不是单一的、无差别的。不同民族、不同地域、不同时代产生的文化模式，形成的文化精神各有不同。伴随着时代的风云变幻，当不同文化相遇、相会时，从价值观念、思维方式、生活样态到社会习俗，就会产生交流、交融、交锋，出现文化选择和互融，进而导致文化的转型。通观世界历史，文化转型曾有过各种不同的类式。中华文化的现代转型是守正创新，把马克思主义基本原理同中华优秀传统文化相结合的自主式；而不是聚合多种移民文化、喧宾夺主的复合式；更不是那种特定场合下原有文化解体，被另一文化取代的断崖式。

"文化"和"文明"是两个意义相近又有区别的概念。文化侧重于文的功能，文明侧重于文的成就。人猿揖别，就出现文化；到告别蒙昧、野蛮，才进入文明时代。文明是个褒义词，囊括人类创造的积极成果之总和，用以指称人类社会的进步程度和开化状态。[②]当今多以文化标示民族性差异和地域性特色，而以文明标示人类的普遍行为和多元成就。文明因交流而互鉴，因互鉴而发展。在经济和科技全球化进程中，许多物态文化和一部分行为习

---

① 《五经大义终始论》，《龚自珍全集》，上海人民出版社1975年版，第41页。
② 《易·乾·文言》："见龙在田，天下文明。"《尚书·舜典》："睿哲文明。"孔疏："经天纬地曰文，照临四方曰明。"

俗文化在逐步趋于同质化，而具有不同基因的制度文化、语言文字，特别是精神文化，则终会呈现和保持多样化。这一部地域文化通史，本着文化的多元性和相通性来立论，各卷都力图写出浓郁的地域文化味，体现出"人化"与"化人"的统一。

（二）"巴蜀"立位

广袤的中华大地因地壳碰撞形成了自西向东、由高到低三个落差很大的阶梯，巴蜀处于高阶到中阶的内陆腹地，连通祖国的南北西东。巴蜀西部为青藏高原东南缘及横断山区北段，东部为群山环抱的四川盆地，总体地势西高东低，地形地貌独特丰富，集雄、奇、险、秀于一体，自然禀赋得天独厚，是万物生灵的洞天福地。巴和蜀是上古以来巴人、蜀人及其他族群先民活动的地域，二者相连乃至交错，文化复合共生，自成一个地域文化区系。在中华文明满天星斗式的起源中，这里是相对独立肇兴的长江上游文明起源中心，有巫山人、资阳人为代表的文化根系，有万年以上的文明起步，上古巴蜀地域文明形成和发展中的不少谜团还有待地下发掘来破解。三千多年前巴蜀文明就与中原文明血脉交融，与吴越、荆楚等文明紧密互动，也与南亚、中亚文明交流互鉴。公元前316年，秦并巴蜀后则更紧密全面地融入中华文明共同体，成为它重要的组成部分之一，东汉时即享有"天府之国"的美誉。巴与蜀同源同围，文化具有同质性和内聚力，而自然人文环境又同中有异，形成了刚柔相济的复合型文化共同体。蜀人慕文好乐，精敏健雄，浪漫诙谐；巴人质直尚勇，豁达豪爽，吃苦耐劳。所谓"巴出将、蜀入相"，大致道出了两者文化性格的差异。巴蜀的地域范围历代有涨有缩，行政区划迭有变迁（包括1997年以后川渝分治），而长期历史形成的巴蜀文化区虽没有截然划定的边界，却是相对稳定的整体，并未因行政区划变动而忽合忽分。巴蜀文化区的范围是涵盖今四川省和重庆市地域，兼及周边风俗略同地区的民族文化共同体。它以史源悠久、流传有绪的巴文化、蜀文化为主轴，既包括四川盆地以汉族为主体、辐射四周的文化，也包括盆地周边各以藏、彝、羌、苗和土家等世居少数民族为主体、各民族和谐共融的文化，是这一地区从古至今多民族地域文化的总汇。这部书论述的地域以今四川省和重庆市为主,对不同历史时期曾纳入巴蜀行政区划或与其文化关联密切的地域也有涉及。

巴蜀虽地处祖国内陆,不靠边、不濒海,却衔接南北,连通西东。在编撰这部书时,我们力求处理好巴蜀文化与其母文化——中华文化的关系,重视巴蜀文化与兄弟地域文化之间的交集和互动,着眼于巴蜀文化的特性、个性,寓共性于个性之中,寓统一性于多样性之中。我们也重视巴蜀文化与域外文化之间的交集和互动,注意巴蜀文化在中外文化交流中所起的作用。在巴蜀文化内部,我们力求处理好蜀文化与巴文化相互之间的关系,巴蜀汉民族文化与各世居少数民族文化的关系,尽可能都给以充分的关注,反映它们之间的共性与个性、互联与互动,力避顾此失彼,详略失当。为涵盖并展示少数民族文化多姿多彩的众多领域和方面,这部书除单独设置《民族文化卷》外,各有关专题卷都力图把相关领域的少数民族特色文化摆在重要位置进行阐述和概括。

(三)"三通"定位

"三通"是贯穿全书的重要编撰理念。史著价值在于信,通史灵气在于通。司马迁"究天人之际,通古今之变,成一家之言"①是我们心向往之、孜孜以求的目标。史学前辈范文澜等曾提出"三通"("直通""旁通""会通"),我们根据编撰《巴蜀文化通史》的要求,把历时态的"纵通"、共时态的"横通"与跨文化、跨学科的"会通",合在一起作一些新的阐释。世界是通的,大历史是通的,大文化是通的。文化史的发展,本来就涵盖着纵向的全过程、横向的多层面、跨文化的多领域。通向历史本真,揭示历史本体,是"三通"追求的目标。尤其是作为通中寓专、通专结合的多卷本地域文化通史,无论承担通论或专题卷的学者,都力求在"三通"上下功夫。

一曰纵通,指历时态全过程的贯通。"观水有术,必观其澜。"这部书贯穿古今,上溯于远古巴蜀先民之蒙昧初开,下迄21世纪初年川渝之文明新

---

① 《史记》卷一三〇《太史公自序》。

貌，原始察终，系统梳理这个既有内在连续性，又呈现不同时代阶段性的曲折过程中巴蜀文化层积而兴的脉络，由此分析其在各个历史时期的盛衰流变，此起彼伏的高峰低谷，展示巴蜀文化的特色和贡献，进而探究其发展的逻辑进程，尤其是传统巴蜀文化向现代化转型的路径，论证巴蜀文化的当代价值和意义，揭示巴蜀文化的发展趋势和前景，做到鉴古察今、述往知来。这是全书贯穿始终的主线。这条主线还可以从实践与认识的角度一分为二：一是巴蜀文化的实践史、发展史；二是在实践基础上对巴蜀文化的认识史、研究史。二者结合方能从实践与认识的循环往复中，深入把握"外化与内化相统一"的文化真髓。

二曰横通，指共时态全方位的互通。"事不孤起，必有其邻。"从全书立卷到各卷章节的设置，都力图以时间为经，以反映文化的不同层面及专题为纬，纵横交织，立体成像。历史运动是有结构的，它是过程与结构的统一，广义文化中各层面的共生、交叉、互动就体现着这种结构性。这部文化通史不仅要剖析巴蜀文化发展的过程，同时要展现巴蜀文化的层次与结构。本书多数专题卷，虽然在物态文化、交往文化、精神文化几个层面中各有其侧重点，但都是从有血有肉的文化肌体中抽出来的，不能孤立求索和描述。研究时不仅不能把经济基础与其上层建筑割裂开来，还要努力展示文化各层面的横通，展示各专题内部各个相关领域的横通。这样做是为了尽量体现地域文化生成的内在机理，使读者把握到神完气足、血肉丰满、生机勃勃的整个巴蜀文化。

三曰会通，着重指跨文化、跨学科的多元共融，全景式打通。《易·系辞上》说："圣人有以见天下之动，而观其会通。"① 南宋郑樵《通志》特别强调"会通"。② 要从天下事物阴阳变动不居的状况，观察领悟其会合变通的卯窍。人类文化从来是多元并存，在相互比较、碰撞、渗透、融合中发展的。研究地域文化，必须有开放式的大视野，具备跨文化、跨学科的眼界

---

① 李鼎祚《周易集解》注文中引用汉代干宝："观日月而要其会通，观文明而化成天下。"
② 郑樵《通志·总序》："百川异趋，必会于海，然后九州无浸淫之患。万国殊途，必通诸夏，然后八荒无壅滞之忧。会通之义，大矣哉！"又其《夹漈遗稿》卷三《上宰相书》："天下之理，不可以不会，古今之道，不可以不通，会通之义，大矣哉！"

和通识，能够在充分尊重和了解各种文化事象的前提下，不停留于对现象的描述，而要触类旁通、探赜索隐、择精合妙、汇聚通宜，真正实现圆融贯通。纵通为经，横通为纬，须擅会通，方呈现三维立体的全息图景，做到究始终、观全体、明是非得失之故。就是说，文化史研究要通过分析和综合，具备文化反思和阐释张力，会归通衢，由"方以智"进到"圆而神"，抵达藏往知来之境。

我们时时提醒自己：研究巴蜀文化不仅要钻得进去，还要跳得出来，站到更高处，具有开放的胸襟和跨文化比较的视野，把巴蜀文化放到多元一体的中华文化和全球多元文化的大背景下加以审视，察异观同，和合会通。巴蜀文化从来不是与世隔绝、孤立自足地成长起来的，而是在同周围的兄弟地域文化相互影响下发育繁衍，并在同远近的异质文化间接或直接的交流互动中汲取营养的。我们正处在不同文化交流空前深入、碰撞空前激烈的时代，为了追寻全球文化的多元和谐，助推构建人类命运共同体，一定要本着"各美其美，美人之美，美美与共，天下大同"的文化会通观，祛除近代以来因受西方强势文化轻视、压抑而形成的文化自卑和盲从心态，提高对中华文化地位、作用的认识，坚定文化自信，珍爱并拓展、弘扬本土文化的精华。要在马克思主义指导下，具备通识通才，对中外文化精神析同辨异，折冲樽俎，在会通中实现对优秀传统文化的继承和超越，对外来文化精华的吸纳和转化，促进新时代中国特色社会主义文化繁荣发展，不断开拓文化巴蜀、文化中国转型复兴之路。

架构与方法

20世纪初叶，随着新史学的兴起，文化史在历史学中的地位得到重视和加强。刘师培曾计划研究文化专门史，含十六种，以西方学术的科目，析先秦诸学学术思想之长短得失。①胡适设想，中国文化史要包括民族史、语言文字史、经济史、政治史、国际交通史、思想学术史、宗教史、文艺史、风俗史、制度史等科目。②梁启超专就文化史的做法讲课，认为需要对政教典章、社会生活、学术文化等方面，做分门别类的文化专史。最好是把人生的活动事项纵剖，依其性质，分类叙述。在狭义的文化专史中，他举出语言史、文字史、神话史、民俗史、宗教史、道术史（哲学史）、史学史、自然科学史、社会科学史、文学史、美术史等。③不过，20世纪30年代初问世的几部中国文化史（如杨东莼1931年、柳诒徵1932年、陈登原1935年），仍多系综合体裁，对各文化门类往往语焉不详。

在前辈学者探索的启发下，我们反复思量，决定突破所见的国内现有地域文化史侧重综合、纵通的体裁，而按"纵述史实，横排门类"的编撰原则，采用"通论+专题卷+大事记"这样一种体现纵通、横通、会通的创新结构，几经斟酌，全书共二十二卷，排序如下：置全书之首的《通论卷》，阐释了巴蜀文化的基本概念与学术体系，生态环境背景，巴蜀文化的研究史和认识史，由古及今的文化发展轨迹、基本性质及基本特征，在多元一体、博大精深的中华文化中的定位及其特殊贡献，薪火传承与现代化转型创新及前景趋势，力求起到提纲挈领、纲举目张的作用。其后大体按文化的不同层次，分别为巴蜀文化具有特色的领域、学科列专题卷。先是侧重物态文化并由此探及相关交往文化、精神文化层面的，有《农业与水利文化卷》《工商文化卷》《城市文化卷》《建筑文化卷》《交通文化卷》；接下来的《民族文化卷》从中华民族共同体的多民族视角强调综合性；《宗族与会社卷》《移民文化卷》《方言卷》《民俗文化卷》大体属于制度文化、语言文字、行为交往文化层面（鉴于政制、职官、法律等制度，全国大体统一，故不设专卷）。继后精神文化层面的部分，卷数较多，设有《哲学思想卷》《史学卷》《宗教文化卷》《教育卷》《文学卷》《艺术卷》《科技文化卷》《传

---

① 刘师培：《周末学术史序》，1905年作，《刘师培儒学论集》，四川大学出版社2010年版，第36~78页。
② 胡适：《〈国学季刊〉发刊宣言》，《胡适文存》二集，黄山书社1996年版。
③ 梁启超：《中国历史研究法（补编）》，《中国历史研究法》（外二种），河北教育出版社2000年版。

播文化卷》。为便于了解巴蜀历史文献，尤其是蜀学文献，特设有文献目录学专题《文献要览卷》。专题卷之后的《巴蜀文化大事记》，对先秦至当代巴蜀文化重大事件以编年方式扼要记载，便于读者对巴蜀文化全程有鸟瞰式、综合性的把握；《巴蜀文化研究论著索引》，则供研究者作为检索工具使用。以上就是全书的架构。

各专题卷均前置导言，未设结语。其篇章框架则因事制宜而有所不同。有的是以时期分章，大体按不同门类分节，在纵通中含横通（如《教育卷》）；有的主要按专题并结合时序来分章节，在横通中含纵通（如《科技文化卷》）；有的先理出历史线索，再突出一些重点专题，先纵后横，纵横结合（如《城市文化卷》）；还有的卷内分两编，分述相关内容（如《农业与水利文化卷》）。

《巴蜀文化通史》作为多卷本的学术著作，主要供大专以上程度的读者阅读，以及文化馆、图书馆等购备。它既不是曲高和寡的"阳春白雪"，也不是能够直接普惠民间的通俗普及读本。为了让巴蜀文化走进千家万户，还有待开发科普读物和图文，使之逐步大众化，在应用和传播上做创新文章。

编撰《巴蜀文化通史》，涉及学科门类甚广，涵盖时间很长，创新要求颇高，总字数超过千万。这样的文化工程，绝非率尔操觚、短促突击所能成功。近人刘承幹[①]《明史例案》提出过八条准则，就是"搜采欲博，考证欲精，职任欲分，义例欲一，秉笔欲直，持论欲平，岁月欲宽，卷帙欲简"，我们在编撰过程中借作参照，同时根据在新时代撰写地域文化通史的新要求，不断从实践中探索，大体形成了以下一些做法：

（一）多学科的专家学者分工合作，协同攻关

梁启超主张，广义的文化专史，涉及面特别广，在专史中最为重要，也最为困难。这不单是史学家的责任，更是研究某种专门学问的人对于该种学问的责任，要尽量用内行的专门家去做。若能以终身力量做出一种文化专史

---

① 刘承幹（1881～1963）：著名藏书家、刻书家、史学家。

来，于史学界便有不朽的价值。①本书的编撰设置了编撰委员会、学术委员会及编辑部，确定由正副主编主持编撰，编辑部依托省社科院开展编务工作。各专题卷的著者采取定向邀标办法聘请，多为对该学科领域研究有素的专门家，分别采取由个人承担，或二三人合著，或一人主撰、团队协力完成等方式进行。为保证学术质量，使全书有机统一，在实行主编负责制的同时，由资深专家组成学术委员会，全程参与从项目规划到成书的学术攻关和学术把关。

2006年以来，先后开了四次分卷著者会议，八十多次书稿审读会议。第一阶段，先由学术委员会同分卷著者反复讨论各卷著者拟出的由粗到细的提纲，并明确全书编纂理念②，统一规范体例，然后与分卷著者签订编撰合同，落实工作责任。第二阶段，学术委员会同分卷著者研讨各卷写出的一两章样稿，这是"摸着石头过河"的试错与磨合过程。有些卷的思路和写法曾有大的调整和改变。第三阶段，各卷著者潜心研究，奋力写作。初稿先后写出后，大都经过学术委员会仔细研读，写出审读意见，同著者一起讨论，从结构、体例到观点、材料都认真交换意见，对著者遇到的各种史料、概念及话语体系、文脉梳理、文化基因挖掘等问题，出点子，提思路。待著者修订后又进行讨论，有的书稿研讨了四个回合。当某一分卷初稿趋于成熟时，即请出版社责任编辑提前介入审编，参加讨论，以便撰写工作与第四阶段的编辑出版工作紧凑衔接，不出空当。因各卷皆分头撰写，结构和文字风格有所不同，对同一文化事象的见识裁断有别也在所难免。在统改书稿过程中，既充分尊重分卷著者的学术个性和创见，同时为了各卷在总体上规范统一，基本观点相互协调而不相抵牾，尊重主编的统改权，而在个案判断上各卷则有自由度。注意把握各卷边界，相互照应避让，以免大的重复，做到详略互见，各得其宜。

在这部文化通史编撰期间，本书学术委员会大多数成员在辛勤共事中度过了古稀以至耄耋之年。我至今还清楚地记得在每次研讨会、审稿会上专家

---

① 梁启超：《中国历史研究法（补编）》，《中国历史研究法》（外二种），河北教育出版社2000年版。
② 章玉钧：《关于编纂〈巴蜀文化通史〉的思考》，《中华文化论坛》2007年第4期，第5~10页。

们无私地贡献个人的真知灼见，自由发表不同见解乃至相反的主张，体现出的那种学术为公的争鸣探索精神。尤其令我们刻骨铭心的是：隗瀛涛、李绍明、贾大泉、沈伯俊、万本根、胡昭曦、冰向七位先生为学术工作长期呕心沥血，先后因病辞世。对诸位先生的高见卓识、学者风范尤其是为编撰本书所做的贡献，我们将永志不忘。

（二）采取多重证据法和综合研究法，在搜集和鉴别史料上下大功夫

古人所称"文献"，原本指书面文字记载与贤人口头传闻[①]，徐中舒先生拓展他的老师王国维的古史二重证据法为多重证据法，注重传世文献、出土文物和现代民族学、民俗学的活态文献等结合互证，将区域文化史研究提高到崭新的学术境地。本书编撰中，继承和弘扬王、徐等前贤视野广阔的史料观，搜罗史料力求竭泽而渔，鉴别史料着意披沙拣金，通过综合比勘，相互参证，追根溯源，从而正误辨伪，务寻真史。各专题卷著者都是先汇辑基本史料并掌握学界已有研究状况，汲取前人取得的成果，才进入写作阶段。有好几卷的著者更是"读万卷书、行万里路"，带领研究生经年累月搞田野考察，获得不少真知灼见，从而在学术上有了新的拓展。

（三）坚持文化学的视角，采取多学科交叉和比较文化学的研究方法，力求写足文化味

文化既然是人的生存方式，归结为"人化"和"化人"，每卷文化史就要见物更见人，既写出"由人化文"的胜境，更揭示"以文化人"的妙谛。有关精神文化的各专题卷，既系统梳理巴蜀精神文化尤其是蜀学发展繁荣的脉络，突出展示巴风蜀韵孕育出的文宗巨子和文化精英的成就，也记载众多无名工匠、艺人等留下的民族民间文化、市井文化的瑰宝。侧重物质文化的各专题卷，不停留在物态层面的描绘，而尽力深入到制度层面、精神层面。如《农业与水利文化卷》《科技文化卷》等，对举世无双、造福人类

[①] 朱熹："文，典籍也；献，贤也。"引自《四书章句·论语集注》卷二《八佾第三》，中华书局2012年版，第63页。

二千二百七十多年的都江堰水利工程，就不仅从物质、科技、生态层面介绍其巧夺天工、可持续发展的奥秘，而且从制度文化层面总结其堰官、岁修、劳役、配水、轮灌、收费等管理制度，更深入精神文化层面阐释其"上善若水"的哲理和人文精华。

（四）掌握焦点，抓住重点，发挥特点，突破难点

饶宗颐先生在揭橥华学趋向时，曾提出"三条"："一是纵的时间方面，探讨历史上重要的突出事件，寻求它的产生、衔接的先后层次，加以疏通整理。二是横的空间方面，注意不同地区的文化单元，考察其交流、传播、互相挹注的历史事实。三是在事物的交叉错综方面，找寻出它们的条理——因果关系。"又说："我一向采用的史学方法，是重视'三点'，即掌握焦点，抓紧重点，发挥特点，尤其要特别用力于关联性一层。"①我们体会，"三通"的理念与上述"三条""三点"是一致的，而方法上特别重视关联性，就要纵通找焦点，横通抓重点，会通求特点。编撰中，我们注意咀嚼梁启超的卓见：文化的发展史，各个时代、各个领域是不平衡的，重要性是不一样的，要分主系、闰系和旁系。不要平讲直叙，分不出浓淡高低。须用鸟瞰的眼光，看出哪个时代最主要，发达到最高潮，便用全力赴之。②各书大都采用了这种大处着眼、抓住重点、突破难点、提炼观点、不平均使用力量的方法。

集成与出新

前面提到，编撰这部书时，我们力求做到既是文化集成，更是学术创新。无论文化发展、学术探索，都是慧命相续、推故致新的过程，需要不断传承积累，继往开来，久久为功。"譬如积薪，后来居上。"用冯友兰先生

---

① 饶宗颐：《〈华学〉发刊词》（1995年），《选堂序跋集》，中华书局2006年版。
② 梁启超：《中国历史研究法（补编）》，《中国历史研究法》（外二种），河北教育出版社2000年版。

的话，这是从"照着讲"到"接着讲"的进程。每门文化史的研究，都需要对已有的各种史料，广搜博采，集纳钩沉；对前贤成果循波讨源，含英咀华；只有在对文化遗产守正传承的基础上，才有可能站到前人肩膀上，回应新的时代需求，匠心独运，开拓新境；才有可能焕然出彩，奉献出在某些方面超越前贤的成果。朱熹诗云："旧学商量加邃密，新知培养转深沉。"[①]集成是出新必需的基础和前提，出新则是集成企求的目标和价值增值的成就。二者同体异面，缺一不可，是衡量学术成果质量相互关联的两个维度。

（一）从集成的维度看

首先，《巴蜀文化通史》可以说是"巴蜀文化"概念提出八十多年来首次大的学术集成。"西蜀文化"（郭沫若1934年）、"巴蜀文化"（卫聚贤1941年）提出之初，主要是就巴蜀考古文化而言，后来渐次扩大到广义的巴蜀文化，有关论著已上千册，有关文章达数万篇（《巴蜀文化研究论著索引》多有著录），形成了分别以史学文献考据、文物考古、民族民俗田野调查为主的三种研究方向，近年又发展出综合诸家的会通型研究方向。各条路径的学者在不同领域、从不同角度艰辛探索，均取得了丰硕的成果。本书各卷编修中，都努力加以搜集、消化和吸取，并以借鉴、发挥这些观念、方法为前提，力求形成对巴蜀文化研究具总汇性的成果。如《通论卷》从总体上就巴蜀文化生态背景、内涵性质、发展历程及基本规律、特征等问题，会通诸说，取精用宏，做了言之成理的统体性总述，成为具有集成性的一家之说。《民族文化卷》不仅就民族理论的疑难问题深入研究，还在搜集分析历史文献材料、文物考古材料，特别是对国家组织的多次民族调查材料下了很大功夫，从而描绘出巴蜀世居各少数民族立体生动的文化图景。

其次，古往今来的巴蜀文化长河浩荡壮丽，魅力无穷。《巴蜀文化通史》对清点总结长时段、宽领域、多层面的巴蜀文化来讲也是一次学术集成。巴蜀的历史文化名人，如大禹、李冰、落下闳、文翁、司马相如、扬

[①] 《鹅湖寺和陆子寿》，（宋）朱熹著，郭齐、尹波点校：《朱熹集》卷一，四川教育出版社1996年版，第185页。

雄、诸葛亮、陈寿、常璩、陈子昂、武则天、李白、杜甫、薛涛、苏轼、格萨尔、张栻、秦九韶、杨慎、李调元等，都在相关卷帙中重点推介，娓娓道来；巴蜀历史上突出的物质文化成就和非物质文化成就，蜀学、蜀文、蜀艺、蜀籍的精华也都提要钩玄，荟萃于此。如《文献要览卷》就搜选论列了近五百种巴蜀文化重要典籍，可一览巴蜀文献精华，为学者指点津梁。又如智慧幽默的四川方言是巴蜀历史文化凝结的珠宝，《方言卷》挖掘、串起一颗颗珍珠，并生动剖析其蕴含的丰富文化信息，令人齿颊留香。

再者，不少专题卷的著者既具文化通识，又对该学术领域长期耕耘，研究有素，此次写作起到了阶段性总结的学术集成作用。例如：《城市文化卷》著者三十多年来由跟从名师到带领团队，一直深耕于近现代中国城市与城市文化研究领域；《移民文化卷》著者是国内知名的移民文化、客家文化研究专家；《交通文化卷》著者多年致力于西南历史地理尤其是交通文化的调研；《哲学思想卷》和《史学卷》著者长期潜心研究巴蜀哲学、巴蜀史学；《建筑文化卷》著者是卓有成就的古建筑研究专家、高级建筑师。他们都在各自领域完成了多项国家课题，此次承担专题卷，更是辛勤研讨，旁搜远绍，厚积薄发，突出亮点，倾力奉献了后出转精之作。

（二）从出新的维度看

本书围绕前述长时段、宽领域、多层次的巴蜀文化来创新体例结构，成为首部纵横贯通、覆盖面广、体量超大的巴蜀文化史，在全国已出的各种区域文化通史中，当属编撰体例新、时间跨度长、内容浩繁的一部。学术体系上的集成性，本身就是从文化观念、编撰理念到架构体例的出新，在地域文化通史领域作了开创性的探索。这是其一。

本书各卷着眼于发展新时代文化，明道求真，以史经世，着力写出巴蜀文化的特色和韵味，在内容上有较多突破和出新。过去关于农业与水利、工商、交通、建筑、城市等的论著，容易停留于物态层面，罕有从文化学角度和宏观视野对其全过程深入探讨之作；这次研究标明以"农业与水利文化""工商文化""交通文化""建筑文化""城市文化"为对象，注重深入文化层面进行阐释，且着意探讨长时段历史中这些物质文化变动与制度文化、精神文化演进的关系及产生的影响，这些往往是以前研究论著较少触及的。有关巴蜀学术文化的几卷，着力显示蜀学长于思辨、多元会通、创新超迈、沟通理欲、注重事功等特色，有助于发扬当今的时代精神。有关交往文化的几卷，注重聚焦于民间大众，关注各色人等的日常生活，运用了许多文化人类学、社会学、民族学的方法，见解新颖，地域文化味很浓。这是其二。

更值得珍视的是，各卷在编撰中深汲传统的源头活水，发现其烛照现实和未来的原创亮点，尤其是优越秀冠的巴蜀文化在传承创新中焕发异彩之所在。许多卷发掘出大量翔实的资料，匠心独运，以史鉴今，提炼出有创新性的学术观点，或举出有新颖性的论据，活用巴蜀首创的学术话语，采用别出心裁的叙事方式，力争获得创新、独见、卓识的学术成果。具体的创新点如同"诗眼""文眼"分布闪烁在卷帙之中，细心披阅，当会时有"山阴道上，应接不暇"之乐，这里无法一一细析。

鉴于多卷本地域文化通史尚属初创，不同文化门类各有其学理脉络、发展轨迹和演进特色，编撰难度往往超出预期，主编和各卷著者虽迎难而上，勉力为之，但仍难免有纰漏丛胝之处。尤其是古蜀文明还有不少千古待解之谜，我们受限于已获的资料和研究水平，多只能守阙存疑。对成稿后的许多惊世发现，巴蜀文化日新月异的面貌和新的研究成果亦未能更多纳入。当把多卷本《巴蜀文化通史》奉献到读者面前时，我们既同大家分享喜悦，又有颇为忐忑的心情。这部书，以至其中每一卷，究竟应获怎样的评价，最终还要接受时间的检验。衷心期望巴蜀文化研究慧命相续，薪火相传，探索和构建起自身完整的学科体系、学术体系和话语体系。但愿此番的初创能为后续俊彦们开拓新境起到抛砖引玉的作用。

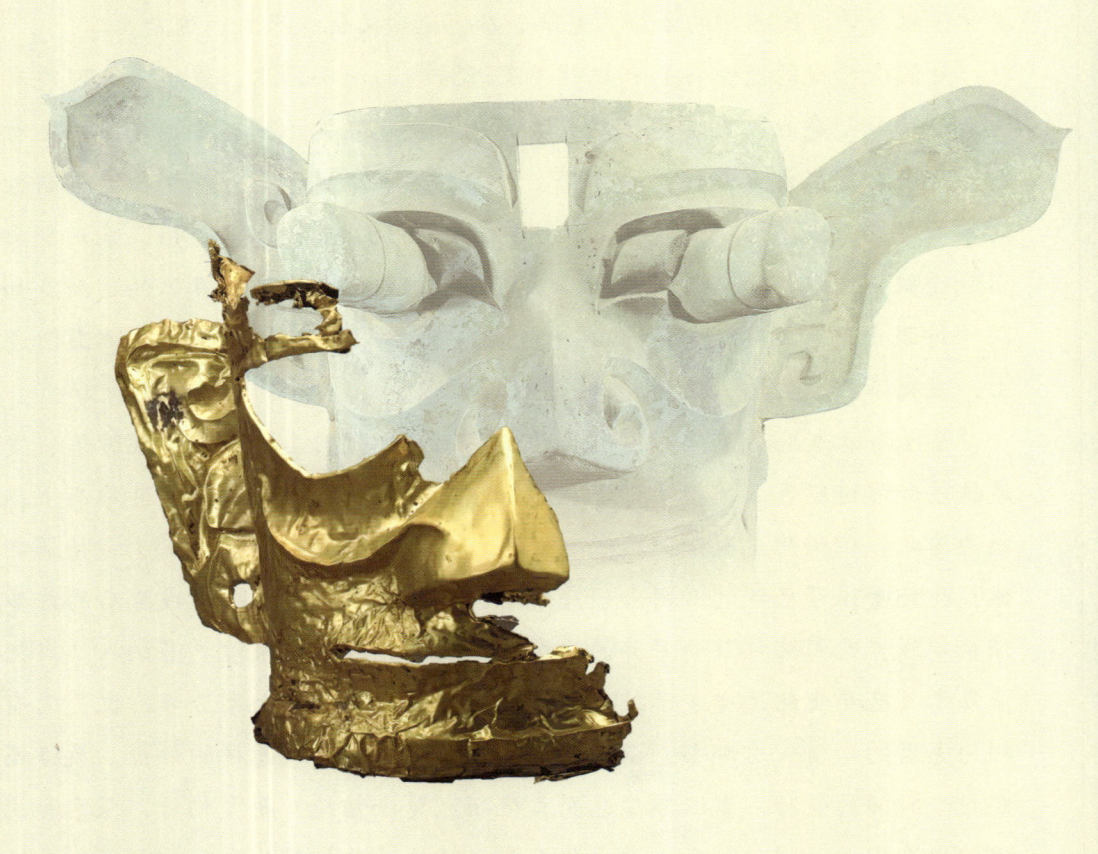

目 录

导 言 / 1

    一、巴蜀汉语方言的特征 / 3

    二、本书巴蜀汉语方言研究范围和观察角度 / 10

第一章　巴蜀汉语方言的形成 / 15

    第一节　巴蜀汉语方言形成的历史 / 18

        一、先秦时期的巴蜀语言 / 18

        二、秦汉魏晋南北朝时期的巴蜀语言 / 20

        三、唐宋时期的巴蜀语言 / 24

        四、元明清时期巴蜀语言与现代巴蜀汉语方言的形成 / 29

    第二节　巴蜀汉语方言形成和变迁的因素 / 33

        一、地理环境 / 33

        二、历史、文化因素 / 37

        三、历代巴蜀语言的传承和积淀 / 62

        四、历代流行的通语和俗语的影响 / 67

第二章　巴蜀汉语方言词汇与巴蜀生产活动 / 79

    第一节　巴蜀汉语方言词汇与种植文化 / 81

        一、田土名称 / 82

        二、农具及农事活动名称 / 85

三、有关水稻的方言词汇 / 93
四、有关红苕的方言词汇 / 115

第二节　巴蜀汉语方言词汇与养殖文化 / 118
一、有关牛的方言词汇 / 119
二、有关猪的方言词汇 / 122
三、有关蚕的方言词汇 / 137

第三节　巴蜀汉语方言词汇与捕鱼狩猎习俗 / 144
一、鱼类名称 / 145
二、有关捕鱼的方言词汇 / 150
三、有关狩猎的方言词汇 / 167
四、有关副业的方言词汇 / 171

第三章　巴蜀汉语方言词汇与民风民俗 / 177

第一节　巴蜀汉语方言词汇与饮食习俗 / 181
一、巴蜀汉语方言词汇与川茶文化 / 181
二、巴蜀汉语方言词汇与川酒文化 / 190
三、巴蜀汉语方言词汇与川菜文化 / 210

第二节　巴蜀汉语方言词汇与婚丧习俗 / 248
一、婚姻类方言词汇 / 248
二、丧葬类方言词汇 / 259

第三节　信仰禁忌习俗与巴蜀汉语方言词语 / 282
一、信仰类方言词语 / 282
二、禁忌类方言词汇 / 294

第四章　巴蜀汉语方言隐语 / 303

第一节　袍哥隐语与巴蜀汉语方言词汇 / 305
一、袍哥概况 / 306
二、袍哥隐语 / 308

第二节　巴蜀汉语方言隐语的义类特征 / 312

　　　　一、"人"类隐语 / 312

　　　　二、"物"类隐语 / 315

　　　　三、"时间与空间"类隐语 / 317

　　　　四、"抽象事物"类隐语 / 317

　　　　五、"特征"类隐语 / 318

　　　　六、"活动"类隐语 / 318

　　　　七、"现象与状态"类隐语 / 321

　　　　八、数字隐语和姓氏隐语 / 322

　　第三节　巴蜀汉语方言隐语的文化特征 / 342

　　　　一、巴蜀汉语方言隐语义类系统建立的社会原因 / 342

　　　　二、巴蜀汉语方言隐语反映的文化特征 / 344

第五章　巴蜀境内的客家方言 / 357

　　第一节　巴蜀客家人的来源 / 359

　　第二节　巴蜀客家方言的形成与分布 / 365

　　第三节　巴蜀客家方言的特点 / 368

　　　　一、语音特点 / 368

　　　　二、词汇特点 / 372

　　　　三、语法特点 / 381

　　　　四、巴蜀客家方言的发展演变 / 389

　　第四节　巴蜀客家方言与客家民俗 / 398

　　　　一、巴蜀客家方言与生活习俗 / 398

　　　　二、巴蜀客家方言与人生礼俗 / 403

第六章　巴蜀汉语方言的发展趋势 / 421

　　第一节　巴蜀汉语方言的发展趋势 / 423

　　　　一、语音的变化 / 423

　　　　二、词汇的变化 / 433

　　　　三、语法的变化 / 538

第二节 巴蜀汉语方言演变的原因 / 539
    一、人口迁徙 / 539
    二、教育的普及和普通话的影响 / 541
    三、交通的便利、经济的发展 / 544
    四、其他原因 / 547

结　语 / 549

主要参考文献 / 553

后　记 / 556

导 言

方言是一种历史形成的，能反映一个地域内人们的思想、情感、审美意识、人生态度等的文化现象，既是地域文化的重要组成部分，也是地域文化的重要载体。罗常培指出：

> 语言学的研究万不能抱残守缺地局限在语言本身的资料以内，必须要扩大研究范围，让语言现象跟其他社会现象和意识联系起来，才能格外发挥语言的功能，阐扬语言学的原理。①

巴蜀②文化作为全人类文化的一分子，既有人类文化共性的书写，也不可避免地有其个性的展演。数千年的历史长河，塑造着巴蜀人的精神与性灵，而这一切，都在巴蜀方言③中有诸多展现。因此，本书着眼于突破单纯语言学界限，将巴蜀方言尤其是巴蜀汉语方言放在文化的大背景中加以解读。通过对巴

---

① 罗常培：《语言与文化》，语文出版社1989年版，第89页。为便于行文，本书方言词语用字依照学术界惯例。引文对原书标点符号、错别字等明显有误处，按学术界惯例作适当改动和标记。部分引文因研究需要，保持原文中文字的写法，在该字后用"[　]"标注出笔者认为正确的写法。所引巴蜀各地方志，分存四川省图书馆、四川大学图书馆，部分为笔者至巴蜀各地实地调查所得。其版本信息请见倪晶莹主编，张锡康校订《四川大学图书馆藏地方志目录》，四川大学出版社1991年版。
② 本书所谓"巴蜀"，指今四川省和重庆市。
③ 本书所谓"巴蜀方言"尤其是方言词汇为广义的，主要指巴蜀（今四川省和重庆市）境内流行的巴蜀汉语方言和少数民族语言。

蜀方言的梳理，剖析出其蕴含的丰富文化信息。①

巴蜀汉语方言主要包括三个部分：一是通行于今巴蜀境内的汉语西南官话方言，也称"四川话"或"四川官话"；②二是今巴蜀境内的客家方言；三是今巴蜀境内的湘方言。此外，巴蜀地区还有一些其他汉语方言底层的地点方言，如福建移民带入的福建话、江西移民带入的江西话、安徽移民带入的安徽话，以及河南移民带入的河南话等。

巴蜀汉语方言占主导地位的是西南官话方言，分布在巴蜀全境，包括民族杂居地区，使用人口超过一亿。按黄雪贞对西南官话的分区，③巴蜀境内官话主要属于西南官话的成渝片区，少数属灌赤片区，个别点则属于贵昆片区和黔北片区；按入声的分类，则又可分为入声归阴、入声归阳、入声归去和入声独立四个片区。

巴蜀境内的非官话方言则主要是客家方言和湘方言。客家方言分布点众多，总数为48个，分川西、川东南、川西南和川北四个小片。而湘方言主要分布在盆地中部、东北部，散布在沱江、涪江、嘉陵江和长江沿岸，分"老派湘语、新派湘语、川派湘语"三种类型。④巴蜀个别地方还有带闽方言、赣方言、徽方言底层的方言，它们多零星分布在巴蜀中部一带。⑤

巴蜀汉语方言是一个巨大的"金矿"，语音复杂多变，词汇丰富多彩，不仅表现了巴蜀人民奇特的想象力，还从一个侧面反映出巴蜀文化的博大精深。巴蜀方言的形成、消长和融合，固然有自身的发展规律可循，但还与政治、经济、文化等外部条件有着密切的关系。正因为如此，学界才将之定位为"活化

---

① 参见张绍诚《从俚语窥民俗》，载《文史杂志》1999年第3期。
② 巴蜀客家人称其为"湖广话"或"四邻话"。参见张一舟、邓英树等《四川省志·方言志》，方志出版社2013年版，第10页。
③ 参见黄雪贞《西南官话的分区（稿）》，载《方言》1986年第4期。
④ 与客家方言相比，湘方言的演变似乎要快得多。黄尚军、刘良军于2013年11月至开江县宝石乡复兴寺村实地调查发现，该村二组建于清同治四年（1865）的朱张氏墓碑铭文"我沛郡之祖，离楚入川，代传□（以下数字被土掩埋。本书用□表示此类字和原文缺失、无法辨认之字以及巴蜀汉语方言中一时难以考出本字和有音无字的字）。母生于乾皇，寿藏创于今帝"以及该村九组建于清同治年间的胡士宾、胡周氏合葬墓碑铭文"墓之有志，族之有谱。胡氏祖籍系湖南长沙湘乡人也。高祖德照配□，生八子，为我三房曾祖清凤，娶陈氏于楚，生三子。乾隆八年徙楚来川"显示，当地朱氏和胡氏祖先即为湘方言区人，其后裔今所操湘方言的特征已不十分明显，仅有如"钱""糖"等带鼻音韵尾字的声母保留了明显的浊辅音。
⑤ 参见张一舟、邓英树等《四川省志·方言志》，方志出版社2013年版，第11~12页。

石",透过巴蜀汉语方言这面镜子,我们可以窥见巴蜀社会生活的方方面面。

巴蜀历史的特殊性使语言的发展也与众不同,语言断层是其重要表现。巴蜀历史上虽屡经变革,但明末清初的战乱对整个盆地的影响尤巨。"湖广填四川"的移民大潮不仅改变了盆地原有人口构成,而且促使巴蜀文化进行了重组。在这一大变革中,巴蜀汉语方言虽脱离了原有的发展轨迹,却也开启了新的发展方向,具有自己的特色。

一、巴蜀汉语方言的特征

本书在梳理学界已有研究成果基础上,主要从清代至民国时期的巴蜀地方志、文人笔记、小说、衙门档案、方言著述和碑刻铭文以及民间方术用书等资料中,寻找巴蜀方言演变的痕迹,同时结合我们二十年来多次田野调查所获得的鲜活的巴蜀方言资料,探究了大量活态方言中所蕴含的文化内涵,不仅对巴蜀方言的研究作出了新的诠释,而且为巴蜀地域文化的研究提供了许多新材料。正是在丰富的材料的基础上,本书总结了巴蜀汉语方言具有的三个特征:基于多民族共居与移民文化的开放性特征、基于盆地环境和农耕社会的传承性特征、基于地域文化心态和审美意识的幽默诙谐性特征。

(一)基于多民族共居与移民文化的开放性特征

一般说来,方言的形成会受到历史语言和外来语言的影响,现代巴蜀汉语方言也不例外,其形成与巴蜀的历史文化尤其是移民关系十分密切。今巴蜀境内"湖广"移民后裔占绝大多数,故作为强势语言的"湖广话",具有较强的整合力,内部结构规律也比较严整,形成单纯型方言。因受诸多因素的影响,与其他类型的单纯型方言相比,现代巴蜀汉语方言不仅保留了一部分上古、中古蜀语和巴语的词汇,而且广泛吸收了粤、湘、赣、闽、陕等多地方言成分,还融合了巴蜀盆周民族语言中的一些因素,最终形成现代巴蜀汉语方言的开放性特征。此开放性特征,应主要源于巴蜀社会环境,具体来说,即来源于巴蜀民族的多样性以及移民的广泛性。此外,巴蜀地理环境的多样性也应是不可或缺的重要原因。

巴蜀两族在先秦被视为"化外之蛮"。① 秦并巴蜀后，巴蜀境内虽有大量移民，但少数民族众多的局面并未因此而改变。以后数千年中，少数民族势力虽不断缩小，但一直保持着自己的民族特色：

上下中分号"九枯"，稻粱黍稷竟全无。

久离番籍羞家世，菝糁充饥妇织蒲。（［清］王铭《客有问维州者走笔成竹枝词数首·九枯》）②

花帕蒙头护手缠，葫芦弓箭挂腰间。

昨宵占得裙边卦，"出草"归来鹿压肩。（［清］冯镇峦《清溪竹枝词》）③

芦人称叔父曰阿爸，殆羌人之遗语欤。

芦人谓去岁曰年逝子。逝者，过也，往也。音读阳乎，如司意，亦夷语之遗。〔民国32年（1943）《芦山县志》〕

这三则材料表明，乾隆年间，四川青片河上游一带的"大鸭渡""小鸭渡"和白草河上游桃龙以及民国时的芦山县等地，村民的居处、服饰、语言等习俗，均有十分鲜明的特色。

元明之际，长期的战乱及自然灾害使得巴蜀的人口急剧下降，大批湖广人"避乱入蜀"或"避兵入蜀"，④ 大举向巴蜀移民，另有不少人随湖北随州人明玉珍的部队入蜀。这些人大都留居巴蜀，造成了清初康熙年间，巴蜀境内移民祖籍多系湖广人氏的局面。

明清时期，应是巴蜀汉语方言的形成时期。数十年的战乱，人口大量死亡和流失，田地荒芜。清顺治年间，清政府便大力鼓励外地人入川垦荒，掀起了巴蜀地区又一次移民大浪潮。移民主要来自两湖、两广、江西、山西、陕西等

---

① 本书引文涉及对少数民族的不尊重甚至带有侮辱性的称谓等，持否定态度，但从保持历史原貌的学术研讨角度考虑，未作改动，特此说明。
② 此诗自注（林孔翼、沙铭璞：《四川竹枝词》，四川人民出版社1989年版，第234页）："'九枯'系番种，染汉习，讳言夷籍。"
③ 此诗自注（林孔翼、沙铭璞：《四川竹枝词》，四川人民出版社1989年版，第211页）："番俗，男子以花白帕蒙首，出门常腰护手，腰系毛葫芦弓箭。有疑，占裙边卦。猎兽曰'出草'。"
④ 此中多为湖南、湖北人。

地，尤以湖广人特别是湖北人为最多，故民间有"湖广填四川"的说法。这次移民浪潮，规模空前，相关情况在巴蜀各地方志中有明确记载。

除地方志外，作为"民间集体社会记忆的重要文类"的族谱资料，在追述家族历史时，也从侧面再现了有关巴蜀移民活动的诸多史实。①

入川移民的构成，对巴蜀汉语方言的形成与发展影响十分重大。清代六对山人《锦城竹枝词》便描绘了当时成都的方言混杂状况：

傍"陕西街"回子窠，中间水达"满城"河。
三交界处音尤杂，京话秦腔"默德那"。②

又：

摇唇故作齿音扬，轻薄成都有别腔。
染得新繁新茧色，宽袍玉佩小刀长。③

"陕西街""满城"等名称都是移民聚居的反映。明末清初，各地移民蜂拥入蜀地，作为蜀地首府的成都，自然是移民理想的新居地。第一首竹枝词中"回子窠"，为西北回民在成都的居地，而八旗驻地"满城"，在今天的成都仍有其影子。但随着历史的发展，军营逐渐变为民巷，曾经的八旗军户也已演变为普通民户了。后两句更是从语言本身入手，将移民带来语言的多元发展在"音尤杂"和"秦腔"④"京话""默德那"中得以生动形象的呈现。而第二首竹枝词则从侧面描绘出当时成都语言混杂的状况："故作"呈现的是对其他语言的故意而做作的模仿，"齿音扬"则对此种语言的特征进行了总结，"有别腔"很明显地说明当时成都语言的多元化特征。由此可见，移民对成都语言的影响不可谓不大。

---

① 参见黄尚军、李国太等《四川方言与民俗》，四川民族出版社2014年版，第301~342页。
② 默德那：回族同胞称"祖国"。参见林孔翼《成都竹枝词》，四川人民出版社1986年版，第48页。
③ 林孔翼：《成都竹枝词》，四川人民出版社1986年版，第52页。
④ （清）杨甲秀：《徙阳竹枝词》（林孔翼、沙铭璞：《四川竹枝词》，四川人民出版社1989年版，第215页）："秦腔迭唱间三弦，荡桨人来望欲仙。喜得一城狂拍手，大家随着采莲船。"自注："元夜，采莲船灯，用俊童妆船娘，杂唱秦腔。"

移民新到一地，一方面保留固有传统，另一方面接受各种异文化的冲击。一般说来，多采用迅速调整自己的文化而非改变别种文化的策略，方能迅速为新环境所接纳。面对不同类型的文化，巴蜀地区语言乃至原有文化的解构与重组势在必行。

总之，在不同语言的相互交流中，源于语言开放性的多样性与融合性犹如车轮，在各自轨道上并驾齐驱，并行不悖。而开放性应是巴蜀汉语方言生命力的重要来源之一，也是其文化性特征的主要源头，这也许印证了"海纳百川，有容乃大"的合理性。

（二）基于盆地环境和农耕社会的传承性特征

方言与地理环境和气候的关系极为密切，"方言地理学"就是专门研究方言与地理环境关系的学科。而地理与气候环境又影响、制约着民族的产生和发展，所以地理与气候环境—民族—方言，是一个呈连锁型的不同学科的单向性感染；而有时又是以地理与气候环境为中心，对民族和方言的形成起着辐射式的感染和支配作用。

从地理与气候环境对方言的影响来看，巴蜀地区山地、高原和丘陵约占全省土地面积的97%。除四川盆地底部的平原和丘陵外，大部分地区岭谷高差均在五百米以上。境内地表起伏悬殊，最低的东部海拔仅七十余米，与最高峰贡嘎山相差七千四百米以上。巴蜀相对封闭的地理特征，加之远离政治中心的"边地"定位，一定程度上延缓了外来文化对四川盆地固有文化的影响，这在语言的传承性上也有所反映。

除盆地地理特征外，传统农耕社会生产方式也是巴蜀汉语方言具有传承性的重要原因。自秦太守李冰建成都江堰，成都平原便"水旱从人，不知饥馑"，被誉为"天府之国"，农业成为巴蜀地区主要的生产方式，四川盆地也成为中国乡土社会的一部分。费孝通认为传统的乡土社会有如下特征：

生活是富于地方性的。地方性是指他们活动范围有地域上的限制，在区域间接触少，生活隔离，各自保持着孤立的社会圈子。乡土社会在地方性的限制下成了生于斯、死于斯的社会。常态的生活是终老是乡。[①]

---

① 费孝通：《乡土中国》，三联书店1985年版，第4页。

长期的"地方性"生活，使明清以前的巴蜀人接触外来语言和文化的概率远远小于中原等地，即使有新的文化因子，也逐渐融入到原有的文化体系之中。同时农耕社会自给自足的自然经济形态，使得巴蜀汉语方言固有的词汇能够基本满足日常生活的需求，一般而言，很少需要创造新的词语。具体来说，巴蜀汉语方言的传承性主要体现在两个方面：

　　1.个别方言词语长期以来保持原有面貌

　　上古、中古部分巴语、蜀语词汇，至今仍保留在现代巴蜀汉语方言中：

　　姐①

　　《说文·女部》："蜀人谓母曰姐，淮南谓之社。"段玉裁注："方言也，其字当蜀人所制。"②《蜀语》："呼母曰姐○姐读作平声。如呼女兄，作上声。"③民国14年（1925）《渠县志·礼俗志下·杂俗》："称父母曰爹、母，或曰爹、妈，亦有称阿爸、阿姐、阿爷、阿娘或爸爸、姐姐者。"

　　今黔江等地仍有呼母为"阿姐"者，营山呼妈为"哎姐"，④而万源县旧院乡何姓及大竹乡房姓，均呼母亲为"歪姐"。今黔江力水地区翁姓称母亲为"阿姐"，马喇地区梁姓则称为"桠姐"。⑤

　　养

　　《尔雅·释诂》："阳，予也。"郭璞注："今巴濮之人自呼阿阳。"郝懿行疏："阳之为言养也，女之贱者称阳，犹男之卑者呼养也。"⑥今忠县话仍称"您"为"养"。⑦

　　上述古代巴人和蜀人的部分词汇，至今仍保留在巴蜀部分地区，巴蜀语言的保守性和传承性可见一斑。

---

① 谭继和释"姐"为女祖先。此义应为母系世族观念的残留。
② （汉）许慎撰，（清）段玉裁注：《说文解字注》，上海古籍出版社1981年版，第615页。限于篇幅，以下引扬雄《輶轩使者绝代语释别国方言》（简称《方言》）、《说文解字》、《广韵》、《集韵》以及李实《蜀语》、张慎仪《蜀方言》等，首次出注外，均不再出注版本详细信息。
③ （明）李实撰，黄仁寿、刘家和等校注：《蜀语校注》，巴蜀书社1990年版，第20页。
④ 参见营山县志编纂委员会《营山县志》，四川辞书出版社1989年版，第733页。
⑤ 今巴蜀一些地方亲属称谓各异，富有特色，如通江县部分家族称母亲为"母儿（红口镇澌波乡）、垭巴、歪子儿"，巴中市曾口镇称外爷为"嘎爷、嘎嘎"之类。以上材料由巴中市公安局黄政钢先生提供，谨此致谢。
⑥ （清）郝懿行：《尔雅义疏·释诂上》卷一二，中国书店1982年版，第49、52页。
⑦ 参见胡继明《四川忠县方言第二人称代词[ian^{53}]》，载《万县师专学报》1991年第4期。

2.巴蜀域外流布的巴蜀汉语方言仍保持自己固有的特征

语言分化为方言的原因很多，但总体来看，社会政治、经济的变化，是形成方言的根本原因。其中，移民的因素尤为重要。因此，考察巴蜀移民在巴蜀区域外的分布、其后裔语言的演变及与今天的巴蜀汉语方言的关系，不仅对研究历史上巴蜀移民的外迁，研究巴蜀汉语方言的演变与地理环境、社会环境以及语言自身发展规律的关系，探讨移民在融入当地社会过程中语言与文化存留和变迁的状况，乃至对汉语方言和汉语史的研究都有着十分重要的价值，而且能为当今如三峡等地移民融入当地社会提供重要的历史依据和现实依据。

被米仓山、大巴山脉横隔的川东北地区和陕西南部地区，按说方言应不同，然而毗邻四川广元地区的陕西汉中诸多县市，如镇巴县、南郑县、西乡县一带的方音，明显具有川腔川味。洋县境内绝大部分乡镇的方言为关中秦音腔调，但汉江南岸的黄家营、黄金峡、石关、草庙、三花石等地，多数居民是四川东部迁来的移民，其方言保留有较多的四川方言特色。或许是移民的到来，使该地区的方言增加了大量外来成分。

如我们实地调查的陕南西乡县城至白龙、罗家、田禾、碾子沟，过汉水至段家营村的一条山沟中，据当地家谱、碑刻铭文和口传资料，明清时四川移民后裔所操方言，呈"沟口无四川移民，无四川方言；沟中有四川移民，无四川方言；沟外有四川移民，有四川方言"的状况。而段家营村三面环水，背后靠山，与该乡碾子沟、潘家河、王家营等村落的交往，多需渡过汉水；与山后其他村落交往，也需翻过大山，历史上与外界交流的机会较少。数百年来，明清时期从川东迁来该村的移民后裔所操巴蜀汉语方言，并未被周边强势语言完全同化，至今仍较完整地保存了巴蜀汉语方言的语音、词汇和语法特征，是具有代表性的巴蜀汉语方言在巴蜀域外分布点。如将"就是"之"就"的声母，发为[t]，"苍蝇"称为"蚊子"，"蚂蚁"称"蚂蚁[ie^{31}]子"，"母鸡"称"鸡母"，以及儿化现象的普遍，均让人仿佛置身重庆。

贵州遵义与重庆毗邻，两地方言有十分密切的关系，遵义方言不管是语音词汇，还是语法，都不得不让我们将其归入巴蜀汉语方言。这应该与遵义在行政区划上曾隶属于四川，同时也与遵义历史上是巴蜀等地移民南下的重要孔道有关，移民也将自己家乡的语言带到了遵义，并完整保留了下来，如"师傅[fu^{55}]、石头[təu^{55}]、夯[k'a^{21}]、听[t'in^{213}]"等的读音；词汇"尾巴根儿尾巴、木头[təu^{55}]棺材、细娃儿小孩、遇缘儿碰巧、搞灯儿做什么"等的用法；形容小孩调皮的"千翻儿"，问候客人"少于出现、少于见面"的礼貌用语"稀恒［xuan^{21}］"，表示"怎样、如何"的"啷革、哪样"和表示"几下子"的"几价钱儿"，以及对"刁住儿［tiau^{55} tsuɚ^{213}］""恁个儿［nən^{213} kɚ^{55}］"等词语儿化音的保留等，则与今天川东的典型方音、词汇相一致。我们在遵义县、绥阳县等地调查所获族谱、墓碑铭文也能印证此推论。

学术界有关专家认为，青海黄南藏族自治州同仁县吾屯话中保留有四川官话语音。我们实地调查得知，吾屯人有不少祖先源自巴蜀的传说，受"藏族爸爸"和"汉族妈妈"所说语言的影响，便形成了今天的吾屯话。但是，今天的吾屯话与现代巴蜀汉语方言的差别却很大。

至于在我国辽阔的国土上，是否还存在类似的巴蜀汉语方言岛，值得进一步探究。

（三）基于地域文化心态和审美意识的幽默诙谐性特征

俗话说："一方水土养育一方人。"这里的"一方人"，是就一个社会群体而言，其背后潜台词是"一方人"的性格特征，而性格特征也应在其语言中有所反映。如《颜氏家训》就从地理环境的角度对方言的差异进行了分析，但颜氏感到将方言的差异仅仅归结于地理环境的不同似不够，于是又从风俗习惯的角度进行了解释：

古今言语，时俗不同。著述之人，楚夏各异。①

虽然明末清初大规模的移民入川带来新风俗，但我们仍能看到古代巴人和蜀人所具有的性格特征在今天的巴蜀人身上的传承和变异。按照陈世松的总结，巴蜀人在"不南不北"的地理区划中，具有"外戎内华"的性格特征：这一方面体现在巴蜀人能"兼取各种文化思想，自由不羁，具有更多的个性色彩"；另一方面体现在巴蜀人"较少受理性的束缚，保留了较多的原始性，具有一定的'蛮性'和'野性'的色彩"。② 这种性格在语言上，便体现出幽默诙谐的特征。如巴蜀谚语"挨刀都要挨头刀""变鬼都害不死人""跩倒不

---

① 参见（北齐）颜之推《颜氏家训》卷七，《丛书集成》初编本，第173～174页。
② 参见陈世松《天下四川人》，四川人民出版社1999年版，第62～63页。

怄，爬起来怄""不大不小，刚刚管倒""蚕老麦黄秧上节，娃哭屎胀豆浆糊""搭起帕帕儿就走阴""吊颈都要找棵大树子""会做馍馍也有三个不同""见人屙屎沟子痒""生成是个舅子命，想当家公万不能""老母猪有儿，四脚朝天；和尚无儿，锣鼓喧天""吃些要些，死了棺材板板薄些，抬上官山闹热些""人对头了飞机都要刹一脚"之类，以及巴蜀歇后语"冬瓜皮做帽儿——霉登顶了""豆腐滚到灰里头——吹也吹不得，拍也拍不得""罐罐头发豆芽——没得一根伸［ts'ən⁵⁵］展的""老母猪过门槛——经佑肚皮""红萝卜里头掭［iɛn²¹³］撒海椒面（儿）——显不出来""抱鸡婆打摆子——又扑又颤""猫儿扳甑子——替狗赶膳""六月间穿皮袄——显他屋头有""盘古王耍巴浪鼓儿——老天真""沙盘上写字——要不得嘛抹了就是""老太婆打粉——不嫩 谐论""十二岁进孤老院——莫把福享早了""水打棒穿皮袄——泡毛鬼 冒失鬼""丫头子抱酒坛啄瞌睡——醉也没醉，睡也没睡""铁匠死了不闭眼——欠锤""土地老汉儿掉在井里头——要淘神""寿星老汉儿吊颈——嫌命长""缺牙巴啃猪蹄子——横［xən²¹］或［xuan²¹］扯筋""王母娘娘的蟠桃——老果果""火葬场开后门——专烧熟人"之类，即为明证。①

二、本书巴蜀汉语方言研究范围和观察角度

巴蜀汉语方言既是一个历时的概念，也是一个共时的概念；既关乎语言内部各个要素的问题，又与语言之外的社会历史密切相关。因此，研究巴蜀汉语方言可以根据需要从不同的范围和角度进行观察。

（一）本书巴蜀汉语方言研究范围

本书讨论的巴蜀汉语方言为广义的方言。作为巴蜀地区全民通用的交际工具，巴蜀汉语方言是一个完整、自足、相对独立的体系，是巴蜀地区方言语音、词汇、语法等诸要素构成的语言系统，它既包括各个子系统中与共同语不同的部分，也包括其中与共同语相同的部分。

方言的差异最明显地表现在语音方面。巴蜀汉语方言内部语音自成体系，有较大的一致性，与其他方言区域相比，具有鲜明的地域特点，比如汉语西南

---

① 参见侯光《四川谚语的地域特色》，载《文史杂志》2004年第1期。

官话成渝小片语音系统中，声母［n、l］不分，如"蓝方"="南方"；大多数地区没有舌尖后音声母［tʂ tʂʻ ʂ ʐ］，普通话的舌尖后音声母念成舌尖前音［ts tsʻ s z］，如"私人"="诗人"；有声母［ŋ］，"哀""沤""欧"，一般读［ŋai ŋo ŋəu］。韵母方面，普通话的［əŋ iŋ］，一般念［ən in］，"真"="征"，"林"="灵"；一般没有韵母［uo］，"果"读［ko］，"科"读［kʻo］。声调方面，调类基本上同普通话一一对应，三分之二的地方同普通话调类相同，分阴、阳、上、去四类，归字也基本相同，只是古入声字不像普通话分别归入阴、阳、上、去，而统归某一调类，但各调类的调型、调值与普通话有差别，如成都话的"买［mai⁵³］"听来像普通话的"卖［mai⁵¹］"，而"卖［mai²¹³］"听来却像普通话的"买［mai²¹⁴］"；此外，巴蜀有三分之一的地方还保留了古入声字的读法。

方言在语法方面表现出更强的一致性。巴蜀汉语方言语法的差异性比语音方面的差异更小。从历史发展的角度来看，虽然与共同语相比存在一些差异，但总体而言，它们之间具有很强的一致性。很多情况是同中有异，或者异中有同。

语音和语法是巴蜀汉语方言的有机组成部分，历来视为研究的重点。但是，在语言系统中，受到社会因素影响最直接也最能反映该语言所使用的地域社会文化的历史和现状及其变迁过程的是词汇，因此本书研究重心为巴蜀汉语方言词汇系统，希望通过本区方言词汇的研究，透视巴蜀民众生活的方方面面。

方言词汇的范围有广义和狭义之分。广义的巴蜀汉语方言词汇指巴蜀汉语方言中词和固定短语的总汇，其中既包括和共同语不同的词，也包括和共同语相同的词。李如龙指出：

现代方言中除了历史上传下来的方言固有词之外，还有大量的从共同语转借过来的词。由于社会生活的需要，这些转借词都按照方言语音对应规律折合过了，有的是原来方言词所没有的概念，它们在口语交际中有的还很常用，应该说已经加入了方言词汇的行列。例如20世纪50年代之后就有大量政治、经济、文化领域中涌现的新词语：解放、土改、合作社、公社……双肩挑、卡拉

OK、乡镇企业……①

狭义的巴蜀汉语方言词汇主要指的是历史上传下来的方言固有词，站在现代汉语共同语词汇和方言词汇的角度来分析，这类词又大致分为两类：

一类是巴蜀汉语方言古已有之，从历史上继承下来，同时又与普通话说法一致的词，如"天、地、山、水、人、雨、雪、风、雷、火、手、口"等。另一类是巴蜀汉语方言特征词。正如李如龙指出的那样：

方言特征词是一定地域里一定批量的、区内大体一致、区外相对殊异的方言词。方言特征词是方言之间的词汇区别特征。……如果没有共同的词汇特征，各个相关的方言点也不能成为同一的方言区。②

巴蜀汉语方言中存在着一大批这样的特征词，例如"瓜娃子、打牙祭、巴适、弯酸、竹根亲、油大、抌闪闪、雄起、踩扁、下课、狗夹夹、耍朋友"等。

巴蜀汉语方言特征词是最能体现其方言质感的部分，也是最能唤起巴蜀地区人民集体记忆、反映区内社会历史文化变迁的部分，因此本书讨论的主要对象是历史上传承下来的巴蜀汉语方言固有词汇中的方言特征词，同时兼及本区方言从历史上传承下来的与共同语一致的那部分词语。如"打牙祭"一词，今巴蜀地区习用。这一类词显然也在我们的考察范围之内。除此之外，还有部分只在小范围内使用的地点土语词，这类词在方言内部的一致性不高，即使在巴蜀地区内，通行的范围可能都极小，如川东部分地区的"抱蛋儿过继的子女、翼翅管儿翅膀、鲫壳儿鲫鱼、风帕围巾、呆呆姐姐、鸡拐子鸡、麻拐子麻雀、爬竹竿粉条、碇把坨拳头、摔抱滚儿一种类似摔跤的游戏、塞瘕死打很肮脏、临斯把最后"之类。这些词语的构词理据很有特点，具有很强的地方特色，能够反映具体地点的历史文化特征，自然也是狭义巴蜀汉语方言词汇系统的成员，同样是我们的研究对象。

---

① 李如龙：《汉语方言学》，高等教育出版社2001年版，第105页。
② 李如龙：《汉语方言学》，高等教育出版社2001年版，第105页。

（二）本书研究视角、方法和研究内容

巴蜀汉语方言是巴蜀文化的重要组成部分，也是巴蜀文化的载体，是巴蜀历史和巴蜀人民生活的见证者。本书力图通过对巴蜀汉语方言的研究，全方位展现巴蜀社会面貌，并勾勒出其发展的历史轨迹，这就决定了我们的研究视角和研究内容的特异性。

1.本书研究视角、方法

语言不仅是人类交际和思维的工具，也是人类文化的重要形式和建构手段。语言具有两重性：一是语言要介入和渗透进人类生活的各个领域，是社会文化生活的重要内容；二是语言之外的其他各种文化，几乎都必须借助于语言，方能得以建构与传承。

巴蜀汉语方言作为巴蜀文化的重要载体，许多词语因文化而产生，文化则通过方言词语得以显现。因此，巴蜀汉语方言不仅能体现当地之风俗民情，还能显示当地人之生产、生活方式以及人们的审美心态、文化旨趣等。

同时，巴蜀汉语方言与社会的关系十分密切，彼此牵连，彼此限制，相互影响。随着社会的变化，不少方言词语也发生了演变，在今天的巴蜀社会，这些演变已表现得十分明显。①

基于以上原因，本书研究视角和研究方法主要如下：

第一，"内"与"外"相结合。"内"主要指语音、词汇、语法等语言内部因子，"外"则是就巴蜀汉语方言与巴蜀地域文化的关系而言，从而充分展现出巴蜀汉语方言的立体性特征。

第二，田野调查资料与文献资料并举。本书的资料大多为作者在巴蜀各地尤其是偏远地区田野调查中得来的活态方言，与文献上历史性的语言资料相结合，这既能追寻巴蜀地区的历史文化信息，又能体现当代巴蜀人的精神面貌与审美心理。

---

① 如华西协合大学社会学系姜蕴刚教授，早在民国年间，即为一些节令提以新名词，如正月初一日游武侯祠名为"念忠节"；正月初三日纪念东君名为"国耻节"；正月初七日吊杜工部名为"文学节"，或"边患节"，或"离乱节"；二月二日小游江名为"外交节"；二月十五日赶花会名为"万花节"；四月十九日大游江，名为"抗战节"；六月二十四日竞渡，名为"建设节"。他认为此举"必能移风易俗，焕然成一新成都矣"。参见陈慧权《成都节令风俗之研究》，华西协合大学文学院社会学系毕业论文，民国34年（1945）。

第三，"多元"与"一体"统一。本书不仅关注巴蜀汉语方言的文化特征，而且对客家方言等非官话方言做了一定程度的探讨，从而兼顾了研究对象的多元性，但由于语言本身的相互影响，故本书所谓的"多元"，应是"一体"下的"多元"。

2.本书研究内容

为了从巴蜀汉语方言中获取巴蜀地区社会历史文化信息，本书首先从历时角度讨论了巴蜀汉语方言的形成问题。在接下来的章节中，着重选取最能反映巴蜀地区方言与文化关系的几个侧面，即分别从种植文化尤其是水稻种植、养殖文化以及渔业狩猎文化等方面，论述巴蜀汉语方言与巴蜀地区生产活动的关系；从饮食习俗、婚丧习俗、信仰习俗等角度，就巴蜀民风民情与巴蜀汉语方言的关系，进行详细分析。从中可以窥见巴蜀地域文化对巴蜀汉语方言形成、发展与变化的影响，以及巴蜀汉语方言所体现的巴蜀地域文化。

隐语是在特定社会集团内部使用且有意不为其他社会成员知晓的语言变体，其最重要的特点是秘密性。本书对基于明、清、民国时期巴蜀民间秘密社会的发达所形成的丰富隐语文化进行了较为详尽的阐述。从而在总体上，建构出巴蜀汉语方言的文化性特征。

"湖广填四川"以及其他历次移民活动，不仅对巴蜀地区的官话方言产生了巨大影响，而且使其他非官话方言，如客家话、湘方言、赣方言等进入巴蜀地区，极大地丰富了巴蜀语言的多样性。本书着重论述了巴蜀境内的客家方言，不仅指出客家方言的语音、词汇、语法特征，而且从文化入手，对客家方言中所反映出的民俗文化，以及客家民俗文化对客家方言的影响进行了大致梳理。

语言并非静止的，其变化不仅与自身内部发展规律息息相关，而且与外部的政治、经济等诸因素密不可分。本书还探讨了巴蜀汉语方言的演变趋势、规律以及演变原因。一方面力图使人们认识到语言演变的必然性；另一方面，也能基本展现巴蜀汉语方言演变的大致方向，从而使巴蜀汉语方言的总体特征体现得更加鲜明。

第一章

巴蜀汉语方言的形成

语言在不同的历史时期和不同的历史背景下，总会发生变化，正如索绪尔所言：

就言语活动来说，绝对不变性是不存在的，过了一定时候，语言会跟以前不同。①

巴蜀地区的语言在历史上也曾以与现在不同的形态出现，今天我们所见巴蜀汉语方言，正是在巴蜀社会漫长的历史发展中沉淀而成的。

现代巴蜀汉语方言的形成究竟在明清之前还是明清时期，与"湖广填四川"有何关系，学界说法不一。崔荣昌指出：

四川话是外地人带来的。元末明初的战乱和大移民，大批湖广籍和部分陕西籍、安徽籍的军人和平民留居四川。他们带来了属于官话方言的湖北话、陕西话和安徽话。……到清朝前期，以湖广地区（特别是湖北）为主的大批移民入川，从而形成了今天的四川话和西南官话的体系。②

赵振铎则认为：

现代的四川方言的形成大概在元明时期……远在清朝初年"湖广填四川"以前，就已经有了现代的四川方言的基本格局。③

以下据我们目前所见资料，探究巴蜀汉语方言形成的一般情况。

---

① ［瑞士］费尔迪南·德·索绪尔著，高名凯译，岑麒祥、叶蜚声校注：《普通语言学教程》，商务印书馆1980年版，第279页。
② 崔荣昌：《四川方言的形成》，载《方言》1985年第1期。
③ 赵振铎：《四川方言词汇研究·序》，载邓英树、张一舟等：《四川方言词汇研究》，中国社会科学出版社2010年版。

第一节　巴蜀汉语方言形成的历史

一、先秦时期的巴蜀语言

有关研究表明，先秦时期，地处西南的今巴蜀地区基本上是非汉民族聚居地，其中主要有巴蜀二族，后发展为巴蜀二国。在当时的巴蜀地区，生活着百数十个部族，巴蜀地区的语言、风俗与当时地处中原的华夏族也很不一样。《文选·蜀都赋》刘逵注引扬雄《蜀王本纪》：

蜀王之先名蚕丛、拍濩鱼凫、蒲泽开明。是时人萌，椎髻左言，不晓文字，未有礼乐。①

据考，古巴蜀语言是一种与今巴蜀境内的羌语、嘉戎语、彝语、纳西语等有着血缘关系的语言。②扬雄《蜀王本纪》说"蜀左言"，常璩《华阳国志·蜀志》也指出，蜀与中原"莫同书轨"。③文字既殊，语言必异。可见，蜀地的语言文字和中原地区大不相同。《华阳国志·蜀志》有"九世有开明帝，始立宗庙，以酒曰醴，乐曰荆，人尚赤，帝称王"之说，刘琳认为"'醴''荆'盖蜀语译音"。④任乃强认为"酒曰醴"，是蜀人改从汉语；"乐曰荆"，似非用古汉语。⑤

但也有专家认为，早在夏代，蜀人的语言就是当时中原华夏民族的方语之一，⑥而在商代，"周王进行的战前动员，用的一定是周人的语言，到场的蜀人也应该完全能够听懂"⑦，并结合民族学、历史学等学科知识进一步指出"早在传说时代，蜀人就融入了华夏民族的大家庭，其语言也应该有所一

---

① （梁）萧统编，（唐）李善注：《文选》，中华书局1977年版，第75页。
② 参见崔荣昌《巴蜀语言的分化、融合与发展》，载《四川师范大学学报》（社会科学版）1997年第1期。
③ 参见（晋）常璩撰，刘琳校注《华阳国志校注》，巴蜀书社1984年版，第181页。
④ 参见（晋）常璩撰，刘琳校注《华阳国志校注》，巴蜀书社1984年版，第185~186页。
⑤ 参见（晋）常璩著，任乃强校注《华阳国志校补图注》，上海古籍出版社1987年版，第124页。
⑥ 参见汪启明《考据学论稿》，巴蜀书社2010年版，第721页。
⑦ 参见汪启明《考据学论稿》，巴蜀书社2010年版，第729页。

致"。① 这无疑说明在先秦时期，蜀语虽"左言"，但也并非与中原华夏语不可通。②

尽管对于先秦时期蜀语与中原华夏语之间的关系，学者所持观点存在较大差异，③ 但巴和中原楚国很早即有密切往来却是不争的事实。《左传》桓公九年（前703）、庄公六年（前688）、文公十六年（前611）均记载了巴楚结盟伐邓、伐申、灭庸的史实。从史料看，先秦时，巴楚间即有多次移民。楚民为避乱而逃至巴国，甚至更往西行而至蜀地。如楚王族宗支斗氏中的一些支裔，早在春秋战国时就曾移民到蜀国的西鄙，楚昭王的后代也有一些辗转移于蜀境。巴国楚人尤多，由于巴楚的交往及楚人的大量迁入，巴文化深受楚文化的影响。战国时楚郢都内有巴人聚居之区，名曰"下里"，下里之巴人唱的歌，郢都有不少人能听懂，并能和而颂之。楚人能听懂巴歌，说明巴的语言应与楚语基本相通。④

古蜀国杜宇氏统治后期，在蜀国为相、后来杜宇禅位的鳖灵即是"荆人"。历史文献称巴蜀先王是黄帝后裔，体现出本地区上古时代与中原文明及其他临近地域文明相互影响的关系。

春秋战国时期的战乱，引起外地人向巴蜀移民，因此，早在春秋战国时期，古巴蜀地区的语言就可能已经开始与中原的华夏族语言有了接触。事实上，上古时期被称作"雅言"或"夏言"的华夏族"通用语"，本身就是不同民族语言交融的结果。四千多年前，"自黄帝入主中原以后，先后兼并了许多其他氏族；因此，黄帝族的语言，也先后融合了许多其他氏族的语言，从而成为当时部落联盟的共同语"。至夏禹时，则成为"春秋时称为'雅言'（夏

---

① 参见汪启明《考据学论稿》，巴蜀书社2010年版，第735页。
② 甚至有专家指出，巴蜀地区不仅语言与中原相同，而且文字也相同。参见孙华《巴蜀符号初论》，载《四川文物》1984年第1期。
③ 至于蜀人特殊的"左言"，究竟属于何种类型以及有何特点，与隋唐时称"四方偏远地区少数民族"为"蛮左"有何关系，值得探究。参见罗竹风等《汉语大词典》第8卷，汉语大词典出版社1991年版，第1010页。"左"在巴蜀汉语方言中有"错"义。（清）刘省三：《跻春台》（江苏古籍出版社1993年版，第410~411页）："夫君想左了，妻在娘家，爹妈教我总要端正，切莫妖娆。夫君今日要妻打扮风流，为妻生来本相，做不来那些귀过场。"《蜀报》（1999年7月21日第10版）："刘琳再镇定这时也不免有些慌乱，她笨手笨脚地拿着纸牌，下注时也左脚左手、躩起躩起的。"今巴蜀汉语方言中有诸多关于"左"的词汇，如"左起整、左的、鞋子穿左了、左喉咙、左声左气、左眉左眼"等。
④ 参见陈世松等《四川通史》第1册，四川大学出版社1993年版，第209页。

言)、汉以后称为汉语的初步基础和源头"[①]。

二、秦汉魏晋南北朝时期的巴蜀语言

公元前316年,秦灭巴蜀,巴蜀地区纳入中原王朝的直接统治,此后,从秦惠文王到秦始皇时期,秦以移民、徙徒、迁虏等方式,[②]长期地、大量地向巴蜀地区移民,持续百余年。这些早在《华阳国志·蜀志》中即有记载:

> 周赧王元年,秦惠王封子通国为蜀侯,以陈壮为相。置巴郡。以张若为蜀国守。戎伯尚强,乃移秦民万家实之。[③]

这些入川的移民在带来中原地区先进生产技能的同时,[④]也带来了中原华夏族的语言文化。这导致巴蜀地区的社会发展产生巨大变化,中原文化日益深入四川盆地,古老的巴蜀文化逐步转型为秦汉文化一支重要的地域亚文化,对古代巴蜀地区的语言产生了重大影响。唐卢求《成都记·序》说秦惠王移民是要"皆使能秦言",具有推行包括语言在内的同化政策目的,从而导致巴蜀地区逐渐改说华夏语。[⑤]李善注左思《文选·蜀都赋》引晋刘逵引《地理志》:

> 蜀守李冰凿离堆,穿两江,为人开田,百姓享其利。是时蜀人始通中国,言语颇与华同。[⑥]

是时,距秦并巴蜀不到百年,蜀地语言即"颇与华同",这意味着曾经通行于古巴蜀地区的"左言"到战国后期,已发生了重大变化,中原移民所带入的战国时期的秦方言对蜀地语言影响之大不言而喻。

---

① 参见濮之珍《中国语言学史》,上海古籍出版社1987年版,第25～26页。
② 参见罗开玉《四川通史》卷2,四川人民出版社2010年版,第29～37页。
③ (晋)常璩撰,刘琳校注:《华阳国志校注》,巴蜀书社1984年版,第194页。
④ 同治五年(1866)《高县志·风俗志》:"楚、粤之负耒而至者,垦芜剪莽,勤力耕桑,遂各效厥勤劬,不敢怠荒。"
⑤ 参见刘君惠等《扬雄方言研究》,巴蜀书社1992年版,第143页。
⑥ (南朝·梁)萧统编,(唐)李善注:《文选》,中华书局1977年版,第75页。

汉代巴蜀地区的语言所属的梁益方言区，① 是当时以秦方言为核心的秦晋方言的一个次方言，是"受秦方言强烈渗透影响的方言"，与秦方言有着很大的一致性。② 但此时巴蜀地区的方言也有不同于秦方言的一些特征。罗常培、周祖谟考察司马相如、王褒、扬雄等川籍赋家作品的特殊押韵情况后，总结出汉代巴蜀方言的七条主要特征：幽宵音近，鱼部除麻韵字外可能有［-g］尾，祭部字可能有［-d］尾，东冬合用，真元两部音近，侵冬两部元音相近，质月两部音近。③ 此外，巴蜀方言也应有一些专门的词语，如扬雄《方言》就记载了一些蜀地的方言词汇：

襦，西南蜀汉谓之曲领，或谓之襦。
水中可居为洲。三辅谓之淤，蜀汉谓之壁。④

许慎《说文解字》中也有一些零星的记载：

姐，蜀人谓母曰姐，淮南谓之社。从女，且声。（《说文解字注》，第615页）
氐，巴蜀名山岸胁之自旁箸欲落堕者曰氐。氐崩，声闻数百里。（《说文解字注》，第628页）

由于战乱和自然灾害，继秦以后，汉代移民仍在以不同方式、不同渠道入川：

汉兴，接秦之敝，诸侯并起，民失作业，而大饥馑。凡米石五千，人相食，死者过半。高祖乃令民得卖子，就食蜀汉。⑤

---

① 扬雄《方言》曾多次"梁益"并举，这也许说明，汉代梁益一带的方言已比较接近，应该是同属一个方言区。参见李恕豪《扬雄〈方言〉与方言地理学研究》，巴蜀书社2003年版，第61页、第73～77页、第83～85页。
② 参见刘君惠等《扬雄方言研究》，巴蜀书社1992年版，第141～143页。
③ 参见罗常培、周祖谟《汉魏晋南北朝韵部演变研究》第1分册，科学出版社1958年版，第89页。
④ 周祖谟校，吴晓铃编：《方言校笺及通检》，科学出版社1956年版，第27页。
⑤ （汉）班固撰，（唐）颜师古注：《汉书》第4册，中华书局1962年版，第1126页。

东汉末年至三国，东来移民在一段时间内成为主流。《后汉书·刘焉传》载，"南阳、三辅民数万户流入益州，焉悉收以为众，名曰'东州兵'"①。三国蜀汉时期，成都平原尚地广人稀，诸葛亮曾"移其豪徐、蔺、谢、范五千家于蜀"，"移南中劲卒青羌万余家于蜀"。②

中原人持续不断迁入，使秦汉之际的短短三百年间，巴蜀人口增加近两百万，大大改变了巴蜀地区原有的人口结构，形成了民族、部族的一次大整合。民族的接触和融合，必然引起语言的接触与融合，这给巴蜀地区的语言带来了深刻的影响。可见，当时巴蜀地区所使用的是一种以华夏语言为主体，兼有巴蜀土著语言特色的汉语方言，这即是明以后所形成的巴蜀汉语方言的雏形——古巴蜀汉语方言，或称"蜀语"。③

三国魏晋时期，巴蜀语言有了新的发展，蜀语与吴语一样，都已成为汉语的不同方言，④《抱朴子·道意》：

或问李氏之道起于何时。余答曰：吴太帝时，蜀中有李阿者，穴居不食，传世见之，号为"八百岁公"。人往往问事，阿无所言，但占问颜色……后一旦忽去，不知所在。后⑤有一人姓李名宽，到吴而蜀语，能祝水治病，颇愈，于是远近翕然，谓宽为李阿，因共呼之为"李八百"，而实非也。自公卿已下，莫不云集其门……于是避役之吏民，依宽为弟子者恒近千人……宽弟子转相教受，布满江表，动有千许。⑥

这是中国传世文献中，首次提出"蜀语"的概念。从李宽"到吴而蜀语"可见，东汉末至三国时期，蜀语有自身的特点，被传道者能明显地感到蜀语和吴语有区别，但"依宽为弟子者恒近千人"，显然这些人不可能全系蜀人，而

---

① （南朝宋）范晔撰，（唐）李贤等注：《后汉书》第9册，中华书局1965年版，第2433页。
② 参见（晋）常璩撰，刘琳校注《华阳国志校注》，巴蜀书社1984年版，第83页、第357页。
③ 参见汪启明《〈蜀语〉名义阐微》，载《云南师范大学学报》2009年第1期。
④ 参见汪启明《〈蜀语〉名义阐微》，载《云南师范大学学报》2009年第1期。
⑤ 原注：疑作"复"。
⑥ （晋）葛洪撰：《抱朴子》，上海古籍出版社1990年版，第66页。

应是以当地人为主,可知吴语和蜀语之间可以交流。① 此则材料除表明当时的蜀语和吴语的区别外,同时也说明在南北朝时期,巴蜀汉语方言仍有自己鲜明的特色。他如:

蜀名梅为藤,大如雁子。梅杏皆可以为油、脯。黄梅以熟藤作之。②

于是乎卢橘夏孰,黄甘橙楱,枇杷橪柿,樗柰厚朴,梬枣杨梅,樱桃蒲陶,隐夫郁棣,榙㯉荔枝,罗乎后宫,列乎北园。

裴骃《集解》:郭璞曰:"今蜀中有给客橙,似橘而非,若柚而芬香。冬夏华实相继,或如弹丸,或如拳,通岁食之,即卢橘也。"(《史记·司马相如列传》)③

洛中有驱羊入蜀,胡葱子著羊毛,蜀人取种,因名"羊负来"。④

上几例中"藤""给客橙""羊负来"皆为蜀方言名物称谓。又如:

吾在益州,与数人同坐,初晴日晃,见地上小光,问左右:"此是何物?"有一蜀竖就视,答云:"是豆逼耳。"相顾愕然,不知所谓。命取将来,乃小豆也。穷访蜀士,呼粒为逼,时莫之解。吾云:"《三苍》《说文》,此字白下为匕,皆训粒,《通俗文》音方力反。"众皆欢悟。⑤

当时人已不知所云的"豆逼",并非古蜀方言,而是承自中原雅言。⑥ 这

---

① 吴语、蜀语当时的一致之处也应不少。如(清)褚人获:《坚瓠癸集》(清康熙刻本十集,卷二,页二十二):"王彧子绚,年六岁。读《论语》至'周监于二代',外祖何偃曰:'可改爷爷乎文哉。'以彧、郁同音。吴、蜀呼父为爷也,绚曰:'尊者之名安可戏?宁可云草翁之风必舅?'偃父尚之,绚之外祖翁也。"此例中"吴、蜀间呼父为爷"应是两地相同而又异于他处的说法。
② (晋)郭义恭:《广志》,(清)马国翰辑:《玉函山房辑佚书》卷七四,子编杂家类,光绪九年(1883)长沙嫏嬛馆刊本,页五十五。
③ (汉)司马迁:《史记》第9册,中华书局1959年版,第3028~3029页。
④ (北魏)贾思勰著,石声汉校释:《齐民要术今释》,中华书局2009年版,第1098页。
⑤ (北齐)颜之推著,王利器集解:《颜氏家训集解》,上海古籍出版社1980年版,第215页。
⑥ 《史记·扁鹊仓公列传》:"出血,血如豆比五六枚。"徐复认为"豆比"训"豆粒","比"即《说文》"皀",训"一粒也"。北齐蜀人所言"豆逼"即此。参见徐复《广史记订补·序》,载李笠:《广史记订补》,复旦大学出版社2001年版。

也许意味着六朝时代，巴蜀汉语方言还保留着古老的秦晋方言的特征，应是移民涌入所携古代通语，所以说巴蜀汉语方言其时已为汉语北方话的一个重要分支，应该没有太大问题。

三、唐宋时期的巴蜀语言

唐代有《蜀尔雅》一书，为李商隐采蜀语而作，① 但此书早佚。今未见有唐宋时期系统记录巴蜀语言的材料，但散落在这一时期众多典籍中的一些语音和词汇的零星记录，仍然显示出当时的巴蜀语言在语音和词汇上鲜明的地域特色。

唐宋时巴蜀语言的语音系统状况很难完整勾勒，但其不同于其他方言音系的一些特征，却在文献中有明确记载：

夜永酒阑，论及音韵。以今声调既自有别，诸家取舍亦复不同。吴楚则时伤轻浅，燕赵则多伤重浊；秦陇则去声为入，梁益则平声似去。（陆法言《切韵序》）②

今之姓胥姓雍者，皆平声，春秋胥臣，汉雍齿，唐雍陶，皆是也。蜀中作上声去声呼之，盖蜀人率以平为去。③

上述材料说明中古梁益一带的平声调与中原一带去声调接近。

古籍中一些零散的记录，也足见巴蜀语言中的一些词语读音的特异：

鲁直在戎州，作乐府曰："老子平生，江南江北，爱听临风笛。孙郎微笑，坐来声喷霜竹。"予在蜀见其稿。今俗本改"笛"为"曲"以协韵，非也。然亦疑"笛"字太不入韵，及居蜀久，习其语音，乃知泸戎间谓"笛"为

---

① （宋）陈振孙撰：《直斋书录解题》（［台北］广文书局有限公司1968年版，第206页）："《蜀尔雅》三卷，不著名氏。《馆阁书目》案：李邯郸云：唐李商隐采蜀语为之，当必有据。"
② 《宋本广韵》，中国书店1982年版，据张氏泽存堂本影印。
③ （宋）杨亿口述，黄鉴笔录，宋庠整理，李裕民、李伟国校点：《杨文公谈苑》，上海古籍出版社2012年版，第74页。

"独"。故鲁直得借用，亦因以戏之耳。①

中古时期"笛"为定母梗摄四等开口锡韵字，拟音[diek]，"独"为定母通摄一等合口屋韵字，拟音[duk]②，蜀地"笛"读同"独"，与"竹"押韵。又：

四方之音有讹者，则一韵尽讹。如闽人讹"高"字，则谓"高"为"歌"，谓"劳"为"罗"；秦人讹"青"字，则谓"青"为"萋"，谓"经"为"稽"；蜀人讹"登"字，则一韵皆合口；吴人讹"鱼"字，则一韵皆开口，他仿此。中原惟洛阳得天地之中，语音最正，然谓"弦"为"玄"、谓"玄"为"弦"、谓"犬"为"遣"、谓"遣"为"犬"之类，亦自不少。③

此则材料将四方之音与洛阳正音比较，发现当时蜀地把中原本为一等开口韵的"登"讹为合口，并据此推知凡"登"韵字皆读为合口。

这些特征使当时的巴蜀语言的语音在听感上有很高的辨识度。耿沣《送夏侯审游蜀》：

暮峰和玉垒，回望不通秦。更问蜀城路，但逢巴语人。
石林莺啭晓，板屋月明春。若访严夫子，无嫌卜肆贫。④

"巴语人"即操当时巴蜀语言之人。又《五灯会元·无为宗泰禅师》：

汉州无为宗泰禅师，涪城人。自出关，遍游丛社。至五祖告香日，祖举"赵州洗钵盂话"俾参。泊入室，举此话问师："你道赵州向伊道甚么。这僧便悟去。"师曰："洗钵盂去，聻！"祖曰："你只知路上事，不知路上滋味。"师曰："既知路上事，路上有甚滋味？"祖曰："你不知邪？"又问："你曾游浙否？"师曰："未也。"祖曰："你未悟在。"师自此凡五年，不

---

① （宋）陆游撰，李剑雄、刘德权点校：《老学庵笔记》卷二，中华书局1979年版，第16页。
② "笛""独"两字的拟音请参见郭锡良《汉字古音手册》，北京大学出版社1986年版，第79页、第103页。
③ （宋）陆游撰，李剑雄、刘德权点校：《老学庵笔记》卷六，中华书局1979年版，第77～73页。
④ 中华书局编辑点校：《全唐诗》第8册，中华书局1960年版，第2978页。

能对。祖一日升堂，顾众曰："八十翁翁辊绣球。"便下座。师欣然出众曰："和尚试辊一辊看。"祖以手作打仗鼓势，操蜀音唱绵州巴歌曰："豆子山，打瓦鼓。杨平山，撒白雨。白雨下，取龙女。织得绢，二丈五。一半属罗江，一半属玄武。"师闻大悟，掩祖口曰："只消唱到这里。"师大笑而归。①

这里五祖操蜀音，即操无为宗泰禅师的家乡话唱其家乡曲，使禅师大悟。歌谣中以"姥"韵的"鼓"、"遇"韵的"雨"、"语"韵的"女"、"姥"韵的"五"、"麌"韵的"武"为韵虽不为奇，但顿使禅师大悟，说明其方音特征极其鲜明。又如：

蜀语初闻喜复惊，依然如有故乡情。绛罗饼餤玻璃酒，何日蟆颐伴我行？（陆游《病中忽有眉山士人史君见过，欣然接之，口占绝句》）②

据上述材料中陆游听蜀语而生"故乡情"可知，当时巴蜀语言在听感上有突出特点。又如：

岭梅蜀柳笑人忙，岁岁椒盘各异方。耳畔逢人无鲁语，鬓边随我是吴霜。（范成大《丙申元日安福寺礼塔》）③

刘晓南根据文献考证，宋代四川方音特征共23条如下：

声调一条，平声与上去互混；声母两条，知与照三读端，照二读精；韵母20条，某些韵开合口相混，歌戈、萧豪通押，鱼模、尤侯通押，歌戈、鱼模通押，萧豪、尤侯通押，鱼模、家麻通押，支微、鱼模通押，鱼模、萧豪通押，歌戈、家麻通押，支微、皆来通押，家麻、皆来通押，真青、侵寻通押，寒先、监廉通押，寒先、江阳通押，监廉、江阳通押，东钟、江阳通押，真青、

---

① （宋）普济：《五灯会元》，中华书局1984年版，第1267页。
② （宋）陆游著，钱仲联校注：《剑南诗稿校注》第3册，上海古籍出版社1985年版，第1204页。
③ 此诗自注："蜀人乡音极难解，其为京、洛音，辄谓之虏语。或是僭伪时以中国自居，循习至今不改也。既又讳之，改作鲁语。"（宋）范成大：《范石湖集》，上海古籍出版社1981年版，第232页。

江阳通押，寒先、真青通押，真青、东钟通押，阴声韵与阳声韵通押。①

中古巴蜀方言的一些语音特征在四川方言中保留至今。如刘晓南所述"歌戈""鱼模"通押，今眉山话歌韵字读［u］的现象常见，"多、搓、拖"韵母读为［u］。又如"家麻"部押入皆来，今石棉话、汉源话假摄字"车、蔗、者、社、彻"韵母仍读为［ai］。他如：

东坡尝与刘贡父言："某与舍弟习制科时，日享三白，食之甚美，不复信世间有八珍也。"贡父问三白，答曰："一撮盐，一碟生萝卜，一碗饭，乃三白也。"贡父大笑。久之，以简召坡过其家吃皛饭。坡不省忆尝对贡父三白之说也，谓人云："贡父读书多，必有出处。"比至赴食，见案上所设，惟盐、萝卜、饭而已，乃始悟贡父以三白相戏，笑投匕箸，食之几尽。将上马，云："明日可见过，当具毳饭奉待。"贡父虽恐其为戏，但不知毳饭所设何物。如期而往。谈论过食时，贡父饥甚索食。坡云："少待。"如此者再三，坡答如初。贡父曰："饥不可忍矣！"坡徐曰："盐也毛，萝卜也毛，饭也毛，非毳而何。"贡父捧腹，曰："固知君必报东门之役，然虑不及此也。"坡乃命进食。抵暮而去。世俗呼"无"为"模"，又语讹"模"为"毛"，尝同音。故坡以此报之，宜乎贡父思虑不到也。（［宋］朱弁《曲洧旧闻》卷六"东坡与刘贡父谐谑"）②

盖蜀音谓无曰毛。（《坚瓠四集·皛毳饭》）③

今西充等地仍呼"没有"为［mau²¹］。唐宋时期巴蜀语言的词汇在典籍中也有记录：

唐人言冬烘是不了了之语，故有"主司头脑太冬烘，错认颜标是鲁公"之言，人以为戏谈，今蜀人多称之。崇宁末安国同为郎，成都人詹某为谏官，故以安国尝建言移寺省，上章击之，其辞略云：谨按某官人材阘冗，临事冬烘。

---

① 参见刘晓南《宋代四川语音研究》，北京大学出版社2012年版，第234～235页。
② （宋）朱弁撰：《曲洧旧闻》，孔凡礼点校：《师友谈记 曲洧旧闻 西塘集耆旧续闻》，中华书局2002年版，第172～173页。
③ （清）褚人获辑撰，李梦生校点：《坚瓠集》，上海古籍出版社2012年版，第258页。

盖以其蜀人，闻者无不笑之。安国性隐而口吃，每戟手跃于众曰：吾不辞谴逐，但冬烘为何等语。于是传之益广，遂目为冬烘公。①

唐宋时蜀人称人糊涂为"冬烘"。他如：

今蜀人谓中原人为虏子，东坡诗"久客厌虏馔"是也，因目北人仕蜀者为虏官。晁子止为三荣守，民有讼资官县尉者，曰："县尉虏官，不通民情。"子止为穷治之，果负冤。民既得直，拜谢而去。子止笑谕之曰："我亦虏官也，汝勿谓虏官不通民情。"闻者皆笑。②

"虏子"应是当时蜀人对中原人的贬称，"虏官"则是对入蜀做官的中原人的贬称。又如：

蜀人见人物之可夸者，则曰"呜呼"，可鄙者，则曰"噫嘻"。③

唐宋时期的一些方言词语，在今天的巴蜀汉语方言中，仍然常用，以下略举数例。

翠

一朵妖红翠欲流，春光回照雪霜羞。化工只欲呈新巧，不放闲花得少休。（苏轼《和述古冬日牡丹》诗之一）④

以鲜明为翠，乃古语。⑤

东坡《牡丹诗》云："一朵妖红翠欲流。"初不晓"翠欲流"为何语。及游成都，过木行街，有大署市肆曰："郭家鲜翠红紫铺。"问土人，乃知蜀语

---

① （宋）叶梦得：《避暑录话》卷上，（台湾）商务印书馆，影印文渊阁四库全书，第77页。
② （宋）陆游撰，李剑雄、刘德权点校：《老学庵笔记》卷九，中华书局1979年版，第119页。
③ （宋）陆游撰，李剑雄、刘德权点校：《老学庵笔记》卷八，中华书局1979年版，第100页。
④ 北京大学古文献研究所：《全宋诗》，北京大学出版社1993年版，第9191页。
⑤ （宋）王应麟：《困学纪闻》卷十八，扬州书局重刊太原阎氏笺本，同治九年（1870），页十六。

鲜翠犹言鲜明也。东坡盖用乡语云。①

　　此词一直保留在巴蜀汉语方言之中，如明李实《蜀语》及民国10年（1921）《合川县志·风俗·方言》均记载说"凡颜色鲜明曰翠"。今巴蜀人仍将"色彩鲜明或鲜艳"说为"翠"或"翠泛、鲜翠、翠生生的"。
　　泥
　　花蕊夫人《宫词》：

内人承宠赐新房，红纸泥窗绕画廊。②

此例中"红纸泥窗"在宋人看来已有些费解，故需加以说解：

蜀人又谓糊窗曰"泥窗"，花蕊夫人《宫词》云："红锦［纸］泥窗绕四廊。"非曾游蜀，亦所不解。③

　　称糊窗为"泥窗"，应是唐宋时蜀人口语。今成都等地方言"泥"仍有"糊、粘"之义，应为对古语的继承。
　　以上材料显示，巴蜀汉语方言中的一些语音和词汇，在历史的发展过程中仍不失自己的特色，值得我们深入探究。

四、元明清时期巴蜀语言与现代巴蜀汉语方言的形成

　　发生在元末明初和明末清初的两次大规模移民，对形成现代巴蜀汉语方言基本面貌和内部格局起着决定性作用。
　　今巴蜀地区汉语方言的主体是官话方言，其中又有两个主要分支：一支是分布在成都、重庆等广大地区的"湖广话"，另一支则是沿岷江而下、分布在岷江以西及以南区域入声独立的"南路话"。④湖广话是元末至清初大量外来

---

① （宋）陆游撰，李剑雄、刘德权点校：《老学庵笔记》卷八，中华书局1979年版，第102页。
② 中华书局编辑点校：《全唐诗》第23册，中华书局1960年版，第8978页。
③ （宋）陆游：《老学庵笔记》卷八，中华书局1979年版，第102页。
④ 参见周及徐《南路话和湖广话的语音特点——兼论四川两大方言的历史关系》，载《语言研究》2012年第3期。

移民进入巴蜀①，并成为成都岷江以东巴蜀广大地区的主体居民的见证，而南路话则是元末以前巴蜀汉语方言的后裔。②

宋元之际至明末清初，号为"天府"、富庶繁盛的巴蜀地区，屡遭兵燹。最初是元军长达半个世纪的平定四川的战争，使四川人口骤减，元初川民较之南宋嘉定十六年（1223）减少了约95%。③明末清初，从崇祯六年（1633）张献忠首次入川，到康熙二十年（1681）清军在川平定吴三桂叛乱部将，四川又遭遇半个世纪之久的战火与屠杀，加之饥荒、瘟疫、虎患不断，给人民以毁灭性的打击，其惨状明清学人多有记载。④

战乱与灾疫给巴蜀地区带来巨大的人口损失，为数量庞大的移民源源不断地进入留下了空间。元至正十七年（1357）湖北人明玉珍率军入蜀，元至正二十三年（1363）建立以重庆为首都的大夏政权，带来军籍移民和民籍移民约五十万，而土著居民仅约三十万，以湖广籍为主体的移民人口超过土著人口。明初洪武年间大规模的移民潮之后，至洪武二十四年（1391）四川人口已恢复至一百五十万之多，并且"移民来自四方，而客籍超过土著，这就是明代四川人口社会构成的基本特征"。⑤至清代，政府采取移民填川政策，从康熙中期到乾隆中期，大移民浪潮持续了百年之久，形成中国历史上时间最长、规模最大的移民活动，移民人口超过五百万。⑥

在大移民活动中，迁入巴蜀的户口以"湖广居首，麻城最多"，故称"湖广填四川"。今巴蜀人有不少都自称是湖北麻城孝感乡人的后代。⑦以至于旧时巴蜀境内的湖北麻城移民，每年推选办事公正、讲守信用的人作为代表回老

---

① 参见崔荣昌《四川方言的形成》，载《方言》1985年第1期。
② 参见周及徐《南路话和湖广话的语音特点——兼论四川两大方言的历史关系》，载《语言研究》2012年第3期。
③ 据统计，元初四川仅余12万户约五十九万口人，较之南宋嘉定十六年（1223）四川地区259万户，约一千二百万人，减少了约95%。参见贾大泉《宋代四川经济述论》，四川省社会科学院出版社1985年版。
④ 参见（明）顾山贞《客滇述》、谢黄《后鉴录》，（清）彭遵泗《蜀碧》、沈荀蔚《蜀难叙略》、刘景伯《蜀龟鉴》、祝介《蜀乱述闻》、彭孙贻《平寇志》等中有关章节。
⑤ 参见陈世松等《四川通史》第5册，四川大学出版社1993年版，第172页。
⑥ 参见王炎《"湖广填四川"的移民浪潮与清政府的行政调控》，载《社会科学研究》1998年第6期。
⑦ 我们收集到巴蜀地区的100部家谱中，麻城孝感乡入川者就有15家。参见黄尚军、李国太等《四川方言与民俗》，四川民族出版社2014年版，第536~540页。

家探亲、送信、代送土特产,这种人就被称为"麻乡约"或"麻城乡约"。①

移民入川以后,许多人除了从事农耕外,也挖药、烧碱、储积小本,转而经商,甚至一些士人也弃儒学贾,促进了巴蜀地区经济的发展。这就要求使用流行地域比较广泛的语言作为交际工具,以适应社会发展的需要,从而也就加强了已在巴蜀地区形成,并为在人口数量上、分布地域上占有优势的湖广籍移民所使用的官话方言的地位,时至今日,该方言仍是本地区占主导地位的汉语方言。

另一方面,移民的涌入并不是在同一时段均匀出现在巴蜀全境,这也导致了巴蜀汉语方言内部的重大差异。今天的巴蜀汉语方言有入声区和无入声区的对立,主要即为移民分布的不均衡造成的。巴蜀近现代移民分布的地域递减性规律,使当时入川的湖广移民大多由东到西,逐渐迁入。他们首先进入川东,达到一定饱和度之后才慢慢向西推进。② 因此,重庆、川东、川中成为大量移民的聚居地。川北移民则多由陕西经秦蜀古栈道流入。这一广大区域的官话,受到移民来源地方言的影响,就今天的语音面貌来看,即为巴蜀汉语方言的无入声区。在从康熙初年到乾隆末年将近一百年的时间中,在土地肥沃、物产丰富、农业发达的川西地区,土著人口有一定恢复,但由于移民到达时间整体偏晚、数量相对较少,故以川西地区为代表的约占巴蜀三分之一地区的官话,总体上保留着更为古老的面貌,这就是今天的有入声地区。这一地区应为前文所述的南路话区域。据研究,该区域受战乱影响相对较小、土著人口较多。③ 清人记录了一些相关信息:

---

① 麻:麻城。乡约:当时乡村中负责民间事务调解责任的一种领导人员。"麻乡约"也指旧时西南地区规模最大的民间运输业。李劼人:《李劼人选集》(第2卷,四川人民出版社1980年版,第1263页):"二姐,不是麻子乡约,是多少年前,一个姓麻的乡约。他起初帮人顺带点东西。后来就组织起号头,专门代人运这运那。……我回来的时候,有几箱子洋书,自己不爱带,我就找到麻乡约。"成都人后戏称好管闲事者为"麻乡约"。
② 参见蓝勇《清代四川土著和移民分布的地理特征研究》,载《中国历史地理论丛》1995年第2期。
③ 川南、川中以及重庆的少数地方,也有保留入声的地区,如宜宾市、叙永县、江津县、綦江县等。据研究,这些地方受战乱影响较小、土著人口较多。参见杨波《四川官话入声现象的历史文化透视——论合江方言的形成与发展》,载《西南师范大学学报》(哲学社会科学版)1997年第5期。

独处山村四十年之妇人。明末张献忠踞蜀，肆行杀掠，江津县民咸承勋与妻廖氏居于山村，贼锋骎骎将及，承勋谋挈家亡去，廖氏以茬弱，惧不免，誓以身殉。谋未定，见前村火起，知贼至，遂脱身走；氏杜门待尽，而贼顾不入，惟邻里付一炬矣。氏独处岁余，食将尽，幸瓮中剩余谷粒，取以播种，岁收所入，饶有余粮。惟衣履穿敝，无可购觅，爰葺卉服，以度寒暑。如是者四十年。承勋逃入滇中，复娶妻生子，年已六旬，囊橐稍裕，思归故乡。时天下承平，江津县已成聚。承勋至邑，访其里居，人无知者，遂独往求之。未至村十里余，则丛莽塞径，久无人迹，不得已，集众伐木开道而进，竭蹶两日，乃抵其村。灌木野竹遮蔽道路，大树自屋中出，亭亭若盖，乃挥众持斧，芟薙以入。忽闻歇楼内人问曰："尔等何人，擅入我室？"骤闻大惊，咸乃厉声应之曰："我此屋主人咸承勋也！"氏窥视良久，哭曰："果我夫也！"遂自楼下。头如蓬葆，面目黎黑，草衣毵毵然，殊不类人。承勋审谛既真，乃相抱长恸；历述难后事，又各大喜。同行之人闻之，亦共惊喜相慰。于是相挈至县，洗沐，更易衣服。①

就现存的语料看，巴蜀汉语方言最迟在明代，就已具备现在的基本特征了。此时的巴蜀汉语方言与现代巴蜀汉语方言大体相同，这在该时期人的描述中可以得到印证：

西蜀（方音）：怒为路，弩为鲁，术为树，出为处，入为茹。②
铸铜铁器曰铸○上铸音注，下铸音到。（《蜀语校注》，第177页）
谓客曰人客……尻脾曰沟子……齿怯曰牙龈……计值曰估。（《蜀方言》第273～298页）

这些记载，都与现代巴蜀汉语方言基本相同，但正如索绪尔所言：

语言演化不会在整个地区都一模一样，而是随地区而不同的。人们从来没

---

① （清）陈其元撰，杨璐点校：《庸闲斋笔记》卷八，中华书局1989年版，第182页。
② （明）张位：《问奇集》，宝颜堂秘籍丛书本，页二十六。

有见过一种语言在它的整个领域内都起一样的变化。①

有专家认为，明末遂宁人李实所撰《蜀语》注音材料反映出来的当时遂宁话语音框架和某些语音特点，跟今天巴蜀汉语方言中的遂宁话基本一致。②从中江人刘省三的《跻春台》所反映的当时中江话的语音特点看，一百年前的中江话已跟今天的中江话基本相同。而1909年至1910年间出版的傅崇榘的《成都通览》，则反映了一百年前成都官话的特点，从中也可以看出，今天成都官话的基本音韵特点，当时就已具备。由此可见，今天的巴蜀汉语方言音系至迟在一个世纪以前就已经基本形成了。③

本书所讨论的巴蜀汉语方言的主体，正是明清以来直至今天仍然活跃在巴蜀地区的汉语方言。

第二节 巴蜀汉语方言形成和变迁的因素

方言是记录和表现社会生活最直接的要素，不同的社会生活与不同的自然环境，都会在方言尤其是词语上反映出来。巴蜀汉语方言的形成，就词语而言，大致有以下几个方面。

一、地理环境

人类各种群落的活动都是在特定的地理环境中展开的，语言和文化的形成与演变经常都打上了这种环境的烙印。不同的环境决定了不同的生产、生活方

---

① 参见［瑞士］费尔迪南·德·索绪尔著，高名凯译《普通语言学教程》，商务印书馆1980年版，第279页。
② （明）李实《蜀语》的音系也有跟今天不一致的地方，如［nl］基本上为两类不同的声母，舌尖前音［ts］与舌尖后音［tʂ］有别，中古见系细音与精系细音基本分而不混；有［əŋ iŋ］与［ən in］的区别；声调5类，入声独立成类。这些都跟今天的遂宁话不同。参见甄尚灵、张一舟《〈蜀语〉词语的记录方式》，载《方言》1992年第1期。
③ 参见张一舟《〈跻春台〉与四川中江话》，载《方言》1998年第3期。张一舟《〈成都通览〉所反映的一百年前的成都话》，载《四川师范大学学报》（哲学社会科学版）增刊，2007年第12期。

式，在方言中表现出与之对应的词汇。① 英国学者L.R.帕默尔指出：

> 方言地理学这一套方法的重要之处就在于说明言语形式在空间上的分布。决定语言接触的社会交际从根本上来说是在空间中进行的接触和运动。所以，言语像一切文化现象那样，为地理因素所决定并受到地理因素的限制。②

方言与地理环境关系极大，语言学中的"方言地理学"就是这样一种专门研究方言与地理环境关系的学科。而地理环境又影响、制约着民族的产生和发展，所以地理环境—民族—方言，是一个呈连锁型的不同学科的单向性感染；而有时又是以地理环境为中心对民族和方言的形成，起着辐射式的感染和支配作用。

从地理环境对方言的影响来看，巴蜀四面环山，长江贯通其中，有著名的成都平原。人们常说"吴牛喘月，蜀犬吠日"，意为江南一带平地多，山地少，遮不住太阳，故江南的牛看见月亮都以为是太阳，会喘气；而巴蜀境内平地少，山地多，阴天多，故蜀地的狗看见太阳，也会少见多怪地乱叫。这些话虽然有些夸张，但也说出了巴蜀的地理特点。而这些特点，对巴蜀汉语方言词语的影响十分明显。他如：

翻山

此词本指"翻越山岭"，后引申出"超越某种界限"的含义：

> 兔子逼紧了，还会咬人，把小伙儿逼翻了山，反而会出事。（《李劼人选集》第2卷，第976页）

巴蜀地区河流众多，航运十分发达，但急流险滩也多，故巴蜀汉语方言中有不少这方面的词语，请看以下例子。

峡

指两山夹着的水道，亦特指川江三峡。《文选·左思〈蜀都赋〉》"经三

---

① 参见向熹《避讳与四川地名》，载《文史杂志》1999年第2期；崔荣昌、宋文辉《四川地名的文化内涵》，载《文史杂志》1996年第2期。

② ［英］L.R.帕默尔：《语言学概论》，商务印书馆1983年版，第117页。

峡之峥嵘"一句，李善注：

> 三峡，巴东永安县。有高山相对，柜去可二十丈左右，崖甚高，人谓之峡，江水过其中。①

今巴蜀人仍说"峡"。
浩
此即小港：

> 黄庭坚曰："犍为之俗，谓江之瀼水为浩。"②
> 水之歧出者，大曰汊河洱，小曰浩浩儿。〔民国13年（1924）《乐山县志·方言》〕
> 小港曰浩。〔民国10年（1921）《合川县志·方言》〕

今三峡一带仍将砂石碛坝叉分水流贴岸之支流称为"浩"，大者叫"港"。今重庆长江南岸尚有地名"龙门浩"，而剑阁县仍把"小巷"说为"浩浩儿"。
碛坝
此即沙石浅滩。今重庆市江北县有洛碛镇，其地傍长江，江边夏水退后，有一大片沙石滩，故名。
跑滩匠
此词原指为生计而奔波，住无定所的川江船工、纤夫，后来泛指跑江湖的人或无固定工作地点、到处流浪的人：

> 与其跟着你去当跑滩匠，不如回家守老婆的好。（《李劼人选集》第2卷，第574页）

巴蜀特殊的地理环境孕育了独具特色的交通工具，也因此产生了一批与之

---

① （南朝·梁）萧统编，（唐）李善注：《文选》，中华书局1977年版，第80页。
② （清）张澍：《蜀典》卷七，尊经书院，光绪二年（1876）重刻本，页十三。

相对应的方言词语，如：

滑竿（儿）①

这是流行于巴蜀地区的一种交通工具，今峨眉山、青城山等地仍可见。因其用十分光滑的竹竿绑扎而成，故俗称"滑竿（儿）"：②

一到农闲，不是出门挑脚，就跑流差：抬短程滑竿！（《沙汀选集》第3卷，第272页）

当他们坐上滑竿儿时，在吴小秋的滑竿儿上放了一个大红鸡公，表示送个吉利，另外送了一封银元，放在吴小秋坐的滑竿儿上。（《锦城旧事》，第161页）

简易的滑竿儿，是把竹片或绳索绑在结实而富弹性的两根七八市尺长的竹竿上做成的。（《中国歌谣集成·重庆市卷》，第56页）③

滑竿（儿）的制作十分简便，即砍下两根特意精选的约三米长的竹竿，在其两端各绑上尺把长的短竹竿或木棒做抬肩，中间架以竹片或绳索绷成的躺椅，椅上绑一个篾枕头，吊一节小木片或竹棒做踏脚。④天冷时，可在躺椅上垫上一些被褥；天热时，可在竹竿上绑两条弓形竹片，撑一篷布遮阳避雨。滑竿（儿）具有轻巧灵活、方便适用的优点，至今深受巴蜀人尤其是山区人的喜爱。

峨眉杖

佛教名山四川峨眉山，山高路险，游人登山多需一根竹杖辅助，方能登顶。此竹杖长度多为一米二左右，粗度以方便握手为宜，相沿成习，也因此而

---

① "杆"与"竿"音同，但义有别。据字形看，"杆"多为木质，"竿"则为竹竿，"滑竿"多由竹竿制成，故"滑杆"当作"滑竿"。
② 另说因其"轻快"（巴蜀汉语方言的"滑"有"快"义），故名曰"滑竿（儿）"。有的地区如德阳、绵阳方音[x]与[f]多不分，或加以儿化，故也作"发竿儿"或"筏竿儿"。重庆等地有民间故事《滑竿的传说》。参见刘仁富等《中国民间故事集成·重庆市大渡口区卷》（内部资料本），1988年，第93~94页。
③ 聂云岚等：《中国歌谣集成·重庆市卷》（内部资料本），科学技术文献出版社重庆分社1989年版。
④ 徐勋等：《从脚说起》（四川人民出版社1980年版，第124页）："这时候，只见远远一乘藤杆儿扎的胡椒眼儿、阴丹布凉篷滑竿抬过来了。"

得名为"峨眉杖"。如今仍有大量山民向游客兜售。

鲫鱼背

旧时成都市区交通不便，为方便"鸡公车"① 过往，许多中小街道的路面是用石板铺成的，较宽的街道则只在街中心安上一道石板，并使其略高于两侧的路面。因其形状似鲫鱼的背，故名。

他如"挎篮、锅架、老三叉、背架子、背老二、挑老三、挎高肩、背篼儿"以及背盐用的"板凳儿"等，均与巴蜀人尤其是山区人的生活息息相关。②

二、历史、文化因素

语言与历史和文化的关系，学界早有论述，罗常培不仅指出语言学的研究要扩大范围，要联系其他社会现象和意识阐扬语言学的原理，而且还写作了国内将语言与文化结合起来研究的第一部专著《语言与文化》。③ 李如龙指出：

> 方言是历史上形成的，其语义系统表现着鲜明的地域文化特征，其演变途径和发展方向深受地方历史文化的制约，联系历史文化研究方言同样是十分必要的。④

汉语方言是汉语在历史发展中的地方变种，造成这种与共同语不同的外部条件最主要的就是地域历史文化。巴蜀汉语方言词语在这一点上表现得比较突出，不少词语的产生和流行，实际上是历史文化在语言词汇上的沉积，历史文

---

① 鸡公车：木制独轮手推车。有大、小之分，高、矮之别。大者称"高架车""三二车"，小者称"矮架车"。巴蜀传说诸葛亮为出祁山，北伐曹魏，曾制作木马流牛，以运输军粮。后被巴蜀人加以改造，成为巴蜀尤其是山区常见的运输工具。旧时成都、德阳等地称推鸡公车为"吆凤凰"，坐鸡公车为"骑凤凰"。当时尚无马路，多以鸡公车载客。参见陆泽怀等《德阳民俗》（内部资料本），1996年，第186页。何韫若《锦城旧事竹枝词》，中国三峡出版社2000年版，第260页。
② 参见古蔺县志编纂委员会《古蔺县志》，四川科学技术出版社1993年版，第644～645页。通江县民间歌谣"背老二，挑老三，老大就是挎高肩"中的"背老二"，指以背运货物为生的人，"挑老三"指走街串巷的货郎之类的人，"老大"则指用肩扛重物的人，均因三种运输方式的不同而得名。"背篼儿"则指用背筐为人背运小型杂物的人。
③ 参见罗常培《语言与文化》，语文出版社1989年版，第89页。
④ 李如龙：《论汉语方言的比较研究》（下），载《语文研究》2000年第3期。

化直接导致了一部分巴蜀汉语方言词语的产生。

（一）历史事件对巴蜀汉语方言词汇的丰富

今达县、渠县、垫江、长寿等地，将当地土著称为"古老户（儿）"①，将湖广填四川的外地人称为"填川户"，并有一个关于各地人民迁徙、融合、相亲、相爱的传说。② 同处川东北的南江县和开江县人，今则将当地原住民分别称为"老命人"和"老民"③。而明清之际，巴蜀境内由于"在昔田地价

---

① 古老户（儿）：也说"古老虎（儿）、老古头"。开江县、渠县、垫江县、营山县等地，均有关于原住民的传说，并且他们在生理上有一些特征，如俗传渠县三汇镇董家山陈姓居民手腕儿骨节与手肘骨节一样粗细；开江长岭镇九村一带祝姓人家若干代人手指关节只有两节，唯有上川移民长了三节，而且祝姓人手腕上找不出绳索捆绑的痕迹（孙和平：《四川方言文化——民间符号与地方性知识》，巴蜀书社2007年版，第236页），垫江县传说中嘴寨有48户为真正的垫江"古老户"。参见中国民间文学三套集成垫江卷编委会《中国民间文学三套集成·垫江卷》，四川文艺出版社1992年版，第12~14页。长寿传说张献忠带兵路过夏元乡境内长江正对张爷庙的张爷滩，无法前行，当地帮他拉船过滩的人，免遭杀戮，即为"古老虎"。参见邓永明等《中国民间故事集成·长寿县卷》（内部资料本），1988年，第50页。营山传说太蓬山北门寨子下面杨姓人的祖先，即为当年真正的"老古头"四川人。参见营山县民间文学三套集成编写领导小组《中国民间文学集成·营山县资料集》（内部资料本），1987年，第113~114页。云阳县也传说路阳仙女峰顶的仙女寨，有张献忠剿杀四川时，被仙女娘娘救下的一户人家，是四川原籍。参见湛泉中等《中国民间文学集成·四川省云阳县卷》（内部资料本），1990年，第52~53页。奉节县传说甲高乡方家坝有一方姓人家，当家人称"方蛮子"，带领全家在方家洞中躲过张献忠的屠杀，而成为夔州府唯一一家真正的四川人。参见游翔等《中国民间文学集成·四川奉节县卷》（内部资料本），上册，1989年，第163页。宣汉县等地则传说当地老林中居住的土著后裔，因常年饮用陈年树叶沤烂后化生的苦水，世代脖子上生有"瘿瘤"。参见蒋维明《战东乡》，载《龙门阵》1983年第6期。黄尚军在实地调查中得知，南江县红光镇传说当地邹姓为湖广填四川前蜀地最多的姓氏。有一大户人家的丫鬟邹氏在张献忠剿杀四川时，因偷食家中食物而胀晕死，被主家误认为真正死亡而掩埋，故躲过一劫。但有学者认为"古蜀人"今基本没有。参见魏炯若《何故全四川见不到一个"蜀人"？》，载《龙门阵》1981年第3辑。

② 参见达县市北外乡志编委会《达县市北外乡志》（内部资料本），1987年，第379页。

③ 南江县材料为李国太于2010年8月实地调查所得。开江县材料参见孙和平《四川方言文化——民间符号与地方性知识》，巴蜀书社2007年版，第177页。有学者认为"民国前，旺苍县城内百分之九十以上姓氏人均为明末清初'湖广填川'来的移民，仅袁、何、杨、苔、赵、辜、尹、詹氏八姓人为'老明人'即主籍人，他们也是元末明初'湖广填四川'迁来的移民。真正的土著人即本地人是非常少的"。参见杨荣生《"湖广填四川"与旺苍移民文化》，载陈世松等《移民文化与当代社会》，四川人民出版社2009年版，第139页。黄尚军、杨杰等于2016年2月至旺苍县木门镇实地调查得知，该镇盐井村、飞凤村、农建村等地有关于"老明人"的传说。参见旺苍县李氏宗谱编纂委员会《李氏宗谱——老象堡支系》（打印本），2004年，第73页。

廉，并有所谓'黑宅'者，后因人少荒山无主，由人手指自某处至某处，即自行管业，谓之'占黑宅'"；①明遗原生民俗称"老明人""老户""老民""老里人"等。②两湖、广东、江西等省陆续迁入者俗称"客籍人"。

"古老户（儿）、客籍人、填川户、老明人、老民、占黑宅、老里人"等词语，无不与"湖广填四川"这一重大历史事件有着重要关系。

打启发

本指旧时军队对百姓的劫掠，后引申出"揩油、占便宜、占好处"的意思，也泛指"敲诈抢劫"：

巡防军没人管，正在到处打启发。（《李劼人选集》第2卷，第1583页）

这"打启发"三个字就是那次兵变之后传出来的话柄。据说那天晚上的新军的口令是"启发"。起初哗变的大抵是营防军，当局者似乎也曾去调凤凰山的新军来弹压。然而新军一进城也跟着变了。一到晚来，彼此成群结队的抢劫，彼此也在互问口令。于是东也是一声"启发"，西也是一声"启发"。从此以后"打启发"便成了成都的新方言。大凡是在上海人要说"揩油"的地方，成都人便叫着"打启发"。③

大人才有大自由，夜夜不归要得伸。身边男人排成队，打启发的还在跟。（《成都商报》1999年11月28日B2版）

罗旭牌坊——隘口石修④

这是流传在珙县一带的歇后语。该县玉和苗族乡隘口村有座巍峨的贞节牌坊，为四川省文物保护单位。因其位于"隘口"，故称"隘口牌坊"，高三十余米，占地半亩多。四柱三门，仿明代木建筑，重檐，斗拱。镂空宝鼎。三重

---

① 民国21年（1932）《万源县志·教育门·礼俗·世俗》："考清初户籍，不及一万，近则增二倍矣。在昔，田地价廉，并有所谓'黑宅'者（人少，荒山无主，由人手指自某处至某处，即自行管业，谓之'占黑宅'）。"
② 同治十年（1871）《仪陇县志·食货志·户口》："邑中湖南、北人最多，江西、广东次之，率皆康熙、雍正间入籍，求所为明时入籍，谓之'老户'者，盖寥寥无几。"光绪三十三年（1907）《广安州新志·风俗志》：'凡明世旧籍，曰'老民'，曰'本地人'。国初入籍曰'新民'，曰'客籍人'。"民国26年（1937）《犍为县志·居民》："罹献贼屠蜀之祸，凶锋所肆，犍人亦被荼毒，民鲜孑遗，所存者，后皆目为'老里人'。"
③ 郭沫若：《郭沫若选集》第1卷，上册，四川人民出版社1982年版，第257～258页。
④ 隘口石修：谐"碍口识羞"，因怕生或害羞而神情不自然的样子。

檐上十二翘角凌空飞出，气势磅礴。牌坊上刻有深浮雕，内容为戏剧人物，花草鸟兽。造形古朴，巧夺天工。诗文趣对寓意深刻，文辞典雅。隶书、行书、篆书、楷书，其笔法无不行云流水，独具匠心。关于此坊当地有如下传说：

  三百多匠人在隘口找修牌坊的石料，找了好些天，总是找不到合适的，掌墨师廖四石匠心里好着急哟！

  有一天，来了个蔫包老者，穿得很缕烂，背有些驼，眼角吊着黄乎乎的眼屎，背起一个包篓，包篓里有两三根锈垮垮的扁子、占〔錾〕子，他走到廖四石匠跟前，没精打采地说："掌墨师，能让我在这里镶一个饭碗吗？"廖四石匠见老者可怜兮兮的，客气地向老者说："手艺人出门求生，请留下嘛。"

  那时，手艺人和主人家有个规距〔矩〕，手艺人不论有无手艺，初到一个地方都可吃三天客饭，这三天主家和掌墨师都不安排来人活路。

  这个日眉倒眼的蔫包老者在隘口吃了三天闲饭，到了第四天，吃了早饭后他对廖四石匠说："掌墨师，今天我做点啥子活路呢？"

  廖四石匠说："我们都在找修牌坊的石料，你也找嘛。"

  老者背着手锤、占〔錾〕子就上山了。他东看看，西敲敲，到了斑竹塘，他就往回走了。

  吃午饭的时候，老者对廖四石匠说："掌墨师，下午你是不是跟我去看看那窝石头，看看修牌坊要得不哦？"吃过晌午，廖四石匠叫了几个人，就跟到老者到了斑竹塘，老者指着地面说："掌墨师，叫他们把盖山土挖开，下面这窝石头修牌坊怕还将就要得吧。"

  廖四石匠叫人把盖山土挖开，还没挖到几锄，就出现一窝质地良好，不软不硬的石头来。廖四石匠找到了牌坊石料，心里好高兴啊！他要这个不知名的老者当掌墨师，老者说："我不当这个掌墨师，我要到高县黄水口去修桥呢。"

  这个老者找到的这窝石头恰好够修隘口牌坊用。据说，修好隘口牌坊后还剩一坨石头，被运到龙湾罗旭去，做了罗旭牌坊的宝鼎。所以至今人们还说："罗旭牌坊——隘口石修。"①

---

① 四川省珙县民间文学集成办公室：《中国民间文学三套集成·珙县民间文学集》（内部资料本），1989年，第80～82页。

上述俗语均是对当地历史事件等的形象反映，为我们认识旧时巴蜀民众的生活状况提供了有力证据。

（二）士民迁徙与巴蜀汉语方言的融合

学术界通常认为，人口迁移是历史的社会文化现象，方言是社会历史文化变化的产物。分析该地区的历史可见，今天的巴蜀人绝大多数已不是古代巴人和蜀人的后代，频繁的自然灾害和社会动乱，使得该地区人口锐减。桥本万太郎指出：

语言历史上的演变，大部分都不是由该语言内在的因素引起的。那么，比亲属关系更重要的是跟周围语言的互相影响，和作为其结果的整个结构的区域性推移和历史发展。①

将语言变化的主要原因归咎外部因素的观点虽然值得商榷，但强调周围语言对其发展变化影响的观点，则无疑是正确的。

元末明初及清朝前期"湖广填四川"的大移民活动中，外地人大量迁入，把他们的方言和民俗也带入了巴蜀，使得巴蜀汉语方言的词语发生了很大的变化。②不同时代、不同地区移民持续的进入，在今天的巴蜀汉语方言中留下了诸多痕迹，尤其是亲属称谓，可谓五花八门、丰富多彩，③巴蜀各地方志对此记载颇多（见表1-1）。

---

① ［日］桥本万太郎著，余志鸿译：《语言地理类型学》，世界图书出版公司2008年版，第164页。
② 参见崔荣昌《四川方言的形成》，载《方言》1985年第1期。
③ 参见杨梅《川渝亲属称谓漫谈》，载《文史杂志》2001年第2期。

表1-1 巴蜀部分方志所载亲属称谓

时　间	资料来源	记载内容	具体称谓
光绪二十年（1894）	《永川县志·风俗》	永治五方杂处，语言互异。遭献贼荼毒之后，土著复业，仅十之二三。至今土满人稠，强半客民寄寓。故郡属城市，均有各省会馆。惟两湖、两广、江西、福建为多。生聚殷繁占籍，越数十传而土音不改。	一父也，有呼为爹、为爷、为伯伯、为阿爸者。一母也，有呼为娘、为妈、为母亲、为阿嬰者。子，或谓之儿，谓之崽，谓么（幺）。兄，或谓之哥，谓之长。弟，或谓之小，谓之胎。
民国14年（1925）	《崇庆县志·礼俗》	（吾治人）祖籍别则称谓异。	父有爹（音低）、爸（音巴）、爷（音牙）、伯之殊。大父、母有爷（音遗）、公、婆、奶之号……呼姑曰老姊，曰夫曰当家。通称妻曰屋头人。外祖父、母曰家公、婆。
民国17年（1928）	《大竹县志·风俗志》	竹民向分五馆。五馆者，盖自楚、湘、粤、赣、闽五省迁竹者，各酿金建一会馆为其乡馆。五省人之原籍不同，五省人之乡谈亦各自不同。	称父曰爷，曰爹，曰牙，曰阿罢。称母曰妈，曰娘，曰迈，曰歪，曰阿嬰，曰咸雅。称祖父曰公，曰祖，曰老爷。称祖母曰婆，曰哺，曰奶奶（平声），曰甲甲。称曾祖父曰堂公，曰老爷。称曾祖母曰堂婆，曰老奶（平声）。称兄曰哥，曰罢罢。称姊曰姐，曰呆呆。称叔父曰老子。称叔母曰姊。称岳父曰丈人，曰亲爷。称岳母曰丈母，曰亲娘。称外祖父、母曰外公、外婆，曰阿公、阿婆。称母之兄弟曰舅爷，母之姊妹曰姨娘。呼男曰娃儿。呼女曰妹儿。
民国18年（1929）	《资中县续修资州志·风土志》	家庭父祖之间各沿其旧。	外祖父、母川省称家公、家婆，楚籍称外公、外婆，粤籍称假公、假婆。
民国20年（1931）	《达县志·礼俗门·风俗》	方言、方音之录，自古有之。县中经献贼乱后，土著绝少，其填入籍者，以湖广为最多。咸、同以前，语言尚异，后渐混而为土音矣（明月乡人永州腔，今尚未改）。	县人近称父曰参，曰父，曰耶，曰爷，曰爸爸。母曰娘，曰妈，曰母，曰娘娘。祖父曰公，曰爹爹，曰老爷。祖母曰婆，曰奶奶，曰婆婆。伯父或曰大爹。叔父或曰八，曰满。外祖父母曰外公、外婆，曰阿公、阿婆，各以原籍习惯而殊。
民国22年（1933）	《安县志·礼俗》	前清时，县属民皆由各省客民占籍，声音多从其本俗。同一意义之俗语，各处发音不同。有所谓广东腔者，有所谓陕西腔者，有所谓湖广宝庆腔者、永州腔者，音皆多浊。	孙对于祖通称爷爷，祖母称婆婆；惟粤省人称阿公、阿婆。子对于父，楚省人称爹，粤省人称爸，秦省人称达，豫省、闽省人称爷。弟对于兄通称哥。对于母称妈。侄对于诸父称伯、叔，亦有称满者。凡尊长对于卑幼直呼其名，或以老二、老三、老四、老五、老么（幺）等次称之。妇人每从其夫之称谓而已。

除以上例证外，民国16年（1927）《简阳县志·礼俗篇·方言》共记载方言词语902条，明确指出湖广话679条，广东话181条，江西话20条，福建话15条，湖南话7条。

值得注意的是，在历代典籍中，前人明确指出为楚、湘、赣、吴等地方言的不少词语，至今仍被巴蜀人广泛使用。如：

老革（革）[nau^{53} ke^{213} ke^{213}]

此词形容老。"革"本有老义，《方言》卷一〇："㦛鳃，乾都，耇，革，老也。皆南楚江湘之间代语也。"郭璞注："皆老者皮色枯瘁之形也。"《三国志·蜀书·彭羕传》载广汉人彭羕为蜀汉治中从事，骄傲自大，看不起同僚。当他听说刘备将要降他的官，叫他去任江阳太守时，便在马超面前不满意地骂刘备为"老革"，裴松之注以为"老革"即"老兵"，[①] 其理据大致是这样的："革"本为皮，古代皮革常作革甲、革带，是当时的军事装备，故"革"有"兵"义，于是"老革"也便"犹言老兵"了。

以"革"代"老"，本属楚方言，而此词一直保留在巴蜀人口语之中：

老曰老革革。（《蜀语校注》，第17页）

谓老曰老革革。〔光绪二十六年（1900）《垫江县志·方言》〕

邑语呼长辈曰老革，似尊而实涉轻薄。〔民国13年（1924）《江津县志·风土志上·方言》〕

通称年老人曰老者，曰老汉；尊称之曰老人家，鄙之曰老革革。〔民国13年（1924）《乐山县志·方言》〕

"老革"在巴蜀汉语方言中还可说成"老革革"，形容东西老而粗糙或看起来有些老的人。而"革革"则进一步虚化，变为形容词后缀，多用于表示"粗糙、不秀气、不好看"等义，带有贬义色彩。如"莽革革、蛮革革"，指人或物"粗蛮、壮实"；"麻革革"，指表面不光滑、不平整或带细碎斑点的；"沙革革"指混有少量杂物；"粗革革"指表面粗糙，不平整；"涩革

[①] （晋）陈寿著，（南朝·宋）裴松之注：《三国志·蜀书·彭羕传》（中华书局1982年版，第995页）："老革荒悖，可复道邪！"

革"指不光滑、不通畅或者食物不爽口;"古革革"指古老。① 此处之"革"若与《方言》所记之楚方言"革"系同一词,则有如段玉裁在《说文解字注·竹部》"篡"字下所说"盖由时移世易,士民迁徙不常故也"。

今简阳市河西话称男性尤其是独身的男性老人为"老革",含有不大尊重的意味,同时,"老革"一词还可指思想守旧,或脾气固执古板的人。

崽 [tsai⁵³]

崽者,子也。湘沅之会凡言是子者谓之崽,若东齐言子矣。(《方言校笺及通检》,第61页)

谓子曰崽。(《蜀语校注》,第36页)

成都、安庆骂人则冠以崽字,成都音如哉,安庆音如簪。②

稚子曰崽崽。〔民国17年(1928)《涪陵县续修涪州志·风土志》〕

今重庆、南充、酉阳等地仍把小男孩乃至小伙子称为"崽、崽儿",小女孩称为"妹崽、妹崽子、女崽儿、崽儿妹",黔江等地仍称小孩为"崽崽"。

篾

此形容很小。《方言》卷二:"木细枝谓之杪,江淮陈楚之内谓之篾。"郭璞注:

篾,小貌也。(《方言校笺及通检》,第12页)

小曰蔑蔑〇凡言人物小谓之蔑蔑。(《蜀语校注》,第89页)

上句中的"蔑"即通"篾"。

抱 [pau²¹³]

北燕朝鲜洌水之间谓伏鸡曰抱。(《方言校笺及通检》,第51页)

鸡伏卵曰抱。(《蜀语校注》,第70页)

鸡伏卵曰抱。(《蜀方言》,第341页)

---

① 参见毛远明《释四川方言词"老革"》,载《方言》2001年第3期。
② (清)章炳麟:《新方言》,浙江图书馆校刊章氏丛书本,页八十七。

今巴蜀人仍将"鸡孵卵"称为"抱"。"抱"一词，在巴蜀地区使用得非常普遍，与此有关的谚语、歇后语不少：

胆大骑龙骑虎，胆小骑抱鸡母。
抱鸡婆打摆子——又扑又颤本指害疟疾的处于孵化期的母鸡浑身哆嗦的样子，常用来形容爱出风头、爱表现自己的人。
抱鸡婆抱糠壳——空欢喜比喻劳而无功。
抱鸡婆下楼梯／①抱鸡婆栽跟斗儿——倒了毛比喻翻脸不认人。
老母鸡抱窝②——紧倒不醒比喻老不清醒。
鸭子抱蛋——枉费心机鸭子本不会孵卵，蹲在窝里白费心，比喻徒劳无益。
抱鸡婆长胡子——窝里老比喻长久地待在一个地方。

揞 [ŋan⁵³]
今成都人称"隐藏"为"揞"：

揞，揜错，摩藏也。荆楚曰揞。（《方言校笺及通检》，第44页）

瘦 [nau²¹³]
巴蜀汉语方言称人中毒叫"瘦倒了"，称毒药为"瘦药"：

凡饮药傅药而毒，南楚之外谓之痫，北燕朝鲜之间谓之瘦。（《方言校笺及通检》，第20页）
以毒药药人曰瘦。（《蜀语校注》，第54页）
瘦，以药毒人也。〔民国21年（1932）《南溪县志·方言》〕
闹[瘦]人的药莫吃，犯法的事莫做！（《春潮急》，第24页）

今巴蜀人仍说"瘦人、瘦耗子"。今康定等地食物过敏也称"瘦"。

---

① 本书用"／"表示此词语或句子有另一种说法。
② 抱窝：孵化小鸡。双流、德阳等地习俗，喜孵"惊蛰鸡"和"骑年鸡"。前者为惊蛰前后孵出的小鸡，后者为腊月底始"上抱"（将种鸡蛋放入鸡窝孵化），第二年正月孵出的小鸡。参见陆泽怀等《德阳民俗》（内部资料本），1996年，第214页。

拌 [pan²¹³]

拌，弃也。楚凡挥弃物谓之拌，或谓之敲。（《方言校笺及通检》，第44页）

弃掷曰拌，又曰摔（俗音如署改切）。〔民国14年（1925）《重修彭山县志·民俗篇》〕

吴凤梧重重地把一双毛竹筷朝桌上一拌。横起眼睛，凶得像要吃人似的。（《李劼人选集》第2卷，第1046页）

今巴蜀人仍将"摔、丢弃"说为"拌"：

我和情妹隔条沟，打个哨子把她逗。
情妹听到哨子响，筷子一拌碗也丢。（《成都民间文学集成》，第1848页）
她这话刚出口，又感到不大对劲，忙改口说："不，看拌[跘]倒屁巴骨没有，万一摔伤拉稀，发展成气管炎，可不得了。"①

沤 [ŋo²¹]
《周礼·考工记·㡛氏》："㡛氏涑丝以涚水，沤其丝七日，去地尺暴之。"郑玄注：

沤，渐也。楚人曰沤，齐人曰湛。②
衣物溲烂曰沤。（《蜀语校注》，第168页）
今长沙犹谓以水渍物曰沤。（《长沙方言考·沤》）③
沤烂了这么多叶子，池里的金鱼恐都瘆死完娄！（《李劼人选集》第2卷，第1454页）

---

① 罗清和：《方脑壳传奇》，伊犁人民出版社2000年版，第60页。
② （清）阮元校刻：《十三经注疏》，中华书局1980年版，第919页。
③ 杨树达：《积微居小学金石论丛》（增订本），中华书局1983年版，第164页。

今巴蜀人仍说"沤醪糟儿①、衣服沤烂了"。

倦 [tɕyan⁵⁵]

《淮南子·道应》："卢敖就而视之，方倦龟壳而食蛤梨。"高诱注：

楚人谓倨为倦。②

今四川谓踞地曰倦在地，倦读如捲。(《新方言》卷二，页七三)

今巴蜀人仍将"使身体或四肢弯曲"说为"倦"。

髈 [p'aŋ⁵³]

《广韵·荡韵》匹郎切："髈，髀，吴人云髈。"今巴蜀人仍将"猪大腿的上部分"称为"髈"。俗作"膀"。

㺄 [xəu²¹³]

《广韵·候韵》胡遘切：㺄，㺄𧴪，贪财之貌。"杨树达《长沙方言考·㺄𧴪》："今长沙谓多以物入己曰㺄，又曰𧴪。"今巴蜀人仍将"贪财、贪欲"说为"心㺄"，俗作"厚"：

这人才心厚，怎么三四里路就要四百钱，多少添点也抬得了。③
蜀语谓贪得为心㺄。④

瀿 [fan⁵⁵]

《集韵·元韵》符袁切："瀿，楚人谓水暴溢为瀿。"今巴蜀人仍说"河头（里）的水瀿（溢）出来了"。

---

① 醪糟儿：江米酒。（明）李实著，黄仁寿、刘家和等校注：《蜀语校注》（第146页）："不去滓酒曰醪糟○醪音劳，以熟糯米为之，故不去糟，即古之醪醴投醪。"（清）张慎仪著，张永言点校：《蜀方言》（四川人民出版社1987年版，第307页）："酒不去渣曰醪糟。"李劼人：《李劼人选集》（第1卷，四川人民出版社1980年版，第66页）："随客栈而早兴的，是鸦片烟馆，是卖汤元与醪糟的担子。"高缨：《云崖初暖》（人民文学出版社1978年版，第75页）："（曹豁豁）匆匆吃了婆娘给他煮的红糖醪糟荷包蛋和一碗礼州白油挂面。"崇州、温江、大邑、新津、蒲江、邛崃等地也说"醪糟子"。
② 《二十二子》，上海古籍出版社1986年版，第1262页。
③ （清）刘省三：《跻春台》，江苏古籍出版社1993年版，第290页。
④ 王煜：《蜀语》，载中央大学《文艺丛刊》1933年第1卷，第1期。

以上词语，本非巴蜀汉语方言，却至今活在巴蜀人的口中，其中尤以楚方言居多。民国24年（1935）《湖北麻城县志·方言》共收方言词语229个，有158个与今成都官话相同，约占69%；① 朱建颂、刘兴策《武汉方言词汇》共收复音词及词组1606个，有410个与今成都官话相同，约占26%；② 杨树达《长沙方言考》《长沙方言续考》共收方言词语244个，有98个与今成都官话相同，约占40%；③ 熊正辉《南昌方言里的难字》及《南昌方言词汇》共收词和词组1997个，有679个与今成都官话相同，约占34%。④

巴蜀汉语方言又被称为"湖广话、宝老倌话、邵腔"，就是因为说这种话的人有不少是从湖广及湖南宝庆府邵阳县迁来的。⑤ 成都有一歇后语"癞疙宝跳到盐缸头——宝得有盐有味"。

来源于士民迁徙的俗语还有：

水打中江县，苕果儿往上翻。
湖广人——巴蜀客家人称来自湖北的移民后裔。
土广东——巴蜀境内的客家人。
广婆子——湖广一带来川的妇女。
广东腔——客家话。
打广东腔——说客家话。
现宝⑥——出丑，丢脸。

---

① 汉口中亚印书馆，民国24年（1935）《湖北麻城县志·方言》："地方常言，有其声而不得其文者多矣。明李实留意方言，撰有《蜀语》，又江浙各志亦间载方言，今合上下江言语，择其与麻城相同者录之。"
② 参见朱建颂、刘兴策《武汉方言词汇》，连载于《方言》1981年第1期、第2期、第3期。
③ 参见杨树达《积微居小学金石论丛》（增订本），中华书局1983年版。
④ 参见熊正辉《南昌方言里的难字》，载《方言》1980年第1期。《南昌方言词汇》，载《方言》1982年第4期、1983年第1期。
⑤ 参见崔荣昌、李锡梅《四川境内的"老湖广话"》，载《方言》1986年第3期。"宝"在四川官话中有"土"义。而湖广宝庆府民人自谓"宝古佬"，也称"宝老倌"。此词带入四川后，讹变为"苞谷佬"。参见孙和平《四川方言文化——民间符号与地方性知识》，巴蜀书社2007年版，第280页。
⑥ 《成都商报》（2000年4月30日第B2版）："春眠不觉晓，处处性骚扰。惹得发花痴，赔钱又现宝。"

宝、茖谐"邵"①、宝器（气）②、宝兮兮③、宝筛筛、宝眉宝眼、红茖气、茖眉茖眼④——土气。

红茖花——农村姑娘。

红茖屎还没屙完——土气还未脱尽。⑤

红配绿，茖得哭——十分土气。

广起广起、庚拎刚啷⑥［kin²¹nin⁵⁵kaŋ²¹³naŋ²¹³］——本指带有广东腔调，后

---

① 前人：《续青羊宫花市竹枝词》（林孔翼：《成都竹枝词》，四川人民出版社1986年版，第100页）："衫短身长也不茖，青裙偏上水红腰。满头首饰真奇特，挖耳银针象饭瓢。"陈国福：《萧楷臣与陈书舫》（《龙门阵》1982年第3辑）："你看她那身打扮哟，又'砍［坎］'又'茖'，咋个不笑人嘛！"

② 也说"（瓜）宝气"。"宝器"已见于先秦，本指象征王位的祭器。《周礼·春官》〔（清）阮元校刻：《十三经注疏》，中华书局1980年版，第776页〕："凡国之玉镇大宝器藏焉。若有大祭大丧，则出而陈之。既事，藏之。"今成都方言指"傻瓜"，取"宝器供人把玩之"义。《蜀报》（1999年7月11日第7版）："兴许是读书读瓜了，脑水有点不转，经常冒出一些'杀着'，令人捧腹，所以单位上的人送他一个外号：'刘宝器。'"因电影《抓壮丁》里有一个傻里傻气、"面带猪像，心头嘹亮"且人称"王庥子"的"王保长"，故成都人称此类人为"王麻子、（王）保长"。也说"憨憨"。卢盛祥等：《中国民间文学集成四川卷·成都市东城区卷》（内部资料本，1989年，第40页）："杨状元也故意当憨憨，表面上装起不晓得。"民国年间，广汉等地如兄弟数人中一人中举，则众皆称老大为"大举人"，老二为"二举人"，老三为"三举人"。"木匠、老师（医生）、保长"等，皆如此称呼。参见四川省广汉市广汉县志编委会《广汉县志》，四川人民出版社1992年版，第600页。

③ 兮兮：也作"稀稀"，语气词，一般放在单音节动词或形容词后，表示程度深。陈浩东等：《成都民间文学集成》（四川人民出版社1991年版，第249页）："等他们吃完，又把棋下完，赵云才惨兮兮地说：'请二位老爷爷救我一命。'"

④ 《商务早报》（1999年11月13日第C4版）："男生的绰号叫'红茖'，因为他不仅'茖眉茖眼'，而且来自盛产山药蛋的黄土坡。"

⑤ 李伯雄：《"王老乱"主川》（《龙门阵》1996年第2期）："龟儿子王老乱，在西充吃红茖长大，现在红茖屎屙干净了没有？老子都还没有出声气，他倒伊乌牙乌［咿呜呀呜］了。"也说"篾块屎还没屙（拉）干净"。马骥：《散打笑星抽底火》（四川文艺出版社2004年版，第289页）："虽说当炊二哥饱不到［倒］米，卖盒饭还是可以赚两个——发誓不把篾块屎拉干净决不还乡！"

⑥ 也说"叮呤哐啷、喵起喵起、广叮广啷、哽呤广啷"。《成都商报》（1999年12月5日B2版）："他现在已经开始练粤语和闽南语歌曲，整天在那里叮呤哐啷，乌烟瘴气。"杨时川等：《中国民间文学三套集成·四川省内江市卷》（上册，内部资料本，1990年，第186页）："清朝同治年间，四川简州三岔古镇来了一个外地和尚。这个和尚牛高马大，讲话喵起喵起的。和尚自称俗姓洪，法名惠清，本是江西人。"郑蕴侠、家恕：《旧时江湖》（《龙门阵》1989年第5期）："他是××钱厄的大少爷，广东人，你们听，他说话广叮广啷的，他听不懂我们四川话。这娃是个呆瓜！"

泛指操外地腔调。

　　山老广——山里人。

　　广广、老广、土广广、土老广、乡老广、乡广广、光①［kuag⁵³］耳石——均指湖广来四川的人，后引申为指"外地人和土头土脑的乡下人"。

　　广眉广眼、广头广脑——土气。

　　烧广广、麻广广、麻广子——捉弄或欺骗外来的不了解情况的人。②

　　走广、打广③——见过世面。

　　到上广——到湖北沙市。

　　到下广——到沙市以下。

　　以上事实说明，移民们带入巴蜀地区的以"麻城话"④为代表的湖北话、湖南话、江西话等，在巴蜀汉语方言的形成过程中，的确起了非常重要的作用。崔荣昌认为：

　　元末明初的大移民把以湖北话为代表的官话方言传播到四川，从而形成了以湖北话为基础的四川话。清朝前期的大移民则进一步加强了四川话在全省的

---

① 光：谐"广"。也说为"杠"。车辐：《锦城旧事》（四川文艺出版社2003年版，第170页）："如果是单身嫖客，又是从外地来的'乡广广'，东门外府河一带船上来的各路船客，她们只要打量实在，就向这些外地人扑去。"民国24年（1935）《灌县志·礼俗纪·民间俗尚》："宋武帝诗：'愿为石尤风四面，断行旅土朴陋意。'本地曰'土'，如'土箸''土产'之类，本地人物域于乡井，固多朴陋，因亦谓之'土'。广，货良也，艺精也，取'开广不土'之义。又野人无识，亦曰'广'，盖反语示嘲，如山间人曰'山老广'，乡间人曰'乡老广'。"

② 徐勍等：《从脚说起》（四川人民出版社1980年版，第142页）："这老几原是个草包，麻了我们三年广广。"程大力：《亦威亦谐　大武大趣——僧门武术家侯仲约纪略》（《龙门阵》1995年第3期）："1948年打金章，侯师由大竹赴会。刚从县份上回来，衣着在成都人看来便颇显乡土，台下观众有笑称侯师为'乡广广'的。侯师说广广就广广吧。"

③ 奋斋：《莽男儿黄桢祥》（《龙门阵》1989年第4期）："经总督端方再三审讯，认定此人不过是一个由四川老山旮旯出来打广的'壳子客'，小虾子撞不翻大船。"朱泊：《船工旧事》（《宜宾文艺》1998年第2期）："历来，宜宾木船工人把放船出川而至长江中下游航行，称之为'打广'。'打广'之意，一指从宜出川行船主要去向乃是自明代以来即被称为'湖广'的湖北、湖南二省。另也有说，系指出川之后不仅可达鄂、湘、皖、赣、苏五省，而且能径往南京、上海等大城市跑跑码头借机开阔眼界而见多必定识广。"

④ 麻城话：也称"湖广话"。

主导地位，布下了四川话的汪洋大海。①

我们认为，外地移民带进巴蜀的方言词语，仅仅是巴蜀汉语方言形成的一个重要因素之一，巴蜀汉语方言的形成还会受到其内部规律和其他诸多外部因素的影响，需要深入探讨。

（三）民俗对巴蜀汉语方言词汇形成与发展的影响

方言词汇的形成、消长和融合，固然有语言自身的发展规律可循，但也在很大程度上受到外部条件的影响。在诸多外部条件中，民俗对方言形成和变化的影响是最重要的外部条件之一。研究巴蜀地区的民俗，不仅能充分认识方言的形成、消长和融合，也为巴蜀汉语方言的深入研究提供确切可靠的社会依据和历史依据。具体的民俗事项一般可以分为禁忌习俗、信仰习俗、生产生活习俗、人生礼仪习俗、社会组织习俗、民间游艺习俗等多种类型。

语言禁忌是一种十分复杂而又十分有趣的民俗现象，它通常是处于特殊场合之中但又和日常生活密切相关。从某种程度上讲，语言禁忌应是原始信仰的残存，它表现了人们对语言功能的迷信，其目的是避免给自己招来不利的后果。人们创造了语言，但同时又对语言产生了一种神秘感，总以为自己的语言是灵验的，具有一定的魔力，因此，一方面可以利用它来预祝吉利，如"八个核桃八个枣，八个儿子床上跑"②，另一方面又可以用它来去除灾害，如"天黄③黄，地黄黄，我家有个哭儿郎。过路君子读一遍，一觉睡到大天光"。④ 既可以用来进攻，如诅咒，其往往表现为恶语咒人和赌咒发誓；又可以用于防范，如忌词。巴蜀人的语言禁忌，至迟在汉代就已流行了：

朧，盛也……梁益之间凡人言盛及其所爱，伟［讳］其肥朧谓之朧。（《方言校笺及通检》，第12页）

益州鄙言人盛讳其肥，谓之朧。（《说文解字注》，第171页）

---

① 参见崔荣昌《四川方言的形成》，载《方言》1985年第1期。而李蓝却认为这个结论与语言事实不尽相合，清代移民对西南官话的影响并不大。参见李蓝《六十年来西南官话的调查与研究》，载《方言》1997年第4期。
② 此为叙永县结婚铺床时所用之吉语，为黄尚军实地调查所得。
③ 黄：也作"皇"。
④ 参见（清）傅崇矩《成都通览》（下册），巴蜀书社1987年版，第14页。

巴蜀人的禁忌习俗十分复杂，可以说渗透在其生活的各个方面，自然对巴蜀汉语方言产生了很大影响。仅就成都而言，日有日禁：早晨未吃饭时，不得说与"鬼、梦、鼠、蛇、死、虎、猴、熊"等有关的词语，因为鼠、蛇、猴的嘴巴为尖形，主口嘴吵闹，虎、熊等好破坏和伤害。①晚间忌闻鸡鸣，兆地脉龙神不安；忌狗怪叫，称为"狗嚎丧"；忌鹳子叫，以为有水灾。忌灯花爆，成都谚语说："灯花爆，有强盗。"忌梦落牙齿，因其兆死人，如落大牙则丧父母，落门牙则丧子女。月有月禁：正月初一忌野鸟入屋，因主一年口舌多；二月初二忌用针线，因此日龙抬头，怕龙眼被刺破；六月初六忌行船，因此日需虔诚礼拜镇江王爷生日；八月初一忌倾污秽之水于地，俗传为地藏王生日；腊月三十忌打破碗盏，因其兆家人多疾病。总之，婚姻、丧葬、寿诞、居住、出行，老人、小孩、孕妇、病人乃至翁媳、兄嫂之间等，均有诸多禁忌。

　　一些巴蜀人忌讳说"病、死"等词语，非说不可时，往往采用其他词语来代替，如"过世、不在、去了、没搞了、戳火了、橇〔tɕ'iau⁵⁵〕杆儿了、冰清〔tɕ'iɛn²¹³〕或〔tɕ'in²¹³〕了"等。而"媒"与"霉"同，"梦"意味着"空"，故媒人要改称"红叶"，做梦要改说"扯诨"②。

　　鬼摸脑壳

　　此也称"鬼摸脑袋"。部分巴蜀人认为，如人在睡一夜后，头发忽然脱落许多，便是被鬼摸了脑壳。此词后指"莫名其妙"：

---

① 民国22年（1933）《安县志·方言》"俗忌"条下："每晨起，忌说梦、鬼、龟、蛇、虎、豹。船夫忌说翻、沈〔沉〕，各厂工人忌说饭，烧瓦窑忌说红，推蒟蒻者忌说鬼，普通人忌说霉等字。惟立春后五戊日，忌动土，最为普通。"巴蜀部分人信奉"正月忌头，腊月忌尾"的俗语，因正月初一是一年的开头，要有一个好兆头，所以不准说不吉利的话。凡带有"死、病、痛、穷、苦、饿、砍、杀、睡了、没有、不好、不得、不要"等字音的话，都不能讲。还忌说"鬼怪、妖魔"等词语，像正月初一睡觉未起床要改说为"正在挖窖"（寓挖金银财宝之意）。而成都话"猪舌"的"舌"与蚀本的"蚀"及"蛇"同音，所以猪舌要说成是"利子"。忌"散伙"，故雨伞要改称为"撑子、撑花儿"。张咏：《郭沫若和他的原配夫人的一段往事》（《龙门阵》1990年第3期）："郭沫若到沙湾时，正遇上濛濛细雨。……两个姐姐，都打着撑子，在沙湾镇头的石牌坊下迎接。"黔江一带还忌讳说"跍（下蹲）""平地跍起"，因其谐音"孤""贫"。

② 也作"扯混"。刘仁富等：《中国民间故事集成·重庆市大渡口区卷》（内部资料本，1988年，第217页）："睡到半夜，有一个白发苍苍的老头走进房来，拍了他几下，他以为在扯混，翻了一个身，还是睡得吹噗打鼾的。"

一到灌县去拜知事，不知是碰见什么鬼摸了脑袋，正大光明一个营长，却把来挟在裤带上，偏要冒充一名团长，在早又是和那知事在省城挟了一些嫌疑的，当下吃那知事冷嘲热讽，止不住又发了几膘劲。（《李劼人选集》第4卷，第188页）

乌鸦嘴

本指乌鸦的嘴，后指不顾场合乱说不吉利话的人。巴蜀俗语云："鸦鹊叫喜，老哇[①]叫丧。"

当刀头

"刀头"本指用于祭祀的一小整块猪肉，有生熟之分：[②]

尊一声背时鬼听我禀告……今日里我与你讲个相好，具美酒摆刀头与你搞

[①] 乌鸦在巴蜀汉语方言中，多称为"老哇"，一般有"白颈子老哇"和"黑老哇"两种。前者俗传与刘邦有关，后者俗以为不吉利之鸟。双流山歌："老鸦叫沉沉，团转要死人。死他亲丈夫，留倒是我们。"朱德贵等：《中国民间文学集成四川卷·乐山市洪雅卷》（内部资料本，1988年，第295页）："竹鸡子叫唤要天晴，麻雀子叫唤雨来临。黑乌鸦叫唤不吉利，冤家吵骂要嫁人。"盐源县等地俗传七仙女为免天灾，烧掉了葫芦藤，儿子董仲舒则无法见她，不慎烧毁了鬼谷子的记录着每个人命运的120轮甲子书的一半，乌鸦被烧书之烟熏黑了，故能预知人间祸福。参见盐源县文化馆《盐源县民间文学资料集》（内部资料本），第1分册，1988年，第29~30页。南江县等地俗传将乌鸦的眼睛和少许水捣成酱，涂抹在眼角上，即可看见鬼魅。

[②] 王跃：《江北县复盛乡协睦村四社谌宅的"庆坛"祭仪调查》（财团法人施合郑民俗文化基金会，1993年版，第51页）："称虎为'黑虎大神'，在'祭财神'中供以香烛钱纸和生刀头；称蛇为'蓝蛇大将'，'庆坛'中必供以生刀头等。"黄尚军于2010年8月7日至贵州遵义市绥阳县郑场镇飞鸣村团组，调查村民黄刚（男，40岁）的母亲等得知，当地有关巴蜀移民"黄王一家人""黄王不开亲"旳传说，将黄氏家族分为"生刀头、熟刀头、散菜"三支系："我们从上面老一辈那一代代家地流传下来，正宗的族谱现在由于年久已经失去了，诶。听上一辈讲嘞，等于是我们是从四川重庆府定远县嗯，过来的，属于江夏郡。老一辈讲喃，就是说我们是属于三妻二十一子之中的'散菜'那一房的。他们讲的话就说是，我们黄氏在很久以前，家族遭到了一次变故，所以说嘞，需要分散到全国各地去逃难，我们有三个老的祖母……听说是，诶，他们要逃难之前喃，要祭别祖宗，所以说嘞，要准备祭礼，诶。但是喃，由于时间紧迫嘞，诶，就有的嘞，那个菜祭礼没有做好，还是个'生刀头'，诶。有一房的有个祖母嘞，她把她那里的刀头已经紧（用开水将食用的肉、内脏、凝固的血夬等略煮至表皮收缩，以除去血腥味或臭味）好了，所以叫'熟刀头'；有一房嘞，把那个菜都切好了，还没得来得及把它做好，诶，所以叫'散菜'。就说听老一辈讲喃，就是说，我们这一支啊，就是从四川重庆府定远县迁过来的那一支，我们属于'散菜'系列的。"

［犒］劳。（《跻春台》，第284页）

刀头，还愿赛神之肉也。古诗："何当大刀头？"刀头有环，为"还"之隐语，方言本此。〔民国24年（1935）《灌县志·礼俗纪》〕

红的是鸡血，白的是酒浆。生熟刀头祭赏你，五谷丰收打满仓。（重庆市巴南区安澜镇民间科仪用书《叩赏兵》①）

"当刀头"即"当牺牲品"，涪陵方言特指"撞在某一特别行动、特别措施、特别事件或者新规章、新举措的刀口上，最先受到了处置"。

话说对了牛肉都做得刀头

此词也称"人对了牛肉都做得刀头"。巴蜀民俗，祭祀时一般不用牛肉，多用"刀头"。故此词意为"把话说得让人听起来舒服，无论什么事都可以商量"：

算啦！不要扯了，——话说对了牛肉都做得刀头！②

笆笆门对笆笆门，板板门对板板门

意为"门当户对"。旧时巴蜀贫苦人家的门多用竹笆编成，富贵人家的门多用木板做成。故"笆笆门"代指贫穷人家，"板板门"代指富贵人家。"门不当，户不对"说为"笆笆门不能对板板门，板板门不能对笆笆门"：

我女儿见了你就说话，未必然③你就是她的丈夫，我的女婿？我是员

---

① 此书为民国年间抄录本，由重庆市巴南区安澜镇马家桥坝上村戴学扬法师收藏，黄尚军、陈攀攀实地调查所得。
② 沙汀：《沙汀选集》第3卷，四川人民出版社1984年版，第245页。
③ 未必然：难道，表示反问语气。（清）刘省三：《跻春台》（江苏古籍出版社1993年版，第98页）："未必然看喜期未曾妥当，犯却了孤鸾星吊客空房。"重庆晚报副刊部：《逛市井走过场》（重庆出版社1999年版，第4页）："我说未必然不是我写的？索性掏出身份证，让其验明正身。老板将我很看了一阵，表情复杂。"

外,你是叫化子,板板门咋个①能对笆笆门呢?(《成都民间文学集成》,第1136~1137页)

顺口打哇哇

"打哇哇"本为幼儿游戏动作,即用手掌有节奏地轻击张开的口,同时口中发出"哇哇"的声音。后演变出"顺口打哇哇",喻指不加考虑而随声附和,含混其辞:

对他说的话,你还是动下脑壳嘛,不要只晓得顺口打哇哇。(成都口语)

扎板②

本指说书艺人说完一个段落时停止下来,一般是用惊堂木板在桌上拍一下,也指"说话、做事在中途停下来",后泛指"结束":

照往天,只要烂嘴巴打更匠的锣,打从这里敲三下经过时,谭不懂的惊堂板就扎下最末一板,评书也就收场。③

古世礼又气又急,看出如果不迅速扎住板,听任发展下去,局面会对他非常不利,甚至将幺不倒台(不好收拾)。④

一来就不来,一来七见⑤来。如果关不倒它,就喊幺不倒台。(《散花

---

① 咋个:一指"怎么,怎么样"。克非:《春潮急》(上海人民出版社1974年版,第100页):"哟哟哟!主任,嘿嘿,你咋个的啊?哈哈!往常你都是个善菩萨嘛!"陈浩东等:《成都民间文学集成》(四川人民出版社1991年版,第196页):"我丢了饭碗,他们咋个过哦!求老爷开恩,小的今后再也不敢乱吃钱了。"二指"怎么的,怎么着"。李劼人:《李劼人选集》(第3卷,四川人民出版社1981年版,第122页):"我们先生就不这样,没笼头的马样,要咋个就咋个。"罗清和:《方脑壳传奇》(伊犁人民出版社2000年版,第458页):"你虚啥子嘛?说实话,我最不喜斤斤计较的人,你越逼,我就是不拿,看你又能把我咋个?"
② "扎板儿"在南充话中有"很满意、很舒服"之义。参见四川省南充市地方志编纂委员会《南充市志》,四川科学技术出版社1994年版,第621页。
③ 蜀洪《洪门兄弟》上册,(台湾)八八出版社1991年版,第2页。
④ 克非:《山河颂》,上海文艺出版社1980年版,第626页。
⑤ 七见:也说"直见",接连不断。

文》）①

喂！谭不懂，格老子②你今晚郎格现在才扎板呀！（《洪门兄弟》上册，第3页）

踩（假）水③

也说"踩假水"，本为游泳的一种姿式，即人直立深水中，两腿交替上抬下踩水，身体保持不沉，并能前进：

"可是袍哥，踩水来不得哟！"他叫嚣着，"咱们弟兄，一是一，二是二。"④

他又开始说起郑百如搞的那个粮食折成的花样来了："你说怪不怪？决算表都填了，又翻摊！""从来都没听说过这样踩假水的。"⑤

开荤

当婴孩长到一百天或半岁时，其父母要准备好酒菜，请来德高望重的老人或有才智的长辈，让他们用筷子蘸点酒和菜碗中的汤，抹到婴儿口中，边抹边说"娃娃尝酒，越吃越有；娃娃尝饭，长大能干；娃娃尝肉，大有成就"等吉利话，说完后要给婴孩一定数量的喜钱。婴孩的父母也要给开荤的长辈赠送手绢、香烟、糖果等。此后，小孩就可以吃饭菜了，部分巴蜀人认为这样做后利于养育。此词后为"揍小孩"的戏谑说法，也比喻"经历某种新奇的事"：

---

① 《散花文》载段明：《四川省江津市李渡镇神霄派坛口科仪本汇编》（上），（台湾）新丰文艺出版公司1999年版，第468页。
② 格老子：粗俗口语。"格"也作"给"。
③ 踩假水：一指游泳方法，人直立深水中，两腿交替踩着水运动。喻指弄虚作假。卢盛祥等：《中国民间文学集成四川卷·成都市东城区卷》（内部资料本，1989年，第164页）："县官问他，玉圈子是哪儿来的，收荒匠在县太爷面前不敢踩假水，只有老老实实说是某家某家的小孩儿三百钱卖给他的。"罗清和：《方脑壳传奇》（伊犁人民出版社2000年版，第513页）："如何嘛，我说炭火脚踩假水，让贾兄当了真资格的方脑壳，你们还不信。"另有"狗刨骚"一词，指一种类似狗游水的不好看、不正规的游泳姿势，也喻指技艺水平低。成都口语："你那个狗刨骚的臭手艺，哪个打得上眼？"
④ 沙汀：《淘金记》，人民文学出版社1962年版，第25页。
⑤ 周克芹：《许茂和他的女儿们》，四川文艺出版社1994年版，第127页。

你娃再不听话嘛,谨防今天老子给你开荤!(成都口语)

未满月
本指婴孩未满一个月,后比喻技艺不精:

艺术不精曰未满月,已精曰老行家。〔光绪三十四年(1908)续修《叙永永宁厅县合志·杂类志·方言》〕

撒窝子
本指在钓鱼处先撒下鱼饵,以诱鱼上钩。后比喻为了获得大利而先施一点小惠,使人上当受骗:

有的承包头拿几万元来"撒窝子",一旦工程项目到手,就可能搞一个豆腐渣工程,从中牟取几十万、几百万的暴利。(《华西都市报》1999年12月2日第18版)

吃两头望
"两头望"也称"牛肺片",即今成都名小吃"夫妻肺[①]片"的旧称。多将煮熟后的牛头皮和牛杂碎切成薄片儿,拌上调料而食。因旧时体面人必两头一望,不见熟人,才敢去吃这种平民化的食品,故名:

这是成都皇城坝回民特制的一种有名的小吃,正经名称叫盆盆肉,诨名叫两头望,后世易称为牛肺片的便是。(《李劼人选集》第2卷,第1452页)

后比喻观察风向,见风使舵:

去年腊月,带起人来抄我家的,是他们刘家人,现在又带起人来,假借催缴公粮为名抄我家的,也是他们刘家人。刘家人真会吃两头望呀!(《川西文

[①] "肺"一词的解释请参见杨非易《"夫妻肺片"的"肺"》,载《文史杂志》2004年第1期。"肺"也作"废"。

艺》第1卷，第1期）

糠（箩）筐跳到米（箩）筐①

意为"脱离苦难生活，过上幸福生活"。川西农家习俗，稻谷去皮后，用一只竹筐装米糠，一只竹筐装米。米糠多用作饲料，故"糠筐"多比喻苦难生活，"米筐"多比喻幸福生活：

太阳落土又落岩，丈夫赶场不回来。唯愿丈夫栽岩死，糠筐跳到米筐来。（《中国歌谣集成·重庆市卷》，第523页）

屁股朝南

此指"听故事"，也泛指"聊天"。因巴蜀农家修房子多为坐北朝南，在农家小院内听故事的人一般面对北面坐，屁股朝着南方。此词后代指"聊天"：

他们几个一吃了夜饭，就屁股朝南。（巴县口语）

吹糠见米

本指稻谷脱粒后，吹去米糠，看见大米。此词后喻指做某件事情马上收到效益：

吹糠见米，开门见山。（成都谚语）

刘全（前）进

此即傻瓜。《西游记》第十一回记载了唐太宗因魏徵梦斩泾河老龙王，被其索命，魂游地府，后被放回，欲觅人到地府送瓜答谢。而刘全本为均州人，家有万贯财产。一日，其妻李氏在家门口拔金钗送给化缘的和尚。刘全回家得知后，骂她不遵妇道。李氏忍气不过，自缢而死。刘全因思念妻子，情愿以死

---

① 与此语相反的说法为"米（箩）筐跳到糠（箩）筐"。

进瓜。① "刘全进瓜"的故事，在巴蜀地区广为流传，②，故巴蜀人称"傻"为"刘"，把"傻瓜"称为"刘全进"。有的地方"全、前"不分，读为"刘前进"，如成都口语："这个老几是他妈个刘前进。"③ 他如：

瓜话——傻话。

抖瓜话——说瓜话。

瓜宝④、瓜宝器、瓜娃子——傻瓜。

半瓜精⑤——有些愚傻而又爱自作聪明的人。

瓜女——川西部分地区对女孩亲昵的称呼。

瓜呆子——傻瓜。

瓜瓜、瓜儿、瓜宝气——川西南地区对男孩子亲昵的称呼。

瓜稀稀、瓜不稀稀、瓜眉瓜（日）眼、倒瓜不精——傻呼呼的样子。

吃赏（饷）午

日中食曰饷午○饷音赏。（《蜀语校注》，第27页）

今巴蜀人仍将"吃午饭"称为"吃赏（饷）午"，这和一个传说有关：

很多很多年前的一个五月间，太阳象一个大火球，把秧田晒得飞烫。种田

---

① 参见（明）吴承恩《西游记》，人民文学出版社1980年版，第141页。
② 今盐源县等地即流传《刘全送瓜》的故事。参见盐源县文化馆《盐源县民间文学资料集》第1分册（内部资料本），1988年，第148~150页。
③ 另说因过去有个善种瓜的人名叫刘全，他把所种的瓜用来进献朝廷，此语即由吊脚话"刘全进——瓜"演变而来。后多讥称"有些傻气，说话做事与自己的年龄、身份等不符合的人，也指喜欢卖弄自己的人"。《商务早报》（1999年12月25日第C4版）："直到刘前进都半岁了，才有人吞吞吐吐告诉他们刘前进这个名字的另一种涵义，刘前进的妈老汉儿在弄醒豁以后简直气得吐血，便弄死弄活都要改他的名字。"
④ 《四川青年报》（2000年10月13日第B7版）："我把你当成精神上的偶像，你把我当成瓜宝来烫。"
⑤ 庸人：《江湖八大门》（四川人民出版社1992年版，第59页）："地师一进门，丧家就忙不过来。首先是他那份鸦片瘾，必须供应饱和，然后是请一二位'半瓜精'式和'假斯文'式亲友来陪。"

人在田头薅秧子，好象踩在开水锅里。田头的草草很多，他们薅得很吃力。一个大爷说："天太热，要闷死人了，我们是不是编一个歌来吼一吼？"大家都说对，接着就你一言，他一语，一边薅秧子，一边吼起了各自编的山歌。

正当大家唱得很高兴的时候，府官坐着轿子过来了。那时候凡是当官的经过，一路上的人都要回避和肃静。如果不回避和肃静，抓住了就要挨打挨骂受刑罚。可是这些种田人正吼唱得高兴，根本没有注意到府官正从这里路过。大家既没有回避，也没有肃静。一个个仍然条声吆吆地吼唱起来，一个比一个吼唱得唪。

府官听到田头闹唪唪的，心头很不安逸。他停下轿，大骂："大胆刁民，你们吼些啥子？"一个胆大的胡子大爷回答："老爷，你不晓得，我们吼的是秧歌，薅秧时吼一吼，秧子才长得高，田头的草草才吼得掉。不信你看嘛，田头的草草多，我们一边薅秧，一边唱歌，草草听到歌就吓跑了。"府官一看田头，草草硬是多得很，就说："我下午转来，如果田头真的没有草草了，我就赏你们一顿午饭。如果草草还在田头，我就要把你们各打五十大板，以后一律不准唱歌。"府官走后，大家把薅过的秧子淹上深水，田头连草草截截都见不到一丁点儿。下午府官转来一看，田里果然光生生的，他就信以为真，以为山歌硬是把草草吓跑了。

大家问府官要赏午饭，府官不甘心认输，高矮不答应，农民就横顺不放他走，还是师爷过来打个圆凿说："草草虽然跑光了，但你们还说过唱了山歌秧子要长。今天吼了一天秧子还是没有长。今天也不治你们的罪，也不赏你们的午饭，一输一赢扯平算了！"府官一听这话，就要溜走。农民们不答应，围住了轿子。农民说秧子长了，府官说秧子没有长，谁也不让谁，原先又没有比过高矮，哪个也说服不了哪个。

还是上午那位胆大的胡子大爷说："老爷，你硬是不相信秧子长高了。这样吧，你下轿来，比一下秧子的高矮，明天早上，你再来比一下秧子的高矮，要是秧没有长，随便你关班房、割老［脑］壳、打板子、夹棍子，我们都没有话说。要是秧子长高了，你就要赏我们的饭。前辈们都说，当官的一句话，驷马难追，一个人总不能把吐出去的口水又喝进来。"胡子大爷的话在理，把师爷都吃起了。府官只好下轿去比秧子的高矮。本来已是下午，秧子拿给太阳晒蔫了，搭下来，没有好高。再加上府官从来没有种过田，他从水面上比秧子，实际上只比了一个秧尖尖，秧子当然就很矮了。

当天晚上,农民们把淹秧田的水沣出去了。田头的水一下浅了许多,自然就显得秧子高了许多。晚上的露水又把白天晒蔫的秧子提直了腰,秧子果然长高了一大截。

第二天一早,府官想,我早点到田头去比,我就不信薅秧能把秧薅长。他一早就带起师爷赶到田边,用折子一量,硬是输定了。那些出早工的农民又在那边田头唱起了条声吆吆的山歌。府官没有办法,只好认输,赏了一顿饭。因是中午赏的,所以现在川西坝子的农民把吃中午饭叫作[做]吃"赏午"。把原先自己吃的那顿饭往前头移了移,叫作[做]送腰台,送腰台的时间夹在早饭和午饭的中间。

从此,栽秧子和薅秧子时唱山歌、又送腰台又吃赏午的习惯就这样一代一代地传下来了。①

本来送腰(幺)台的时间大约是上午十时,因"栽秧"和"薅秧"是重体力活,后来发展到每天上、下午各送一次幺(腰)台。

嫩爹儿

渠县一带的妇女往往这样骂自己的不听话、顽劣难管的孩子:"你这个嫩爹儿,硬是怄死人啰!"当地有一个关于"嫩爹儿"的故事:

从前,有一个家底殷实的商人, 先离老伴而去了。迷信的家人为他做法事时忘了给他喝忘魂汤。一天,已故商人的家门口有一个八九岁的小孩东张西望,引起了其老妻的疑心。她便上前喝令小孩走开。哪知小孩却说:"你敢撵你男人走!"老太婆生气极了,高声骂道:"你这个断嫩巅的,敢来啄我老婆婆的魗头②!"老太婆的儿子闻讯要揍小孩。小孩却镇定地说:"你莫打我,我真的是你爹。"接着又说出了只有已故商人和老太婆才知道的一些秘密,并马上到堂屋的神龛下拿出了珍藏了多年的家谱和地契。地契和家谱藏在哪里,这只有商人的家人才知道哇!众人被小孩的言行举止惊呆了。老太婆才记起,

---

① 郫县民间文学集成办公室:《中国民间文学集成四川卷·成都市郫县卷》(内部资料本),1989年,第160~162页。而绵阳等地传说午饭称"赏午"与乾隆皇帝有关。参见张承俊等《中国民间文学集成四川卷·绵阳资料集》(内部资料本),1987年,第157页。

② 啄[tsua²¹]魗头:占便宜。

丈夫死后忘了给他喝忘魂汤,所以投胎转世后他仍会记起前世。这场面无疑十分尴尬。老太婆的子女称这个小孩为"爹",显然不合适;不这样称呼,又不合情理。经过反复商量,只得称这个小孩为"嫩爹儿"。①

躲蟾酥

成都民间传说端午节时,人们要取蟾酥制药,故蟾蜍均要逃难,躲避取酥。今都江堰有"癞疙宝躲端午,新姑娘儿躲(正月)十五"之谚语。②此词后喻指"躲避":

你这几天跑到哪儿去躲蟾酥去了?害得我到处找都找不倒!(成都口语)

三、历代巴蜀语言的传承和积淀

由于语言内部的继承性,巴蜀汉语方言词语中的一部分就直接来自古代巴蜀汉语方言。如:

苦荼③

《尔雅·释木》:"槚,苦荼。"郭璞注:

树小如栀子,冬生叶,可煮作羹饮。今呼早采者为荼,晚取者为茗。一名荈。蜀人名之苦荼。④

篾 [mi²¹] 或 [mie²¹] 条

此即竹子剖成的长条薄片或细长条:

篎,蔑[篾]也,今中国蜀土人谓竹篾为篎也。篎音弥。(三国李登《声

---

① 参见王松柏《浅析部分四川方言词语的语源》,载《达县师范高等专科学校学报》2000年第3期。成都等地另有"嫩爹、嫩妈、嫩婆娘、嫩老子、嫩水水"等说法。
② 此谚语为黄尚军于2002年春节期间至都江堰市天马镇净土村1组实地调查所得,承蒙王云龙先生(男,75岁)提供,谨此致谢。当地今仍有新娘在正月十五回娘家玩耍的习俗。另据渠县贺享雍先生说,渠县也有"癞疙包躲端午,新姑娘躲十五"之说。
③ 参见杜长焜《茶字源于巴蜀语音》,载《文史杂志》1992年第3期。
④ (清)阮元校刻:《十三经注疏》,中华书局1980年版,第2638页。

类》）①

竹篾曰篻条○篻音迷，籙同。（《蜀语校注》），第38页）

此处之"篻"即"篾"的古字。"篾"一词，在巴蜀地区使用得非常普遍。如民国20年（1932）《万源县志·教育门·谚语》"话说三道稳，篾缠三道紧"，比喻"好言不妨多说也"。以"篾"为中心词素发展出的方言词语有：

篾筐——竹筐。
青篾——竹皮。
黄篾——竹子析去青竹皮余下的部分，又可析出二黄篾、三黄篾等。②
篾簧子、篾笆、篾笆笆、篾笆子——竹笆。
篾篓篓——竹篓。
篾笆墙——竹墙。
篾夹子——竹制夹子，常用于拾取狗屎。
篾块儿③——厚而较短的竹条。
篾片儿④——短而较薄的竹条。也指豪门巨富家帮闲凑趣、专事奉承、有所贪图的门客。
二黄篾——也称"刮屎篾片儿"，二弌长左右，从黄篾析出，农村人多用之擦屁股。⑤
划渣篾——本指将废弃的黄篾划开，偷偷编织在以青篾为主的竹具中，以次充好，喻指搞假冒伪劣。

---

① 转引自张慎仪著，张永言点校《续方言新校补》，四川人民出版社1987年版，第37页。
② 聂云岚等：《中国歌谣集成·重庆市卷》（科学技术文献出版社重庆分社1989年版，第378页）："帮忙兄弟很认真，竹子砍的隔年青。青篾划成十二双，黄篾划为十二层。"
③ 重庆市江北区民间文学集成编辑委员会：《中国民间故事集成·重庆市江北区卷》（内部资料本，1987年，第407页）："老师刚把狗屁的长衫捞开，篾块一举，正要打，一眼看见了裤腰带上插着的叶子烟。"
④ 参见李劼人《李劼人选集》第4卷，四川人民出版社1984年版，第185页。
⑤ 《商务早报》（1999年3月18日第C2版）："老头接过名片，一看非常精致，心头就想：城里头的人是不同，揩屁股的纸都这么高级，比乡坝头用竹篾片好到哪儿去了。"

波

宋代蜀人对老人的敬称：

独沧州守御指挥史姜知古卓旗占得西南肖波块，其块即赵畚相公坟也。①
蜀中称尊老者为波，祖及外祖皆曰波。又有所谓天波、日波、月波、雷波者，皆尊之之称。②

宋无名氏《爱日斋丛钞》引林谦之诗"惊起何波理残梦"，自注：

述梦中所见何使君，蜀人以波呼之，犹丈人也。③
伯叔父曰波波。〔民国16年（1927）《简阳县志·礼俗篇·方言》〕

今巴县、内江一带仍有呼父、母为"波、波波"者④，而今凉山彝族子女仍称父及父辈以及父之姐妹为"阿波"。⑤

偏涷雨

此即夏天的暴雨。张衡《思玄赋》："云师以交集兮，涷雨沛其洒途。"李善引旧注：

涷雨，暴雨也。巴郡谓暴雨为涷雨。（《文选》上册，第220页）
夏日暴雨曰偏涷雨。（《蜀语校注》，第86页）
今陕西、四川皆谓夏月暴雨为偏涷雨，涷正音东。偏者，夏月暴雨一二里内，雨阳各异，故谓之偏。亦曰分龙雨，亦曰白雨，广东谓之白撞雨。撞从东声，涷音转撞，若呼一重为一撞，变东祸为撞祸矣。（《新方言》，页

---

① 原注："蜀人呼老弱为波，坟冢为块。"（后蜀）何光远：《鉴戒录》卷二，学津讨原本，页九。
② （宋）范成大：《吴船录》卷上，知不足斋丛书本，页二十三。
③ 无名氏：《爱日斋丛钞》卷五，守山阁丛书本，页一十八。
④ 黄尚军实地调查到巴县渔洞镇廖家院子，有一廖姓呼父为"波波"，呼母为"美[mei⁵³]"。内江的材料承蒙经本植先生提供，谨致谢。
⑤ 参见朱文旭《彝族文化研究论文集》，四川民族出版社1993年版，第40页。

一二三）

　　暴雨谓之偏涷雨。……蜀语涷从水，音东，不从冫，音洞。其云偏者，或不逾墙，或不过畦也。〔民国18年（1929）《云阳县志·礼俗下·方言上》〕

　　"偏涷雨"一词，在巴蜀地区普遍流行，《汉语大词典·人部》未见。
　　葭
　　此即"茶"的别名。唐陆羽《茶经·一之源》："茶者，南方之嘉木也。一尺二尺乃至数十尺。其巴山峡川有两人合抱者……其名，一曰茶，二曰槚，三曰蔎，四曰茗，五曰荈。"自注：

　　杨执戟云："蜀西南人谓茶曰蔎。"①

　　今都江堰市玉堂镇等地仍称"茶"为"涩"［葭］。②
　　百　丈
　　牵船的篾绳，多用楠竹片或斑竹片绞织而成，是木船逆水行进时的主要工具，因其一般长约百丈而得名。已见于唐代，杜甫《十二月一日》诗之一：

　　一声何处送书雁，百丈谁家上水船。（《全唐诗》，第563页）
　　《南史·朱超石传》："宋武北伐，超石前锋入河，军人缘河南岸，牵百丈，有漂度北岸者。"杜诗上蜀多言百丈也。③

　　今巴蜀部分地区仍说"百丈"：

　　纤藤用竹篾数根扭编而成，一般长约百丈，故俗称"百丈"。④

---

① （唐）陆羽：《茶经》卷上，学津讨原本，页一。
② 参见陈浩东等《成都民间文学集成》，四川人民出版社1991年版，第46~47页。
③ （宋）程大昌：《演繁露》，中华书局1991年版，第111页。
④ 王绍荃等：《四川内河航运史》，四川人民出版社1989年版，第325页。

蠚　麻①

此词也作"蘫麻"，即荨麻：

> 蠚草曰薮麻〇薮音涎，苗似苎麻，芒刺螫人，痛不可忍，又名蠚麻。……杜子美夔州《除草》诗自注云："去薮也。"故其诗曰："其毒甚蜂虿。"又曰："芒刺在我眼。"（《蜀语校注》，第76页）
> 川峡间有一种恶草，罗生于野，虽人家庭砌亦有之，如此间之蒿蓬也，土人呼为薮麻，其枝叶拂人肌肉，即成疮疱，浸淫溃烂，久不能愈。②

清徐元禧《名山竹枝词》："诘曲山湾是妾家，风棚雨壁没栏遮。狂夫莫道来容易，偏处墙阴苎荨麻。"自注：

> 荨麻，俗称"活麻"。杜诗注，名荨草。《通志》名蝎子草。县产最多。③
> 就只看见那样毛绒的份量，已感到全身肌肤，好似沾染了蠚麻样那种火辣辣的不好受。（《李劼人选集》第3卷，第33页）

今巴蜀人仍称之为"蠚麻"，如成都谚语"惹不起蠚麻惹秧子"，意为"专找弱者欺负"。

胡　豆

也称"蚕豆、罗汉豆、佛豆、倭豆"，在汉语中应有两义：一是指"豌豆"，据传是汉代张骞出使西域时带回来的，其准确含义应是"从胡地输入的豆"；二是指"蚕豆"，应是巴蜀汉语方言。据有关专家考察，古希伯来人早在公元前一千年就已经开始栽种胡豆了，大约在公元13世纪传入我国，由阿拉

---

① 也说"寒麻"。徐心余：《蜀游闻见录》（四川人民出版社1985年版，第62页）："川地有寒麻，野草也，叶如掌，背刺多而密，人触之，痛彻骨。献忠蹲地出恭，误触其上，痛弗辍，怒甚，举刀向天誓曰：'川人可诛，川草更可恶，他日倘手拥兵权，必使人不留种，寸草不生而后已。'后果如其言。"
② （宋）张邦基：《墨庄漫录》卷七，丛书集成初编本，页七十六。
③ 林孔翼、沙铭璞：《四川竹枝词》，四川人民出版社1989年版，第209页。

伯人首先将其带到巴蜀等地,故巴蜀人称之为"胡豆":①

（胡豆）此豆种亦自胡域来,虽与豌豆同名,同时种,而形性迥别。《太平御览》云"张骞使外国,得胡豆种归",指此也。今蜀人呼此为胡豆,而豌豆不复名胡豆矣。②

《尔雅》:"戎叔谓之荏菽。"郭璞曰:"即胡豆也。"今四月大豆通言蚕豆。广东曰马豆,四川谓之胡豆。戎、胡、马皆大也。(《新方言》,页一百一十七)

这时我的欲望并不大,吃三块烧饼,或者一堆干胡豆,尽够了。(《艾芜文集》第1卷,第12页)

与"胡豆"有关的歇后语有:

城隍菩萨吃胡豆——鬼炒。③
干胡豆下酒——显牙巴劲。④
干胡豆吃多了——硬撑。
米筛子筛胡豆——一个都漏不掉。⑤
偷雀儿⑥ [tɕ'yɚ⁵⁵] 吃胡豆——不跟沟子商量。

四、历代流行的通语和俗语的影响

语言的融合和渗透是从古到今延续着的一种变化,方言之间、方言与通语之间也是如此。今天的巴蜀汉语方言词语,有部分就来自古代的通语或俗语,

---

① 另说据(宋)宋祁《益部方物略记》已引胡豆,推断出可能四川在11世纪时已有胡豆。参见周振鹤、游汝杰《方言与中国文化》,上海人民出版社2015年版,第133页。
② (明)李时珍:《本草纲目》卷二四,(台湾)商务印书馆景印文渊阁四库全书本,1986年,页二十一~二十二。
③ 鬼炒:意为"胡豆是鬼炒熟的",谐"鬼吵",即胡乱吵闹。
④ 干胡豆:炒熟的胡豆,由于炒时不加水,故发硬,咬起来嘣嘣作响,需要用很大的劲,牙巴:嘴巴。此歇后语意为"只说不做"。
⑤ 此歇后语比喻"一网打尽"。因用竹篾编的米筛的洞都比胡豆小。
⑥ 偷雀儿:一种比麻雀稍小的鸟儿,即使吞下了胡豆,也消化不了,拉不出来。此歇后语比喻做事不顾后果。

也就是说，这部分巴蜀汉语方言词语有比较古老的历史，从古籍中可以找到它们的源出，其对于印证古语有重要价值。

安 逸[①]

此词有"安闲舒适"义。《庄子·至乐》："所苦者，身不得安逸，口不得厚味，形不得美服，目不得好色，耳不得音声。"[②] 今巴蜀汉语方言中保留此义。《死水微澜》："她更知道当太太的、奶奶的、少奶奶的、小姐的、姑娘的、姨太太的，是多么舒服安逸。"[③] "安逸"一词在巴蜀汉语方言中还有"令人满意、精彩、糟糕"等义，用得十分广泛。

声 气

指说话时的声音和语气。《论衡·骨相》："相或在内，或在外，或在形体，或在声气。"[④]《搜神记》卷十八："司空南阳来季德停丧在殡，忽然见形，坐祭床上，颜色、服饰、声气，熟是也。"[⑤]《红楼梦》三十三回："一言未了，只听窗外颤巍巍的声气说道：'先打死我，再打死他，就干净了！'"[⑥] 此义今已不见于现代汉语普通话里，却保留在巴蜀汉语方言中。《春潮急》："由于受的亏损太多，每当听到徐锅巴胡的声气，金毛牛便浑身不舒服，尤其讨厌那副稀牙露齿的干笑。"[⑦]

使 气

此词有"借物出气"的意思，已见于东汉。《汉书·季布传》："孝文时，人有言其贤，召欲以为御史大夫。人又言其勇，使酒难近。"颜师古注："应劭曰：'使酒，酗酒也。'言因酒沾洽而使气也。"[⑧] 清顾张思《土风录》卷八："因怒借物出气曰使气。"[⑨] 今巴蜀汉语方言仍将"借物出气"称为"使气"。

---

① 成都等地称性交为"大安逸"，掏耳朵为"小安逸"。郑蕴侠：《理发春秋》（《龙门阵》1991年第6期）："挖耳更是玄妙。……这玩意有个名字叫'小安逸'。"
② 上海古籍出版社：《二十二子》，上海古籍出版社1986年版，第53页。
③ 李劼人：《李劼人选集》第1卷，四川人民出版社1980年版，第33页。
④ （汉）王充著，张宗祥校注：《论衡校释》，上海古籍出版社2013年版，第60页。
⑤ （晋）干宝：《搜神记》卷十八，页十，学津讨原本。
⑥ （清）曹雪芹、高鹗：《红楼梦》，人民文学出版社1964年版，第400~401页。
⑦ 克非：《春潮急》，上海人民出版社1974年版，第414页。
⑧ （汉）班固：《汉书》第7册，中华书局1962年版，第1977页。
⑨ 江苏广陵古籍刻印社：《中国民俗方言谣谚丛刊初编》第1册，江苏广陵古籍刻印社1989年版，第356页。

偷 儿

即窃贼、小偷。《晋书·王献之传》："〔王献之〕夜卧斋中，而有偷人入其室，盗物都尽。献之徐曰：'偷儿，青毡我家旧物，可特置之。'"① 唐李端《晚春过夏侯校书值其沉醉戏赠》诗："谒客唯题凤，偷儿欲觇毡。"此词一直保留在巴蜀汉语方言中，如民国14年（1925）《重修彭山县志·民俗篇二·方言》："谓窃曰偷偷儿，曰贼。"今巴蜀人仍说"偷儿"。《一串"猫儿眼"》："古井香泉，袍哥开烟馆；玉堂金马，绅粮做偷儿。"② 成都隐语称为"悄麻雀"③。

外后日（天）

即大后天，指紧接在后天之后的那一天。《老学庵笔记》卷一〇："今人谓后三日为'外后日'，意其俗语耳。偶读《唐逸史·裴老传》，乃有此语。裴，大历中人也，则此语亦久矣。"④《金瓶梅词话》第三回："明日是破日，后日也不好，直到外后日，方是裁衣日期。"⑤《儒林外史》四十七回："外后日是方六房里请我吃中饭，要扰过他，才得下去。"⑥

此词也一直活在巴蜀人口语之中。民国18年（1929）《云阳县志·礼俗下·方言上》："后三日谓之外后日。《老学庵笔记》：'后三日为外后日。'……今且以外后日之后为大外后日。后日亦曰后个。"今万源县仍将"大后天"称为"外后日（天）"。此词也称为"后二［xɚ²¹³］天"，如都江堰市歇后语："找齁包儿⑦还钱——后二天。"

错

在古代汉语中，"错"有"磨、打磨"之义，《广雅·释诂三》："错，

---

① （唐）房玄龄等：《晋书》第7册，中华书局1974年版，第2105页。
② 张孝忍：《一串"猫儿眼"》，载《龙门阵》1990年第6期。
③ （清）傅崇榘：《成都通览》（下册，巴蜀书社1987年版，第42页）："悄麻雀〔贼也〕。"
④ （宋）陆游撰，李剑雄、刘德权点校：《老学庵笔记》，中华书局1979年版，第126页。
⑤ （明）兰陵笑笑生：《金瓶梅词话》，［台湾］天一出版社1975年影印本，第6页。
⑥ （清）吴敬梓：《儒林外史》，人民文学出版社1977年版，第541页。
⑦ 齁包儿：患哮喘病的人，因其发病时常发出"齁包、齁儿"的喘息声，故名。旧时成都小儿一见此类病人，即唱歌谣"齁包儿，你好久死？——哈儿［xɚ⁵⁵］（谐'齁儿'，意即'一会儿'），哈儿［xɚ⁵⁵］"以调笑。

摩也。"① "错"的"磨"义至今仍保留在巴蜀汉语方言之中，巴蜀人普遍说"错牙齿"，即磨牙齿。

恍兮惚兮

此词也作"恍惚、恍尔惚兮"，形容恍恍惚惚、精神不定的样子，语出《老子》二十一章："恍兮惚兮，其中有物。"② 又作"恍惚"，《敦煌变文集·伍子胥变文》："女子拍纱于水，举头忽见一人，行步獐狂，精神恍惚，面带饥色，腰剑而行。"③

此词一直活在巴蜀人口中。民国18年（1929）《云阳县志·礼俗下·方言上》："恍惚，不定也。"今成都口语："这一棒真把我打瓜了，一连好多天，做啥子事都是恍兮惚兮的。"后引申出"粗心，不在意"的意思。《大波》二部："我那时尽管有十二岁，因为乡坝里头长大，遇啥都是恍兮惚兮的，连我们住的地方，连爹爹的名字，全弄不明白。"④

肚 皮

此词作"腹部、肚子"讲，已见于唐代。《敦煌变文集·不知名变文》："儿觅富贵百千般，不道前生恶业牵，盖得肚皮脊背露，脚根有袜指头串。"此义一直沿用。《水浒传》三十八回："（张顺）自把两条腿踏着水浪，如行平地，那水浸不过他肚皮，淹着脐下。"⑤ 今该词已不见于现代汉语普通话，但却保留在巴蜀汉语方言之中。《天魔舞》第九章："满肚皮牢骚无从发泄，才离开求名正途，而寄情于发财的打算。"⑥

桴炭（儿）

此词也作"浮炭、麸炭"，指木柴燃烧到一定程度，隔绝空气后形成的炭，质地疏松，易燃，故常用于引火，已见于唐代。白居易《和〈自劝〉》二首之一："日暮半炉麸炭火，夜深一盏纱笼烛。"《老学庵笔记》卷六："浮炭者，谓投之水中而浮，今人谓之麸炭，恐亦以投之水中则浮故也。"⑦ 清顾

---

① （清）王念孙：《广雅疏证》，中华书局1983年版，第77页。
② 上海古籍出版社：《二十二子》，上海古籍出版社1986年版，第3页。
③ 项楚：《敦煌变文选注》，巴蜀书社1990年版，第14页。
④ 李劼人：《李劼人选集》第2卷，人民文学出版社1980年版，第872～873页。
⑤ （明）施耐庵、罗贯中：《水浒传》，上海人民出版社1997年版，第505页。
⑥ 李劼人：《李劼人选集》第3卷，四川人民出版社1981年版，第110～111页。
⑦ （宋）陆游撰，李剑雄、刘德权点校：《老学庵笔记》，中华书局1979年版，第77页。

张思《土风录》卷四："树柴炭曰麸炭。"①

此词亦保留在巴蜀汉语方言之中，如《春潮急》："（她）又从灶洞旁边的瓦罐里，拿出几捧往常烧硬块柴时闭的桴炭，备了一个烘笼子，以便等会儿客人起床后好烤手。"② 由"麸炭"还衍生出了"麸渣儿"一词，指"小而碎的麸炭"。

歪

此词的"不好、不正当、不正派"之义已见于宋代。如宋汪云程《蹴鞠谱·圆社锦语》："歪，不正。"③ 元曾瑞《般涉调·哨遍·村居》："行歪令，饮竭正盏，斟满罚觥。"④《东周列国志》六十六回："你是齐邦退下来的歪货⑤！家用不着的弃物！"⑥《桃花扇·守楼》："田家亲事，久已可断，如何又来歪缠？"⑦ 民国20年（1931）《重修南川县志·方言》："顿得歪歪货，自有赚钱时。""歪"在巴蜀汉语方言中还有"不可靠、不妥实"之义，如"他说的话，歪的，千万信不得。"今巴蜀人仍将"假货、不好的货"称为"歪货、歪歪儿货"。

上 灶

此即上厨房烧火、煮饭、做菜。已见于宋代。《清平山堂话本·快嘴李翠莲记》："三日媳妇要上灶，说起之时被人笑。"⑧《水浒全传》二十四回："便拨一个士兵来使用，这厮上锅上灶地不干净，奴眼里也看不得这等人。"《红楼梦》六十五回："却说跟的两个小厮，都在厨下和鲍二饮酒。那鲍二的女人多姑娘儿上灶。"⑨

---

① 江苏广陵古籍刻印社：《中国民俗方言谣谚丛刊初编》第1册，江苏广陵古籍刻印社1989年版，第170～171页。
② 克非：《春潮急》，上海人民出版社1974年版，第283页。
③ 郑振铎辑：《玄览堂丛书三集》（上海影印本），第32册，民国30年（1941）。
④ 隋树森：《全元散曲简编》，上海古籍出版社1984年版，第203页。
⑤ 歪货：也作"Y货"。成都市龙泉区志编委会：《成都市龙泉驿区志》（成都出版社1996年版，第694页）："冒牌货叫'Y货'。"
⑥ （明）冯梦龙撰，（清）蔡元放编：《东周列国志》（下），人民文学出版社1955年版，第597页。
⑦ （清）孔尚任：《桃花扇》，人民文学出版社1959年版，第148页。
⑧ 韩传达：《中国古代文学作品选》第3册，北京大学出版社1984年版，第325页。
⑨ （清）曹雪芹、高鹗：《红楼梦》，人民文学出版社1964年版，第845页。

撒 脱

此即"洒脱,干净利落"。已见于宋代。《朱子语类》卷九四:"要之,持敬颇似费力,不如无欲撒脱。"① 《二刻拍案惊奇》卷九:"撒脱些,我要回去。这事做得不好了,怎么处?"② 《天魔舞》十二章:"看来,他又并不怎么拘泥,倒比别的一些人来得撒脱,来得天真。"③ 民国18年(1929)《云阳县志·礼俗下·方言上》:"撒脱,不拘也。……今人谓不拘束曰撒脱,或曰洒脱。"《川渝口头禅》:"卖韭黄的菜贩子就高兴了:'你是撒脱人,我也撒脱,给你称望些。'"

"撒脱"一词在巴蜀汉语方言中还有"简单、容易、轻松"等义。④《春潮急》:"你富裕户那套臭话少吐些!呵!算盘倒打得美,以为讽刺一下,要挟一下,雇贫农就向你们下了炮蛋、低了头?没得那么安逸!没得那么撒脱!"⑤

鎐

即器物的棱角、锋芒因用久而渐渐磨损变得光滑。《俗言·磨鎐》:"今俗谓磨光曰磨鎐是也。"⑥《蜀语》:"磨之渐销曰鎐○鎐音育。……杨升庵在朝,一中官问曰:'牙牌磨鎐,鎐字何如写?'升庵以鎐字答之。今俗读作遇。凡牙齿老,木石诸物磨销,皆曰鎐。"此词一直活在巴蜀汉语方言中。《蜀方言》卷下:"磨砻渐消曰鎐。"《大波》三部:"这些麻筋麻肉的话,你表婶娘的耳朵早听鎐了!"⑦

花(花)

此词有时泛指小孩。已见于明代。《金瓶梅词话》七回:"这婆子守寡了三四十年,男花女花都无。"⑧《儒林外史》十七回:"黄公中了一个进士,做任知县,却是三十岁上就断了弦,夫人没了,而今儿花女花也无。"⑨ 此义

---

① (宋)黎靖德:《朱子语类》卷九四,同治十一年(1872)应元书院刻本,页三十八。
② (明)凌蒙初:《二刻拍案惊奇》,人民文学出版社1996年版,第187页。
③ 李劼人:《李劼人选集》第3卷,四川人民出版社1981年版,第158页。
④ 参见王文虎、周家筠、张一舟等《四川方言词典》,四川人民出版社1987年版,第306页。
⑤ 克非:《春潮急》,上海人民出版社1974年版,第678页。
⑥ (明)杨慎:《俗言》卷一,函海,嘉庆十四年(1809),李鼎元重校印本,页三。
⑦ 李劼人:《李劼人选集》第2卷,四川人民出版社1980年版,第962页。
⑧ (明)兰陵笑笑生:《金瓶梅词话》,〔台湾〕天一出版社1975年影印本,第2页。
⑨ 此条下编者注:"儿花女花——男孩女孩。"〔(清)吴敬梓:《儒林外史》,人民文学出版社1977年版,第216页〕

一直保留在巴蜀汉语方言之中。沙汀《在祠堂里》："那丈母娘忽然放声哭起来了。'我就是这一个女花花呵！'"①《江湖八大门》："（称）姑娘为花花，小儿为春春。"②《寄友诗》："一群豆豆与花花，教得心中乱似麻。"③

"花"可和"人"组成"人花花儿"一词，泛指人。如成都口语"我连一个人花花（儿）都没有看到"；也可和"屎"组成"屎花花（儿）"一词，如剑阁口语"放个屁带出了屎花花（儿）"；还可组成"蛋花花儿、鸡花花儿、油花花（儿）、钱花花"④等词。

打挣

此词也作"打整"，有"打扫、整理、收拾"之义。已见于元代。元郑廷玉《金凤钗》三折："我道你不是受贫的人，我还打挣头间房你安下。我看茶与你吃，你便搬过来。"⑤《新儿女英雄传》二回："大水一看人家抢着去，他就不提了，赶忙回家打整行李。"⑥此义见于巴蜀汉语方言。《天魔舞》："想到那时是如何的热情，除了督着周安和伙房加紧加细打整房屋不算外，还每天下午三点钟起，便要跑到牛市口车站去候车。"⑦后引申出"对付、整治"的意思。《天魔舞》："却好，那伙人倒也容易打整，你先向他们告穷，他们便也相信了。"⑧

不好

以"不好"代替生病，自元代就开始了。元吴昌龄《张天师》二折："〔净云〕你那病人不好几日了？"⑨《金瓶梅词话》四十六回："自从与五娘做了生日，家去就不好起来。"⑩《醒世姻缘传》二回："咱昨日在围场上，你一跳八丈的，

---

① 沙汀：《沙汀短篇小说选》，人民文学出版社1978年版，第67页。
② 庸人：《江湖八大门》，四川人民出版社1992年版，第218页。
③ 此为沐川中学一位校长所作。川南犍为、乐山一带，称男孩为"豆豆"，女孩为"花花"。参见唐拾得《打油诗四则》，载《龙门阵》1985年第6期。
④ 《重庆晚报》（2001年12月16日第12版）："下班回不回家无所谓，关键是看不到人花花要见到钱花花噻！"
⑤ 隋树森：《元曲选外编》，中华书局1959年版，第193页。
⑥ 袁静等：《新儿女英雄传》，人民文学出版社1956年版，第25页。
⑦ 李劼人：《李劼人选集》第3卷，四川人民出版社1981年版，第256页。
⑧ 李劼人：《李劼人选集》第3卷，四川人民出版社1981年版，第117页。
⑨ （明）臧晋叔：《元曲选》，中华书局1958年版，第182页。
⑩ （明）兰陵笑笑生：《金瓶梅词话》，〔台湾〕天一出版社1975年影印本，第7页。

如何就这们不好的快?"① 今成都口语:"他今天不好,太阳这么高了都还没有起来。""不好"也可指"不舒服"。成都口语:"我今天人很不好,一身都不安逸。"

大清早

此即清晨,已见于元代。马致远《青衫泪》一折:"大清早母亲来叫,只得起来,天色还早哩。"②《儒林外史》四十七回:"成老爹把卖主、中人都约了来,大清早坐在虞家厅上。"③ 此词今巴蜀汉语方言仍说。

下梢头

此词又作"下稍、下梢",有"结局、结果"之义。已见于宋代。《秦并六国平话》卷中:"昔曾燕丹子质在赵国,幼年与始皇子政为友,最相交结,岂期下梢头先遣将攻燕,取了燕丹首级。"④《拍案惊奇》卷二二:"却是富贵的人只据目前时势,横着胆,昧着心,任情做去,那里管后来有下梢没下梢。"⑤ 今巴蜀人仍将"结局"称为"下梢头"。川剧《尽节斩邈》:"这样死我才死得丑,卖国求荣的下梢头。"⑥

坐

此词有"居住"义,已见于宋代。《五代晋史平话》:"定州管下西北有狼山,其土人就山上筑堡以避胡寇,堡中有佛舍尼名孙深意的,在堡上住坐,以妖术惑众,远近信奉之甚谨。"⑦ 元武汉臣《老生儿》一折:"万贯家缘都在你手里,你在那钱眼里面坐的,兀自不足哩!"⑧ "钱眼里坐的"为宋、元时谚语,意谓在钱堆里过日子,是对财迷、守财奴的讥讽语。今巴蜀人仍将"居住"称为"坐"。《某镇纪事》:"他在场口坐家,有着一个和他嗓音一

---

① (清)西周生:《醒世姻缘传》,上海古籍出版社1981年版,第24页。
② (明)臧晋叔:《元曲选》,中华书局1958年版,第882页。
③ (清)吴敬梓:《儒林外史》,人民文学出版社1977年版,第548页。
④ 丁锡根点校:《宋元平话集》(下册),上海古籍出版社1990年版,第619页。
⑤ (明)凌蒙初:《拍案惊奇》(下册),上海古籍出版社1985年版,第934页。
⑥ "梢"也作"烧"。中国民间文学三集成泸县资料集编委会:《中国民间文学三集成·泸县资料集》(内部资料本,1988年,第390页):"和二流(不务正业且有流氓习气的懒汉)来和二流,和二流来没想头。早晨荆介稀饭下胡豆,晌午吃点青菜没放油。前脚步门后脚走,脚后跟擦得血长流。这就是和二流来和二流,好吃懒做的下烧头。"
⑦ 丁锡根点校:《宋元平话集》(下册),上海古籍出版社1990年版,第156页。
⑧ (明)臧晋叔:《元曲选》,中华书局1958年版,第370~371页。

样出色的女人。"①

臊皮

"臊"即羞，"皮"即脸皮。此词有"颜面可羞、羞惭、丢脸"之义，已见于清代。石玉昆《三侠五义》一百零四回："小人以为幽山荒僻，欺负他是个孤行的妇女，也不过是臊皮打哈哈儿，并非诚心要把他怎么样。"②此义一直保留在巴蜀汉语方言中。《暴风雨前》："钟幺嫂也是一个扎实婆娘啊，硬不怕那顾三奶奶咋样臊皮，要她丢开顾三贡爷，可不行。"③《春潮急》："垮皮帽认为是在故意和他臊皮，更为见怪：'哟！买牛？你这样儿……买个猫儿回去逮耗子还差不多。'"④

"臊"也作"肇"。《四川戏剧小品集选》："你莫来肇皮砸我们的牌子哈，哪个在卖Y货？你今天不说清楚是走不倒路。"⑤由此衍生出了"肇灯影儿"一词，见成都歇后语"宣登鳌的妈——肇灯影儿"。⑥

打圈

即"母猪发情"，已见于清代。《醒世姻缘传》三十六回："再有那一样捱拉邪货，心里边即与那打圈的猪，走草的狗，起骡的驴马一样，口里说着那王道的假言。"⑦今成都歇后语有"老母猪打圈——光使嘴"，比喻只说不做。

打眼

即"显眼，惹人注意"，已见于明代。《牡丹亭·骇变》："小姐，天呵！是什么发家无情短幸材？他有多少金珠葬在打眼来！"⑧此词今已不见于现代汉语普通话，却保留在巴蜀汉语方言之中。《大波》二部五章："象顾天成这样一个打眼的人，而十六那天，又带了一二百人到城外去过，如其被人认出来，那还了得！"⑨

---

① 沙汀：《祖父的故事》，上海文艺出版社1963年版，第56页。
② （清）石玉昆：《三侠五义》，豫章书社1983年版，第457页。
③ 李劼人：《李劼人选集》第1卷，四川人民出版社1980年版，第495页。
④ 克非：《春潮急》，上海人民出版社1974年版，第1008页。
⑤ 四川省文化厅：《四川戏剧小品集选》（内部资料本），1997年，第229页。
⑥ 川剧《御河桥》有宣登鳌之母这一角色，言语、动作诙谐风趣，个性十分鲜明，故有此歇后语。参见章玉钧等《川剧文化研究》，四川人民出版社2007年版，第296~297页。
⑦ （清）西周生：《醒世姻缘传》，上海古籍出版社1981年版，第526页。
⑧ （明）汤显祖：《牡丹亭》，中华书局2015年版，第189页。
⑨ 李劼人：《李劼人选集》第2卷，四川人民出版社1980年版，第723页。

困

此即"睡"。《老残游记》五回:"我困在大门旁边南屋里,你老有事,来招呼我罢。"① 此义今保留在巴蜀汉语方言中。《龚老法团》:"有什么忙的呢,还不是吃饭困觉!"②

舞

此词有"弄、做、搞"之义,已见于清代。《儒林外史》二回:"你们各家照分子派,这事就舞起来了。"③ 民国20年(1931)《南川县志·土语》:"本以手作势为戏方曰'舞',曰'弄'。土语普通以手用物作事皆曰'舞',曰'弄'。如自认作事曰'我去舞,我去弄',及招人作事曰'你来舞',又曰'你来弄'。"今成都口语:"你今天辛苦了,又洗衣服又舞饭。""舞"一词在巴蜀汉语方言中还有"草率"之义。

沥

此词有"过滤"之义,已见于汉代,《说文解字·水部》:"沥,漉也。从水,鹿声。一曰水下滴沥也。"今已不见于现代汉语普通话,却保留在巴蜀汉语方言之中。《蜀语》:"洒去水曰沥○沥音历。"今成都口语:"把锅头的饭沥起来。"

晏

"晏"有"晚、迟"之义。《吕氏春秋·慎小》:"二子待君日晏,公不来至。"高诱注:"晏,暮也。"④ 此义一直保留在巴蜀汉语方言之中。《蜀语》:"日晚曰晏○晏音按。"《死水微澜》:"日常睡得晏晏地起来,梳头打扮。"⑤

镩 [kai⁵³]

此即锯开(木料),已见于明代。《警世通言·宋小官团圆破毡笠》:"陈三郎正在店中支分镩匠锯木。"⑥ 巴蜀汉语方言有此词。《大波》二部:

---

① (清)刘鹗:《老残游记》,人民文学出版社1982年版,第51页。
② 沙汀:《沙汀选集》第1卷,四川人民出版社1982年版,第98页。
③ (清)吴敬梓:《儒林外史》,人民文学出版社1977年版,第20页。
④ 上海古籍出版社:《二十二子》,上海古籍出版社1986年版,第723页。
⑤ 李劼人:《李劼人选集》第1卷,四川人民出版社1980年版,第33页。
⑥ (明)冯梦龙:《警世通言》,人民文学出版社1956年版,第310~311页。

"杉木板子镩的，多轻巧哟！"① 今巴蜀人仍称专以锯开木料者为"镩匠"。崇州儿歌：

镩匠镩，镩匠镩，镩匠的奶奶儿男阴两边甩；铁匠铁，铁匠铁，铁匠的奶奶儿红半截；篾匠篾，篾匠篾，篾匠的奶奶儿起倒茧皮。

姆 姆

本是弟妻对兄妻的称呼，已见于明代。《水浒全传》四十九回："顾大嫂笑道：'原来却是乐和舅，可知尊颜和姆姆一般模样。且请里面拜茶。'"② 此词保留在巴蜀汉语方言之中，但指父亲哥哥的妻子。民国12年（1923）《雅安县志·方言》："父之兄妻曰姆姆。"此词可用作对老年妇女的尊称。《西游记》四十九回："姆姆，大王与众商议要吃唐僧，唐僧却在那里？"③ 今成都官话仍称中年妇女为"姆姆"④，而对老年妇女的贬称为"老姆姆"。《扭曲与复归——文革中的操哥现象》："该门市部有10来个职工，多半是老姆姆和半蔫子女人，只有女主任秦玉兰最年轻最漂亮。"⑤

清醒白醒

此即神志清楚、很清醒，已见于明代。《水浒全传》三十一回："休说张团练酒后，便清醒白醒时，也近不得武松神力，扑地望后便倒了。"⑥《儿女英雄传》二十六回："何玉凤道：'今日你怎的清醒白醒说的都是些梦话！'"⑦ 沙汀《春朝》："那两个青年人，早已清醒白醒地坐起来了……"⑧

挺 尸

此为睡眠的谑词，已见于明代，《西游记》九十四回："你那里知，俗语

---

① 李劼人：《李劼人选集》第2卷，四川人民出版社1980年版，第560页。
② （明）施耐庵、罗贯中：《水浒全传》，上海人民出版社1975年版，第618页。
③ （明）吴承恩：《西游记》，人民文学出版社1955年版，第631页。
④ 黄尚军小时候住成都市上东大街56号刘家祠时，邻居中即有称"筷子姆姆"（专以卖筷子为生）和"镔铁姆姆"（专以制作白铁皮用具为生）的。
⑤ 宋发清：《扭曲与复归——文革中的操哥现象》，成都出版社1992年版，第189页。
⑥ （明）施耐庵、罗贯中：《水浒全传》，上海人民出版社1975年版，第371页。
⑦ （清）文康：《儿女英雄传》，上海书店据亚东图书馆1932年复印本，第439页。
⑧ 沙汀：《祖父的故事》，上海文艺出版社1963年版，第256页。

云：'吃了饭儿不挺尸，肚里没板脂'哩！"① 《红楼梦》四十四回："下流东西！灌了黄汤，不说安分守己的挺尸去，倒打起老婆来了。"② 《还乡记》十九："你着急做什么？挺尸去了！"③

塞 [sai²¹] 话④

此指顶撞人的、使人生气的话，已见于清代。《红楼梦》八十三回："你还是我的丫头，问你一句话，你和我摔脸子说撰话！"⑤ 今成都口语："这个老几一天到黑只晓得说塞话。"

总之，对巴蜀汉语方言形成的研究，目前的成果还不是特别丰硕。有关先秦巴蜀语言的研究，仅能从考古资料和历史文献一些零星的记载中爬梳出一点路径，秦汉魏晋南北朝以及唐宋时期的研究，则主要借助于那一时期的方言词典、文人笔记以及诗词歌赋的用词用韵，总体而言，这一时期有关的语言资料非常匮乏。明李实《蜀语》和清张慎仪《蜀方言》等巴蜀汉语方言专书的出现，为明清巴蜀汉语方言的研究提供了丰富的资料，从而使明清巴蜀汉语方言的面貌较为清晰。

当然，也如任何方言一样，不同历史时期的巴蜀语言并非是一个封闭、孤立的系统，往往和其他方言区词汇有着共同的渊源。如古蜀语的一些词汇，有的和吴方言有联系，有的和荆楚方言有联系。因此，现代巴蜀汉语方言形成时期的有关问题，还需要进一步研究，答案方能准确得出。

同时，巴蜀汉语方言形成因素也并非界限分明，有的方言词语不仅仅只属于一个类，如"坝"，既可以将其归因于特殊的地理环境而产生的方言词汇，也可以视其为古蜀语的遗留，而诸如"鸡公车""峨眉杖""踩左踩右"之类的词汇，不仅与地理环境有关，也是民俗词汇中的重要组成部分，故本书的分类是相对的。

至于巴蜀汉语方言研究中的另一个重要问题——少数民族聚居区汉语方言的形成，应当引起学术界高度重视。

---

① （明）吴承恩：《西游记》，人民文学出版社1955年版，第1189页。
② （清）曹雪芹、高鹗：《红楼梦》，人民文学出版社1964年版，第547页。
③ 沙汀：《沙汀选集》第2卷，四川人民出版社1984年版，第781页。
④ 塞话：也作"撰话"。
⑤ （清）曹雪芹、高鹗：《红楼梦》，人民文学出版社1964年版第1094页。

第二章 巴蜀汉语方言词汇与巴蜀生产活动

语言最初是因人的集体生产、生活需要而产生的。因此，巴蜀汉语方言词汇中最多的是反映当地生产、生活的词。这些词语在使用过程中，可能逐渐扩展自己的范围，辐射到其他领域，产生新的意义。

　　巴蜀人从日常生产和生活中总结出许许多多的经验，又将这些宝贵的财富熔铸到方言之中，有的经过新的阐释，而形成了重要理论，如邓小平的"黑猫儿白猫儿论"，就从巴蜀谚语"不管白猫儿黑猫儿，逮到耗子就是好猫儿"中，汲取了丰富的营养。

第一节　巴蜀汉语方言词汇与种植文化

　　巴蜀谚语"安岳田，遂宁土，乐至是个石谷谷""藏起的丹棱，摆起的洪雅"① "打不湿的古蔺，晒不干的叙永""康风、雅雨、灌不晴"等，反映了巴蜀复杂的地理环境和多变的气候条件。肥沃的土壤、便利的灌溉，使川西平原具有十分优越的种植条件，故农业十分发达。仅民国年间，四川盆地即可分为桐油水稻区_{川东及川东南部}、水稻杂粮区_{川中北部}、甘薯稻棉区_{川中}、水稻区_{成都平原及附近各县}、稻麦玉蜀黍区_{川西南部和中西部}、玉蜀黍区_{川西及西北部}、农牧区_{川西北角}等七大区。② 长期以来，巴蜀农人因地制宜，世代传承，山区、丘陵多种玉米、红薯、土豆、小麦等，而坝区则以种植水稻、小麦、油菜等为主：

　　全县农产大抵相同，亦有因一隅之情形而异者。江以南，忠信、崇义，山势高下，均宜稻，粱、菽次之，麦又次之。大里村、鼓楼山等处，玉蜀黍尤多。江以北，安、凤、里三乡，多稻、粱、菽、麦。里仁之麦尤多。五仙山前后数十里，多山田，产毛稗、荞麦、花生、红苕。洉水河、九曲溪，贯

---

① 因丹棱县城地势低洼，洪雅县城处于盆地中心，故有此谚语。
② 参见郑肇秋《四川盆地之农业地理》，国立四川大学文学院史地学系毕业论文，民国35年（1946）。

流衣锦，多坝田，产稻、粱、菽、麦，为泸之上腴。麟现在马溪、龙溪间，多稻、粱。八卦图一带在云龙场、杨九场间，多产花生。会文、伏龙，山与田相间，多稻、粱、菽、麦；沿沱水河及沱江岸，多甘蔗、桂圆，谷类尤丰。牛滩之姜，为县中特产。宜民踞江沱间，坝田肥沃，多稻、粱、菽、麦。方山、华阳山，深沟大阪，五谷均宜。城外江沱两岸，土地肥美，多橘子、桂圆、甘蔗、花生。蓝田坝、大叶坝之菜蔬，通滩场、石洞镇、杨九场、兆雅镇、太安场、蓝田场之米，均源源运给泸城。光绪十二年，巡道沈守廉购湖桑十万株，植城外堤岸，以为民倡，旋以卸任而废。三十一年，邓氏设蚕桑学校于县北宝莲寺，种桑株以广利源，反正后亦废。〔民国27年（1938）《泸县志·食货志·农业》〕

一、田土名称

由于特殊的地理环境，巴蜀各地土壤种类繁多：

合川伟其区域，美其林薮，任土所丽，物产饶饶。其民力于南亩者，无寸土之旷。……论色，则平衍者多玄、黄，依山岩者多赤、绛，临江岸多灰、褐。论土质，则平衍者多壤土，依山岩者多砾土，临江岸者多沙土。论土性，则平衍者多肥沃，依山岩者多粗离，临江岸者多疏阔。〔民国10年（1921）《合川县志·土物》〕

合川县仅土壤种类，就有"红大衍泥、红沙大衍泥、黑沙大衍泥、黄沙大衍泥、油沙泥、冷沙泥、梭沙泥、白墡泥，死黄泥、鹅卵石夹沙泥、豆瓣泥"等11种。

又：

禹贡梁州，厥土青黎。近世地质学家谓蜀地古为湖泽，其后干涸为陆，纯由赤沙构成，称为"赤砂溢地"。泸之地质，赤砂为多，而耕作所及，亦多间色。江以南，大里村、大南山、大小鼓楼山一带，土多赤。利和、龙车、白节、丰乐等场与崇义东北之地，土多黄。江以北，宜民、安贤、凤仪、麟现、衣锦、会文、伏龙各乡，土多黄而带黑。他如宜民之华阳山，里仁之宝峰场，衣里所属之五仙山，衣麟所属之桐子林、大茅坪各地，则黄而带赤者也。安贤之兴隆庙，里仁之新盛、玄滩、毗卢、宝藏各地，则黄而带白者也。约言之，以土色论，依山者多赤，平衍者多黄，滨江者多黄黑。以土质论，依山者多砾，平衍者多湿，滨江者多沙。以土性论，依山者多粗离，平衍者多肥沃，滨江者多疏阔。故田，有水田、干田、山田、坝田、沟田，土有山土、坝土、河土，泥有黄泥、黄沙泥、红黄泥、红泥（即赤色泥）、红沙泥、油沙泥、冷沙泥、梭沙泥、白墡泥、豆瓣泥（亦名大衍土）、石灰泥。中惟高山田土病干燥，深沟田土病阴湿。白墡、死黄、冷沙曰土病瘦弱，生殖力最薄，出产不丰余，则五谷杂植皆宜。〔民国27年（1938）《泸县志·食货志·农业》〕

民国33年（1944）《长寿县志》载该县土壤名，也有"黑油沙、红油沙、岩粪泥、漕沙泥、白油沙、扁沙、大眼泥、鸭矢泥、冷白沙、冷黑沙、大黄泥、白散泥、豆面泥"等，多达十三种。① 万县近郊九池林场，也有"大土泥、黑沙夹泥、红沙泥、黄沙、红砂石"五种类型的土壤。万县境内以红石骨子土②为最佳，黑油沙土、黄砂壤土次之，浅黄粗砂土最劣。长寿县有"亮油沙、白沙泥"；③ 乐山市有"死黄泥、白鳝泥、冷性田、沙姜土、下

---

① 民国33年（1944）《长寿县志·风土·土质》："吾邑土质，可大别为二：西路及南岸为沙岩，接壤江巴及西山、五堡山一带，沙土居多。东路为粘板岩，故接壤涪陵及黄草山一带，泥土居多。顾土质，无论为沙，为泥，均各有上、中、下三种，曰'黑油沙'，曰'红油沙'，曰'岩粪泥'，曰'漕沙泥'。性暖耐旱，不粪自肥。所种各物，皆穗大而坚均，是为上土。曰'白油沙'，曰'扁沙'，曰'大眼泥'，曰'鸭矢泥'，性暖不耐旱，粪之尽力，耕之以时。所种各物，亦与上土收成等，是为中土。曰'冷白沙'，曰'冷黑沙'，曰'大黄泥'，曰'白散泥'，曰'豆面泥'，虽耕、粪不失法，所种各物，岁收亦薄，是为下土。吾邑各场，如城厢、松柏、渡舟、太平、新市、双龙、葛兰、傅何、晏家、梓潼、八颗、沙溪、深溪、罗围、合兴、兴隆、石堰、海棠等，属于上土。邻封、扇沱、千佛、灵山、仁和、九龙、云台……称沱、碾盘等，属于中土。古佛、但渡、复元、万寿、永兴、永丰、焦家、普子、中兴、复兴、三合等，属于下土。惟介于东西两山之间，如城厢、松柏、渡舟、太平、新市、双龙、葛兰、傅何、晏家、梓潼、八颗等，为沙岩与粘板岩崩解混合而成。物产丰富，素称沃壤，盖土质之原科既多，即植物之种树咸宜也。第此种分析，只就大势而言。其实，沙土中含泥土，泥土中含沙土；上土中含中、下土，中土中含上、下土，下土中含中上、中土，均间有之。总之，土质虽有上、中、下之分，然惰农自安，美者亦恶；良农尽力，瘠者亦肥，亦视人之耕作何如耳。《孟子》言战术，曰'地利不如人和'。吾于论土质，则曰'地别不如人工'。"
② 红石骨子土：红砂土。参见刘述乔《四川重要物产之地理研究》，国立四川大学文学院史学系毕业论文，1940年。
③ 向成福说，石菱记：《我的水稻丰产经验》，载《四川大众》1953年第6本。

冷田"①；今巫溪县文峰镇等地处于高山深处，多石少土之地，俗称"花岩腔"；而雅安上里镇却有"鸡窝地"，"天之生物，各适其宜"。

就巴蜀农田种类而言，可分为"水田、旱田不能常积水的田、旱地不能积水的田、山地多乱石不能耕种的地、荒地"等类。水田又有"坝田近河边或平坦处的水田、冲田两山谷间的水田、田半山丘上的梯田、山田山顶上的田"等类。水田、旱田均可种稻类，旱地、山地则可栽种杂粮类。

巴蜀有的地区可达一年三熟：第一熟为稻谷，夏种秋收，一般是清明后浸种、播种，立夏插秧，立秋收刈。有的地区早稻收割后，留其根茎，待第二次收获，称为"翻秧"或"寄秧"。②第二熟为秋粮，如青菜、芋头、土豆等。第三熟为麦子、菜子等，多在立冬前后下种，翌年立夏前后收获（见表2-1）。

表2-1 民国时期江津县一般农家土地利用情况③

土地种类	季 节	第一年	第二年	第三年	第四年
水 田	冬季	休闲	休闲	休闲	休闲
	夏季	稻	稻	稻	稻
旱 田	冬季	菜子	大麦 小麦	蚕豆	菜子
	夏季	稻	稻	稻	稻
土	冬季	蚕豆	大麦 小麦	菜子	大麦 小麦
	夏季	高粱 红苕	高粱 红苕	高粱 红苕	高粱 红苕
田 埂	冬季	蚕豆 豌豆	蚕豆 豌豆	蚕豆 豌豆	蚕豆 豌豆
	夏季	绿豆	黄豆	绿豆	黄豆

上述林林总总的材料，反映出巴蜀地区种植文化的方言词汇特别丰富，具有鲜明的地方特色。

---

① 参见黄尚友《努力生产磷矿粉，帮助农民爱国丰产》，载《四川大众》1953年第10本。
② 参见姜光前《柳帘乡农村经济调查》，国立四川大学法学院经济学系毕业论文，1940年。今巴蜀偏远地区仍存此俗。
③ 此表据曾启智《江津县之农业经济概况》（国立四川大学农学院农业经济学系毕业论文，1945年）编制。

二、农具及农事活动名称

古语云:"工欲善其事,必先利其器。"巴蜀谚语说:"不费七十二道手,粮食不易吃到口。"巴蜀地区农具名称之繁,也体现了农业生产占主导地位的经济生产方式(见表2-2)。

表2-2　民国27年(1938)《泸县志·食货志·农业》所载农具名

农具类别	农具名称	数量	有关俗语
服牛具	牛鼻索、牵牛索、枷担、牛打脚、纤索、皮扣(钩环)、使牛棍、牛衣	8	慢工出细活,三天做个牛打脚
垦治具	犁鞁、铧(山铧、坝铧)、板锄、挖锄、大锄、小锄、薅锄	7	七寸铧尖九寸脸,再加四寸打穿眼
耙劳具	手耙(浪耙)、翻耙、踩耙、劳耙	4	犁得深,耙得烂,一碗泥巴一碗饭
去草具	镰刀、斫刀、铍镰、齐刀	4	
泥田具	扒梳(钉扒)、平板	2	
御晴雨具	斗笠、草帽、蓑衣	3	牛吃草帽子——一肚皮的圈圈
			云朝东,一场空;云朝南,水满田;云朝西,披蓑衣;云朝北,黑一黑
粪壅具	粪桶、粪筊、粪船、粪舀、粪瓢	5	
运水具	筒车(天车、扒车)、翻车(龙骨车、脚车、手车)、戽斗	3	
收获具	锯镰、拌桶、桶折、田荡(挡竿)、亮架(稻床)、棕裙	6	嘴巴蜜蜜[min⁵⁵ min⁵⁵]甜,心头一把锯锯镰
			牛跟拌桶走,来年多两斗
担运具	箩筊、包筊、草篮、尖担(禾担)、扁担	5	糠箩筊跳到米箩筊头
			扁担无啄,两头失撂[nia²¹]
晒晾具	竹扒、齿扒、刮扒、扫帚、曝板(刮板)、挡席、斗笃、簸箕、连枷、挡席	10	井头的蜞蟆(儿)^①——没有见过簸箕那么大个天
			稀稀稀,一撮箕;密密密,打石一

---

① 蜞蟆(儿):蛙类的泛称。

续表

农具类别	农具名称	数量	有关俗语
贮藏具	仓、囤包、黄桶①、围席	4	黄桶再好,也要有个箍箍 生就的扁桶箍不圆②
攻治具	礲子、风簸(风车)、筛子(棚筛、糠筛、米筛、大小筛、灰筛、抬筛)、碾	4	顶起碓窝跳加官——费力不讨好
量谷具	升、斗、合	3	命中只有八合米,走遍天下不满升
其他器具	背篼、篼[鸳]篼、撮箕、碓窝、猪圈、磨子、牛栏	7	猪刮圈,天要晴 两春夹一冬,十个牛栏九个空

上述农具不仅种类繁多,而且分类十分精细。而民国年间营山县、江津县农具,一般分为整地农具、收获农具、施肥农具、灌溉农具四类(见表2-3、表2-4)。

表2-3 民国时期营山县农具③

用途	农具名			制作、使用说明
整地农具	犁			犁头为一圆尖三角形,前端有一犁帽,为生铁所造。其他部分以坚硬木材如栎木制成
	耙	平耙		梯子形,下附一排铁齿,用于平水田,由齿间架竹条,控制耙齿入土深浅
		踩耙		长方形,上附以柄,下衔以两挂铁齿之耙,用于平旱地,因耙时,人立于上得名
	锄	拖锄		长而窄,用于旱地
		铲锄	大形	浅而宽,宽至约一尺,用于砂地
			小形	用于土质较紧实之地
	钉耙			七八齿,长三四寸,用以整理田边

---

① 黄桶:圆形大木桶,多用于装粮食或水。称作"皇桶"时,"皇"言其大。李劼人:《李劼人选集》(第1卷,四川人民出版社1980年版,第528页):"妈这一死,就好比黄桶箍爆了,各人都在打各人的主意。"另有"扁桶",多用于装粮食或水。四川省政协文史资料委员会:《四川文史资料集粹》(第6卷,四川人民出版社1996年版,第16页):"到1938年,才改用板车、扁桶运水。"
② 也说"打就的扁桶箍不圆"。
③ 此表据刘经伟《营山县农村经济概况》(国立四川大学农学院农业经济学系毕业论文,1948年)绘制。

续表

用 途	农具名	制作、使用说明		
收获农具	镰（链）刀	刈草用刀	刀片宽而柄长	
		刈稻麦用刀	刀片窄而柄短，形如新月，刀口有锯齿	
	竹筐	也称"箩筬"，竹制，用以搬运产品		
	晒垫	竹制，宽七八尺，长丈余，如一大篾席		
	连枷	竹制，用以脱豆、麦之类		
	拌桶	方形平底木桶，收获稻、麦时，于田间打落子实在其中		
	风车	木制，利用风扇之力，除去秕谷及渣、草等		
	簸箕	竹制，将壳物盛于其中，顺风簸扬，除去质轻的子实及浮壳等		
施肥农具	粪桶	木制，运粪用		
	粪瓢	多为木制，舀、泼粪用		
灌溉农具	筒车	竹制大轮，用支柱立于水流上，轮周附以竹筒，水冲轮转，竹筒盛水，随轮上升，倾入上端水槽，由引水沟流入田中		
	龙骨车	手摇车	长五六尺，将水从低田翻至高田	
		脚踩车	二人车	田与水面距离近者用
			四人车	田与水面距离远者用
	岸水筬	木 制	形如桶。用时，二人各执一端用力，岸水上升	
		竹 制	形如箩筬，两端贯以长绳	

表2-4　民国年间江津县农具[①]

用 途	农具名	制作、使用说明	
整地农具	犁	多作耕田之用，除犁头为生铁所制外，其余均为木制，极笨重	
	耙	长方形，木制，下附一排铁齿，可于齿间架竹条控制入土深浅，用于平水田	
	锄	旱地锄	锄身深而狭，掘旱地与细土用
		铲草锄	锄身浅而宽，铲草用
收获农具	镰刀	刈稻、麦用刀	刀片窄
		刈草用刀	刀片宽
	竹筐	有箩筬、背篼、菜篮、簸箕、斗筐等，以收获或运迁之用	
	连枷	枝条制成之脱粒器	
	风车	木制选粒器	
	扫帚	竹枝扫帚	竹枝制成
		高粱扫帚	高粱穗秆制成

---

① 此表据曾启智《江津县之农业经济概况》（国立四川大学农学院农业经济学系毕业论文，1945年）绘制。

续表

用途	农具名	制作、使用说明
施肥农具	粪桶	木制，用人力担运
	粪瓢	木制，柄长
灌溉农具	水车	木制，以手力转动，提升低处之水
	水桶	木制，用于运水

民国21年（1932）《万源县志·食货门·农业》，则将农具分为水田专用具和山地专用用具，其中收获器具另成一类（见表2-5）。

表2-5　民国21年（1932）《万源县志·食货门·农业》所载农具名

农具类别	农具名称	数量
水田专用农具	犁头、加［枷］担、耙齿、纤索、扒苏（铁扒）、月锄、荡板、秧马、罗架、龙骨车、筒车、戽水笕、吸水筒、水碾	14
山地专用农具	羊角锄、板锄（挖锄、条锄）、点锄、月锄、东瓜锄、背篼、挂篓、粪瓢、粪桶、炭筛、扁担、打杵①	12
收获器	齿镰、荛镰、拌桶、遮扬、罗［箩］篼、篾丝背、碾滚子、风车、篾筏、晒席、连械、掀板、羊角叉、凿箕	14

---

① 打杵（子）：本指背、抬东西时，撑着重物歇气的木制工具，一般用结实的木棒做成。长度多按使用者的身高而定，一般为一尺八。四川省军区政治部：《巴山红缨》（四川人民出版社1979年版，第86页）："（他）说完背起背架，拿着打杵走了。"也说"幺士"。陈浩东等：《成都民间文学集成》（四川人民出版社1991年版，第395页）："不多久，赵巧就背倒鲁班发明了雨伞和'丁'字形的'幺士'。""打杵"也指脚夫途中休息。徐伯威：《城隍会与城隍出驾》（《龙门阵》1985年第6期）："好在城隍老爷坐的是八个人抬的'丁拐大轿'，走得很慢又经常'打杵'。"也喻指"说话或办事遇阻而中途停顿"。李劼人：《李劼人选集》（第2卷，四川人民出版社1980年版，第844页）："没有那道衙门行得通的事，这道衙门会打杵。"殷明辉：《卖"夜光皮鞋"的年轻人》（《龙门阵》1993年第3期）："新皮鞋成本高少赚钱不说，被逮着了就上得起'纲'，叫你吃不完兜起走，做烂皮鞋即使偶有失手，充其量进拘留所就'打杵'，无论如何是上不起'纲'的。"川东巫溪等地将"打杵"分为"高肩打杵"和"矮肩打杵"。前者多为抬东西歇息用，后者多为背东西歇息用。而川北通江县一带的"打杵"主要有"丁字打杵""羊角打杵""牛尾巴打杵"和"单扁"。"丁字打杵"主要用于天平背架、背篼和大花篮，"羊角打杵""牛尾巴打杵"主要用于柴背架，"单扁"主要用于顶窝子背架。通江民谣："背老二来个毯，打杵子抱在怀里头。脚上蹬的偏耳子，顿顿玩的冒儿头。"唐枢、林皋：《蜀籁》（四川人民出版社1962年版，第172页）即收有"打杵拜会"一词。另有"鼻子打杵"一词。《川西说唱报》（1952年第7期）："小英雄要彻底完成任务，一讲法二讲理把爹说服。贼奸商又一回鼻子打杵，挽圈圈叫崇林死啃药书。"

《崇州民俗志》仅载农具一项，多达七十五种。① 锄类有：挖锄、刨锄、麻锄、撬锄、薅锄、板锄、药锄共七种。刀类有：镰刀、半月形扑镰、长方形扑镰、弯刀、麻刀、药刀、棕刀、草刀，共八种。耙类有：钉钉耙、按草耙、推谷耙、捞草耙、秧耙、苓耙子、钉耙共七种。箢类有：挑箢、夹箢、闯箢、篼箢共四种。筛类有：吊筛、手筛、桥筛、抬筛，共四种。桶类有：拌桶、粪桶共两种。木档②类有：手档档、半档、大档，共三种。其他类有：犁、撮箕、风谷机、晒簟、簟围子、箩筐、烟篮子、囤子、连盖、扁担、滑绳、背篓、晾风架子、盘、扫把、枷担、纤绳、牛鞭子、牛打脚、秧马、秧凳、闸水板、羊圈、龙骨车、水车、巴郎鼓、拨谷竿、豆杵子、麻窖、药炕、烟盘、烟索、烟架、烟圈、晾架、千担、牛嘴笼、拐耙子等，共四十种。巴蜀精耕细作的农业社会特色，从上述农具命名和种类中可见一斑。他如：

打连盖

连盖也称"莲械、连枷"，是巴蜀农村传统的竹制脱粒农具：

击粮食之器曰"连盖"。〔民国16年（1927）《简阳县志·礼俗篇·方言》〕

击粮食之器曰"莲械"。〔民国21年（1932）《万源县志·教育门·方言》〕

制作连盖，即伐竹为节，以篾索之类扎为竹排，将之套于一根长竹竿之上。执之俯仰，则小竹排凌空轮转，击打晒坝晒场上的谷、麦、豆等农作物，使之脱粒。因制作简便，今巴蜀农家仍多用。若众人齐击，富有节奏感的击打声此起彼伏，其场景甚为壮观。温江县还流传着一首《打连盖歌》：

劲儿大，手儿快。夫妻双双打连盖。一打龙，龙现爪，二打虎，虎翻身，

三打桃园三结义，四打童儿拜观音，五打五子魁，六打连科第，

七打仙女七姊妹，八打神仙吕洞宾，九打乌云盖头顶，十打太子坐龙庭，

---

① 参见陈柏青等《崇州民俗志》，方志出版社2011年版，第19~22页。
② 也说"档档（儿）"。游前等：《中国民间文学集成四川卷·成都市金牛区卷》（内部资料本，1988年，第155页）："十月里来匀菜秧儿，匀了菜秧（儿）耍档档儿。"

十一又打龙摆尾，十二又打凤翻身。夫打前，妻后跟，越打越快越欢欣。①

"打连盖"一词后形容"人吃东西太快"，多含贬义。巴蜀地区以农为本，巴蜀不少方志对农事活动记录和对农具分类的详瞻性是罕见的，如从一月到十二月，每月对应的相关节令和每月农事活动的细节安排，同治八年（1869）《珙县志》、光绪三十三年（1907）《广安州新志》以及民国27年（1938）《泸县志》都有诸多记载（见表2-6～表2-8）。

表2-6　同治八年（1869）《珙县志·农功》所载各月农事活动

月 份	农业生产活动
一 月	种灯火菠
二 月	种桃花菠
三 月	整秧田，播谷种，犁挖山地，种杂粮，如膏粱、山谷、粟谷、红稗、包谷等类
四 月	栽插秧苗，种绵花、浊麻，翻犁豆地
五 月	种豆，收割麦菠，收耘田草
六 月	耘田草、绵草，储水御旱，刈获早稻
七 月	耘豆草
八 月	收晚稻
九 月	收豆谷，播种小春，如胡豆、菜子、小麦、大麦等类
十 月	
十一月	整犁田块，蓄积冬水
十二月	种植麦、菜

---

① 温江县民间文学集成编委会：《中国民间文学集成四川卷·成都市温江县卷》（内部资料本），1988年，第139～140页。

表2-7 光绪三十三年（1907）《广安州新志·风俗志》所载农事活动

时间	农事活动名	具体做法
春初	下粪、翻春、平秧田	粪田，犁田，犁治膏田，砥平
清明前	泡种、播种、晒水、赶谷雨、催秧、整干田	水浸谷种，包稻草中生芽。桐花开日，以谷撒田。数日，决田水，使秧受露、向日。秧绿如针，牛犁益亟。夜雨朝晴，以溺泼秧。菽、麦收成，沟洫通水负未连日
立夏	分秧、开秧门、耙田、撒秧、栽秧、吃栽秧酒、打直行、劳酒	遍召零工，入田取秧。稻草束秧，连肩成担。平田比耦，使高低均平。耙田至陇，撒秧就工。蓑笠合。群聚饷田间，煮松花，嗑腊肉，饮酒。秧插大田，东西一线。日三酒、三饭
小满 夏至	耘田、唱秧歌、祈小满雨、耘二次田、祈芒种雨、打禾灰、早禾拜	小满而耘，植杖成云。望雨。再二旬，耘补秧，去草。芒科有干田未栽者，望雨。烧薙荒草，捣碎耙田。夏至献新禾于神
大暑 小暑	开禾沟、收田鱼、尝新、包工酒	稻实抽齐，开田去水。田水积放，以取鱼虾。新谷祀先，妇子会食。雇人收获，市议工钱
立秋后	开桶、打对桶、打穿桶、检禾线、请日工、打谷饭、吃洗桶酒、收仓、晒草、草上树	始获稻，二人腰镰获禾，二人打稻；四人更迭打稻。稚子持筐拾穗。计日获收，计担获收。日四饭、二酒。谷毕登场，犒工酒食。筑场晒谷，风车上仓。翻晒稻藁，收草于树
	糊田脚、犁板田、种小春	田复塞口储水。泥涂田基，障水。叱犊累月。燥田干土，种菽麦

表2-8 民国27年（1938）《泸县志·食货志·农业》所载各月农事活动

月份	节气	农业生产活动	有关农谚
一月	立春 雨水	修耕具，粪田畴，烧荒秽，理蔬圃，垦瓜畦，下种子，移接果木，犁田、耙田	立春霜雪老天旱，立夏雷鸣五谷全 雨水有雨庄稼好，大春小春一片宝
二月	惊蛰 春分	耕秧田，治肥料，布早稻，种春荞，种玉麦，栽烟苗，修蚕室，暖蚕纸，种菜蔬，移植瓜果，栽甘蔗，种夏萝卜，犁田，耙田	冻惊蛰，晒清明 惊蛰不起风，冷齐五月中 惊蛰不放蜂，十桶有九空 春分有雨，坛内有米
三月	清明 谷雨	理沟渠，耕禾田，犁秧田，布迟稻，种诸蓝，种芝麻，植棉子，种诸豆，移植菜秧、高粱［梁］，栽芋，种花生，引王瓜①、豇豆、丝瓜上竿，收菜子、豌豆、胡豆，耘玉麦	清明前，好种田；清明后，好种豆 清明要明，谷雨要淋 清明南风起，收成好无比 清明前后一场雨，胜似秀才中了举 谷雨不雨，麦苗不起

---

① 王瓜：黄瓜。彭县《时行杂字》（光绪年间刻印本，第12页）："值钱姜［豆］豆四季豆，骈益［便宜］王瓜老南瓜。"此书承蒙王曾郅先生所赠，谨此致谢。

续表

月份	节气	农业生产活动	有关农谚
四月	立夏	修堤防,理水窦,蚕上簇,收大、小麦,插秧,锄棉花,收葱、蒜、薤、韭,刈苎麻,薅玉麦,种姜,拣蚕种	立夏不下,犁耙高挂
	小满		立夏无雷声,粮食少几升
			立夏不扯蒜,土头有一半
			麦交小满谷交秋,寒露快把胡豆收
五月	芒种	补秧,薅秧,耘稗,耘蓝,上玉麦粪,收藏蚕	芒种栽种穗不长,夏至栽秧秆秆光
	夏至		过了芒种不种棉,过了夏至不栽田
			冬至不冻,冻拢芒种
			夏至汪汪,打破池塘
六月	小暑	收饭豆、红豆、绿豆、荞子、玉麦、黄豆、瓠瓜,锄竹园,耕麦土,种萝卜,收早稻	大暑小暑,淹死老鼠
	大暑		大暑天连阴,遍地出黄金
七月	立秋	铲草粪,种秋王瓜,割膏粱,沤晚麻,始获稻,摘海椒,种萝卜,取藕,犁板田	雷打立秋,谷子丰收
	处暑		立秋无雨送秋干,送秋无雨一冬干
			处暑难得十日阴,白露难得十日晴
八月	白露	犁板田,收稻草,收黄豆,剥枣,斫苎麻,收棉花,收一切瓜种,收苋菜种,耕菜地,栽蒜、薑,种诸菘、诸芥,种秋荞	烂了白露,百天无干路
	秋分		白露过一天,蚊子死一千;白露一开口,见天死一斗
			白露、秋分,红苕一把筋筋;寒露、霜降,红苕长成棒棒
九月	寒露	种麦,种油菜,种豌豆、胡豆,挖芋,掘苕,取姜,获迟稻,摘桐子,栽诸冬菜	寒露、霜降,胡豆、麦子在坡上
	霜降		胡豆点在寒露口,点一升,打一斗
			霜降不起葱,越长心越空
十月	立冬	挖诸苕,造牛衣,壅苎麻,耘麦地,收十月黄豆,刈诸蓝,制靛青,泥饬牛马屋,犁田,耙田,收藏良种	寒露胡豆霜降麦,立冬油菜绵不得
	小雪		小雪收白菜,大雪捆菠菜
十一月	大雪	储肥料,收柴炭,耨苗土,锄油菜,浇诸菜,种树秧,窖雪水	大雪小雪,烧锅①不歇
	冬至		渣肥地灰铺草根,大雪严寒抗三分
			冬至不冻,冻拢芒种
			过了冬至长根线,过了夏至短根线
十二月	小寒	造农具,夹笆篱,治道路,筑稻场,斫嫩竹,批[划]腊篾,编箩筐、背篼、撮箕、筼筜,摘秧草,垦秧田。	大寒小寒,冷成冰团
	大寒		大寒小寒,杀猪过年

上述材料大致呈现出巴蜀旧时农业生产在一个周期内所要从事的各项活动。从中不仅可以窥见巴蜀间作农业的节候,而且对农作物的种类做了细致的描述,还记录了农业生产过程中一些民俗性的活动。虽各地稍有差异,但整体

---

① 烧锅:做饭。也说"烧火"。成都民谣:"鸦雀窝,板板梭,爹爹种田娘烧锅。"通江县民歌:"未时陪郎坐,问郎饿不饿。郎说真饿了,姐儿去烧火。"

上相差甚微。为了更好说明种植文化在巴蜀汉语方言词汇中的体现，下面即以水稻为例，具体分析。

三、有关水稻的方言词汇

巴蜀为著名产稻区，稻作历史悠久，[①]反映在方言词汇中，则主要体现在对稻的分类系统纷繁复杂（见表2-9）。[②]

表2-9 巴蜀部分方志对"稻"的种类的记载

时间	方志	种类	
嘉靖四十一年（1562）	《洪雅县志·物产》	盖草黏、白莲谷、香黏、齐头黏、安南谷、多黄泥黏、白日粘（救公饥）、冷水谷、云南早、南京早、白糯、红糯、尖刀糯、虎皮糯、猪脂糯、鸭子糯、花壳糯、麻子糯	
道光二十三年（1843）	《石柱厅新志·物产》	粳稻、香稻、糯稻（酒谷、酒米、寸角米）、蜀稻（高粱、甜高粱）	
同治五年（1866）	《高县志·物产志》	龙头谷、飞蛾谷、清香谷、花边谷、桂杨早、白帘早、蓝粘、青粘、白糯、红糯	
同治八年（1869）	《琪县志·物产》	龙头谷、飞蛾谷、桂阳谷、白莲早、贵阳早、青粘、蓝粘、一首粘、寸谷、黑节早、秆草黄、二季早、先爬早、清香谷、花边谷、白糯、红糯、山谷	
同治八年（1869）	《新宁县志·食货志·物产志》	粘	红边粘、大白粘、云南粘、西南粘、桂阳粘、青枫粘（棒棒粘）、油粘、百日早、香谷（香子）、稅谷
		糯	红壳糯（胭脂糯）、麻壳糯（虎皮糯）、矮子糯（秋风糯）、团子糯（小娘糯）、寸糯（三颗寸、金钗糯、羊脂糯）、五百粒
同治十年（1871）	《仪陇县志·食货志·物产》	黏	白龙黏、桂阳黏
		糯	千锤糯、高脚糯、卑卑糯
同治十二年（1873）	《重修成都县志·食货志·物产》	饭谷 旦熟	六十早、八十早、百日早
		饭谷 晚熟	云南白、麻黏、红花谷、雁来红、红莲稻、香谷
		酒谷	蛇眼糯、猪油糯、红酒糯、虎皮糯、黄丝糯、燕口红糯、尖刀糯、卑卑糯、石头糯[③]

---

① 巴蜀人尤其是川西人一般不喜欢面食，成都谚语"麦子两头尖，吃了打偏偏"可证。
② 参见向学春《巴蜀旧志所载稻作词汇研究》，载《重庆三峡学院学报》2014年第5期。
③ 据此方志记载，另有"三百谷"，似糯，但不及糯良。

续表一

时间	方志	种类	
光绪二十六年（1900）	《垫江县志·食货志·物产》	粘之类	红边粘、棉条粘、盖叶粘、乌云粘、大白粘、半边粘、乌脚粘、桂阳粘、马尾粘①、冷饭粘、三百粘、叶下藏、等芭齐、（早熟有）洗铧早、思南早、麻阳早、二番早、白早、红边早、六十早
		糯之类	早糯、迟糯、寸角糯、油糯、棉糯、干田糯、麻壳糯、白壳糯、牛尾糯、金丝糯、半边糯
民国10年（1921）	《合川县志·土物》	粘谷	富贵粘、红边粘、桂阳粘、落乌粘、五开粘、油粘、齐粘、鸭粘、鲜粘、乌脚早、百日早、齐黄黄、须须谷、香谷米、大河南粘、和尚谷
		糯谷	堆子糯、矮子糯、猪油糯、三颗寸糯、三百棒糯、阴阳粘②、响壳糯、蛮子糯、黄壳糯、红须糯、须须糯、白壳糯
民国13年（1924）	《乐山县志·物产·谷之属》	粘	香谷、火谷、云南早、下河早、牛尾早、铁杆奴、黑节早、白毛毡③、两筒谷（八十早、麻雀早）、毛香子、百日蚤、老鼠牙、盖草黄、黑泥、黄泥
		糯	黑糯、鸳鸯谷、百金蚤、三百颗、花壳、红壳、猪脂、虎皮
民国15年（1926）	《阆中县志·物产志》	粳	早稻、晚稻、大白、小白
		秫	望秋、区儿、香谷
民国17年（1928）	《大竹县志·物产志》	粳稻	黄瓜早、乌脚黏、盖叶黏、叶下藏、扫把黏、白脚黏、西洋黏、云阳黏、大白黏（贵阳黏）、青枫黏
		秫稻（糯谷）	酒谷、大酒谷、寸糯、牛尾糯、芝麻糯、蛮子糯（洋酒谷）、黄壳子、白壳子
民国17年（1928）	《苍溪县志·物产》	粘	大白粘、齐黄粘、红米粘、香粘、百日早、子齐、花红、米油粘
		糯	白壳糯、红壳糯、秋风糯、黄丝糯、香谷糯、油糯、早黄糯、迟黄糯、皁皁糯

---

① 该品种直至民国年间，宜宾县横山镇仍存。宜宾石城山歌："一块大田弯又弯，一头有水一头干。一头栽的麻谷子，一头栽的马尾粘。"粘：也作"毡"。本书所用宜宾石城山歌，承蒙宜宾县人大常委会主任郑启友先生实地调查所得，并转赠我们，谨此致谢。
② 此谷一粒半粳、半糯，造饭、酿酒均不宜。"鸳鸯谷"同。
③ 直至民国年间，"茅毡"这一品种在宜宾县横山镇仍存。宜宾石城山歌："好块大田落深山，好股凉水落深垮。半头有水栽秧子，半头无水栽茅毡。"

续表二

时间	方志	种类	
民国19年（1930）	《大邑县志·食货志·物产》	稻谷、香谷、苗谷、干谷、薏子谷、麻黏谷、银条谷、盖草黄、花壳糯、弯刀糯、杨尘糯、桠木红壳糯、早谷、鸳鸯谷、大茅叶、细茅叶、水白条、硬脚黄、揸脚黄、红签签、白签签、麻谷子	
民国20年（1931）	《达县志·食货门·物产》	秔稻	盖叶粘、盖草黄、西南黏、白节黏、青㧱粘、云阳粘、六十早、八十早
		稷稻	三颗寸、香稻、旱稻、黑稻、稌谷（粟米、小米）
民国20年（1931）	《南川县志·风土下·植物》	粘谷	桂阳粘、红边粘、乌脚粘、白油粘、百日早、麻壳早、三百粒、陕西谷、金城稻（红霞米）、罗汉谷、马尾粘、阳线谷、大雷粘、小雷粘、白凤粘、十月黄、大叶粘（叶下藏）、白干粘、八十早、冷水早、阳尘早、红边早、脱谷
		糯谷	早糯、大糯、油糯、红壳糯、尖刀糯、竹枒糯、黄丝糯、湄潭糯、矮子糯、半边糯、粘子糯（半边粘①）
民国21年（1932）	《万源县志·食货门》	秔稻	齐黄黏、西南黏、乱麻黏、香南早、百日早、乌脚黏、云山黏、高脚黄、叶下藏、香稻
		酒谷	红谷糯、堆子糯、矮子糯、猪油糯、三颗寸、三百棒、冷水谷、旱谷
		糯稻	
民国27年（1938）	《长宁县志·物产·植物》	饭谷	六十早、八十早（川北早）、百花谷、马尾黏、大白节蓝、小白节蓝、毛香子、大叶蓝、二叶蓝、三叶黏、谷儿子（冷水谷）、沙尾子（沙谷儿、叶上翻）、乌稻黏、盖草黄、斑鸠谷、红花谷、飞谷、香谷、麻谷、黑谷、冬壳、老还债、须须谷
		酒谷	寸谷、饭酒谷、竹鸦谷、小白谷、粒木红谷、白壳子、黄壳子、大黄壳、小黄壳、牛舌子、麻酒谷、鸡血糯、青秆糯
民国31年（1942）	《西昌县志·产业志》	饭谷	百天早、小白谷、大白谷、毛粘、红谷
		酒谷	白酒谷、黄酒谷、长谷

---

① 米形中分，半粘、半糯，故名"半边粘"。

续表三

时 间	方 志	种 类	
民国33年（1944）	《长寿县志·物产》	粳	贵阳粘、红边粘、乌脚粘、白油粘、浮面跑、百日早、三百粒、罗汉谷、马尾粘、十月黄、大叶（叶下藏）、八十早、施南早、阳尘早、大白谷、小白谷、洋白谷
		糯	早糯、大糯、油糯、红壳糯、矮子糯、白瓷糯、堆子糯、红边糯、芝麻糯、马尾
民国36年（1947）	《郫县志·物产》	饭谷	香谷、薏子、红黏、厓黏、麻黏、贵阳黏、巨然黏、白黏、云南白、红苗谷、红莲早、龙头早、六十早（拖犁归）、青竿稻、麻子早、白漢稻、累子稻、百日早、叶下藏、盖草黄
		酒谷	蛇眼糯、猪油糯、黄丝糯、红酒谷、虎皮糯、燕口红、卑卑糯、石头糯、尖刀糯

上述记载对水稻品种进行了细致的分类，记载时间最早的为明嘉靖四十一年（1562），最晚的为民国36年（1947）。从名称看，有的以稻的原产地为名，如贵阳稻、贵阳早、贵阳黏、陕西谷、南京早、云南白、云南早、下河早、安南谷、大河南粘；有的以谷粒的形状为名，如长谷、龙头谷、蛇眼糯、牛尾早、黑节早、白毛毡、铁杆奴、麻雀早、麻壳早、猪脂糯、虎皮糯、竹朳糯、罗汉谷、马尾粘；有的则以稻的成熟期命名，如六十早、八十早、百日早、十月黄；有的则以谷粒的颜色命名，如白酒谷、黄酒谷、白糯、黑糯、红（壳）糯、黄壳糯、黄丝糯、红须糯、红边早、乌脚粘、花壳、红壳；有的则以稻生长的土壤命名，如黑泥、黄泥；有的则以稻穗颗粒的多少命名，如百金蚤、三百颗、三百粒；有的则以做饭的方式命名，如火谷；有的则以谷粒的属性命名，如鸳鸯谷[①]、阴阳粘、半边糯。

而民国36年（1947）《郫县志·物产》所记稻谷名称中，"饭谷"有"香谷、薏子、红黏、厓黏、麻黏、贵阳黏、巨然黏、白黏、云南白、红苗谷、红

---

① 民国13年（1924）《乐山县志·经制·物产·谷之属》："鸳鸯谷，一粒半粳，半糯。"巴蜀民间称在一口锅里煮出"半边生、半边熟，半边干、半边稀"的饭为"鸳鸯饭"，而称"半边红、半边绿，半边青、半边蓝"的竹子为"鸳鸯竹"。参见游柱先等《中国民间文学三套集成·珙县民间文学集》（内部资料本），1989年，第405页。此外，还有"鸳鸯圈、鸳鸯鞋、鸳鸯枕"等。参见唐泽民等《中国歌谣谚语集成·重庆市合川县卷》（内部资料本），1987年，第173页。

莲早、龙头早、六十早①、青竿稻、麻子早、白漠稻、累子稻、百日早、叶下藏、盖草黄"等共二十种。其中的"香谷"因"粒小而微长，以少许入他米，炊之香气远闻数十步"得名；"薏子"因"粒短而大，性粘柔若糯米，然最宜老人"得名；"红黏、厓黏、麻黏、贵阳黏、巨然黏、白黏"均因自占城来得名；"云南白"因自云南来得名；"红苗谷"因其苗色红如火得名；"六十早、百日早"均因生长期得名；"红莲早、龙头早、麻子早、青竿稻、白漠稻、累子稻"则因稻穗颜色、形状得名；"叶下藏"因秧苗叶茂盛得名；"盖草黄"因谷粒颜色得名。

"酒谷"则有"蛇眼糯、猪油糯、黄丝糯、红酒谷、虎皮糯、燕口红、卑卑糯、石头糯、尖刀糯"共九种。其中的"蛇眼糯"因谷粒似蛇之眼得名；"猪油糯"因谷粒色白如猪油且无毛得名；"黄丝糯"因谷粒黄而有丝得名；"红酒谷"因谷粒红如丹砂且适宜酿酒得名；"虎皮糯"因谷壳似虎皮斑纹得名；"燕口红"因谷粒红如燕口得名；"早卑糯"因其苗似黍，谷穗长尺许得名；"石头糯"因用其米酿酒，多不化酒糟得名；"尖刀糯"因其米粒头尖、腰细而长得名。而洪雅谚语"洪雅人，生得憨，打湿又晒干"，则说的是乐山、洪雅一带出产著名的"火谷"。②

巴蜀地区稻谷名称如此纷繁复杂，与农人对稻谷生产知识的丰富不无关系，而这些知识又势必是经过千百年的生产实践而得来。传统社会的农业生产主要靠经验，在没有精密测量仪器的条件下，同样能获丰收，以保障人口繁殖和社会发展。

---

① 六十早：为我们所见资料记载稻谷生长期最短之品种，故也称"拖犁归"，盖因其成熟期短至栽种后，其他田刚犁完，此田即已可收获。
② 民国13年（1924）《乐山县志·经制·物产·谷之属》"火谷"条下："秔之制成者，其法以水泡之，火煮稍熟，则去水焙干，再晒以日，以为饭可久煮。亦有火炒者，因久雨不晴，不得已为之，色、味均劣矣。……邑有火米，其粒较大于常米，而色稍黄。"徐心余：《蜀游闻见录·夹江火米》（四川人民出版社1985年版，第63页）："有所谓火米者，系先将谷蒸熟，于烈日中曝干，储之仓中，用时方礁出。邑人云：'火米能经饱，食之已惯，不可更也。'然米色黄而且黯，以之登筵席，似不甚雅观也。"

巴蜀除极少数地区外,[①] 很多县市栽种水稻,如地处成都平原西南部的俗称"金温江""银郫县"一带以及双流县等地,历来就是盛产稻谷的好地方,[②] 成都俗谚说"温郫崇新灌,天干不怕旱"。当地农民种植水稻,积累了颇为丰富的经验,并形成了沿袭多年的习俗及有关的方言词语(见表2-10)。

表2-10 巴蜀部分有关秧苗栽插与水稻收割的词汇[③]

方言词语	具体做法或释义	有关谚语、歇后语、歌谣
秧母田[④]	育秧田	千年秧母田,万年糯谷田
秧脚田	所剩无几秧苗的育秧田	秧脚田头钓鱼——水平有限
铲田坎边草	用锄除去田埂边的杂草	要想来年秧子好,锄头铲去田边草
糊田坎 捶田坎	用泥涂抹或巴郎鼓[⑤]捶拍田基,以保水	
收水 关水	田里收获稻谷后又蓄上水,以备来年种植	
扎田缺	将水田梗放水的缺口扎住	阳春三月清明节,落雨就要扎田缺
秒田	犁田	过了惊蛰节,秒田忙不歇 七秒金,八秒银,九月秒田当屁腾 清明谷雨两相连,漫种秒田莫迟延

---

① 民国28年(1939)《德阳县志·风俗志》:"德阳西、南、北三乡,向称富庶。惟东路多山,土地硗瘠。然东路人民虽少巨富,亦鲜赤贫,每家三五口,略有山地,自耕而食。红苕、玉麦之类,以为盖藏。生活简单,欲望亦少。"民国33年(1944)《汶川县志·风土》:"汶邑有民族三:曰'汉',曰'羌',曰'土'。以地不产稻,故以玉麦为日食大宗,小麦、莜麦附之。"

② 民国36年(1947)《郫县志·物产·谷属》:"五谷之中,稻为最贵。郫邑皆水田,故宜稻。……有'酒''饭'二种,作饭曰'粳',作酒曰'糯'。"

③ 此表据陈柏青等《崇州民俗志》(方志出版社2011年版,第10~11页)、四川省大竹县志编委会《大竹县志》(重庆出版社1992年版,第719页)、四川省万源县志编委会《万源县志》(四川人民出版社1996年版,第918~919页)、刘正康《漫话栽秧》(载冯举等《民俗文化研究文集》,四川人民出版社1997年版,第282~286页)等及黄尚军等在成都双流、彭州、新都等地田野调查资料编制。

④ 渠县作家协会:《渠县文学作品选》(内部资料本,1999年,第115页):"这几天,二公公的三顿饭都是送到秧母田边去吃的。秧田里鼓起肚子的良种谷,正笑着张开口,吐出白生生的牙包儿,贪嘴的雀儿、鸡娃都鼓着眼朝着这里望呀!"

⑤ 巴郎鼓:拨浪鼓,也说"响子",一般为木制。

续表一

方言词语	具体做法或释义	有关谚语、歇后语、歌谣
不踩沟①	①牛在犁田时,本应顺着犁沟走。②喻指人不听说教	
拉横耙②	①牛在耙田时,本应拉着耙顺耙口直走,为了省力,拉着耙乱走,甚至退在耙旁,则劳而无功。②喻指人蛮不讲理	牛无力拉横耙,人无理说横话
整秧田	多在春分时节,淹水、平整育秧田,使高低均平。泥水澄清后败水,用长柄竹竿反复推刮泥浆至绒后晒田,以备育秧	正月青蛙叫,秧田整二道③。二月青蛙叫,秧子坐花轿
整秧堂子	将育秧田划成长条形,进一步平整,便于管理	田等秧,谷满仓;秧等田,吃铲铲
随湾就湾 弯弯田,弯弯耙	①本指顺田走势犁田。②比喻做事不拘泥于常理	
踩青④	将苕菜⑤、蚕豆苗、草皮等用秧马(儿)沤入水田中,以增加肥力。踩时,两足分站两秧马(儿),两手各提一个,左踩右提,右踩左提,手足相配合,横着移走,分排踩完	田头踩了青,一窝谷子打一升;田头踩了青,如下油枯二百斤

---

① 杨志荣、陈学强:《川西匪王黄光辉》(《龙门阵》1992年第1期):"黄文辉见怀远匪首汪炳清,任'崇(庆)灌(县)联防大队长',实力过大,又不踩沟(听话),便叫陈褔安率领百余人,夜袭汪宅。"
② 也说"拉横犁、打横耙"。王洪林:《四川方言会通》(巴蜀书社2008年版,第124页):"凡是做事要顾体,不许那个打横犁。男女做事要讲礼,忍让人欺天不欺。"《重庆晚报》(2001年8月22日第1版):"记者指着门口'免费厕所'字样,问收费者为何要收费。不料,对方打横耙说没收。"
③ 道光二十一年(1841)《安岳县志·风俗志》:"社日酿酒,谓之'社酒',造饭谓之'社饭',种秧谓之'社秧'。"
④ 也说"踩秧田"。参见陆泽怀等《德阳民俗》(内部资料本),1996年,第196页。
⑤ 民国9年(1920)《绵竹县志·物产》"苕菜"条下:"为葡萄茎植物,叶对生,茎方,花紫,茎端有卷须,结荚寸许,实似苏子。又一种,茎叶较小,花暗紫色,曰'豌苕'。东坡云:'菜之美者,有吾乡之巢。故人巢元修嗜之,余亦嗜之,因谓之"元修菜"。'诗云:'彼美君家菜,铺田绿茸茸。豆荚圆且小,槐芽细而丰。种之秋雨余,擢秀繁霜中。欲花而未萼,一一如青虫。是时青裙女,采撷何匆匆。悉之复湘之,色香蔚其馥。点酒下盐豉,缕橙芼姜葱。那知鸡与豚,但恐放箸空。春尽苗叶老,耕翻烟雨丛。润随甘泽化,暖作青泥融。始终不我负,力与粪壤同。'又"苜蓿"条下:"即'马苕子',农家多种之。子扁细有缺。处暑后,播稻田中。叶为三小叶合成。茎高六七寸,上开紫花鲜艳,结荚为六角形。"克非:《春潮急》(上海人民出版社1974年版,第354页):"顿顿苕菜,把人的肚儿都吃坏啦!"成都谚语说:"苕菜服米汤,娃娃服妈诓。"

续表二

方言词语	具体做法或释义	有关谚语、歇后语、歌谣
打浑水（耙）	用耙①将备栽大田的水耙浑浊，使粉状泥尘②浮在水中，栽下秧若干时间后下沉，压紧秧根，使泥尘可覆盖在刚栽插的秧苗根部，秧苗易活	清水撒谷，浑水栽秧
选谷种	当稻穗熟至呈黄金时，选晴明之日，采先出之穗，在桶中加入适量食盐、水，待溶解后，再加入谷种反复搅拌，除去浮在水面的，而将其下沉者装入袋中，扎好袋口，浸渍于清流或池水，或清水桶中，约七日至十四日，每日换新水，然后晾在竹席上，曝晒两三日后，收藏在干燥处	种怕水上漂，谷怕折断腰
		谷种三年变，麦种三年换
		好种壮秧，黄谷满仓
		好种出好苗，好树结好桃
		好种出好苗，好葫芦出好瓢
漂谷种	用混有适量黄泥的水漂选出不饱满的稻粒	种怕水上漂，谷怕折断腰
泡谷种	在木桶中用清水或石灰水浸谷种至胀。有的还在桶边插杨柳枝或桃树枝	惊蛰到，把种泡
		春分拢，泡谷种
		蒙里蒙懂，春分泡种
		春分到，把种泡，点了玉米忙撒稻
		庄稼老汉儿懂不懂，黄荆叶叶包谷种
逼芽	将泡胀的谷粒包在稻草或黄荆叶中，或倒入用箩筐或背篓做成的秧窝中，垫以鲜红薯藤，再用苔、石盖压住，使发出小芽	千年谷种，望眼时生秧
长嘴嘴		
撒谷种③	一般在桐花开时，选定吉日，将育秧田灌上水，选择天气晴朗的下午，由家中男性，在育秧田里撒下已粉嘴约半粒米长的稻谷种。此后多在清晨加水，傍晚败水，经营管理	田公在上，田婆在上，保佑田头秧青苗壮
		不懂二十四节气，白把种子丢下地
		二月清明孵蚕子，三月清明撒谷子
		撒谷种要看水泡儿，不要撒些癞痢壳儿
		惊蛰有雨早下秧，惊蛰无雨不要忙
米筛花④	遭受大风大雨摧残而呈若干米筛眼状的谷种	

① 参见陆泽怀等《德阳民俗》（内部资料本），1996年，第199页。成都彭州等地，耙有"水耙"和"旱耙"两种，分别用于平整水田和旱地。
② 此粉状泥尘成都等地称为"粉子"。四川省农业厅：《农业科学知识通俗讲话·水稻丰产技术》（《四川大众》1953年第8本）："这里要特别注意的就是在栽秧子前，一定要把田耙一次，这时耙田的作用是打'浑水'，使细的'粉子'浮起，等我们把秧子栽下后，浮起的粉子便下沉，把秧笕［苑］压紧。"
③ 分为"芽撒"与"哑撒"两种形式。
④ 四川省农业厅：《农业科学知识通俗讲话·水稻丰产技术》（《四川大众》1953年第8本）："如遇大风大雨，那就马上灌深水，把秧子淹到，免得把谷种打成'米筛花'，秧子长起来稀密不匀净，高矮粗细都不整齐。"

续表三

方言词语	具体做法或释义	有关谚语、歇后语、歌谣
起眼屎苞	哑谷①撒下田一天左右，冒出小芽苞	
惊 芽②	撒下田的谷种受到低温水的浸润	
起"鸡公尾"	多在立夏时，秧母田里的秧苗长到七八寸深	片子秧③，谷满仓；狗毛秧④，病腔腔
晒 水⑤	秧针刚出时，放出育秧田中适量水，提高水田温度，以利秧苗生长	秧苗尖寸长要晒水，晴天南风夜露芽
晒 秧⑥	提高水田温度，以利秧苗生长	露芽晒秧赛大旱
开秧门⑦	栽秧第一天清晨，主人在秧田边鸣放礼炮，焚香礼拜秧苗土地⑧，祈求风调雨顺，然后下秧母田扯秧子，并在自家大田里插上三丛	好块大田无好秧，干田干垮出秧王。大房瓦屋无好女，茅草棚棚出娇娘

---

① 哑谷：不催芽即播的谷种。
② 四川省农业厅：《农业科学知识通俗讲话·水稻丰产技术》（《四川大众》1953年第8本）："另外，在川西坝子冷的地方，凡要把灌秧田的水放在普通田里，让太阳晒，增加水温然后才用，以免冷水惊芽，使秧子生长不妨。"
③ 四川省农业厅：《农业科学知识通俗讲话·水稻丰产技术》（《四川大众》1953年第6本）："秧子容易吸收肥料，长成又粗又壮的'片子秧'。这种秧子栽下田后'转青'快，生长也好。"
④ 向成福说，石菱记：《农业科学知识通俗讲话·我的水稻丰产经验》（《四川大众》1953年第6本）："有句话说'大片秧得谷，狗毛秧收不足'。要栽片子秧，就得稀撒谷。"另有"丝毛秧"一词。四川省农业厅《农业科学知识通俗讲话·水稻丰产技术》（《四川大众》1953年第6本）："谷种撒密了，秧子长来挤住一团，太阳照不透，不通气，又不容易吸收肥料，就长成细芊芊的'丝毛秧'。"
⑤ （清）万清涪：《南广竹枝词》（林孔翼、沙铭璞：《四川竹枝词》，四川人民出版社1989年版，第106页）："农人谁识养花天，晒水怩求暖稻田。算到秧门开月半，莫教春雨再绵绵。"自注："秧针初出，不令染水，谓之'晒水'。初插秧日'开秧门'。"
⑥ 一般说来，谷种撒下田一天左右，即需排水。若一连六七天没有太阳，或吹小风，落细雨，即不排水，秧芽拼命长，有的在放水前就闷死了。而待出太阳排水时，秧根尚未长成，不能吸收肥料与水分，故需晒秧。
⑦ 成都双流、万源等地民俗，"开秧门"当天，扯头三个秧头时，禁止说话。栽第一个秧头时，不能将捆秧草丢在田里，也不能从另一个人手中接秧，俗以为这样做后会得秧疯手病（小臂发肿、发痒）。栽剩下的秧苗不能给牛吃，否则牛会吃秧苗之类庄稼。井研县等地有秧苗帮助衙门破案的民间故事。参见井研县文化馆《中国民间文学集成·井研县资料集》（内部资料本），1988年，第38页。
⑧ 秧苗土地：也说"秧门土地"，可指薅秧者。聂云岚等：《中国歌谣集成·重庆市卷》（科学技术文献出版社重庆分社1989年版，第82页）："一下田来吼一声，秧门土地听原因：唯愿秧子朝上长，唯愿稗子永不生。"

续表四

方言词语	具体做法或释义	有关谚语、歇后语、歌谣
秧把头	用稻草捆住的一束秧苗	大田栽秧秧把稀,丢下秧把按野鸡。按得野鸡来下酒,按倒小娇来做妻
秧把(子)		
办秧头	栽秧日天不见亮就起身拔秧	
捆秧草	特指用于捆扎待栽秧苗的干稻草或棕叶	
扯秧头①	一般是人坐在秧马(儿)上,主要有两种扯法:一是"扯摸摸秧"②,即扯秧之手虎口向上扯,待左右手可满一把时,将两手握住的秧苗合二为一 二是"扯撩秧",即扯秧之手虎口向下旋扯,数量够一把时,边在秧板上摔拌,边淘洗秧根泥土	扯一百,栽一百,扯齐晌午栽齐黑③
捆秧头	洗去根部的泥土,用棕叶或稻草捆扎好的若干秧苗	
光屁儿④	对栽秧时负责将拌上粪汁的秧子运送到每个栽秧人身后的秧盆里的人的戏称	
甩秧头	将运到栽插的水田边的秧头,均匀地甩入田中。每亩田需秧头七八十个	手提秧头一百天
(栽)秧师⑤	技术纯熟的栽秧能手。栽秧比赛中,栽正翼保持不败者称"杆子师傅"。栽遍各地均胜者称"某二杆子",也称"秧王"	早栽秧子早打谷,早引娃儿早享福 芒种不忙,夏至端栽

---

① 参见陆泽怀等《德阳民俗》(内部资料本),1996年,第199页。由此衍生出"扯稀秧"一词,引申义为"分摊"。重庆市江北区民间文学集成编辑委员会:《中国民间故事集成·重庆市江北区卷》[(内部资料本),1987年,第236页]:"他想到晚上李天龙还要来,跟你们走了,这烟、酒、饭交割给哪个呀?但他又不愿多留人,人多了烟酒都要遭扯稀秧。"

② 四川省农业厅:《打消怀疑顾虑,大胆接受水稻丰产的先进经验——记农业生产模范代表大会水稻专业小组讨论》(《四川大众》1953年第6本):"扯'摸摸秧'很费工,管理麻烦。壮秧栽得慢,累人不见活路。"

③ 旧俗一般是上午扯秧下午栽。

④ 参见梅铮铮《农活记趣》,载何世平等《蹉跎与崛起》,成都出版社1992年版,第298~299页。

⑤ 崇州习俗,小孩体弱多病,栽秧时选一长形田(寓意"长命"),请一年长秧师背着开完线后即上坎,拜秧师为干爹,请其为该小孩取名"秧根"之类,寓"秧根繁殖力强"之意。参见陈柏青等《崇州民俗志》,方志出版社2011年版,第204页。

续表五

方言词语	具体做法或释义	有关谚语、歇后语、歌谣
开翼（口）	栽秧师先栽若干秧苗①	芒种栽秧谷满尖儿，夏至栽秧像香签儿
		宁栽三日黄秧，不栽隔夜冷田
		宁在滚上出浆，不在田里生秧
		夏至在头服老秧，夏至在中服寄秧，夏至在尾服嫩秧
一翼②	栽在大田中横排的四大窝或五大窝秧苗	
秧绳	作为确定秧行基准线的麻绳	一根秧绳端又端，田头田尾要人牵。嫂嫂喊妹牵起走，幺妹眼睛盯一边。嫂嫂抬起脑壳看，路上来了农技员。妹妹要看你就看，这根线线我来牵
定桩开线③	确定秧行基准线指向的目的点。桩线一般长三米，多以栽秧师插下短短的一行秧苗作为桩。有的开的是一架十字线	
打桩		
打端秧	依照桩的走向，栽下五行笔直的秧苗，作为全田的标准，其他人才依次下田，紧靠端秧的右边栽起来	栽弯一排秧，栽烂一块田
起秧行		秧子栽得端，屁儿要朝天
栽正翼		黄鹂来在清明前，南山顶上都栽完。黄鹂来在清明后，冬水田都要点黄豆
开线	栽秧师首次插下短短的一行秧苗	
帮线		
凭 [pʻən⁵⁵] 翼	紧挨栽秧师插下的第二行秧苗。正翼左侧称"明帮"，正翼右侧称"暗帮"	
打朾子	拉线或插麦秆作为栽秧的标准行	
擦火镰	两人同时分别从田的各一端下田"打端秧"，相向而栽。各人栽到田边，两翼秧苗恰好平行，且株距、行距如出一辙	

---

① 民国17年（1928）《大竹县志·风俗志·歌谣·插秧歌》："插秧插秧，夏日青青秋日黄。今年一束草，明岁三餐粮。直成线，横成行，人在水中央，双手排成井字方。乃求千斯仓，乃求万斯箱。"

② 四川省合江县民间文学集成编委会：《中国民间文学集成·合江县资料集》（内部资料本，1988年，第99～100页）："那［哪］个能顺到四面边边栽一翼不伸腰杆，不歇稍［梢］，我就把幺姑娘嫁给他。""翼"也作"蔚"。杨时川等：《中国民间文学三套集成·四川省内江市卷》（内部资料本，下册，1990年，第638页）："消息传出，赶来不少青年人，尽都没栽上半蔚秧子，就受不住走了。"

③ 参见杨时川等《中国民间文学三套集成·四川省内江市卷》（内部资料本），下册，1990年，第725～726页。

续表六

方言词语	具体做法或释义	有关谚语、歇后语、歌谣
捡螺蛳	一人下田，从左到右顺手栽好端秧，其他人靠着端秧右边栽，先栽之人再返回，从右往左反手栽一翼过来。两翼秧苗的株距、行距完全相同	
	要栽的田较小，由一人下田，在中间插下一株秧苗作桩。继后依此为准，按顺时针或逆时针走向转起栽，最后在田边收尾。栽完也要横看成排，竖看成行	
栽蛇脱壳	栽秧人将撕下的一大撮秧苗，急速分成几小撮，相继插入泥中	栽秧如赶考
		四月寡妇正栽秧，手牵牛儿打老荒①。别人秧子三匹叶，奴家秧子上了节②
栽（粪）包秧	用秧盆装若干泥巴、草木灰、人畜粪、油枯粉③混合的堆肥干粪或碎棉籽拌灰肥，一边分秧，一边抓肥料包粘秧根上，连秧带肥栽下田	栽秧向火，谷不用簸
		秧子栽得嫩，犹如上道粪
		深栽芋头浅栽秧，不深不浅栽生姜
栽抓（粪）秧④		栽秧栽到牛脚杆，犁田犁到拌桶边
栽铲（铲）秧	栽秧前四五天，把育秧田水放出。铲时再撒下油枯、水，使秧根润湿，粘着肥料，然后用铲子把秧苗连肥泥铲起来，装在秧盆里，分苗栽下田	栽秧的师傅打铲的匠，担锅巴秧的是大桩棒⑤
栽锅巴秧		
栽拌秧⑥	用少量菜油枯、桐油枯打成细粉，加草木灰、人畜粪尿，在秧盆内拌成糨糊样，再拔起秧苗，用秧根在肥料中拌匀栽下田	一抓二铲三拌，四才栽白水
栽白水秧	栽插不使用粪肥且将根部的泥土淘洗后的秧苗	

---

① 打老荒：犁荒废很久的田土。
② 聂云岚等：《中国歌谣集成·重庆市卷》，科学技术文献出版社重庆分社1989年版，第583页。
③ 主要是菜油枯和桐油枯。
④ 民国19年（1930）《中江县志·风俗》："粪田之法，放干秧水，以菜子饼及大粪满撒田底。栽时，连泥平削，名曰'铲秧'。剉猪毛、碎棉子及粪拌匀，裹秧根入泥者，名曰'抓粪秧'。腴田不用粪者，名曰'白水秧'。"
⑤ 宋北辰：《难忘那些岁月》（何世平等：《蹉跎与崛起》，成都出版社1992年版，第152页）："仁寿农民习惯栽锅巴秧。所谓（栽）'锅巴秧'，就是把泡了一冬的冬水田放掉一些水后搅成稀糊状，沉淀后排净水，在细软泥土上施足底肥撒谷育秧，出苗后连泥土铲起移栽。"桩棒：傻子。
⑥ 多因肥料不足而采用此种栽法。

续表七

方言词语	具体做法或释义	有关谚语、歇后语、歌谣
栽转转秧①	顺着田边栽一圈秧苗	
翻田翼	从一块田的一端栽到另一端，翻过田坎，继续栽另一块田，将两块田连成一体	
钻狗洞	栽秧时，某一栽秧人前后两人，逐渐把他抛在后面，夹在中间，田里形成一条空白地带，被戏称为"狗洞""轿子"或"火匣子"，掉在后面的人被取笑为"钻狗洞""坐轿子"或"装火匣子""扛竹笕"的人	
坐轿子		
装火匣子		
扛竹笕		
偷牌子	同一块田里，几个人栽的秧，因株距拉长，减少秧苗的排数	
夹夹行②	未按规定而缩短行距的秧行	稀打谷，密打草③
		稀稀稀，一撮箕；密密密，打石一
		稀大窝，密大篡[tsuan⁵³]，密密麻麻收铲铲
栽㧚头鸡儿④	栽时手持秧苗的位置太高，致使根部折断或向上翘，弯曲插入泥中较深，这种秧苗很难成活	栽秧全靠手指拇儿，不要栽些㧚头鸡儿
栽老龙晒须		
栽狗爪秧	五指呈握拳状，触泥后形成窝状，栽后之秧入泥深浅不一，东倒西歪	

---

① 张玉山说，棠才记：《我们互助组的水稻是怎样丰产的？》（《四川大众》1953年第6本）："离田边二寸远栽了转转秧。"
② 其后果是薅秧时过不倒秧耙。
③ 旧时栽秧较稀，一般每人每天可栽两亩至三亩。个别栽秧能手每天可栽四亩至五亩。
④ 重庆等地也说"栽㧚头秧、栽绷头鸡儿"。刘仁富等：《中国民间故事集成·重庆市大渡口区卷》（内部资料本，1988年，第152页）："他对主人的刻薄，实在看不惯，便想整治他一下。一天他栽秧的阵就跟财主栽㧚头秧，把秧头子㧚起栽，尽管后来地主催到上肥，秧子就是不长。"㧚：改变物体形状，使弯曲或变直。章炳麟：《新方言·释言》（章氏丛书本，页六十七）："今人谓以手折物为㧚。"非文：《川渝口头禅》（第2册，西南财经大学出版社2000年版，第98页）："这些娃娃坐了一天，背都㧚痛了，硬是造孽！"

续表八

方言词语	具体做法或释义	有关谚语、歇后语、歌谣
栽寄秧 殡①秧子	因无水泡田，先将秧苗暂时栽入大田中，待有水后移栽	
栽秧鸡哥儿②	初学或技术太差的人栽秧，因掌握不好行距，在最宽处加栽或最窄处减栽秧行	行行七八寸，窝窝七八片③
栽花秧	栽秧时，每行（列）的秧苗适当错开栽插，以便获取充足光照	
关秧门④	栽秧结束	
洗 泥⑤	插秧结束，主人的客人在秧田中互扔稀泥为戏	
杜瓦虱	插秧结束时，将带泥脚秧掷贴瓦屋	

---

① 殡：俗作"并"，本义为"停柩待葬"。《左传·僖公三十二年》〔（清）阮元校刻：《十三经注疏》，中华书局1980年版，第1832页〕："冬，晋文公卒，庚辰，将殡于曲沃。"（清）曹雪芹、高鹗：《红楼梦》（人民文学出版社1964年版，第148页）："贾珍遂以孙女之礼殓殡之，一并停灵于会芳园登仙阁。"此词一直保留在巴蜀汉语方言中，民国16年（1927）《重修丰都县志·礼俗志》："（亲丧）次日或殡，或葬。"后引申指植物的一种繁殖法，即先将种子埋入泥土中，待其发芽后再移栽。民国24年（1935）《灌县志·礼俗纪·方言》："殡，下种地中也。"克非：《春潮急》（上海人民出版社1974年版，第460页）："又不需要殡苗苗，很快就可干的。"又（第1027页）："不一会，金毛牛便在门外大路旁边，佟大爷的一块准备殡红苕种的空地里，开始驯牛了！"今成都口语仍说"殡海椒秧（儿）""殡棉花秧（儿）"。

② 一般一人栽一翼，为五行。多栽的一行则称为"秧鸡哥儿""秧儿子"，俗传栽了这种秧苗要死长工。

③ 民国时期，水稻的品种"大毛香、二毛香、水白吊、红嘴燕、谷儿子"等均为高秆作物，故一般都是按"行行七八寸，窝窝七八片"的规格栽插。一些早栽的"打磨田"，因底肥充足，则按照"一尺见方"的标准栽插。

④ 川西一般从立夏"开秧门"，到小满"关秧门"，仅半月时间。超过季节，秧苗则分蘖不好，多白穗。而川东如渠县三汇镇，秧苗栽插完毕，一般要请帮忙的亲朋好友吃"关秧门酒"，有预祝秋季水稻丰收之意。俗以为过了夏至不关秧门，秋后则无收成。而成都农谚有"清明忙忙栽，夏至谷怀胎（孕穗）"之说，可见各地农时不一。地处丘陵的渠县、巴县、綦江等地，也许因缺水，栽秧期一般比"水旱从人"的川西平原略晚。

⑤ 也说"打泥巴仗"，即拔起秧里最后一蔸秧苗时，拔秧人争相从秧田里抓起泥巴，朝同伴的脸上、身上胡乱涂抹。众人或奔跑追逐，或厮扯嬉闹，以致浑身是泥，面目全非，却兴致勃勃，喜气洋洋。因为俗传身上糊的泥越多，意味着修的粮仓越大，定会迎来丰收年景。参见四川省江安县志编纂委员会《江安县志》，方志出版社1998年版，第775页。此俗也沿习于今湖北江陵，称为"糊仓"。参见韩致中《新荆楚岁时记》，上海文艺出版社2001年版，第104页。

续表九

方言词语	具体做法或释义	有关谚语、歇后语、歌谣
打唐二①	薅秧时唱盘歌	唐二唐，唐二唐，唐二上坡栽高粱。高粱栽起不结子，饿死唐二两口子。高粱栽起不开花，饿死唐二老丈妈
打尖 打腰站 打幺台③ 送幺台	栽秧日上午十点和下午四点左右，栽秧人要歇气，主人要备办酒、菜、盐蛋之类，送到田边，供栽秧人食用	栽秧的女婿，打谷的舅子②
芒种雨	芒种时节下的雨。芒种有干秧田未栽者，望此雨	芒种忙忙栽，夏至谷怀胎
栽秧酒④	①栽秧时所食用的酒席。②栽秧季节饮用的酒	
秧盆 秧船	用以盛装备栽秧苗的大木盆，底部微凸，以便在水田中挪动	
秧马（儿）	拔秧苗、踩青时，人坐或站的小板凳，四脚下有一底部微凸的木板，以便在秧（母）田中挪动且不至下沉	
定根	秧苗根系渐长，扎入泥中	

---

① 重庆市巴县木洞等地有将薅秧时"唱盘歌"称为"打唐二"的传说。参见洪钟等《中国民间故事集成·四川卷》（上册），中国ISBN中心1998年版，第442~443页。

② 巴蜀习俗，主人多盛情款待栽秧人，每日吃五顿，有肉、酒、盐蛋、皮蛋之类。而打谷子时，伙食相对差一些，饭管饱，菜品比较简单。因平时款待女婿，一般比款待舅子好，故有此谚。

③ 营山县民间文学三套集成编写领导小组：《中国民间文学集成·营山县资料集》（内部资料本，1987年，第136页）："有年子栽秧子的时候，这个小抱媳妇除弄响［晌］午、洗衣服外，还要煮绿豆稀饭给栽秧子的人打幺台。"如果大家对送来的"幺台"不满意，就会留下田角不栽，或把秧子栽得很浅，第二天一大早秧子即浮在水面上，或用桐子树叶包住每窝的秧脚栽下，或把秧苗的茎部弄弯，使其根部朝上，很难成活。用这种方法来惩罚那些被巴蜀人称为"狗眉狗眼"的小气鬼。王觉等：《中国民间故事集成·重庆市卷》（内部资料本，下，科学技术文献出版社重庆分社1990年版，第444页）："秧子栽完了，请的人些走了，老板收拾屋的时候，看见门背后写得有一首打油诗：'大人栽秧蛋一个，细娃栽秧蛋半边。你若要想秧子活，耐心等到六月间。'老板晓得遭整了，赶忙跑到田头去看。他把娃儿歇了气以后栽的那两翼秧子扯些起来一看呀，尽跟他栽些拐头秧。"另参见井研县文化馆《中国民间文学集成·井研县资料集》（内部资料本），1989年，第270~271页。

④ 同治十年（1871）《合江县志·风俗志》："四月栽早秧，阡陌之间，各列唖酒数坛，鼓歌聚饮，名曰'栽秧酒'。"

续表十

方言词语	具体做法或释义	有关谚语、歇后语、歌谣
转青①	秧苗返青	秧子栽得深,十天半月不转青
转蔚②		
看秧水	为保证秧苗的生长,观察秧田中水是否适量	不是得看秧水的时候
打掺水		水稻水稻,无水无稻
掺田	为保证秧苗生长,给秧田加水	秧子栽下田,浅灌莫偷闲
		谷含苞,水淹腰
		秧不离水,地不离肥
秧窝(子)③	成窝状的秧苗	孟子见哩——梁惠王。那主人家的秧窝啥④——窝对窝来行对行。一对秧鸡飞来啥——长又长。秧鸡儿飞来要打⑤秧鸡儿母啥——歌师要找歌师王⑥
窝头		欢喜秧窝恼气谷,恼气秧窝得好谷

---

① 四川省农业厅:《打消怀疑顾虑,大胆接受水稻丰产的先进经验——记农业生产模范代表大会水稻专业小组讨论》(《四川大众》1953年第6本):"模范们说出谷种撒稀些有这些好处……转青转得快,发笼〔蔸〕发得早。"

② 杜贵平:《片片秧,丝毛秧,一块田头两个样》(《四川大众》1953年第9本):"好秧整齐生长快,上林时节吊吊长。孬秧栽起难转蔚,成熟三青夹两黄。"

③ 其疏密是否得当,关系着秧苗的生长。杨文凯:《下里巴"女"》(《龙门阵》1983年第6辑):"薅秧时节,十个八个在绿蒿蒿的秧田里,一字排开,唱起薅秧号子,脚松着秧窝前进。"四川省农业厅:《打消怀疑顾虑,大胆接受水稻丰产的先进经验——记农业生产模范代表大会水稻专业小组讨论》(《四川大众》1953年第6本):"'少秧密植'可以充分利用地力,窝头匀净,根子窜得开,到处吃肥料。"

④ 啥:应作"撦",语气词,多用于引起听话人的注意。下同。

⑤ 打:交配。

⑥ 中国民间文学三集成泸县资料集编委会:《中国民间文学三集成·泸县资料集》(内部资料本),1988年,第275页。

续表十一

方言词语	具体做法或释义	有关谚语、歇后语、歌谣
发苑[①] 分窝 发秧儿子	秧苗分蘖	秧奔小满谷奔秋，过了小满不发苑
起划水翅[②]		
泼秧粪	夜雨朝晴，以液体状肥料泼入秧田	
赶秧子 赶秧母田	给秧苗施肥	
晒田 晒秧	将秧田中的水放得所剩无几，使秧苗受露、向日，以利进一步生长	
吼秧歌[③]	栽秧、薅秧时唱秧歌	秧个子啰呢飞满田，栽排秧子伸展展。一栽水田二栽旱，栽个鸭儿翻田坎。田坎伸来田坎长，谷子吊吊快点黄。黄了吊吊吃干饭，大人娃娃端斗碗。东方发白天门开，薅秧人儿下田来。凉风吹得喉咙痒，口把秧歌唱起来
		一块田儿四个角，叫声兄弟听我说。薅秧莫薅鸳鸯圈，薅秧莫要打撇脚[④]
秧耙	多用于薅秧的五齿铁耙	
花花水	薅头道秧前田里留的适量水，主要为了润秧耙	

① 四川省农业厅：《农业科学知识通俗讲话·水稻丰产技术》（《四川大众》1953年第6本）："丝毛秧下田后'转青'慢，发笼［苑］迟。"
② 龚一民：《活道理打通了旧脑筋》（《四川大众》1953年第8本）："后来这些秧子，都长得根是根、片是片的，很是健壮，插秧时就开始起'划水翅'了。"
③ 民国36年（1947）《郫县志·风俗》："乡俗最重插秧。时际春深，绿暗红稀。流溅渐活，土膏乍酥。筒车竞响，缫声隔林。布谷交啼，子规在树。遥闻袅袅纤歌，发于桤湾、柳曲间。味其语意，大都设为男女相赠答之词。其歌，必以'石榴花'叶，盖即此以起兴也。清音婉转，听者怡神。凡插秧，必多饮，方能入水。日必五酒，或四酒，佐以肉或豆乳。曰家风味如此。"另有学者认为"秧歌"应为"殃歌"，即"遭殃的歌唱"。参见毛礼钟《秧歌与殃歌》，载《龙门阵》1982年第2辑。
④ 唐泽民等：《中国歌谣谚语集成·重庆市合川县卷》（内部资料本），1987年，第146页。

续表十二

方言词语	具体做法或释义	有关谚语、歇后语、歌谣
薅秧子①	为秧苗松土、除草	秧薅早，豆薅花，高粱不薅有个疤
		豆薅三遍粒粒圆，谷薅三遍米汤甜
		头道薅草，二道开跑
		栽完秧子就要薅，女子十八有人瞧。你有情来我有意，男女相爱不怕笑
梳 头	刚下田薅秧时，在离田埂三四米之处，面对田埂向前薅秧	
薅猪拱泥	草薅死，肥薅匀，土薅散，田薅平	头道猪拱泥，二道黄瓜皮
薅花花耙	在秧田中东薅一下，西薅一下	
薅摸摸耙	在秧苗行间轻轻挪动秧耙	
打通竿	快速推着秧耙，只薅顺行	
打毛脚杆	薅秧时，因稗子拔不干净被人象征性地责打，被打人一般不会还手②	
杉木脚板	①薅秧时推不动田泥的脚板。②喻指薅秧时推不动田泥的脚板的人	
上 坎	特指栽秧、薅秧结束。此时稍有农闲	秧子薅上坎，赶场坐茶馆
扯稗子	拔去秧苗中的稗子苗，使秧苗顺利生长	大田薅秧稗子多，扯了一窝又一窝。一要弯腰扯稗子，又要抬头望情哥
冲秆 [tsʻoŋ²¹³]	秧苗拔节	正月雷打雪，二月雨不绝，三月无秧水，四月秧上节
上 节		蚕老麦黄秧上节，娃哭屎胀豆浆糊
上 林	秧苗长到一定的高度	
封 行		
封 林③	秧苗因长得茂盛，行与行交叉	
封 垄		

---

① 旧时成都市双流县等地要薅秧三道：第一道多在秧苗栽下田20天，第二道再过十多天，主要是除草，适时再薅第三道。川西薅秧多用钉耙儿。游前等：《中国民间文学集成四川卷·成都市金牛区卷》（内部资料本，1988年，第155页）："五月里来钉钯（耙）儿，薅秧下田编笆笆儿。薅活泥巴草没眼儿，不要薅些油光钯（耙）儿。"川东薅秧则挂根棍子，用脚在秧窝附近泥水中搅动，以松土并除去杂草。

② 参见四川省江安县志编纂委员会《江安县志》，方志出版社1998年版，第775页。

③ 李中正等记：《少秧密植好经验，用了硬是能增产》（《四川大众》1953年第10本）："后来秧子不够了，剩下的三石二斗干塝田，只好每窝栽六七根秧，行口缩成六寸见方，勉强看得过去。那［哪］晓得我那个丰产田，光'密植'不'少秧'，苗稼长起来很快就封了林，高矮不一，大都塌了秆，成了浓［脓］泡秧。"

续表十三

方言词语	具体做法或释义	有关谚语、歇后语、歌谣
起苞	水稻孕穗	谷含苞，四十朝
含苞		浅水发秧，富水怀胎
怀胎①		谷子长得乖，无水不怀胎
打夹窝	水稻孕穗时拔去田中的稗子	
打秧醮②	晒田时，请道士在庙内做法事三日，敲锣打鼓绕行田间，念咒后，在田边地角插黄色或绿色小旗及灵符，以避蝗虫、青虫等	
抱鸡婆③	因插秧太稀而不上林，下部太盛，抽穗稀疏的秧苗	
放吊 [tiau⁵⁵]	水稻从叶梢中抽穗	谷放吊，四十朝
出线		谷出雨绵绵，麦出火烧天
拉齐	水稻从叶梢中抽出的穗较为整齐	

---

① 兴文县等地传说"怀胎草"（孕穗秧苗）晒干后入药，可治大肚子病。参见四川省兴文县民间文学集成办公室《中国民间文学三套集成·四川省兴文县卷》（内部资料本），1989年，第84~85页。富顺县传说糯谷秧苗在封垄时，拦腰割后再生的孕穗秧苗做药引子，可治牛瘟病。参见四川省富顺县民间文学三套集成编委会《中国民间文学三套集成·富顺县资料卷》（内部资料本），1990年，第14页。

② 今成都都江堰市部分农家在薅完头道秧苗时，还要打秧苗会，以祈求神灵消灾除虫。秧苗会有首事一名，负责发帖筹办，每会四五十户到一百户不等。每户到时交一升米，其余由首事补贴，置办酒席。秧苗会一般要请道士念经，杀鸭子，祭祀青苗土地和田禾夫人。杀鸭子时，要把鸭血滴在纸旗上，并粘上鸭毛，然后专家每户将纸旗插在自家的秧母田上。俗传这样做后禾苗就会健康地生长。

③ 四川省农业厅、四川农业科学研究所：《春耕生产问答》（《四川大众》1953年第7本）："先发起来的谷子已经黄了，后发起来的还是青的，或者根本抽不出吊吊，看着苗朵还好，其实不上龄（林）的多，就是俗话说的'抱鸡婆'，下面一大把草，上头几吊吊谷子。"

续表十四

方言词语	具体做法或释义	有关谚语、歇后语、歌谣
扬 花	水稻开花、授粉	十日怀胎十日出，十日扬花十日谷
		六月苞谷正扬花，劝郎回去种庄稼。种好庄稼吃饱饭，探花之人会败家
		高山点荞荞秆，娇连不吃苦荞粑。不吃苦荞哪点有，大田谷子才扬花
		谷怕午时风，人怕老来穷①
胀 浆②	水稻子实灌浆	
饱 米	水稻子实饱满	正月打雷坟堆堆，二月打雷谷堆堆，三月打雷秕壳飞。九月打雷虫吃菜，酒米和倒饭米卖
散 子 散谷泡	谷粒因灌浆有一定重量，在稻穗上呈分散状	远看情嫂白蘑蘑，好比秧苗散谷泡。一心想变油蚱蜢儿，一翅飞来抱嫂腰③
勾 头 勾 腰④	谷粒成熟使谷穗下垂	谷子黄了要勾头，姊妹好要莫要留。留到你家耍一夜，不费灯草也费油⑤
黄吊吊（儿）	稻谷完全成熟，只待收割	七月水稻黄吊吊儿，一年收成全在这儿
		黄谷吊吊（儿）像金钩，挂个金钩竟日头。远望一片黄金海，今年又是大丰收
守 秋	看守田中完全成熟的稻谷之类，以防火、防盗、防野生动物糟蹋等	
割谷子	用镰刀收割水稻	栽秧要抢先，割谷要抢天

---

① 合江县流传"女娲挤奶成米"的民间故事，说女娲挤奶的时间是午时，故稻谷在午时扬花。而重庆巴县人传说"谷子、麦子等粮食，是神农皇帝的正官娘娘的奶汁变成的"，故重庆巴县方言称"吃奶"为"吃米（米）[$mi^{55}mi^{55}$]"。参见洪钟等《中国民间故事集成·四川卷》（上册），中国ISBN中心1998年版，第64~65页。

② 克非：《春潮急》（上海人民出版社1974年版，第247页）："每年苗子倒是长得不错，只是一胀浆，遇上风就倒伏了。俗话说'麦倒一包糠'，还不是睁起眼睛挨瞎棒？"

③ 四川省荥经县民间文学三套集成编委会：《中国民间文学集成·荥经县资料集》（内部资料本），1986年，第235页。

④ （清）万清涪：《南广竹枝词》（林孔翼、沙铭璞：《四川竹枝词》，四川人民出版社1989年版，第108页）："'六十早'逢六月天，'勾腰、散子'晚风前。栽田户利收成早，送新争向主人先。"

⑤ 唐泽民等：《中国歌谣谚语集成·重庆市合川县卷》（内部资料本），1987年，第247页。

续表十五

方言词语	具体做法或释义	有关谚语、歇后语、歌谣
吼秧歌	栽秧时，田歌相应，借以节劳助兴，增进工作效能	
抱生 寄生	收割后水稻秆又生长出稻穗，可收获少许谷粒	
开禾沟	夏至、大暑、小暑，稻实抽齐，开田去水	
包工酒	雇人收获市议工钱时，款待所雇之人的酒菜	
日工	计日获报酬之人	
担工	计担获报酬之人	
开镰 开桶	一般在收割稻谷的第一天凌晨四五点钟时，带上香蜡、钱纸等，到土地庙祭祀，感谢土地神赐给稻谷丰收及祈求好收天，随即至田中割一个谷把，收割正式开始	头伏秧，二伏谷，三伏四伏打进屋 秋前十天无谷打，秋后十天遍坝黄 早打谷子一包浆，迟打谷子要生秧 晚谷不过秋，过秋九不收
拌桶① 搭斗	多用于打谷子的斗形木制器具，宽约2米，高约0.7米，左右有耳形手把，前后各二，底部微凸，圆而光滑，便于挪动，打谷子时，三面围上挡席，以防谷粒四溅，手抱稻把猛击桶壁，以使脱粒	牛跟拌桶走，来年多两斗 拌桶下田牛下田，明年收成赛今年
搭斗架	打谷子时，供脱粒的木架，一般置放在搭斗中	
挡筹子	围在拌桶上、不让谷粒四散的粗篾席	
谷棚子	割好的谷把子	
望水谷	收割时放在田埂上的谷把子，伧以为放在田埂上的谷把子会招来风雨	
割搭斗	打谷子时，弄走落于拌桶中的谷粒	
打谷子	多指处暑前后，迟至白露，用拦桶之类收获水稻	谷子不打鸡啄米儿，割谷莫安钓鱼钩儿
蔫把子	上午割、下午打的谷把子	
生把子	边割边打的谷把子	
打雪花盖顶	两足扯开架势，双手紧抱谷把子，高举从左边（或右边）头顶绕至右边（或左边）头顶，朝拌桶左边（或右边）使劲摔打下去。此法适用于收获干田稻谷	

---

① （清）万清涪：《南广竹枝词》（林孔翼、沙铭璞：《四川竹枝词》，四川人民出版社1989年版，第109页）："朝来拌桶一声声，秋后秋前有定程。岩上坝头争几日，翻匙渐看饱香粳。"

续表十六

方言词语	具体做法或释义	有关谚语、歇后语、歌谣
晒谷子	晾晒新谷	天上起了老鳞斑,明天晒谷不用翻
收仓	将晒干的谷子用风车风干净,装进粮仓	白露逢双,干谷上仓
上仓		
晒草	翻晒稻草捆子	
收草	多指用扦担挑回晒干的稻草捆	
打黄龙缠腰	基本动作同"打雪花盖顶",只是打时将谷把子从腰部横绕过。此法适用于收获冬水田稻谷	
打童子拜观音	双手握住谷把子横绕,只在胸部起落,呈作揖状。此法适用于收获矮秆稻谷	
打丁丁猫儿	三人用一个拌桶收获稻谷	
打蜂子朝王	四人用一个拌桶收获稻谷	
打滚龙担子	双手抱着谷把子在拌桶边上击打前三下时,不经过"绕""张""拖""靠"等程序,将谷把子向上库起击打。此法会使若干谷粒被谷把子库出桶外,故为收获稻谷时的禁忌打法	
打对桶	二人腰镰获禾,二人打稻谷把子	六月六,地瓜熟,收了地瓜扳包谷,扳了包谷打早谷
打参桶	四人更迭打稻谷把子	秋前十天无谷打,秋后十天满坝黄
拴草	随手将在拌桶边打干净的谷把子用该把子上的稻草拴扎成个,以便晾晒	
打联	两三家互相帮助收获稻谷	
送担	将拌桶中刚收获的谷粒用竹箩装成一担,担回主家	
拣禾线	小孩、老人持筐拾穗	一吊撒一颗,一亩撒一箩 一步撒一颗,拣拢煮一锅
尝新	新谷祀先,妇子会食	
洗桶酒	谷毕登场犒工的酒食	
水谷子	刚收获的湿谷子	
打颖草	除去刚收获的湿谷子中的稻草等	
封镰	一般在收割稻谷完毕那一天中午举行祭祀仪式,点上香烛,焚烧纸钱,献上酒和新米饭,将洗净并用红布包好的镰刀供奉在神龛上,而后吊在堂屋梁上,再清理、收藏其他农具,以备来年使用	

续表十七

方言词语	具体做法或释义	有关谚语、歇后语、歌谣
踩草(上树)	选择便于排水的露天平地堆放晒干稻草，一般有两种方式：一是将晒干的稻草以树为支柱层层堆垛成房顶似的斜面，以备用，称"踩吊脚堆子"。二是平地堆成草房似的草垛，称"踩地堆子"	拌插响，牛下田；草上树，田耕完
烧谷桩	焚烧收割后的谷桩，以肥田且备来年耕种	处暑逢霜，割尽谷桩
挖冬水(田)	翻挖烧谷桩后的田土，以备来年插秧	
捶冬水(田)坎	用木槌等捶打或稀泥糊冬水（田）坎，以备蓄水	
糊田坎		
关冬水(田)	将收获水稻后的田蓄上水，以备来年插秧，有的可养鱼	冬水田头栽麦子——怪栽谐哉
收　水		冬水关得好，强如上粪草

四、有关红苕的方言词汇

巴蜀许多地方特别是山区和丘陵，土壤贫瘠，普遍缺水，红苕①为普遍栽种的耐旱农作物之一，成为旧时粮食缺乏地区人们的主食。巴蜀"红苕文化"发达，有关红苕的方言不少，有的地理条件不好的偏远县市甚至被戏称为"苕国、苕县"②。

巴蜀地区布种红苕，至茎蔓逐渐长长，有的甚至分为十多枝，就可以移栽了。其方法是将藤蔓剪为约一尺的短节，栽种在玉米地或者高粱地中。待六月份玉米、高粱成熟收获后，苕藤因获得充足的光照而愈加茂盛，但为了不让藤蔓长根，故需多次翻动苕藤离土，这样有利于主根下的红苕获取充足的营养。九月后，便到了挖红苕的季节，因红苕害怕霜雪，农民一般会在十一月之前收

---

① 红苕：红薯。民国17年（1928）《大竹县志·风俗志·歌谣·中山樵夫歌》："朝采樵，暮采樵，真个绿林一世豪。渴餐岩穴水，饥嚼二中苕，故乡饮食风味饶。"彭山民歌："肚皮饿了一根槽，喊放牛娃儿回去瞄。箅箕还是高吊起，甑子还在坐饿牢。喊声放牛娃儿不消闹，灶烘头还有一根粑红苕。"巴蜀俗传，红薯种出于交趾，故也说"番薯"，应为广东移民带入。
② 如旧时戏称西充为"苕国、苕县"。（清）刘鸿典：《西充竹枝词》（林孔翼、沙铭璞：《四川竹枝词》，四川人民出版社1989年版，第193页）："喜逢嘉客火锅烧，也识鸡豚咮最饶。借问平时糊口计，可怜顿顿是红苕。"自注："俗呼西充为'苕县'，故先及之。"西充县歌谣［吕峰等：《中国民间文学集成·四川省西充县资料卷》（内部资料本），1987年，第370页］："苕国遍地都是宝，榭榭角角栽满苕。块块都象胖娃娃，大人娃儿哈哈笑。"

获回家。① 在用红苕喂猪的同时，也会选拣一些好的红苕以供人食用或作为来年的种苕。储藏方法一般为在窖底铺少许糠壳，并以麦秸、稻草等为侧壁，装入红苕后，再覆以土或稻草类。在集体生产时代，每个生产队都有专门储存红苕种子的"大屋窖"，社员每户也必有苕窖。红苕可煮以当粮，也可碎切和米作饭，巴蜀农人戏称为"半年粮"②，故丰都谚语说："红苕熟，民果腹。红苕稀，民受饥。"红苕茎、叶可作为青饲料或干饲料，多以喂猪。

巴蜀地区红苕的类别，主要有"安安苕、红心苕、白心苕、万金苕、棒棒苕、胭脂苕、朱砂苕、云苕、牛心苕、牛尾苕、牛腿苕、竹竿苕、花生苕③、脚板苕、佛手苕、草墩苕、火苕、千子苕、毛苕、五子苕、乌颠苕、三年苕、过冬苕、兰水苕、烂秆苕、马苕、南瑞苕、野红苕、洋白苕、伞棒苕、油皮子苕、三年苕"等，品种繁多，④ 其名称文化性很强。

来源于"红苕"的方言俗语有：

红苕戏称"男阴"⑤、**红苕娘娘**、**苕母子**做种的红苕、**红苕九碗**以红苕为主菜的喜宴、**冷红苕**喻指心病、**苕果儿**喻指土里土气、不开化、知识乏平的人、**坨坨苕**喻指矮胖的

---

① 因红苕多于立冬后在土中必烂。另有一种"过冬苕"。民国10年（1921）《合川县志·土物》："又一种名'过冬苕'，经冬不烂，可以隔生。隔生者，俗谓'留根自生'也。"
② 民国16年（1927）《丰都县志·食货志·物产》："翻苕，通产贱品也。味甘，质润，农人珍为半年粮，闻土谣云：'翻苕熟，民果腹。翻苕稀，民受饥。'其用殆比之稻粮云。"
③ 民国27年（1938）《长宁县志·物产》："红苕，甘薯也。……民国26年大旱，本县颇赖红苕丰收，得以免饥。闻毛坝出一巨苕，重四十余斤。其他重二斤余者甚夥。有红皮、黄心，白皮、黄心，白皮、白心，白皮、红心四种。白皮、红心者，曰'花生苕'。"
④ 民国27年（1938）《长宁县志·物产》："苕类有数种，曰'火苕'；曰'脚板苕'，皮、心俱白；曰'牛心苕'，红皮、白心；曰'竹竿苕'，长形、白皮、白心；曰'朱砂苕'，红皮、红心；曰'云苕'，白皮、白心；其尖似人脚趾形，曰'三年苕'。数年方能食。一掘二三十斤。藤上有果，即其种子。"
⑤ 李苏：《从团长、山人到死囚》（《龙门阵》1983年第5辑）："张荣福听到这话，起初也是一怔，这又是那［哪］一股水发了？但回头一想，县长与自己称兄道弟，派来请我的特务中队长又是那么恭而敬之，不象有什么大不了的事情。难道在本乡本土还有人把我的红苕哨了？"李英：《旧成都赌事》（白朗等：《锦官城掌故》，成都时代出版社2013年版，第187页）："幺老爷原来是个红眉毛绿眼睛的人，他哪能忍受这口气，便扬言：'老子不还就不还！看哪个敢把我的红苕咬了？'"宜宾县石城山歌："一条沟来一条槽，你在欢喜我在笑。问你大姐笑啥子，笋篼里头放红苕。"又："清早起来眼皮跳，上坡遇到厌二毛。好得老娘趟子好，不是吃顿莽红苕。"

人、苕头苕脑、苕眉苕眼、苕叽叽土气的样子、红苕花、苕儿花喻指土里土气的农村姑娘、苕相土里土气的样子、苕叨啰嗦、苕叨婆喻指十分啰嗦的人、苕宝儿喻指言行粗鲁的人、苕丝糖将红苕切成细丝，蒸熟，晒干炒泡，加糖做成的块状食物、苕棍儿、苕干儿将红苕切成筷头粗细的条，蒸熟，晒干，用沙炒泡做成的食物、苕干儿酒用红苕烤制的酒、苕窖用于存储红薯的窖、屙红苕屎脱俗、开苕腔说土话、苕板田收割了苕菜尚未犁的干田，泥土板结，很硬、红苕牛牛儿一种自制的上下一般粗细的低档木陀螺[1]、子味点心"红苕"的隐语、光红苕喻指光棍[2]、红苕敲敲戏称"剑"[3]、红苕埂子田地里用于栽种红薯的土垄[4]。

以上所列词汇，大部分已经脱离本义，而与引申义、比喻义有较多联系，但多为贬义词，少数为中性词，无褒义词。与"红苕"有关的谚语、歇后语有：

瘟猪一条，只晓得吃红苕。
不是个好捏的红苕。
花钱不多，捏倒热和[xo^{55}]。
有钱之人穿皮袄，无钱之人捏红苕。
燕窝稀饭掺红苕。
不像那窝苕。
月亮带毛，干死红苕。
冬至无雨天又晴，来年苕价贵如银。
芒种插苕是个宝，夏至插苕长根草。
深栽芋头浅栽秧，红苕栽在土皮上。

---

[1] 成都人称陀螺为"老牛、牛牛儿"。《蜀报》（1999年4月13日第11版）："因为不抽就停，蜀人给陀螺取了个好名字：老牛！"巴中等地也称其为"木牛儿"。
[2] 胡林肖等：《烟袋》（《川西文艺》第1卷第5期）："老程这人谁也知道，光红苕一条，一个人独来独往。"
[3] 熊子俊：《拉兵记》（《龙门阵》1984年第1期）："只有新毛桃儿和军事教官，才那么正二八经地一天到黑全副武装，捆得绑紧，教官发叉的刀带上，还随时挂把'蒋中正赠'的'红苕敲敲'。"
[4] 谭兴国、松鹰：《四川知识青年短篇小说选》（四川人民出版社1978年版，第109页）："你说得撒脱，今天啥日子了，没得月亮，你能打黑摸耕田？田头不是净整些红苕埂子？"

面带苕相，心头嘹亮。

红苕洋芋本姓张，煮的没得烧的香。

吃的苕干酒，打的茅台酒饱嗝。

说起逗人笑，变鬼遭红苕。

红苕①削一层皮皮，茄子掐两个眼睛，你也要变人嘛，②纸火匠③都搞不赢。④

吃烧红苕——吹拍捧。

火坑头掏个红苕——又吹又拍。

披起蓑衣啃红苕——穿也没有穿个啥，吃也没有吃个啥。

红苕煮稀饭——有那么大一筒。

种植业是旧时巴蜀地区的主导产业，李冰开凿都江堰以来，农业生产的条件更加优越，四川盆地方有"天府之国"的称誉。传统农耕文明数千年的传承，许多都在巴蜀汉语方言中体现出来。从农作物的种类，到农业生产的节候以及生产过程中所体现出巴蜀人精神生活的许多方面，都有着与之对应的方言词汇，这些丰富而多样的方言词汇，正是巴蜀"地方性知识"的具体体现。

第二节 巴蜀汉语方言词汇与养殖文化

地理环境造就了巴蜀以农业为主的生计模式，但除种植农业外，还有大量其他生计模式作为辅助，如繁盛的养殖业，这其中又尤以与农业关系密切的

---

① 酉阳县等地流传红苕、包谷、谷子分别是"红儿、绿儿、黄儿"三个男青年为救当地百姓性命所变。参见戴相惠等《中国民间文学集成·酉阳土家族苗族自治县民间故事资料集》（内部资料本），1987年，第122~124页。

② 也说"红萝卜掐两个眼睛也算个人"。

③ 也称"纸扎匠、扎匠"，指制作和出售用于丧事的各种纸扎制品及兼营戏班及灯会等所用纸质用品者。（清）傅崇榘：《成都通览》（上册，巴蜀书社1987年版，第506页）："通城之纸扎匠，以双栅子一处为旺，其业专售迷信家酬鬼神之物件，及戏班上之变化灯器为大宗生意。"四川省大竹县志编委会：《大竹县志》（重庆出版社1992年版，第717页）："有钱有势者还要请僧人做道场、请纸扎匠做灵房子、纸篑，请人写祭文等。"

④ 也说"你也是人，纸火匠都扎不赢"。参见宋发清《扭曲与复归——文革中的操哥现象》，成都出版社1992年版，第48页。

牛、猪、蚕桑等以及家禽的养殖为大宗。相关的方言词汇也丰富多样。

一、有关牛的方言词汇

自从被人类驯化以后，牛在前工业时代即为农业生产必不可少的劳力。巴蜀坝区农家普遍养殖水牛，山区农家也养殖黄牛，以赖其耕种犁田，拖石轮碾米等。①

巴蜀汉语方言中，与牛有关的词语很多（见表2-11）。

表2-11　巴蜀汉语方言与"牛"有关的部分词语

出　处	方言词语名	记载内容
光绪二十一年（1895）《叙州府志·风俗》	牛王会	十月朔日，民间各制纸衣冠，焚墓间，谓之"送寒衣"。是日祀牛神，谓之"牛王会"。蒸糯米，捣餈巴饭牛，并黏牛角，以酬其力
	搫②	穿牛鼻绳曰"搫"
	牵牛	与小儿戏，捉其鼻曰"牵牛"
民国10年（1921）《合川县志·土物》	地牯牛	形似地蚕而大，色灰褐，头有二角。常伏石缝间，能将泥沙冲成圆窝，如牛触物然，故名
民国33年（1944）《长寿县志·物产·动物》		体甚小，头有触角，如牛，好居古墙灰沙中，作漩涡如豆状，物至则攫食之。能倒行，乡村小儿多以为戏玩品
民国17年（1928）《大竹县志·物产志·谷之属》	牛尾糯	大酒谷有寸糯、牛尾糯、芝麻糯、蛮子糯（俗名"洋酒谷"）、黄壳子、白壳子等，结实较大，百日或百二十日熟

---

① 据川农所民国29年（1940）调查材料，江津县全县约有水牛11.9万千头，平均每家大农有2.6头，中农有1.6头，小农有0.3头，没有发现养殖黄牛的。旧时成都郊区农家所养之牛，大多是从牛市口、青羊官、马家寺、红牌楼等处购入的，根据"牙口"，可将牛分为"圆口（1~2龄）、对牙（3~5龄）、新边牙（6~8龄）、老边牙（9~11龄）"等，多以谷草、青草、胡豆、生粉饭、糠之类饲之。参见蒋良珍《四川成都五十户农民副业之调查》，华西协合大学文学院社会科学系毕业论文，1933年；曾启智《江津县之农业经济概况》，国立四川大学农学院农业经济学系毕业论文，1945年。
② 也说"穿（牛）鼻子"，本指在小牛周岁时，以绳穿其鼻，以利驱使，调教耕田。喻指"儿童发蒙入学"后，像牛犊一样，被"穿上（牛）鼻绳，关进牛圈"，不自由了。李劼人：《李劼人选集》（第4卷，四川人民出版社1984年版，第108页）："我告诉你罢！发蒙是要穿鼻子的！"也说为"搫［kʻa²¹］或［tɕʻia²¹］牛圈门"。卢盛祥等：《中国民间文学集成四川卷·成都市东城区卷》（内部资料本，1989年，第59页）："他的诗，道理深，句子浅，连没有跨［搫］过牛圈门的老太婆都懂得起。"

续表一

出　处	方言词语名	记载内容
民国27年（1938）《长宁县志·物产》	石地牯牛根	性温，治五痨七伤、咳嗽、气痛、淋症，取枪子，包鱼口，外科要药
	黄牛菌	形甚大，生于青枫林、蕨基草中
	黄牛角	葛为藤类，本县所产有家葛、野葛二种。家葛细甘而多汁，野葛粗而多渣。汁少者野生。家葛亦有种植者，大者径可四五寸，可三四尺，可生啖，亦可作粉。家葛又有黄牛角、鸡婆葛二种，以鸡婆葛为最佳
	牵牛郎	天牛俗称"牵牛郎"，大如蝉，黑甲；光如漆，甲有黄、白点。头有二角，角如马鞭，长寸许，起黑白节。盖诸树蠧虫，如蛴螬等所化也。夏月有之，出则主雨，鸣声清脆
民国31年（1942）《西昌县志·产业志》	蜡牯牛	蜡虫之敌害为瓢虫，尤以小红娘及赤星瓢虫为甚，因食蜡虫之幼虫故也，俗呼为"蜡牯牛"。一入壳中，不特将幼虫食尽，即有漏网至树之枝叶者，亦必缘树食尽无遗，然蜡牯牛亦终死于树焉
《中国民间文学集成·营山县资料卷》	下牛	把枷档从牛身上去下来
《成都民间文学集成》	牛牛儿	①蜗牛。成都儿童游戏歌《逗蜗牛儿》："蜗蜗牛牛儿，请你出来吃胸胸儿。"②陀螺。儿童玩具，形状略似海螺，通常用木头制成，下面有铁尖，玩时用蝇子用劲抽打，使不断旋转
《成都方言词典》	牛儿耖田	旧时儿童游戏，两个小孩中的一个扮耕牛，双手及一脚落地，以支撑身体，另一只脚则被扮农夫的小孩用手握住，呈农夫犁田的形状，故名。一般是农夫催促着牛向正前方运动，到达终点后又互换角色
	牛打脚	牛犁地时拖在脚后的木棍，用于连接犁辕和犁。当牛退步或停下不走时，此木棍便打在牛脚上，可防止牛偷懒
	打脚棒	
	日牛壳子	说大话
	牛角海椒	辣椒的一种，因其形状像牛角，故名。成都人多将这种辣椒泡在盐水中若干天后食用
	牛都不踩烂	喻指语言生硬，不通情理
	牛滚凼	牛洗澡的水坑，泛指不太大的水坑
	牛黄丸①	①中成药"牛黄解毒丸"的简称。"牛黄"本为黄牛或水牛的胆囊结石。②喻指性格固执、脾气执拗的人

---

① 罗清和：《方脑壳传奇》（伊犁人民出版社2000年版，第597页）："方总平时都是很讲道理的，咋个突然成了牛黄九［丸］哦？"第二义也说"犟拐拐"。重庆晚报副刊部：《逛市井　走过场》（重庆出版社1999年版，第155页）："还听说，他曾跟一头牛较劲儿，空手将犁耙匠们视为'犟拐拐'的那个庞然大物，医得倒退三丈、直喷响鼻。"也说"犟遭瘟"。沙汀：《沙汀选集》（第3卷，四川人民出版社1984年版，第351页）："我知道你是个犟遭瘟！"

续表二

出　处	方言词语名	记载内容
《龙门阵》	横［xuan²¹］或［xuan²¹］牛①	①不服管教的牛。②喻指固执、蛮不讲理的人

上表所列各物名称，从动物到植物，从信仰到儿童游戏，都与牛相关。此外，巴蜀有关牛的谚语、歇后语的内容丰富，说法多样：

猪六，羊五，牛十月。
猪要一百个饱，牛要一百个早，马要一百个跑。
猪要胀，牛要放。
猪叫三天，牛叫就牵。
猪生四，狗下三，猫猫生儿一担担。
抓倒黄牛便是马。
捉住黄牛当马骑。
不为那棵草，不得跶②死那根牛。
一把草胀不死一根牛。
一个牛尾巴，遮个牛屁股。
一根牛过看不倒，一个蚊子飞过就看倒了。
娶亲要娶大屁股，使牛要使踏地虎。③
有了铜牛儿，就有铁牛儿。
雨打伏头，晒死牯牛。
运气不对头，处处碰到马咬牛。
栽个尾巴就是根牛。

---

① 李致：《大妈，我的母亲》（《龙门阵》1994年第4期）："我那一段时间处在男娃娃最调皮的阶段，不听话，惹人讨厌，被称为'五横牛'。"
② 跶：失足跌倒。唐枢、林皋：《蜀籁》（四川人民出版社1962年版，第73页）："十字口搭［跶］仆扒，分不倒东南西北。"聂云岚等：《中国歌谣集成·重庆市卷》（科学技术文献出版社重庆分社1989年版，第607页）："天上下着麻麻雨，地上起了硬头滑。走啊走的一扑［仆］爬，跑了团鱼滚了瓜。娃娃吓得直喊妈。我的恩，我的娃，老娘挞［跶］了一扑［仆］爬。"
③ 参见谈治华《"二秀"出嫁》，载重庆人民出版社《红岩》1956年第1期。开江县谚语说"脑壳大，好做瓢；屁股大，好烧窑（孕育）"，意为女人屁股大有利于生育。

栽秧栽到牛脚杆，犁田犁到拌桶边。

挣钱是个牛，用钱是个猴。

三岁牯牛十八汉。

放牛娃儿都把牛卖了，还拿主人家来做啥子喃？

主人家打长年，长年打放牛娃儿，放牛娃儿打牛，牛打田坎。

嘴形如老虎，牛角如铁锥。寸骨一寸力，犁田快如飞。

前山高一掌，下田听水响。

前腿夹把斗，后腿夹死狗。

四蹄蹬开，烂田稳踩。

滚坡旋，三年见。

眼红必喷草，喂牛注意倒。①

牛吃南瓜——起不倒头。

乌龟遭牛踩一脚——心子把把都疼木了。

野猫儿咬牛——大干。

上述巴蜀有关牛的俗语，饱含深刻的哲理，文化性很强。

二、有关猪的方言词汇

巴蜀俗语说"喂猪、纺棉，坐地赚钱""养猪不赚钱，肥了一坝田""种田要喂猪，蚀本也不输；种田不喂猪，好似秀才不读书"。如今，巴蜀仍是全国最大的生猪生产基地，悠久的养殖史，为人们掌握猪的属性提供了良好的条件，从而诞生了独具特色的巴蜀"猪文化"，这在巴蜀汉语方言词汇中，有着鲜明的体现，首先便体现在大量贯之以"猪"的动植物命名之中（见表2-12）。

表2-12　巴蜀汉语方言以猪命名的动植物

类别	名称	出处	说明
动物	猪獾	民国17年（1928）《大竹县志·物产志》	喙尖，足尾皆短，前肢有锐爪，善掘地，毛黄褐色，脊有黑毛。夜出食粱、黍嫩实。秋时体肥，而肉膻臭

---

① 四川省宜宾县志编委会：《宜宾县志》，巴蜀书社1991年版，第663页。

续表一

类别	名称	出处	说明
动物	䴥猪（儿）	民国20年（1931）《达县志食货门·物产》	毛黄褐色，脊有黑毛，喙尖，足、尾皆短，前肢有锐爪，善掘地，常夜出食粱、粟。至秋体肥而肉膻
	箭猪	民国33年（1944）《汶川县志·物产》	毛锐似针，长尺许，怒则立如矢。性驯，肉可食
	刺猪	民国21年（1932）《万源县志·食货门·物产》	即"刺猬"。毛尖长而黑，端如笔管，锋极尖利，能自发以射犬。味美
	豪猪	民国27年（1938）《长宁县志·物产》	猬……亦作"豭"，似猪，灰褐色，长尺许，全身锐毛如棘，能刺人畜。妇女用其刺簪，曰"豪猪簪"。大者二三十斤
		民国17年（1928）《大竹县志·物产志》	古名"猬"，体肥。棘毛如针，其端色白，长尺许，向后，怒则立如矢，然性驯良。清光绪末，中、东二山有此
	巩猪	民国21年（1932）《万源县志·食货门·物产》	"狼獾"之别名
	孔猪		"猪獾"也。《正字通》："一名貒狟，似小猪。"体肥，行钝，穴居，足、尾短，褐色，小喙，能孔地。食虫，肉有土气，农人每喜猎之
	拱猪		形似犬，食诸谷、诸薯，灰黄色。大者二三十斤
	母猪壳	民国27年（1938）《长宁县志·物产》	似鲫而大，巨眼，小口，细鳞，脊有五刺，甚利，刺人有毒。大者二三斤。此鱼亦名"鳜鱼"。东坡诗所谓"桃花流水鳜鱼肥"也
	窑猪（儿）		老鼠
植物	猪鼻孔[①]	民国13年（1924）《乐山县志·物产》	"随坡"俗名"猪鼻孔"，治粪后红
	猪臂股	民国9年（1920）《绵竹县志·物产》	《本草》一名"鱼腥草"。川东人呼曰"蕺耳羹"。茎皆蔓生，紫色，叶似荞麦而肥，略为三角状，背紫，面青。四月采其茎，醋浸食之
	猪拱草	民国27年（1938）《长宁县志·物产》	味甘平，无毒，治五痨虫胀、妇女白带
	猪鞭草		治蛇伤，解脚气、筋骨痛
	猪苋	民国18年（1929）《云阳县志·礼俗（下）》	野苋，猪好食之，名为"猪苋"，皆苋之别种
		民国35年（1946）《新繁县志·物产》	"细苋"，俗谓之"野苋"，猪好食之，又名"猪苋"

---

① 巴蜀俗传其不利于人脚，有脚疾者应忌食用。

续表二

类别	名称	出处	说明
植物	肥猪苗	民国21年（1932）《万源县志·食货门·物产》	豨莶草俗名"肥猪苗"
	母猪藤	民国21年（1932）《万源县志·食货门·物产》	五爪龙俗名"母猪藤"。一茎，五叶如爪，花簇成团，实圆而红
		民国27年（1938）《长宁县志·物产》	去风，散瘀，治五种黄病、母猪风，涂毒疮
	猪油菜	民国13年（1924）《乐山县志·物产》	似苦麻菜而有缺
	猪肝豆	同治四年（1865）《璧山县志·物产》	菽之属有猪肝豆
	猪了子草	民国27年（1938）《长宁县志·物产》	治疮肿，解热毒
	猪苓	民国31年（1942）《西昌县志·产业志》	产地大兴场，产量三千斤，运售四川
	猪油糯	民国21年（1932）《万源县志·食货门·物产》	糯稻：一名秋稻，俗名酒谷，有红谷糯、堆子糯、矮子糯、猪油糯、三颗寸、三百棒诸种，俱产低处。惟冷水谷、早谷产高处
食物	猪卷子	民国29年（1940）《彭水概况·社会状况·方言》	蕨粉所成之饼类也

就动物类来说，"拱猪"与"孔猪"为"獾"之别名，因地域不同而发音相异，实则为一种动物；"刺猪""豪猪""箭猪"名称不一，但均从同一角度对该动物某一特性作出生动描述，"刺""箭""豪"均因其毛质坚硬且直立生长而得名。

就植物类而言，有的因形似猪身体某一部分而得名，如"猪肝豆""猪鼻孔"；有的则因其成为猪的食物而得名，如"猪苋"。

由于猪在人们生活中起着重要的作用，因此，也诞生了大量与猪相关的民俗词汇，这些词汇不仅成为巴蜀人口头的常用词汇，而且蕴含着丰富的文化内涵（见表2-13）。

表2-13　巴蜀汉语方言与猪相关的民俗词汇

词汇	流行地区或方志记载	说明
买猪	成都	腰长肋巴①稀，必是懒东西
		前夹不吃，后夹不长
		垮肚②菁秆草③，乱牵④错不了
		尾门关，乱屙尿
		"独旋""五爪"要倒灶
		耳根要硬，嘴筒要正
		头大身长肚子小，四蹄开豁长得大
交猪		矮小肚大小种货，斤两不重肥坨坨
接猪		买小猪回家忌小孩接猪
安猪圈	重庆	日吉时良大吉昌，水晶玉石把圈镶。肥猪喂得像牛样，周身四体白又光。天天屙屎归粪凼，不吵不闹无祸殃。安圈过后六畜旺，百事顺遂大吉昌
扫猪圈	成都	买回猪准备饲养时，要用新扫帚将猪圈打扫干净，边扫边唱《扫猪圈歌》，如"槽上吃食，圈上擦痒；日长千斤，夜长万两""进圈像根兔儿，出圈像根牛"等，以求吉利。扫圈毕，要把猪牵进圈内，教它何处睡觉，何处拉屎、拉尿。接着要将猪饿一天后，再用少量泔水喂猪，目的是让它今后不挑食且能吃
猪狗席	双流	放八碗菜的酒席称为"叫花子席"，放十碗菜的称为"猪狗席"
扳刁牙儿		用铁钳夹去小猪口中的犬牙。俗传这样做后猪不挑食
笼子猪儿		
笼猪娃儿		断奶不久的小猪，二十斤左右
毛造造猪（儿）		
牵牵⑤猪		三十斤至五十斤左右的小猪
架子猪		一百斤左右的猪
撬猪		阉猪

---

① 肋巴：也说"肋巴骨"，肋骨。艾芜：《艾芜文集》（第8卷，四川文艺出版社1989年版，第227页）："胸口上曾经为太阳炙成面包色的那些地方呢，也已裸露着一条条清晰可数的肋巴骨了。"克非：《春潮急》（上海人民出版社1974年版，第509页）："沟哩，也是一条鬼沟，坎坎高，刺笆多，又还有水有石头，硬象专门给老子安排的！哎哟哟！这肋巴骨！"罗清和：《方脑壳传奇》（伊犁人民出版社2000年版，第65~66页）："你想嘛，我先干了一半活路，肋巴骨都压得没有缝了，咋可能平分？'"
② 此指公猪。
③ 此指母猪。
④ 牵：交配。
⑤ 也作"纤纤"。

续表一

词 汇	流行地区或方志记载	说 明
撬猪佬儿	德阳	专以阉割猪为职业的人。巴蜀俗语说"尿经不懂还要当骟猪匠""骟猪匠，敲马锣；骟你公，骟你婆""骟猪匠打牙祭——炒谐吵得卵子翻""白天有搞头（割卵子），黑了有咬头（吃卵子）"
撬猪匠		
骟猪匠		
敲马锣的①	射洪	
杀猪板凳儿	雅安	长约两米，宽约半米的木凳
杀猪墩	巫溪	多用于杀猪的木墩
（磕粉）猪儿粑	隆昌	食品名
	江安	
洒猪血	渠县三汇镇	将猪血洒于门上，杀猪后避邪
	蒲江	
抢猪脬	民国20年（1931）《宣汉县志·礼俗志·岁时节序》	五月初五日曰"端阳节"。……滨水处则划龙船、小船数只，满载游人，掷鸭一、猪脬一于中流，随波荡漾。善泅者群追逐之，先得者犒以金，曰"抢彩"
岁猪	同治八年（1869）《乐至县志·风俗》	腊日后，豢猪供祭，谓之"岁猪"
杀过年猪	民国21年（1932）《万源县志·教育门·礼俗》	小康之家，预畜肥猪，至冬至日杀之，腌以过年，谓之"杀年猪"。亦有呼为"洗"者
宰过年猪	民国20年（1931）《达县志·礼俗门·风俗》	冬至日，祀先祖于家祠，合族人饮福受胙，同观谱牒，添注丁口。富家则预畜肥猪，至是日宰之，腌之以过年，谓之"宰过年猪"
灌酿肠	民国20年（1931）《达县志·礼俗门·风俗》	有以猪肉细切，和以椒、盐、香料，纳于猪小肠内，谓之"灌酿肠"。熏干食之，味香美可口，又曰"香肠"
香肠		
装酿肠	民国21年（1932）《万源县志·教育门·礼俗》	又将猪肉切细，和以椒、盐、香料，纳于小肠中，谓之"装酿肠"，熏干食之，味极香美
食猪肠	民国26年（1937）《犍为县志·居民志·风俗》	（六月）新谷升场，择吉，炊新稻，荐时羞，祀于中堂，谓之"尝新"。祀罢，以肉、饭饲犬，合家始聚食。率以猪肠、韭菜及鱼类，为时羞之品，取"长久有余"之意
腊肉	光绪元年（1875）《铜梁县志·地理志·风俗》	冬至以后，家各宰猪，曰"杀年猪"。熏其肉使干，曰"腊肉"

---

① 清末，射洪县走乡串户的骟猪匠以吹牛角为号，民国时则以敲马锣为号。遇同行，敲一次表示"等"，敲两次表示"请"，敲三次表示"会"，敲四次表示"辞"。至近代，成都等地也常见骟猪匠，行业规矩是"阉鸡不要钱，绷绷儿还要还"。参见郑蕴侠《闲话骟割匠》，载《龙门阵》1992年第2期；何韫若《锦城旧事竹枝词》，中国三峡出版社2000年版，第132~133页。

续表二

词 汇	流行地区或方志记载	说 明
礼猪	同治十年（1871）《仪陇县志·风俗》	将婚之岁，婿家预告婚期，其礼物与订婚略同，富者备一豚，名曰"礼猪"
猪脑壳①	民国20年（1931）《宣汉县志·礼俗志·冠婚》	谢媒必以猪头、财物，视嫁查为差，故相谑者呼媒人曰"猪脑壳"。谚云："媒人是只猪，这边呼了那边呼。媒人是根杆路棒，过河丢在干坎上。"
冬至肉	民国19年（1930）《渠县志·礼俗志下》	（冬至日）宰猪，腊其肉，历久不腐，名为"冬至肉"
烧结兜	民国20年（1931）《宣汉县志·礼俗·交际》	（腊月）二十三日夜间……厨烧结兜，兆来年饲猪吉
祭猪		城内于封发时，亦略有表示。坐夜礼物尤夥，曰"祭猪"，曰"祭羊"，曰"三牲"，曰"十供"，则祭品也
还泰山	光绪三十四年（1908）《叙永永宁厅县合志·杂类·琐谈》	厅俗有"还泰山"之说。男女有疾，辄许洪猪祀泰山，以巫祝之。全猪必食尽，不可有馂余
吃年酒	民国17年（1928）《苍溪县志·礼俗志上》	至腊月，小康之户，杀年猪一二只。亦延亲友，名曰"吃年酒"。此所谓岁时伏腊，犹有古风也
庆坛	民国21年（1932）《万源县志·教育门·礼俗》	更有以径尺之石，供于中堂右角地下，名曰"罗公坛"。除朝夕供奉外，每届三年，必延巫于家，杀猪致祭，名为"庆坛"。猎者对于梅山，亦有如此祭奠、朝庆者

巴蜀农家杀猪，主要有两种情况：一是杀年猪，二是杀祭猪。在有关年节习俗的方言词汇中，"洗（年）猪"系列词语的文化特色十分鲜明。②

---

① 此词也可称为"猪"，代指"愚蠢的人"。《成都商报》（1999年6月6日第A7版）："醒酒看醉人，好人成恶人。我是个猪脑壳啊，哪个答应女人去打工哟，打工打工，打个野老公……"《蜀报》（1999年1月9日第9版）："他平时肯定被这些奸商敲惨了，不知当了多少回猪？不过也很正常，一物降一物嘛！"

② 宜宾县人大常委会主任郑启友先生采集的宜宾县横山镇《说春词》："说了一行又一行，又来说师傅贵艺行。不提师傅犹自可，提起师傅话又长。半夜一想起心高，张爷打水去磨刀。钢刀磨得白如银，先取桃红血一盆。黄花猪儿不要犟，一把按在杀凳上。前头与你一尖刀，后头与你一梃杖，一股仙风来吹胀。温温水来细细淋，淋得猪儿白如银。当客官人洗干净，连环挂起就开边。连环嘴巴尖又尖，挂起猪脚来朝天。先破背，后开膛，肝子心肺排两行。一腿拿来搭一腿，宝肋拿来搭下水，恭喜张爷好财喜。恭喜你来贺喜你，找些票子来存起。票子多，用不完，不如拿去存银行。存银行，硬是好，死钱变成活钱了。久闻久闻真久闻，你是张爷门下人。你张爷来大弟子，我是三皇办春人。杀刀好比摇钱树，血盆好比聚宝瓶。千言万语表不尽，但提一二你知情。"此处有关杀猪的部分材料，为黄尚军、李国太于2011年11月27日至旺苍县木门镇九龙乡玉台村1社采访厨师杨青福先生所得，谨此致谢。部分巴蜀人信奉"正月忌头，腊月忌尾"之说，故忌说"杀""死"等不吉利的字眼，便用烫洗的"洗"字代称"杀"；同时"洗"又与"喜"同音，含"喜庆"之意，故称"杀（过）年猪"为"洗（过）年猪"。"洗"也作"喜"。

年关前夕，多选定吉日杀年猪。一般逢亥日、亥时及俗称为"不顺日"的"八"和"六"不杀猪。① 俗以为杀猪日代表的属相，应与家中所有成员的属相不同，否则对属相相同的人不利。

杀年猪时，在院中横放杀猪板凳儿，一人拧耳朵，一人抓猪身毛，用膝盖抵住，一人捉尾巴，把猪横着压在凳上，② 用布揩净四蹄，称为"洗脚"。部分巴蜀人认为这样做后，猪好超生走路，家中喂养的猪便不会生病。掌刀的人多挽袖、穿围腰，③ 用双手将猪按住，一般支使儿童将刀递来，以免去杀猪人的罪孽，而儿童也因年幼无知，不犯递刀之罪。

选择杀口时，多按照"大杀腿，小杀嘴"的原则。按理要一刀将猪杀死，寓意来年诸事顺遂。若不能一刀杀死，则不马上抽出刀，要在杀口内改换方向，多杀两刀，共三刀，意为"连升三级"，以化解不吉。若抽刀后，猪仍未死，则改用竹片或木棍从原刀路使劲捅直至死。杀猪放出之血，称为"二刀菜"。④ 主家焚烧蘸少许杀猪刀口的血的纸钱，称为"送猪买路钱"。

杀猪时，若猪不叫，称为"哑猪"；若杀时不见血，寓意主家"一脉不正，全身不和"；若猪血不凝固，或颜色不正，为乌红色，预示主家病痛多；若血在血盆里呈桩形，预示主家要生疮；若血溅出很远，称为"飞红"，预示主家有人会"开红山"，即遭受"飞弹"之祸；若血不按一股股状飙洒在血盆里，四周洒落太多，预示主家邻居均不得安宁。溅到地上的血忌讳狗等动物

---

① 因"亥"为猪的本命，而"八"犯被称为"猪王"的"猪八戒"之讳，故逢"六""八"均不杀猪。俗语说"亥不出猪"，故买猪、修猪圈、安猪槽、上圈、出圈、卖猪、杀猪等，均要避开亥日、亥时。荣昌戏称杀猪为"除亥"。参见罗民华等《中国民间故事集成·重庆市荣昌县卷》（内部资料本），1988年，第331～332页。而"六"寓意"六畜兴旺"，故有"逢六不杀猪"之讳。王代炳等：《中国民间文学集成·南溪县卷》（内部资料本，1988年，第484页）："鸡怕一（刘），哑巴怕说二，风怕三（山），有钱人怕四（事），女人怕五（捂），屠夫怕六（谐音'戮'），亡人怕七，锅巴烟怕八（叭），抹桌帕怕九（纠[tɕieu⁵³]，绞，拧）。"宜宾县横江镇等地则忌讳逢丑日杀猪，俗传丑日杀猪，肉会发臭。
② 一般是杀猪匠站东方，按猪人站南方，杀猪刀放西方，血盆放北方。尤其忌讳将猪头正对堂屋门，因讳其与办丧事时，灵堂内遗体摆放方位相同。
③ 由此忌讳理发师为顾客理发不能挽袖，穿围腰，因每年腊月十六日后，"剃过年头"的人较多，以免产生误解。参见陆泽怀等《德阳民俗》（内部资料本），1996年，第238～239页。
④ 巴蜀汉语方言有"三刀菜"的说法："头刀菜"为阉割小猪取出的公猪睾丸或母猪儿肠，"二刀菜"即杀猪时放出的血，"三刀菜"即"杀口"那块肉。"头刀菜、二刀菜、三刀菜"分别得名于猪一生中所挨的三刀。

舔食。

然后将猪吹胀，用开水浇烫，刮去毛，洗得白白净净，但要留下一小块猪头顶皮毛不刮掉。① 将刮洗净的猪头正对堂屋门趴着摆放，有的在猪头前还要供上酒饭，请祖先享用，再开膛破肚，将猪肉分割成若干块。与之相关的一系列年猪肉的制作程序与工艺，以及各块猪肉的具体名称也具有显著的民俗特征，如猪从头至尾各部分的肉，双流县等地分别称为"拱嘴儿、脷子②、猪脑壳、挨刀肉、膪头、项圈儿猪项肉、夹缝③、宝肋④、腰簧、五花、腿子⑤、坐臀儿⑥、膀、肘子⑦、蹄子、尾巴儿，另有猪胰子⑧、猪腰子、猪肚子、猪心子⑨"等。仅猪身上的脂肪而言，就有"板油⑩、网油、水油、脚油、鸡冠油、护心油"等，此外，还有"（猪）杂⑪"等诸多名称。这在巴蜀民间书籍

---

① 参见王跃《江北县复盛乡协睦村四社谌宅的"反坛"祭仪调查》，财团法人施合郑民俗文化基金会1993年版，第70～71页。

② 脷子：舌头。"脷"也作"利"。因"舌"与"折""蚀"音同，成都人多讳此字，故反言之曰"利"。"舌头"谐"折头"，也可反言之曰"赚头（儿）"。"利子"也指利息。李劼人：《李劼人选集》（第3卷，四川人民出版社1981年版，第377页）："（银行）就收，他们也不存，一则利子太小，仅只三分多点，他们太吃亏，二则存的时候，取息的时候，手续太麻烦，又耽搁时间，他们害怕，也不愿去存。"

③ 分为"前夹（缝）、后夹（缝）"。徐半丁：《从"配'搭头'"说起》（重庆人民出版社：《红岩》，1956年第3期）："常常割猪肉的，都有这么一个经验。你明明想要那块丰实的夹缝肉，他偏不给你割够，欠几两，另外给你拼上两三块肋骨，或者几节小肠。"

④ 分为"头刀、二刀、三刀"，又可分为"硬宝肋"和"软宝肋"。

⑤ 分为"头刀、二刀"。李劼人：《李劼人选集》（第2卷，四川人民出版社1980年版，第1150页）："我说，是尤大爷炖药的肉，瘦不得，也肥不得。许老二说，既这样，二刀腿子就好。"

⑥ 分为"头刀、二刀、三刀"。

⑦ 民国20年（1931）《宣汉县志·礼俗志·冠婚》："及席时，新郎躬亲酌酒。豚肘上簪以花，曰'扎花肘子'。"

⑧ 也说"连贴"，即胰腺。

⑨ 心子：泛指心脏。一般指食用的动物心脏，多指猪心或牛心。艾芜：《艾芜文集》（第6卷，四川文艺出版社1986年版，第133页）："赵长生还赶紧拿抹桌帕，把桌面揩抹干净，油壶子的灯光，拨亮一点，他心子不住地跳，害怕汪二爷会责备昨夜出去的事情。"也指包子之类的馅儿。陈浩东等：《成都民间文学集成》（四川人民出版社1991年版，第1265页）："王汤圆回到家里弄些糖鸡屎当心子包咸汤圆。"

⑩ 川东多称"边油、腔油"，多为两大片。

⑪ "（猪）杂"又分为"上杂"（脷子、心子、肝子、肚子、腰子等）和"下杂"（大肠、小肠、尿包、连贴、心肺等）。

中即有记载：

猪：一下把我二八八讲好了，拿根索索来把我胫[颈]子个拴。一牵牵在场上去，那夜晚就不拿饭跟我……

牛：叫"吃"。

猪：睡在五更并三点，来两个燕耳毛哥子耍红拳。张屠户挪倒耳多[朵]喏哇哇地尺住①唤，李屠户着[捉]倒尾巴嘴尺尺只[直]见赶。杀不[木]上面掀一吓[下]，把二八八按到[倒]了，三寸钢刀断喉咽。一下把二八八产马了②！

牛：啥子叫"产马了"？

猪：死了个吗[嘛]。二八八的魂魄归了天。左脚高上割个眼，三口气吹得我屁儿翻。

牛：白泡子翻。

猪：一吓[下]把二八吹胀了，拿根棕索把脚赶[杆]拴。滚水锅内洗个澡，倒腾这件毛衫衫。一吓把二八袍[刨]白了，连环挂起要开边。持扶屠户好手段，一刀花住两半边。又取五心并肝胆，大肠小肠难得翻。边油取了八斤半，脚油已有五斤三。

牛：你油水还好。

猪：吃那耍一肩拷在场上去，惊动四乡好客官。乡的人割腰赶[杆]，街的人吃瘦的割腾肩③。一吓[下]把二八八割回去，害得那皮娃子④满屋阗[钻]。（重庆市巴南区安澜镇仁流乡民间戏剧唱本《盗扇骂牛》）⑤

杀年猪的当天晚上，将猪血及猪内脏及少许猪肉加上调料煮成一锅，称

---

① 尺住：应作"直[tsʻɿ²¹]住"，意为"不停地"。
② 产马了：也作"惨猫儿了"，指呈现出彻底失败的惨相。
③ 腾肩：应作"豚肩"。
④ 皮娃子："狗"的隐语。光绪三十四年（1908）《叙永永宁厅县合志·杂志类·方言》："盗称狗曰'皮娃子'。"
⑤ 此书为黄尚军、陈攀攀于2012年4月30日实地调查民间道士戴学扬（重庆市巴南区安澜镇仁流乡坝上村马家桥人）所得。

"年猪汤"①，招待亲朋好友及帮忙杀猪的人，以示庆贺。

巴蜀如旺苍、崇州等地，"杀祭猪"时，则将猪头正对堂屋门，先"敬老年人②"及猪神菩萨③，点上香烛，两人用膝盖将猪抵在堂屋门前铺的红地毯上，由端公呼逝去亲人的名讳，说"要一点"，杀猪匠则用少许钱纸包住杀刀把，一刀捅进杀口，放出少许血，如此反复三次，叫"献血"。杀后将猪头尾调换，即尾正对堂屋门，以待祭祀。一般要念祭文，如庆坛④用祭猪，则请端公念《放牲科》：

鸣角晓来叫一声，洪猪一只命为阴。非是他们来杀你，也是前生命生成。
此猪生来此猪生，此猪生来有原因。你今生于亥年、亥月、亥日、亥时生。
父亲有名康百万，母亲曹氏老夫人。头大尾小脚两双，吃了多少米和糠。
凡人吃米你吃糠，莫在阴司道短长。凡人吃米你吃谷，莫在阴司道祸福。
此猪生来此猪生，悃在台上不做声。吾师见你心不忍，指条明路往前行。
东方有个木德星，弟郎发你东方去。南方有尊观世音，弟郎发你南方去。
弟郎发你北方去，大清圣主在北京。弟郎发你西方去，西方才是你超生。
西方有本《目莲经》。目莲和尚在念经。阿弥陀佛念几声，脱了猪身转人身。

---

① 此汤戏称为"刨（也作'泡、炰'）锅汤"或"洗猪水"。四川省政协文史资料委员会：《四川文史资料集粹》（第6卷，四川人民出版社1996年版，第309页）："（射洪县）就在（杀年猪）当天请最亲近的亲友吃'泡猪汤'。"欧阳平：《重庆春节的旧俗及祈福求子》（《龙门阵》1988年第5期）："抗日前市区准许养猪，腊月下旬几乎各街巷都有杀过年猪之家，因此吃团年饭常为杀猪请客的'炰汤饭'。"
② 老年人："祖先"的讳称。
③ 一般用红纸写上"瘟祖星君、猪神菩萨、本家俱奉十天斗母星君"以及"六畜兴旺"字样，贴在猪圈门上，以作神位，家中有红白大事及年头岁尾，要用沾了公鸡血的鸡毛或纸钱贴于其上。
④ 庆坛：多指一些巴蜀人在农历冬腊月间，将巫师请至家中祭拜坛神，以乞求一年四季清泰平安。聂云岚等：《中国歌谣集成·重庆市卷》（科学技术文献出版社重庆分社1989年版，第604页）："庆坛这种民间宗教习俗，多在冬季（农历冬、腊月）进行。"也说"跳坛"。吕子房等：《川北灯戏》（四川文艺出版社1986年版，第8页）："他没学端公跳坛，只学了唱灯。"也说"打端娃"。波乐：《资中的三个李家花园》（《龙门阵》1991年第2期）："1911年11月27日，驻节资州的粤汉、川汉铁路督办大臣端方被湖北新军革命党人斩杀，当时资州的州官姓朱，总爷姓杨，吓得弃城而逃，应了资中一带早就流传着的'杀猪宰羊打端娃'的童谣。"

弟郎发你西方去，西方有个目莲台。目莲台上拜几拜，脱了猪胎转人胎。我于洪猪面前烧纸化张钱，化与洪猪路上做盘缠。
打发洪猪起了身，步步领兵赴坛门。投到张家是男子，投到李家是女人。投个男子入孝堂，孝堂里内做文章。三篇文章做得好，御笔亲点状元郎。投到李家是女身，女身常守绣房门。绣花楼上绣针子，回来参拜香王君。猪啄啄来猪啄啄，先前还在拱泥巴。非是厨官心肠狠，主家喂你庆菩萨。厨官师父手段好，挪在凳子上就来杀。厨官师父手段强，先杀猪来再杀羊。先杀猪儿几百个，再杀羊子几十双。生易［意］兴隆财源旺，血盆里内买田庄。①

部分迷信的巴蜀人认为，端公可据杀猪时喷洒在血盆中的猪血，照出小孩是否犯"血盆关"，若犯，则需举行过关仪式。②

总之，不管是杀年猪，还是杀祭猪，若猪未杀死，头又回对着堂屋门，则称为"猪拜孝"，预示家中有凶兆；若未杀死之猪趁人不备逃脱，在院子里到处乱跑，叫"阴魂不散"，认为是有鬼邪之类作怪；而杀猪时，若猪用脚在血盆里乱蹬，犹如人在水中挣扎之状，叫"猪掐［xa⁵⁵］血盆"，寓意主家有人会在水边出事。总之，杀猪的顺遂与否，均关涉主人来年的吉凶。③

又如"腊肉"，不但体现了古时以腊月为岁终要杀牲祭祀，以庆丰收的遗俗，还将巴蜀地区年猪肉的制作加工后的特色也包含其中了。而在巴蜀民族地区常见的"猪膘肉"，则应是对纳西族、藏族等少数民族制作的独具特色的"腊肉"的称呼。至于"礼猪"和"媒脑壳"以及"猪媒人"，则反映出巴蜀旧时婚姻习俗的一个侧面。除此之外，因"猪文化"还诞生了一批具有浓郁文化内涵的方言词汇（见表2-14）。

---

① 此为黄尚军、陈攀攀于2012年4月30日实地调查端公田建平（法号"通灵"，重庆綦江县乐兴镇大塆大队响堂塆队人）所得。
② 此仪式称为"禳关"。即先由杀猪匠将小孩背在背上，杀猪喷血时，小孩若大声啼哭，则犯"血盆关"。事后小孩拜杀猪匠为干爹。若犯"取命关"，则需拜端公、阴阳、巫婆以及木匠、石匠等手艺人为干爹，再由端公与之共同举行过关仪式。
③ 巴蜀习俗，若一刀不能将猪杀死，不但不付工钱，有的主人还要求杀猪者鸣放鞭炮，挂红，以驱邪，但仍按惯例，款待杀猪者吃喝。当其离开主家时，则送少许猪肉以酬劳。

表2-14 巴蜀部分关于"猪"的方言词语

词汇	地区	说明
行户	成都	猪、牛牙行
莽猪儿	成都	喻指像猪一样笨的小孩
闷猪（子）	成都	喻指傻瓜、笨蛋
躲巴儿猪	成都	①瘦小的猪。②喻指个子瘦小的人
打圈猪	成都	喻指调皮捣蛋的人
臊皮猪	成都	喻指调皮捣蛋的人
腻毛猪	乐山	①正换毛的猪。②喻指吝啬的人
（老）脚猪	双流	①老种猪。②喻指性欲特强且不知检点的老年男性[①]
瘟猪（子）[②]	双流	①生病的猪。②喻指凭借不过关的技艺混饭吃且不长进的人
卖转转猪	双流	多次倒卖猪只
摔不累	双流	"猪尾巴"的戏称
离娘肉	渠县	娶亲时送给新娘家的一块猪肉
圆尾	渠县	猪臀部的两块肉，娶亲时必用
拉肥猪	简阳	劫人索财曰"拉肥猪"
偏耳	长寿	买猪牛说合人曰"偏耳"
猪媒人	长寿	买猪牛说合人曰"偏耳"
拱嘴	长寿	①猪嘴。②"猪"的代称
肥猪	长寿	喻指富翁
草猪	长寿	母猪
牙猪	长寿	公猪
奶架	长寿	阉割过的母猪

[①] 此种男性也被贬称为"脚牛"。陆泽怀等：《德阳民俗》（内部资料本，1996年，第36页）："又该乡一李姓族长，得知族人李先国，乱搞男女关系（嗜嫖，人称'脚牛'），伤风败俗，命族众将其捆绑至镇上提督街李氏祠堂，施以乱棒活活打死。"

[②] （清）刘省三：《跻春台》（江苏古籍出版社1993年版，第409页）："看你做起那瘟猪样儿，妇人家也要收拾，容貌才好看嘛。"蒲江童谣："瘟猪子过场多，老师逮倒揪耳朵。""子"也作"仔"。克非：《春潮急》（上海人民出版社1974年版，第817页）："那又不是一桩固定的生意，横竖夏天雨水多，河里涨水就干不成，你拿去不好管理，当然不会要。只要这头保住，就有办法。哼！姓徐的并不是真正的瘟猪仔哩！""猪"也作"诸"。参见刘希权《"瘟猪子"和"温诸子"》（《龙门阵》1988年第5期）。亡说"瘟症"，指没本事、无能的人。高缨：《云崖初暖》（人民文学出版社1978年版，第198页）："那瘟症师长刘元塘带起大队人马，赶来堵红军，谁知气还未定，轰隆隆，哒哒一阵炮火机枪，被红军打得落花流水。"

续表

词汇	地区	说明
拱猪	成都	扑克牌的一种打法①
流官帽		猪头
纱帽		
人面		
流官		猪肉
捞嘴猪②		①食时，嘴东捞一下，西捞一下的猪。②喻指四处找东西吃的人

除此之外，巴蜀汉语方言大量词汇也借用"猪"阐释各种道理（见表2–15）。

表2–15 巴蜀汉语方言词汇及谚语、歇后语有关"猪"的文化阐释

词汇 谚语 歇后语	含 义
（笨）猪 闷猪③	喻指愚蠢、肮脏之人
犟皮猪	喻指十分调皮、不知羞耻的人
肥猪	喻指被绑票的人
扯母猪风	癫痫病发作，病人多昏倒在地，全身痉挛，口吐白沫
整猪④ 剥狗皮	喻指愚弄人，整人
做事做到头，杀猪杀断喉	说明要抓事物主要矛盾，方能达到最好效果
死猪不怕滚水烫，耳聋不怕大炮轰	喻指"耍赖皮"。因猪杀死后要用开水烫，以便除去猪毛，故名

---

① 成都等地将黑桃Q称为"猪"。此种打法中，猪和红桃为负分；方块J为"羊"，为正分；梅花10点为"倒板儿"，是"加倍"的意思。结局时，谁的负分多为输，谁的正分多为赢，谁得"倒板儿"，均使正分和负分加倍。

② 宜宾县石城山歌："各个歌师请听倒，听我说个癞大嫂：脑壳耸起（缩着）箩筐大，腰杆像个扁葫芦，颈上长起垢甲糊（人的颈部有黑色块状的脏东西）。一样米儿两样煮，焦的焦来糊的糊。肥肉切得巴掌大，瘦肉就朝口头入。嘴巴好像捞嘴猪，背到碗柜抠猪油。虱子裤腰排队伍，跳蚤就在裤裆头。引个娃儿盘（养育）不住，取名就叫王八乌。"

③ 民国18年（1929）《合江县志·礼俗篇》："猪，谓愚而受欺者也。"吕峰等：《中国民间文学集成·四川省西充县资料卷》（内部资料本，1987年，第17页）："一会儿，只见'三李'官兵个个醉得象闷猪一样，都倒下去了。"宜宾县石城山歌："十月采茶茶叶枯，富家子弟可读书。升官发财书垫底，管他呆子和笨猪。"另有"笨猪不认相"一词。《川西说唱报》（1951年第12期）："你们笨猪不认像［相］，他偷走我钱财逃他乡。"

④ 也说"烫毛子"。李劼人：《李劼人选集》（第1卷，四川人民出版社1980年版，第91页）："在赌博场合上，不以正派手段，把别人银钱弄光，叫做整猪、剥狗皮。……烫毛子，就是用开水将猪毛烫去，即是整猪的意思。"何韫若：《锦城旧事竹枝词》（中国三峡出版社2000年版，第232页）："成都民间俗语有'整猪要猪干'之说（意谓猪甘愿受人宰割）。"

续表一

词汇 谚语 歇后语	含 义
养儿不教如养驴［nu²¹］，养女不教如养猪	养育子女重在教育
勤喂猪，懒喂蚕，四十八天见现钱	将养猪与养蚕对比，说明养猪需勤，见效慢；养蚕见效快
端起刀头找不到庙门	①拿着礼品找不到地方送礼。②喻指求人帮忙找不到路径
刀头不在大小，只要热烙①	比喻礼品不在多少，只要有情义，礼轻仁义重
男吵官司女吵败，猪儿吵闹必要卖	一家人经常吵闹，意味这家要衰败；而猪爱在圈中叫、闹，就不能多长肉，应该把它卖掉，寓含"家和万事兴"的道理
秀才不教书，农夫不喂猪	对失正业者的劝诫
山猪吃不来细米糠	比喻"少见多怪""不识货"
腊月八晴，猪牛摆成坪；腊月八阴，猪牛贵如金	说明气候对养猪、养牛的影响
元旦逢亥，猪当人卖	说明季节对养猪的影响
马有笼头猪有圈，婆娘有个男子汉	说明旧时巴蜀男女社会地位与家庭地位之间的差距，以及妇女对男子的依附
喂猪要精粮，养儿要亲娘②	说明旧时巴蜀人的血缘观念
老鸦笑猪黑，自家不觉得	比喻"无自知之明"
黑毛猪儿家家有	喻指同样的、平常的东西，大家都有
槽内无食猪拱猪	喻指在困难时发生内讧
烧猪圈，燴牛栏③ 烧猪圈，烤牛圈	喻指杀鸡儆猴、指桑骂槐
喂得起一根猪，就修得起一槽圈	比喻有能力做某件事情
狗打架扯坏皮袄，猪打架拱翻猪槽	喻指闹纠纷没有好结果
变猪都不想跟他同槽	发泄对某人的十分不满
别个在说书，你在说猪；别个在说事，你在说戏	喻指东拉西扯
不出钱是象，出了钱是猪 钱用少了是狗，钱用多了是猪	喻指无论怎样做都得不到好评
尿经不懂当骟猪匠	骂人是外行
卖猪卖狗，主人开口	买卖行话，指让卖方喊价

① 热烙：本指热、暖和，引申指亲热。
② 类似的谚语有"田要亲耕，儿要亲生"，"家鸡打得团团转，野鸡打得满天飞"等。
③ 巴蜀习俗，猪圈与牛圈多相邻修建于住房侧。

续表二

词汇 谚语 歇后语	含 义
牛看牙口，猪看膘 弯脚黄牛，脚猪直	买牛、买猪要诀
老母猪生儿生到眼睛瞎， 婆娘家生儿生到四十八	对旧时不讲计划生育的女性的讽刺说法
人怕坐上席，猪怕吃玉麦	喻指到一定情势，身不由己
杀猪杀沟子，各人的刀路不同	喻指殊途同归
三个学生遇到说书， 三个杀匠遇到说猪	喻指什么样的人在一起，就谈论什么样的话题
私方猪儿喂不肥	喻指贪心最终得不到多大的好处
瘟猪子服辣子酱	喻指一物降一物
羊子撵窝猪来睡	喻指鸠占鹊巢
面带猪像，心头嘹亮 装猪吃象，心头明亮	形容某人"外表憨厚，实际上很有心计"
母猪有儿，四脚朝天； 和尚无儿，锣鼓喧天	比喻"有子女不一定是好事，无子女不一定是坏事"
马下麒麟，猪下象	喻指出现稀奇事
猪尿包打人不痛，气胀人	喻指使人极端生气
开杀房遇到打清醮①	喻指运气不好
看倒拿刀就端血盆	喻指充当帮凶
猪蹄子抽筋——爪了	喻指害怕极了，没了主意
猪尿包掉到刺芭林——缩肿消气	喻指消除心中的怒气
老母猪打架——只晓得使嘴	喻指自己不动手，使唤别人去做
老母猪过门槛——经佑②肚皮	①本指母猪肚子大，尤其怀小猪时，过门槛也许会特别小心，照料自己的肚子。②喻指不让肚子挨饿
冷水烫猪——不来气	①本指杀死猪后，用冷水烫。②喻指没有反应
六月间的猪头——热吃热还	比喻以其人之道还治其人之身
稀眼背篼装笼子猪儿——脚脚爪爪都钻出来了	比喻被人看穿心思

---

① 巴蜀习俗，"打清醮"时忌讳吃猪肉。
② 经佑：伺候。（清）刘省三：《跻春台》（江苏古籍出版社1993年版，第187页）："遂教他如何经佑，如何上草，几时喂水，几时滚澡。"唐枢、林皋：《蜀籁》（四川人民出版社1962年版，第238页）："母猪过门坎［槛］——经忧［佑］肚皮。"非文：《川渝口头禅》（第3册，西南财经大学出版社2000年版，第159页）："她笑了，不晓得下次'经佑'那个小保姆时，内心是不是会平和些？"

续表三

词汇 谚语 歇后语	含 义
笼子猪儿——摸不得①	喻指不能轻易用手摸
卖了肥猪买架子②——去一槽来一槽	喻指来一群，走一群
弯刀杀猪——横[xuan²¹]起锯[ke²¹³]	喻指工具虽不行，但可灵活运用
杀猪不吹——软打整	比喻用软方法收拾人
杀猪过年——一样有点	比喻花色品种齐全

大量的生活知识，尤其是医药知识，是巴蜀老百姓智慧的结晶，其中许多也与猪有关，如民国33年（1944）《长寿县志·物产》所载，"桃李生蛀，以煮猪首汁冷，浇之即免……于秋分后，用猪大肠盘于缸内，以猪粪和细新泥，壅牡丹根，则次年花必盛……（茉莉）性畏寒，宜暖地，壅以鸡粪，灌以烫猪汤或鸡鸭毛汤、或米泔，则开花不绝。六月六日，以治鱼水灌之，愈茂……水蛭，俗名马[蚂]蝗，生水田中，柔滑无骨。常附农人足胫，吸其血。有食入腹者，为害甚大，惟以田泥或擂黄土水，饮之数升，可下。又以牛、羊血，同猪脂饮之，亦可下"，以及民国17年（1928）《大竹县志·物产志》所载，"玉簪花根合猪肉煮食，可治痔疮"等所谓"偏方儿"，多有疗效，为巴蜀普通民众所喜爱，正如巴蜀俗语所谓"小偏方儿能医大病"。

上述巴蜀百姓耳熟能详的"猪文化"等，均从不同角度反映了旧时巴蜀人林林总总的思想观念。

三、有关蚕的方言词汇

巴蜀各地物产丰富，如竹木、蚕桑，随地皆宜。农守耕耘，妇勤蚕织。其蚕种，就形状而言，有梭子形、笔头形、圆形、长纺锤形、短纺锤形；就颜色而言，有金黄、红黄、淡黄、箸色、淡白、纯白等。巴蜀方志多有记载：

旧时妇女多绣麻、纺绵……然尚勤蚕事。春夏间，桑柘成阴，提筐盈路。〔光绪二十九年（1903）《江油县志·风俗志》〕

邑自宛溪叟著《禅农最要》一书，改良蚕桑，丝业日盛，邑人化之。虽世

---

① 成都习俗，小猪多用竹笼装着卖。
② 架子：架子猪。

族大家，或有不农，罕有不蚕。〔民国20年（1931）《三台县志·风俗》〕

有关资料表明，蜀因蚕而得名。早在先秦时期，巴蜀大地已开始养蚕缫丝，成为著名的蚕丝生产基地。而闻名世界的蜀锦也与蚕丝关系密切，因此，蚕桑文化成为巴蜀文化的重要部分。如同治八年（1869）《珙县志·农功》即对树桑、养蚕之法有详细记载。

有关植桑、养蚕之法，也相应反映在巴蜀汉语方言词汇中，如对桑树及蚕的称呼和分类便有多种（见表2-16）。

表2-16 巴蜀汉语方言对蚕的称呼和分类

名 称	出 处	记载内容
砂砂蜕	民国17年（1928）《大竹县志·物产志》	蚕，丝虫也。春桑时，蚕家畜之，始自卵出，曰"砂砂蜕"，曰"蚕"。性喜燥，恶湿。食桑叶而不饮，三眠，三起，二十七日而老，成茧。茧有黄、白二色，种分春、夏、秋及五花等名。县南高家坝一带，多育之
土蚕	民国19年（1930）《大邑县志·食货志·物产·毛之属》	蚕：土蚕、野蚕
家蚕 野蚕	民国24年（1935）《古宋县志·食货志·物产·动物·虫类》	形如毛虫，色分黑、白，产卵纸上。当春季，始能发展。先在茧中为蛹，蛹变为蛾，啮茧而出，食桑始大。分家蚕、野蚕，三眠，三起，成熟时，不食，不动。颔部透明，内有粘液，吐出为丝，成茧。茧可制丝，为织造用，又有山蚕茧，坚实，可制张绵
	同治十二年（1873）《成都县志·食货志·物产·虫属》	生桑柘间
山蚕	民国21年（1932）《万源县志·食货门·物产》	蚕有白色、竹节、麻黑等种。山蚕无饲养者，间或野生树间，作茧，名"野蚕"
夏蚕	民国17年（1928）《苍溪县志·物产》	蚕有湖种、土种，亦有夏蚕。山蚕食青枫叶，茧最大
马头娘[①]	民国13年（1924）《乐山县志·物产·虫之属》	蚕名"马头娘"，种分春、夏作茧。子有黄、白、土红之别，土红尤佳

---

① 也说"蚕姑娘"。盐源县等地有《蚕姑娘的来历》的民间故事。参见盐源县文化馆《盐源县民间文学资料集》（内部资料本），第1分册，1988年，第9～10页。直至清末，巴蜀仍存祭祀马头娘之俗。（清）文棨：《左绵竹枝词》（林孔翼、沙铭璞：《四川竹枝词》，四川人民出版社1989年版，第70页）："养蚕天气费商量，疏雨才过漏夕阳。拟约东邻诸姊妹，来朝同祭'马头娘'。"

表中的分类并非有统一标准，但无疑显示出巴蜀汉语方言词汇有关蚕的不同名称："家蚕""野蚕"是相辅相成的概念，有"家"方有"野"。而"春蚕""夏蚕"则按季节而划分，与蚕的生长周期密不可分。"马头娘"却与巴蜀人蚕信仰联系在一起，背后有着相应的传说故事。不仅蚕本身有各种名称，在巴蜀地区，还有大量与蚕有关的其他动植物（见表2-17）。

表2-17　巴蜀部分与蚕相关的动植物名称

名　称	出　处	记载内容
柞桑	民国35年（1946）《新繁县志·物产》	《说文》："柘，桑也。檿，山桑也。"郝疏《尔雅》："柘、檿同类，故通名。"其实桑、柘，非一物也。柘，俗曰"柞桑"。"柞"即"柘"音之转。柘有苦、甜二种。叶厚而色深绿，形略如梅叶。《齐民要术》："柘叶饲蚕，丝可作琴瑟弦，胜于凡丝。"《尔雅》："棘茧即柘蚕所成。子圆粒如椒，木可染黄，谓之'柘黄'。"《御览》引谯周曰："野柘枝劲，乌集之，飞起枝弹之，乌乃惊号。伐取为弓，故称'乌号弓'。"按：柘不独枝劲，柘蚕作茧，亦特坚厚
地蛹	民国33年（1944）《汶川县志·物产》	一名"蚕蛹"，其形似蚕，故名
甘露子	民国35年（1946）《新繁县志·物产》	甘露子一名"地环"，根形长如连珠；一名"草石蚕"。《本草会编》："草石蚕，肥白而促节，大如三眠蚕。"杨诚斋诗："唤作地蚕亦良似。"今多渍盐作菹，或曝干之，和密［蜜］粉炒食，小儿所嗜。今呼"地蚕子"，或呼"地蛹子"
地环		
地蛹子	民国36年（1947）《郫县志·物产》	甘露子俗名"地蚕子"，又名"土蛹"
地蚕子		
土蛹		
地蚕	民国10年（1921）《合川县志·土物》	茎柔蔓生，二月苗苗，方茎对节，狭叶有齿。四月开小花，成穗结子。其根连珠，如老蚕。五月掘蒸、煮食，可为菜，可充饥
草石蚕	民国27年（1938）《长宁县志·物产·植物·地蛹子》	一名"地笋"，一名"地蚕"，又名"地纽子"，白而脆。杨万里诗："唤作地蚕亦良似。"又名"草石蚕"，《本草会编》："草石蚕，肥白而促节，大如三眠蚕。"
胡豆	清光绪末年《江北厅乡土志·物产》	蚕豆俗名"胡豆"。荚如老蚕，又以出当蚕月，又以豆蒂痕如蚕眉，故名之曰"蚕"
蚕豆		
青枫	民国17年（1928）《大竹县志·物产志》	荚似蚕，有白花、红花、乌花三种
	民国9年（1920）《绵竹县志·物产》	野生者多，可薪可炭。叶可以蚕，壳可以染

续表

名称	出处	记载内容
柘	民国13年（1924）《乐山县志·物产》	别地饲蚕全用桑。惟邑有柘叶，饲蚕先用之，盖蚕丛之遗教也
橡		叶可饲山蚕，即青杠［枫］，作薪烧之，可为炭
土蚕	同治十二年（1873）《成都县志·食货志·物产志》	一名"蟦蟦。"杨子《方言》："蟦蟦，或谓之蝓蛾。"
	民国26年（1937）《犍为县志·物产志》	生土中，咬菜根、叶，亦作能茧^①
缫女蚬	民国21年（1932）《万源县志·食货门·物产》	丝尽未成蛹，曰"蚬"，一名"缫女"
沙蚕	民国31年（1942）《西昌县志·产业志·动物》	一名"水蜈蚣"，俗称"扒沙虫"。产于县属德昌河中，本为有毒动物，而县人取以为补品。或产地不同，而性亦异耶
灼山看火	民国10年（1921）《合川县志·土物》	（黑鹊）谓之护花鸟。自春苦啼，至于五月，人谓其年必丰收。浙西比户养蚕，熟则架山，置蚕于上，下灼以火，故又以"灼山看火"名之，皆以其声之相近耳
胡豆秆	民国24年（1935）《古宋县志·食货志》	罂粟杆［秆］，胡豆形，似四季豆而大，一名"蚕豆"。罂粟即米囊花。胡豆取实，罂粟取浆之后，杆［秆］最有用，均可烧灰取碱
阳雀花	民国10年（1921）《合川县志·土物》	杜鹃鸣时，即开叶。开有小刺花，绝肖蚕豆。花色黄，一叶一花，金光成串，味甘美可食
紫藤		俗名"朱藤"，细叶相对，花紫，蕊黄，三四月间开。花落结荚，如蚕豆

"柘"之名显然与蚕桑有关，但"桑、柘"非一物也。"柘"俗曰"柞桑"，有苦、甜二种，叶厚而色深绿，形略如梅叶。也许正是其叶可饲蚕，"柘"方被世人关注，且见载于诸多文献。

表2-17中的其他植物，以"甘露子"之名最为生动，其形似蚕，故名。"地蚕子、地蛹子"之得名，则又与甘露子生长在土中关系密切，故名之为"地"。

至于"蚬"名之为"缫女"，不但将其形貌特征表现无遗，而且采用拟人的修辞方式，更为形象。与之相应，一批与蚕桑相关的信仰类词语应运而生（见表2-18）。

---

① 亦作能茧：疑为"亦能作茧"。

表2-18 巴蜀汉语方言与蚕桑相关的信仰类词语

名 称	时 间	出 处	记载内容
虫会 放蜡虫	十一月十九日	咸丰七年（1857）《冕宁县志·风俗·汉俗》	虫会者，建昌之大会也。邑民率植冬青树，放蜡虫等，蚕桑之利
祀马娘	三月	咸丰八年（1858）《天全州志·风俗志》	间亦有种桑养蚕者，但止煮茧抽丝，不事纺绩。俗祀马娘于三月，采桑后行之。杨甲秀《采桑竹枝词》有曰"春深远近采采桑，女伴香闺祀马娘。唱罢迎神频献酒，喃喃絮语祝高堂"是也
宜蚕吉	二月上壬 三月三日	同治十年（1871）《合江县志·物产》	《杂五行书》曰："二月上壬，取土，泥屋四角，宜蚕吉。"又曰："欲知蚕善恶，以三月三日，天阴如无日，不见雨，蚕大善。"
蚕市	三月望日	同治十二年（1872）《重修成都县志·风俗》	成都古蚕丛之国，其民重蚕事，故一岁之中，三月望日，鬻蚕器于市，号曰"蚕市"
照（绝）地蚕	正月初九日 正月十五日	光绪十一年（1885）《大宁县志·风俗》 光绪十九年（1893）《巫山县志·风俗志》	乡间妇女请紫姑神问丰歉，烧白蜡树叶乍声，谓之"炸虼蚤"；点烛插园圃，曰"照地蚕" 各家记室张灯，曰"庆灯火节"。老农丸烛，遍插田圃，曰"照绝地蚕"
祈蚕丝	上春七日	光绪二十三年（1897）《潼川府志·风俗》	《九域志》："梓潼有蚕丝山。每上春七日，远近士女，多游于此，以祈蚕丝。"日《通志》："蚕丝山在盐亭县东北六十里，上有蚕丝庙。"
青衣神 马头娘		民国9年（1920）《绵竹县志·物产》	黄帝元妃螺祖教民蚕。"马头娘"之说，殊属不经。吾蜀蚕丛氏教民蚕桑，谓之"青衣神"
祀先蚕	正月十五日	民国19年（1930）《大邑县志·风俗》	祀先蚕。饲蚕者，即以是月浴蚕种
蚕姑会	二月朔十日	民国20年（1931）《三台县志·风俗》	塑十日，秋林驿之蚕姑会
嫁毛虫①	四月八日	民国21年（1932）《万源县志·教育门·礼俗》	四月八日为释迦牟尼佛诞辰，俗尚嫁毛虫。以红纸条架成十字，书四语于四端，中书符讳，粘贴壁上。是月，农播百谷，妇女采桑饲蚕，插秧刈麦，收获冬粮，耕地犁田，日无暇晷。诚古人所谓"乡村四月闲人少"也

---

① 嫁毛虫：在农历四月八日举行的驱逐毛虫的活动。毛虫的浓毛有毒，如果人的皮肤被蜇了，很快就会出现奇痒和肿痛。毛虫大量繁殖，可危害树木、庄稼，比蝗虫还厉害，故成都等地部分乡民每到农历四月八日，便要举行"嫁毛虫"的活动。其常见的方式是在长约一尺二寸、宽约一寸二分的两张小红纸条上写上歌谣，将其贴于天花板或者房梁上，以此驱毛虫、避毒蛇。聂云岚等：《中国歌谣集成·重庆市卷》（科学技术文献出版社重庆分社1989年版，第635页）："今天四月八，嫁你毛虫糠。你把禾苗吃，百姓好痛心。"参见黄尚军《四川方言与民俗》，四川人民出版社2002年版，第125~130页。

续表

名 称	时 间	出 处	记 载 内 容
祈蚕	二月初三日	民国24年（1935）《夹江县志·风俗》	二月初三日文昌会，妇女祀蚕神，以祈蚕
浴佛会	四月八日	民国30年（1941）《汉源县志·风俗志》	俗于是日，采露珠，题红笺，书"佛生日""嫁毛虫"等字。语杂庄谐，养蚕独否
蚕食叶	正月元日	民国33年（1944）《长寿县志·风土·农桑》	正月元日得辰，为一龙治水；至十二日得辰，为十二龙治水。龙少则勤，主雨多；龙多则懒，主雨少。元日得丑，为一牛耕地；至十二日得丑，为十二牛耕地。牛少则劳，牛多则逸。元日纳音属木，得蚕食一叶；至九日纳音属木，为蚕食九叶。少主贵，多主贱

"祀马娘""蚕姑会""蚕市""祀蚕神"以及"养蚕独否"等记载，生动地反映出旧时巴蜀人对蚕神的崇信，这些农人生活中重要的集会和与之相关的神祇，以及为这些神祇建立了专门的供奉之地——"蚕丝庙""蚕丝庵"[1]，正是对现实生活的客观反映，蚕对于人们的重要性不言而喻，由蚕而产生的俗语如下：

蜘蛛虽巧不如蚕。
蚕儿不吃岩桑叶，蜂子不打院坝花。
蚕子变飞蛾，壳子不符合事实的话语是自编自冲[ts'oŋ²¹³]。
麦熟一晌，蚕老一时。

由蚕而丝：

本境前数十年，养蚕者颇尠。自同治癸酉，川东道姚公觐元，始劝民间养蚕，复为购佳种、嘉桑，分播道属，于是厅民乃知蚕利，渐植渐多。近复开通农政，劝种益繁。大凡自业者，几于无不种桑、养蚕。虽每家出丝多寡不等，亦商务之发达。（清光绪末年修《江北厅乡土志·物产》）

县人养蚕，清季较盛，民国反正后，因夷匪猖獗，桑园颓败，饲蚕者少。

---

[1] 民国27年（1938）《安县志·方舆·水道支源》："石佛堰在县南五十五里。堰头在上场河堤，经小拱桥下，旧有石平梁，水分左右。右灌彰明属蚕丝庵一带田，左灌场后长桥右一带田。"

县中人士，虽先后十余人，远至日本、浙江、广东、成都，学习蚕业，各皆精到。归来后，曾数度设学校，提倡改良，究以种种关系，效未大著。迄今育蚕缫丝，仍用旧法，每年产量，不过万余斤耳。〔民国31年（1942）《西昌县志·产业志》〕

清同治末年，巴蜀所产黄丝即有输出外国之记载，乐山、绵州、顺庆、保宁、潼川、合川等地均产丝，种类有潼川产潼丝、绵州产绵州丝、保宁产过盆丝、合川产大河坝丝、顺庆产南充丝[①]，统称为"四川土丝"，[②] 以这些丝织成的"嘉定大绸、成都湖绉、素绉、蜀锦、巴缎、花缎、素缎以及顺庆绸子等，均为著名丝织品，驰名中外。清末，成都市曾有九十余家丝房，丝织业十分发达。

蚕丝在巴蜀地区因产地不同名称各异。李海芹《四川特产之研究》：

直至1842年《南京条约》成立，五口通商以后，迟至1863年，四川黄丝始有输出外国之记载。此时四川产丝之区域，以乐山、绵州、顺庆、保宁为最，潼川、合川次之。潼川所产者名潼丝，条份细而价值高；绵州所产者名绵州丝，较潼丝稍粗；保宁所产者名过盆丝，为川丝之劣者；合川所产名大河坝丝，品质略与保宁产者相同；顺庆所产者名南充丝或名西充丝，色泽优于潼丝，而丝条较粗，价值亦廉，以上所述，皆四川土丝。[③]

"潼丝、绵州丝、大河坝丝、西充丝"均因产地而得名，而据"过盆丝"之名可见，随着工业时代的到来，传统社会中的蚕丝业逐渐走向衰落，丝的分类不再以具体县市名为依据，大量丝名也被人遗忘，不到一百年，原来家喻户晓的词汇，如今已变得令人费解。

不但丝之名繁多，而且绸缎之名也各异。仅就嘉定、成都、顺庆就有"大绸、湖绉、素绉、蜀锦、巴缎、花缎、素缎、绸子"等名称：

乡间惟修屋、制器之工居多。城内百工咸备，皆有裨于实用。其精巧者，

[①] 南充丝：也说"西充丝"。
[②] 参见李海芹《四川特产之研究》，国立四川大学法学院政治学系毕业论文，1936年。
[③] 李海芹：《四川特产之研究》，国立四川大学法学院政治学系毕业论文，1936年。

无过于织造,有宫绸、宁绸、线缎、巴缎、倭缎、闪缎、线绉、湖绉、薄艳平纱、明机蜀锦、天心锦、浣花绢、龟兹阑干①。每年采办运京,常以供织造之不足。妇女务蚕事,缫丝,纺绩,比屋皆然。在城者多善针黹、缝纫、刺绣,色色皆精。贫苦孀居,竟有恃十指以为事畜之资者。〔同治十二年(1873)《成都县志·舆地志·风俗·百工》〕

透过上述词汇,历史上巴蜀蚕桑养殖之盛,蚕丝文化之发达,可见一斑。

有关蚕桑的记载,远不止上表中所列各项,巴蜀地区旧时养殖业,也不限于猪牛以及蚕桑几项,其他家禽、家畜在巴蜀人的日常生活中,同样占据着十分重要的地位,大量相关方言词汇的产生,也大大丰富了巴蜀方言词汇宝库。

第三节 巴蜀汉语方言词汇与捕鱼狩猎习俗

巴蜀地区不仅山多,而且水多。广阔的水域为人们的生产生活提供了必不可少的水产资源。以鱼类为例,巴蜀方志对其记载尤为详细。许多方志不仅对鱼类进行了详尽的分类,而且对当地人利用渔业资源情况也有较多记载,其中许多鱼类词汇的命名以及与捕鱼方式相关的词汇都极具特色:

泸境岷、沱两江及沤水龙溪,产鱼甚富。其他溪涧,无不产鱼,而以渔为业者亦多。渔具曰罾,曰纲(小为手网,大为拦网),曰篊(有大、小二式),曰笆笼,曰虾筏,曰划竿,曰渔罩,曰闹箊,曰闹扒,曰响筒,曰渔筌,曰渔义,曰滚钩,曰发钓。生之固易,取之务尽。殊失"数罟不入,鱼禁鲲鳝"之义。江沱以鲢、鲤为多,田塘以鲤、鲫为多。又有鲩鱼(载《广舆记》)、鮥子鱼(今俗呼"辣子鱼"……)、黑鲫鱼(出县南方山深壑中,年久色黑,甲内有靴毛,食之可疗热疾)、红鱼(出新路口上游大石盘江中,前大后小,肉鲜,出水即死。渔者舣舟,炊釜以待,捕得即入釜)、鲜鱼(一名

---

① 阑干:也作"栏杆"。民国13年(1924)《江津县志·风土志》:"凡织带皆可为衣服缘边(如俗称'阑干辫子'之类)。邑语通谓衣缘边为'绲',俗作'滚'。"何韫若:《锦城旧事竹枝词》(中国三峡出版社2000年版,第147页):"(辫子)乃以色丝织成之长带。其宽窄不一,但宽者亦止数公分,配色有多种,大率皆五彩斑斓,用作衣裙缘边,倍增美感。成都方言亦称此物为'栏杆'。"

江团,色淡黄,无鳞,公圆口,母尖头。肉极细腻,俗呼"肥头",亦谓之"肥鲜"。鲜读如"沱")等。〔民国27年(1938)《泸县志·食货志》〕

一、鱼类名称

巴蜀地区的鱼类名称中,有的是以鱼的生理特征命名,有的则以其习性或产地命名,更有被赋予浓厚文化色彩、以传说故事而命名的(见表2-19)。

表2-19 巴蜀部分方志所载鱼类名称及命名方式

方志名称	鱼 名	相关记载
同治四年(1865)《璧山县志·物产》	红稍鱼	马坊桥、夫子滩、漫水湾等处俱产,身狭而长,色白,尾赤,有大至数斤者
	青鳀子鱼	出涩滩,上下俱无。头类鳅,身似鳝而无鳞,多肉,少骨,重只数两,味极脆美
光绪二年(1876)《南川县志·土产》	虎 鱼	长四五寸,色黄无鳞,文如虎斑,鼻有角,动则出,锋利如剑
	石 巴	形如蝌蚪,长二三寸,住流水中石上,鳃下多生白虱,如豆
民国9年(1920)《绵竹县志·物产志》	细鳞鱼	为鲫鱼之一种,无触须,鳞甲细小,腹肥,色白。惟绵阳、石亭江两河有之。绵阳河发源于茂县牛心山,为支流;灌县岷江为正流,皆产细鳞鱼
	龙眼鱼	为鲫鱼之变种,腹大,额丰,眼凸,颈短,大尾分歧,或黄,或白,或红、黑,一称"金鲫"
	麻沙鱼	全体无鳞,有黑斑,长三四寸,溪谿中处处有之
	桃花斑	全体似鲫,惟腹下有苍黑斑点
	白 跳	似鲤鱼,长三四寸,腹部白色,好游泳水面,体甚活泼
民国10年(1921)《合川县志·土物》	江 团	鱼之有肚者,形似鲢,而头部较团,色淡,黄而白。皮肉细腻,味极鲜美。其美尤在头,故俗呼"肥头",亦谓"肥鳡"。"鳡"读如"它"
	白 甲	亦似鲤,而甲极白,三四月多有之。分单唇、双唇二种。双唇者,其味尤佳
	象 鱼	又名"鱏",鼻长如象,俗名"剑鱼",又名"箭鱼",皆取其似也。其美在鼻,可为脍
	水鼻子	鱼鳞细而多刺,味极鲜美。口圆者,俗呼为"圆口",味尤佳。惟出水不耐久,故名之曰"出水烂",即桃花鱼也,以桃花时出,故名
	薄刀片	一名"鲾鱼",体扁而色白,如薄刀然,故名。鳞细,多刺

续表一

方志名称	鱼名	相关记载
民国13年（1924）《乐山县志·经制·物产·鳞之属》	临江鱼	出临江溪，洁而美，食品最珍。郭义恭《广志》云："武阳鱼，大如针，号一斤千头。"
	武阳鱼	
	吹沙	黄皮黑斑，生溪涧中，长四五寸，吹沙而游，洒沙而食，味佳
	墨线鱼	似白鲦而腹大，背青黑色，以腰际有一条黑线得名
	黄颡	头圆，色黄，似鲢而小
	细鳞	鳞细，色黑，味美，一名"雅鱼"
民国16年（1927）《丰都县志·食货志》	红色鱼	长仅数寸，绝肥美，出大江黑石梁。不常有，必夏水浸涨至梁脚，始结队出，渔人限时轮网之。此为水族特产
	墨甲鱼	忠武乡观音桥下，溪水湍流，相传易太史简洗砚于此，鱼尽变成墨色，味亦美
	石马塘鱼	塘由沙滩河流入，产鱼多，常有渔船捕取。又有门槛塘，水亦由沙滩河流入，塘如门槛，鱼可进不可出，与石马塘具为渊薮
	钱口鱼	出崇德乡溪中，由渗洞流出，张吻如钱，故名。长只数寸，肥美不减红色鱼云
	龙洞跳鱼	崇德乡龙洞河有滩石，生成如罐。夏至后，群鱼结队出，争跳入滩内。附近民争取之，日约得鱼百余斤。交小暑，鱼即不见，有亦不跳
	油鱼	谓其自带油润也，出崇德乡韩家沱。沱水由山穴流出，鱼亦墨色，味绝美，然必夏水涨始出
	泉子鱼	又有一种，冬时始出，肥腻尤胜油鱼，土人俱以泉子（鱼）名之
	桃花鱼	向惟忠县折尾滩有之，状若桃花，以手掬之，若痰涎。然今高镇小河一带，春涨遍出，游扬水面，颇堪玩赏
民国17年（1928）《大竹县志·物产志》	沙勾	形似白参，体较长大。口阔，目巨，常在沙面游泳，故名
	蛇鱼	又名七星鱼，形似乌蛇而短，色青灰，能潜伏泥中
民国20年（1931）《达县志·食货门·物产》	红鲭	身有赤痕两条
	白甲鱼	身扁而长，鳞小而白
	爬滩	鱼小无鳞，腹平，性喜爬滩石上，故以为名
民国21年（1932）《万源县志·食货门·物产》	桃花鱼	扁狭而长，纹色如桃花，古名"鳜"
	船钉鱼	形似得名，多肉而美。
	沙鳅	首似鳅鱼，而身似斑鱼，细鳞。味美。产五区，他处无有
民国26年（1937）《犍为县志·物产志》	龙眼鱼	两眼突出如豆，长一二寸，尾鳍大于身，赤色。可玩，但不能食
	黄勒丁	赤黄色，尾及两腮皆有刺如钉
民国27年（1938）《长宁县志·物产》	马脑鬃	头部有毛如马鬃，渔人网得者，以为不祥
	重口	形似白甲，惟嘴上有肉圈二道，故名
	白鱼	白色，长二三寸，腹部宽

续表二

方志名称	鱼名	相关记载
民国27年（1938）《长宁县志·物产》	黄摆	略似鲤而黄色，大者二三十斤，古家河以下有之
	石爬子	一名"石扁头"，黄腹，黑背，无鳞，腹平，大仅二三寸，常伏石上，味美。《本草》名"石斑鱼"
	石胡子	状似鲢而小，嘴扁，鼻尖，嘴旁出二须
	桃花子	身有红、绿二色，甚美观，而味不佳。社日前后……桃花开时，逐队而出，入夏即化去
	龙眼鱼	俗呼"道光鱼"，似虾，头大，尾细，眼突出。生河边浅草及井中、田中，成群出游
	火烧斑	俗呼"烧火老"，似红眼，串身有红、绿横纹，尾红，产于田间及小溪中。大仅寸余，肉甚耙（肥），不中食
民国31年（1942）《西昌县志·产业志》	细鳞鱼	巨口，细鳞，产于安宁河
	桃花鱼	产于山谷溪流，每岁桃开时始见，身有桃花色纹，故名。长数寸，无大者
民国33年（1944）《汶川县志·物产志》	猫鱼	头似猫，口有齿，甚锐，独刺，肠胃一贯。常捕食鱼类
	麻鱼	长数寸，色苍褐，身有黑斑，故名。为猫鱼之嗜食者
	红尾鱼	体苍褐色，尾红，故名
	石爬鱼	身首皆扁，嘴在额下，附石而居，俗称"石爬子"
	黄辣鱼	状如石爬鱼，颔下有刺，俗称"黄辣钉"
民国33年（1944）《长寿县志·物产》	扁鱼	扁扁也，其身扁，故名，即鲂鱼。小头，缩颈，穹脊，阔腹，细鳞。其色青白，腹内有脂肪，味最美
	象鼻鱼	鼻长如象，盖有属也。按：《东山经》注云："鲔似鳝而鼻长，体无鳞甲"
	草鱼	形长身圆，肉厚而松，以草饲之，故名。古名"鮀"，有青、白二种。白者，味较胜
	桃花鱼	古名"鳜"。李时珍曰："鳜，蹶也。"身不能屈曲，如僵蹶然。形扁，腹阔，口大，鳞细，与松江之鲈同状。出水，数刻即馁。桃花开时，始有之，故名
	石宝鱼	产龙溪石缝中，长寸许，紧粘石上，取者警以鞭，用网盛之，稍缓即失。若拭以手，不能得也
	吹沙鱼	小鱼也。居沙沟中，吹沙而游，啄沙而食。大者长三四寸，首尾大小如一，黄白色，有黑斑点，味最美
民国36年（1947）《郫县志·物产》	桃花鱼①	状如鲫鱼，色微近赤，鳞细有花。又三月水发，多有之，故名
	刨劈鱼	白鳞，状如白鲦，但腹下有硬骨，白鳃，至尾如刀之异耳。郫惟徐河堰有之

---

① （清）王培荀：《嘉州竹枝词》（林孔翼、沙铭璞：《四川竹枝词》，四川人民出版社1989年版，第124页）："临江半是钓人居，妇子团圆乐有余。顿顿香蒸云子饭，条条柳贯桃花鱼。"自注："产桃花鱼，桃花开则生，额有红点如桃花。"今忠县、新津县一带流传有桃花鱼与王昭君出塞和亲有关的民间故事。参见周世忠等《中国民间故事集成·四川省忠县资料卷》（内部资料本），1990年，第234~235页。

续表三

方志名称	鱼名	相关记载
民国36年（1947）《郫县志·物产》	石冈鳅	头大，尾小。秋后每于乱石滩头得见，故名。
	象鼻鱼	一名"花襟鱼"，又名"手巾鱼"。无鳞，状如泥鳅，身有青花，鼻端有二刺，触之刺人，郫邑徐河堰有之
	黄颡鱼	又名"黄鲿"，无鳞，腹黄，背青，尾似鲇，腮下横二骨，两须，群游作声轧轧然
	沙瓮鱼	鳞细而白，每在浅水沙中，故名
	墨线鱼	身直而长，细鳞，胃有黑纹如线，故名
	白甲鱼	细鳞如银，身如鲤，但身腹条，嘴微润耳。郫邑为[惟]徐河堰有之
	黄蚴钉	赤黄色，无鳞，尾如鲕，腮旁有二刺如钉，触之刺手，酷利甚，因名

上表仅选取了巴蜀部分方志中有关鱼类较具特色的命名，从中可见，外形、习性、产地、食物、传说、生理特征等，都成为重要的命名依据。[①] 其中，尤以外形特征命名的占绝大多数。

此外，巴蜀地区由于水系发达，沟渠、河流众多，水产资源十分丰富，鱼类众多。如我们仅在金堂鱼市就发现有"桃花（鱼）、花姑娘儿、肉麻鱼、麦沿[ɕien²¹]子、沙鱼、黑乌佬儿、青沿[ɕien²¹]子、石钢钎儿、金黄麻鱼、梭颈子、巴石子、青头罐儿、刺泥鳅、菜板鱼、白条子、石扁头儿、船钉子、黄蜡丁儿[②]"等鱼类。[③]

新津县则有"瓦鱼长约三寸，呈瓦片状灰色，故名、土佛鱼多在夏天出现，因其头形与佛爷像相似，故名、**螺蛳青**青鱼、**白条子**四川华鳊、**岩扁头**大鳍鲂，因其头部扁平且生活在岩石缝中，喜食岩浆，故名、石卡子中华纹胸鮡、**翘壳**短臀近江鲌、**翘角**、石钢鳅、石钢鱼长约三寸，通体有红黑相间花纹，尾红，喜聚集激流处，多生活在岩石缝中，故名、花斑鳅、船钉子、**豹鱼**通体白色，有黑花纹、江团、**土凤**唇鲭、黄辣丁、**吻圆钝**岔尾黄颡鱼、**硬解黄辣丁**江黄颡鱼、**水蜂子**白缘鮡、土凤鱼、**石爬子**体扁平，因其多爬在岩石上，故名、白漂红鳍鲌"，以及"红尾子[④]、马脑凤、麻沙沟、仓条子、虹鳅、草棒、游鱼子、木杠子、桃花子、九道枯、鳡棒、银参、黄片、白甲、

---

① 南江县一带还有以信仰习俗命名的，如"端公鱼"之类。
② 此鱼宜宾一带也有。宜宾石城山歌："大河涨水小河浑，我的船儿朝上撑。上午打到鲫鱼子，下午打到黄腊丁。"
③ 此为黄尚军于1995年8月于金堂县城厢镇农贸市场调查所得。
④ 也称"红梢"。

青波、土狗鱼、麻麻鱼、锅边鱼、千岁鱼、鲞子、苦死片、龙针、桂花鱼、乌棒"等。①

南江县有"洋鱼、木叶鱼、母猪鱼、石扁条、巴鱼、羌活鱼、火烧板、沙弯子、黄角郎"等。②

泸州市有"青波、雅鱼、尖头、白乌鱼、鲢巴郎、烧火佬、母猪壳、石胡子、水迷子、大腊子、沙腊子、黄腊钉、龙眼鱼、麻花鱼、石爬鱼、杂种鱼、黑尾子、菜包子、船钉子、参子、翅角仓、牛肋巴、义婆婆鱼、棉花条鱼、红翅、红梢、白甲、乌棒、戚棒、肥餐、红眼棒、江团、肥砣"等。③

资中县有"白鳝、倒刺巴、白甲、青龙棒、鲤拐子、岩鲤巴、鲫壳、麦穗鱼④、小口鱼、烧火老、花花鱼、白杆鲹、鲹条、油鲹、船钉子、冷水子、青线子、茅叶子、红眼棒、草棒、连巴郎、马口鱼、桃花浪、翘壳、大鳞刺、菜板鱼、鲢子鱼、胖头鱼、爬子儿、石板头⑤、万年鲹、母猪壳、大石爬儿"等。⑥

巫山县有"腊子、鲟鲇子、火烧鳊、母猪壳、黄姑头儿、石扁头、胖头儿、白鲢子、青足、麦秆刁、鸭翅子、耸肩膀、红梢、金鳅、麻花鱼、尖头棒、青龙棒、石燕子⑦、油同子、刁子、鲫壳、洋鱼、鳅子棒、马杆子、船钉子、土黄鱼、杉木塞子、白刁子、麻条子、桃花子、石峰子、桃花棒、赵格棒、沙泥鳅、花斑鳅、爬岩鳅、爬石子"等。⑧

此外,巴蜀各地报刊中也常载有诸多鱼名,也证明巴蜀方志中的这些名称不仅仅见于古代文献,在巴蜀人的日常生活中仍被广泛言及:

他又接着说下去,"千斤腊子万斤象,黄排大得不像样嘛,黄排好大的哟。"老人所说的"腊子"就是中华鲟,"象"是指白鲟,这两种鱼都是国家

---

① 参见新津县志编纂委员会《新津县志》,四川人民出版社1989年版,第182~183页。另有部分鱼名为黄尚军于2004年8月至新津县五津镇高家花园调查郑建荣先生(男,79岁)所得。
② 参见南江县志编委会《南江县志》,成都出版社1992年版,第111页。
③ 参见泸州市地方志编纂委员会《泸州市志》,方志出版社1998年版,第155页。
④ 也称"麻杆鲹、肥鲹、土麻杆"。
⑤ 也称"石胡子"。
⑥ 参见资中县志编纂委员会《资中县志》,巴蜀书社1997年版,第57页。
⑦ 也称"东波鱼"。
⑧ 参见四川省巫山县志编纂委员会《巫山县志》,四川人民出版社1991年版,第71页。

一级保护动物。(《蜀报》2000年11月18日第C3版)

老渔翁返回途中,见金龟丞相和铁蟹将军正在调遣三江名鱼:河草、河鲤、河鲶、三角蜂、石巴子、黄辣丁、水密子、青波……还有岩鲤、江团各路水族,且命令分期分批到三江口集结。(《蜀报》2000年9月28日第C4版)

二、有关捕鱼的方言词汇

巴蜀境内的诸多鱼类资源,为沿河而居的巴蜀人提供了重要的食物与经济来源,捕鱼也因此而成为重要的生计方式。数代相承的捕鱼方式也有特色,巴蜀人不仅用船、网、钓、钩等器具捕鱼,而且利用鸬鹚和水獭等捕鱼:

宋江面窄,水清浅,易于取鱼,鱼亦较嘉陵江为美。前清时代,渔户纳税于官,因得取鱼之特权。而近水居民,亦得随时取之,或网,或钓,或搬罾,或安筌,均莫能禁。民国以来,各镇、乡自治会议,欲收回本地利权,以时乱未实行。〔民国17年(1928)《苍溪县志·物产》〕

此则材料充分显示出当地捕鱼方式的多种多样。而民国时期傅崇榘在《成都通览》中,即对当时成都地区渔具有诸多介绍,如"虾笆、罾、钓竿、发钩、(鱼)老鸦船①、鱼猫子船、笆笼、罩、鱼叉、花篮、网、篾子"等。

巴蜀方志也记载了不少渔具名称。仅网即有"牵脚网②、旋网、围网、联网、拦河网"等。各种捕鱼工具和捕鱼方式,也丰富了巴蜀汉语方言词汇,如"虾笆",本指捕捞工具,后引申出"胆小鬼,不敢承担责任者"等义,为骂人语:

肚皮里还有半瓶子臭哄哄的醋,就出来稀牙半腔地乱打饱嗝。你小子也

---

① 此类船旧时在巴蜀各地十分常见,因小渔船上站有鱼老鸦,故名。(清)翁霆霖:《南广杂咏》:"掠波最数老鸦秋,雨后'鹭鹭'平水流。'铜鼓''九龙'都过尽,赶船便直下泸州。"自注:"'老鸦秋',小船名。"另重庆合川有"白甲头"。(清)张乃孚:《合阳竹枝词》:"古佛多灵赛会秋,他生未卜此生求。'东山'结伴烧香去,'鸭嘴'争呼'白甲头'。"自注:"'白甲头',舟名。"荣昌县有"瓜皮艇子"。(清)赵懿:《荣昌竹枝》:"瓜皮艇子两头纤,船头船尾互相衔。分明一水盈盈隔,令人蓦地眼长馋。"参见林孔翼、沙铭璞《四川竹枝词》,四川人民出版社1989年版,第104、136、145页。
② 因网上有"牵脚"(铁或铅制沉网器),故名。参见《重庆晚报》2001年9月30日第12版。

不看哥他们咋个长起的，不是贬你的话，哥他们就是捂到半边嘴，也要把你虾范骂得五体发热，六神无主，七窍生烟。(《扭曲与复归——文革中的操哥现象》，第77页)

而"网"本指捕捞工具，名称多样，用法各异，以下略举数例。

尖头网　方形网

此二网多用竹竿做梁架。尖头网形似尖尾口袋。捕鱼时一手掌网，一手以竹制三角形刮子赶鱼入网，鱼被赶入网后，再将网口向上提起。方形网则只围三方，比尖头网宽大。捕法与尖头网相同。捕者腰系笆笼，起网时，若有鱼则将网抖动几下，防止鱼儿逃走。

旋　网①

使用旋网的方法有二：

一为单人操作。一般用左手抓住网顶，右手将网理清后，②迅速抛出，要求"快、准、开"。"快"即速度要快，"准"为目标要准，而"开"则是网要抛得开。三字口诀中"开"尤为重要，如果稍微打结，便一定无鱼。网撒出后，收网讲究慢、轻，最后提网时，又要求迅速、果断。

二为多人协作。数人边"踩水"，边将旋网拉成圆圈状，并悬于水面后放开，使旋网罩住水下一块地面，众人再潜入水中，隔网摸鱼。③

同时，旋网打鱼还要求渔人对水中的情况熟悉，如有障碍物，如竹梢、树枝等，便会使网不能成形收拢，会影响捕获鱼虾的多少，故旋网打鱼的技术要求较高：

一本歌书十二页，一把锄头三斤铁，一件铧口九斤水，一副旋网无数结。(《中国民间文学集成·酉阳土家族苗族自治县民间歌谣谚语资料集》，第11页)

---

① 渠县称为"刮网"。
② 此也称为"撒网"，又分为"撒明网"和"撒暗网"。参见崔显昌《三江说渔》，载《龙门阵》1986年第2期。
③ 参见戴克学《鱼趣闲叙》，载《龙门阵》1993年第2期。沙汀《摸鱼》，载《沙汀选集》第3卷，四川人民出版社1984年版，第102~113页。

另有"门板网①、奶奶网、粘（黏）网、罩网"等。

"网"后来在巴蜀汉语方言中发展出多重含义：

兜揽、招揽称为"网倒"：

鞋铺老板见生意来了，赶忙网倒。（《中国民间故事集成·重庆市巴县卷》下卷，第276页）

人家刚认识你，啥都不晓得，你就鼓吹早点结婚，她肯定会想，这个老几多半哪方面有毛病，才想早点把老娘网倒！你今天就是这样子洗白了的！（《成都商报》1999年12月5日第B2版）

被弄糊涂，或陷入圈套、困境，或男女之间发展不正当的关系，称为"网起、网进、网到"：

这两个龟儿子都奸喃！整来整去，把我也网起了。（《成都民间文学集成》，第1438页）

这一下把老太太弄来网起了。明明来救我的是成都府正堂的官船，不是儿子，又是哪个呢？（《成都民间文学集成》，第778页）

于是，诸葛亮就把这些土堆堆取名为"八阵图"。这一来，曹操就不敢轻易来西川，生怕网进这阵里去。（《成都民间文学集成》，第603页）

1997年她和表哥在永太镇开了一家OK厅，秦岚与小姐又网到了一起。（《蜀报》1999年2月23日第2版）

交际十分广泛，很有办法，很有背景，称为"网（网扯）得宽"：

他知道，方老板生意网得宽，不过，自己见识浅，不晓得他跟赵副官长狗扯连环做成啥子生意，怎么还会有黄花闺女、七分人才，有参议员呢。（《龙狮斗》，第197页）

"网"也可作为量词，用于成网的或成堆掉下的东西：

---

① 也说"拖网"。

他用刀子海起劲就把蛇肝割了一大网。(《中国民间文学集成四川卷·成都市东城区卷》,第235页)

"网(点)"可指代"块、片":

如果我把那网地弄倒,那简直该我发财。(《中国民间文学集成四川卷·成都市郫县卷》,第225页)

用小鱼网兜在水田及河岸边上捕鱼,称为"筛边打网",后比喻说话、做事等与正题无关:

我在课堂上讲课,如备课不充分,计划不周密,也时不时要说筛边打网的话。(《川渝口头禅》第2册,第162页)

还可组成"网起网起、网网巴沙"等词,形容"被轻软且体积较大者或细小杂物羁绊"的状态:

路上帐子网起网起的,跑都跑不动,踩到帐子挓了几扑[仆]爬。只得提起磨墩慢慢走。(《中国民间故事集成·重庆市合川县卷》,第442页)
谷子挓到拌桶头,那些草草些网网巴沙的哇,就弄笣笣儿钩哦,筛筛筛哦,筛倒就晒哇。(渠县三汇镇口语)

"扯南山网"[①]一词,有"漫无边际的瞎说"之义,应从"网"的本义引申而来。而"赶网子"本为小型三角鱼网,洪水季节,渔人站在沟边或江河边,逆流像划船桨一样舀鱼,效果甚佳。后产生出"当赶网"一词,喻指为做坏事者充当帮凶:

这样一块肥得流油的地塌,派谁去给赖心辉"提口袋""当赶网"呢?

---

① 另有"扯拦天网"一词,比喻大力铺张。(清)傅崇榘:《成都通览》(下册,巴蜀书社1987年版,第25页):"扯拦天网,铺张大也。"

(徐式文《虫精县长升官记》《龙门阵》1989年第1期)

以下列出巴蜀部分地区有关"捕鱼"的方言词汇(见表2-20)。

表2-20　巴蜀部分地区有关"捕鱼"的方言词汇

资料来源	相关方式			
	器具	动物	毒药	经验
民国17年(1928)《苍溪县志·礼俗志》	鱼鹰船 老鸦船	鱼鹰		
民国27年(1938)《泸县志·食货志·渔业》	罾 手网 拦网 笆笼 虾筏 划竿 渔罩 闹筪 闹扒 响筒 渔筌 渔叉 滚钩 发钓			
民国17年(1928)《大竹县志·风俗志》				打鱼不在急水滩
				梢公多了打烂船
嘉靖四十一年(1562)《洪雅县志·风俗》	棹 百袋网 栏江网 撒网 浮筒 钓 竹叉 梯缯①	獭 鸬鹚	巴豆 苦葛	使用棹得鱼最多,但是必江水上涨才行
民国21年(1942)《西昌县志·产业志》	网 竹笼 有钩之铁叉 钓饵			每岁三四月,鱼常至浅海有水草处产卵,渔人即乘机昼夜工作。……每岁二月,金沙江之青鱼,常数十成群,上溯至安宁河中产卵

上表对旧时巴蜀地区的捕鱼方式进行了简要罗列。以下就其中重要而常用的方式略加探究。

笆笼

也作"笆篓(儿)",篾条编制的鱼篓。渔人常将其系于腰间,捕到鱼后,迅速放入笼内。因其口部有竹篾倒刺紧束,鱼儿进易出难:

(田畴)于是,就势拾起那个搁在门槛边的笆笼,转回身来,强笑向她夸耀了一通他在钓鱼上的难得的进步。(《困兽记》,第270~271页)

---

① 嘉靖四十一年(1562)《洪雅县志·风俗》:"缯侣网而方,缯上以竹找架,前昂后低,以大麻绳系之下,用竹筏三,以三四人坐于筏上,纵绳则缯入水,得鱼则举缯。缯底置一倒须竹篓,鱼入者,皆不得出。或有舡,则不用筏。"

后衍生出"话贩子""话笆笼",喻指"话匣子"①,"松笆篓"则喻指"轻易大把花钱的人":

卖货奸商硬是奸,悬天叫价黑漫天。人家不是松笆篓,就地还他个小钱。(《成都竹枝词》,第98页)

有关笆篓的谚语有:

鱼朝笆篓凑,该死尿说头。
扯草草揍笆篓。
外头捡个笆篓,屋头掉扇门板。
外头是个虾笆,屋头是个笆笼。
男人是抓手,婆娘是笆篓。②

鱼老鸹

此即"鱼鹰",学名"鸬鹚"。用鸬鹚捕鱼,在巴蜀地区有着悠久的历史,有学者甚至考证,历史上的鱼凫之得名,即与此种捕鱼方式有关系,而三星堆出土的青铜器上即有鸬鹚形象。

苍溪县嘉陵江穿境而过,带来丰富的渔业资源,鸬鹚成为当地人重要的捕鱼工具:

本境嘉陵江渔户,有鱼鹰船,俗名"老鸦船",所到之处,布网取鱼,大者则纵鱼鹰取之。〔民国17年(1928)《苍溪县志·礼俗志中·渔畋畜牧》〕

用鸬鹚捕鱼,也要讲究技巧。渔民一般将驯服好的鸬鹚的脖子用绳子系

---

① 黔江方言也说"话口袋、百话头、打卦、八话头",参见吴知《黔江方言》(油印本),1987年,第136页。唐枢、林泉《蜀籁》(四川人民出版社1962年版,第372页)也收有"话贩子、话笆笼、话把头"等词。
② 四川省荥经县民间文学三套集成编委会:《中国民间文学集成·荥经县资料集》(内部资料本,1986年,第68页):"俗话说:'男人是虾扒〔笆〕,女人是笆笼。'你就是再有金银财宝嘛,我也保管得起嘛。"

住，以免其将所捕之鱼吞入肚中。俗传鸬鹚能记住自己捕鱼的数量，当捕到七条鱼后，它们多会向渔人要"奖励"，否则便不再下水，渔人一般喂以小鱼、小虾，等其食后，再让其下水进行新一轮的追逐。它们不仅能单独劳作，还能够群体合作，追逐围困同一猎物。① 鸬鹚在巴蜀不同地区有不同的称呼，如"水乌鸦""水老鸦""鱼老鸦"等。（见表2-21）

表2-21　巴蜀部分方志对"鸬鹚"的记载

资料来源	文献载录
民国9年（1920）《绵竹县志·物产》	（鸬鹚）一名"鱼老鸦"。色黑似鸦，长喙弯曲，能没水取鱼，渔人常畜之
民国20年（1931）《达县志·食货门·物产》	鸬鹚，俗名"水老鸦"，色深黑，能没水取鱼，渔人常畜之
民国27年（1938）《长宁县志·物产》	鸬鹚，俗呼"水老鸦"，色黑如鸦，长喙钩曲，善入水，取渔户往往畜之
民国31年（1942）《西昌县志·产业志》	鸬鹚，俗名"水乌鸦"，渔者常养之以捕鱼
民国33年（1944）《长寿县志·物产》	鸬鹚，《尔雅》名"鹚"，一名"水老鸦"，色深黑亦如鸦，而长喙微曲。善没洲渚，夜巢林木，久则粪毒多令木枯，渔户驯畜捕鱼

"鱼老鸹"在巴蜀汉语方言中还指"水性很好的人"，有时也为对渔民的不尊敬的称呼。②

鱼猫（子）③

此即水獭，有说其形似猫，喜鱼，而称"鱼猫（子）"④。《说文解字·犬部》释"獭"为"水狗也。食鱼。从犬，赖声"⑤。王安石《字说》也说"正月、十月，獭两祭鱼，知报本返始。兽之多赖者，其形似狗，故字从

---

① 参见崔显昌《三江说渔》，载《龙门阵》1986年第2期。
② 旧时巴蜀渔民终年劳作辛苦，不避冬日严寒，但收入甚微，故巴蜀有"摸鱼捞虾，饿死全家"之谚。
③ 金堂县俗谚说"十只鱼雕（鸬鹚），当不得一只鱼猫"，意为鱼猫子捕鱼的本领比鸬鹚强。参见崔显昌《三江说渔》，载《龙门阵》1986年第2期。
④ （清）杨甲秀：《徙阳竹枝词》（林孔翼、沙铭璞：《四川竹枝词》，四川人民出版社1989年版，第226页）："鱼虎由来好食鱼，相残同类竟何如。春深倘有成龙者，飞出重渊气自舒。"自注："鱼虎出州西'紫石关'等处，性嗜鱼，俗名'鱼猫子'。"
⑤ （汉）许慎撰，（清）段玉裁注：《说文解字注》，上海古籍出版社1981年版，第478页。

犬，从赖"。① 二书均言其形似犬，与鸊鹈相类。水獭在巴蜀地区也被人驯化，成为捕鱼的重要帮手，巴蜀方志多有载录（见表2-22）。

表2-22 巴蜀部分方志所载"水獭"名称

资料来源	文献记载
光绪三十四年（1908）《郫县乡土志·物产》	獭，常产，俗呼"鱼猫子"
民国9年（1920）《绵竹县志·物产志》	獭，麻黑色，肤如伏翼，尾长，四足均短。常水居，能知水信，渔者常驯畜之以捕鱼
民国10年（1921）《合川县志·土物》	獭，长二三尺，尾尖长如锥，四肢趾间皆有蹼，善游泳。水中捕鱼，傍河岸穴居。营渔业者多豢之，以其形扁，亦称"扁子"
民国15年（1926）《阆中县志·物产志》	獭，本野生，渔人间有饲之，以捕鱼者
民国17年（1928）《大竹县志·物产志》	猴獭，有二种：身、尾皆扁，俗名"扁子"。长二三尺，毛色青黑，尾尖如锥，足短，有蹼，趋走甚疾。山居者窃鸡狗，水居者捕鱼虾
民国17年（1928）《涪陵县续修涪州志·风土志》	獭呼"扁子"
民国20年（1931）《达县志·食货门·物产》	獭，麻黑色，尾长，足短，常水居，能捕鱼，渔者常驯畜之
民国21年（1932）《万源县志·食货门·物产》	獭，似鼠而身长、足短、头扁，俗名"扁子"，善食鱼
民国24年（1935）《古宋县志·食货志·物产》	獭，形如猫，又似狐而小，灰色，水居，食鱼，今人养之以捕鱼，俗呼为"水毛子"
民国33年（1944）《长寿县志·物产》	獭，俗名"水毛子"，《本草》名"水獭"。四足俱短，头、身、尾皆扁，故俗又名"扁子"。毛色青黑，长三尺许。能知水性，捕鱼甚捷。得鱼四方陈之，进而弗食，所谓祭鱼也。凡业鱼者，必驯畜之，以捕鱼②
民国33年（1944）《汶川县志·物产》	水獭，居水中，捕食鱼类，黄褐色，似犬，俗称"水猫子"

---

① 张宗祥辑录，曹锦炎点校：《王安石〈字说〉辑》，福建人民出版社2005年版，第143页。
② 类似记载也见于同治十年（1871）《合汇县志·风俗志·物产·毛之属·豺》："《礼》：'季秋之月，豺乃祭兽。'"

表2-22显示，水獭因其"得鱼四方陈之，进而弗食"的习性，所以才能被人们驯服，但"水獭"之称在巴蜀民间并不多见，多称之为"鱼猫（子）、水猫子①、扁子"之类，充满地域特色和乡土气息。"水毛子"应为"水猫子"之讹误。鱼猫子、水猫子均因水獭的习性而得名，在川西、川南地区较为普遍；②而"扁子"则因其形貌而得名，在川东、川北地区较为流行。

巴蜀其他捕鱼方式还有：

扳　罾

成都谚语说"罾搬过路鱼，网打背时鱼"，"勤搬罾，懒撒网，累死的虾箍"。罾应是一种十分古老的捕鱼工具，在巴蜀地区广泛运用。③

巴蜀地区的罾，多以四根竹竿做一十字支架，撑开网的四个角，再系以有底、有围的麻线之类编制的方形鱼网，架上系有长棕绳和撑竿。撑竿的一端置于岸边捕鱼者的立脚处。多选择洪水季节的回水沱，人站在岸边，趁浑水将罾沉入水底，以待看不见网的鱼儿入网，不时拉绳起罾出水查看。有鱼时将罾扳至近处，用长柄小尖网套鱼入网，再将鱼捉进篓：

一涨了水，沱沱里鱼又多又大条，闲着没事，人们就搬罾撒网，打鱼卖钱。（《成都民间文学集成》，第681页）

---

① 巴蜀诸多地区流传唐僧西天取经，路过天竺国，带回老鼠，后鼠患成灾，又派人去带回三只猫，即分别称为"吼猫子"（家猫，因被灌吃了盐，常发出吼声得名）、"野猫子"（也说"鸡豹子"，因常偷食鸡鸭得名）和"水猫子"的传说。参见绵竹县民间三套文学集成编委会《中国民间文学集成·绵竹县资料集》（内部资料本），1987年，第83页。也说三只猫分别变为了老虎（大猫）、野猫和赫斑猫（家猫）。参见马自林等《城口县民间文学三集成》（内部资料本），1988年，第73、75页。又说为一位白胡子老汉送给张姓老头的，共四只，分别变为野猫子、水猫子、猫头鹰、家猫。参见游翔等《中国民间文学集成·四川奉节县卷》（内部资料本），上册，1989年，第180~183页。另说水獭为唐僧取经时，佛祖送他的猪所变。"水猫子"也多指水中打捞物品的高手。罗志泽：《上海龙章造纸厂迁川记》（《龙门阵》1997年第4期）："船行至三峡当中时，我们又一次遭遇敌机袭击，船上部分机器掉入江中。我们只好请了川江边土生土长的'水猫子'（又称'摸帮'）来帮助我们打捞机器。"
② 参见崔显昌《三江说渔》，载《龙门阵》1986年第2期。
③ 四川彭县《时行杂字》（天彭光绪年间刻印本，第12页）："莫道扳罾怕谷石，须知安簪防浪涉。"

罩　鱼①

鱼罩即为竹棍编制的圆锥体形状类似鸡罩的渔具。旧时巴蜀乡间的春夏之夜，农民多喜以油壶为灯，上覆水瓢等物以遮风，在河渠内罩鱼。往往两人同行，持照灯、刀叉、鱼罩等物，见鱼辄迅速罩住，或捉或叉，见机而行。庄于夜间出来觅食的鱼类甚多，一般所获颇多。旧时崇州地区，罩鱼甚至可以是集体劳作。隆冬季节，众人在水流较浅的河床上排成横排，用鱼罩、鸡罩、箩筐等统一动作往水下罩，被扣住的鱼儿胡乱碰撞罩壁，罩鱼人手上便有感觉，伸手进罩，便能抓住鱼。②

与罩鱼类似的还有罩黄鳝。黄鳝一般喜欢黄昏后在田间觅食，见灯光则静止不动，易于捕获。旧时巴蜀乡村，罩黄鳝的人多于夏季夜间出行田间，腰系笆笼，一手持灯，一手拿"黄鳝夹夹"③，见到黄鳝，迅速照其颈部夹下，能逃遁者很少。在成都地区还有关于捉黄鳝的民谣：

变黄鳝实在好耍，怕的是半截子幺爸儿十岁左右的小男孩。
左手提个笆笼，右手拿个夹夹。
捉倒我先拌摔后剐，用水煮还用油炸。
吃下去嚼得稀㶽烂④，屙出来大屎一泡 [p'a²¹]。

此民谣以黄鳝的口吻道来，充满童趣，同时运用大量巴蜀汉语方言词汇，使其更接近生活，乡土味十足。

---

① 参见四川省中江县民间文学三集成办公室《中国民间文学集成·中江县资料集》（内部资料本，1988年，第264页）："不料跑拢一看，大吃一惊，丈多深的水根本没有人罩鱼，落得扫兴而归。"
② 参见陈柏青等《崇州民俗志》，方志出版社2011年版，第40页。
③ 黄鳝夹夹：一般为竹制夹板，有齿，形似剪刀。
④ 稀㶽烂：也说"稀巴烂"，指极烂或破碎到极点。（清）刘省三：《跻春台》（江苏古籍出版社1993年版，第158页）："大老爷实在蛮，三日将我拷一次，五日将我逼三番。两腿还是稀巴烂，又要把我打一千。"语意重时说"稀鸡巴烂"。成都官话常用粗俗词如"鸡巴"加深程度，如"梆鸡巴硬""冰鸡巴冷"。而邛崃、大邑一带所说"稀加烂"的"加"，应为"鸡巴"的合音，"稀巴烂"的"巴"为"鸡巴"的省音，故"稀加烂"和"稀巴烂"都是"稀鸡巴烂"的变式。也说"稀烂八烂、稀三八烂"。卢盛祥等：《中国民间文学集成四川卷·成都市东城区卷》（内部资料本，1989年，第373页）："另一个是跛子，穿得稀烂八烂，脑壳上挽［绾］个鬏鬏。"

戽 鱼

旧时枯水季节，巴蜀乡民将某些流量较小河段的埝头流水口垒土坎扎住，然后用龙骨车、戽水笕以及水桶、粪桶等工具，将水戽出坎外，水干鱼现，可将鱼儿逮进鱼篓里。大一点的鱼被捉住后，剩下的小鱼、小虾、螃蟹之类便任围观者分捉。若所戽鱼多，戽鱼的人一般平均分配，鱼少，则将鱼烹煮后，大家共享。

围沱车水捉鱼

巴蜀众多河流一般都有较深的水坑，是鱼儿聚集藏身之处。河道水源不易截断，因此渔者采用沿水坑筑临时围堤，再用脚踩龙骨车将坑内水抽干捉鱼。这种竭泽而渔的方式虽可以捕获较多的鱼，但工作量较大，常由几户人家联合进行，获鱼后分给水车一份鱼后，再按劳以秤分鱼。有个别未付劳力，借口喂猫，拣些小鱼回家的，俗称"逮抹和鱼"。

叉 鱼

春夏之际，河中鱼儿寻偶或产卵，会从下游往上游奔游，俗称"奔滩、跋子"。① 渔者或执铁钉、竹竿或木杆绑制的独角叉，或执铁匠铺打造的有三股或五股锋利叉尖和倒须的铁叉，立于河滩上等候，见鱼即下叉。大鱼一般难逃被称为"飞叉将"的熟练叉手，技术精熟者或于岸上飞掷绳系小叉，入水叉鱼，这种叉上有倒钩，鱼儿很难溜走。以此种捕鱼方式命名的地名在川籍作家笔下有所记载：

（他的）话象流水样，滔滔不绝的由他那张尚未留须的大嘴巴里涌出，而且声势还那么大，活象枯水天的叉鱼子。（《李劼人选集》第3卷，第391页）

与叉鱼相似的捕鱼方式还有"打杵杵鱼"，即等雨后天晴，河水浑浊时，用竹竿或竹片做成"杵杵"，再拴上一根或一排细麻绳，绳上拴上从石头缝里搬来的石蚕之类鱼饵，将竿杵在水里，麻绳和鱼饵等随水浮动，各种鱼类会咬住鱼饵，这时捕鱼者便将杵杵突然从水中提起，鱼儿来不及反应，就已经落入

---

① 参见崔显昌《三江说渔》（《龙门阵》1986年第2期）："什么叫'鱼会'呢？就是在每年农历三月间的某几天——具体日子好象没有一定，反正是春鱼跋子（产卵）的时候。"

捕鱼者手中的筲箕、提篮等工具中。①

湃 鱼

每年春夏引水到稻田后，农人会在田中放入一些小鱼。等几十天后稻谷成熟，湃水晾田时，小鱼也已经长大。在放水口安上虾笆等捕鱼工具，水流完后，鱼被虾笆拦住，很容易被捉。而有些农民还会"放秧沟水"，这时鱼儿也会被虾笆拦住。这种捕鱼方式即称为"湃鱼"。

摸（大水）鱼

鱼儿一般在河沟边的水草中、岩腔内或树根下藏身，渔人下水用双手触摸到鱼后，② 一把抓住，反手塞进挂于腰间的竹笆笼里，或腰上扎住的衬衣内。这种捕鱼方式要求反应快、出手快，一般成功率较低。后衍生出"摸边边鱼"一词，指趁火打劫：

> 1931年，商业场"同益电灯公司"又与"新业"合并，打伙求财，联手来舀"启明"的油水。此外，更有一些摸边边鱼的，也来赶这趟"浑水"。（杨智云：《灯下说灯——成都电业史话》，《龙门阵》1990年第3期）

安（倒须）篆③子

（倒须）篆子也称为"涮篙④、须笼、鱼圈、鱼鳅篆"，可分为"母猪

---

① 参见崔显昌《网·罟·钓·叉——〈三江说渔〉续篇》，载《龙门阵》1986年第3期。
② （清）刘省三：《跻春台》（江苏古籍出版社1993年版，第357页）："谁知杨学儒教书学规不严，皮[脾]气又怪，任随徒弟上树取鹊、洗澡、摸鱼、角孽、吵嘴，都不经管。"另参见戴克学《奇人老朱》，载《龙门阵》1994年第3期。
③ 篆：也作"笓、嚎"。戴克学：《鱼趣闲叙》（《龙门阵》1993年第2期）："有一种捉泥鳅的'泥鳅嚎[篆]'，很巧。此物用竹丝编成，头大尾小，状如螺号，里面放入炒好的田螺肉等诱饵，傍晚时放在水田里，一块田放几个。入夜后，泥鳅纷纷钻入'嚎[篆]'中吃食，钻得进去却钻不出来。"巴蜀地区的"篆"，疑为"笪"之类的鱼具，（汉）扬雄《方言》卷十三："笪，篆也……篆小者，南楚谓之篓，自关而西、秦、晋之间谓之笪。"郭璞注："今江南亦名笼为笪。"戴震疏证："江东呼小笼为笪。"民国18年（1929）《资中县续修资州志·风土志》："黄鳝，生溪、田泥窟中，状亦如蛇而小，多涎沫。土人削竹谓笪，插田中，过宿取之，甚易。"
④ 沙汀：《沙汀选集》（第3卷，四川人民出版社1984年版，第357页）："我会搞啥鱼啊！杂种聪明，编个'涮篙'，安在磨房里堰口上，鱼走进它，水一漩，就进了篓子了——一条都跑不脱！"

篆、泥鳅篆、多口篆"等。① 江津市李渡镇谜语"一头大，一头小，放在田中就困倒。突然一下钻进去，扯出来就喊不得了"即是对篆子形象的描述。② 巴蜀农家一般用篾条编织成直径50～70厘米，长1～2米的圆锥形，锥顶做一有倒须的圆形小口，直径约两厘米，装入砸碎的螺蛳肉之类诱饵，鱼虾、黄鳝、泥鳅闻到诱饵香味，便从中钻入，因有倒须，只能顺须而入，不能逆须而出。锥底还有一小圆孔，大小与顶端小口相似，用玉麦骨头③之类将口堵上。有的是将篆子编成长桶形，做一个倒须盖，另一端把编制未尽的竹篾捆拢成一束，取鱼时放开捆绳即可，多在春分至清明前后安放：④

砍些竹子，空时划些篾片，编成笔子，挖些虫线冲烂，涂在门上，放在田边流水之处，到次日一早去收。（《跻春台》，第141页）

梁山人，弟兄等，即上山林。砍竹子，数十根，拿回家庭。花［划］篾条，编笔［篆］子，田中安定。笔［篆］门上，放曲蟮，透鼻香闻。有黄鳝，闻得香，来约我们。跟他去，吃东道，闯进牢门。我只想，闯出去，到［倒］锥伤人。（《八字斗虫·泥鳅告状·照例所办》）

叮冬一声放了炮，黄鳝进了鱼鳅灏［篆］。

害怕惊动团转伙，变个声音做鸡叫。（《中国民间文学集成·南溪县卷》，第424页）

一般在夜晚将篆子安在水中，一半陷入泥内。第二天早晨去往收取。运气好的，便会捉到泥鳅、黄鳝以及一些小鱼、小虾。20世纪90年代的巴蜀农村仍盛行这种捕捞方式，但近年来由于农药、化肥的大量使用，田中鱼虾、泥鳅、黄鳝基本绝迹，因此，篆子之类退出历史舞台，不再被使用。与之类似的还有"鱼筒、地笼子"等。

---

① 参见傅崇榘《成都通览》（下册），巴蜀书社1987年版，第344页。
② 此谜语见《散花文》，载段明《四川省江津市李渡镇神霄派坛口科仪本汇编》（上），［台湾］新丰文艺出版公司1999年版，第468页。
③ 玉麦骨头：去掉玉米粒的玉米芯。成都等地多用作柴火。
④ 四川双流县歇后语："黄鳝钻篆子——只能进不能出。"彭州市歇后语："泥鳅儿进篆篆儿——进退两难。"又参见陆泽怀等《德阳民俗》（内部资料本），1996年，第218～219页。

扎火塘

春夏之时，用卵石、泥土之类在河流浅滩处扎一浅土埂，使河水翻埂而过，再顺矮埂扎一宽约1.5米、长与河流宽度适宜的火塘形泥坑，用稀眼竹篾笆子在坑内环置一周，沿埂的竹篾比埂子略矮，鱼儿多在夜间进坑，需打火把捕捞，故名。①

滚 钩

钓鱼方法有很多，有竿钩、下卧钩、甩竿等，而滚钩尤具特色。所谓滚钩，即在一根主绳上面等距离地拴若干小绳，再在小绳上系上鱼钩，然后将主绳系在河的两岸，鱼钩沉入水中。也可将绳子两端各系以坠石沉入水底，上带浮漂，绳子顺水漂动。一般适合于鱼类较多的河流。成都等地称为"护𣲘竿儿、摆过线、绳绳儿钓"。

杀凼凼鱼

本指捕捞小水坑中的小鱼，喻指做生意赚的小钱：

李孬儿晓得再也稀壳不得了，就想杀点凼凼鱼，于是花4万块钱在最繁华的猪屎街上租了两个并排的门市，专卖歪服装。（《达州广播电视报》2001年1月4日第13版）

痨 鱼

此法可分为两种：一是在成都市双流县等地流行，即将马桑树的新鲜果实揉碎后取汁，混以少许面粉，捏成指拇大小的团，待下雨时，撒在水田或池塘中，鱼儿吃后，会因昏眩而浮在水面上打旋，用笤箕之类即可打捞。若遇下大雨，尤其是起浑水之时，此法即无用。②二是在合川县等地流行，也称"醉鱼"，即依照茎节将蕹菜剪成两头有节的小段，用针头注入少许白酒，丢如塘中供草鱼之类食用，鱼被醉翻，浮在水面上，供人捕捞。③

打拗鱼棒④

在嘉陵江两岸的浅滩处，有一些半露在水中的表面多孔巨石，当地人称为

---

① 参见陆泽怀等《德阳民俗》（内部资料本），1996年，第219页。
② 此为黄尚军儿时在乡下老家双流县白沙乡川心村五组亲历。
③ 参见戴克学《鱼趣闲叙》，载《龙门阵》1993年第2期。
④ 参见戴克学《鱼趣闲叙》，载《龙门阵》1993年第2期。

"姜疤癞（石）"。"打拗鱼棒"即为用浅网围住此类巨石，再搬来一块稍小的石头放在旁边作为支点，利用杠杆原理，用拗棒撬起巨石，随即放下，反复几次，鱼儿被震昏或惊出后，即可捕捞。此法在巴中市恩阳镇被称为"拗杠杠鱼"。①

通江县常见的捕鱼方式，以响水滩②为例，有"安箭笆子"。先用石头垒成两堵墙，让水聚集在中间，然后再用竹子在两边缠成梆子角，做成一个下大上小的"箭笆子"，缠在底部，再安放在滩水中。有"痨鱼"。一是将苦葛、麻柳叶、闷头根一起砸碎，混少许河沙做成鱼饵，放在鱼洞旁药鱼。二是直接用鱼藤荆、闷头花、枸麻藤之类草药药鱼。三是将中药巴豆混合草药闷头花，鱼吃后会拉肚子且头昏，便于捕捉。有"摸鱼"，一是摸洞洞鱼，首先需要潜入水里看哪里有鱼洞，有几个洞。如果洞多，就把某一个出洞的地方堵住，由于这些鱼经常在洞周围游动，故周围的石头会较为光滑，便于捕鱼人在摸鱼的过程中仔细观察，等鱼出现在洞口时，迅速按住。二是顺水摸鱼：以花水滩③为例，一般是用石头将两面堵起来，在中间或后面留一个洞，然后将手从洞里伸进去，若有鱼，则先慢慢靠近鱼，最后迅速一把将鱼抓住，若在摸鱼的过程中，鱼游走了，可以从后面的洞来摸鱼。若潭比较深的话，也可以去最里面的堑摸鱼。三是浑水摸鱼，水浑了之后，背上有12根刺的"刺疙包鱼"最好摸，一般是顺着刺轻轻摸，鱼基本上不动。有"钓冲水鱼"。将系在竹竿上且穿了一串鱼钩的麻绳不停地往水里甩，鱼游过时，即可被钓上来。有"提把把鱼"④，主要有两种方式：一是将蚯蚓穿在麻绳上，然后再用竹棒把穿有蚯蚓的麻绳一圈一圈缠好。在起了浑水之后，把准备好的竹棒插在筲箕、撮箕里，放在浑水中，当感觉到鱼在吃蚯蚓时，则迅速提起竹棒，将筲箕一接，鱼则落在其中。二是在起了浑水之后，首先将新鲜棕叶较软的部分去掉，只留韧性较好的棕叶筋部，然后将蚯蚓穿在棕叶筋上，一起放入笆笼里，接着迅速放入水里，当感觉到鱼在吃时，迅速提起笆笼并翻过来，鱼便落在笆笼里了。有"砸闷子鱼"。花水滩旁经常有一半在水里、一半裸露在水面的石头，当地捕鱼人通常拿其他石头，或是大锤，或是二锤，砸这块石头。如果有鱼藏在石头下，

---

① 参见中共巴中市恩阳区委宣传部等《特色恩阳》，中国文史出版社2014年版，第54~55页。
② 响水滩：多指河道中流水很急的一段，且流经没淹完的石头时发出哗哗哗哗的水声之处。
③ 花水滩：多指河流中的某一截，与响水滩相关联，即急流在石头缝里冲起白泡子之处。
④ 提把把鱼：也称"钓棒棒鱼"。

便可被震晕，将石头搬开，鱼一浮起来，即可捕捉。有"搬巴鱼子"。由于巴鱼子身体的一面比较扁平且有吸盘，故搬开一半在水里、一半裸露在水外的石头，巴鱼子往往黏在石头上不动，利于捕捉。有"勾白潭"。这是比较古老的捕鱼方式。首先将滩口上的光光勾白，用丝篾条编一个网，然后将网围成一个圈，再用石头筑成石墙，圈中放入一个须笼，鱼会钻在须笼里。如果是在白天捕鱼，需将桐子树杈的皮剥掉，当鱼来到刍潭之后，即用桐子树杈将鱼往须笼里赶，再将须笼提起来，捕捉里面的鱼。有"钓鱼"①，主要使用不同的鱼饵②钓。有"杀火把鱼"。这种捕鱼方式一般是在晚上进行，根据鱼较怕光的习性，可用火把③帮助捕捉。由于晚上鱼喜欢停驻在石头边，有光照时，一般不动，故此时还可用铁叉叉鱼。

其他捕鱼之法还有"结草网鱼、搬巴鱼④、搬巴滩儿、安簸簸鱼、安筛⑤、砌堆、放药、撮鱼、接鱼、钓杵杵鱼"⑥以及"搜鱼"⑦等，此不赘述。

钓鱼之法则有"手竿、节竿、车竿、发竿、箭子、幌钩⑧、白钩、发钩"

---

① 部分通江人认为，钓鱼没有罪，而捕鱼、摸鱼则有罪。
② 通江地区钓鱼用的鱼饵可分"清水鱼饵"和"浑水鱼饵"两大类。钓清水鱼一般用夹夹虫、草鞋虫之类；钓浑水鱼如草鱼（又称"草腕子"）、角角［$go^{21}go^{21}$］鱼、斑鱼子、白甲鱼之类，一般用蚯蚓、小鱼儿、蛆等。另可用小青蛙、沙虫、线虫以及用面粉和菜油一起搅拌均匀后做成豌豆大小的颗粒作为鱼饵。
③ 捕鱼时所需火把的数量，主要据路途的远近，几根到十几根不定。通常用干后的黄篾或慈竹、木竹、斑竹做成的"竹绞火把"，其中最佳者为木竹，因其竹腰较厚，燃烧时间较长。另可用干柏树皮做成的柏树皮火把，还可用不易息灭、照明度较高的向日葵秆火把，以及用火篓里还未燃烧完的被称为"火柴兜"的柴火把。
④ 参见中共巴中市恩阳区委宣传部等《特色恩阳》，中国文史出版社2014年版，第53～55页。
⑤ 城口县志编纂委员会：《城口县志》（四川人民出版社1995年版，第823页）："民国年间……一般乡民则用'安筛''砌堆''拦网''放药'等法捕鱼。"
⑥ 参见杨治平《童趣琐忆》，载《龙门阵》1996年第3期。
⑦ 嘉靖四十一年（1562）《洪雅县志·风俗》："其取鱼则以獭，以鸬鹚，以栲，以百袋网，以拦江网，以撒网，以浮筒，以钩，以竹乂，以梯缯，以毒鱼之药。药用巴豆、苦葛，然止可施之小溪。栲则得鱼最多，惟花溪有之，然必江涨始得。乃獭与鸬鹚，则潭穴虽深，靡所不入，故渔者常置之拦江网中，谓之'搜鱼'。"
⑧ 四川省彭山县志编纂委员会：《彭山县志》（巴蜀书社1991年版，第122页）："在江、河、塘、田、堰、库等水域用罾［罾］、网、罩、虾耙、钓竿、发竿、箭子、幌钩、鱼叉、黄鳝夹等工具进行捕捞。"

等，鱼食子也有螺蛳、小蜞蚂儿、沙虫子①、石蚕、红苕颗颗、麦子颗颗、玉麦籽籽、灰面坨坨、油饼子、饭渣子、酒糟子、秧虫、芭毛虫、曲蟮儿、蜂儿子、黄鳝骨头、鸡肠子，以及各种蔬菜、树叶、草类②乃至牛屎、泥团、头发等，种类繁多。"浮头儿"也有"立漂、蜈蚣漂、流水漂"等之分。

有关鱼的谚语、歇后语也不少，如：

关溅河的红眼棒——要遭撑撑③

此语流行于合川县关溅河一带。来源于当地人捕捉体呈圆棒形、红眼赤尾的鱼儿之法。具体做法是：取两头削尖、寸许长的细楠竹片，逢中拴约三米长的线，将竹片尾端套在一小段留节的竹筒上，将竹筒留在岸边。在弯成拱形的竹片上，用细线捆一只蚱蜢之类的诱饵，使之浮在河水面上。红眼棒若吞下竹片及诱饵，游向水下时，原先弯着的竹片会发力伸直，刺入鱼嘴，岸上的竹筒将随负痛之鱼而浮动，成为指示标，渔人即可捕捞。

黄古条儿上不得□④□[tie⁵³tie²¹]滩儿

此语流行于渠县三汇镇一带，本指黄古条儿之类的小鱼无法翻越水流湍急的浅滩，喻指权势微弱的小人物无法与大人物抗衡。

有关鱼的俗语有：

也有些鱼不是，也有些网不牢。
不怪鱼不是，只怪网不牢。
哪儿打鱼，哪儿晒网。
哪儿有鱼，哪儿下钓。
千年不打网，鱼在河头长。
枪打命尽鸟，网打背时鱼。
没有大网，打不倒大鱼。
心想扯个拦河网，鱼儿不在滩口上。
外头是个虾笆，屋头是个笆笼。
外头捡个笆笼，屋头掉个门板。

---

① 成都地区有"跟斗儿虫（孑孓）"与"（红）线虫"两类。
② 如"青笋叶、构树叶、油麦草、巴地草"之类。在成都地区，鱼饵的制作特别讲究。
③ 撑撑：读为[ts'ən⁵⁵ ts'ən⁵⁵]。参见戴克学《鱼趣闲叙》，载《龙门阵》1993年第2期。
④ 本书用"□"表示原文脱落或模糊不清和方言中有音无字以及一时难以考出本字的字。

趁浑水打虾笆。①

你不说我鱼鼻子，我不说你鱼眼睛。

你是鱼鳅我有撮箕，你是黄鳝我有钉钉。

三、有关狩猎的方言词汇

巴蜀虽为农业大省，农闲时农人也充当猎户，一方面是为了杜绝野兽毁坏庄稼，另一方面，也是家庭经济的重要补充。在巴蜀不同地区，狩猎在人们生活中所占比重也不尽相同。盆地周边的山区，森林覆盖较好，动物资源丰富，为狩猎创造了良好的条件，因此狩猎活动即使在今天，也是闲暇时主要的消遣活动之一，只是在经济生活中，已不再占重要地位。在盆地中心地带，平原、丘陵地，多为农作物的主产地，森林相对稀疏，动物资源较少，因此，狩猎活动并不十分盛行，由此形成了盆周山地与狩猎相关的词汇较为丰富，而盆中平原及丘陵地区则较少。就所猎动物而言，主要有以下各类（见表2-23）：

表2-23　旧时巴蜀猎人所获部分猎物种类

猎物名	属类	出处	记载内容
孔猪	走兽类		猯，猪獾也，俗名孔猪。《正字通》一名獾，似小猪。体肥，行钝，穴居。足、尾短，褐色，小喙能孔地，食虫，肉有土气，农人每喜猎之
野鸡	飞禽类	民国21年（1932）《万源县志·食货门·物产》	雉，俗名"野鸡"。谚云："野鸡行，顾头不顾尾。"野鸡见人，则头钻入草中，而不顾尾尚在外。猎者每获，雏养驯能，与家鸡同群，并贮以小笼，猎时携以为媒，故出则展翅高鸣，其类应声而出，必遭猎获，名"打棚鸡"
打鱼雀		民国17年（1928）《大竹县志·物产志》	翡翠，古名"鹬"，今呼"打鱼雀"，或曰"鱼狗"。喙长，脚短。翡雄而赤，翠雌而青。惟翠色可饰，故李商隐诗有"巴賨翡翠翘"之句。清道、咸间，猎户设罟网得，取其背羽，售之珠翠店，镶嵌剪贴，争巧斗奇。近妇女首饰尚金玉，更无业此者矣

---

① 龚伯勋：《官仓鼠》（《龙门阵》1987年第5期）："那年头，国家的宝物被当作'四旧'，有谁介意！周明光也就'趁浑水打虾笆'，胆子愈来愈大。"

续表

猎物名	属类	出处	记载内容
白鹤	飞禽类	民国33年（1944）《长寿县志·风土》	林栖，水食，群飞成序，洁白如雪。颈细而长，脚轻善翘，高尺余，喙长三寸，顶有长毛十数茎，毵毵然如丝，欲取鱼则弈之。郭景纯云："其毛可为睫罗。"今人争猎取，以售西人。又有似鹭而头无丝、脚黄色，名"白鹤"
		民国17年（1928）《大竹县志·物产志》	鹭，洁白如雪，顶有长毛十数茎，毵毵然如丝，故名"鹭丝"，俗讹为"白鹤"。清同、光初，猎户各乡采捕，一羽五缣，运往江南，专供妇女首饰，竹境之鹭几绝
白鸟		民国10年（1921）《合川县志·土物》	鹭鸶，水鸟也，好洁白，一云"白鸟"。顶上有丝，毵毵然近尺，欲取鱼则弈之。光绪朝，西人购此毛，甚贵重。猎户执枪，常毙此鸟拔毛，几于绝种
背搭		民国17年（1928）《大竹县志·物产志》	顶黑，背褐，俗名"背搭"

当然，此表仅就部分巴蜀方志有关狩猎所获载录，并不能反映全貌。就我们所见资料而言，飞禽类被猎获的居多，兽类较少。这一方面源于兽类一般体型较大，而农人狩猎也不以大范围、大规模围猎为主，多单独出猎，因此大型动物不易捕获；而飞禽类则较易猎取。时至今日，在盆周山地，人们不但猎取如山鸡、竹鸡、斑鸠等飞禽，也会猎取野兔、为子、野猪、拱猪等动物，尤以野兔较为常见。

旧时狩猎所用工具，在巴蜀汉语方言词汇中也有一定体现（见表2-24）。

表2-24　旧时巴蜀猎人部分狩猎工具

词汇	属类	出处	说明
田犬	犬类	民国20年（1931）《达县志·食货门·物产》	田犬长喙，善猎。吠犬短喙，善守
吠犬		道光二十一年（1841）《安岳县志·物产》	狗类甚多，其用有三：田犬长喙，善猎；吠犬短喙，善守；食犬体肥，供馔。道家以犬为地厌，不食之
		民国9年（1920）《绵竹县志·物产》	狗类甚多，其用有三：田犬长喙，善猎；吠犬短喙，善守；食犬体肥，供馔。道家以犬为地厌，不食之。凡犬炙食消渴，妊妇食之，令子无声。热病后食之，杀人

续表

词汇	属类	出处	说明
狮子犬	犬类	民国17年（1928）《大竹县志·物产志》	家犬为各种狼类所变。竹人富寻常犬及狮子犬二种。山后四合镇有著名猎犬，喙大，尾细，色黄，远近争购之
征鸟 苍鹰 五色鹰 虎鹰	鹰类	民国24年（1935）《古宋县志·食货志》	鸷鸟，金眼，钩嘴，铁爪。雄形小，雌体大。巢于木，飞疾如矢。常捕食小鸟及鲜肉。征鸟、苍鹰、五色鹰、虎鹰皆属此。尾羽美观，多用作箭翎，猎人有絷之以捕鸟者
橹箭	弓弩类	民国31年（1942）《西昌县志·产业志》	虎，清末县南丁家坝，有牝、牡各一，为猎者所毙。又光绪二十七年，邛海曾淹毙一头。近三十一年，国历一月二十五日，县属天台区之岔河，曾击毙一头，躯体极大，自头至尾，约长丈余。先是前一夜，此虎潜至邱姓家中，食去马二匹，牛半体。次日，邱姓用橹箭于四周及来路，广设陷阱。是夜，虎果复来，中箭，号叫不已，寻引去。次晨往探，已毙于二里许之途中矣
鸟枪 毒矢		民国18年（1929）《什邡县志·风俗》	渔者多用钓网，山中猎人多用鸟枪、毒矢，设机阱以捕取禽兽

从表中可见，巴蜀多部县志都言及猎犬。此外，鹰类也可充当狩猎工具。而箭矢及鸟枪等，虽在表中较少有反映，但仍是猎人重要的武器，其重要性也就不言而喻了。

旧时川东北的巴中等地，将狩猎称为"撵（老）山"，并有不少尤具特色的狩猎行话：

撵小山两人结伴进山，猎取兔子、野鸡之类。撵（老）山、撵大山猎取大型猎物，彪老虎、大猫老虎、豹子，立耳（子）兔子，奓耳（子）野猪，花鞭九节狸，泥猪狗獾，拱猪（子）玉面狐，鱼鳅猫獾的一种，包犯忌，罚牙祭责令犯忌者出钱买酒肉敬神后，与同伙分享，以示惩罚，打竿竿用长竹竿触动草丛，以惊出野兽，望哨、传点通知狩猎者监督猎物逃窜路线，唤狗匠带领所有猎犬搜、赶猎物之人，搜山寻找野兽踪迹，把野兽赶出来，坐点于某处等候猎物出现，撵骚猎犬闻气味，脱骚被追赶的猎物逃脱。[①]

---

① 参见欧阳平《撵老山》，载《龙门阵》1986年第3期。

旧时狩猎，还涉及大量与信仰相关的禁忌、崇信等，这在巴蜀汉语方言词汇中也有反映（见表2-25）。

表2-25 旧时巴蜀猎人供奉的有关狩猎的神灵

词 汇	出 处	记载内容
梅 山	民国21年（1932）《万源县志·教育门·礼俗》	又梅山有"三洞"之称，胡、李、赵三姓均称大王，亦称梅王天子，未知何据。猎者谓猎获七十二只野兽，则必庆。否，则反伤猎人也
梅王天子		猎者则兼供梅山。更有以径尺之石，供于中堂右角地下，名曰"罗公坛"。除朝夕供奉外，每届三年，必延巫于家，杀猪致祭，名为"庆坛"。猎者对于梅山，亦有如此祭奠、朝庆者
高山土地	民国30年（1941）《汉源县志·风俗志》	七月七日，城乡具作土地会，曰"高山土地"，古山神也。山农、猎户祀之

土地神崇拜本源于农业社会，但在巴蜀地区，猎人也将土地神作为祭祀神祇，则冠以"高山土地"之名，与之相对应的其他土地神，分类详细：

七月七日，城乡具作土地会，曰"高山土地"，古山神也，山农、猎户祀之；曰"桥梁土地"，古河伯也，水居祀之；曰"青苗土地"，古田祖也，田农祀之；曰"长生土地"，古中霤也，人家中堂龛下祀之。别有庙门、花园、栏枥各土地。〔民国30年（1941）《汉源县志·风俗志》〕

将古代各种与生产相关的神祇均冠以"土地"之名，不仅反映出土地神在其心目中的重要地位，而且也可从侧面看出巴蜀以农为主的经济生产方式。将山神称为"高山土地"，河伯名之为"桥梁土地"，田祖名之为"青苗土地"，古"五祀"之一的"中霤"称之为"长生土地"，也反映出巴蜀民间信仰的混杂性特征。此种现象并不孤立，巴蜀诸多方志有所记载：

土地名称甚多：在家曰"家神土地"，又曰"长生土地"，即古中霤神也；在山者，曰"山神土地""七郎土地"；在宅外曰"当方土地"；在田间者曰"青苗土地"；在垭者曰"垭口土地"，盖古八蜡司穑之神也。乡民以二月二、七月七祀之，本春祈、秋报之遗，时俗循之，而失其意，言土地以是日生，谓之"庆生"。〔民国21年（1932）《万源县志·教育门·礼俗》〕

"在山者"并不言"高山土地",而直言"山神土地",也称"七郎土地",实则均为"山神"之别称,而"七郎土地"也似"梅山""梅山天子"之异名。

巴蜀民间不仅有此类神祇信仰,旧时猎户还有一些涉及信仰的狩猎方法。如今流传于川东北山区有关"箍山咒"的传说,便生动地反映出这一地区的"狩猎文化",而"箍山咒"作为独具特色的方言词汇,如今仍常为人们所言及。

巴蜀虽以农为主,但捕鱼、狩猎在人们的日常生活中同样占据着重要地位,有关捕鱼、狩猎的方言词汇也十分丰富,上面内容虽涉及大量生动有趣的词汇,但只可谓管中窥豹,并不能全面、系统地反映出巴蜀地区的捕鱼、狩猎文化。

四、有关副业的方言词汇

前工业时代的巴蜀乡土社会,是典型的以自给自足的自然经济为主的社会,商品经济欠发达,造就了大量民间手工业的兴盛,各式各样的工匠便应运而生(见表2-26)。

表2-26 巴蜀部分工匠名称[①]

工匠名称			
锅儿匠	甲乙生[②]	箍桶匠	刻字匠
烧锅匠	补锅匠[③]	碾麻匠	(竹)篾匠[④]
烧火匠	哭丧匠	桶桶匠	烧窑匠

---

① 此表据陈柏青等《崇州民俗志》(方志出版社2011年版,第72~74页)以及黄尚军、郑卣友田野调查资料编制。此部分有关宜宾县横江镇一带行业用语,承蒙宜宾县人大常委会主任郑启友先生告之,谨此致谢。
② 此为"木匠"的隐语,因俗语常说"东方中乙木,南方丙丁火"。
③ 补锅有"冷补(用铁皮和铁钉、铁块补)"和"热补(用风枪与火炉将铁化为铁水补"之分。工具一般有"铁杵(顶杵)、冲板、冲子、剥夹、锤子、抹子"等。陆泽怀等:《德阳民俗》(内部资料本,1996年,第233页):"补锅匠,没良心,敲个眼,补颗钉。"
④ 宜宾县横江镇所制篾器多为"面筛、米筛、捞筛、夹背、西篮背、炮炮[p'a⁵⁵p'a⁵⁵]夹背、苞篓、鸡罩、洮水筅、围包、挡折、晒席、凉席、皮撮箕、包箩、沙撮箕、提撮箕、箩筅、筲箕、提篮、纤绳、烘笼儿、康康[k'aŋ⁵³k'aŋ²¹]烘笼儿、筑筅"之类。

续表一

工匠名称			
皮 匠①	（打）铜匠②	（山）木匠③	铁 匠④
梢壳儿匠	打铁匠	花儿匠	烧 匠
杀猪匠	墩子匠	装颜匠	榨油匠⑤
杀牛匠	杀狗匠	纸（火）匠	染 匠
刮刮匠	泥水匠	找扎匠	滑竿匠
剃头匠	泥巴匠	荒货匠	挖煤匠
刘 匠	土 匠	麻糖匠⑥	水木匠
烧盐匠	（油）漆匠	鞋 匠	打鼓匠
挖瓢匠	烧窑匠	画 匠	雕 匠
磨刀匠	修脚匠	山 匠	弹花匠⑦
锡 匠⑧	铸银匠⑨	瓢儿匠	绷 匠
打枪匠	赶山匠	鐾 匠⑩	刀儿匠
算命匠	扛神匠	关火匠	裱梢匠
骟（猪）匠	瓮子匠	掌火匠	装璜匠
编编匠	使牛匠	包头匠	锣鼓匠

---

① 宜宾县石城山歌："说要扬来就要扬，我来扬个潘二娘。潘二娘来潘二娘，生下八儿学八行。大儿学的是管带，二儿学的是线行。三儿学的卖糕饼，四儿学的务农汉。五儿学的是道士，六儿学的是阴阳。七儿学的是皮匠，八儿学的状元郎。要使银钱有管带，衣裳破了有线行。肚皮饿了有糕饼，脑壳痛来有生姜。死在家中有道士，抬在山中有阴阳。鞋子破了有皮匠，要做祭文状元郎。八儿都是终成孝，到老回乡土内藏。"

② 宜宾县横江镇所制铜器多为"锅、碗、瓢、火锅、烟杆、脚盆、锣、钹、马锣、铙、磬、锁、扣"之类。

③ 宜宾县横江镇一带的木匠又可分为"堰匠（造船）、瓢匠"等。

④ 宜宾县横江镇所制铁器多为"弯刀、毛镰刀、耙梳、月亮锄、挖锄、二口锄、点锄、铁钉、门扣、火钳、锅铲、爪子、连环、刨子、剪刀、扁刀、锉子、錾子、手锤、大刀、大锤、爪钉、箍子、马刀、梭镖、拗刀、铁链"之类。

⑤ 宜宾县横江镇所榨之油可细分为"菜油、麻油、花生油、桊油、桐油"五类。

⑥ 宜宾县横江镇所产麻糖可细分为"包谷麻糖、红苕麻糖、酒米麻糖"三类。

⑦ 成都歇后语说："弹花匠的女——会弹（谐谈）不会纺。"

⑧ 所制锡器多为"茶壶、酒壶、盆、灯盏"之类。

⑨ 所制银器多为金银首饰。

⑩ 陆泽怀等：《德阳民俗》（内部资料本，1996年，第228页）："扯锯，还锯，摇肝簸肺天天锯。起木板为别人，挣点工钱买米去。"

续表二

工匠名称			
抬匠	抓抓匠①	挽花匠	唢呐匠
铢匠	染匠	啄匠	刻字匠
舀纸匠②	扯纸匠	碾麻匠	风车、犁辕匠
粉匠	石匠	瓦匠	白铁匠
榍子匠	粉匠	面匠	机匠③
安山匠	绞花匠	笼子匠④	香蜡匠
炮匠	棕匠⑤	蒸笼匠	瓢匠⑥
机匠	席子匠⑦	秤匠	统子匠⑧
装匠⑨	画匠	冥器匠	理人匠⑩

上述对各类匠人的记载，十分详尽，涵盖了旧时巴蜀乡土社会中的诸多行业。工匠名本身不仅是重要的方言词汇，而且与各类工匠相关的技艺、工具，以及做工程序、信仰等，也有大量与之对应的词汇，此类词汇今仍有不少活在巴蜀人口中，承载着丰富的文化信息。如仅就造纸而言，巴蜀一些方志对材料的选取和制作的工序即有以下记载：

原料用白甲竹（慈竹亦可），但砍时在腊月，其造法有"砍、捶、斩、捆、渍、注、闪、洗、霉、泡、碾、淘、滤、踩、纳、下、舀、榨、揭、焙"等过程。有"方池、石碓、淘漕、踩漕、舀漕、木榨"等器。

当白甲竹笋成林，将发嫩叶之时（端午后十日内），多用人砍伐之，以锤

---

① 晨曦：《旧成都的中药铺》（《龙门阵》1986年第1期）："这种被人们称为'抓抓匠'出身的医生不在少数，其中还有终于成了大气候，被人们尊为名医的。"
② 聂云岚等：《中国歌谣集成·重庆市卷》（科学技术文献出版社重庆分社1989年版，第538页）："有女莫嫁舀纸匠，勾腰驼背命不长。有女莫嫁碾麻匠，天天把到万年桩。有女嫁给扯纸匠，日同板凳夜同床，家中有事好商量。"
③ 宜宾县石城山歌："冬月逢冬好采花，请个机匠到你家。两方织起万字格，中间现出白雪花。"
④ 宜宾县横江镇此类产品主要有"花灯、狮子、各种纸花"等。
⑤ 产品有"棕鞋、衣、帽、绳、扫帚、刷把、箱"之类。
⑥ 宜宾县横江镇此类产品主要有"水瓢、饭瓢、酱瓢、汤瓢、撮瓢、粪瓢"等。
⑦ 在成都市双流县白沙镇，此类产品主要有"草席、篾席"以及"枕席、晒席、囤席"等。
⑧ 宜宾县横江镇指"唱川戏或打耍锣鼓的指挥人员"。
⑨ 宜宾县石城山歌："学堂修起了，忙把装匠找。找拨好装匠，学堂装得好。"
⑩ 民国18年（1929）《合江县志·礼俗》："理人匠谓堪舆也。"

击之使破，而截长者为五六尺，用篾捆之，每捆约重四五十斤。下之方池中，层叠加石灰于上以渍之。石灰加后则满注以水。每日午前须闪动一二次，使上下温度如一。待浸过一月则起，而逐一洗涤，石灰务净尽。搁置岸上，使其生霉，由红而黑。至霉生齐后，仍推入池，以水泡之。谓之"烂料"。经过月余然后起，而以碌碡往返滚之，或入石碓杵之。复取所碾之料，下于淘漕，淘弃其粗者，名曰"纸筋"（纸筋和石灰为垩壁之用），更以麻布袋，滤取其精细者。滤干后，下于踩漕，以足踩之。踩后纳入舀漕中，每漕下姜黄三十两、滑数升，用漆长竹帘抄之。手势自左而右，舀置板上。用石榨之使干，乃逐层分揭，以笼火焙之，遇烈日，则就日光晒之。如此则纸成矣。于是，以割刀割纸为三段，纵八寸，横九寸。折叠成合中十六合，每合九十六张；边四合，每合八十张；外又四合，张数七十，共二十四合为一箱。以榨压之，每箱两捆，上束篾二道，装入篾兜，外盖号戳，封包即可。〔民国20年（1931）《达县志·食货门·制造·表纸制造法》〕

上述短短四百余字，将"表纸制造之法"详尽呈现出来。不但言及用料，而且论及所用工具，还对工艺流程进行了全面而细致的描述。其中涉及的该行业词汇有"白甲竹、慈竹、砍、捶、斩、捆、渍、注、闪、洗、霉、泡、碾、淘、滤、踩、纳、下、舀、榨、揭、焙"以及"方池、石碓、淘漕、踩漕、舀漕、木榨、烂料、纸筋、碌碡、石碓、麻布袋、笼火、篾篼"等，多达35个。这些词语有的今天仍是常用词汇，有的则随着该制造工艺的消失，逐渐被遗忘，成为历史词汇。而今天仍在夏日扮演重要角色的凉席，从选料上看，也诞生了不少方言词汇：

旧有蒲织，或以灯草，近年多用竹篾编制。县境上清风、下翠屏一带，竹席有全青、挨青、二黄、三黄之分，行销汉中、甘肃与川西南一带。年出数千余捆，获利甚厚。余如夏之篾扇、冬之烘笼，与常用之米筛、撮箕、箩篼、筐、箱等，无一不赖竹为之，农家所用为多。〔民国20年（1931）《达县志·食货门·制造·席子》〕

上述材料中，"蒲草、灯草、竹篾、全青、挨青、二黄、三黄、席子"均为达县等地流行的方言词汇，其中"蒲草、灯草、竹篾"为凉席用料之名，而

"全青、挨青、二黄、三黄"之得名，则源于对竹篾不同部分的称呼。与之相关的"篾条、篾块、篾片、篾丝、篾圈"，以及"篾扇、烘笼、米筛、撮箕、箩篼、筐箱"，则"农家所用为多"，是旧时巴蜀农人必不可少的生产生活工具。但随着科学技术的发展，生活水平的提高，此类器具在巴蜀人生活中的重要性下降，数量逐渐减少，与之对应的词汇也渐渐不为人所熟知了。

所谓"前工业时代"，仅就工业不发达，以自给自足的自然经济为主而言。在那一时期也有关系国计民生的产业，如食盐的制作与生产便是典型代表。食盐的生产，一方面受到自然条件的限制，另一方面则需要一定的技术条件和大量劳动力资源，因此，规模化的生产必不可少。

巴蜀地区是全国著名的井盐生产基地，历史悠久，早在先秦李冰守蜀之时，便勘察地形，开掘盐泉，于广都等地穿凿盐井。[①] 井盐大兴，必将在巴蜀汉语方言词汇中得到反映，首先便体现在井盐生产各个流程的工人名称上[②]。

旧时巴蜀地区各类工人皆有行会组织，其名称有下列各种（见表2-27）：

表2-27　旧时自贡盐业生产中的行会组织与其成员类别 [③]

行会组织	成员类别
盐业财神会	捷油麻米料司事工人
铲　帮	铲子工
艾叶滩	挑炭工
炭　灶	司事伙户、桶子匠、白水客
火　灶	司事伙户、桶子匠、挑水，打杂火班
火　井	司事挑白水、打杂火班
高洞炭船	运工、脚力工
杂木帮	司事工人、脚力
竹　帮	司事工人、脚力、打篾工、拭篾帮工人
盐　帮	砍盐工、捆盐工、装盐工、上下河抬盐工、放马盐工

---

① 广都：在今成都市双流华阳镇境内。
② 参见何莹光《自贡盐业生产诸关系》〔未刊稿，华西大学历史与社会系毕业论文，民国29年（1940）〕。
③ 此表据何莹光《自贡盐业生产诸关系》〔未刊稿，华西大学历史与社会系毕业论文，民国29年（1940）〕编制。

续表

行会组织	成员类别
船帮	司事工人
索帮	
泥木石三帮	泥工、木工、石工
红抬会	抬锅工
力帮会	扛子工
火神会	烧盐工、灶头工
鲁班会	辊子工、车水车、扯水工、打铁工、锉井工、办井工、箍井工、验井工、包子工、打锅工、砖围工、镍铁筒工
老君会	机车工人机械工

尽管在巴蜀地区此类关系国计民生的工业虽不多，但也对丰富巴蜀汉语方言词汇做出了重要贡献。

种植、养殖、捕鱼狩猎和副业都是严格意义上的"经济基础"，与巴蜀人日常生活密切相关。其中一部分词汇在其他地区也可能使用，但有不少都是巴蜀人根据生活生产经验创造出来，且具有浓郁地域特色。

以上仅就巴蜀汉语方言中部分词汇进行了初步探讨，其蕴含的丰富的文化内涵可见一斑。

第三章 巴蜀汉语方言词汇与民风民俗

巴蜀汉语方言尤其是词汇典型地反映着各地不同的方言和民俗的来源及其在巴蜀地区的融合。如道光二十三年（1843）《重庆府志·氏族》记载，该县刘氏祖先本湖广兴国人，元末卜居巴县。衣服不随时变，里人称为"大袖刘氏"。同治八年（1869）《新宁县志·风俗志·冠礼》记载，当时已不讲究行"三加礼"，只是在婚期前一夜，举行"伴郎"仪式，实为古代冠礼遗风，"然皆楚籍人，尚相沿袭，土著旧家，竟鲜行之，亦过从简略也"。民国10年（1921）《合川县志·风俗》记载，"（腊月）二十四日，备酒肴，长幼欢饮，俗谓'过小年'，惟江西籍人家存此"。民国13年（1924）《江津县志·风土志上》记载，"邑语凡不听信而反其声，皆曰'满'。满者，'盲'之变。邑多楚籍，此其证欤"。民国17年（1928）《大竹县志·物产志》记载，当地制作的"盐菜"，"远胜内江冬尖，惟楚籍人制最佳"。民国18年（1929）《合江县志·礼俗》和民国18年（1929）《资中县续修资州志·方言》则记载，四川籍人、楚籍人、江西籍人、福建籍人、广东籍人各自对父母、爷奶有不同的称呼。[①] 民国18年（1929）《合川县志·礼俗篇》记载，"从民籍而观，则湖广籍祀禹王、关帝帝主，福建籍祀天后，江西籍祀许真君，广东籍祀六祖。而民业之祀，亦各返其始焉"。民国22年（1933）《安县志·礼俗》记载，"家家于（七月）十五之前，必具庶馐于堂中，如宴客之形式，谓之'祭祖'。楚省人祀三天，粤省人祀一餐，其他各省人，有祀一日、二日不等者"。民国24年（1935）《夹江县志·风俗》记载，在十一月冬至节时，江西籍人氏最重视"上坟、送寒衣"。民国33年（1944）《重修彭山县志·民俗篇》记载，"夜阑，则诸宾咸嬉于新妇之房，以扰之，谓之'闹房'，粤籍人尤甚"。民国34年（1945）《大足县志·风俗》记载说，"明末

[①] 民国18年（1929）《合江县志·礼俗》："耶，音牙，江西籍人呼父也。嗟，上声，江西籍人呼母也。爸爸，福建籍人呼父也。奶奶，福建籍人呼母也。阿爸，广东籍人呼父也。阿奶，广东籍人呼母也。"民国18年（1929）《资中县续修资州志·方言》："家庭父祗之间，各沿其旧。外祖父母，川省称'家公、家婆'，楚籍称'外公、外婆'，粤籍称'假公、假婆'。"

献贼惨屠，土地荒芜，即有淳美之风俗，亦随浩劫以俱湮。清初移民实川来者，又各从其俗，举凡婚丧、时祭诸事，率视原籍所通行者而自为风气。厥后，客居日久，婚媾互通，乃有楚人遵用粤俗，及粤人遵用楚俗之变例"。《成都通览》记载说，"九皇会"应是从江西传入成都的。① 《重庆市志·民俗志》记载，旧时一些重庆人供奉的"背篼坛、筲箕坛"，即以径尺、高七八寸的小竹筐盛装诸多物品，挂于中堂神龛之侧。上供坛牌，粘于壁旁，再列坛枪，或书罗公仙师，或书镇一元坛赵侯元帅、郭氏领兵三郎。俗传这些人家的祖先用背篼背物，跋涉千山万水，从湖广来到此地，故用背篼做神体。② 这诸多材料，均从不同角度反映出巴蜀汉语方言词汇与巴蜀地区的移民"五方杂

---

① 九皇：九皇大帝。王仲崛：《四川人所奉祀之鬼神》〔华西协合大学文学院社会学系毕业论文，民国34年（1945）〕："川中每年农历九月初九日，普遍敬奉九皇大帝，自初一日起，迄九日止素食，谓之'九皇素'；且此九日中常细雨连绵，谓之'滥九皇'。饮食铺店，俱售素食，点心皆以菜蔬为馅。店首插纸糊'九皇旗'及'九皇神榜'或张贴对联，联词通常为'九月九日九皇素，七月七日七星灯'语。是为九皇胜会。传于此九日内素食之人，可免全年灾厄疾病。"傅崇榘：《成都通览》（上册，巴蜀书社1987年版，第552页）："从八月二十九起，各饮食店均洒扫，即炉灶锅碗亦皆另置，各贴不通之黄对联，或黄纸作彩帐，或黄纸剪旗，即饮食小贩挑担者亦如之。自九月朔日起，各庙宇做会念经，江西馆尤为虔诚，盖自江西传入成都者也。居民无论男女，朝夕燃黄油烛，焚香叩首，斋戒茹素，十之八九。有茹素九天者，有半月者，有二十天者，有一个月者，消耗品以豆类为大宗。可笑者，茹素之前一日，举家大烹肉品，谓曰对斋，意欲以一日之肉食，可管十余日之不茹荤。及满素时，向例必夜间先送九皇，然后开斋。常见多人，未至午前，即一面在外购办鸡鸭，一面割烹，甫到日落，即燃香送神，举家大嚼。一似茹素九天，未免太苦，不能多延一刻也。"此俗在成都客家流行。王庆方等：《中国民间文学集成四川卷·成都市彭县卷》（内部资料本，1988年，第139页）："以前的人，从九月初一到重阳都吃素，也不伤生。那些卖吃食的人，都插起黄旗旗儿卖素菜，民间把这段时间叫'九皇'。"参见李全中《从江西"九皇斋"到川西"九皇节"——客家地域文化传承与流变一例》，载《成都大学学报》（社会科学版），2006年第5期。而内江一带，则以"北斗七星"之母的"斗母诞辰"为"九皇会"。诸多人合家吃素，称为"洗锅斋"，俗以为福建移民带入此俗。参见四川省政协文史资料委员会《四川文史资料集粹》第6卷，四川人民出版社1996年版，第342页。七星灯：停放灵柩期间点的油灯，部分巴蜀人认为，此灯可以帮助死者顺利到达阴间。四川省梓潼县地方志编委会：《梓潼县志》（方志出版社1999年版，第958页）："紧随其后是令人惊异的点'七星灯'的汉子，他们裸露上身，头包黑色丝帕，腰系红绸，戴一副墨镜，两手斜叉开，将与手臂长的两根龙头木杖杵在腰间，龙头下垂红绸，七盏油灯分别挂于额头、胸部、背部，这种灯本是挂在墙上作照明用的，俗称'巴壁子'。往身上挂时要特制一挂钩，才能挂在皮肤上，点燃时又烤又疼，没有忍耐力是很难坚持两个小时的。据说，这些点七星灯的人多是为父母生病许愿、还愿或作了亏心事的，在迎神时受点煎熬，可以消灾免难。"
② 参见余云华、彭维金等《重庆市志·民俗志》，西南师范大学出版社2009年版，第58页。

处"所形成的文化之间的关系。

本章重点阐述巴蜀民俗文化对巴蜀汉语方言词语形成、发展,以及巴蜀汉语方言对巴蜀民俗文化传播的交互影响。

第一节 巴蜀汉语方言词汇与饮食习俗

巴蜀俗语说"富顺才子内江官,有吃有穿在四川""催工不催食,雷公不打吃饭人",可见巴蜀人特别重视吃。川菜中的麻辣火锅、宫保鸡丁、熬锅肉[①]、肥肠粉,乃至泡菜,都是人见人爱的人间美味。巴蜀汉语方言词汇中渗透了诸多饮食文化的因子。

一、巴蜀汉语方言词汇与川茶文化

巴蜀民谣云:"清早开门七件事,油盐柴米酱醋茶。"据此可见,茶在巴蜀人的生活中占有十分重要的地位。

巴蜀是茶的故乡。据考证,早在"公元前一千多年的西周初期,巴蜀已发现园庭中有人工栽培的茶树。到秦汉时代,巴蜀栽培茶树的渐多"。[②]

先秦时代,茶尚未成为文化饮品,到汉代始有制茶和饮茶的习俗。巴蜀人善于制茶和饮茶,古籍中早有明确的记载。王褒《僮约》中就有"烹茶尽具,已而盖藏"及"牵犬贩鹅,武都买茶"之文,[③]这是以茶叶为饮料的最早记载。西汉时,巴蜀已有饮茶之风,有茶市,唐陆羽的《茶经》引西晋傅咸《司

[①] 熬锅肉:传统川菜名。一般做法是将带皮的猪肉煮熟,切成适宜的薄片,加调料炒。因在制作时需让肉在锅里稍熬一会儿,香味才更浓,故名。卢盛祥等:《中国民间文学集成四川卷·成都市东城区卷》(内部资料本,1989年,第265页):"馒头有啥子吃头,我要找个专门炒菜的红锅师傅,天天吃熬锅肉。"也说"回锅肉"。因成都人认为这道菜的肉先煮后炒,两次下锅,故名。克非:《春潮急》(上海人民出版社1974年版,第878页):"嘿嘿!当然喽,我姓黄的不会亏负大家:明天早晨各人一颗腌蛋,干饭任随舀,晌午结脚时再来一顿回锅肉,总之,话不在多说,众位哥子的口胃,我是晓得的,肥头重一点就是。"资中等地将"回锅肉"称为"狗跳墙"。参见资中县志编纂委员会《资中县志》,巴蜀书社1997年版,第697页。
[②] 参见《四川茶叶》编写组《四川茶叶》,四川人民出版社1977年版,第2页。魏炯若:《茶》,载《龙门阵》1981年第1辑。
[③] (清)严可均校辑:《全上古三代秦汉三国六朝文》,中华书局1958年版,第359页。据考证,此武都应在今四川眉山市彭山区江口镇一带。

隶教》"蜀妪作茶粥卖"之句，①表明茶粥已流行于巴蜀。东晋常璩《华阳国志·蜀志》：

南安、武阳皆出名茶。②

又《华阳国志·巴志》：

其果实之珍者：树有荔芰，蔓有辛蒟，园有芳蒻、香茗、给客橙、葵。③

可见，巴蜀地区很早就开始了茶的人工栽培，饮茶的风俗也古已有之。④《诗经·唐风·椒聊》"椒聊之实"下孔颖达疏：

蜀人作茶，吴人作茗，皆合煮其叶以为香。⑤

宋苏辙《和子瞻煎茶》诗：

煎茶旧法出西蜀，水声火候犹能谙。⑥

顾炎武《日知录》：

自秦人取蜀而后，始有茗饮之事。⑦

---

① （唐）陆羽著，文轩译注：《茶经译注》，上海三联书店2014年版，第75页。
② （晋）常璩撰，刘琳校注：《华阳国志校注》（巴蜀书社1984年版，第281、284页）："南安茶，主要产于今丹棱、洪雅一带，宋代设有买茶场。……武阳茶……当产于今彭山西境长丘山地，今双江公社仙女山顶亦有茶场，据云自昔产茶。"
③ （晋）常璩撰，刘琳校注：《华阳国志校注》，巴蜀书社1984年版，第25页。
④ 参见杜长煜《中国最早的茶叶市场在四川》，载《文史杂志》1992年第1期。
⑤ （清）阮元校刻：《十三经注疏》，中华书局1980年版，第363页。
⑥ （宋）苏辙著，陆宏天、高秀芳点校：《苏辙集》，中华书局1980年版，第78页。
⑦ （清）顾炎武著，（清）黄汝成集释：《日知录集释》（影印本），上册，上海古籍出版社1985年版，第590页。

据传，独特的四川茶具"三件头"——茶盖、茶碗和茶船子之一的茶托，就是一位巴蜀女孩发明的。据《资暇录》记载，唐德宗建中年间，西川节度使兼成都府尹崔宁有个小女儿，饮茶时怕杯子烫手，叫婢女将茶杯置于盘上，但茶杯容易倾翻，故用蜡把茶杯固定在盘上。因其效果特佳，即命工匠以漆环代蜡，进于崔宁，崔宁奇之，名之为"茶托子"。后来，茶托子几经改进，便成为今天的形状。其形如舟船，故称"茶船子"。[1]

巴蜀乡镇尤其是川西乡镇，茶馆之多，非外地集镇可比。《淘金记》中的北斗镇并不大，"只有一条正街，两条实际上是所谓尿巷子，布满了尿坑、尿桶和尿缸的横街；但它却拥有八九个茶铺。赶场天是十几个"。[2] 据《成都通览》记载，当时省城茶馆计454家，[3] 产茶区有彭县、什邡、灌县、汶川等60厅州县。茶的品种有红白茶、茶砖、香片、苦丁茶、苦田茶、毛茶及老鸦茶等。[4]

成都则以茶馆众多而闻名于世。正如李劼人所说"坐茶铺，是成都人若干年来就形成了的一种生活方式"[5]。至于普通人家来了客人往往泡茶应酬，饭余酒后解渴消闲，茶叶更是居家必备之物。可见，茶与巴蜀人的生活密切相关，"没有茶馆便没有生活，这点道理在四川一个小镇子上尤其见得正确无误"[6]。

巴蜀茶馆是多功能的，集政治、经济、文化功能为一体，不仅是人们解渴消闲的地方，也是重要的交际、交易、娱乐场所和舆论场地。在茶馆里，人们既可交流信息、商量事情，又可洽谈生意、解决纠纷，还可以听评书、扬琴、

---

[1] （唐）李匡乂：《资暇录·茶托子》〔陶宗仪等：《说郛三种》（宛委山堂本），卷一十四，上海古籍出版社1998年版，第695页〕："始建中蜀相崔宁之女，以茶杯无衬，病其熨指，取碟子承之。既啜而杯倾，乃以蜡环碟子之央，其杯遂定。即命匠以漆环代蜡，进于蜀相，蜀相奇之，为制名，而话于宾亲。人人为便，用于代是。后传者更环其底，愈新其制，以至百状焉。"
[2] 参见沙汀《淘金记》，人民文学出版社1962年版，第2页。
[3] 极盛时期，成都茶馆有七百多家。参见廖上柯《窑城市招拾趣》，载《龙门阵》1987年第4期。
[4] 参见（清）傅崇榘《成都通览》（下册），巴蜀书社1987年版，第253页。民国13年（1924）《乐山县志·经制·植物类》："茶有红春、白春、家茶之别。红、白春叶大，味甘。家茶叶小，味苦。春分前后采者，曰'毛尖'，最香嫩。清明采者，味浓而价低。更有野茶，以刺梨、山麻柳叶代之，价最贱，亦可食。"
[5] 参见李劼人《李劼人选集》第1卷，四川人民出版社1980年版，第340页。
[6] 参见沙汀《祖父的故事》，上海文艺出版社1963年版，第187页。

清音、金钱板等，从而形成独特的"茶馆民俗"乃至"茶馆文化"，[①]因此在巴蜀汉语方言中，由茶习俗形成的词语特别多。如：

吃讲茶 [②]

此也称"吃茶、吃碗茶、讲理信[③]"，这是解决巴蜀民间争端的一种方式。即发生争执的双方到当地知名人士家中拜访，请其出面到茶馆喝茶，评判是非。

当巴蜀民间在房屋、土地、水利、山林、婚姻等方面发生纠纷争执不下时，便由双方当事人出面，各自邀集一些人于某时到茶馆，共同请来地方上的德高望重的头面人物担任主持人，为在座茶客分别奉茶一碗，以吃茶说理的方式，调解或处理纠纷。先由双方当事者向众人叙说纠纷始末，然后由坐马兴桌[④]的办事公道、颇有声望的长辈或头面人物，根据众人议论，讲说是非曲直，作出评判调解。如果积怨消除，大家就欢欢喜喜地散场，还争着付茶钱。倘若各执一词，则由主持人当众作出结论，双方都得接受。如果双方都负有责任，就各付茶钱一半。如果一方输了，即付全部茶钱，故巴蜀俗语说："一张桌子四只脚，说得脱来走得脱。"今川东人仍把"输理"称为"付茶钱"。

"吃讲茶"作为民间调解纠纷的一种方式，具有一定的权威性和约束力。在巴蜀籍作家的笔下，有着生动的描写，如《暴风雨前》：

（茶馆是）评理的场所……假使你与人有了口角是非，必要分个曲直，争个面子，而又不喜欢打官司，或是作为打官司的初步，那你尽可邀约些人，自然如韩信将兵，多多益善，——你的对方自然也一样的。——相约到茶铺来。如其有一方势力大点，一方势力弱点，这理很好评，也很好解决，大家声势汹汹地吵一阵，由所谓中间人两面敷衍一阵，再把势弱的一方数说一阵，就算他

---

① 参见崔显昌《旧成都茶馆》，载四川省文史研究馆：《巴蜀述闻》，上海书店1992年版，第139~150页。

② 旧时丐帮之间发生冲突，也多在荒草坪请地方有权势之人评理，称为"说草坝（场）、吃和气酒、开簸箕会"。参见四川省政协文史资料委员会《四川文史资料集粹》第6卷，四川人民出版社1996年版，第160页。陆泽怀等《德阳民俗》（内部资料本），1996年，第313页。

③ 沙汀：《还乡记》〔文化生活出版社民国37年（1948）版，第109~110页〕："老婆前年冬天，就嫁给徐荣成了。后来又闹过一次，还是在街上讲理信说好的。"沙汀：《淘金记》（人民文学出版社1962年版，第114页）："有一批人在等候讲理信，公断处是就设在这茶馆里的。"

④ 马兴桌：靠近茶馆大门口的两张桌子。

的理输了。输了，也用不着陪礼道歉，只将两方几桌或十几桌的茶钱一并开消了事。如其两方势均力敌，而都不愿认输，则中间人便也不说话，让你们吵，吵到不能下台，让你们打，打的武器，先之以茶碗，继之以板凳，必待见了血，必待惊动了街坊怕打出人命，受拖累，而后街差啦，总爷啦，保正啦，才跑了来，才恨住吃亏的一方，先赔茶铺损失。这于是堂倌便忙了，架在楼上的破板凳，也赶快偷搬下来了，藏在柜房桶里的陈年破烂茶碗，也赶快偷拿出来了，如数照赔，如数照赔。所以差不多的茶铺，很高兴常有人来评理……①

其他作品如沙汀《在其香居茶馆里》《公道》《还乡记》等中，均写到"吃讲茶"：

随后人们又纷纷赞成她们去吃讲茶。……她们争扯了很久这才说到本题，虽然魏老婆子的解说不时遭遇到那亲家母顽固的打岔。（《沙汀选集》第1卷，第51页）

该习俗至今仍在巴蜀地区流行，并由此衍生出"开茶钱"一词，指"输理"。

喊茶（钱）

此即在茶馆里高声告诉堂倌某某人的茶钱由自己付，也称"招呼茶钱"，是巴蜀茶馆里的一种特殊礼节，有的仅为礼节性的表示。真给的应别有用心或有特殊关系。巴蜀民俗，有点头之交的人之间，都应互相"喊茶钱"②。如果在茶馆里碰面而互不喊茶钱，说明双方关系恶化，故喊茶钱"人数的多少、嗓门的高低以及态度的真假，常常成为衡量人们地位尊卑、权势大小和关系亲疏的一种微妙尺度"。③

沙汀《在其香居茶馆里》对喊茶（钱）有十分精彩的描写：

---

① 李劼人：《李劼人选集》第1卷，四川人民出版社1980年版，第338页。
② （清）刘省三：《跻春台》（江苏古籍出版社1993年版，第230页）："忽见包得走来，喊茶钱，曰：'原来是封老爷在此，几时进州，有何贵干？'"沙汀：《还乡记》〔文化生活出版社民国37年（1948）版，第195页〕："当他走上广游居的阶沿的时候，立刻就有很多人喊茶钱，有的甚至站起来让座位。"
③ 参见李庆信《沙汀小说艺术探微》，四川省社会科学院出版社1987年版，第65页。

新老爷一露面，茶客们都立刻直觉到：幺吵吵已经布置好一台讲茶了。茶堂里响起一片零乱的呼唤声。有照旧坐在坐位上向堂倌叫喊的，有站起来叫喊的，有的一面挥着钞票一面叫喊，但是都把声音提得很高很高，深恐新老爷听不见。

其间一个茶客，甚至于怒气冲冲地吼道：

"不准乱收钱啦！嗨！这个龟儿子听到没有？……"

于是立刻跑去塞一张钞票在堂倌手里。①

巴蜀人认为"茶"多籽，会带来"多子多福"，故巴蜀婚俗中，也有不少与"茶"有关的。②

送花园儿茶

结婚头天下午过礼③，新郎家将若干茶食送往新娘家，请12位姑娘"陪花园儿"，即陪新娘唱哭嫁歌。

闹（房）茶

闹房之说不知所自起，然已成通俗，不独邑中也。女之将嫁，奁具之外有最要之事曰茶点，盖闹房俗亦名闹茶。〔民国13年（1924）《江津县志·风俗》〕

主人以糖饵九事分置九盘，飨诸宾，令新妇周行添茶，谓之"闹房茶"。〔民国21年（1932）《南溪县志·礼俗》〕

吃新人茶

女家于嫁前备置糖果、糕饵于厨楗中，俟宾客谐谑不休时，家属代觅所藏，出以款客。新娘则瀹茗提壶，周旋往复，虽困愈而不获已。客则嬉笑以为大乐，谓之"吃新人茶"。〔民国36年（1947）《新繁县志·风俗》〕

---

① 沙汀：《沙汀选集》第1卷，四川人民出版社1982年版，第147页。
② 参见李鉴踪《一茶定婚——略谈婚俗中的茶》，载《文史杂志》1996年第1期。
③ 过礼：结婚头天或当天男方送娶亲礼物给新娘家。（清）刘省三：《跻春台》（江苏古籍出版社1993年版，第486～487页）："他有雇工与胡培德同里，荐他去缝过礼衣服，王莹见培德一表人材，规矩恭敬，想着自己儿子是个怪物，我做官人反不及一穷汉，好不忧气。"李劼人：《李劼人选集》（第1卷，四川人民出版社1980年版，第320页）："婚期前两天过礼，男家将新房腾出，女家置办的新木器先就送到，安好。"

摆 茶

午用糖果、米粑之类佐茶，名曰"摆茶"。〔民国21年（1932）《南溪县志·礼俗》〕

其最通之品，蒸糯米干而煎之，饳馇成饊，烊饴于釜，以饊盉之，令相得，置于盆，按之令实匀，切成块，纸封而藏之。虽寒素嫁女，亦必备此。家稍殷实者，且益以市品饼饵糕果，必精必备。婚之夕，来宾男妇杂遝于新房，谐谑调笑，无所不至。伴娘取钥匙启椟，将各果品取出，主人则瀹茗为佐席之，与者以数十计，谓之"摆茶"。〔民国13年（1924）《江津县志·风俗》〕

此即新娘招待男家亲友的茶宴。在结婚的第二天，新娘要拿出从娘家随陪嫁一同带来的甜食、瓜子、茶叶等，招待男方家的亲友来客。

拜 茶

（结婚）次晨男女著礼服，拜父母及诸族戚，行四跪三叩礼。族戚各与金钱曰"拜茶"。〔民国16年（1927）《重修丰都县志·礼俗志》〕

就连丧俗中也离不开茶：

若系丧母、亡妻，丧家行祭前，要设茶点，请丧妇娘家亲人说话，称作"讨茶"。（《达县志·社会风土》）[1]

今成都都江堰市、郫县以及通江县等地治丧活动中，仍有"采茶""献茶"仪式。[2]

吃合棕茶

巴蜀地区的江河中急流险滩很多，舟船逆水上滩时，需要同行船只互相帮助才能前行，这种相互帮助的行为就称为"合棕"。当行船日期定下后，船

---

[1] 四川省达县志编纂委员会：《达县志》，四川辞书出版社1994年版，第815页。
[2] 参见黄尚军、王振等《巴蜀汉族丧葬习俗研究》，四川民族出版社2017年版，第269～270页。

老板要先支付船工一部分工钱。"纤头"便领着大家去茶馆"吃合棕茶"，寻找一同行路的船工，或争着开茶钱，或买些香烟、点心招待。目的在于拉拉关系，套套近乎，笼络人心，以便到时能互相帮助。

吃书茶

这是指在茶馆里边喝茶边听曲艺演唱。蓉城设有一种专业曲艺剧场，从事曲艺的人每日须固定在某茶馆演出一至两场，如评书、清音、扬琴、倒筒(竹琴)等，茶客则边听书边品茶。每碗茶加付点茶钱，由艺人与茶馆老板按一定比例分成。

洗（喜）茶碗

也称"亮堂"，是茶馆开业的头天晚上举行的一种仪式。该晚茶客不论人数多少，喝茶均是免费的。前来喝"亮堂"茶的多是亲邻好友及地方上的公事人之类，目的在于疏通关系，以吸引更多的茶客。

由"茶俗"产生的其他方言词语有：

龙涎[①]——龙宫里的茶，泛指茶。

茶客——嗜茶之人。

会茶钱、开茶钱——付茶钱。

茶瓶——热水瓶。

茶母子——保存较浓茶汁的茶水。

茶铺、茶铺子——茶馆。

吃茶——喝茶。

二茶——茶碗中喝过的茶水。

饱——茶碗中茶叶太多。

啬——茶碗中茶叶太少。

关——配茶。

吃闲茶——只为消磨时光上茶馆喝茶。

吃加班茶[②]、吃找茶、吃过路茶——喝别人饮剩下的茶。

---

① 张宪明等：《中国民间文学集成·四川成都市蒲江县卷》（内部资料本，1988年，第215页）："先生在厅堂坐下，喝了龙涎，头脑稍稍清醒，等候龙王召见。"

② 多指在茶铺里用茶盖舀着别人的剩茶喝。参见郝志诚《父亲的故事》，载《龙门阵》1997年第1期。

吃报到茶——买茶后给堂倌打个招呼马上离开，办完事后再回来喝。

官茶——也称"施茶"，旧时成都热心社会公益者私人所设的免费茶水站。①

谈茶、谈三花②——喝茶聊天。

堂倌、幺师——专司泡茶和续水之人。

发叶子——第一次把开水冲进放入一定数量的茶叶的茶碗。

掺茶——发叶子后向茶碗里倒开水。

开——掺水时揭开茶盖，揭一次称"一开"，揭两次称"二开"，以此类推。

揭盖子——别人代付了茶钱，自己即使不喝，也要揭起茶盖，在茶水里荡一下，以示礼貌。

白——掺过几次水后，茶碗里的茶水颜色已变得很浅了。

茶尾子——茶碗中喝剩下的少许茶水，代指事物的最后部分。

翻云梯——堂倌暗中增加茶的碗数，将多卖出的茶钱据为己有。

水钱——茶馆卖出的热水、白开水、洗脸水、洗脚水钱。此钱按规矩应归堂倌和瓮子匠茶馆里负责烧水的人。

火钱——因在茶馆里炖肉、熬药之类用了火而交付的钱，此钱亦归堂倌和瓮子匠共享。

卖风③——热天在茶馆、酒店等处给客人打扇，实为变相乞讨。

打茶围——让妓女陪酒作乐。

筛茶——婚丧嫁娶日由专门人员给客人倒茶。

翻茶杯儿——儿童游戏，将绳环绷成一定图案，两人轮流翻绕在自己两手上。

---

① 参见崔显昌《盐、茶及其他——旧蓉城市民生活漫忆之三》，载《龙门阵》1987年第1期。
② 三花：三级茉莉花茶，因在20世纪70年代物资紧缺时价廉物美，故成都人把它作为茶叶的代称。宋发清：《扭曲与复归——文革中的操哥现象》（成都出版社1992年版，第182页）："过去，他不计较茶叶的好坏，常用的是三花，不济时，四花、五花、花碎、花末也喝得尚好。现在，常沏二花、一花乃至各类名茶。"
③ 参见吴剑洲、吴绍伯《〈这儿也有个奇迹王朝〉补遗——补记旧蓉城的乞丐故事》，载《龙门阵》1989年第6期。

有关茶的谚语及歇后语有：

好看不过素打扮，好吃不过茶泡饭。
冷茶冷饭吃得，冷言冷语受不得。
打伙一碗茶，分伙一双蜡。
烟吃头口，茶喝二开。
不管他粗茶淡饭，总要吃得饱；不管他粗布棉衣，总要穿到老。
茶壶本是泥巴做，屙尿就把客待过。
壳子大家冲，茶钱各给各。
一杯茶不吃，吃两杯茶。
丫头子，蛮疙瘩，装烟① 倒茶背娃娃。
两杯茶不吃，未必吃一杯茶比喻双方都不得罪。
茶壶头下挂面——难捞比喻难以捞取东西或好处。
茶铺头的龙门阵——想到哪儿说到哪儿比喻漫无目的地闲聊。
茶铺搬家——另起炉灶比喻重新做起。

二、巴蜀汉语方言词汇与川酒文化

巴蜀俗语说："四川的酒，云南的烟。"茶不仅在巴蜀人生活中占据着重要地位，巴蜀的酒也斐名中外，今天号称川酒"五朵金花"的五粮液②、泸州老窖、郎酒、全兴大曲、剑南春等，延续着古老的巴蜀酒文化的辉煌。

晋常璩《华阳国志·蜀志》中即有"九世开明帝，始立宗庙，以酒为醴"的记载③，这就说明早在先秦时期，巴蜀地区的酒业生产已经有较大规模的发展。近年来，考古发掘中大量盛酒器的出土也印证了这一说法。

巴人尚酒，《后汉书·南蛮西南夷列传》记载，寰人曾经与秦人订立互不侵犯条约：

---

① 旧时成都装烟分为"装水烟"和"装叶子烟"。参见何韫若《锦城旧事竹枝词》，中国三峡出版社2000年版，第126~127页。
② 参见王伯瞻《闲话宜宾"五粮液"》，载《龙门阵》1983年第4辑。
③ （晋）常璩撰，刘琳校注：《华阳国志校注》，巴蜀书社1984年版，第185页。

秦犯夷，输黄龙一双；夷犯秦，输清酒一钟。①

据彭金祥考证，"黄龙"即刻有龙纹的玉，据史料推算，"一钟"清酒应有310公斤。②而北魏郦道元在《水经注·江水》中记述江阳县时云：

江之左岸有巴乡村，村人善酿，故俗称巴乡清郡出名酒。③

《华阳国志·巴志》也载录了一首古老的诗歌：

川崖惟平，其稼多黍。旨酒嘉谷，可以养父。
野惟阜丘，彼稷多有。嘉谷旨酒，可以养母。④

汉代，巴蜀地区的酿酒业空前发达，近年来陆续出土的"酿造图""酒肆"即为明证，如成都土桥曾家包汉墓1975年出土石刻"酿造图"，1979年四川新都县利济乡出土"酿酒"画像砖，为汉代民间酿酒作坊图。⑤就文献典籍的记载来看，不仅《史记·司马相如列传》中有司马相如与卓文君当垆卖酒的载录⑥，扬雄《蜀都赋》中也有"置酒乎荥川之闲宅，设座乎华都之高堂。延帷扬幕，接帐连冈"的名句。⑦这一时期，巴蜀名酒纷出，其中尤以"菊花酒""临邛酒""金浆酒""杜康酒""屠苏酒""洪梁酒""司洒酒""椒柏酒""百末旨酒"等最负盛名。⑧巴蜀人的酿酒方法在《齐民要术·笨曲并酒》中也有所记载：

蜀人做酴酒法：十二月朝，取流水五斗，渍小麦曲二斤，密泥封。至正月二月，冻释，发，漉去滓。但取汁三斗，杀米三斗。炊做饭，调强软，合和；

---

① （南朝宋）范晔撰，（唐）李贤等注：《后汉书》第10册，中华书局1965年版，第2842页。
② 参见彭金祥《从罗家坝等川东考古遗址谈巴賨文化》，载《广西社会科学》2011年第7期。
③ （北魏）郦道元撰，陈桥驿点校：《水经注》，上海古籍出版社1990年版，第640页。
④ （晋）常璩撰，刘琳校注：《华阳国志校注》，巴蜀书社1984年版，第28页。
⑤ 参见张德全《汉代四川酿酒业研究》，载《四川文物》2003年第3期。
⑥ （汉）司马迁：《史记》第9册，中华书局1959年版，第3000页。
⑦ （清）严可均校辑：《全上古三代秦汉三国六朝文》第1册，中华书局1958年版，第403页。
⑧ 参见张德全《汉代四川酿酒业研究》，载《四川文物》2003年第3期。

复密封。数十日,便熟。合滓餐之,甘、辛、滑,如甜酒味,不能醉人。多啖,温温小暖而面热也。①

"酴酒"被释为"酒酿",但其为何物,仍不明了。据我们田野调查得知,应为巴蜀民间如今仍广泛酿造的"醪糟儿酒"。②

唐代,巴蜀酒业依然兴盛,这从唐代诗歌中有体现。有学者统计,在杜甫445首两川诗中,涉及酒的就有83首,约占总数的18%。③虽然我们不能就此推测杜甫诗歌与川酒的关系十分密切,但也不能否定川酒对杜甫的创作从素材到灵感都有可能存在影响。至于这一时期的"剑南烧春"更是名闻天下。

宋代成都商业十分繁荣,每月都要举行专业性的贸易集会,其中便有专门的"十月酒市"。④陆游《楼上醉书》也有"益州官楼酒如海,我来解旗论日买"之句。⑤张能臣《酒名记》对"剑州东溪;汉州簾泉;合州金波,又长春;渠州葡萄;果州香桂,又银液;阆州仙醇……"等的描写,⑥则系统梳理了当时的巴蜀酒名。此外,还有成都锦江的"锦江春"、汉州的"鹅黄

---

① (北魏)贾思勰著,石声汉译注,石定枎、谭光万补注:《齐民要术》,中华书局2015版,第853~855页。
② 射洪县称大糟坛对烧酒为"对酒"。参见四川省政协文史资料委员会《四川文史资料集粹》第6卷,四川人民出版社1996年版,第305页。
③ 参见刘咏涛《杜甫两川时期的酒诗——兼谈〈李白与杜甫〉中的有关论述》,载《成都大学学报》(社会科学版),2005年第5期。
④ 旧时成都每月都有集市,即"正月灯市、二月花市、三月蚕市、四月锦市、五月扇市、六月香市、七月七宝市、八月桂市、九月药市、十月酒市、十一月梅市、十二月桃符市"。
⑤ (宋)陆游著,钱仲联校注:《剑南诗稿校注》第2册,上海古籍出版社1985年版,第630页。
⑥ (明)陶宗仪等:《说郛三种》第7册,上海古籍出版社1988年版,第4337页。

酒"①、宜宾的"荔枝绿"、绵竹的"蜜酒"等众多名酒。② 明清时期，巴蜀仍是全国著名的酒乡，此传统一直延续至今。

巴蜀酒文化的发达也自然反映在巴蜀汉语方言词汇中。

咂 酒

此又有"咂嘛酒、泡水酒、杆杆酒"等名，是以粳米、大麦、玉米、高粱、荞子等为原料制成的一种农家酒。制作方法是：将原料浸泡后粗磨，掺水蒸熟，加以酒曲，密封在瓦坛或木桶里，存放两三个月，甚至十年。时间愈长，酒味愈佳。临饮时启封，掺上冷开水，插入麻秆或竹管吸食：

莆酒亦曰咂嘛酒○以粳米或麦、粟、梁、黍酿成酒，熟时以滚汤灌坛中，用细竹莆通节入坛内咂饮之。咂去一杯，别去一杯热汤添之，坛口是水，酒不上浮，至味淡乃止。潼川粟谷酒，遂宁火米酒有名。（《蜀语校注》，第144页）

咂酒，以蜀黍及稻、糯、粟、麦蒸熟，和以麴蘖，入坛封固酿成。其味香美，甲于他邑。〔同治四年（1865）《璧山县志·风俗》〕

俗崇俭约，风犹近古。惟宴会颇觉丰腴。乡居之家，不喜沽酒，每于重阳节自酿，青、黄、红诸色不等，味最甘美。又常造咂酒，黍、稷、稻、粱皆可用，蒸熟后，和以曲蘖，贮坛中，用泥头封固，月余始熟，日久更佳。客至，或用火煨，或和坛水煮熟后，以烊水灌坛中，用细竹管通节入坛内吸饮之。上添水一杯，则下增酒一杯，传饮为礼，味淡乃止。杜工部诗云："酒忆郫筒不用酤。"今之咂酒，其遗意欤。又白香山诗云："闲拈蕉叶题诗句，闷

---

① （宋）祝穆撰、祝洙增订，（明）施和金点校：《方舆胜览》（中华书局2003年版，第200页）："鹅黄乃汉州酒名，蜀中无能及者。"陆游有"叹息风流今未泯，两川名酝避鹅黄"的诗句〔（宋）陆游著，钱仲联校注：《剑南诗稿校注》第1册，上海古籍出版社1985年版，第283页〕。

② （宋）苏东坡：《蜜酒歌·并叙》〔（宋）苏轼著，（清）王文诰辑注，孔凡礼点校：《苏轼诗集》第4册，中华书局1982年版，第1115~1116页〕："西蜀道士杨世昌，善作蜜酒，绝醇酽。余既得其方，作此歌以遗之。"其诗曰："真珠为浆玉为醴，六月田夫汗流泚。不如春瓮自生香，蜂为耕耘花作米。一日小沸鱼吐沫，二日眩转清光活。三日开瓮香满城，快泻银瓶不须拨。百钱一斗浓无声，甘露微浊醍醐清。君不见南园采花蜂似雨，天教酿酒醉先生……"诗歌对"蜜酒"酿造的全过程进行了细致入微的描述。另见陆游《对酒》诗〔（宋）陆游著，钱仲联校注：《剑南诗稿校注》第3册，上海古籍出版社1985年版，第1484页〕："新酥鹅儿黄，珍橘金弹香，天公伶寂寞，劳我以一觞。"

折藤枝引酒常。"注解为"竹管",义或本此。〔光绪二年（1876）《南川县志·风俗》〕

"咂酒"不仅受到汉族的钟爱,巴蜀少数民族地区也广泛盛行,《羌戎考察记》有详细描述:

咂酒是戎人唯一的恩物,这时候男女多围绕着酒坛,立的、坐的、跪的、趺坐的,衔了竹枝抽吸。咂酒是一种青稞做的酒,用开水煮熟以后,装在酒坛中,加一种面,涂上翁头泥,隔两三天以后,就可以吃了。然而味淡而酸,和啤酒相仿佛,藏的日期愈久,酒味愈醇,液体凝为蜂蜜一样,味甜而质黏。①

短短一百余字,形象描述出羌人的饮酒场面、制作流程和特色,并且呈现出羌地咂酒②在原料上与汉族地区的差异。

巴蜀方志对此酒也多有记载。

咂酒,一名钩藤酒,以米杂黍子为之,以火酿成,不刍不酢,以藤吸取。多以鼻饮者,谓由鼻入喉,更有异趣。《峒溪纤志》《峒溪诗话》及《蛮溪丛谈》,均载此酒。白香山诗"闷取藤枝吸酒尝",谓此酒也。〔光绪二十六年（1900）《垫江县志·食货志·物产》〕

普通以苞谷酿,鹤游坪则多用稻谷蒸糯米酿者,汁湓涌,俗名"醪糟"。酿膏粱,盛以小坛。饮时煮热,插竹管③,口就吸之,干即加开水,名"咂酒"。陆宣公谪忠时,此酒始见于传记。又仿山西法,以药制潞酒,出境,倍香甘,则州之特别饮料也。〔民国17年（1928）《涪陵县续修涪州志·风土志·物产·饮之属》〕

酝入烟霞品,功随曲蘖高。秋筐收橡栗,春瓮发蒲桃。旅集三更兴,宾酬

---

① 庄学本:《羌戎考察记》,四川民族出版社2007年版,第58页。
② 此酒在凉山彝族地区尤为盛行,彝语称为"芝衣"。参见伍精忠《凉山彝族风俗》,四川民族出版社1993年版,第33页。
③ 古多用芦管,故名曰"芦酒"。

百拜劳。苦无多酌我,一吸已陶陶。([明]杨升庵《昭化饮咂酒》)①

昭化在今广元境内,古为川北重镇,地近羌地,故有学者据此考证杨升庵所饮,为羌人所酿之"咂酒"。②

浮蛆

与"咂酒"相关的"浮蛆",在巴蜀汉语方言中一度成为争讼颇多之词。《汉语大词典》释"浮蛆"为"浮在酒面上的泡沫或膏状物"。我们查阅相关文献资料,发现此说欠妥:

旧闻李太白好饮玉浮梁,不知其果何物。余得吴婢,使酿酒,因促其功。答曰:"尚未熟,但浮梁耳。"试取一盏至,则浮蛆酒脂也。乃悟太白所饮盖此耳。(《清异录·酒浆》)③

此释"浮蛆"为"酒脂",虽与真意相近,但还是差了一步。

苏轼《答任师中、家汉公》诗"冰盘荐文鲔,玉斝倾浮蛆",④陆游《邻饷》诗"炊玉吴粳美,浮蛆社酒酽",⑤均言及"浮蛆",但意仍不明晰,检阅巴蜀方志方知,"浮蛆"乃"咂酒"之别称:

民间多制咂酒,用黍、稷、粱、粟等米入酒曲,如法拌制,贮大坛中,酿数月,始可用。至一二年更佳。每客至时,取一二升入小坛内,灌以热水。少顷,以细竹插入坛底吸饮,上可添水一杯,则下去酒一杯。转相传饮,至味淡乃止。……其黏米酿者,俗谓醪糟,人并其糟食之。苏东坡诗"浮蛆艳金碗",陆放翁诗"满注浮蛆甏"是也。〔光绪十年(1884)《射洪县志·风俗》〕

---

① (明)杨慎:《升庵全集》第2册,商务印书馆民国26年(1937)版,第199页。
② 参见熊四智《论巴蜀酒文化特色》(下),载《四川烹饪》1998年第8期。
③ (宋)陶穀、吴淑撰,孔一校点:《清异录》,上海古籍出版社2012年版,第96页。
④ (宋)苏轼著,(清)王文诰辑注,孔凡礼点校:《苏轼诗集》第3册,中华书局1982年版,第756~757页。
⑤ (宋)陆游著,钱仲联校注:《剑南诗稿校注》第6册,上海古籍出版社1985年版,第3010页。

不但射洪如此，与之相邻的盐亭也有此称：

民间多制咂嘛酒，用米秔入酒曲少许拌制，贮小磁坛中。黍、稷、粱、粟皆可用以酿酒，月余始熟。客至待酌，取热水满贮，以细竹旁通窍入坛底吸饮。上可添水一杯，则下去酒一杯。转相传饮，至味淡乃止。杜诗曰："酒忆郫筒不用酤。"盖郫人截大竹为筒，以盛酒。盐之咂酒，亦郫筒遗意也。香山诗"闷取藤枝吸酒尝"，东坡诗"浮蛆艳金碗"，放翁诗"满注浮蛆甕"，皆谓此也。然此酒川中多有之，亦不独盐邑为然。〔光绪八年（1882）《盐亭县志·风俗》〕

巴蜀酒之名远远不止于此，其中许多还与历史、神话传说等有着密切关系，蕴含着丰富的文化内涵，以下略举数例。

文君酒

四川名酒，因司马相如与卓文君的故事而得名。汉武帝时，临邛富豪卓王孙的女儿卓文君，晓音律，善鼓琴，新寡家居，与司马相如琴心相恋，驰归成都，结为夫妇。不久又同返临邛，酿酒谋生，"文君当垆，相如涤器"。此酒历代文人笔下多有描写：

始酌文君酒，新吹弄玉箫。（［唐］李百药《少年行》）[①]
此酒定从何处得，判知不是文君垆。（［宋］陆游《寺楼月夜醉中戏作》）[②]

（洞天）乳酒

一说因酒之色而名，产于四川灌县青城山[③]：

山瓶乳酒下青云，气味浓香幸见分。鸣鞭走送怜渔父，洗盏开尝对马军。

---

① （宋）计有功：《唐诗纪事》卷四，第115页，（台湾）商务印书馆，景印文渊阁四库全书，1986年版，第1479册，第311页。
② （宋）陆游著，钱仲联校注：《剑南诗稿校注》第2册，上海古籍出版社1985年版，第579～580页。
③ 参见熊四智《论巴蜀酒文化特色》（下），载《四川烹饪》1998年第8期。

（［唐］杜甫《谢严中丞送青城山道士乳酒一瓶》）①

另说乳酒因用马乳葡萄酿制，故名，源出西域。《事类统编·饮食部》引《唐书》：

蒲桃酒西域有之，前代或有贡献。及破高昌，收马乳蒲桃实于苑中种之，并得其酒法。上自损益造酒。酒成，芳香酷烈，味兼醍盎。颁赐群臣，京师皆识其味。②

上述两说均有所据，并不矛盾，也许只是缘于地域差异对不同种类酒的相同称呼而已。

郫筒酒

蜀地名酒，相传晋代"竹林七贤"之一的山涛为郫令，用竹筒酿酒，兼旬方开，香闻百步，故名：

酴蘼一名"琼绶带"，一名"雪缨红"，一名"白玉碗"，一名"雪南红"，可以酿酒。晋山涛取此酿酒，以竹筒贮之，曰"郫筒酒"。〔民国37年（1948）《郫县志·物产》〕

此酒全盛于唐宋，杜甫《将赴成都草堂途中有作先寄严郑公五首》"鱼知丙穴由来美，酒忆郫筒不用酤"，仇兆鳌注：

《成都记》："成都府西五十里，㳅水标名曰郫县，以竹筒盛美酒，号为郫筒。"《华阳风俗录》："郫县有郫筒池，池旁有大竹，郫人刳其节，倾春酿于筒，苴以藕丝，蔽以蕉叶，信宿香达于林外，然后断之以献，俗号郫筒酒。"③

遥知别后添华发，时向樽前说病翁。所恨蜀山君未见，他年携手醉郫筒。

---

① （唐）杜甫著，（清）仇兆鳌注：《杜诗详注》第2册，中华书局1979年版，第896页。
② （清）黄葆真增辑：《增补事类统编》卷六七，上海锦章图书局民国15年（1926）石印本，第3页。
③ （唐）杜甫著，（清）仇兆鳌注：《杜诗详注》第3册，中华书局1979年版，第1105~1106页。

（[宋]苏轼《次韵周邠寄〈雁荡山图〉二首》[其二]）①

唐宋以后，郫筒酒虽逐渐走向衰落，但也并未消失。清代美食家袁枚在其《随园食单》中还论及郫筒酒的滋味，言"郫筒酒，清洌彻底，饮之如梨汁蔗浆，不知其为酒也"。②清代《成都竹枝词》中还有"郫县高烟郫筒酒，'保宁'酽醋'保宁'绸"之佳句。③清代果亲王路过郫县时，曾为郫筒酒手书"酿醁传香"四字，苏东坡、范成大、陆游均为郫筒酒题有诗句。今成都郫县有郫筒镇，相传为古时酿造郫筒酒之地，并有一个关于郫筒酒的传说。④

清末民国时期的巴蜀方志等文献中，多言及"郫筒"之名，但均将那一时期巴蜀民间盛行的"咂酒"视为"郫筒之遗"：

厅人酿酒，制粳米，或黍、稷、粱、粟，贮磁瓶中，月余始熟。将燕客，以热水注满，截细竹通其窍，入瓶底，吸而饮之。浅则添水，至味淡乃止，谓之"咂酒"，盖即郫筒之遗。〔道光二十三年（1843）《石柱厅新志·物产志》〕

俗用曲、米、膏粱，杂和酿酒，连糟置坛中，月余始熟。饮时以水满贮，用细竹通窍入坛底，吸饮之。以杯量水，水缩复增，谓之"咂酒"。相传为郫筒之遗制云。近间用膏粱和谷制酒，杂以醅醪，酿置瓮中，年余始取，名曰"窨酒"，味极甘美。有家藏至十余年者更佳，即名"家酿"，但多饮亦不甚苦人，唯见风必醉。又有仿绍兴遗制，专用糯稻和曲酿置，名为"苦老酒"，色香颇似，只味少逊耳，得陈年者亦佳。〔光绪元年（1875）《岳池县志·风俗》〕

酒重老酒，通用膏粱烧酒。乡人则自煮小酢，夏季用大麦，余俱以谷，味淡而多水气，俭约之习如是也。其他仿郫筒为唛酒，酿糯米为甜酒，则又于

---

① （宋）苏轼著，（清）王文诰辑注，孔凡礼点校：《苏轼诗集》第3册，中华书局1982年版，第700页。
② （清）袁枚著，别曦注译：《随园食单》，三秦出版社2005年版，第279页。
③ 林孔翼：《成都竹枝词》，四川人民出版社1986年版，第65页。
④ 参见卫志中《郫筒酒》，载《龙门阵》1982年第4辑。秦福炯《话说郫筒酒》，载《龙门阵》1993年第3期。郫县民间文学集成办公室《中国民间文学集成四川卷·成都市郫县卷》（内部资料本），1989年，第131～133页。

过午、消夜，用以待客，非佐食之品也。〔民国20年（1931）《达县志·礼俗门·风俗》〕

农村餐馆傍墙东，知味停车进店中。黄焖红烧煎炒便，"眉州"绍酒赛郫筒。（李斗南《郫南望丛祠三月开劝业会竹枝词》）①

据有关考证，早在盛唐，巴蜀地区已开始运用蒸馏法酿造烈性白酒。②如今巴蜀民间赋予烈性酒不同的名称，如川西的"烧刀子③、烧烧、烧老老④、烧白、烧冲[ts'oŋ²¹³]子、烧二哥、跟斗儿（酒）⑤、架火发"⑥，川北的"烧晃子、烧老二、烧二锅"，川东的"白烧、火酒⑦"，川南的"老烧"等。

他如射洪春酒、谢酒、对酒、刺梨酒、窨酒等，也是反映巴蜀各地酿造之酒所赋予的充满地域特色和文化内涵的词语，这无疑大大丰富了巴蜀汉语方言词汇。

除酒名之外，还有一些因特殊原因产生的与酒有关的地域性词汇：

搭 酢

无税时代，业农者几无不烤酒。无力立酢房者，多附一、二桶于有酢房之家，名曰"搭酢"。〔民国24年（1935）《蓬溪近志·征榷篇》〕

"搭"有"交接，配合""附上，依附"之意，如"搭配、搭伙、搭锞、

---

① 林孔翼、沙铭璞：《四川竹枝词》，四川人民出版社1989年版，第38页。
② 参见龙晦《蜀酒与烧酒》，载《中华文化论坛》2001年第2期。
③ 李劼人：《李劼人选集》（第2卷，四川人民出版社1980年版，第82页）："遇着贤惠主人家，还有几斗碗土老酒或壶把烧刀子喝哩。"
④ 周芷颖：《新成都》〔成都复兴书局民国32年（1943）版，第63页〕："烧老老，烧酒。"
⑤ 《成都商报》（1999年12月5日第B2版）："星期天晚上，老鬼扯了二两'跟斗'，嘴旦含含糊糊地哼着张宇的《雨一直下》。"
⑥ 此即吊脚话"架火发——烧"，谐"酒"。车辐：《锦城旧事》（四川文艺出版社2003年版，第17页）："水淋子、纠头子是酒，叫'全兴'的是大曲，来劲大吃的吃架火发，玉石栏，有的是酒，酒色财气，吃尽当光。"此例中"玉石栏"也为"玉石栏——干"的吊脚话，谐"干酒"之"干"。
⑦ 湛泉中等：《中国民间文学集成·四川省云阳县卷》（内部资料本，1990年，第346页）："婆家来过礼，叫声帮忙的：忙把东西接到起，放到堂屋里。红糖和白糖，摆在桌子上。又是火酒和走[肘]方，一共十几样。"

搭磨角、搭档、搭干股、搭帮"等。"搭酢"一词①生动再现了民国时期巴蜀乡间酿酒的一种特殊的组织方式。因立酢房需要一定的财力和物力，无此能力的乡民便采取此种合作方式，获取一定数量的酒与酒糟作为报酬。

油醋房

因油坊兼营酿酒之业而得名。造酒且卖酒的称为"糟房"：②

> 酿酒向为私营烤制，一般称醋房，在集镇多为油房兼醋房，称"油醋房"。③

除此之外，酿造过程中的分工差异，也诞生了一批有关"酒"的词语，如当时泸州十分有名的"爱仁堂香花酒""下设内管事陈应谦，负责收支账目，对外设外管事吴焕然，负责社会交际，联系批发业务和组织原料、采购鲜花、鲜果等；生产车间和包装由韩登敖领班；伙房由刘顺和牵头。对内对外事务均由管事包揽，上有老板，下有领班，各司其职，井井有条"。④其中的"内管事、外管事、领班"等便是此类词汇的代表。

酒糟子

此指造酒剩下的渣滓：

> 酒糟酢法：春酒糟则酽，颐酒糟亦中用。（[北魏]贾思勰《齐民要术·作酢法》）⑤

巴蜀民间将酒糟称为"酒糟子"，多用来喂猪。⑥

---

① 与"搭酢"一词类似的还有"搭醮、搭斋"，即在别人延请道士设坛打醮或做斋时附搭一份。
② 参见中国民间文学三集成泸县资料集编委会《中国民间文学三集成·泸县资料集》（内部资料本），第145页。
③ 四川省江安县志编纂委员会：《江安县志》，方志出版社1998年版，第337页。
④ 参见刘志翔《泸州花酒爱仁堂》，载四川省泸州市政协文史资料工作委员会《泸州市文史资料选辑》（内部资料本）第16辑，1989年，第84页。
⑤ （北魏）贾思勰著，石汉声译注，石定枎、谭光万补注：《齐民要术》，中华书局2015年版，第949页。
⑥ 巴蜀流传"天高不算高，人心比天高。井水变成酒，还嫌没酒糟"的谚语。此谚语另说为[重庆九龙坎明场堂版《新刊增广》（油印本）]："山高不见高，人心转见高。白水卖成钱，嫌少喂猪糟。"巴蜀各地还有不少关于酒糟的民间故事。

冷酒会

二月朔日，白塔寺飞来佛出驾，于千佛寺或涌泉寺、西盛寺驻九日，乃返驾。相传藏番昔年寇宁，围城急，乃告之曰："城民奉佛，佛首自西方飞来，忌出城，出则飞去。启城令其拜观佛相九日，围乃解。自此有迎佛之俗。迎送时，昔由制营装饰各会，香烟缭绕，数里居士、女妪前后执香念佛，千百拥挤。驾返之日，游人多携榼往，短草绿荫，坐饮以归，名曰"冷酒会"。〔民国31年（1942）《西昌县志·礼俗志》〕

老 窖
本指常年用于收藏东西的地洞或坑，代指储藏多年的东西，如酒、钱财之类：

就算他对你有情，你对他也有意，但在初期，女人也要学会适度忍耐，要学窖了很久的老窖，不做唾手可得的啤酒。（《成都商报》1999年12月5日第B2版）

姨妈整了许多"老窖"，一碗又一碗地端到桌子上排起。（《商务早报》1999年12月8日第C2版）

他放心不下，就拿出几年的老窖，又向人借了些钱作为盘缠，动身上南充去找月美。（《中国民间故事集成·重庆市大渡口卷》，第40页）

酒令是筵宴上助兴取乐的饮酒游戏，因饮酒之风盛行，巴蜀民间也诞生了许多颇具娱乐性的酒令，花样翻新。重庆划拳术语说"四喜财、六合来"，成都则称为"棒棒拳"，即两人各拿一根筷子，边互相敲边任意说出："棒棒、棒棒——棒""棒棒、棒棒——虎""棒棒、棒棒——鸡""棒棒、棒棒——虫"，以此作为酒令。规则是棒打虎，虎吃鸡，鸡啄虫，虫蛀棒，四物循环相克，以此决定胜负。

传统酒令在成都等地称为"乱劈柴、乱就乱":①

吴宝气的"拳"是最传统的"乱就乱",他对现在流行的各类酒令不感光[兴]趣。(《成都商报》1999年11月28日第B2版)

巴蜀酒令所用数字也显得很有特色:

一字下来一条匡,张爷跕住古城中。关公辞朝古城来,擂鼓三通斩蔡阳。

二字下来一条躯,二郎老爷显神通。手拿金勾□②练[链]子,贯州城内祥业站。

三字下来三条行,磨房受苦李三娘。一时不见磨□③响,房中坐下□辟响。

四字下来不立门,黑脸包公不容情。人[仁]宗皇帝不认母,杀死皇亲园犬人。

五字端来下五方,马上抛刀杨六郎。大吼三声打一阵,滑石面上放毫光。

---

① 《划拳歌》在巴蜀地区普遍流行,川剧剧本中有所记载,如李致等:《川剧传统剧目集成·神话志怪剧目·聊斋戏》(四川人民出版社2013年版,第308~309页):"(艄水)观相公红光满面,二一科必中状元。(柳治春)我喜你嘴能言辩,来来划上几拳。(艄水)请嘛。(柳治春)一心敬,(艄水)两朵鲜。(柳治春)三星照,(艄水)四朝元。(柳治春)五经魁,(艄水)六合连。(柳治春)七星剑,(艄水)八洞仙。(柳治春)九长寿,(艄水)十美全。(柳治春)输了拳,(艄水)你要饮干。"又如合川县流传的一首《划拳歌》(聂云岚等:《中国歌谣集成·重庆市卷》,科学技术文献出版社重庆分社1989年版,第544~545页):"一心敬,任酒性,烂酒贪杯得毛病。二红喜,空欢喜,家中没有柴和米。三星照,任你跳,裤儿跳脱脸不要。四季红,你逞雄,堂客守到茅棚棚。五金魁,屙一堆,久走夜路要吃亏。六合连,钱钱钱,烂酒之人要卖田。七连方,卖田庄,卖了田庄坐岩腔。八马双,灌黄汤,屎尿流了一裤裆。九久长,脱衣裳,无钱当给老板娘。十全美,才反悔,酒罐成了酒醉鬼。划酒拳,最为美,吃个酒杯嘴对嘴。饭吃饱,菜吃味,喝酒划拳莫吃醉。奉劝你,烂酒哥,莫消天天把酒喝。去赶场,早打转,堂客在屋把你等。两口子,要笑和,一家大小才有福。"重庆市巴南区安澜镇仁流乡民间用书《春兰送酒》中也记载有《划拳歌》:"奴辈陪你划几拳:划个'一心敬,二朵连。三星拱照,四桃园。五魁首,六合莲。七子成图,点状元'。""乱劈柴"后比喻"不按一定的规矩办事"。《重庆晚报》(2001年11月1日第1版):"组团旅游'乱劈柴'该收敛了。"

② □:原字不清,疑为"铁"。

③ □:原字不清。

六字下来六荫荫，仙姬下凡闹东京。一心配合崔文瑞，扰乱江山不太平。
七字下来把脚翘，齐崇世界走一遭。领兵跨帅薛仁贵，杀进南唐乐逍遥。
八字下来两边排，八洞神仙过海去。手内拿个云牙板，口念黄河水不流。
九字下来九重山，昭君即即［急急］去合［和］番。龙袍挞在马鞍上，一步跳下舍身岩。
十字下来十川心，释迦有个十总佛。二十四可黄金叩，干戈一起动刀悬。
（《排子山歌·唱十字歌》）①

此歌中的数字，从一到十，均用隐语的形式表现："一"为"一条匡"，"二"为"一条躰"，"三"为"三条行"，"四"为"不立门"，"五"为"下五方"，"六"为"六荫荫"，"七"为"把脚翘"，"八"为"两边排"，"九"为"九重山"，"十"为"十川心"。

巴蜀地区酿酒业的发达，还使得一些专门词汇逐渐被赋予新的意义，除本义外，一些蕴含丰富文化内涵的引申义也应运而生，以下略举数例：

勾 兑

本指白酒酿造过程中一项非常重要而且必不可少的工艺，但在巴蜀汉语方言中，则另有深意，指私下里运用"关系"以达到自我目的的方法，一道传统的酿酒工序被赋予了浓厚的社会性：

勾兑麻将——这种麻将是上下级之间赌，小人物与大人物之间赌，下级或小人物在桌子上是安了心的要输出去。（《商务早报》1999年12月11日第C2版）

巴蜀汉语方言中，不仅有各式各样充满地方色彩的酒名，而且有名目众多的带有"酒"字的宴席名，如"办酒、做酒、过酒、整酒"等。其中又以与岁时节庆和人生礼仪相关的宴席为最（见表3-1）。

---

① 此书为黄尚军于2000年7月至首都图书馆复印所得，为民国年间木刻本。

表3-1 巴蜀部分方志所见岁时节令宴席名称

类别	名称	方志名	载录内容
岁时节令	节酒	嘉庆十八年（1813）《纳溪县志·风俗志》	元日祀先，礼神，贺新年。人日前后，宴客，谓之"节酒"
	重阳酒	道光九年（1829）《新津县志·风俗志》	九月九日登高，佩朱萸囊，饮黄花酒。造酒者于是日酿，谓之"重阳酒"
	菊花酒	道光二十一年（1841）《安岳县志·风俗志》	（邑俗正月）自十三至十六，城市乡镇皆为龙灯百戏。社日酿酒，谓之"社酒"，造饭谓之"社饭"，种秧谓之"社秧"。……重阳登高，佩茱萸，饮菊花酒
	茱萸菊酒	道光二十七年（1847）《彰明县志·风俗》	九月九日饮"茱萸菊酒"
	团年酒	同治十二年（1873）《成都县志·风俗》	（除夕）夜分祀祖先毕，聚饮，曰"团年酒"
	屠苏酒	光绪八年（1882）《盐亭县志·风俗》	正月元日黎明，燃九烛于门外，谓之"九品烛"。饮"屠苏酒"
	椒盘酒	光绪十年（1884）《射洪县志·风俗》	（除夕夜）具肴酣饮，为"椒盘酒"
	请春酒	光绪二十年（1894）《永川县志·风俗》	每岁正二月，彼此折束相邀，有多至三四十席，俱属盛馔者，谓之"请春酒"
	吃年酒	民国17年（1928）《苍溪县志·礼俗志》	凡旧历新年已毕，春非初生，亲友各具酒食相邀，名曰"请春酒"。……至腊月小康之户杀年猪一二只，亦延亲友，名曰"吃年酒"，此所谓岁时伏腊，犹有古风也
	酿酒 冬至酒 茱萸酒	民国27年（1938）《长宁县志·礼俗》	九月九日，为重阳节。县人往宝屏山登云亭，登高，饮茱萸酒。人家以此日酿酒，则酒较常清冽。……十一月日长至，有宗祠、家祠者，择吉祠祭，分胙遗馈，是日酿酒，曰"冬至酒"
	小会 冷酒会 福酒 单刀会	民国30年（1941）《汉源县志·风俗》	（六月）十二日，汉源各乡迎神入市，咸集会圣宫，谓之"小会"（前之"冷酒会"即是日） （五月）十三日，城乡庆祝关帝圣诞，饮"福酒"，谓之"单刀会"
	饮春酒 会亲 腊饮	民国31年（1942）《西昌县志·礼俗志》	春日备帖延宾，曰"饮春酒"。冬至后，封豕酢宾，曰"腊饮"。婚娶后，请新旧姻娅、咸族聚酢，曰"会亲"

表3-1显示，"春种冬藏"，自古使然。经过一个冬天的闲暇，春日万物复苏，农人开始了新一轮的播种，这是值得庆贺的日子，所以"饮春酒"逐渐成为习俗，在巴蜀地区非常普遍。而重阳是非常重要的节日，此日有插茱萸、饮菊花酒的习俗，盛行于巴蜀地区。各地称呼重阳的聚会名称并不一致，如"茱萸酒、茱萸菊酒、重阳酒"等。此外，重要的节日则为春节之类，其宴席在巴蜀地区有"（团）年酒、椒盘酒"等名称。

除岁时节令外，巴蜀地区与酒关系密切的宴会，也体现在从生到死的整个人生礼仪中（见表3-2）。

表3-2　巴蜀部分方志所载有关人生礼仪宴席名称

类别	名　称	方志名	载录内容
人生礼仪	酒水亲家	嘉庆七年（1802）《汉州志·风俗》	（婚礼）择配以门户、年齿，不言财帛，只酒果，倩媒行聘，谓之"酒水亲家"
	富贵酒	嘉庆十八年（1813）《纳溪县志·风俗志》	至婚期前一夜宴客，夫家曰"富贵酒"，妇家曰"花宵酒"。迎娶用彩轿、鼓乐。新妇入宅，宾朋毕贺，主人设宴，谓之"喜筵"
	花宵酒		
	喜　筵		
	三朝酒	道光九年（1829）《新津县志·风俗》	生子则送粥米，三日宴客，谓之"三朝酒"。匝月有"汤饼酒"，满岁有"周岁酒"
	汤饼酒		
	周岁酒		
	簪花酒	光绪十一年（1885）《大宁县志·风俗》	（结婚先一日）设宴款戚友，曰"簪花酒"。……导引入房，坐床，撒帐，行合卺礼，曰"饮交杯酒"
	交杯酒		
	烧香酒	光绪二十一年（1895）《叙州府志·风俗》	葬前数日，凡曾进香吊唁者，皆具素柬邀之饮，谓之"烧香酒"。……丧主皆治具款之，谓之"开奠酒"。……葬之日，亲友毕会，执绋以送，丧主仍治具酬之，谓之"送丧酒"
	开奠酒		
	送丧酒		
	插花酒	光绪三十二年（1906）《越巂厅全志·风俗志》	喜期前数月，延男家亲宾，燕于女家。送诸挂、酒、簪饰，令女出拜，诸宾皆有馈赠，名曰"插花酒"。……吉时，女家扶女上头，筵宾，名"梳头酒"。男家彩舆登门，扶女辞神及父母、兄弟。迎娶回，宴宾，名"圆夕酒"。次日早，扶男女出拜宾亲，各送糖茶一盏入席，名"拜茶酒"。至午，女家邀亲，送席一盒，赴男家宴，名"送饭酒"
	圆夕酒		
	梳头酒		
	拜茶酒		
	送饭酒		
	谢媒酒	光绪三十四年（1908）《叙永永宁厅县合志·风俗》	近日礼仪从简，以进门日庙见，会亲。次日，则为"谢媒酒"
	迎风酒	民国16年（1927）《丰都县志·礼俗志》	（取亲队伍）既至，女家内外张筵，曰"迎风酒"
	贺房酒	民国17年（1928）《苍溪县志·礼俗志上》	合卺之夕，同辈亲友，具彩红、炮烛，入房贺喜。婿令新妇酌酒，以享同辈，谓之"贺房酒"。……则生子之家，酌酒宴客以志喜，俗名"满月酒"
	满月酒		
	吃新人酒	民国20年（1931）《达县志·礼俗门·风俗》	傍晚，诸亲戚偕入新妇房中，备极谐谑，谓之"闹房"。或置酒肴，围坐，以新妇行酒，名曰"吃新人酒"。……晚间有夜戏，宾客入席点戏，曰"酒戏"
	酒　戏		

续表

类别	名称	方志名	载录内容
人生礼仪	吃酒	民国21年（1932）《万源县志·教育门·方言》	往婚嫁家送礼，曰"吃酒"。有事酬客，曰"办酒"。寿曰"办生"，曰"生期酒"。汤饼，曰"三朝酒"。……婚姻宴会，曰"酒席"
	办酒		
	生期酒		
	三朝酒		
	酒席		
	烧香酒	民国27年（1938）《长宁县志·礼俗》	有力之家，于祭奠以前，先以酒食祭谢吊唁者，曰"烧香酒"
	花宵酒	民国27年（1938）《泸县志·风俗志》	亲迎礼久废，届期之前一日，男家具酌，宴媒及男女亲友，谓之"启媒"。女家亦于前一夜启媒，名曰"花宵酒"
	酒水	民国29年（1940）《广元志稿·礼俗志》	女为人妾，悉不取财，谓曰"酒水"，迎取略与正配礼同
	月半酒	民国30年（1941）《汉源县志·风俗志》	有祠堂者，大都于十四五日，公同祭，献血食充裕。多设酒席于祠堂，其族男女均可赴饮，谓之"月半酒"
	饮新人酒	民国33年（1944）《重修彭山县志·民俗篇》	（婚期）既夕，戚族友朋，凡平等者皆集出，新妇遍酌之，谓之"饮新人酒"

从表中内容可见，人生礼仪中婚礼宴会所占比例最大，随之而诞生的与酒相关的巴蜀汉语方言词汇也最多。其次为丧葬，与酒相关的宴会名称有"烧香酒、开奠酒、送丧酒"等。除表中内容，巴蜀人生礼仪宴席还有一些更具特色的名称：

馈赠既多，投桃报李，异地皆然。而凡受之者，例有酬宴。是故三朝汤饼之会曰"三朝酒"，弥月曰"满月酒"，周岁曰"周岁酒"。作生日"生期酒"。男家纳采曰"炷香酒"。女家纳采曰"诺书酒"。男婚曰"筵席酒"，女嫁曰"出阁酒"。新郎初次偕归曰"回门酒"。成婚后，男家毕请女家亲串曰"会亲酒"。丧事曰"开奠酒"，埋葬曰"安葬酒"。〔民国27年（1938）《泸县志·礼俗志》〕

其中的"炷香酒、诺书酒"颇具特色。除岁时节庆和人生礼仪，还有一些民众熟悉的与酒相关的宴会名称：

修斋，始曰"封斋酒"，散曰"散斋酒"。新屋落成曰"贺房酒"。开市曰"开张酒"。安神曰"安神酒"。庆坛曰"庆坛酒"。祖饯曰"饯行酒"。新正曰"年酒"。春日治酌曰"春酒"。无事而请曰"耍酒",不能尽也。〔民国27年（1938）《泸县志·风俗志》〕

巴蜀宜农,农业生产历史悠久,也由此诞生了一些与之相关的方言词汇,仅光绪三十三年（1907）《广安州新志·风俗志》所载与"酒"相关者就有以下一些：

届立夏……煮松花,嗜腊肉,饮酒,曰"栽秧酒"。……日三酒、三饭,曰"劳酒"。……新谷祀先……谷毕登场,犒工酒食,曰"洗桶酒"。……贺人富者买田宅,以钱匾喜爆,曰"贺庄"。席中,主馈包封钱,曰"上庄酒"。……元宵后,具束请客,曰"春酒"。……社日酿酒,曰"治聋酒"。……讼狱之事……先期请房班酒,曰"上堂酒"。……客上席时,有垫台戏。伶人进酒,又请客点戏,曰"唱酒戏"。……新姻曰"生亲",曰"上门酒"。……邀人饮曰"请酒"。……赴人宴曰"吃酒"。……道场斋醮,初日酒肉曰"封斋",毕业酒肉曰"开斋"。

此外,荥经等地还有"花红酒",多为庆贺学子进学而办：

过了两年,余秀才果真中了进士,家里给他办了一个"花红酒"。（《中国民间文学集成·四川省荥经县资料集》,第77页）

因酒也产生了不少方言词语：
打冲 [ts'oŋ²¹³] 提①
本指卖酒人家为赚钱,使劲把酒提子放入酒缸,用巧力让打起来的酒只有大半酒提子：

---

① 此词可比喻"吹牛,说大话"。也说"打冲 [ts'oŋ²¹³] 拳、打（飞）机、冒皮皮"。罗清和：《方脑壳传奇》（伊犁人民出版社2000年版,第364页）："老温,你少打冲拳,我怀疑你是一丁不掉,跑来乱凑热闹。"马骥：《散打笑星抽底火》（四川文艺出版社2004年版,第113页）："正派、憨厚得好,永远打不来冲拳,成都人说'打机',重庆就讲'冒皮皮',他都懂不起,也不想懂起,冲不来壳子耍不来滑,是值得交的朋友。"

这几个龟儿子赚了钱还想赚钱，简直是钱糊心，卖酒还要打冲提、打半提，还在酒里头掺了好多水。（成都口语）

另有"发醪糟_{喻指因吃得太多而胃受到伤害}、沤醪糟_{喻指穿得太多}"之类。[①]
有关"酒"的谚语有：

不爱吃酒爱脸红。
毛毛雨打湿衣裳，杯杯酒吃脱家当。
富家一席酒，穷人半年粮。
有钱有酒皆兄弟，急难何曾见一人。
时来易借银千两，运去难赊酒半壶。
药不医假病，酒不解真愁。
酒肉朋友好找，患难之交难逢。
酒肉之交非好友，患难相扶是知音。
酒中不语真君子，财上分明大丈夫。
蒸酒熬糖，各干一行。
莫饮卯时酒，昏昏睡到酉。
若要断酒法，醒后看醉人。
离了红萝卜，照样办酒席。
寡酒难吃，寡妇难当。
九月打雷虫吃菜，酒米和倒饭米卖。
家有一塘藕，天天吃烧酒；家有一笼竹，场场把肉割。
食多伤胃，酒多伤身。
筷子一提，解决问题；酒杯一端，政策放宽。
烟搭桥，酒开路，筷子下面有出路。
不吃烟和酒，活到九十九。
虽有十分量，不吃十分酒。
壶中有酒好留客，壶中无酒留客难。

---

① 参见四川省政协文史资料委员会《四川文史资料集粹》第6卷，四川人民出版社1996年版，第305页。

有茶有酒多兄弟,无茶无酒是仇人。
莫喝过量酒,莫贪不义财。
叫化子也有三天荤酒运。
节倒是个节,没得酒吃得。
今朝有酒今朝醉,明日愁来明日忧。
酒朋饭友,没钱分手。
酒好不怕巷子深。
酒肉的朋友,盐米的夫妻。
酒醉骂仇人,聋子会安名。
酒不乱性,钱可通神。
酒不醉人人自醉,色不迷人人自迷。
酒吃头杯好,茶吃二道香。
酒从宽处入。
酒多人癫,书多人贤。
酒多伤身,气大伤人。
酒红人面,鬼黑人心。
酒后思仇人。
酒酒酒,好朋友;钱钱钱,命相连。
酒令大如军令。
酒钱酒钱,酒后不言。
酒肉穿肠过,大佛中间坐。
酒肉朋友,无吃无喝就分手。
酒色迷人性,财帛动人心。
酒无好酒,菜无好菜。
酒要少吃,事要正为。
酒有滥面之功。
酒醉饭饱也,散得着席了。
酒醉英雄汉,饭胀哈老三。
酿成美酒好宴客,用去黄金为买书。
君子避酒客。
口酒不尝,抢菜大王。

褛裼不挨饿，下作有酒吃。
男儿不吃三朝酒，妇女不吃边界酒。
男人不吃烟，枉自活人间；男人不吃酒，枉自世上走；男人不吃茶，枉自当爸爸。
讨口讨得久，总要遇回酒。
人穷烟背时，酒醉话遭殃。
烟酒不离嘴，医生跑断腿。
要想老来安，戒掉酒和烟。
一杯酒醉不死一个人。
一壶酒不吃吃二壶酒。
一人不饮酒，二人不划拳。
一人數一口，吃肉又吃酒。
吃人酒饭，与人担待；得人钱财，与人消灾。
吃酒不吃菜，各人心头爱。
吃两个钱的酒，装三个钱的疯。

当然，兴盛的巴蜀酒文化"酿造"了丰富的巴蜀汉语方言有关酒的词汇，充分显示了酒不仅作为一种饮品而存在，更是一种文化象征，将巴蜀地区形形色色的文化内容表现无遗。

三、巴蜀汉语方言词汇与川菜文化

巴蜀人自古就对饮食颇为讲究，形成了独特的饮食文化。究其根本，乃山川地利之功。[①] 巴蜀得天独厚，江河纵横，水源充沛，沃野千里，气候温湿，号称"天府之国"，故发展烹饪的物质基础十分雄厚。李实《蜀语》在"沃土曰鱼米之地"条下便引田澄诗说"地富鱼为米，山芳桂是薪"。充足的食物，使得巴蜀形成"尚滋味、好辛香"的世风。如汉代的扬雄和晋代的左思均写有《蜀都赋》，生动地描写了成都大族宴请嘉宾的盛大场面，以及巴蜀地区饮食

---

① 参见尹强儒、胡永康《〈蜀语〉与四川民俗》，载李行健等《李实学术研讨会文集》，语文出版社1996年版，第147~153页。

的精美和讲究。①

早在晋代，巴蜀人已有讲究滋味、喜食辛辣的习惯，《华阳国志·蜀志》记载说"其辰值未，故尚滋味；德在少昊，故好辛香"。② 其饮食习俗有着十分鲜明的地方特色，故人们常说："吃在巴蜀""味在巴蜀"。川菜有着自己完整而独特的烹饪方法，在国内外久负盛名。

巴蜀汉语方言中关于饮食习俗的词语特别丰富，表达也特别生动，仅李实《蜀语》中就记载了四十多条：

馄饨曰匾食○射洪县绝品。
油糖饼谓之饦炉，亦谓之炉食。
丰都臭豆脯……
豕项间肉曰臑头○臑音曹。豕项肉不美，有草气。
肉、韭、笋、木耳、椿芽、豆脯，报切如米麦大，用猪脂炒之，曰豆脯餐。
饮食曰滋味。
饱而强食曰饦。
熟米麦末之曰炒面。
豆粥○磨黄豆为浆，米菜和煮食之。
熟谷曰火谷；舂成米曰火米。
头脑酒○用肉、豆脯，报切如细萁炒，用极甜酒加葱、椒煮食之。俗曰掺头酒。寒天早晨食之为宜。
渍藏肉菜曰腌。
不去滓酒曰醪糟。
饼中包料曰馅○馅音陷，或豆沙馅，或肉菜馅。

上述饮食类方言词语，有许多至今仍活在巴蜀人口中，并且随着社会的发展，变换出诸多新的品种。

---

① 该二赋分别见（清）严可均校辑《全上古三代秦汉三国六朝文》，中华书局1958年版，第402～403页、第1882～1883页。
② （晋）常璩撰，刘琳校注：《华阳国志校注》，巴蜀书社1984年版，第175页。

他如：

九（大）碗（儿）①

本指筵席上的九道主菜，其做法随时代发展，分"新式"和"旧式"两种。②巴蜀人遇红喜事，一般都要办"九大碗"宴请客人。③将"赴宴"称为"吃九（大）碗（儿）"，是因为巴蜀民间视"九"为吉数。因"三"和"六"都与"九"有关，三加六得九，三乘六得十八，而十八又是九的倍数，故巴蜀民间举办寿席或婚宴时，菜肴的总数一般要取九或三、六、九的倍数，并且宴席上的不少菜名均暗含"三、六、九"，如"红烧三鲜、韭（谐'九'）黄肉丝"之类：

其婚嫁、丧葬，宴客肴具，每桌大约以九碗、五碟为率。〔民国17年（1928）《苍溪县志·礼俗志中》〕

凡食物以稻米为主，日凡三餐。不足者，菽、麦、粱、薯继之。佐食之物为蔬菜，为家畜，为野兽，为水族及卵类。清季以后，嗜黄牛肉者日多。其烹调有蒸、煮、烧、炒、炸、煨、炖、卤、溜诸法。油、盐、酱、醋、糖、豉等，以调其滋味；椒、姜、茴香、葱、韭、芥、蒜，以助其芳香；豆粉以佐其滑泽。其精者，必召厨役；粗者，妇女类能之，所谓主中馈也。凡盛馔款客，仅备土物八味者，名"肉八碗"；或媵以汤，名"九个碗"，是为平席。土物外，更具舶来之海味如燕窝、鱼翅、海参、蟟柱④等，或五碗、四盘，或六碗、四

---

① 巴蜀汉语方言中的"斗"有"大"义，故巴蜀人也称赴宴为"吃九斗碗（儿）"。巴蜀谚语说："挨些尿戳脸，吃些九大碗。"今成都市双流县兴隆镇一带的"九碗儿"，又分为菜品内容特别丰富、做法讲究的"大九碗（儿）"和菜品一般的"小九碗（儿）"。高档的"大九碗（儿）"多举办三天，头天所食者称为"毛坯（子）"，第二天称为"正席"，第三天称为"收尾席"。
② 旧式"九大碗"仅残存于今部分农村地区，但保留下来的菜式的选材和做法略有不同。
③ 另有"四季发财席"，即分"冷热蒸炒"四轮上菜，每轮又分"素菜、荤菜、海味、野味"四种共16品，加上"尾汤、泡菜"，共18品。参见章玉钧等《川剧文化研究》，四川人民出版社2007年版，第411~412页。
④ 蟟：同"珧"。参见徐中舒等《汉语大字典》第4卷，四川辞书出版社、湖北辞书出版社1988年版，第2880页。珧：一种海蚌，通称"江珧"。壳略呈三角形，表面苍黑色。生活在海岸的泥沙里。甲壳可饰物。参见罗竹风等《汉语大词典》第8卷，汉语大词典出版社1991年版，第946页。江珧柱：也作"江瑶柱"。江珧的肉柱，即江珧的闭壳肌。参见罗竹风等《汉语大词典》第5卷，汉语大词典出版社1990年版，第920~921页。

盘者，为上席。席次有上下、首末之别。主人有整桌几、奉杯箸，揖拜，视膳之仪。酒既数行，拇战交作，或猜谜、行令，往往不醉毋归也。家常小酌，率具鸡、黍、菽、乳、腊肉，风味极佳。大概乡简而市丰，昔俭而今侈。别有糕饼、面粉、粽子、馄饨之属，可供小餐。〔民国18年（1929）《合江县志·礼俗篇》〕

富者间以猪、鸡、鱼、鸭款客，普通之席名"九大碗"，八人合食。〔民国21年（1932）《南溪县志·礼俗》〕

昔年宴客用五宾盘，后渐增为九碗席。〔民国26年（1937）《犍为县志·居民志·风俗》〕

吾县每日三餐，均以白饭为主。菜则各种园蔬，佐以猪肉，此为普通常馔。至于婚丧、庆吊、祝寿、暖屋①，中下之家，则雇厨役造筵席，以猪肉为主要物品，多制样式，谓之"肉八碗"，又谓之"九斗碗"。富贵之家，则珍错罗列，最上者为烧烤席，此不常设；次则鱼翅席，又次则海参席。海参席最通行，酒则向重家酿及陈年窖藏之老酒，常席概用烧酒。近则习为奢侈，乃偏用大曲酒矣。十年以来，春宴之风盛行，谓之"请春酒"。自旧历元旦后，渐次举行，至三月乃讫。此倡彼和，习以为例。此外，有因事宴集，辄于餐馆中行之。县中餐馆，俗称"馆子"。清季以东街万胜园，近以南街兴和园，为最有名。〔民国35年（1946）《新繁县志·礼俗》〕

今巴蜀地区尤其是农村，遇到娶妇嫁女、建房造屋、做生拜年等"红喜事"，都要办"九碗（儿）"，成都市双流县还流传着一首《九碗（儿）歌》：

主人请我吃晌午，九碗摆得胜姑苏。
头碗鱼肝炒鱼肚，二碗仔鸡炖贝哥。
三碗猪油焖豆腐，四碗鲤鱼燕窝焯②。
五碗金钩勾点醋，六碗金钱吊葫芦。

---

① 暖屋：旧俗称备礼贺人迁入新居。也说"暖房"。
② 焯[tu²¹]：一种烹调法，往往是将菜、肉加作料一齐下锅，用文火慢慢煮。

七碗墩墩①有块数，八碗肥肉炀噜噜。
　　九碗清汤把口漱，酒足饭饱一身酥。

　　成都人之所以称"宴席"为"九碗（儿）"，还因为每席一般放九碗菜。当然，也有穷困人家放七碗而富裕人家放十一碗的，但绝不能放八碗和十碗。这是因为在成都地区，猪槽是用石头做的，而狗一顿只喂一碗米汤泡饭，于是便有了"吃一碗的"和"吃十（谐石）碗的"之类骂人为"狗、猪"的说法，因此宴席上的菜绝不能是十碗。②

　　成都人的这种习俗，在艾芜的《南行记·流浪人》中，有十分生动形象的描绘：

　　矮汉子换成一副慷慨的口气，吩咐摆摊的老头子："来几碗凉粉！"
　　小伙子笑嘻嘻地问道："请不请我？"
　　"我没有那么吝啬！一碗凉粉算的啥？老子他们不是冲壳子，手指缝里，随便漏点，都比这个多！"
　　"好，你苏气！那你多请我吃几碗好哪！"小伙子打趣地说。
　　"我请你吃十碗好了！"矮汉子嘲弄地笑了起来，他所说明的十碗，是谐石碗的音，含意猪才用石碗吃东西。
　　小伙子有点忸怩地说："只要你吃石碗，我也陪的。"
　　算命先生忍不住笑着说："你们两位的精神才好喃！一路上都在说笑话。"
　　"不是说笑话！"矮汉子板起面孔说，"等下也要请你吃石碗的！"③

　　当然，席桌上的菜更不能放八碗，这是因为叫花子前来贺喜或治丧，往往

---

① 墩墩：也说"墩子、肥大、肥大块"，即约九两重的一块肥肉，蒸熟后加作料而食。
② 此俗普遍流行于双流、巴县、黔江、南溪、金堂等地。值得注意的是，与黔江相邻的酉阳县等，却说"吃十大碗"或"吃十大干碗"，但当地称"石头"为"岩头"、"石腔"为"岩腔"、"石桌"为"岩桌"，这种语言现象值得研究。另有称"八大碗""水八碗"的。
③ 艾芜：《艾芜文集》第1卷，四川人民出版社1981年版，第62～63页。

打着莲花落①，走到哪儿就唱到哪儿，见到什么就唱什么。大都说些吉利话或趣话，以此讨得主家的欢心。如：

> 一进财门抬头望，雕梁画栋高楼房。
> 延年益寿富又贵，六畜兴旺粮满仓。
> 金银财宝滚进来，年年大发又大旺。

当看见主人给客人敬烟、倒茶时，他们便信口唱出《说烟、说茶歌》：

> 叶子烟，两头尖，掐了两头要中间。
> 主人请你吃一杆，吃了就会变神仙。
> 老的吃了解愁闷，小的吃了变新鲜精神十分饱满的样子。
> 茶是山中灵芝草，水是龙王肚里生。
> 茶杯中间开莲花，多谢贤惠主人家。
> 今天吃你新人茶，明年吃你醪糟蛋。②

如果唱完以上的几首歌后，主人还没有接待的诚意，莲花落也就会唱出奚落主人的语句：

> 不才一言告，列位休见笑。
> 这家的喜事，看倒非③热闹。
> 鞭炮叮咚响，吓得娃娃跳。
> 请客席上坐，没得好菜肴。

---

① 莲花落：也称"莲花乐"，本为乞丐行乞时所唱之曲子。演唱者仅以竹板按拍，后演变为巴蜀民间曲艺的一种。
② 吃醪糟蛋：也说"吃开水"。巴蜀民俗，小孩满月后邀请亲友"吃满月酒"，首先端上席桌的应是一碗红糖醪糟蛋，每人两个或四个。巴蜀人所说的"开水"，多指"带汤汁的甜食"，加入水中食品的不同，有荷包蛋、油醪糟和汤圆等。
③ 非：附着在某些形容词前，表示程度深。但此处是双关语，实为"不"之意。陈浩东等：《成都民间文学集成》（四川人民出版社1991年版，第1697~1698页）："一对金花金颤颤，插在头上非好看。你一看，我一看，明年子请你吃红蛋。"罗清和：《方脑壳传奇》（伊犁人民出版社2000年版，第84页）："脚！霉球得哭！把老子的脚踩得非痛。"

几片泡泡肉①，半天拈不到。
笋子硬又老，牙巴嚼酸了。
一碗洗锅水，把客打发了。
我来作一揖，替客把谢道。

这样尖酸刻薄的语言，必然会引起主人和客人极大的不快，所以，不管是"红喜"还是"白喜"，主人家都信奉"客走旺家门"的俗语，对于前来贺喜的乞丐们，定会热情地招待，让他们每八人坐一桌。这时，乞丐们就会唱起莲花落赞扬主人的盛情款待。只是他们吃的酒席不是普通客人的"九碗（儿）"席，而是一人一碗"盖浇饭"②。其吃剩下的便称为"剩八碗儿"，这个词后来引申指残汤剩水③，于是成都人便把放八碗菜的酒席称为"叫花子席"，把放十碗菜的称为"猪狗席"。

如果主人在席桌上放八碗菜，那就意味着嫌前来赴宴的人送的礼太薄，而客人也会为此大动肝火，甚至大打出手，导致一场"血战"，整个宴席多半不欢而散。

在今成都双流一带，还流行着新姑爷新女婿刚上新娘家门时，要受到其家人的隐语相讥和讽刺挖苦的风俗，其目的在于考察新姑爷的思辨能力和敏捷程度，当地人戏谑地称之为"打嘴巴仗"。这一仗的输赢将会直接关系到新姑爷今后在新娘家的地位。

吃饭时，新姑爷显得十分为难，多吃点吧，怕被说为"败家子"；少吃点

---

① 泡泡［p'au⁵⁵p'au⁵⁵］肉：多指猪腹下脂肪多而虚松的肉。这种肉往往是很便宜的。陈浩东等：《成都民间文学集成》（四川人民出版社1991年版，第1443页）："哪有三斤、五斤的肉啊！就是你留下来天天抹嘴皮子的那二两泡泡肉！"
② 盖浇饭：一碗上面盛少许菜肴的饭，类似今天的盒饭。殷明辉：《微刻群仙录》（《龙门阵》1992年第5期）："老黄对困难年代生活体验至深，摆起什么'甜米泥、盐米泥、小球藻、盖浇饭'一类龙门阵，绘声绘色，可圈可点。"
③ 李劼人：《李劼人选集》（第2卷，四川人民出版社1980年版，第82页）："到时候，走到大门口说几句好听话，立刻鸡鸭鱼肉便大盆大盆端出来吃；虽说是剩八碗，到底算油大呀！"也说"剩八味"。陈三：《三教九流大观园——成都府城隍庙》（《龙门阵》1985年第6期）："入夜，庙里逐渐安静下来，庙门口街沿上摆起一线吃食摊子。亮油壶、牛油蜡烛高照，这里又是卖油茶、烧腊、大杂烩、剩八味的世界。"也说"洗筷子水"。四川省文化厅：《四川戏剧小品集选》（内部资料本，1997年，第219页）："我晓得。哎！莫打'忘逛'哈，赶紧买回来好早点去吃头轮，去晚了只有喝洗筷子水啊。"

吧，又怕被说为"做不得活路"①，但绝不敢放开肚子吃。往往是吃上一大碗饭②，就放下筷子。这时，新娘的舅娘、婶娘和姑嫂们便会热情相劝，并故作惊讶地说："你是吃一碗的啊？"而新姑爷却会镇定自若地回敬一句："哪个像你们哟，顿顿都要吃十（石）碗！"

当地人举办红白喜事时，主人专门挑选几个聪明伶俐的小伙子，让他们手里托着一大筲箕甑子干饭，拿一支长勺子，站在旁边伺候客人。当客人碗里的饭还未吃完，他们就会主动、热情地添满。对于新姑爷，理所应当特别地"照顾"，往往是乘其不备，一大勺子饭便顺肩而下，准确地装在他的碗里。更有甚者，将席桌上的一碗"肥大（块）"③扣在他碗里，新姑爷则非将其吃完不可，当地人称这种行为叫"整冤枉"。当然，被整的对象除了新姑爷之外，还有和新郎关系密切的小伙子。当他们为吃不完碗里的饭菜而左右为难之时，便有一位德高望重的老人站出来说几句公道话，于是在众目睽睽之下，他们便面红耳赤地做出极不情愿的样子放下碗筷，引得众人捧腹大笑，将宴会的气氛推向高潮。

巴蜀人赴宴习俗词语也颇有文化底蕴。首先是赶礼④，旧时逢年过节、做生拜年，多为送"笾笾礼"⑤，即送两斤面、两斤肉、两封糖食，讲究的还有两瓶酒。当三亲六戚或邻居好友走到自家院门，主人要亲自笑脸相迎，接过客人提的礼物，至堂屋坐下，打来洗脸水，呈上新毛巾、香皂，请客人"去尘"，再递烟倒茶，让家中能说会道者陪客人摆龙门阵⑥。等酒菜上桌后，

---

① 因巴蜀人常说"吃得才做得"。
② 大都是新娘亲自到厨房去为之盛的。
③ 肥大（块）："东坡肘子"之类的肥肉。
④ 赶礼：送礼祝贺。也说"赶人情"。周克芹：《许茂和他的女儿们》（四川文艺出版社1994年版，第3页）："许茂老汉的生日，人家'那个'就要来赶礼，商量结婚的事。"
⑤ 前人：《成都竹枝词》（林孔翼：《成都竹枝词》，四川人民出版社1986年版，第109页）："姐嫁温江妹嫁绵，同回娘屋喜相连。大家提个笾笾礼，一祝生期二拜年。"
⑥ 摆龙门阵：讲故事，聊天。（清）刘省三：《跻春台》（江苏古籍出版社1993年版，第131页）："我们下力的人，不摆龙门阵，不扯白谈经，站倒打瞌睡，活路做不清。"李劼人：《李劼人选集》（第1卷，四川人民出版社1980年版，第36页）："幺姑，我们再不能同堆做活路……摆龙门阵了！"克非：《春潮急》（上海人民出版社1974年版，第46页）："谈话间，忽听有人说道：'元菊！你和哪个在摆龙门阵呀？老远就听到叽叽呱呱，好像是个男人家？'"有学者认为"龙门阵"应得名于唐朝薛仁贵东征时所摆的阵势。久而久之，"龙门阵"便成了一个专有名词，专指那些变幻多端、复杂曲折、波澜壮阔、趣味无穷的摆谈。参见王松柏《浅析部分四川方言词语的民俗语源》，载《达县师范高等专科学校学报》2000年第3期。

热情邀请客人就坐,叫"安席"。一般客人①、长辈、栽秧师傅、号子头、厨师、五色匠人等,②均可坐"上八位儿"③。

关于宴席间座位礼法,巴蜀各地习俗也不尽相同。④ 现列出巴蜀地区流行的两种不同的坐法。第一种是老成都相亲时的方桌坐法(见图3-1)。⑤

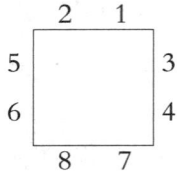

图3-1 相亲座位

---

① 尤其是"送亲客"中的舅子,是一定要坐上席的。渠县等地俗语说"上席舅子下席客,两边坐的大伯伯"。另说为"上席乌龟下席客,两边坐的官老爷",多为调侃用语。

② 如石匠即可坐上席。马自林等:《城口县民间文学三集成》(内部资料本,1988年,第84页):"很多地方修房子,到立房子那天前一晚上,要开鲁班席,在犬不叫、鸡不鸣时'消夜',由掌墨师主持所有的匠人坐席。首先敬鲁班,并请石匠坐上席。"石匠之所以能坐上席,是因为俗传鲁班先收一个放牛娃儿为大徒弟,传他石工技艺;再收一个秀才为二徒弟,传他木工技艺。南江等地称石匠为"石莽子",木匠为"木秀才"。盖因石匠一般没多少文化,多在野外干力气活,举止较粗犷;木匠多在雇主家中做工,举止应有礼数。另说为"石举人、木秀才"。刘启铨:《漏网的"杀角"》(《龙门阵》1989年第6期):"工匠中有这么一句话:'石举人、木秀才。'"德阳等地则传说石头为害羞的幺妹所变,石匠号子喊得愈野,石头走路就愈快。参见陆泽怀等《德阳民俗》(内部资料本),1996年,第227页。

③ 上八位儿:上座。李劼人:《李劼人选集》(第2卷,四川人民出版社1980年版,第134页):"哦!原来要当舅老官,坐上八位了!"也说"上把位"。艾芜:《艾芜文集》(第6卷,四川文艺出版社1986年版,第224页):"你不要太看不起人了。总有一天,会有人请老子他们坐上把位。"卢盛祥等:《中国民间文学集成四川卷·成都市东城区卷》(内部资料本,1989年,第374页):"到了楼上,圣贤愁一屁股就把上把位坐了,吕洞宾和铁拐李只有坐在两边。"

④ 若遇六人坐席,忌讳两人相对单坐,四人相对单坐(如上坐一,下坐一,左右坐二;或上下各坐二,左右坐一),俗称"坐乌龟席"。若犯忌,在别人家中,意为暗讽男主人为"乌龟"。而在江湖,则由最后落座的人包席(付整席餐费),故最后入座之人只有挂有。讲究的人家则空出桌上某一方,不摆放碗筷。《成都商报》(1999年4月18日第A7版):"必须严格遵循不知形成于何年何月的江湖规矩:如果有6个人同桌吃饭,严禁坐成乌龟形。"参见谢荣才《家宴席间旧风情》,载《龙门阵》1988年第3期。陆泽怀等《德阳民俗》(内部资料本),1996年,第395页。

⑤ 参见陈孔昭《成都旧时的相亲》,载冯举等《民俗文化研究文集》,四川人民出版社1997年版,第271~273页。

图3-2中1、2位是上方，俗称"上八位儿"。1位为首位，2位是上位，均为尊贵者与年老者坐。相亲家宴席座上，男方母亲当仁不让应居首位。相亲襄劝人应居2位；3与4位是右方，为大方，应是女方亲戚陪客的位置；左方5与6位是小方，应是女方家长位置；7与8位是下方，本属主人位置；8位是末位，一般为姑娘入座之位置。

第二种是开江县一带流行的相亲座位（见图3-2）。①

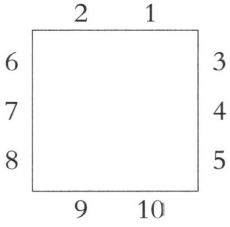

图3-2 相亲座位

图3-2中1与2位是上方，是女方辈分最高者与男方母亲的位置。② 9与10位是下方，是姑娘和男方嫂嫂所坐位置。左右是侧方，是媒妁与其他襄助人等的位置，女方母亲一般坐于3位，媒妁则坐于6位。

席间主人要双手为客人掺酒、舀饭、递漱口水与热帕子。掺酒、舀饭等都有讲究。如执壶者在客左，则应左手执壶，右手扶壶嘴；舀饭只能用右手顺着向客人面前舀，且饭应舀得疏松适量。

宴席完毕，在主家客套挽留之后，客人一般致谢离去。除非极远不能回家或至亲者，多不在主家里过夜。离开时，三人照例根据客人送来之礼和自身实际情况回礼，一般用原筢筢装盛，礼品丰俭不一。

在巴蜀地区，厨子自称为"詹徒弟"③或"詹厨子"，其行业神为"詹王菩萨""詹王神""詹王（爷）"。④ 据《大足县志》记载，饮食、厨工行业

---

① 此则材料为刘良军至开江县甘棠镇实地调查所得。
② 女方辈分最高的人也应比男方母亲地位高，否则，女方无人坐此方，全部由男方来人坐。
③ 参见四川省兴文县民间文学集成办公室《中国民间文学三套集成·四川省兴文县卷》（内部资料本），1989年，第72~73页。
④ 民国35年（1946）《新繁县志·礼俗》："县佐……屠宰业祀桓侯，厨业祀詹王。"陈浩东等：《成都民间文学集成》（四川人民出版社1991年版，第1083页）："从前，教书先生要供孔夫子，木匠师傅要供鲁班先师，厨师要供詹王菩萨。"

有"詹皇会""詹爷会",会期为每年八月二十三,顶敬"詹王"。①

巴蜀各地普遍流行厨师可坐上位的习俗,谚语有"进詹无雨出詹晴,出詹无雨一冬淋"之说,②这和成都等地的民间传说有关:

从前,有个皇帝的御厨姓詹,大家都叫他詹厨师。他做的不管啥子菜都很好吃,那些山珍海味,经他做出来,就更有一番滋味。

有一天,皇帝吃完饭问詹厨师:"你说,世上啥子东西最有味?"詹厨师回答:"世上最有味的东西是盐。"皇帝大怒:"胡说!世上最有味的东西是山珍海味,那不值价的盐有啥子味?你敢欺骗我!"詹厨师忙说:"皇上,就是山珍海味也离不开盐。"皇帝根本不由詹厨师分说,便下令:"哪个说山珍海味离不开盐!不要盐也有味。你明明是欺骗我,给我推出去斩了!"

詹厨师被杀以后,又来了个御厨,他就不敢再在皇帝吃的菜里放盐了。皇帝觉得菜实在难吃,连山珍海味也吃不出个味道来。

这一天饭后,皇帝就问:"你做的菜为啥没有味?"这个御厨很聪明,他不敢直接回答,就转弯抹角地说:"皇上,我本来想在菜里放上一些盐的,但

---

① 参见大足县县志编修委员会《大足县志》,方志出版社1996年版,第226页。"詹皇会"在涪陵、苍溪、崇庆、大邑、广安、广汉、汉源、金堂、芦山、绵竹、名山、内江、彭县、綦江、青川、三台、新津、盐亭、仪陇、营山、中江、自贡自流井区、犍为、纳溪、荣县、石柱、威远、资中等地志书中,均有记载,只是会期各地不一,如三台等地为"八月初三",郫县等地则为八月十三。会期名称也不一,如石柱等地称为"詹爷会",而崇州等地则称为"黑围腰会"。"进詹"也作"敬詹"。郫县民间文学集成编委会:《中国民间文学集成四川卷·成都市郫县卷》(内部资料本,1989年,第147页):"人们怎么也忘不了这位刚直不阿的詹厨,每年到了八月十三,人们就想起了他,都说:'敬詹啦!敬詹啦!'"也作"进张"。罗成江等:《中国民间文学三套集成·长宁县卷》(内部资料本,1988年,第96~97页):"到了第二年八月十三至二十三日,皇帝自己就不坐龙位,把张厨子的那张无头像供上去,让张厨子坐十天天下。从那以后,每年这十天都是张厨子坐天下,人们把八月十三日叫'进张',八月二十三日叫'出张',这十天叫'张天'。因为管这十天的张厨子没有头,所以张天点的萝卜据说不会长头。一直到现在,我们这里都忌讳在张天头点萝(卜)哩。"据我们所见文献资料和实地调查,巴蜀大部分地区都说"詹天"。长宁县此则材料也许反映了当地方音"詹、张"不分。类似的语言现象还有"礤磴"一词,当地方言说为"闪墩"。罗成江等:《中国民间文学三套集成·长宁县卷》(内部资料本,1988年,第115页):"嗡嗡嗡,嗡嗡嗡,蛇家大哥请我做媒公。金柱头,银闪墩,牛耿胭脂马耿粉,问你张家大姐肯不肯?"

② 也说"入詹落雨出詹晴,出詹落雨一冬淋"。参见吕峰等《中国民间文学集成·四川省西充县资料卷》(内部资料本),1987年,第191页。

那盐是没有味的东西，放上它，恐怕也起不了啥作用。再说，没有事先向你禀报，又怕犯欺君之罪。所以，你吃的所有菜，我都没敢放盐。"皇帝听后，想了一想说："你以后就在菜里放上一点盐。"从此，他吃的菜又有味了。

这时，皇帝才懂得了原来任何菜都是离不开盐的。他万分后悔，不该错杀了詹厨师。为了安慰詹厨师的亡灵，皇帝宣布："把皇位每年都让给詹厨师坐十天。"因为，詹厨师是八月十三日被杀的，所以，八月十三这天便是他进位的日子，八月二十三是他出位的日子。在坐位的这十天中，就连下了十天雨。第二年八月十三到二十三都没下雨。但八月二十三以后，又下起了雨，这雨一直下了一个冬。皇帝叹息道："进詹下雨出詹晴，出詹下雨一冬淋。可见，詹厨师的确是被我错杀了，连老天也在为他的死而哭哩。"

后来，厨师们为了纪念詹厨师这位技艺高超的先辈，也为了做菜不忘放盐的道理，把这个日子定为"厨师节"，一直传到如今。[①]

万源等地则传说因皇帝杀了13个厨师，为悔过，在每年八月十三到八月

[①] 此传说流传于成都市蒲江县、遂宁市、射洪县、南江县、合江县、奉节县一带。参见洪钟等《中国民间故事集成·四川卷》（上），中国ISBN中心1998年版，第445~446页；张宪明等《中国民间文学集成·四川成都市蒲江县卷》（内部资料本），1988年，第198~199页；游翔等《中国民间文学集成·四川奉节县卷》（上册，内部资料本），1989年，第216~217页。民国18年（1929）《合江县志·礼俗》："而民业之祀，亦各返其始焉……屠者桓侯，厨者詹王。"又《合江县志·方言》："进詹无雨出詹晴，出詹无雨一冬淋。"自注："俗以八月十三日为'进詹'，二十三日为'出詹'，以詹王在此十日内生。"射洪将詹厨师坐皇位的那天称为"进詹"，最后一天称为"出詹"，谚语说"进詹落雨出詹晴，出詹落雨一冬淋"，并认为"詹天"的雨水是詹厨师为自己鸣冤叫屈的泪水所化。参见黄少烽等《中国民间文学三套集成·四川省射洪县资料集》（内部资料本），1988年，第162~163页。长寿县传说让位七天，谚语说"厨子坐位，活汤活水"，一到阴历八月十三，就要接着下雨。参见邓永明等《中国民间故事集成·长寿县卷》（内部资料本），1988年，第118~119页。

二十六，让每个被杀的厨师轮流坐一天龙位，这13天称为"詹天"①。兴文县等地还传说皇帝第二年从杀詹厨师的那天开始，直至开盐戒的十天，将詹厨师的牌位供在皇位上。

巴蜀汉语方言词汇有不少来自饮食习俗：

耙

本指烹饪火候，指食物软、易烂却又成形：

那个汤元又耙又烫，到了喉咙口一个要上不得上，一个要下不得下，就把她梗[哽]死了。（《骗总爷》，第32页）

也可用来指不费力气得来的东西，由此衍生出"耙和②、耙耙、耙蛋、耙皮、耙菜、耙（耙）钱、耙耙口气、耙耳朵③、耙子、下耙蛋、吃耙和、捡耙和、耙噜噜、脚耙手软"等"耙"族词：

大家都来把梁上，要吃主家耙和糖。
主家包包拿手上，匠人就用金袋装。（《中国歌谣谚语集成·重庆市永川卷》，第34页）

强盗想，有这么耙和的事情嗦？都想吃点儿欺头，就一个二个争着朝海头

---

① 民国33年（1944）《长寿县志·风土》："（八月）十三日至二十三日，谓之'詹天'，常多雨（谚云：'进詹下雨出詹晴。'）。"另参见李四海等《中国民间文学三套集成·四川省万源县民间故事资料集》（内部资料本），1988年，第244~245页。南川等地则传说詹厨子救了被东官娘娘陷害而变成小牛的太子，太子继承皇位前，让詹厨子坐龙位十天。参见四川省南川县文化局、南川县民间文学三集成编委会《中国民间文学三套集成·四川省南川县资料集》（内部资料本），1987年，第98~101页。而乐山等地传说皇帝在每年农历九月初一到初九让位，因这九天敬灶、敬鬼神的人多，故普通人家灶背后的"千脚泥"越来越多。另说八月十三日至二十三日为詹王爷生日，可预示晴旱。民国18年（1929）《合江县志·礼俗篇》："'进詹'无雨'出詹'晴，'出詹'无雨一冬淋（俗以八月十三日为'进詹'，二十三日为'出詹'，以詹王在此十日内生）。"

② 和：也作"合"。邓永明等：《中国民间故事集成·长寿县卷》（内部资料本，1988年，第391页）即记载有民间故事《捡耙合》。

③ 李劼人：《李劼人选集》（第1卷，四川人民出版社1980年版，第375页）："'耙'字也是新创的字，读成'怕'字的阳平声，用途甚广泛，有'软柔'意思。这'耙'字的创作年代，与'搞'字'垮'字差不多相同，但被采用，还是近七八年的事。耙耳朵是怕老婆的代名词。"

跳，跳下去就起不来。(《中国民间文学集成四川卷·成都市东城区卷》，第359页)

"粑（爬）钱、粑和钱"指那些来得很容易、不用花多少劳力，甚至不花劳力也能挣到的钱。老一辈巴蜀人眼中，坐办公室的、当教师的，即今天可以勉强算得上白领的人，当然都是挣"粑（爬）钱"的；还有做生意、守院门的，也挣的是"粑（爬）钱"，因为毕竟没见他们出过大力气。

"粑耳朵"则是"妻管严"的代称，家里、家外被妻子耳提面命，耳根子软到几乎没有的丈夫，巴蜀人就用"粑耳朵"来形容：①

生是我家人，死是我家鬼。于今要接人，才来把亲毁。粑耳朵，难道就罢休不成吗？(《四川方言会通》，第94页)

大哥粑耳朵，二哥耳朵粑；三哥好得点，婆娘要打他。(《成都民间文学集成》，第1898页)

背时媒人害了我，总成我讨了个恶老婆。
千错万错是我错，自己错了怪谁个？
我两个离婚离不脱，每天每日吵场合。
团转四邻都笑我，说我是个粑耳朵。(《中国民间文学三集成·泸县资料集》，第349页)

20世纪八九十年代，在成都大街小巷跑着一种改装过的自行车，后轮右边安上一个带轮的座儿，丈夫在前边卖力地蹬着这不易保持平衡的改装车，妻儿则坐在"偏斗儿里"安之若素，一时间成了成都的一道街景。此时的丈夫流着大汗却心甘情愿：有着不嫌自己买不起奔驰宝马、愿意坐自己简易人力车的妻儿，夫复何求？妻子则喜滋滋在后边想：有个如此实诚的老公，此生有靠！这种车因之也被称作"粑耳朵（车）"，后改称"粑的"：

---

① 兴文县等地传说土地神即为典型的"粑耳朵"，因其印证了当地谚语："婆娘管汉子，金银满罐子。"参见四川省兴文县民间文学集成办公室《中国民间文学三套集成·四川省兴文县卷》(内部资料本)，1989年，第132~133页。也说"粑脑壳"。吕峰：《中国民间文学集成·四川省西充县资料卷》(内部资料本，1987年，第146页)："老大是个粑脑壳，没法呐，也就提出分家。"

公司这块招牌现在归了王耳门个人,他便成了老坎,俭省得连花两元钱坐㧒耳朵车都捶胸口,早如此公司也不至于有此结局。(《方脑壳传奇》,第610页)

可见,在巴蜀人眼里当个"㧒耳朵"也不是什么坏事,那可是甜得软得烂到心里的"㧒",全然没有"妻管严"的畏缩与无奈。巴蜀人对家庭的理解、对生活的领悟也镕铸在这个"㧒"字里。做个幸福的"㧒耳朵",何尝不是幸事?

该病人患的是"妻管炎",又名"全频道",或曰"㧒耳朵"。(《成都商报》2000年11月19日第A10版)
王大爷虽然在公司执掌"帅印",但在家里却是一个"全频道""㧒协主席",绝对的乖乖老头。(《成都晚报》1999年4月15日第10版)

当然,巴蜀人的"㧒"绝对是有界限的。既是"㧒",那软的一面如果跨出家庭这个界限,就不好了。

"下㧒蛋"本指鸡、鸭之类下软壳蛋,也可表现出对遇事不敢担当者的鄙弃:

既然你已经得罪了他,何必在他面前下㧒蛋,不主持公道?(《方脑壳传奇》,第196页)

而"脚㧒手软"相当于"浑身无力",既是生理状态,也是一种心理状态:

耍起来一身都是劲,看到活路就脚㧒手软。(成都口语)
眼面前一火色冒出个黑黢黢的怪物,吓得我脚㧒手软。(成都口语)

在川东开江县一带,甚至将不讲原则乃至营私舞弊的场面,称为"㧒场合"。[1]

---

[1] 参见孙和平《四川方言文化——民间符号与地方性知识》,巴蜀书社2007年版,第193页。

耙协

此即"耙耳（朵）协会"的简称，大家公认最耙的男人为"耙协主席、耙协会长"，多为调侃时用：

小镇上的"耙耳协会"并非官方注册登记的群团组织，然而它的"会长"徐毛根的大名却全镇公认，县市闻名。多年来，"毛根"以所倡导尊重女权、男女平等、互相理解为宗旨，促进了家庭和睦和精神文明建设，获得众口称赞。……
当了几届"耙协"会长的徐毛根最近又推出了新招。〔王恩普：《"毛根"新传》（《龙门阵》1997年第3期）〕

与"耙耳朵"相对的是"硬耳朵"，而与"耙协"相对的是"硬协"：①

张老庚怕媳妇，又自吹是硬耳朵。（《中国民间故事集成·长寿县卷》，第350页）

"耙协"副主任只要发现给"硬协"有来往，不管亲戚与否通不认。（马骥：《散打笑星抽底火》，第63页）

汤

巴蜀俗语说："唱戏的腔，厨子的汤。"川菜中，离了汤就不成席。②"汤"本是好东西，但因为里面实质性的东西甚少，所以讲究实在的巴蜀人始

---

① 由"耙协、硬协"还产生出了"独协、麻协"等词。马骥：《散打笑星抽底火》（四川文艺出版社2004年版，第62页）："'独协'副秘书长——只要有（结婚的）想法，组织上将劝其退会。"
② 川菜中有著名的汤菜，如"清汤白菜、奶汤素烩"等。汤大致分为白汤（一般的称"毛汤"，质量上乘的称"奶汤"）、清汤两类。又有诸多汤名，如甜汤（多指带甜味的汤）、素汤（多指用黄豆芽、香菌及芽菜熬制的汤）、鲜汤（多指用猪肉、猪骨等熬制的汤）以及头汤（多指煮肉、骨等的首批汤），二汤（也说"毛汤"，多指提取部分头汤或原料，加清水熬制的汤）、座汤（也说"尾汤"，多指筵席正菜中用于"押座"的汤）、光［kuaŋ²¹³］汤（也称"社会汤"，指仅有少许葱花及食盐且不收费的洗锅水）等。厨师做普通菜肴用白汤调味，做烩、煮、白烧等菜肴用奶汤调味，做精品菜、鲜汤用清汤调味。参见余云华《从川人爱汤食俗说开去》，载《文史杂志》1992年第5期；梅铮铮《农活记趣》，载何世平等《蹉跎与崛起》，成都出版社1992年版，第303页。

终认为"汤"当不得主菜,正如巴蜀常说"猪多没好糠,人多没好汤""饭不够,汤来凑""米汤吃得饱,风都吹得倒""一个螺蛳打十二碗汤"等。巴蜀汉语方言词汇有许多都与汤有关。在巴蜀人的席桌上,没有什么"开胃汤"之说,当一大盆汤端上桌时,就暗示菜已上完,即将曲终人散。此外,织物质地薄而不结实,也可称为"汤":

你屁股天天在板凳上磨,那么费裤子,要是买到假货,穿几水就汤了。(成都口语)

原汤(原汁)

本指选用单一原料如鸡、鱼头、牛肉、猪骨等熬制而成的具有原味的汤,多用于汤菜合一的菜肴或用同类原料烹制的汤菜、烧菜以及面食等,如"原汤肘子、原汤抄手馄饨"。"原汤"后比喻原汁原味:

至于像"一棵菜""两下锅""三分生""皮儿厚""不温不火""原汤原汁""清汤""泡汤"之类评戏说戏的口头禅,亦显然是从饮食行业移植到梨园中来的术语。〔李祥林:《说戏话吃》(《龙门阵》1994年第5期)〕

也比喻"原本原样的话语":

据说今日的成都已发生了翻天覆地的变化,但我却没有一点"感性"。这却成了"好事"——因为这些画面一点未受"干扰",不就是一道道旧成都民情风俗的"原汤"么!〔流泰勃:《蓉城忆片》(《龙门阵》1988年第6期)〕

清汤

本为一种汤名,多用老母鸡、老鸭子、猪排骨、火腿片等加清水熬制而成,清澈见底,味美清鲜,适用于川菜中用此汤作调味料烧、烩一类的菜肴,后比喻"清楚,明白":

穷光蛋连稀饭都搞不清汤,几辈人箩筐那么大的字认得几挑。(《川西文

艺》第1卷第3期）

拆台散伙，账项分明。把手续交割弄清汤了，你走你的阳关道，我过我的独木桥！（《春潮急》，第405页）

上 汤
此即进谗言：

王氏一计不成，又生一计，第二天跑到学堂在先生面前上汤。哪晓得大舜天分好，先生蛮喜欢他，后娘讨了个没趣。（《中国民间文学集成·四川奉节县卷》上册，第19页）

氽 汤
本为一种烹饪方法，指将食物放入沸水中略煮一下即捞起来：

秦椒泡菜果然香，美味由来肉糵［氽］汤。延客官家嫌味劣，庖厨不及大生堂。①
我娘啥都不想吃，只想人肝来氽汤。（《成都民间文学集成》，第1955页）

后比喻"不纯正、不地道的（语言）"等：

此人西服笔挺，口若悬河，不时还夹杂几句别人听不懂的"氽汤英语"。〔郑蕴侠：《旧时重庆的粪肥业轶事》（《龙门阵》1992年第5期）〕

巴蜀汉语方言通常用"汤水"来形容麻烦、不好办的事情，意为"拖泥带水，不干脆利落"。试想在饭馆吃完打包，那些汤汤水水的东西着实不好收拾，而"汤水"的事，也称为"汤水活路"，如同前面的"炭圆儿"：

李大娘，你莫多心呀，像那个姓朱的喊声如果倒转嫌弃乡下姑娘，那就汤

---

① 谭继和等：《竹枝成都——本土文化的经典记忆》，四川人民出版社2008年版，第220页。

水啰喃！（《川西说唱报》1951年第23期）

起早了，遇到了，汤水了。（《中国民间文学集成四川卷·成都市蒲江县卷》，第170页）

汤水！汤水！租金高，生意秋都不说了，单是办证弄手续就麻烦死了。（《川渝口头禅》第3册，第182页）

"流汤滴水"本指水淋淋的样子，后比喻办事拖拉，老是不能了结：

一个人没有一点脾味，那算什么？我们试看古今中外的伟大人物，那[哪]一个是流汤滴水的？都要熬那股劲呀！（《淘金记》，第75页）

而"带汤带水"则比喻露出更多的马脚：

我都吃赚了好多年的代写检讨书的钱了，你尽管喊他们来找我，包他们不带汤带水。（成都口语）

"汤到了"是指无端惹上本来跟自己不相关的麻烦事，犹如一碗油汤泼在身上，洗不掉，抹不脱，更说不清，道不明：

各位接亲要访过，谨防接到恶老婆。大家不要取笑我，是你们汤到还是跟我差不多。（《中国民间文学三集成·泸县资料集》，第350页）

报纸上说昨天有个大爷跸倒了，大家都不敢去扶，生怕遭汤到了。（成都口语）

巴蜀有关"汤"的谚语、歇后语也不少：

你请我吃早饭，我请你吃晌午。
得罪厨子没得好汤喝。
肉管三天，汤管一七，吃个骨头管二十一。
一顿吃伤，十顿药汤。
一个螺蛳打坏一锅汤。

一个螺蛳打十二碗汤。

一物降一物，米汤煮豆腐。

阴间都有汤圆（儿）卖。

有命吃鸡汤，无命见阎王。

早上吃姜，补药汤汤；中午吃姜，痨病腔腔；黑了吃姜，送你见阎王。

吃饭先喝汤，强如开药方。

饭不够，米汤凑。

肉吃不到，汤都喝不到。

省了盐，酸了汤。

汤多不鲜，胶多不粘。

汤泡饭，嚼不烂。

汤去水不来。

豆薅三遍粒粒圆，谷薅三遍米汤甜。

稀饭要搅[kʻau²¹]，溜路要跑。

该当有这碗粉汤喝。

汤是汤，水是水。

听话如尝汤。

晓得要屙尿还喝汤。

药对方，一口汤；不对方，一水缸。

论家屋赛得过周围团转，人参汤吃不完拿去肥田。

米汤吃得饱，风都吹得倒。

男人管婆娘，顿顿喝米汤；婆娘管汉子，金银满罐子。

牛肉服生姜，茗菜服米汤，娃娃服妈诓。

百般美味都不想，只想喝碗淡瓜汤。

不会说话拈汤吃。

肠子想起锈了，不好吃豆汤。

唱戏的腔，厨子的汤。

聪明人吃了糊涂汤。

丹参一味药，功同四物汤。

贼怕拿赃，菜怕倒汤。①
茶壶头装汤圆儿——倒不出来。
老广寺的和尚——汤水。②

上述俗语，常常挂在巴蜀人的口中，由此可见巴蜀人把"汤"用得曲尽其妙。又如：

烫

这是巴蜀饮食的一个重要特点，不少风味小吃都以"烫"著称，如"麻辣烫"，即以"烫"与著名的"麻"和"辣"并称，巴蜀著名火锅一定是"烫"起吃，而不是煮、烧、煎、炸、炖出来的。又如成都民谚"一烫抵三鲜""只管自己的汤圆儿冷，哪管别个的稀饭烫""豆花儿③吃不胖，全靠吃个烫""睡前烫脚，当吃补药""死猪不怕滚水烫""冷水烫猪——不来气"；大邑民谚"新鲜饭，滚豆花儿，吃了烫你的猪牙巴儿"、彭州民谚"心急吃不倒烫稀饭"。可见，个中滋味正要从烫中体味。不过，稍不留神，这"烫"就要伤人了：

嘻哈哈，笑哈哈，两姑嫂，舂糍粑。你一棒，我一棒，糯米舂成烂酱酱。拿点红糖来垒起，又巴嘴，又还烫。嫂嫂抢嘴吃了亏，么妹老实没上当。（《中国歌谣集成·重庆市卷》，第606页）

"烫"便由此引申出多种含义，可指"算计、欺骗"：

---

① "倒汤"一词后引申出"遭受严重创伤"之义。帅希彭：《枪毙"三鸡公"案补遗》（《龙门阵》1990年第2期）："两人各怀鬼胎，都想找机会整治对方，这下三鸡公'倒了汤'，正是求之不得的好机会。"
② 老广寺：崇州市羊马镇境内庙名，庙中有一僧，名叫"汤水"。
③ 豆花儿：豆浆煮开后，加入盐卤而凝结成的半固体，火候比豆腐脑稍老。双流民谚："豆花儿吃不胖，全靠吃个烫。"大邑民谚："新鲜饭，滚豆花儿，吃了烫你的猪牙巴儿。"成都谚语："豆花儿不点不成团。"郫县等地讳称"办丧事"为"吃豆腐"，也用于骂人。因丧事来临，丧主多没准备，无以待客，唯黄豆家家皆有，做成豆腐（豆腐本为待客佳品），不失待客礼数，当地办丧事盛行吃豆腐，于是人们常用"吃豆腐"代指"办丧事"，"豆花儿"或为此讳。如今，郫县等地喜宴上凡豆制品皆讳。

他最会压榨和剥削农民，花样翻新出奇，又不现形迹，往往农民遭了整，受了烫，反而会说他好。（《川西文艺》第1卷第1期）

啥哟！听他李春山瞎提虚劲！肯信你几爷子都是猪，都是老坎，由人家振［整］，由人家烫么？笑言！兔儿逼慌了还会咬人哩！（《春潮急》，第104页）

也可指"麻烦"：

这个事情烫，你最好不要去碰。（成都口语）

还可指"厉害"：

船老板没想到她会来这一手，心头一慌，脸憋得通红，骂她："咦！这婆娘烫喃！"（《成都民间文学集成》，第1336页）

盖面菜
川菜不仅重视菜品的色香味，也极看重其外在形式，一般要将每道菜最精华的部分展示出来，烹饪术语即叫"盖面菜、面子菜"：

袁门中我是一碗面子菜，满盘盘满碗碗端得出来。（《川剧传统剧目集成·历史演义剧目·三国戏》卷二，页61）

川菜中的蒸菜通常的做法是把主菜铺在蒸碗底部，辅料盖上，再上笼屉蒸熟，这样辅料中的味道便能充分浸入主菜，但上桌前须有"翻碗"这个程序，即将菜倒扣翻入盘中，"主角"便展示出来，且外形美观，色、香、味、形俱备。"烧白"可算作是"盖面菜"的典型："咸烧白"用单独上不得台面的洋芋、芋头，或红苕、南瓜，和着一般不单独上席的芽菜，把肥瘦相宜的五花肉衬在上面；"甜烧白"则用"软、糍、黏"的糯米饭，托着晶莹剔透、微见紫红的夹沙肉，养眼养心。

在物质生活匮乏的年代，家中若来客人，好客的巴蜀人必以好菜相待，无奈条件有限，只能把质量最好的菜放在一道菜的最上面，一来体现对客人的尊重，二来也遮掩一下自己的尴尬，当然这也体现了巴蜀人的精明。

后来，"盖面菜"又有了新的含义，喻指"质量上乘的物品"，也可指"一个家庭或集体中聪明能干或相貌长得最好的人"：

哈哈！你连蔡大嫂都不认得！她是我们天回镇的盖面菜，认真说来，岂止是天回镇的盖面菜？恐怕拿在成都省来，也要赛过一些人哩！（《李劼人选集》第1卷，第234页）

他有一亩五分田小麦吊种在槐树坪，就在前边不远处，论苗稼，算得是这坝上的盖面菜。（《春潮急》，第565~566页）

改版后的《华西生活周报》，用最精辟的娱乐报道，和最美丽的时尚解读创造了一道看起来很美的"盖面菜"。（《华西都市报》2007年3月13日第1版）

盐 味

巴蜀俗语说"走遍天下离不得钱，山珍海味离不得盐""会打官司总要钱，会弄饮食总要盐"。① 旧时盐是珍贵之物，极受重视：

若作和羹，尔惟盐梅。（《尚书·说命下》）②

自汉武帝实行盐铁专卖起，在历朝历代，盐都由国家掌控。就口味而言，与北方的醋酸、江南的绵甜相比，巴蜀人更偏爱"盐味"，俗传与巴蜀潮湿、闷热的气候使味蕾变得迟钝、体内盐分易流失有关。

巴蜀自古盛产井盐，由此成为全国重要的产盐地和食盐消费地，今天巴蜀自贡的自流井、成都市中心盐市口等地名，都是盐文化留下的痕迹。在巴蜀人的眼里，盐不仅关乎菜品，而且简直就是生活质量的象征。吃得好、过得好，在巴蜀不叫"有滋有味"，而叫"有盐有味"：

争"麻神"，这群老人活得有盐有味。（《天府早报》2006年3月30日第

---

① 此谚语也作"说尽千般话，还是离不得钱；吃尽千般味，还是离不得盐"。
② （清）阮元校刻：《十三经注疏》，中华书局1980年版，第175页。

8版）

日子过得平淡没有波澜，那叫"寡淡"，叫"白盐白味""没盐没味""清汤寡水"：

此人没得味道，清汤寡水！（《川渝口头禅》第1册，第130页）

遇上听不进他人劝说而一意孤行的"犟拐拐"，就叫"不进油盐"①：

这个背时娃娃硬是爆炒四季豆儿——不进油盐。（成都口语）

把盐炒热至呈金黄，加上巴蜀盛产的花椒粉，就成了巴蜀人见人爱的"椒盐"。在川菜中，"椒盐茄饼、椒盐排骨、椒盐锅盔、椒盐核桃、椒盐花生"，乃至于来自海边的大虾，都可以"椒盐"一下。倘若听到有人说一口"椒盐普通话"②，大意也就明白了，那是带着浓浓川味的普通话，香麻而咸，味道绵长，别有情致。而把"椒盐"用于每天所说的话语中，大概也只有巴蜀人了。

锅 盔③

这是巴蜀常见的一种面饼，俗传因诸葛亮为备办干粮，让士兵用头盔烤面团而得名。常见的有三种口味：白味锅盔、椒盐锅盔和糖锅盔。糖锅盔又分为"包糖"和"混糖"两种，包糖锅盔是把糖包在锅盔中间，一口下去，热气腾腾的糖汁便涌进嘴里。不过吃的时候也有几分惊险：热糖多半会一路流下，不小心则会烫了手，乃至打翻烫了背，于是便有了"吃锅盔烫到背——顾前不顾

---

① 不进油盐：本指"菜肴等不易汲取油、盐"，引申指人"命在旦夕，吃不进东西"，转指"固执己见"。
② 椒盐普通话：不纯粹的普通话，也说"川味普通话、氽汤普通话"，简称"川普"。安知：《孙议员——形形色色的小人物》（《龙门阵》1990年第1期）："他老兄操着半生不熟的椒盐川味普通话，结结巴巴讲明来意。"《华西都市报》（1999年2月22日第6版）："大山、露露等四个老外的群口相声，口齿伶俐，笑料成串，其普通话之标准令'川普'汗颜。"
③ 盔：也作"馈"。高缨：《云崖初暖》（人民文学出版社1978年版，第243页）："两家人数差不多，敌人枪多些，如若白天去进攻，不一定打得赢那些兵痞子，只有等到夜晚，再设下巧计去打，准能吃它个'混糖锅馈［盔］'。"

后"之歇后语。而混糖锅盔则是把红糖均匀地揉在老面中，细腻、感口，软中带弹，甜味若有若无，丝丝入心，又不用害怕热糖汁流淌下来，吃得安心：

我和梅韵看了爱女归来，正在那田坝漫步，分吃一个混糖锅盔。〔李伯雄：《情丝万缕忆而立》（《龙门阵》1997年第2期）〕

因"糖"谐"堂"①，于是有"吃混堂（糖）锅盔"一说，指"乘混乱讨便宜"：

一经发现，纠集起来，轻则吐你一脸口水，重则打你一顿干牛粪疙瘩，甚或还有被拖去"坐水台子"吃盖碗茶评理，扭送税征所罚款的。因此敢于来此吃"混糖锅盔"的终属寥寥无几，解放后更是绝了迹。（《春潮急》，第1014页）

他没有肉票，要做此手脚，吃混糖锅魁以掩人耳目。〔左照环：《有关肉票的一件轶事》（《龙门阵》1997年第4期）〕

与锅盔有关的还有"飞起来吃人"，喻指做事太过分，据说本为歇后语"青石桥的锅盔——飞起来吃人"的省称。成都青石桥在中华人民共和国成立前就很热闹，茶铺、小吃摊、卖艺的都挤在这里。抗战期间，国统区物价飞涨。青石桥几家卖锅盔的为了抢生意都不敢涨价，只好在锅盔上下功夫，结果锅盔就随着物价的飞涨，越做越薄。一天遇上大风，青石桥的几家铺子的几百个锅盔同时升空，煞是壮观。有些锅盔两张贴在一起，在半空中一张一合，活像是一张张吃人的大嘴，于是成都便有"青石桥的锅盔——飞起来吃人"的歇后语，后浓缩为"飞起来吃人"，多用来形容做黑心生意的人的不法行为，所指范围也更广了。

剐（鲜）兔儿②

兔子是巴蜀人喜好的一种肉食品，广汉的缠丝兔、双流的兔脑壳、成都的

---

① 堂：在巴蜀汉语方言中可指"店堂"，如店堂开门称"开堂"，顾客盈门称"打涌堂"，饭菜外卖，称"出堂"。
② 也说"宰（鲜）兔儿"。《成都商报》（2000年4月9日第B3版）："小麻将说我昨天打通宵麻将虽然宰了鲜兔，但还是十分伤心，因为我居然帮情敌点炮，还得强忍住伤心面带微笑。"民国年间称之为"剐活狗"。

二姐兔丁，都是声名在外，不过巴蜀人对"兔"词义的延伸堪称绝妙。

兔子要成为盘中餐必经的一道工序，就是"剐"。一只鲜活的兔子被挂起来，瞬间被扒下毛皮。柔弱的兔子对这一切全无还手之力。于是，巴蜀汉语方言中"剐"和"兔儿"便相伴而生。凉山西昌等地，在街头巷尾对他人恐吓、欺骗从而获取钱物的行为叫"剐兔儿"，而被抢夺了钱物的人犹如被扒掉皮的兔子，就是"兔儿"；麻将桌上，输得精光的当然也是"兔儿"了，新手上场被剐得血淋淋的，那叫"鲜兔儿"；赢钱的一家则在"剐（鲜）兔儿"：

刁大和刁小，人称麻坛双刁。刁大是叔叔，刁小是侄儿，都是麻坛快刀。快刀干啥？剐兔儿。哪儿剐？小城东西南北中，专拣新开张茶铺，专剐新出道刚上瘾的鲜兔儿。（《商务早报》1999年12月11日第C4版）

此行为也称"吃兔儿"：

王星驰是彻底的属于"牌臭瘾大"的那种类型，通常情况下他都是被别人一兔三吃，但是他跟曾国藩有一个共性，就是屡战屡败。（《商务早报》2000年4月26日第C2版）

推而广之，在其他场合被算计之人，那也都是"兔儿"。

兔子胆小。如果一个人见事就躲，闪烁其词，那他就是又想当"兔儿"了，这时"兔儿"又成了动词，读音也变成了［t'ɤ²¹³］。

兔儿脑壳是许多巴蜀人偏爱的食物，由此也引申出另外的意义：大街上碰上旁若无人的男女深情相吻，大人会淡然地告诉不谙世事的孩子说"他们在啃兔儿脑壳"：

每晚回寝室时，见到宿舍门口那一对对抓紧熄灯前最后时光站在路灯的追光下啃兔儿脑壳的情侣也可以熟视无睹了。（《成都商报》2012年12月15日第17版）

至于成都等地谚语"猪四狗三，猫儿一担担，老鼠一窝三十天，兔儿一年就七翻"，形容猪、猫、老鼠、兔子的繁殖能力很快。此外，"兔儿吃草，三个月有肉有皮袄""养兔不用巧,笼干不喂露水草""兔子上坡跑得快,皮毛可做穿和戴""兔儿不吃窝边草,老鹰不打窝下食""话是酒撑出来的,兔是狗撵出来的""兔儿逼慌了都要咬人""兔儿沿山跑,仍然要归现窝窝""只默倒兔儿还在现窝窝头"等谚语,则从不同角度告诉了巴蜀人诸多社会经验和事理。

饿痨饿虾①

此词最初是用来形容人面对食物诱惑时掩饰不住自己的渴望,这在衣食不足的年代经常见到,特别是不懂遮掩行为的孩子,常常被大人呵斥:

陈宦穷痨饿虾地吃一大半盘苕菜,听见清脆悦耳答话,这才抬头看清立在桌边的黄花大闺女是个美人胎子。(《龙狮斗》,第143页)

今天去吃席,还是要讲点文明,不要饿痨饿虾的哦!(《川渝口头禅》第1册,第236页)

张玉良当了弄个几年兵,从没打个饱牙祭,这回就抖开肋巴,穷吃饿吃的胀了个够。(《中国民间故事集成·重庆市合川县卷》,第340页)

而今这个说法也扩展到其他方面,只要是对某种东西的极度饥渴,都可称为"饿痨饿虾"。

窊油面子②

本指"用瓢舀浮在汤表面的油层"。为什么不用"舀"而用"窊",其中大有深意。《广雅·释诂》"窊,掊深也",正说明"窊"与一般的"舀"不同。用巴蜀汉语方言说"窊",是个高降调[ua^{53}],带着股狠劲儿。

明明油面子是在汤面上,为何要说"窊"?这还得回到过去未达温饱的年代。那时馆子大都准备着免费的汤,③ 其实也就是清汤上漂着些油星和葱

---

① 也说"穷痨饿虾"。
② 也说"打油面子"。窊:舀。《广韵·黠韵》(第468页):"窊,手窊为穴。"《蜀语校注》(第98页):"手掘曰窊。"油面子:浮在汤上的油层。《成都晚报》(1999年2月15日第10版):"开饭时,几桶热汤抬来,立刻打起涌堂,大家穷痨饿虾地挤上去打油面子。"
③ 成都市北打金街口,即有一个老成都知晓的"回回馆子",在物质高度匮乏的20世纪六七十年代,即以免费"光[kuang^{213}]汤"而闻名。

花,而这就足以让"肠子都生锈了"的人们心生渴望。这免费的油汤也是饥饿年代中人们心头的一丝温情。因此,"油面子"就成了最好的东西的代称。巴蜀恶毒妇骂人时常说:"你茄子掐两个眼睛也要算是个人嗦?你吃潲水都只有吃中间!"潲水的下面常有饭菜渣,上面多有浮油,意为被骂之人连猪都不如。①

舀汤的时候,最要紧的就是㧟油面子,这才是来舀汤的目的,这时我们也恍然明白,这个"㧟"全然不是动作深入,而是对喉咙里面伸出手来的心理的真实、生动的刻画。"㧟油面子"由此也就延伸出"把最好的东西拿走、抢功"之类的意思:

他一天到黑只晓得闷倒脑壳做活路,从来不得去头儿跟前㧟油面子。(成都口语)

撒葱花(儿)
此指将葱的碎节撒入菜肴中以调味:

面是素的,撒着葱花和大头菜颗子,汤里浮着一层红油辣椒。(《艾芜文集》第2卷,第84页)

后引申出"说奉承话"之义:②

我这个人就是这点古怪,对于人家的好处,我心里尽管明白,背后也爱嘴括括地说,可就是不喜欢当面给人淋米汤,撒葱花。(《李劼人选集》第2卷,第1575页)

---

① 巴蜀汉语方言中骂人、咒人的词语也十分具有文化特色,如"你都叫个人嘛纸火铺头搞不赢"以及"短命的、短嫩颠儿的、爆颠儿的、背万年时的、背烂草帽子的、遭五雷抓的、遭天火烧的、挨千刀的、砍脑壳的、塞炮眼儿的、敲砂罐儿的、啃炭渣滓的、筑筢提的、嫩篾条捆的、烂席子裹的、火匣子装的、啃笼子的、坐不要钱的房子的(也说"坐黑房子的""坐鸡圈")、吃二二三的、垫车滚子的、去火葬场的、爬高烟囱的、烂尸骨头的、沟死沟埋路死路埋的、心肺黑得狗都不吃的、光尻儿爬烟囱的、死了猪不拉狗不扯的"等。
② 此义也说"淋米汤"等。

听出李春山是要用刷浆子、撒葱花，把他抽上去下不来，老汉心里很冒火，嘴头上又不好辩驳。（《春潮急》，第580页）

（刘鸡儿）反而当着众人给他撒了一把葱花儿，使他能够全部接受，暗地佩服刘鸡儿真会说话。（《锦城旧事》，第267页）

后发展出"米汤大全"一词，代称"集阿谀奉承之大成者"：

我是深通世故之人，自然也卑其身，而下其气，三言两语，也不尽属"米汤大全"。（《李劼人选集》第4卷，第182页）

也称"撒花椒面（儿）、撒海椒面（儿）"。因川菜素以"麻辣烫"著称于世，少不了花椒面儿、海椒面儿作调料：

莫看班长黑眼窝，说起话妙语百出，雅俗齐来，花椒面、海椒面乱撒，搞得一个个热辣辣的。〔熊子俊：《拉兵记》（《龙门阵》1984年第1期）〕

同时在班主任面前，又不时阴一句、阳一句地乱点穴道，什么入团动机不纯啊……很撒了些花椒面、海椒面，弄得各方面都强过他的公臭虫，很吃了些暗亏。（《知青沉浮录》，第189页）

也称"刷石灰、刷糨子"：

看热闹的人也在仗义执言，把两方面都刷了一些石灰，使两方面都有了面子，能够下台。（《李劼人选集》第2卷，第171页）

见他一来就使出旧生意场中那种廉价的吹捧手法，李克忍不住笑道："少给我刷浆［糨］子。方才看过了，你只说价钱好啦！"（《春潮急》，第15页）

一盘子一碗 摆（端）出来

本指将做好的饭菜一盘一碗地端上桌，后指一五一十地把事情的经过讲清楚：

小孩儿就他咋个下潭，咋个逮鱼，又咋个看到怪物取了玉圈子手镯的情形一盘子一碗地摆了出来。（《成都民间文学集成》，第564页）

也指"揭老底"：

你嘴壳子硬是要硬哇？谨防这些人一盘子一碗给你端出来哟！（《春潮急》，第153页）

也称"七盘八碗端出来"：

她一顿，咽哽起来，但又猛然气势汹汹的望定队附［副］。"看我七盘八碗端出来你吃不完！"队附［副］搭讪的笑了。"你又端嘛。"他软弱的解嘲说。他清楚她所指的七盘八碗，因而踌躇着设法阻止。（《还乡记》，第180页）

饮食习俗方面的方言词语还有：

掌盘——盛放食物的长形大木盘。
吃客——到店里吃东西的顾客。
免青——面条里不放青叶蔬菜。
免红——菜或面条里不放辣椒。
红轻——少放辣椒。
红重、宽红——多放辣椒。
忌酸——不放醋。
宽酸——多放醋。
宽汤——多掺汤。
干溜、干拌——不加汤。
味大、味重——多加盐。
味小、味轻——少加盐。
锅儿匠、掌瓢儿的、厨倌师——厨师。
火二——烧火的人。

炊哥、炊二哥——做饭的人。
墩子——刀工。

与筵席有关的名称有：

田席——也称"三蒸九扣"。农村筵席，因多设于田间院子内而得名。举办此种筵席多因办红白喜事，来客人数较多，要求出菜快，着重实惠，多采用烧、蒸、炖等方法烹制菜肴。
九（斗）碗（儿）——因席上有九碗主菜得名，属于田席一类。
肉八碗——也称"八大碗"，因席上有八碗主菜而得名。原料一般以猪肉为主，配以鸡、竹笋，上席时用碗盛装，一齐上桌，属于田席一类。

巴蜀汉语方言中与饮食有关的谚语有不少：

萝卜上街，医生走开。
好吃不如宽坐。
自家的稀饭都吹不冷，还去给别个吹汤圆儿。
胡豆背时遇稀饭，曹操背时遇蒋干。
会做馍馍也有几个不圆。
家财万贯，当不得干鱼下饭。
家常饭好吃，家常事不好做。
家有一塘藕，天天吃烧酒。
既然吃了相因①，就不要喊肚皮痛。
输赢都有糖吃。
吃的魋头饭，屙的沾光屎。
吃饭垒尖尖，做事梭边边。

---

① 相因：（价钱）便宜。（清）刘省三：《跻春台》（江苏古籍出版社1993年版，第137页）："此人大利起家，已有十万家赀，犹是贪心不已，从前死了一子，今又父子俱病，切莫相因卖了。"克非：《春潮急》（上海人民出版社1974年版，第1008页）："蚱蜢老汉现在正是这种心思，他想相因把牛买回去，好在李克面前邀功。"成都谚语说："买了相因柴，烧了夹底锅。""相因没好货。""相因买老牛。"

吃稀饭要搅，走溜路要跑。
枇杷哪怕先开花，吃过樱桃还是青疙瘩。
毛毛雨打湿衣裳，杯杯酒吃脱家当。
八月逢三卯，牛吃烂谷草。
白天吃得饱，黑了找不到。
抱鸡母想吃天鹅蛋。
鼻子不通，吃点火葱。
扁担一条龙，一生吃不穷。
变畜牲都不得跟你同山吃草。
只看到贼娃子吃嘎［ka^{53}］肉，没见到贼娃子挨打。
不吃隔夜水，不烧隔夜柴。
不吃五月粽，棉衣不得送。
不吃稀饭不得饱，不穿破衣不得老。
不吃烟，不打牌，一股银水滚滚来。
不吃烟茶酒，枉在世上走。
不吃洋烟不通耍，不吃水烟不通假。
不管他粗茶淡饭，总要吃得饱；不管他粗布棉衣，总要穿到老。
不上高山不晓得平地，不吃玉麦不晓得粗细。
苍蝇钻到蜂桶头，求不到吃还要遭锥。
肠子想起锈了，不好吃豆汤。
尝的不要钱，吃得多了然。
车钳铆电焊，到处都吃饭。
吃饱了不晓得搁碗。
吃冰糖都不甜了。
吃不得该死，说不得该输。
吃不得，推个杯。
吃不穷，穿不穷，不会划算时时空。
吃不完三碗饭，担不起千斤担。
吃菜要吃心，听话要听音。
吃曹营的饭，做刘营的事。
吃茶给茶钱，吃酒给酒钱。

吃醋也吃不到你狗连裆来。

吃到碗头，想到锅头。

吃得饱，胀得多，没得地方屙。

吃得饱，找不到。

吃得饱饱的，穿得好好的，又有啥子你吵的。

吃得补药，吃不得泻药。

吃得的饮食，官都不究。

吃得多，屙得多，连累沟子受奔波。

吃得亏，打得堆；吃不得亏，打不到一堆。

吃得耍得，死了值得。

吃得脏，要生疮；吃得干净，要得干病。

吃得生，当得兵。

吃得痛快伤食，饮得痛快伤酒。

吃得完，做不完。

吃得做不得，做起要不得。

吃的合合米，烧的把把柴①。

吃的是菜羹羹，绷起有钱装士绅。

吃多不是胖，睡多不是福。

吃饭不离盐，出门不离钱。

吃饭不忘牛辛苦，养儿要报父母恩。

吃饭不用心都会喂到鼻孔头。

吃饭吃米，说话说理。

吃饭打湿口，洗脸打湿手。

吃饭莫忘牛辛苦，吃水不忘掘井人。

吃饭怕打湿口，洗脸怕打湿手。

吃饭先喝汤，强如开药方。

吃饭要人搬嘴，走路要人抬腿。

---

① 把把柴：本指旧时居民因贫穷，只得购买供做饭用的一小把柴火，后引申指各种社会组织。参见四川省云阳县云阳镇人民政府《云阳镇志》（内部资料本），1989年，第296页。成都旧时民谣："王幺姑儿，会做鞋。败家子，不回来。好吃烟，好打牌。锅头煮的筒筒米，灶烘烧的把把柴。鸡儿叫，狗儿咬，背时老子回来了。"

吃饭在烧烟，屙屎在歇气。
吃肥肉伤人，吃瘦肉楸牙齿。
吃肥了，走瘦了。
吃个蚂蚁子都要跟你留个腿腿儿。
吃个钱一颗的米都嫌相因了。
吃官饭，攒私钱。
吃家饭，屙野屎。
吃惯黄连苦也甜，吃惯白糖甜也淡。
吃过黄连苦，才知蜂糖甜。
吃好穿好，不如夫妻到老。
吃黄绣蛇都不嫌长。
吃鸡的时候少，挨打的时候多。
吃鸡的在一边，挨打的在一边。
吃进去容易，吐出来难。
吃进去又吐出来。
吃酒不吃菜，各人心头爱。
吃菌子不忘树苑，喝水不忘挖井人。
吃颗胡椒顺口气。
吃亏不算瓜，让人不为痴。
吃凉水不分你我，狗来了各顾各。
吃凉水要人引路。
吃粮不管事。
吃两个钱的酒，装三个钱的疯。
吃了冬至饭，一天长根线。
吃了端阳粽，才把棉衣送。
吃了饭，躺一躺，不长半斤长四两。
吃了饭要闷三个时辰。
吃了锅头争碗头。
吃了就屙，长点（也）不多。
吃了就睡，（板）油才巴背。
吃了男人的饭，一夜晚要长一斤半。

吃了婆婆的饭,要长给婆婆看。
吃了人家的嘴软,拿了人家的手短。
吃了无钱的饭,耽搁有钱的事。
吃了五谷想六谷。
吃你喝你,还要戳你。
吃菩萨的饭,要做菩萨的事。
吃人茶饭,与人担担;得人钱财,与人消灾。
吃人饭,做鬼事。
吃三混八等十五。
吃生谷子遇到舂碓窝的。
吃屎的狗离不得茅厕。
吃屎的把屙屎的马倒。
吃屎狗断不了那条路。
吃香香,卖田庄。
吃药不投方,怕你使船装;吃药投了方,只消一口汤。
吃一拈二眼观三。
吃鱼要肥,吃肉要瘦。
吃斋一世,不如善事一场。
吃自己的心痛,吃人家的胀痛。
好吃不过茶泡饭,好看不过素打扮。

来源于饮食习俗的谚语、歇后语有:

三根苕菜抬颗饭,还有两根在拉纤。[1]
不图锅巴吃,哪个肯围倒锅边转 比喻有所图。
唱戏的腔,厨子的汤 比喻各人有显示自己水平的绝活。
催工不催食,雷公不打吃饭人 干活可以催促,吃饭不可催促。
豆芽长齐天,还是小菜 表示小人物被人看不起。

---

[1] 此谚语指旧时郫县贫困农家多吃苕菜稀饭。参见郫县志编委会《郫县志》,四川人民出版社1989年版,第720页。

自家这碗稀饭都吹不冷比喻自己的事都做不好，则无暇顾及他人。

离了红萝卜不成席比喻做某事离不开某人或某物。

肉烂了在锅头比喻不论情况如何，利益都不会为外人所得。

又歪又恶，又不吃豆芽脚脚形容人又臭又硬。

八两花椒四两肉——麻嘎嘎［ka⁵³ka⁵³⁻²¹］肉。本指用大量花椒腌过的肉麻味很浓，实际运用中指肉麻。

苞谷做的粑粑——好看不好吃比喻外表好看，实际上不管用。

爆炒鹅老石①——不进油盐"盐"谐"言"。本指炒不进盐味，实指听不进别人的话。

吃苞谷粑打呵嗐［xo⁵⁵xai²¹³］——张口黄②比喻开口就说外行话。

吃过晌午打更——早得很喻指某事离成功还有一定距离。

葱子炒藕——洞洞穿洞洞喻指衣衫破烂。

鼎锅砂锅头炒豆芽儿——掐［xa⁵⁵］翻动不开比喻无法对付某种局面。

豆芽儿上蒸笼——蜷起脚脚豆芽的根须受气比喻受窝囊气。

风头上吃炒面——张不开口不便开口。

干胡豆晒干的蚕豆，一般都很硬，需要用很大的劲才能嚼动下酒——显牙巴劲本指显示自己的牙齿有力，运用中斥责人显示自己能说会道。

狗肉包子——上不得台盘③比喻怕生、怯场。

罐罐头发豆芽——没得一根伸［tsʻən⁵⁵］展本指平展，引申指舒展、清楚、漂亮，比喻没有一个像样的。

红萝卜里头掭［ien²¹³］海椒面儿——显不出来比喻表现不出来，因二者都是红色的。

红萝卜雕娃娃——饮食菩萨因用红萝卜雕的人像是用来吃的，故比喻贪吃的人。

花椒下酒——吃麻了本指舌头感觉麻木，比喻在许多方面压倒众人。

王大娘的馍馍——没得烧煳了的。

椒盐板鸭——干绷本指加工板鸭要先用盐、花椒等渍，然后用竹片等绷着风干。比喻

---

① 鹅老石：卵石。巴蜀人讳"卵"，也说"鹅子石"。王洪林：《四川方言会通》（巴蜀书社2008年版，第190页）："且看他穿马褂［襟］黄伯伯（"黄马褂"的戏称），包谷葫葫（玉米芯）吊烟杆边嚅又边扎。其实螺蛳肚内有胀胀［ka⁵³ka⁵³⁻²¹］（肉），眼睛挟得鹅子石挟不得沙。"

② 因玉米是黄色的，吃了玉米饼张口就看见满口的黄色。"黄"谐"黄腔"（外行话）的"黄"。

③ 台盘：也说"台面"，本指桌面，引申指"舞台或某种社交场合"。

硬充英雄。

卖油糕用糯米做成的油炸食品,又分为无馅的方油糕和有馅的窝子油糕①,可用竹签穿着吃的生意——有吃有穿比喻不愁吃穿。

腊肉骨头——有咸味,没啃头比喻没有多大价值。

老孃儿吃腊肉——横[xuan²¹]起扯喻指把话说到一边或蛮不讲理。②

莴笋炒蒜苗儿——青上加青③ 谐"亲上加亲"。

煮死了的鸭子——嘴硬喻指死活不肯认错或服输。

三十晚上的案板——不得空喻指没有空闲。

素椒杂酱面吃多了——虚火比喻虚假的热情。④

一支筷子吃藕——专挑漏眼儿比喻专找缺点和毛病。

油汤里头撒花椒——你烫我,我麻你比喻互相欺骗。⑤

油炸麻花儿——干脆比喻说话、做事干脆麻利。

耗子尾巴熬汤——油水不大比喻没有多大好处。

半夜起来吃桃子——按倒抓住耙食物熟透而柔软或身体发软无力,也泛指柔软、软弱的捏比喻专找弱者欺负。

倒起吃甘蔗——越吃越甜比喻越来越好。

来源于饮食习俗的一些方言词语,其词义在不断扩大、引申,在巴蜀汉语方言中流行甚广:

闪火比喻中途松劲;吃裹饺混同别人吃白食;吃洗(冼)沙占便宜;吃宽面脸皮

---

① 窝子油糕:往往是豆沙心子,捏成圆饼状。
② 老孃儿[niɜ⁵⁵]:老太婆。因其牙齿不好,腊肉又太硬,故只得横着一点点撕着吃。
③ 也说"稀饭泡米汤——清上加清"。
④ 素椒杂酱面:一种放有很多辣椒油的肉臊子面。虚火:因中医认为辣椒吃多了容易上火,故称"虚火"。
⑤ "烫、麻、烧"等词,在巴蜀汉语方言中均有"蒙蔽、欺骗"之义。

厚①；吃李子背诵课文等时不时打结②；吃福喜③、吃裹饺、吃炰和拣便宜；吃豁皮、吃抹和白吃；吃挂面上吊自杀；吃独食子④；吃巴片（儿）⑤；吃整笼心肺⑥比喻全部独吞；吃雷⑦；吃铲铲什么吃的都没有；吃得开办事有能力；吃多了骂人多管闲事；吃不梭；吃不起；打来吃起以非法手段占有他人财产；吃轮供父母轮流接受儿女供养。

上述词语的内涵，显然已经超出了语言学的范围。巴蜀人就是这样在锅

---

① 巴蜀俗语有"不要碱（谐"脸"），吃宽面"之说。
② 成都等地俗传，背诵课文等打结，为吃李子时喝了生水所致。
③ 余村民：《一幅假画和四幅真画的遭遇》（《龙门阵》1986年第4期）："你去找他扯，有啥子用！旧社会都是尔虞我诈，那几张东西，丁宝桢是偷来的，你是吃福喜的，张名山是骗你的。哪一个正大光明？""喜"也作"席"。
④ 本指独自吃东西。陈浩东等：《成都民间文学集成》（四川人民出版社1991年版，第932页）："老人婆爱吃独食子。有一天，她买了几个猪脚脚，装进砂罐，放到灶门前灰槽头用火灰壅好，就出门冲壳子去了。"蒲江等地俗传"吃独食子要变成蹄子，过不得独木桥"。参见张宪明等《中国民间文学集成·四川成都市蒲江县卷》（内部资料本），1988年，第414~417页。也指独占利益。重庆晚报副刊部：《逛市井 走过场》（重庆出版社1999年版，第121页）："我疑心老冯是否真的感冒？有人一语道破：'假打，想吃独食。'"
⑤ 吃巴片（儿）：喻指沾光吃东西或占便宜。陈浩东等：《成都民间文学集成》（四川人民出版社1991年版，第1435页）："从前，有个爱吃巴片的人，不管哪家哪户请客办酒，他拱手作揖，'嘿嘿'一笑就巴拢来了。"
⑥ 吃整[kən^{53}]笼心肺：也说"吃整[kən^{53}]头（笼）心肺、吞整[kən^{53}]头（笼）心肺、吃整[kən^{53}]黄鳝"。沙汀：《还乡记》[文化生活出版社民国37年（1948）版，第262页]："就说他心肠好，不吃整笼心肺，赶趟州里要那么久，大家勒紧裤带等么？"陈浩东等：《成都民间文学集成》（四川人民出版社1991年版，第1279页）："老汉一入土，这个大驼子和他女人就不认黄了，估倒吃整笼心肺，两个铺铺都霸着。"安知：《知青沉浮录》（四川人民出版社1988年版，第153页）："如今听底下流言，说是姚胖子要吞'整笼心肺'，吃独食子。"王洪林：《四川方言会通》（巴蜀书社2008年版，第150页）："妻劝你银钱要看淡，露天坝里的饭一个吃几碗。妻劝你莫把独食餐，妻劝你莫吃鲤[整]黄鳝。"
⑦ 吃雷：本指吃掉雷。聂云岚等：《中国歌谣集成·重庆市卷》（科学技术文献出版社重庆分社1989年版，第618页）："那天我从河边过，闻到雷公偷鸡鹅。轰轰隆隆来打我，我支狗去咬它的脚。它一跟斗跌在地，我大起胆子把它捉。杀了吹[砍]成几大块，煮好装了几大钵。唏唏呼呼吃下肚，又香又灶[疑为'烫']又舒服。当今吃雷我一个，古时不知有好多。"喻指将受托转交的东西私自截留占有，或将捎带的话给忘了。四川省文化厅：《四川戏剧小品集选》（内部资料本，1997年，第346页）："你装得好像，不是你暗中支使，他会有吃雷的胆量呀！"非文：《川渝口头禅》（第2册，西南财经大学出版社2000年版，第183页）："他凑拢我耳边说：'先试过几天，她买菜要吃雷！'……有次出差，某同事托我带话给他在外地的亲戚，我说：'你尽管放心，话全部带到，决[绝]不吃雷。'"

碗瓢盆、酸甜苦辣中总结出宝贵的人生经验，并把它们灌注到每天使用的词语中，也许每一个词语都依稀镌刻着一个个特殊的时代文化，换了时代，我们可能再难创造"氹油面子""飞起来吃人"之类十分形象生动的说法了。

第二节　巴蜀汉语方言词汇与婚丧习俗

婚礼、丧礼对于广大民众来说是非常重要的事情，巴蜀人称之为"红白喜事"。巴蜀汉语方言中有关婚丧嫁娶的民俗词语，也就更能体现出巴蜀人的文化心态。

一、婚姻类方言词汇

巴蜀汉语方言中，有不少来自婚姻习俗，如戏称"媒人"为"猪脑壳""啃猪脑壳的"，把想给别人保媒说成是"想吃脑壳"，是因为酬谢媒人的礼物中一定要有猪头：

谓媒曰"红叶"，取"御沟题叶"之义也。轿额悬红，饮必尽醉。谚云："媒不媒，三百杯。"谢媒必以猪头、财物，视嫁奁为差，故相谑者，呼媒人曰"猪脑壳"。谚云："媒人是只猪，这边呼了那边呼。媒人是根杵路棒，过河丢在干坎上。"惟下东区一带，日后生子，必更以豚肘及礼物赠，曰"倒媒"，否则必起交涉。〔民国20年（1931）《宣汉县志·礼俗志·冠婚》〕

用猪头谢媒的习俗，巴蜀民间传说来源于程咬金为皇帝选妃的故事：

做了宰相的程咬金为讨皇帝的欢心，便出主意让皇帝选妃，但他遍访天下都未选到满意的美女。程咬金到舅舅家时，早已人困马乏，待酒醉饭饱后，对舅舅说："我现在是宰相，你老有啥难处尽管说。"舅舅说："你表妹又疤又麻，是天下第一丑女……"程咬金迷迷糊糊只听到"天下第一"四个字，大声说："踏破铁鞋无觅处，得来全不费功夫！我这里有皇帝御赐金簪一副，快给表妹戴上，我马上送她进宫去享受荣华富贵！"说完便闯进闺房，将表妹塞进花轿抬走了，并连夜进宫禀报皇帝，皇帝大喜，赐他珍宝无数。此时，程咬金正欲将喜讯报告表妹，见表妹容貌被吓得半死，自知欺君脑袋不保。表妹知情，也想一死了之，巧遇宫女送夜宵的碗中有一只死蜈蚣，便狠心吞下……

次日，皇帝退朝便闯入后宫，急见天下第一美女。然丑女吞下蜈蚣未死，反而变得异常美丽，果成天下第一美女。皇帝非常高兴，欲谢媒人，寻程咬金不见。

原来程咬金怕被判死刑，灌了许多酒，跑到猪圈里睡了。皇帝派人来叫他，他始终不出去。皇帝只得亲临谢媒，程咬金狼狈不堪，情急之下死抓住猪耳朵不放。表妹解围说："我表哥是喜欢那个猪脑壳哩！"皇帝便命人砍下猪脑壳赐给程咬金。从此，民间便有用猪脑壳谢媒的习俗。

就我们所调查的资料而言，受巴蜀各地民俗的影响，媒人在巴蜀汉语方言中有四十多种称呼（见表3-3）。

表3-3 巴蜀汉语方言对"媒人"的不同称呼

词 语	采集地点①	备 注
冰 媒	（传承）	在冬天做媒的人，也泛指媒人
冰（上）人②	崇州、成都	
冰 判	（传承）	
吃猪脑壳的	宣汉、开江	做媒成功后，要送给媒妁一个猪头，故名
吃肘子的	大邑	做媒成功后，要送给媒妁猪肘，故名
吃胯胯（肉）的	大邑、温江、蒲江	做媒成功后，要送给媒妁猪胯，故名
吃三百杯的③	成都、金堂、双流、崇州、温江、新津、蒲江、郫县、新都、都江堰、彭州、宣汉、开江	在做媒过程中，媒妁往返两家，要吃上许多顿酒席，喝许多酒，故名：媒不媒，三百杯

---

① "采集地点"栏里用"（传承）"表示该词语摘自有关资料，没有明确标明采集地点；同时，该栏所标地点仅为词语采集地，而非词语流行范围。

② 李劼人：《李劼人选集》（第2卷，四川人民出版社1980年版，第757页）："二姐真爱取笑人。无论如何，总要劳烦你这冰上人的。"

③ 吃三百杯：本指婚宴上，媒人因做媒有功，成为客人劝酒的对象，主人以媒人多喝酒为吉利。"三百杯"比喻婚宴上酬谢媒人的酒之多。李劼人：《李劼人选集》（第2卷，四川人民出版社1980年版，第757页）："等幺姑娘结婚之后，不消说，三百杯之外，定要重重酬谢。"后代指"做媒"。成都口语："你想吃他的三百杯嗦？"也说"做红"。陈浩东等：《成都民间文学集成》（四川人民出版社1991年版，第1056页）："扈寡母子赶忙请人做红，不久就给儿子接了媳妇。"

续表一

词 语	采集地点	备 注
吃上八碗的	绵阳、开县、开江	在婚宴上，媒妁所坐席桌要多几道菜
吃四十八顿饭的	温江、蒲江、邛崃	参见"吃三百杯的"
吃一百二十顿饭的	大邑	
杵路棒	黔江、宣汉	媒人是根杵路棒，过河丢在干坎上
官 媒	叙永	官方设定的媒妁
惯媒婆	岳池	以做媒为职业的人：惯媒婆两边吹，走到男方吹女方，走到女方吹男方
介绍人	开江、绵阳、开县、大邑	
喝三百杯的	宣汉、开江、绵阳	参见"吃三百杯的"
啃猪脑壳的	金堂	参见"吃猪脑壳的"
啃胯胯（肉）的	崇州、邛崃	参见"吃胯胯（肉）的"
老和姻	西充	
媒人	（传承）	新人进了房，媒人抛过墙
		姑娘过了房，媒人撂过墙
		媒人是根杵路棒，过河丢到干坎上
		媒人是只猪，这边呼了那边呼
媒 生	大邑	
媒脑壳①	岳池	谢媒礼中必有猪头，故名
媒 倌	重庆	一颗谷子两头尖，拜了媒倌拜厨倌
媒 娘	新津	女性媒妁
媒（生）婆	崇州、温江、大邑、邛崃、新津、开江、开县、绵阳	媒生公，媒生婆，媒生的儿子打灯笼，媒生的女子倒尿桶
媒（人）公	崇州、大邑、邛崃、新津、开江、开县、绵阳	媒人公，媒人婆，媒人的儿子吃抹和
媒人婆②	温江、大邑	

---

① 本指谢媒所用猪头，后代指媒人。
② 聂云岚等：《中国歌谣集成·重庆市卷》（科学技术文献出版社重庆分社1989年版，第362页）："迎亲队伍的排列顺序是：媒人公、媒人婆的轿子走前面开路。"

续表二

词　语	采集地点	备　注
内　媒	叙永	男女双方各有一媒妁，对己方媒妁的称呼
双　月	威远	两个媒人的合称。男女双方均为第一次结婚，只能有一个媒妁。若男女一方或双方为第二次或以上结婚，则用两个媒妁
三媒六证	（传承）	虚指旧时婚姻中的媒妁，言郑重。"三媒"指南极星、北斗星、太白金星，"六证"指山、水、天、秤、斗、尺
红　宾	威远	
红叶（大人）①	成都、金堂、双流、温江、大邑、新津、蒲江、邛崃、郫县、新都、都江堰、彭州、威远	拜上爹，拜上妈，拜上红叶眼睛瞎。拿我的红钱抓药吃，将来阴司受刑罚 一个肘子一条腿，红叶大人两张嘴。说一句来准一句，要你今天喝个醉。吃一杯来又一杯，三代都不忘红叶恩
大红叶	崇州	在夏天做媒的媒妁
红叶公②	成都、金堂、双流、温江、蒲江、郫县、新都、都江堰、彭州	男性媒妁
红叶婆	成都、金堂、双流、蒲江、郫县、新都、都江堰、彭州	女性媒妁
红　月	威远	在秋天做媒的女性媒妁
红线（老人）	威远	男性媒妁
红　娘	大邑、开江	语出《西厢记》中丫鬟红娘
（大）月老	崇州	在秋天做媒的人
月　线	威远	安媒时确定的媒妁
（大）掌盘	威远	在春天做媒的人
主　媒	巫溪	起主要作用的媒人
配　媒	巫溪	起次要作用的媒人

---

① 红叶（大人）：媒人。（清）刘省三：《跻春台》（江苏古籍出版社1993年版，第379页）："胡陆氏传言递信，约夫妻配合长春。请红叶舅家说聘，舅不允嫌我家贫。"朱仕珍：《巴山情歌》（中国民间文艺出版社1986年版，第47页）："红叶娘子来得早，请到后头喂把草；红叶是个油嘴狗，这家吃了那家走。"中国戏剧出版社编辑部：《川剧喜剧集》（中国戏剧出版社1962年版，第15页）："你说此话为何意？莫非是有谁请你作红叶？"

② 经叶公：男性媒人。（清）刘省三：《跻春台》（江苏古籍出版社1993年版，第191页）："莫问红叶公，他有多少嫁衣，要去若干行郎，莫得衣服猪酒，未曾与他增光。"也说"媒倌"。聂云岚等：《中国歌谣集成·重庆市卷》（科学技术文献出版社重庆分社1989年版，第350页）："一颗谷子两头尖，拜了媒倌拜厨倌。"

续表三

词 语	采集地点	备 注
单媒	成都	一个媒妁
双媒	成都	男女双方各有一媒妁①

上述有关媒人的方言词汇，显然反映了巴蜀多姿多彩的婚俗。

又如彭山人把参加婚宴称为"吃新迎子酒"，参加丧宴称为"吃死人酒碗"②，然而对于婚宴全家都是高高兴兴地参加，而丧宴则很少全家出动，多是派一两个代表，这其中则暗含了更多的民俗民风。③

他如：

睡花枕头的

彭山方言中特指长辈。因为婚宴中，新婚夫妇为了表示对长辈的尊敬，特意准备若干枕头，吃午饭时，当着众宾客的面送予他们。

舅 子

舅子本指妻子的弟兄。因成都人将"扭曲不正"说为"纠［tɕiəu²¹³］"，戏称舅子为"老弯""拉不伸""弯尔疙"④ 等。

巴蜀婚俗，姐妹出嫁时，舅子一定要穿戴得十分整洁去送亲。⑤ 送亲者的形象代表娘家人的社会、经济地位，也代表娘家对出嫁新娘的重视程度，这对新娘在夫家的地位有重要影响，因此，送亲者都尽量打扮得体面，衣服全新，家贫无新衣者也大多要借他人新衣换上，此称为"装舅子"，后引申出"讥讽

---

① 成都旧俗，如媒人不是熟知男女双方情况并且非"福寿双全、父母、子女均在"的双福之人时，说媒成功以后，要另外安排一对符合该条件的夫妇充当媒人，这对夫妇即称"安媒"，也说"安桩"。陈浩东等：《成都民间文学集成》（四川人民出版社1991年版，第826页）："第二天，婆婆和儿子商量后，又找人安个桩，他们就成了亲。"

② 巴蜀各地对喜宴和丧宴均有不同称呼，如奉节县称安葬死者为酬谢前来参加治丧活动的人而举行的宴席为"白席"（也说"菜豆腐饭"），得名于宴席上必有菜豆腐、蒸肉，因为老人是高寿，并且无疾而终，属于喜丧。此外还送给前来"吃白席"的亲戚、朋友、邻居每人一个"寿碗"，寓意用此碗吃饭的人会长命百岁。旧时不送碗，而是在赴宴时，悄把吃饭的碗拿回家，称"偷寿碗"。参见李柯《浅谈奉节方言与丧礼习俗》（未刊稿），2008年。

③ 参见郑海《彭山方言民俗浅议》（未刊稿），2009年。

④ 弯尔疙：为"弯尔疙纠"的吊脚话。

⑤ 亲兄弟称为"家舅子"，堂兄弟、表兄弟或无亲缘关系称兄道弟的戏称为"野舅子""假舅子"。平昌县情歌："白布汗褂袖子长，看倒看倒翻过梁。你是哪家假舅子？我的丈夫比你强。"今渠县三汇镇等地，开玩笑时常说"你个送亲的野舅子，不进屋"。

别人穿戴讲究、整齐"之义：

哟，张三哥，咋回事今天穿得周吴郑王的，装舅子嗦？（成都口语）

巴蜀俗语说"装个啥子，像个啥子；装个舅子，像个舅子"[①]：

你看他剃个光头，动作滑稽，语言幽默，装个舅子像个舅子！（《逛市井走过场》，第293页）

而"装个舅子不像舅子"，本指弟弟或哥哥送姐姐或妹妹到男家成亲，未能穿得整整齐齐、体体面面，或不注意自己的言谈举止；也喻指"收拾、打扮得不整洁"，还泛指"做事马虎、不认真"。

但因舅子在当送亲客时，一般较少说话，故此词又引申指"装聋作哑"：

都是妈生娘养的，都是吃饭长大的，我们为什么装舅子，当屄头软弱无能之人？（《李劼人选集》第3卷，第368页）

又指"假装正经"：

你娃平时吊儿郎当的，今天装啥子舅子嘛！（成都口语）

因巴蜀俗语云"不当舅子，要当姑爷"，做"舅族"总会有些吃亏，故巴蜀人往往于笑骂之中，称呼听话者为舅子，由"舅子"衍生之词一般带有贬义，如"灾舅子""脏舅子""背时舅子""个舅子、哪个舅子、（打）死个舅子、整死个舅子"等，成为巴蜀人尤其是川东人的口头禅：

岳莽子想想一拍后脑壳："对，你舅子说的有道理。"（《巴蜀风》1996年第1期）

怎么，你看不起妇女？一定要他背时舅子开口？老实说，家里的事他关不

[①] 也说"演个舅子要像个舅子"。

倒［到］火！（《春潮急》，第145页）

茶馆居民保甲害怕陈法官，打死个舅子都不会写个字证明。（《巴蜀风》1996年第1期）

老婆婆进去一看，个舅子！这间屋还要呱哒些，穿衣镜、梳妆台、八步牙床，上头还雕恁多人人马马、花花草草。（《中国民间故事集成·重庆市巴县卷》下卷，第170页）

没想到祝英台的父母嫌梁家穷，死个舅子都不准他们成亲，硬把祝英台许配给了富家子弟马文才。（《中国民间故事集成·重庆市巴县卷》下卷，第28～29页）

"吵什么，你这个脏舅子！"孙兆鸾也气呼呼地还起嘴来。（《李劼人选集》第2卷，第1609页）

腊月花儿里快要过年，赌钱郎儿跪在妻面前。宰个指拇赌个咒，哪个舅子再赌钱！（宜宾县石城山歌）

巴蜀谚语"生成是个舅子命，想当家公万不能""当回舅子也要吃下九大碗""栽秧的女婿，打谷的舅子""还了舅子钱，不跟哪个舅子当蛮"等，也多表示说话人极为不满的情绪。此外，"舅子"，还可以用于土匪之间互称。

吃双膀的

此词特指"舅子"，即新娘子的哥哥和弟弟。膀在彭山婚宴上是必备之物，每桌一只，唯独舅子的桌上有两只膀，而且舅子有时还要求多拿几只，但是每拿一只都要给红包。

多吃三碗菜的

双流民俗，在新郎家举行的婚宴上，前来送亲的新娘的弟兄们被奉为上宾，要特意为他们多做三碗菜，由厨师端上桌，说几句吉利话并讨要喜钱，故后称舅子为"多吃三碗菜的"。巫溪习俗，新娘出嫁之日，送亲的客人随新娘到新郎家，要先在院子门口的屋檐下坐一会儿，待新郎派人出来迎接后，再进院子门，故当地称舅子为"屋檐下坐哈儿的"。至于巴蜀汉语方言将舅子还称为"偷碗的"，则得名于巴蜀婚俗，① 送亲之人尤其是新娘的哥哥或弟弟，要

---

① 此俗在成都郊县、仁寿、叙永一带至今可见。

偷新郎家的新碗，以图吉利。又因"碗"的方言音谐"稳"，有"稳固"之义。"偷（新）碗"后演变为结婚时"送（新）碗"的礼节。

落　轿①

巴蜀婚俗，闹新房时，由新郎父母的同辈至亲或其得宠的儿女们，事先准备好一个大箩筐，趁新郎父母不注意时，将他们分别装在箩筐中。众人抬起箩筐在院子里转圈，并叫新娘在旁边大声地问道："落不落轿？"二老必须同时回答"落轿"。如果回答时声音不一致或回答错了，就要继续转圈。有的还将箩筐往上抛，吓得老人连声喊道："我落轿！我落轿！"才将其放下。这样做的目的，是为了规劝、嘲弄那些"不落轿"的公婆，以免新娘过门后受他们的刁难。

"落轿"谐音"落教"，有"通情达理、讲交情、守信用、顺从、听话"之义：

说实在话，我对军团也很有感情，只是掌瓢的那几个虾爬操得太不落教了。如今还没有归正果，就敢对下面的弟兄们这么霸道，以后进了革委会，掌了权，还得了么？（《扭曲与复归——文革中的操哥现象》，第110页）

明天相信是人物荟萃，成都市的知名人士、盖面菜都要上齐的。孙四爷很落教，叫万矮子给我送个牌子来，还说请去光临指导。（《锦城旧事》，笫331页）

鲊②寒公婆　腌闲婆婆

新婚的当晚，用米粉、面粉、豆粉等物，像腌鱼、肉、菜等放盐那样，撒在公婆的脑壳上，边撒边问："咸不咸？"直到公婆大声喊叫："不咸谐寒！不咸！"众人才停止，意为将没有人情味儿的公婆"鲊"得有人情味儿：

---

① 落轿：也作"落教、落叫"，其反义词为"不落轿"。另说为蜜蜂蜇人后，其"叫"（尾上的刺）必落在所蜇之处，而后死去。故巴蜀歇后语说"蜂子锥人——落叫（谐教）"。而讽刺那些一毛不拔的"铁鸡公"，狠狠啄人后，连"叫"都不留。
② 鲊：用盐、米粉等腌制鱼肉之类。"寒""咸""闲"在成都等地方言中均读为 [xan²¹]。"寒"义为"冷"，谐"冷淡"之意，"不寒"意为"热情"。

新妇拜舅姑时，亲眷预藏灰面，暗向姑首撒之，谓"腌闲婆婆"①。〔民国10年（1921）《合川县志·风俗》〕

此俗也流行于江津等地，即在婚期翌日晨，由厨师打热水一盆，放入毛巾，请新娘下厨，一般是新娘仅用手沾一下水即离去。这时，婆婆娘②的嫂嫂、弟媳、姊妹等，用食盐和墨汁打她的花脸，躲的躲，追的追，拉拉扯扯，以打着花脸取乐方休。③

抹锅烟灰的

此指新娘子的公公。因公公私通儿媳妇称为"爬灰"④，而在婚宴当天，公公的表哥、表弟为了向来宾说明谁是公公，就会将锅底灰抹在公公的脸上。这主要是为了暗示公公不要做有损道德的事情，大家可都知道你是抹锅烟灰的了。

逗老新郎官儿　逗老新媳妇儿

在客人闹房的同时，一些喜欢捉弄人的调皮鬼便在一旁"闹公婆"，戏称为"逗老新郎倌儿，逗老新媳妇儿"。先由一人放两只大竹椅在院子里，请公婆坐在上面，并十分恭敬地说："二位老人家辛苦了一辈子，今天终于苦出头了，接了儿媳，该好生⑤巴巴适适舒舒服服地歇会儿了！"于是也不管愿不愿

---

① 因儿子结婚后，有儿媳做家务事，婆婆便被称为"闲婆婆"。
② 婆婆娘：丈夫的母亲，多用于背称。（清）刘省三：《跻春台》（江苏古籍出版社1993年版，第245页）："四更里月偏西人声寂静，想起我婆婆娘哭不成声。"贺大舜等：《中国民间故事集成·重庆市合川县卷》（内部资料本，1988年，第350页）："早饭后，他屋刚过门的媳妇洗碗时，把十几个碗全都打烂了，她的婆婆娘说：'你犯了七扫八败呀？一过门就把屋头的碗打烂。'"也说"婆婆妈"。卢盛祥等：《中国民间文学集成四川卷·成都市东城区卷》（内部资料本，1989年，第296页）："人有人不同，花有几样红。两个媳妇对她这婆婆妈就各有各的心。"
③ 参见江津县志编辑委员会《江津县志》，四川科学技术出版社1995年版，第780页。
④ 人从灰上爬过，必然玷污膝盖，故谐音"污媳"。"爬"也作"扒"。《四川唱本·排子山歌·烧火老歌》〔重庆学院街文华堂，民国23年（1934）刻本〕："八月烧火八月八，进城告诉你把灰扒。四十大板一面枷，看你二回扒不扒。"参见杨琳《扒灰考源》，载《文化学刊》2015年第7期。
⑤ 好生：用心，当心。也说"好生个儿"。（清）刘省三：《跻春台》（江苏古籍出版社1993年版，第221页）："好生站着，这狼是不吃人的！"艾芜：《艾芜文集》（第5卷，四川文艺出版社1986年版，第36页）："韦长林把望远镜送给他妹妹，讨厌地说：'不让你好生看，就是抢。'"

意，估倒将他们按在椅子上，令其正襟危坐，且不能动，并将老人团团围住。不一会儿，便有人提来两个烘笼儿_{竹子编织而成的一种烤火用具}，让他们烤火。冬天还好一点儿，夏天可就惨了，不一会儿就汗流浃背，想丢丢不掉，想跑跑不脱。还有人趁老人不注意，抓一把锅烟灰给他们打"摩登儿粉"_{时髦女郎用于打扮的脂粉}。① 一些女客人则摘来一些野花插在婆婆头上，逼迫婆婆穿上新媳妇的花衣服，忸忸怩怩地走路，惹得大家发笑。

此俗川东达州、开江，川南长宁一带至今犹存，多在儿子新婚之日，喜欢打闹之人则令被戏称为"烧火儿"②的新郎之父乃至新郎兄长，戴上斗笠或尖尖帽，上街游行，众人围观。③

点大蜡④

本指点燃大红蜡烛。巴蜀婚俗，夫妻拜堂后，由攀着红的新郎将搭着盖头的新娘牵入洞房，两个约九岁的小男孩各捧一支燃着的大红蜡烛，在前引导。⑤ 此词后指结婚：

俞凤岗的大女儿俞庆华与娘家表哥点大蜡时，还是请尹昌衡当的证婚人。〔憬晗：《商界流星俞凤岗》（《龙门阵》1988年第6期）〕

洞房花烛夜新婚夫妇通宵不眠，称为"守大蜡"。部分巴蜀人认为，这

---

① 今成都彭州市小鱼洞镇中坝村2组则流行闹房时抹新郎、新娘的锅烟灰之俗。
② 自贡市富顺县骑龙乡流传《烧火》的民间故事。参见四川省自贡市民间文学三套集成编委会《中国民间文学三套集成·四川自贡卷·故事卷》（内部资料本，上册，下卷，1989年，第649页）。又如游翔等《中国民间文学集成·四川省奉节县卷》（内部资料本，上册，1989年，第411～412页）："幺嫂只晓得说实话，说不来什么。于是就说：'公公今年六十七，媳妇忙把酒整起。如果公公死了后，把您埋在灶洞里。在生您"烧火"，死了火烧您。'公公听后，连称说得好，把鸡脑壳给幺儿媳妇吃了。"
③ 此俗重庆等地也流行。刘仁富等：《中国歌谣谚语集成·重庆市大渡口区卷》（内部资料本，1988年，第4页）："太阳出来，罗呵！点点红啊！二郎罗！烧火佬出来，罗呵扯啷扯，大不同啊！二嘟罗！脑壳戴顶，罗呵！尖尖帽啊！二嘟罗！手中拿根，罗呵扯啷扯，吹火筒啊！二嘟罗！"参见黄尚军、李国太等《四川方言与民俗》，四川民族出版社2014年版，第269～271页。
④ 成都习俗，婚礼所用大红烛多贴金银锡箔的龙凤图案，称为"龙凤烛"，一般有好几斤重，今仍称结婚为"点大蜡"。俗传人一生只点两对烛：结婚时一对，死亡时一对。
⑤ 直至民国年间，川西农村婚俗仍承袭清代，花轿前用大红灯笼开路，应为古代夜间抢亲习俗的遗存。

对红烛若左边的一支先燃完则新郎先亡,右边的一支先燃完则新娘先亡,而事实上两支又不可能同时燃完,故当一支灭时,要马上将另一支熄灭,取"夫妻同生死"之义。而熄灭蜡烛则只能用扇子扇,不能用嘴吹或手扇,以免婚事"吹了"。

巴蜀谚语也有不少源于婚俗:

穷亲攀富亲,拉断背梁筋。
新三年,旧三年,缝缝补补又三年。
新三年,旧三年,补补联联还要穿三年。
不开亲是两家,开了亲是一家。
做行架望投床,修房子望上梁①。
过不得媒人眼,上不得亲家门。
会选的选子弟,不会选的选田地。
会选选儿郎,不会选选田庄。
嫁跟白胡子,吃了多少糖饼子;嫁跟小伙子,挨了多少胖捉子拳头。
嫁汉嫁汉,穿衣吃饭,娶妻娶妻,吃饭穿衣。
嫁鸡随鸡,嫁狗随狗;嫁个螃蟹,老娘只有横起走。
嫁了的娘,倒了的墙。

---

① 巴蜀民俗,举行"上梁""投床""下基脚"仪式时,均有额外赏钱。如双流、德阳等地"上梁"有一系列仪式,如"选梁、做梁、画梁、祭梁、拉梁、吼梁、鸣梁、压梁、撒红、息梁、重梁、贺梁、晾梁、守梁"等。参见陆泽怀等《德阳民俗》(内部资料本),1996年,第230~231页。旧时通江地区修建房屋,祭梁是最重要的一道程序。祭梁前,主家首先要准备好上梁所需各种物品,尤其不能少的是一只雄鸡、若干红包以及一定数量的花生、核桃、豆子和铜钱,并将其染成红色。除此之外,还要提前准备好正梁,并将其三方染成红色,向下一方一般描绘上龙、凤或者太极、八卦等图案。在选定的黄道吉日祭梁。祭时将放置在堂屋中的两条板凳上,掌墨师将刀头、酒等置于梁上敬祖先,再将大梁两端用粗绳系好,拴好牛子(也称"牛耳",指梁的两头有卡在柱头上的榫,在两头榫口处各挪一节尺多长的横棒,以使所拴大索不致滑脱),然后由掌墨师说些好话,并将一只大红公鸡的鸡冠掐破,让鸡血滴在一个水碗里,以观察凶吉。届时,参加建房的工匠都有礼封红包。礼封有"宰鸡礼、承平礼、借光礼、平安礼"之分。主持上梁仪式的掌墨师收纳宰鸡礼,所得礼钱最多。其他泥、土、石、镩等则收纳承平礼和借光礼,参与拉梁上屋架的普通工匠和亲朋近邻则可以获得一个小红包,即"平安礼"。祭梁时,掌墨师傅一边用雄鸡鸡冠血在梁上画符,一边大声念诵《祭梁辞》。唱诵完毕,在雄鸡身上扯下一小撮鸡毛,用鸡血粘贴在梁上,再唱《祭梁歌》,祭梁仪式结束。

接了媳妇失了儿。
接亲莫接寡妇亲,寡妇亲有两样心。
姐姐嫁了莫要忙,姐姐死了好填房。
不由我王妈妈主婚。
不做媒,不担保,一生少烦恼。
成亲一对蜡,悔亲一碗茶。
成亲无须蜡,悔亲不要茶。
大背时讨小,小背时买表。
饿死不吃分家饭,冷死不穿嫁时衣。
好马不配双鞍,好女不许二男。
花花轿,人抬人。
估倒新人上轿。
养女要嫁庄稼汉,早不相见晚相见。
好的又把好的配,推屎扒配地乌龟。
跟他做了媒,还要包他生儿。

巴蜀地名中,也有来自巴蜀婚俗的,如叙永县长秧公社长新大队地名"下马田",即因俗传一女子嫁此地,其父至此下马,以所骑之马为陪奁得名;叙永县乐郎公社乐郎大队地名"乐郎坝",原名"落郎坝",因俗传旧时有马姓夫妇新婚后回门[1],新郎在此失踪得名;雅安市文星公社张狮大队地名"宋家湾",原名"送嫁湾",因丫头出嫁,主人送产业而得名。

从上面罗列的材料可见,巴蜀地区的不少地名,都具有十分深厚的文化底蕴,社会发展到了今天,如果我们不细探深究,则无法知晓这些地名词语所反映的文化内涵,这项工作实在值得我们高度重视。

二、丧葬类方言词汇

巴蜀汉语方言词汇还有不少来自丧葬习俗,以下略加探讨。

---

[1] 回门:多指结婚当天或第三天,新婚夫妇一起回新娘家拜见父母及亲友。彭贵华等:《中国民间故事集成·重庆市巴县卷》(内部资料本,下卷,1989年,第418页):"从前,有个姓张的傻子,结了婚的第三天,他和堂客一起回门。"

老太婆的棺材① ——寿枋②

巴蜀人称老人生前所备的棺材为"牆器③、寿枋、枋子",多以木制成,故也称"寿木、木头"④。巴蜀俗语云"六十不治板,阎王说你好大胆",故

---

① 棺材在巴蜀汉语方言中因避讳有多种称呼,如"枋子、木头[təu⁵⁵]、寿枋、寿材、寿木、老房子、老木"等,一般一、二等木材做成"寿枋"(大型棺材),一般人家使用;三等木材(极薄的小块木板)做成"金匣(子)"(小型棺材,为大富人家给夭折孩子定做),多用于收殓小孩或鳏寡孤独之人;等外木材做成"火匣子、火板板",多为乐善好施者施舍作收埋无主尸体之用。极度贫困而又无人问津的死者,则多以篾席或草帘子(也称"稿帘子")包裹,软埋在官山、荒坝之处。参见四川省政协文史资料委员会《四川文史资料集粹》第6卷,四川人民出版社1996年版,第350～353页。陈浩东等:《成都民间文学集成》(四川人民出版社1991年版,第677页):"我已是坐倒听见枋子响,睡倒闻见土巴香的人了,就尽这把老命拖吧!"又(第1727页):"风吹明灯四方亮,我请木匠做寿枋。"民国20年(1931)《达县志·礼俗门·风俗》:"生椁曰'寿木',曰'长生板'。而衣裳、冠履,莫不以'寿'字加之。此言之忌讳也。"《川西文艺》(第1卷,第3期):"是,是我的,我打算砍了跟爹做寿木。"张平轼:《永久的怀念》(《龙门阵》1996年第1期):"快点吃,多下蛋,我还指望拿你换回一副老房子哩!"井研县文化馆:《中国民间文学集成·井研县资料集》(内部资料本,1989年,第310页):"(赌钱汉)输得裸里光,回家怕舅舅来清问,连夜在山上挖了个坑,将就妈睡的一床席子把妈裹了,就抬上山去埋。"龙在天:《丧葬之礼和父母之丧》(《龙门阵》1983年第5辑):"解放前,成都地区……穷苦人家则往往是停放一两天,一副薄棺材装殓了事。更有一些贫苦孤寡老人,全靠邻舍相助收尸,一领篾席,软埋在四门外乱坟地里,辛酸凄凉。"重庆市江北区民间文学集成编委会:《中国民间故事集成·重庆市江北区卷》(内部资料本,1987年,第373页):"因为船上有规矩,船工生疮害病各人付汤药钱。但人死在船上,老板至少要花费一床稿帘子。老板又想到,吴癞子不是一般的人,看来一付[副]火匣子是说不脱了。"
② 民国27年(1938)《泸县志·食货志》:"寿枋由永河运来者最多,南广次之,合江最少。营此业者三十余家,称'枋子帮'。"寿枋:谐"受方",意为"遭受难堪"。方:用言语或行为使人受窘、难堪。彭贵华等:《中国民间故事集成·重庆市巴县卷》(内部资料本,下卷,1989年,第442页):"他看到这娃儿比走的时候精灵了,今天怎个方了他,他莫绷面子,出去到处借上个三百两来骗我。"
③ (清)张慎仪著,张永言点校:《蜀方言》(第320页):"生前制棺曰牆器。"
④ 因出丧时多由八人用两根粗壮的大木杠抬着前往墓地,故民间戏称为"逍遥杠"。参见湛泉中等《中国民间文学集成·四川省云阳县卷》1990年,第261页。棺材也有非木头的。黄尚军于1975年在成都市龙泉驿区柏合镇亲见水泥棺材。

多于老人健在之时即准备棺材，称为"割寿枋"①，应选每年闰月中的最后一天，②备好酒肉、饭菜，请匠人至家开工时，要举行"封赠"仪式，如成都民歌《做寿枋》：

风吹明灯四方亮，我请木匠做寿枋。
我娘寿枋做得长，我娘睡得喜洋洋。
我娘寿枋做得好，做个二龙来抢宝。
我娘寿枋三镶底，我娘睡得心欢喜。
我娘寿枋两镶墙，我娘睡得脸发光。
我娘寿枋三镶盖，我娘睡得心头爱。
我娘寿枋硬肥头，我娘睡的丝枕头。③

此歌基调欢快，可见作为子女，积极为父母预备寿枋是一件值得骄傲甚至喜庆之事，想到"我娘"能长睡此棺，为人子者也得心安。当然，所办棺木的质量也可体现家庭的财力和威望。

主人封赠后，匠人一边讨要红包，一边说"越添越有，富贵长久"之类的吉利话。

因家庭地位、实力不同，所办棺材的规格也不尽相同，这在巴蜀方志中有较多记载（见表3-4）。

---

① 割寿枋：也说"做老木（屋）"。"割"也作"合"。因寿枋是老人最后的栖身之所，置办一副体面的寿枋是子女对父母表达孝心的一和重要方式，故其好坏直接关系儿女在当地的声誉。克非《山河颂》（上海文艺出版社1980年版，第281页）："最叫他伤味的，还是妻子。记得，前年请木匠'合'那两口寿木的时候，他曾经暗暗对自己说过：'千万莫死在老婆子前头！砍脑壳的瘟牲，心肠硬，无情无义。恐怕连灵牌子都不设一个，就把你随便搬到山上去，几鸳篼泥巴便壅啦！'"自注："合——读各，在四川话里是镶起来的意思。"巴蜀地区还有为小孩办棺材之俗。隗瀛涛：《古稀之年的回忆》（谭继和等：《青史留真》第1辑，四川人民出版社2010年版，第239页）："（宝成铁路线上的马角坝地区的青龙乡）大概由于解放前当地生活太苦，人口死亡率较高的缘故。在50年代后期仍残留着这样的习俗：孩子三岁时，父母就在山上为他选定一棵做棺材的树，并早早做好棺材待用。"
② 取"闰"之"多"义，意为永远用不上，巴蜀谚语"遇润合材"可证。另有闰月不盖房的习俗。
③ 陈浩东等：《成都民间文学集成》，四川人民出版社1991年版，第1727~1728页。

表3-4　棺材制作在部分巴蜀方志中的记载

方志名	记载内容
民国18年（1929）《合江县志·礼俗篇》	棺木用杉。若死者年老而多金，则治办已久，施漆①已屡，内奠七星板，否则有不及施漆者也
1991年《峨眉县志·民俗》	富户棺材用木质杉板做成，曰"寿木"；贫户用一般薄板镶成，叫做"火匣"
1993年《沐川县志·社会风俗》	解放前棺木土葬。棺木多取杉、柏，低劣的以木板合成火匣子，贫而无依者，由四邻以草帘裹尸埋葬
1997年《天全县志·社会风俗》	富有人家棺木讲究楠木、建板（香杉）、大三梗。一般人家用杉木，穷人买不起棺木用"火匣"（普遍木板钉成），甚至草席裹尸

由上表可见，巴蜀民间棺材规格主要体现在木料的选择上。通常棺材的木料依家之有无而定，富贵人家首选用建昌杉板②，或秃杉③、（香）杉（花）板④，或

---

① 光绪末年《南川县乡土志·物产》："漆，皮、叶如椿，花如槐，有汁可饰器。汁入土，千年不朽，故人用以抹棺。本境岁出数万斤，银以万计。"
② 建昌杉板：简称"建板"。民国21年（1932）《万源县志·教育门·礼俗》："县属人民以亲丧为人子第一大事。衣衾、棺椁，具称家有无，为之预备。棺以杉木为上，柏次之，杂木为下。内外饰以漆泥，以其坚厚耐久也。"
③ 此应为1.1亿年前第三冰川时期残留下来的珍贵树种，耐腐性强，不易开裂反翘，巴蜀民间称为"阴树"。
④ 此指洪雅县、峨眉县一带出产的香杉，其木质细密，花纹美观，带有香味和凉气。尤以木心赭色和"虎皮花"（呈条状花纹的杉木）为最佳。吴树业等：《中国民间文学三套集成·巫山县故事集》（内部资料本，1987年，第72页）："你的祖坟是一个好地形，可惜你的老辈子是用稻谷草帘子埋的，要是换成花板，再往上撅五尺，你的官还要做得大些。"吴伯康：《四川"袍哥"》（《龙门阵》1982年第4辑）："听说用香杉板装殓的，这棺木要值一万多元；抬丧的三十六人，清一色是全城袍哥大舵把子。"龙在天：《丧葬之礼和父母之丧》（《龙门阵》1983年第5辑）："'寿木'以建昌'香杉花板'为最好，这是一种用埋藏在地下数百年乃至上千年不朽的香杉树木做成的棺材。……'香杉花板'贵得出奇，据说每副以银元万元计，普通人家是想都不敢想的。"长寿县出产的"错节杉"也为制作棺材的佳木。民国33年（1944）《长寿县志·物产·植物》："杉，有赤、白二种。赤杉实而多油，白杉虚而干燥。干端直，高至数丈。叶作针形，较松为短。花单性。至秋结球果，大如指头。吾邑森林多有之，为用至广。用他木造屋，多生白蚁，惟杉与柏可免。又有一种名'错节杉'，作棺椁最宜。"成都等地忌讳用冷杉作棺材，而多用"香板"。（清）张慎仪著，张永言点校：《蜀方言》（第321页）："棺料之佳者曰香櫼版［板］。"

香樟木①,或椿芽木②,或马桑木③。一般人多用柏木④,也有部分人选用杂木⑤。旧时巴蜀农村自家坟地中,大都栽有柏树,凡朝阳,长势、材质好者,先行砍伐,一般是用自家的"定根树"制作棺材。而自家坟地无成材者,则要买树早作准备。通常自己先把树砍好,再请木匠来家制作。

---

① 主要是用于俗称为生前是"臭人"者(喻指名声不好的人),寓意"去臭变香"。
② 巴蜀部分地区如南江县等地习俗,椿芽木棺材不能进家族墓地,因为椿芽树被称为"树王",会破坏其他墓地的风水。巫山县等地也流传着"椿树为树中之王,长在昆仑山上,周围有毒蛇猛兽守着,没得哪一个敢去砍它"的故事。参见吴树业等《中国民间文学三套集成·巫山县故事集》(内部资料本),1987年,第218~219页。
③ 南江县等地也称之为"通天木"。巴蜀有关于此树的诸多传说。参见吕峰等《中国民间文学集成·四川省西充县资料卷》(内部资料本),1937年,第119~120页。
④ 因柏树象征长寿。民国17年(1928)《大竹县志·物产志》:"柏为阴木,以独向阴指西,故字从'白'。扁柏大者中椽,小者作建筑制具之用。……杉树俗作'沙树',类松而干端直,隆冬不凋。有赤、白二种:赤杉实而多油,白杉虚而干燥。材中营建,耐水,可为船及桶板。三山均有岩杉(尤宜作椽,惜少见)。"民国24年(1935)《古宋县志·食货志》:"柏木大可合抱,高可参天。群木皆属阳,惟柏属阴,枝向西,从白,西方色也,可作栋梁、棺椁。"《川西文艺》(第1卷,第1期):"娘在叔叔屋头,跟爹借了一口柏木方[枋]子。"重庆市巴南区安澜镇仁流乡坝上村马家桥戴学扬法师藏民间用书《修脚》[抄录本,民国24年(1935)]:"后头有林好柏树,桠枝都拿来割元木(棺材)。"巴蜀民间认为,在阴阳五行中,西方与白色相对应,而且西方是太阳落山的地方,属阴,故喜阴的柏树做棺材较为合适。今绵阳魏城盛产柏树,用之做棺材寓"百年长寿"之意。奉节县传说柏树与目连救母有关,目连封赠松树说:"柏杨柳树多行孝,一刀砍下发万根。只有松树不认母,刀斧截下永不发。"参见游翔等《口国民间文学集成·四川奉节县卷》(上册,内部资料本),1989年,第202~203页。也有人认为柏木棺材最次,因其吸水后,有"扯"性,会将人的嘴脸扯歪,故一般人家连床都不用柏木做。
⑤ 杂木中一般忌用柳木,俗传讳柳树不结籽而绝嗣。

巴蜀民间如南江县、康定县等地有木匠能"看寿"的习俗,① 即木匠第一斧砍下的木屑所溅的远近、呈阳面还是阴面②,以及刨子第一刨推出的刨花的形状,直接关系到老人寿数:木屑溅得远,为阳面,刨花长且卷得厉害,寿数就长;木屑溅得近,为阴面;刨花短且不卷,甚至成渣,寿数就短。当用做好的四块"天平、墙子、底子"合材时,若十分顺利,表明病人很快就会落气;若不顺利,则短时期不会有事。棺材做好后,还需用鸡血祭祀,用手指弹洒鸡血在棺木的周围,俗传这样可驱邪。若遇有人前来借用棺材,一般不拒绝,也不要求归还,甚至还可以主动将做好的棺材放在路边,供人急需时取用,称为"施木"。

巴蜀俗语云:"生于苏杭,死于建昌。"在巴蜀地区,棺材木料最著名的为建昌杉板,即今西昌市一带出产的阴沉木③,因其为建昌特产,故称。此板多因山崩、山体滑坡等地质变动,将树木埋于地下,经过相当长的时间而形成半化石、半木质状态,一般生长于阴山:

---

① 木匠"看寿"习俗为黄尚军、李国太、杨杰于2013年春节期间至南江县侯家乡石寨村实地调查彭成匠师所得。黄尚军、李国太、周帅于2014年8月至康定县普沙绒乡火山村调查得知,若溅在地面的木屑呈竖立状,则寓意某人做的棺材会被别人借去,当事人自己不会使用。若不希望别人还回棺材,需举行一定的仪式,诵念《木匣文》。施木之俗开江县甘棠镇八角亭村胡泽奎法师藏民间科仪用书《阳用禳关科》有载:"××国×年×月×日,照告之良,沐恩下民信士×××,右及合家善眷人等,谨以香烛、钱楮,不悌之仪,致告诉面燃大士位前,而告以文句:'兹者信人×××,情因先年,家下人口欠顺,启发善心,木匣×付,敬老怜贫。施棺椁,免尸骸之暴露。措衣食,周道路之饥寒。家富提携亲戚,岁饥赈济怜朋。行时时之方便,作种种之阴功。正直代天,行化慈祥,为国救民。存平等心,广宽大量。利物利人,修善修福。回心向道,改过自新。一切善事,信心奉行。人虽不见,神已早闻。加福增寿,添子一[益]孙。消灾病减,祸患不侵。人物咸亨,吉星照临。超出脱化,善信蒙恩。感恩感德,无量无倾。谨告:皇恩普被,赦款遥颁。俾已超生者,咸仰如日之光。未脱苦者,齐消弥天之罪。普与众生,感沾道气。现存眷属,悉荷平康。无任存殁,均沾之□。谨表以闻,复具×××皇坛,为亡……以上经忏录毕,坛内执事,当陈列知事人。天运×年×月×日,具表恭申。'"参见任晓东《绵阳魏城镇丧葬习俗探究》,四川师范大学成人教育学院自考本科论文,2012年。"施木"习俗参见黄尚军、王振、游黎等《巴蜀汉族丧葬习俗研究》,四川民族出版社2017年版,第53页。
② 砍削下来的小木片或木块有树皮的一面为阳面,反之则为阴面。
③ 阴沉木:也称"乌木",分为天然木(黑檀木,柿树科常绿乔木)和水成木(经长时间水浸土埋而形成的乌木料)两种。唐枢、林皋:《蜀籁》(四川人民出版社1962年版,第259页)即收有"乌木材料也用不着你油漆颜料来增色"一句。

活杉而外,其出于土中者,曰"困杉",亦曰"陈乔",曰"阴沉",以其为建昌特产也,故又名"建板"。由数千百年前之杉林,因地壳变动,埋没土中,经水冲出而制成者,其芳香致密经久,无与伦比,分红油、紫油两种。红油者,花纹色红;紫油者,花纹色紫。其花纹分蝴蝶花、麻雀花、云雾花数种,就中以红油云雾花为上品,余次之。初由土中挖出时,有直径丈余,长二三十丈者;有边材腐朽,仅剩心材者;有并边材亦完好者。观其状况,可知其年之先后也。其被覆泥土,浅深不一。有浅至丈余者,有深至十余丈者。浅者易淘而小,深者难淘而大。以深而仅剩心材者为佳,以其香气剧烈、油汁丰富,且甚耐久故也。(此种杉板,可耐七八百年。因县属坟墓,有明洪武时埋葬,迄今尚完好者。)产地以北山鱼水、普格、德昌、巴洞、茨竹沟、麻栗坪、普济州麻陇等处为最。山崩料出,有山照者,各按地界,得所有权。然一山厂中,每一料出,或数株并出。其位置、方向,往往纵横斜互,牵连两家地界,互相争执,酿讼不休,故非富有经验者,不易办理也。此种香杉花板,县人运往各大都会售卖,价值最昂贵。〔民国31年(1942)《西昌县志·产业志·矿物·有机矿物·杉板》〕

上述材料表明,时人对建昌板相当重视,并进行了详尽观察和归类,甚至有人为争夺出土的建昌板而发生争执。建昌板种类多、纹理细密、历久不腐且较为少见等特点,使其成为制作棺材的上等材料:

到了我庆八十的这年,又有位四川木商的朋友送了我副上好的建昌板,我那一头儿的房子也置下了。[1]

可见,早在清代,建昌板就已经闻名巴蜀乃至全国。使用建昌板做棺材,成为部分巴蜀人的追求:

开路查七的道士已喊了来。四整的建板也抬了来,端端正正摆在堂屋中间。(《李劼人选集》第1卷,第521页)

---

[1] (清)文康:《儿女英雄传》第32回,华夏出版社2008年版,第472页。

部分巴蜀人认为，经过若干年后，建昌板所装死者尸体不腐，故人死可得一具"建昌板子"睡，可谓几生修到的福气，令人眼红。①

在巴蜀地区，棺材用料的块数、大小、长度均有讲究。棺材多做成外形长约两米的六面长方形。头高尾低，略向前方倾斜，形似方头蟋蟀②。盖子称为"天平"③，2.4米，用料最大；两侧为"墙子"，2.2米，用料中等；底部为"底子"④，两米，用料下等；两头称"回子"或"回头"⑤，有"头回、脚回"之别，⑥用料最次。中空部分为"膛子"。做好之棺木，多为1.7米长的净空，宽0.86米，高0.96米，盖子长为2.33米。俗以为一般做棺所用木料块数越少，则棺材越好，故盖、底、两墙，皆由整块木料构成的"四合棺"为最佳，即以"三整［kən⁵³］"、"四合"为上。此外，还有"六合、十合、十二合、十四合、十六合"等不同规格。⑦

旧时成都棺材商家多将木料砍锯成型，据木轮、花纹的走向以及色泽，以"纤子"精心镶补裂缝及疤痕，做成"散板"，待丧家买定后，赶制成棺材。一般做为"龙墙挂底"，即两边的墙子与底子的结合处要做成"公母榫"⑧，将两者挂住，并且信奉"生庚八字双，死人牌位单"的说法，忌讳"对镶底"

---

① 参见周芷颖《新成都》，成都复兴书局，民国32年（1943）版，第86～87页。
② 双流县等地即称此种蟋蟀为"棺材头儿"。吕万成：《童年记趣》（《龙门阵》1996年第2期）："我们川西人叫蟋蟀为灶鸡子。灶鸡子据其头形有两种，一种是'和尚头'，另一种是'棺材头'。"另有"油蛮子"。李显宏：《童趣拾零》（《龙门阵》1994年第3期）："其中，什么'油蛮子''棺材头'等品种，身价尤高。"
③ 民国20年（1931）《宣汉县志·礼俗·丧葬·大殓》："棺尚整天平。杉为上，柏次之，间有用阴沉木及唐楸者。"王洪林：《四川方言会通》（巴蜀书社2008年版，第85页）："棺木落地，力行四奔。大义上前揭开天平，文孝一看，美貌佳人，其人已死，虽死犹生。"
④ 底子一般忌讳双数，多为一整、三整、五整筒料做成。二筒或四筒料做的底子俗称"分尸底"。
⑤ "回"也作"脄"。（清）张慎仪著，张永言点校：《蜀方言》（第321页）："棺前后曰脄头。"
⑥ 头回：也说"大回"。脚回：也说"小回"。巫山等地传说棺材的回头可变成鬼。参见吴树业《中国民间文学三套集成·巫山县故事集》（内部资料本），1987年，第286～287页。
⑦ 参见黄尚军、李国太等《四川方言与民俗》，四川民族出版社2014年版，第479～490页。
⑧ 叶春凯：《解放前成都棺材铺一条街》（《龙门阵》1996年第1期）："（三梗）'底子'用三根原木砍成枋料，再用槽刨、边刨推成公母企口，涂上牛皮胶，强行将公榫撞进母榫内。"

或"四合底"①。一般人家用单层棺,个别人家用两层棺或三层棺。

今绵阳市魏城镇一带常见的棺材是"天品料",即"四合子",上下左右均为一整块;"二品料",即"八合子",上下左右均为两块;"三品料",即"十合子",上下各两块、左右各三块。而叙永县龙凤乡宝合村七组一带棺材的盖、底及两侧一般是由四块、十块、十二块、十六块木料组成,分别称为"四整"②、十合枋子、十二合枋子、十六枋子"等。最好的是"四整",因其多为两大筒树对剖而成四半边,分别作棺材的墙子、天平和底子,寓"四向"之意。因此种规格的棺材的木料不易找,故为上等棺材。其余依为十合枋子,寓"十天干"之意。十二合子,寓"十二地支"之意,符合黄道之术。十六合枋子,不合黄道之术,又因制作此种枋子的材料容易找,故多为穷苦人家所用。匣子对木料不讲究,多为贫苦人家应急之用。旧时巴蜀地区因饥寒交迫到毙在路上而又无人认领的俗称为"路尸"的,一般享受"千个头"③或"三子送终"④的待遇。而什么都没有且葬身于野兽口中的,盐源县俗语称为"沟死沟埋,路死插牌,老虎、豹子吃了得个肉棺材"。

棺材做好后,先用"旺子灰"反复涂抹,一般为五遍。上好"旺子灰"的棺材干透后,用砂纸多次打磨平整,再用"漆灰"涂四至五遍。⑤灰料一般分为上、中、下三等:上等为生漆瓷粉灰,中等为生漆石膏灰,下等为猪血石灰灰,多漆为黑色。⑥以前,有些富贵人家会用银朱兑天然漆制成的朱红色漆料

---

① "对镶底"或"四合底",也说"分尸底",即用两块或四块木料做的棺底。俗传死者背上有条缝,灵魂不能升天,且对后代不好。棺底可用整块、三镶、五镶。此为黄尚军于2004年11月13日至双流县太平镇庆西门街廖老师棺材铺实地调查所得。郑茂泉等:《中国民间文学集成·安县资料集》(内部资料本,1987年,第329页):"柏木枋子三镶底,我妈睡到心欢喜。柏木枋子三镶墙,我妈睡到心又凉。柏木枋子三镶盖,我妈睡到心又爱。柏木枋子二回头,我妈睡的花枕头。"
② 四整:也说"条杉枋子"。
③ 千个头:若干捆堆在死人四周的干稻草,为棺材的象征。
④ 三子送终:戏称"用破席子、绳子、杠子裹抬死尸,埋入乱坟岗"。参见彭县志编纂委员会《彭县志》,四川人民出版社1989年版,第840页。
⑤ 部分巴蜀人认为漆有千刷之功,故为棺材上漆时,要上薄漆且反复上,以保证光泽度好。旧时巴蜀贫穷人家一般不漆。棺材铺中,涂上漆的棺材称"漆货",未上漆的称"白货",其盖、墙的边缘涂漆,中间现白者称"半白货"。
⑥ 故棺材的隐语为"黑板"。(清)傅崇榘:《成都通览》(下册,巴蜀书社1987年版,第41页):"黑板,棺材也。"

涂棺，以示高贵，现今成都大邑刘氏庄园中，依然可见当年大地主刘文彩所备红色棺材。①

总之，发丧时忌讳抬未油漆过的白色棺材出门。②

此外，棺材制作不能用铁钉，凡是要固定的地方都用木销加固③，部分巴蜀人认为，用了钉子，会将死者钉住而不能转世投胎。成品棺材的两头均钉有带毛的羊皮条，有的还要雕花贴金，作为装饰，按"男左女右""大回朝外"的原则，安放在本家祠堂或堂屋的一侧，或厢房的街檐上④，有的在"大回"处贴上写有"长生不老""长命百岁""寿"等字样的红纸⑤，并忌讳移动或

---

① 这是因为死者系年迈长寿或做过高官，其后代家境富裕者多把丧事当成喜事办。谭强毅等：《中国民间文学三套集成·四川省三台县故事资料集》（内部资料本，1987年，第126页）："状元知道后，他想不管怎样，这个盐贩子毕竟是自己的父亲。为了记惦［祭奠］，做了一口用红漆涂成的大棺材（当时棺材一般漆黑色）。"四川省自贡市民间文学三套集成编委会：《中国民间文学三套集成·四川自贡卷·故事卷》（上册下部，内部资料本，1988年，第348页、第351页）："李敬才是三多寨人，集官僚、盐商、绅士的头衔于一身，人们尊称他'七公'。……乡下农民怀兴而来，没有看到城隍菩萨，倒是见到一具由二十四个抬匠扛抬着的红漆大棺材。一打听才知道李敬才生'虱背心'死了。"宜宾石城山歌："初八早上去望郎，手拿钱财买猪羊。红漆枋枋（棺材）买一个，黑的猪儿买一双。"民国时期成都也有此俗。参见周芷颖《新成都》，成都复兴书局民国32年（1943）版，第87页。今绵阳魏城一带则按照"外黑内红"的颜色为棺材刷漆。黄尚军、陈硝、张淤波、邹毅于2017年8月实地调查仪陇县土门镇桂花树村一组村民罗存良得知，当地乡民为老人生前所备棺材可漆为红色或黑色。当地俗语说："红色滤土，黑色滤水。"
② 应讳巴蜀汉语方言词语"白抬"。
③ 川西北农村习俗，非正常死亡者装棺时，即用木销钉。克非：《山河颂》（上海文艺出版社1980年版，第275页）："张久洪又大声叫人找钉子，说：'要梢［销］子长一点的。另外，再找把木匠用的小斧！'大家都莫名其妙，装棺材就装棺材嘛！装好，拿篾条一捆就完事，这是素来的方法，何必用钉子钉哩？……对待横死的人，就是要这么对付的，为的是不让他的灵魂爬出来，兴妖作怪。"
④ 巴蜀诸多地方习俗，未装殓死者的棺材停放时，一般是用高长凳架起来，"大回"即树的根部朝屋外；若装殓后停放，则"小回"即树的梢部朝屋外。砍伐回家的树木仍遵循这样树的根部朝屋门外的原则摆放，成都歇后语说："堂屋头栽松柏——有根之家。"黄尚军、李国太、杨杰于2013年春节期间至旺苍县黄洋镇南溪村3社实地调查得知，当地杨姓分为"木易杨"与"包耳阳"两支。该县普济镇一带杨姓家族灵柩的停放方式与巴蜀诸多地区有所不同，为"大回"朝屋门外，"小回"朝屋门内，俗传与宋代杨六郎有关。杨六郎战死沙场，后人去抢尸体，有的抢得头，有的抢得脚，故后代祭祀便分为两支：一支祭头，一支祭脚。
⑤ 刘仁富等：《中国歌谣谚语集成·重庆市大渡口区卷》（内部资料本，1988年，第89页）："五月里来是端阳，木匠到屋割寿枋。寿枋头上写寿字，唯愿我爹寿年长。"

孕妇去摸，俗传摸后所生小孩会为"炧子_{软骨病患者}"。当装殓好的棺材埋于地下时，在一些矿物质中加入桐油，制成油泥，用来敷在棺内，以保护尸体不发臭，不腐烂。①

作为手工制品，巴蜀人对棺材的充分重视，表现出了极其高超的工艺水平，同时也体现了巴蜀民众的卓越才智和对逝者的负责与尊敬。

孝帕子

巴蜀人称"戴孝"为"包孝帕子"，即儿、女、婿、媳头所缠孝布于脑后垂至足踵，孙之孝帕比较以上诸人短，普通家属及亲友之孝帕长短，则视其亲疏关系而定，有仅缠头上者，有及腰际者，有齐肩背者，各有不同。总之，亲者孝帕长且拖于脑后，疏者则甚短，或不拖于脑后。

孝帕长一般为九尺、七尺、三尺，宽为二尺七、二尺四、一尺二，长、宽不同，则亲疏关系也不同。②巴蜀如双流县、郫县、成都新都区等地服独特的彩孝，将孝帕颜色分为白色、黑色③、黄色和红色几种，颜色不同，含义则不同，成为区别辈分的重要标志。一般白色是第一、二代所戴，青、红④、黄分别是第三、第四和第五代所戴。孝帕又可分"磕头孝、见礼孝、普孝、客孝"等几种。⑤此外，孝也分"热孝"和"冷孝"。"热孝"是在死者埋之前所

---

① 部分巴蜀人认为，麻风病逝者的棺材不能见土，通常是用连环状铁链将棺材悬置在岩洞里面。此种葬法也见于四川方志，民国16年（1927）《简阳县志·礼俗篇》："简州有獽人，言语与夏不同。嫁娶但鼓笛而已。遭丧乃以竿悬布，置其门庭，殡于别所。至其体骸燥，以木函盛，置于山穴中。"
② 一般说来，九尺长、二尺七宽孝帕子辈用，七尺长、二尺四宽孝帕孙辈及亲友用，三尺长、一尺二宽孝帕帮忙者及左邻右舍用。不过现已简化，要求不再那么严格。一般说来，长约五尺，宽约一尺。
③ 一般手孝也为黑色或白色，其上有"孝"或"奠"之类字样。字样颜色与手孝质地颜色相反。
④ 巴蜀俗语云："人过七十古来稀，老丧当作喜事办。"重孙为老人治丧时使用红孝帕、红布鞋，应与此有关。
⑤ 磕头孝：前来吊唁之人给死者磕头毕，丧家赠送的一节一尺余宽、三至四尺长的孝布。见礼孝：送了丧礼的人所获的孝布。普孝：凡参加吊唁的人均可以得到的孝布。客孝：参加丧礼的客人所获的孝布。（清）孙太钧：《梁山竹枝词》（林孔翼、沙铭璞：《四川竹枝词》，四川人民出版社1989年版，第186页）："坐白纷纷闹比邻，开来普孝赚多人。争将尺布缠头首，异族都成祖免亲。"

服，要拖在身后①；"冷孝"一般在头上包成一圈，为埋死者之后所服。②

孝帕子俗传是巴蜀民众为诸葛亮戴的孝，故也称"诸葛孝、诸葛巾"③：

> 川西男女白缠头，此俗相传念武侯。
> 文野在心非在貌，东邦木屐亦风流。
> （黄炎培：《蜀游百绝句》）④

今川西、川东、川北还有关于此俗的传说：

诸葛亮六出祁山，北伐中原，在五丈原逝世了，葬身在定军山。蜀中老百姓非常悲痛，要求朝廷在成都给诸葛亮建个祠庙，好让大家四时八节去祭奠。刘禅是个昏君，一听就不高兴。"哼，你们只晓得诸葛亮，就不记挂我真龙天子！"他把老百姓的呈子丢在一边，整天大口酒、大块肉地祭他的"五脏庙"⑤。

---

① 此种包法的孝布也说"孝靸靸"。游柱先等：《中国民间文学三套集成·珙县民间文学集》（内部资料本，1989年，第296页）："他心头画了几个圈圈，马上把他头上的白帕子取下来，包成孝答答［靸靸］拖拢屁股上。"
② 旧时成都习俗，服冷孝三年期间，孝子不能理发。其变通办法是在孝子头部背面的左侧，留下汤圆大小的一撮头发不剪，这一撮头发，称为"孝毛根（儿）"。参见龙在天《丧葬之礼与父母之礼》，载《龙门阵》1983年第5辑。达州地区服孝人家在整个正月都忌讳拜年，有的在三年服丧期间，过年的一切活动都要取消。黄尚军于1998年正月初六至渠县文崇镇实地采访文崇中心校校长杜金国时，就曾遇见狮子、龙灯前来杜家拜年，杜先生高声喊家人把孝布挂在门前，不许其拜年。听他说，如果狮子、龙灯非要给居丧人家拜年的话，那么笑和尚与狮子都要跪着做各种舞蹈动作，其所喊的吉利（词）则与平常人家所喊不同，一般为赞扬主人家孝道方面的。主人家打发的利市也比其他人家多得多。此外，服孝人家一般不到别人家去，别人也很少前来；非有来往不可，也只能站在院子门外说话。
③ （宋）司马光编著，（元）胡三省音注：《资治通鉴》（上海古籍出版社1987年版，第485页）："蜀人所在求为诸葛亮立庙，汉主不听。百姓遂因时节私祭之于道陌上。步兵校尉习隆等上言：'请近其墓立一庙于沔阳，断其私祀。'"参见营山县民间文学三套集成编写领导小组《中国民间文学集成·营山县资料集》（内部资料本），1987年，第179页。仁寿等地俗传此孝布为麻城孝感乡移民为族长吊的孝。参见四川省仁寿县民间文学三套集成编委会《中国民间文学三套集成·仁寿县资料集》（内部资料本），1988年，第105~106页。
④ 此诗自注（林孔翼：《成都竹枝词》，四川人民出版社1986年版，第178页）："白布缠头，遍于西蜀，相传为诸葛亮武侯纪念服。"
⑤ 五脏庙："肠胃"的戏称。陈宛茵：《劳教哈哈镜》（《龙门阵》1988年第5期）："他从不洗澡，不换衣，所有的衣服都被他变钱修了'五脏庙'了。"

一些大臣怕惹怒了百姓出事，劝刘禅说："关二爷、张三爷都在成都修了衣冠庙，诸葛武侯也可以立庙嘛。"

刘禅一听，鼓起眼睛说："关、张与父王生死结拜，是朕的皇叔，诸葛亮是臣下，哪能建祠立庙？"

百姓们听说刘禅犟起脑壳不准为诸葛亮立庙，想起诸葛亮治蜀的功绩，个个都伤心得很，不约而同地到郊野去点蜡、焚香、烧纸，遥望定军山放声大哭。有的边哭边骂刘禅是个大昏君，不会有好下场。这话传到刘禅的耳朵里，气得他直顿脚，下令不准百姓野祭，违者抓来打板子，罚银子。

野祭的路堵住了，有人想出给诸葛亮戴孝的主意，把丈多长的白帕子在头上盘一两圈，拖下两三尺吊在脑壳后面，算是戴孝。一传十，十传百，几天时间，满城之内，城郊乡镇，只见白花花一片白帕子，人人头上缠了孝巾。

刘禅又听说了，马起脸说："打轿上街，我要看看哪个敢戴孝。"说完，他坐着大黄轿，打起龙凤旗上街了。转过御河金水桥，穿过锦江万里桥，只见满街遍野，不分男女老幼，人人头裹孝巾。刘禅心头鬼火冲，在人群闹市下令停轿，让卫士喊路边的人过来问话。这时，人们齐刷刷地把拖在脑壳后面那截白布收上去盘在头上了。刘禅哼了一声，问："你死了爹还是死了妈？""父母健在。""为啥头戴白孝巾？""不是孝巾是白帕。"人们背朝刘禅叫他看。"捆块白帕有何用？""天气凉了好挡风寒，天气热了好擦汗。"

周围百姓知道刘禅是安心来找岔［茬］的，便围过来七嘴八舌地喧嚷开了：

"先王法典没有说不准裹白帕！""子龙、孟起将军还穿白袍呢。""戴帕子比戴帽子暖和，不信你也来试试。"

一人一张嘴，万口像打雷，刘禅的威风摆不起来了，只好连连顿脚说："回宫！回宫！"

从此，川西坝的人头盘白帕的习俗代代相传，一直戴了千多年。①

今巴蜀诸多地区丧礼中，晚辈给长辈穿孝，主要是为了表示孝意和哀悼，

---

① 参见汪青玉《四川风俗传说选》，四川民族出版社1992年版，第199~200页；魏炯若《蜀故拾零》，载《龙门阵》1983年第2期。金堂县等地传说，巴蜀人喜欢用白色或黑色的帕子包头，应与"鳖灵开山治水累死"有关。参见洪钟等《中国民间故事集成·四川卷》（上册），中国ISBN中心1998年版，第108~110页。

后又被人们引申为亡人"免罪"。家里有丧事,所有家庭成员均按自身与死者的关系,即刻遵礼成服①。一般说来,儿孙穿戴麻布或白布做的孝帕、孝服、孝鞋,腰间系麻绳,名之为"披麻戴孝"。李劼人在《死水微澜》中即有关于"成服"的描写:

> 官绅人家,丧事大礼,第一是成服。(《李劼人选集》第1卷,第111页)

如今成都市新都区的"成服"也遵循"家成服"和"客成服"的做法。死者入棺后,生者应立刻赶制孝衣。孝衣制成,即行家成服礼,全家穿戴孝服,于灵前三跪九叩,谓之"谢孝"。

"家成服"后,即择定"客成服"及开奠、出葬之期,通知亲友,于是日来吊,举行"客成服"礼。今之新都"成服",基本保留了传统的仪式。丧家上下人等穿孝服,戴孝帕。正孝子②的孝布长九尺,一部分包在头上,背面要拖一幅,大约齐到脚后跟,孝子孝帕之上戴一顶用竹片粘纸条包裹镶嵌的"麻冠"。③孝衣外面,套粗麻布背心一件;穿的鞋子要蒙上一层白布,④后跟半寸左右现出鞋的本色;腰上系一根麻绳。⑤除了正孝子外,其余的人不戴麻冠,不穿麻布背心;女婿及未过门的儿媳系红色腰带,⑥以表示虽为至亲,但为异姓,不是重孝。儿子要头戴孝冠,挂"孝堂棍"⑦,弓腰走路直至父母葬毕。

---

① 成服:旧时丧礼大殓之后,亲属按照与死者关系的亲疏穿上不同的丧服。《礼记·奔丧》〔(清)阮元校刻:《十三经注疏》,中华书局1980年版,第1653页〕:"唯父母之丧,见星而行,见星而舍。若未得行,则成服而后行。……三日成服,拜宾送宾皆如初。"成都等地分为"家成服"和"客成服"两类。前者为三天之内,家门近族前来吊唁服丧服;后者也说"开孝、散孝、散普帛",指人死之后,亲友乡邻前来吊丧时,丧家赠给吊丧者孝布。参见周芷颖《新成都》,成都复兴书局民国32年(1943)版,第93页。
② 正孝子:死者的儿子及长孙。随着传统观念的改变,今成都等地多视儿、媳、女、婿等为正孝子。
③ 今成都市新都区习俗,戴麻冠一般有两种情况:一是承重孙戴,即逝者的长子已死,则由长子的孙子戴服;还有一种是顶服孙戴,即除长子外,逝者其他儿子若有逝去者,便由逝去儿子的长子戴服。
④ 今成都市新都区也有穿白鞋、蒙黑布的。
⑤ 表示与逝者是亲属关系。一般而言,只有与逝者是至亲、有血缘关系的,才会系腰带。
⑥ 一般是亡人的第四代。
⑦ 孝堂棍:用白纸剪花粘在一根竹竿上,出丧时死者的儿子用来挂路。参见龙在天《丧葬之礼和父母之丧》,载《龙门阵》1983年第5辑。

巴蜀汉语方言词汇来源于丧葬习俗的还有：

抇① 起

本指"用手托住，使不倒"，一般为向上用力。双流县等地习俗，当老人即将气绝时，其子将之扶在堂屋里的椅子或凳子上坐着咽气。后引申出"扶持"等义，多用于上级、长辈对下级、晚辈：

今后大哥过省研所来，我们在下边给你抇起，万一贾丸药装怪，有啥风吹草动，大哥便到我们这里来，大家同省研所脱钩。（《方脑壳传奇》，第529页）

观音坐到莲台上，莲台底下要鬼抇。（成都口语）②

盖不到脚背③

此指"做事有头无尾，要别人来收拾残局"，也与丧俗有关。双流、巴县等地，人死后有"盖铺盖"的习俗，即"闭殓"前夕，将亲友特制的丧被盖在死者身上，有的多达十几床。被子一定要上齐胸部，下一直盖到脚背的脚趾尖处。这是死者入材④前的最后一道程序，做得好不好，直接关系到对故去者的态度和在生后辈行事的准则，分量极重。如果没有盖住脚背，则表示对死者大为不敬，死后连脚背都盖不到，很让人难堪，用来做骂人的话，这便相当重了，言下之意是"将来你死了，寿被连脚背都盖不到"。

此词后引申出"前后矛盾"之义，今巴中方言仍存。

周 正

本指"端正"，多指穿戴，往往略带贬义，可以重叠为"周周正正"，意

---

① 抇：也作"抽"。
② 此谚语意为"一个篱笆三个桩，一个好汉三个帮"。巴蜀俗称此鬼为"抇鬼、撑鬼、四脚地神"。四川省仁寿县民间文学三套集成编委会：《中国民间文学三套集成·仁寿县资料集》（内部资料本，1988年，第9页）："从此他们再不能去吃粑粑，变成了大佛脚下的撑鬼。"杨时川等：《中国民间文学集成·四川省内江市卷》（上册，内部资料本，1990年，第448页）："四兄弟说着就弯下腰杆去抬莲花，刚刚把莲花搁到肩上，佛祖就来了一个'呀呀呸'，一下就把他们四个压在莲花底下，后来他们就成了四脚地神了。"安岳县也有关于此鬼的传说。
③ "盖不倒脚背"在唐枢、林皋《蜀籁》（四川人民出版社1962年版，第355页）中即有记载。
④ 入材：装殓死者。也说"入棺、入殓"。

为"整齐、端正":

自己还看过那个男子的像［相］片，人也生得相当周正，且比余峻廷的体格好。(《艾芜文集》第4卷，第583页)

眼睛长周正一点！你把我李胡子看成了啥子人！(《春潮急》，第24页)

老大爱赶场，讲排场，穿得周周正正的。(《成都民间文学集成》，第1219页)

"周正"一词应与丧俗有关。治丧装棺时，棺材内先放入纸钱，有钱人家再放新棉絮之类，再用桑谐"丧"树枝条托起死者背部和腿弯处①，将其"周周正正"放入棺材中。总之，一切都必须收拾得周周正正，才将棺木架在长板凳或泥巴砖上。"周正"一词后引申出"周全"之义：

字当然要签，手续要办周正，督察长回去才好不方的方点，不圆的圆点，方圆方圆就过去了，对不对？(《巴蜀风》1996年第1期)

也称"周吴郑王"②：

你今天有啥子好事唷？咋个穿得这么周吴郑王的？(《川渝口头禅》第1册，第74页)

后发展出"不周（不）正、不周正的人户"等词，可指"不端正、不整齐"，也可斥责某人言行有悖常规：

有天我询问儿子的学习情况，他却顶我一句，我心里就发毛了："今天你又哪点儿不周正了？是不是想挨几下？"(《川渝口头禅》第1册，第250页)

---

① 剑阁等地习俗，入殓时一般不触碰死者。
② 周吴郑王：本为《百家姓》中的一句，即"赵钱孙李，周吴郑王"，后引申指"正儿八经，正式的"，多用以嘲笑人穿着过分整齐。此义可能来自"周正"，"郑"谐"正"。

魈 头

巴蜀汉语方言把"便宜"称为"魈头":

蔡大嫂是罗哥的人,不比别的卖货,可以让他捡魈头!① (《李劼人选集》第1卷,第226页)

也有的人没打好主意,想在英台身上占点欺[魈]头。(《中国民间故事集成·重庆市巴县卷》下卷,第39页)

巴蜀人将"占便宜"称为"捡魈头、吃魈头②、占魈头③",谚语说"捡了老魈,莫说闪了腰杆",应跟丧俗有关系。"魈头"本是古时打鬼驱疫时扮神者所戴的面具,至迟东汉已有,《周礼·夏官·方相氏》:"方相氏掌蒙熊皮。"郑玄注:

蒙,冒也。熊皮者,以惊驱疫疠之鬼,如今魈头也。④

后代丧礼中亦用,《事物纪原·吉凶典制·魈头》:

宋朝《丧葬令》有方相、魈头之别,皆是其品所当用,而世以四目为方相,两目为魈头。按:汉世逐疫用魈头,亦《周礼》方相之比也。⑤

古人出丧时,除用一具纸扎大鬼方相导引于前,还要用米麦粉做成一些鬼头模样称为"魈头"的东西,撒于道上,使人捡食,谓能避邪。魈头随手可

---

① 原注:"魈音欺,捡魈头,即捡便宜的意思。古人出丧时,除用一具纸扎大鬼叫方相的导于前外,还要用米麦粉做成一些鬼头模样的东西,撒于道上,与方相作用一样,谓能避邪。这就叫魈头,使人捡食之。后世虽无此举,但名词却流传下来了。"
② 彭县等地流传"这辈子吃了人家的魈头,二辈子变牛变马都要还给人家"的故事。参见王庆方等《中国民间文学集成·四川成都市彭县卷》(内部资料本),1988年,第229页。
③ 吕峰等:《中国民间文学集成·四川省西充县资料卷》(内部资料本,1987年,第301页):"那武生公子一见那年轻妇人很江湖,就想去逗人家,占个欺[魈]头。"
④ (清)阮元校刻:《十三经注疏》,中华书局1980年版,第849页。
⑤ (宋)高承《事物纪原》,明弘治十八年(1505)魏氏仁实堂重刻正统本,卷九,第17页。

拾，在物质匮乏的年代，捡魌头既能辟邪除疫，又能果腹充饥。

后世出丧时，魌头虽已不见踪影，但此词却流传下来了，变成差不多与"便宜"相当的意思，而跟"魌头"搭配的动词才可以用"占"或"吃"之类了。因"魌头"为丧俗词，故"吃欺头"当为"吃魌头"的讹变形式：

据我所知，办事处管调工作的矮干事最爱吃欺头，你只要把烟给他递勤点，话说好听些，调几回临时工恐怕没啥问题。（《方脑壳传奇》，第10页）

不吃白不吃，送上门的欺头不捡，才是个憨憨！（《逛市井 走过场》，第487页）

巴蜀人关于"魌头"的说法还越发丰富起来，如成都谚语"买些魌头柴，烧了夹底锅"，比喻因小失大。爱调侃的成都人冷不丁问一句："你说，啥子最好吃？"见你没有反应，他便一脸得意说："魌头噻！魌头最好吃嘛！"《锦城旧事》写作恶多端的地头蛇魏大肚子要遭铲除，好多人都想到时去看热闹，名之曰"有仇的要去报仇，无仇的想去看魌头"。①"文革"武斗中，"有仇报仇，无仇打魌头"被那些唯恐天下不乱的人成天挂在口头。"魌头"的含义似乎又延伸了一点。不过"魌头"如今确乎已带上的贬义，为巴蜀人所不耻。人们开玩笑会说"看魌头，变瘟牛"，而老一辈则把自己的人生经验汇聚成"魌头莫买，浪荡不收"之类的话。

拌药罐子

人死出丧时，一般由孝子摔碎死者生前用过的药罐，此词后来代称"人死"：

在随②你有好凶厉害，还不是要拌药罐子。（成都口语）

---

① 参见车辐《锦城旧事》，四川文艺出版社2003年版，第58页。
② 在随：随便，听凭，也说"随在、由在"。陈浩东等：《成都民间文学集成》（四川人民出版社1991年版，第1166页）："这才安逸，由在你烧好大的火，他还在大声武气地喊：'冷得很！冷得很！'"

端灵牌子①

出丧时，本应由孝子恭恭敬敬地端上死者的灵位，走在灵柩的最前面②，后比喻"初学自行车的人死死抓住龙头的紧张样子"。

脚板儿端灵

死者若无端灵之人，则将灵位放在棺木小头，即死者脚的那一端，故称。此词也喻指"没有后代"：

我要是死了才划不来，枉自走人世一遭，新故亡人，脚板儿端灵。（《锦城旧事》，第278页）

抢衣禄

"衣禄"本指"俸禄"，又指"衣食福分"。巴蜀俗语说"一口田，衣禄全"：

为人少说衣禄话，衣禄说尽平生福。③

但在巴蜀汉语方言中，"吃衣禄""抢衣禄""塞衣禄""胀衣禄"④大多是骂人的话。要处死的犯人吃最后一顿饭称为"胀衣禄"。同时，也用"塞衣禄""胀衣禄"骂人白吃饭，或是对吃饭之人表示不满的气话。这应与巴蜀

---

① 灵牌子：灵位。克非：《春潮急》（上海人民出版社1974年版，第717页）："什么巧言利舌？我问你哟，李春山和锅巴胡子勾结开纸厂，暗地搞资本主义，反对农业社，全梨儿园人人愤恨，你为啥替他们包庇隐瞒？为啥替资本主义死守灵牌子？"罗俊林、肖虎：《骗总爷》（四川人民出版社1980年版，第36页）："嫂：对嘛！我下门板。头：你等我来写灵牌子。"陈浩东等：《成都民间文学集成》（四川人民出版社1991年版，第1372页）："人群越走越近，他才看清楚，端着灵牌子走在最前头的是他的儿子，他妻子在后头痛哭，他赶紧跑拢妻子面前，问是咋个回事。"
② 巴蜀丧俗，出殡时，一般大儿子端灵位，走第一；小儿子拿引魂幡，走第二，其他弟兄、姊妹走中间，取"有头有尾"之意。端灵位和拿引魂幡时，中途不得换人。治丧期间，孝官多由大儿子担任，为丧家主事人。成都俗语说："蚊烟儿当不得罩子，跻子抬不得轿子，镟嘴儿吹不得哨子，干儿当不得孝子。"
③ 何为：《滴滴经》，蓉风三日刊社民国37年（1948）版，第31页。
④ 何为：《滴滴经》〔蓉风三日刊社民国37年（1948）版，第31页〕："喂不饱，胀衣禄。"

丧俗有关。

巴蜀丧俗，死者如是清晨死的，则未穿衣吃饭，称为"留衣禄"；若在吃过晚饭后去世，则为"吃衣禄"，俗以为至阴间会不缺食物。而"抢衣禄"则是将死者安埋妥当后，儿孙们要跑步回家，抢吃事先放在家门口的饭菜，意思是今后不缺吃穿。所以骂人吃饭吃得过快，而且吃相不好，往往说："你在抢衣禄啊！"后来凡是抢东西抢得凶，都被嗤之为"抢衣禄"。"塞衣禄""胀衣禄"等词，则用上更为不雅的"塞"和"胀"来表达说话者的消极评价。

娘家打丧火，锥[tɕy⁵⁵]子锥[tɕy⁵⁵]婆婆

此为双流县等地谚语。"打丧火"本指在送葬的路上，先由一人手持点燃的稻草火把在灵柩前引路，后发展为"打（活）人命"①，即若有虐待、逼人致死者，必遭受死者本族追究责任。有的群起哄闹，索钱要物，至责任者倾家荡产。尤其是年轻妇女在夫家非正常死亡，多因与丈夫的母亲等人发生口角，其娘家人一般要前去为之讨要公道，正如俗语所说"父死好葬，母逝难埋"：

女子既嫁，或与其夫反目，或为翁姑所谴责，因而轻生自尽者，往往有之。女家父母、兄弟纠约内外诸亲男妇多人，至婿家理论，名曰"人主"，谓死人之主也。恃理与势，每有捣毁器物，大肆毒虐，甚且涉及讼事者。此风既开，妇女有老、病以死，或亦不免于人主家之苛派矣。〔民国15年（1926）《阆中县志·风俗志》〕

大三房的五嫂，不也是难产死的吗？娘家人硬要说是婆家虐待死的，打丧火，打官司，直闹了几年，把大三房闹到卖田卖房。（《李劼人选集》第1卷，第206页）

清朝末年，川西邛州袍哥首领何歧山部下徐仲宜及母亲、姐姐合伙虐待妻子致死，其娘家人到徐家砸锅摔盆，将徐母及大姑子拉至死者前跪下，用锥子锥其臀部，逼迫供认虐待罪行。后由何歧山出面，召集众人在"万荷轩"茶馆

---

① 打（活）人命：也说"遭人命、招凶"：四川省政协文史资料委员会：《四川文史资料集粹》（第6卷，四川人民出版社1996年版，第374页）："（妇女）如属于虐待、压迫、逼人致死者，有的上诉官府，追究责任；有的群起哄闹，索钱要物，赔偿命价，名曰'遭人命'，甚至有倾家荡产者。"四川省戏曲研究所：《四川地方戏曲选》（第1辑，四川人民出版社1960年版，第241页）："这个杂种，你要招凶呀！"

"讲理信",秉公决断。① 民国33年(1944)夏天,什邡县城正南街杨某与妻子李氏发生口角,李氏跳水自尽,其娘家为广汉县高骈铺望族,约集四十余人至杨家打闹,后经人调停,厚办丧事,赔偿李家损失,以致负债累累。②

成都市龙泉驿区等地也流传着"湖广首领的女儿嫁给客家首领的儿子。客家首领过生日时,其儿媳不小心打烂了茶盘,被丈夫打骂,后上吊自杀,湖广首领带族人前来打丧火,将赤裸的客家首领绑在木桩上用钻子钻,后客家人便不与湖广人通婚"的故事。③

撞头七④

"头七"即人死后的第一个七天。巴蜀丧俗,若据阴阳先生推算的"七单""烧七"的日期恰好遇到农历初七、十七、二十七,称为"撞七"。⑤ 部分巴蜀人认为,这对死者很不吉利。若"男撞头七""女撞断七",死者在阴间要受诸多痛苦,故丧家不论经济实力好坏,都要请道士作法、诵经,为死者解除罪恶。⑥

---

① 参见张平轼《江湖一杰何歧山》,载《龙门阵》1993年第6期。
② 参见陆泽怀等《德阳民俗》(内部资料本),1996年,第70~71页。
③ 参见张志明等《中国民间文学集成四川卷·成都市龙泉驿区卷》(内部资料本),1989年,第103页。
④ 也说"撞头煞、闯头七、犯头七、挨头刀"。李景芳:《杨全宇伏法记》(《龙门阵》1937年第5期):"蒋介石当时正被粮食问题搞得焦头烂额,杨全宇正好撞了'头煞'。于是蒋大笔一挥,将杨全宇批捕,送交军法总监部严办。"奋斋:《辛亥时期四川风云人物尹昌衡》(《龙门阵》1984年第6辑):"今天尹长子算是冒天下之大不韪,犯了'头七',在座的人都替他捏把汗。"《重庆晚报》(2002年3月14日第4版):"噪声扰民挨头刀,六家单位分别受到二千至二万罚款。"
⑤ 民国18年(1929)《合江县志·礼俗篇》:"自死者死日起,每七日为一七,至七七而毕(羽士则以八计,僧人以九计)。每七必缄纸钱烧之,或作佛事超度。至百期、周年、三年皆然。灼灵时,大召僧、道作佛、道事,由一日多至九日,焚纸钱巨万。主题后,奉于家龛。有宗祠者,奉主入祠。始道士之开灵也,同时必开七单,有'犯七、撞七'之说。"江安县吊脚话也有"亡人撞——七"一说。烧七:阴阳先生按死者生辰及逝日等,以七天为准,推算祭奠日期。每到一个祭期,必烧纸钱等,举行祭祀仪式。仁寿县藕塘镇也说"做七、孝七"。另参见孙和平《四川方言文化——民间符号与地方性知识》,巴蜀书社2007年版,第308页。
⑥ 汉族民间《撞七歌》(叶大兵,乌丙安等:《中国风俗辞典》,上海辞书出版社1990年版,第294页):"头七撞七,死鬼打得叫屈。二七撞七,灵床儿供在隔壁。三七撞七,丧家发迹。四七撞七,墙壁坍塌。五七撞七,子孙有得吃。六七撞七,儿女发迹。七七撞七,眼睛突出。"

部分巴蜀人特别忌讳"撞头七"。俗传死者在"头七",刚走到十大阎王第一殿,要受到严厉审问。此时死者的罪孽最重,故后代要举行隆重的超度仪式。"撞头七"后借指第一个因违反新规定、新制度、新法规的行为而受到批评或者制裁①,也喻指"撞在风头上":

若果只吃不窝〔屙〕,麻雀子会长得鹅大嘞!我只担心,他没闯上头七,那就恭喜他了!(《还乡记》,第320页)

屋檐水,点点滴。挨头刀,撞头七。②

×主任、×司令官,天天都在这里应酬,你最好识相点,走远些,不要来撞头七!〔胡霖生、吴绍伯:《"名妓"花老四之死》(《龙门阵》1983年第4辑)〕

丢 七

巴蜀丧俗有"丢七"之说,即据阴阳先生推算的"七单",或"三七",或"五七",或"六七",不举行"烧七"的仪式。在今成都市新都区一带,前六个"七"举行"烧七"仪式,其中的"五七"则由女儿、女婿操办,最后一个"七七"多不举行任何仪式,谓之"丢七"。若死者在七七四十九天内,均遇不上"七",则对子孙不利。其女儿、女婿③会在"五七"这天早上,带上高板凳和些许"红汤圆儿"或"红甘蔗",撞开死者家里的大门。"撞七"时,门里门外相互应答,门外问"撞不撞",门里答"撞";门外又说"七七撞",门里则说"儿孙旺",说完即打开大门。俗传这样做可免死者罪孽,也可为生者求福。

生个儿子就是为了死后有人捧脑壳

此谚语意为由死者的儿子们来将其入殓。入殓时一般由死者的长子捧头,其余儿子捧手、脚、背,将其移入棺材内。在蓬安县罗家镇,入殓时,先筛一些谷草灰在棺底,再用酒杯盖上杯印,盖印的个数应比死者死时的年龄要多

---

① 何也余等:《涪陵方言词典》,重庆出版社2003年版,第585页。也说"挨头刀"。《重庆晚报》(2001年8月23日第1版):"廉政账户开通,不缴红包要遭。永川一名干部挨了'头一刀'。"

② 何为:《滴滴经》,蓉风三日刊社民国37年(1948)版,第25页。

③ 死者若无女儿,则由侄女、侄女婿代替。

些，意在为死者增加来世的"阳寿"，铺上毯子，放入死者，盖上被子。

大阴阳葬丧——大家看

此谚语流传于崇州市。"大阴阳"指一位姓黄的阴阳，相传系该地安乐乡人氏，因年迈眼花，为人葬丧，看不清罗盘上的小字，常说"大家看一下，对端没有"之类话语，故有此谚语。

老人一辈子就望三捧土

荣县等地丧俗，灵柩放入墓穴后，必先由孝官挖三锄土或捧三捧土，撒于墓穴，帮忙之人才能掩埋，故有此谚语。

两次麻衣一回穿

这是咒骂某人父母同时死亡的恶毒语。旧时父或母逝世，要披麻戴孝，守孝三年。父母同时去世，自然将本应穿两回的孝衣合做一回穿。语义明显时，前面加上"六年孝服三载满"一句。①

此外，巴蜀汉语方言中不少谚语、歇后语，尤其是詈语，都与丧俗有密切关系：

秧夫子不提秧，阴阳不抬丧。
任你田地千万亩，黄金千万斤，装进棺材只一身。
吃些要些，死了棺材板板薄些，抬上官山闹热些。
棺材只装得倒死人，装不倒活人。
要得好，死得早；落些难，晏一半。
打尽头主意。
在生不孝，死了流尿。
人小鬼大，私娃子死了都要回煞。
死人不死魂。
龟儿不龟女，筻筻打发你。②

---

① 参见张成胜等《中国民间文学集成·四川省开县卷》（内部资料本），1990年，第138~139页。
② 此为双流县俗谚，当地丧俗，婴孩死后，不装棺材，而是用筻筻提出门，掩埋后，再将筻筻反扣在坟头上，故此语意为"骂人夭折"。邛崃（尤其是农村）也说"抱筻筻"，父母在责骂自己不孝顺、不听话或不成器的儿女时，常说"你这个抱筻筻的，咋这么气人呵"之类。参见高佳《四川邛崃方言"抱筻筻"的文化民俗考源》，载《文化学刊》2010年第4期。

因为死亡总是人们忌讳的，用来骂人带着些狠劲儿。上述说法骂人狠，狠在骨子里，显得不那么直白，绵里藏针，充满智慧。受话人常常不知情或有苦难言，而骂人者则获得了最大程度的心理满足。不过，随着巴蜀丧葬习俗的变迁，过去的一些丧俗渐不为人所知，所以这些来自于丧俗的詈语也逐渐被人们忘记了出处，因此这种骂人话的狠劲儿也慢慢淡化了，以至于可以用在自己身上，这在过去是不能想象的。

第三节　信仰禁忌习俗与巴蜀汉语方言词语

信仰和禁忌属于人的精神活动，其产生的原因与人们无法解释身边的一些现象密切相关。这些信仰与禁忌中，有的带有迷信的成分，但有的却蕴含着传统社会中人们的经验性知识，并且能够在生产生活中产生积极的影响，如一些有关物候的预兆。精神活动虽是抽象的存在，但也可以通过语言得以体现。

一、信仰类方言词语

巴蜀汉语方言的一些词语，反映了巴蜀人的信仰习俗（见表3-5）。

表3-5　民国33年（1944）《长寿县志·风土·方言·农占》

四季甲子不宜雨，四季丙寅不宜晴	初一不落雨，初二定天晴，初三、初四晒煞人	正月雷打雪，二月雨不绝，三月无秧水，四月秧上节
二月初一晴，山中木叶发两层	冻惊蛰，晒清明	惊蛰鸣雷米似泥，春分有雨病人稀
清明晴，谷雨淋	立夏不下，犁耙高挂	小满不满，芒种不管
栽秧向火，谷不用簸	五月二十三，大落大干，小落小干，不落不干	夏至见青天，有雨在秋边
夏至无云三伏热	小暑一声雷，翻转作黄梅	地坝生晴，则收获日多遇晴日
三伏日无雨秋天晴	七月初一晴，八月无雨淋。时逢白露后，谷草白如银	睁眼秋，收又收；闭眼秋，丢又丢
白露逢双，干谷上仓	坏白露	八月逢三卯，牛食烂谷草
进詹下雨出詹晴	烂九皇	重阳无雨一冬晴
不怕重阳三日雨，只要立冬一天晴	冬甲子雨，牛马冻死	冬管五，腊管六
若要麦，腊月见三白	两春夹一冬，无被暖烘烘	

长寿地处川东,旧时农业是其主要产业。这一方面反映出丰富的农业生产地方性知识,另一方面也能窥视建立在长寿乡民生产实践上的信仰。按照传统的节气顺序,从一月到十二月,都有大量与乡民生活息息相关的方言。

他如:

打牙祭[①]

此词反映的是巴蜀人的信仰习俗,后引申为"吃肉"或"聚餐",也称"吃牙祭"。在巴蜀地区使用得非常广泛:

栽秧大忙天嘛,人都常常"打牙祭",有酒有肉吃,牛也该享几天好伙食。(《春潮急》,第896页)

船拢码头"打牙祭",吃鸡,鸡头是撑脑壳的,鸡屁股是撑稍[梢]的,鸡翅膀摆在鸡肉两边,是拖纤、推桡各位的,其余的自便。(《逛市井 走过场》,第429页)[②]

其语源主要有以下三种:

一说旧时厨师供的祖师爷是易牙,每逢初一、十五,要用肉向易牙祈祷,称为"祷牙祭",后来讹传为"打牙祭"。

二说旧时祭神、祭祖的第二天,衙门供职人员可以分吃祭肉,故称祭肉为"牙(衙)祭肉"。[③]

三说"牙祭"本是古时军营中的一种制度。古时主将、主帅所居住的营帐前,往往竖有以象牙作为装饰的大旗,称为"牙旗"。每逢农历的初二、十六日,便要杀牲畜来祭牙旗,称为"牙祭"。[④]而祭牙旗的肉,不可白白扔掉,

---

[①] 也作"打野鸡"。黄炎培:《蜀游百绝句》(林孔翼:《成都竹枝词》,四川人民出版社1986年版,第178~179页):"心清不许抬包袱,牙祭何妨打野鸡。唤幺师真去得,入门堂客莫轻提。"自注:"初二、十六食肉,称'牙祭',亦称'打野鸡'。茶旅酒馆仆,称'幺师'。"

[②] 撑脑壳的:前驾长。撑梢的:后驾长。推桡的:划桨手。

[③] 参见余云华《牙祭习俗与尚武文化》,载宁锐等:《中国民俗趣谈》,三秦出版社1993年版,第581~586页。

[④] 李劼人:《李劼人选集》(第2卷,四川人民出版社1980年版,第1066页)"打牙祭"自注:"打牙祭是四川人用来代替吃肉的一个名词……在昔,四川一般人也只在每月初二、十六各食肉一次,故相习于吃肉即谓之打牙祭。打者,即动词的为字。"

往往是将士们分而食之,称为"吃牙祭肉"。

"牙祭"后来便逐渐发展为一种定期祭神的仪式,即每逢牙祭日,店铺和作坊便要对财神或本行业的祖师爷、灶王爷进行祭祀,并逐渐成为行业的规定,即店主、雇主往往在农历初二、十六两日定期供店员、雇工的肉食。无论资金再紧张,到时候一定设法让雇员有肉吃。否则,必被视为"牙祭不打,生意要垮"。

由于旧时巴蜀一般人家比较穷,只好在月初和月中各吃一次肉:

工商业家月以初二、十六两日肉食二次,名为打牙祭,已成为各家普遍之习惯。〔民国26年(1937)《犍为县志·居民志·风俗》〕

肉食则不常御〔遇〕。寻常人家半月或十日食豚肉一次,谓之打牙祭(有雇佣者以废历每月初二、十六日行之)。〔民国27年(1938)《泸县志·礼俗志·风俗》〕

隔几天,还是搞些鸡鸭鱼肉回来,请我们再打一回牙祭好娄〔喽〕!(《李劼人选集》第2卷,第1066页)①

与"打牙祭"有关的还有"倒(祷)牙"等。

"倒(祷)牙"在腊月十六日或二十六日,这是一年中最后一次打牙祭的日子。临近年关了,大部分店铺都处于半开业的状况,忙着盘点,搞年终结算。在腊月十六日或二十六日,店主请伙计们打一次牙祭,但这顿"牙祭"不是好吃的,如果主人家客客气气地给伙计敬酒,并且说:"今年你辛苦了,明年他方发财。"那伙计第二天就只有卷铺盖卷儿走路了。此日后,该年便没有牙祭可打,伙计们便与老板算账,收拾东西回家过年:

(十二月)十六日以后,名曰"倒牙"。②〔光绪十九年(1893)《太平县志·风俗·岁时》〕

怕说明朝是"祷牙",新愁旧欠总交加。老妻学得空空法,未定天涯与水

---

① 也说"封衙"。参见李劼人《李劼人选集》第2卷,四川人民出版社1980年版。
② 参见(清)傅崇榘《成都通览》(上册),巴蜀书社1987年版,第206页。"倒牙"也作"祷牙",其时间各地不一,射洪县称腊月十五日为"尾牙"。

涯。(《成都竹枝词》，第125页)①

一说为"倒衙"，因旧时衙门在腊月十六日停止办公，并且要封印。②
有的地方也称为"圆牙"，取"亲友团圆之意"：

十二月十六日，各家备盛馔，临午祀天，并祭其先。随邀同业及亲友会食于堂，名为"封牙"，一曰"圆牙"。〔民国19年（1930）《渠县志·礼俗志下·岁时》〕

"开（起）牙"则在正月十六日，因新年第一次打牙祭而得名：

（腊月）十六日，商贾之家备牲礼祀神，合饮，曰"倒牙"。次年，正月十六亦如是，曰"起牙"。〔民国20年（1931）《达县志·礼俗门·风俗》〕

"罚牙祭"则是出钱买酒肉敬神后，再与同伴分享。这往往是对上山"撵老山上山打猎"或在船上犯了语言禁忌者的惩罚。
四川方言中还有两个歇后语：

正月十五打牙祭——一年一回。
棺材铺打牙祭——要死人。

这是因为棺材铺的老板卖出棺材后，一定要割一个"刀头"来祭财神赵公元帅，并用它来招待店员们打一个小小的牙祭，故部分巴蜀人认为，棺材铺的人一打牙祭，便一定有"白喜丧事"降临。

---

① 此诗自注（林孔翼：《成都竹枝词》，四川人民出版社1986年版，第126页）："市人每月初二、十六日，劳其徒饮食，至十二月十六日止，名为'祷牙'，此后，诸债皆急索。"
② 与此相对的是"开印"，指封建社会中官府开启印信，开始办公。光绪二年（1876）《南川县志·祀典》："每年十二月封印，至次年正月开印，皆遵照部行钦天监择定日时行礼。"也特指"春节后第一次用棍棒之类责罚小孩"。欧阳平：《重庆春节的旧俗及祈福求子》（《龙门阵》1988年第5期）："（孩子们）玩得忘乎其形，一到（除夕）晚间，准是被父母抓住，以刀枪为家法，狠揍一顿，名之曰'于印'。"

随着社会的变化和人们生活水平的提高，吃肉变得很平常，把吃肉称为"打牙祭"的时候越来越少。四川方言中"打牙祭"便又引申出新义：

今年儿童节这种"打牙祭"的集中上映和平时影院里国产儿童片难寻踪迹形成了强烈的对比。（《成都日报》2012年5月31日第16版）

凡消受的东西多，都可以称为"打牙祭"，如"打菜牙祭""打精神牙祭""打电影牙祭""打新书牙祭""打相声牙祭"，等等。

巫　教

本指民间信仰的一类。民间多称巴蜀地区的男巫师为"端公"，女巫师为"观仙婆儿、观花婆儿"。他们治病除灾一般用"跳端公""打保符"①，或"观花"②"观仙""下阴"③"看水碗"等形式，来驱逐围绕病人的恶鬼：

又有师孃婆，以关亡、走阴、观花、看蛋、烧胎、扬关、上锁、照水碗等技，假禳解犹胜为名，蛊惑愚夫、愚妇而迷信之者实多。巫教则乔装凶猛，以

---

① 也称"打十保"。一种驱鬼邪的民间祈福活动。"符"也作"福、复"，民国19年（1930）《中江县志·风俗》："至人有疾，医未中病，好事者辄相率为首，召师巫于家。鼓乐喧阗，歌舞酣饮，并联名具保于神，名曰'保福'。"光绪三十四年（1908）《续修叙永永宁厅县合志·杂类志·琐谈》："凡人有疾病，请乡间年高有德望者十人，令道流作科仪于东狱帝前，联名具保，又谓之'打十保'。愈后，谢神酬恩，仍将保结取还。此习相沿已久矣（又有'献大耳朵'之说，亦略同）。"

② 观花：女巫到"阴间"看某个人在阴间的花树，部分巴蜀人认为据此可了解或改善求助者的命运。前人：《成都竹枝词》（林孔翼：《成都竹枝词》，四川人民出版社1986年版，第108页）："病求仙女要观花，说有阴兵把你拿。眯起眼睛说鬼话，一时当爹又当妈。"克非：《春潮急》（上海人民出版社1974年版，第273页）："领头人名叫邵春花，是个混在贫农队伍里的污糟女人（徐锅巴胡的姘妇，从前替人观花、烧蛋、用香灰治病的神婆子），其外还有我们已经见过面的鸭婆朱四香。"彭贵华等：《中国民间故事集成·重庆市巴县卷》（内部资料本，下卷，1989年，第256页）："安世敏最不安逸观花婆，他认为观花婆不干好事，到处惹是生非的，好多谣言都是观花婆造出来的。"

③ 下阴：女巫到"阴间"去见求助者本族的亡灵或作祟的恶鬼，以使病人痊愈，或使前来求助之人时来运转。也说"走阴（差）"。吕子房等：《川北灯戏》（四川文艺出版社1986年版，第46页）："还有一种女巫，叫师娘子，只能做下阴、观花、跳神，而不能做打保福、庆坛之类的大法事。"贺大舜等：《中国民间故事集成·重庆市合川县卷》（内部资料本，1987年，第342页）："（杨仙娘）她收拾得舒舒气气的到百顺屋来了。左邻右舍的人听说，今夜晚陈百顺屋要观花、走阴，天一黑就跑来看闹热。"

铧头为履,手执师刀,口吐火焰,为人逐鬼,曰"打油火"。又为刍灵以相鬼禳而焚之门外,曰"送茅人道士"。以米筛陈纸马、米盐、酒食之属,请神、送鬼,曰"送花盘"。或以香烛、纸钱、酒饭,施于门外,曰"拨〔泼〕水饭"。〔民国27年(1938)《长宁县志·礼俗·杂述》〕

巫教始于颛顼之时,多言祈祷之事……近日之巫,则惟习套与怪异两种。习套者,盖用通行法式,与人禳解,止于看蛋、考刀卦,以定吉凶。其法先入中堂,安设神位,书符喝咒,宣示神威。说毕,入病者卧室,高声作驱遣状,遂以酒饭、纸钱、赍盘而出,焚之户外,谓之"送鬼"。盖以夜行起散二小时而事毕也。怪异者,则起法事,喷油火,笀马脚。或跳于室,或逐于野;或倒地,或下阴曹,状如醉如痴,离奇变态,甚于俳优。又有病重难解者,则用茅人替代,或禋星辰,或庆孃孃坛。女妆花面,秽语宣扬,歌唱蹈舞,狂不可及。〔民国24年(1935)《古宋县志·礼俗志·宗教》〕

时至今日,与巫有着密切源流关系的现代民间方术人员,如巫婆、神汉之类,在巴蜀社会的一些领域中仍有出现,尤其在偏远的农村地区。乡间大部分端公忙时务农,闲时在乡场茶馆里喝茶聊天,以待有人来请。其内部组织也比较松散,多根据事主在规模和时间上的要求临时组建,所做法事不择场地,不论时间,也可随意变换。有的端公在举行祭祀活动时,不管是穿着、活动程序还是所讼文书的内容都比较随意,不像佛教和道教那样固定和严密,[①] 有的甚至竭尽调笑之能,低俗至极:

闾阎难挽是巫风,鬼哭神号半夜中。不管病人禁得否,破锣破鼓跳端公。(《成都竹枝词》,第165页)

正如巴蜀俗语所云"穷算命,富朝山,背时倒灶去观仙""不管巫教道

---

① 如黄尚军于1998年7月至射洪县太和乡实地调查时,端公王道洪先生在举行"庆坛"仪式时,就随口唱出了口语色彩十分浓厚且极富生活气息的"送鬼送到大路西,两个鬼儿子哭兮兮。我问鬼儿子哭啥子,鬼儿子说再也吃不到好东西"之类的祭词。而崇州市山区端公"刁保福"时则唱"把鬼送来把鬼行,把鬼送到天坝中。天坝中来天坝中,鸡公按倒鸡婆弄"之类。这在广大农村尤其是偏僻之地尤为常见。其内容往往是当地老百姓生活的真实写照。参见陈柏青等《崇州民俗志》,方志出版社2011年版,第260页。

教,只要搞得热闹"①,故老百姓斥之为"巫、巫教、巫教堂子、巫教场合"等,这些词语可指"邪魔歪道、不正经、不正规、不公平、不合理"及"污七八糟、无法无天的场合":

我哥不得行,你还是不得行,现而今兴巫个,要巫大家巫,赶紧还我哥的校长。②

这倒不是天从人愿,而是那年头的巫教事太多,随时可以碰到。(《扭曲与复归——文革中的操哥现象》,第109页)

对对对!就是要这个样才公平合理!若是饱汉饿汉、一齐抢,那不成了巫教堂子!(《春潮急》,第177页)

随着巫教的淡出,"巫(教)"的理据也渐渐模糊,常常被写作"污(教)"。"污"有"脏乱"义,这便为其找到新的理据:

手里头有了权,肖眼镜搞污教搞得更厉害,把亲戚朋友全部安插到又好耍又找钱的部门。(《重庆晚报》2005年3月24日第27版)

嘴说话,手打卦

此语意为"边说边做",既要动嘴,也要动手。巴蜀另有"看事打卦,看人说话""要打求财卦,要给鬼商量""遇到明神好打卦,遇到明人好说话"以及"春官遇到卦婆子——不少话说"等谚语、歇后语,均与"卦"密切相关。

没诀挽③

此语意为"无法可想,无能为力",情况严重时说"挽不起(祖师)诀":

---

① 宜宾县石城山歌:"白布手巾纱,九十九条纱。龙王三小姐,桥上这盘花。一算天子臣,天子管万民。二算张天师,身披八卦衣。三算龙王金鸡叫,金鸡叫两声。四算文曲星,天上吕洞宾。五算一支船,船儿水上漂。六算一座桥,天桥万丈高。七算七姊妹,绣个团圆会。八算一支箭,箭儿满天飞。飞来飞去不落点,依儿呀儿呀!敲起烂铜盆,吹起破撒呐[唢呐]。龙王三小姐,桥上这盘花。"
② 杨友仁等:《武隆县民间文学集成》(内部资料本),1992年,第123页。
③ 今通江县歇后语有"疯子儿杠神——没诀挽"之说。

吓得老道打颤颤，搞得硬是没诀挽，真是土地老爷搬家——神（谐"乘"）不住了。心想：如不赶快溜走，恐怕脱不了爪爪。①

一朝把病染，欲求三年文艾而不得。方法用尽，病无起色。在任等沾光沾光，且知方也。想来想去，挽不起这个祖师诀，而今尽喊隔。姑爷也姑爷，何忍舍我两分别。（《四川方言会通》，第179页）

烧香摸屁儿，把手脚搞惯了

此语意为"没有养成良好的行为习惯"。巴蜀民间习俗，烧香本是严肃的事情，应该"沐手焚香"，有的还要斋戒。香燃烧时的形状，可预示吉凶：若香燃烧后，呈卷曲状，称为"弯弯儿香"，预示财运好；若香燃烧时呈若干小节状，称为"火炮儿香"，则要为所祈求的神佛放鞭炮；若香燃烧时裂口，称为"口舌香"，兆与人发生口舌纠纷；若香燃烧时呈细丝状，称为"披麻戴孝香"，兆丧亡。一般忌讳用右手插香。②

跳端公③

本指巫师做法事时，口中念念有词，边唱边跳，有时手舞足蹈，如疯似癫，假托神灵附体。部分巴蜀人认为，能以此给人驱鬼治病，后比喻"虚张声势，耍花样，办事不踏实，不干正经事"：

忽听城东有一萧端公，手段高强，人称捉鬼匠，与人治病从未险手。高升用轿抬来，又办白鸡、白犬、白鸭、白鹅等物，把案子摆起。萧端公打个花脸，披头散发，手提师刀，将牛角一吹，令牌几打，说道："天灵灵，地灵灵，弟子茅山领命下凡尘，奉命世间来捉鬼，捉尽魑魅魍魉鬼怪身。"（《跻春台》，第57~58页）

姐的公，姐的公，那天菜园去讨葱。受了一股风，得病在心中。赶紧请人跳端公，求神拜佛病越凶。死到冥灵去，挺尸堂屋中。（陈浩东等：《成都民间文学集成》，第1963~1964页）

---

① 旺苍县文化馆：《米仓山民间传说》（内部资料本），1984年，第123页。
② 因常多用右手干活，会接触不洁之物，故俗以为右手比左手脏。日常起居时，所烧之香一次多为三炷：家神一炷，地脉龙神一炷，门神一炷（此为黄尚军、李国太于2012年9月29日至万源县青花镇立新社区调查巫婆蒋琼芳所得）。
③ 巴蜀民间戏称为"跳端二娃"。

由此，世上就生出骂那种虚张声势，耍花样，办事不踏实的人话："你怕是在跳端二娃哟！"〔成之新：《百年沧桑一条街》（《龙门阵》1988年第2期）〕

此词也称"跳乱坛（儿）"：

四川人形容某人"跳乱坛"，相对于上海人说"拆烂污"。〔《巫教的遗风——跳端公》（《龙门阵》1981年第3辑）〕

此词在重庆市、成都双流县兴隆镇等地也喻指"（四处）跑腿儿、打杂"。

安灵官

巴蜀民间俗传灵官为一尊不善游动的菩萨，故此词喻指想法使人因故而不能脱身：

两个侄儿就商量整幺爸，安他的灵官。①

挂不起那道案子　挂不起这堂神案

"案子"即巴蜀老百姓在家中供神的"神案"，这是渠县人在表达自己对某人的某种做法不满的口头禅，意为"某人造化太低"，没有资格享受某种优越的条件。

变狗（狗）　装狗（狗）

此指"小孩生病"。巴蜀俗语云："叫得开，免了灾。"部分巴蜀人认为，有一种专门残害小孩的鬼。如果谁家的孩子老是夭折或生病，就认为是这种鬼在作祟。鬼邪喜欢好听的名字，如给小孩起一些丑陋的贱名，引起鬼怪的厌恶，从而放过他们，小孩就好养多了。故巴蜀农村人多给孩子取名为"大木瓢②、锅圈、狗儿"等。另一种说法是小孩本身抵抗力就很弱，生病后，鬼邪更易接近并残害之，而巴蜀俗谚有"鸡犬叫，鬼邪逃"之说，故称"小孩生

---

① 刘仁富等：《中国民间故事集成·重庆市大渡口区卷》（内部资料本），1988年，第127页。
② 此瓢多用于舀猪食。

病"为"变狗（狗）、装狗（狗）"，从而利于小孩痊愈。因鬼邪喜欢乖、胖的小孩，所以巴蜀的某些地区还忌讳说小孩"乖、胖"，而换用"脏"一词来代替。今叙永、德阳也忌讳赞美他人婴儿"胖、乖（漂亮）、重"之类；崇州对婴孩忌说"乖、胖、好"，只能改说"丑、瘦、横"，而"恶语伤之，家长欢喜"。① 因此，巴蜀的小孩有的以动物为名，如"赤牛、山猪、母狗"之类②；有的以蔬菜为名：南瓜、冬瓜、红苕。女婴大多以花鸟、草木、蔬菜、水果为名，如"凤仙、桃子、芹菜、春花、秋菊"等。以上名字均为"小名"，等孩子长大了，尤其是到了读书的年龄，则要备上礼物，请知书识礼之人为之取文雅的"官名"③。

巴蜀农村中常给男孩取名为"狗儿、狗娃子"，实为当地人俗传"狗命长且贱"，且鬼邪怕之，故取其长寿、不易夭折之意。巴蜀人普遍在小孩的称呼后加上"狗"字：

来尿狗儿——爱尿床的小孩。
偷嘴狗儿——未得到大人的允许而偷吃食物的小孩。
㞞④嘴狗儿——看见别人吃东西就守候在旁边的小孩。
好吃狗儿——喜欢吃零食的小孩。
逃学狗儿——爱逃学的小孩。
屙屎狗儿——随地大便的小孩。
哭兮狗儿——爱哭的小孩。
流鼻狗儿——爱流鼻涕的小孩。
撵路狗儿——爱跟大人一块出门的小孩。
长眼狗儿——很晚了都无睡意的小孩。

---

① 参见四川省崇庆县志编纂委员会《崇庆县志》，四川人民出版社1991年版，第774~775页。横［xuan²¹］或［xuən²¹］：蛮不讲理，不听话。
② 叙永县一带习俗，生小孩时，第一个进屋的人或动物就必须寄拜给他（它），哪怕是叫化子。如果第一个进来的是狗，则给小孩取名为诸如王金狗、罗狗儿之类，甚至还有大小伙子名为"李母狗"的。
③ 官名：也说"学名、大名"。
④ 㞞［soŋ²¹］：在成都方言中有"贪吃且吃相不好，穷酸，不修边幅、精神萎靡"等义，可组成"㞞嘴、㞞头㞞脑、㞞兮兮、㞞眉㞞眼"等词。

肇皮狗儿①——调皮的小孩。
油嘴狗儿——油嘴滑舌的小孩。

又如，成都儿歌《屙屎狗（儿）》：

打枪的，顺墙走。
过去就是那个屙屎狗儿。
打枪的，瞄准点（儿）。
一枪打倒那个屙屎狗儿。

《哭兮狗儿》：

哭兮狗儿，卖凉粉儿。
卖到黑了多吃点儿。

《偷嘴狗儿》：

偷嘴狗儿，偷油渣儿生猪油等熬制后的残渣，婆婆逮到打嘴巴儿。

巴蜀汉语方言有关信仰与禁忌的谚语、歇后语还有：

把财神菩萨往外头搋②。
财神菩萨供得高。
拜个保爷保关煞。
别个婆娘像观音，我的婆娘像猴精。
不信和尚信寺院。
成仙成佛不能够，变牛变马在后头。

---

① 肇皮狗儿：也说"肇八狗儿"。"肇"也作"臊"。
② 搋：用力推。也说"捎"。李劼人：《李劼人选集》（第3卷，四川人民出版社1981年版，第275页）："那密斯特才神气呢，把司机搋开。"

吃斋一世，不如善事一场。
丑奴才怎比得观音顶带。
丑人有丑福，土地爷住瓦屋。
搭起帕帕儿就走阴。
打倒观音赖到佛。
打太平保符。
当刷颜料的刷颜料，当贴金的贴金。
当天和尚撞天钟，和尚死了庙子空。
公修公得，婆修婆得，不修不得。
道分修到外间在。
鸡肚不管鸭肚事，道家不管佛家事。
和尚不知道家事。
道士讲结缘，和尚讲参禅。
多一根纱多遮一股风，多一个菩萨多一炷香。
发体不发财，阎王带信来。
各家各法，各庙各菩萨。
估得住和尚，估不住寺院。
饿鬼也在叫，饱鬼也在叫。
黑心进得衙门，黑心进不得庙门。
好多菩萨，烧好多炉香。
和尚吃了饭也要念消灾经。
和尚都是人学的。
和尚跑了庙子在。
和尚无儿孝子多。
和尚与尼姑，上同下不同。
和尚赚钱，木鱼吃亏。
和尚有本经，道士有本忏。
积德强过拜佛，敬神不如舐肥。
家鬼弄家神，土地老者弄坛神。
见官赖，见佛拜。
见钱才放阴。

借秃子，还和尚。

今天也是这本经，明天也是这本忏。

金鸡叫，土门开，南华山前现三台，螃蟹河中现八卦。

抱菩萨洗澡——淘神费力。

扯门神揩沟子——不把神当神。

城隍老爷吃沙胡豆——鬼炒。

城隍老爷卖庙子——神谐乘不住了。

坟坝头撒花椒——麻鬼。

观音菩萨坐轿子——靠众人抬。

门槛上巴门神——成对。

土地老汉儿放屁——神气。

土地老汉坐岩腔——背膀子厚。

阎王老爷吃烟——鬼火直冒。

金刚扫地——不敢劳动大神。

无二爷卖布——鬼扯。

钟馗开栈房——鬼都不上门。

二、禁忌类方言词汇

巴蜀汉语方言中也有不少词汇是受禁忌习俗的影响而产生的。巴蜀俗语说"清早起来三道快，猴子、老虎与妖怪""清早起来抬了快，谨防脚在手不在"①，故部分巴蜀人特别忌讳说凶猛的动物以及鬼怪之类，巴蜀方志多

---

① 参见何为《滴滴经》，蓉风三日刊社民国37年（1948）版，第13页。李劼人：《李劼人选集》（第3卷，四川人民出版社1981年版，第293页）："滚你妈的！还没上飞机，你龟儿就抬快！"自注："抬快，四川俚语，意指犯忌讳，说了不吉祥的话。"旧时巴蜀人一般在吃早饭之前忌说"杈、呀、压、牙、虎、鬼、梦、爬"八个字，称为"八大快"，犯忌者则称为"抬快人、放快人"，被罚给付同室住宿者当天的全部生活费用，因听见"快语"的江湖艺人们就不能出门做生意了。也说"放快"。（清）刘省三：《跻春台》（江苏古籍出版社1993年版，第371页）："我遭此事，皆师兄出言不利，放了我的快。"也说"抬花"。罗俊林、肖斧：《骗总爷》（四川人民出版社1980年版，第102页）："唉！我又抬花，说这些不吉利的话。"有的忌"四大快"。傅崇榘：《成都通览》（上册，巴蜀书社1987年版，第499页）："（烟贩子）常忌四大快，垭、雅、亚，垭口要叫坳口、坳坳，哑巴叫不言人。不准说鸦鹊子、亚领子、哑弹子。"

有载：

　　凡言，家居除日、元旦，忌多言妄语，曰"忌头、忌尾、忌童言不祥"。每日清晨，最忌言"龙、虎、龟、蛇、豹、鬼"等物。辟乱居寨，忌言"破"。因讼至城，忌言"刑"。祝寿日，忌言"死、丧"。立宅日，忌言"火、烧"。行船忌言"翻"、言"破"。修墓忌言"毁"、言"平"。穿井忌言"塞"。扛石忌言"压"。窑瓦店忌言"红"。酒酱店忌言"酸"。此言忌也。

　　凡事，乘轿忌折竿。乘马忌落鞍。舆行有三不住杵之地：曰桥、曰庙，忌惊神也；曰轿店，忌同行也。有三不下轿之人：曰官、曰老，忌尊且衰也；曰妇女，忌露面也。身行忌问路，忌濯足，忌携饭就岸上食。此事忌也。

　　讳亦不一。讳病曰欠安。讳死曰作古。讳生榇曰寿枋，曰长生，忌柩。讳生坟，曰生基，曰寿藏，忌墓。有讳音同字者。赴试人，忌言物落地，以同"落第"也。农人尝新，忌食鸡，以鸡同饥也。口舌遭事人，忌食鸭，以鸭扁嘴也。惟船户讳最夥：谓灯笼曰亮壳，曰泡皮，讳龙也；斧曰开山，至府但言县，讳虎也；伞曰遮阳，曰撑花，讳散也；帆曰蓬〔篷〕，讳翻也；到码头曰靠，忌停也；谓水曰灰①，灰制水也。其木、石开工，裁缝开剪，尤多忌讳。偶误触之，强怒于言，弱怒于色，立遭诃斥。或是曰有小失事，然君子不信。《隋书》曰"賨民多忌讳"谓此。〔光绪三十三年（1907）《广安州新志·风俗志》〕

　　"忌讳"之说，日者宗之，闻之阴阳家曰："日有百忌，以干支定之。所谓甲不开仓②，乙不栽种③，丙不修灶④，丁不剪发⑤，戊不受田⑥，己不破

---

① 今巴蜀船家仍称"水"为"灰"。重庆市江北区民间文学集成编委会：《中国民间故事集成·重庆市江北区卷》（内部资料本，1987年，第368页）："在这落魂滩上来停桡不推，一梭进漕口，撞在姜疤癞高头，大家輥到灰里，日妈的都找不到瞎子算（命）啰。"
② 因甲日属鼠，鼠耗粮。
③ 因乙与木有关，"东方甲乙木""人挪活，树挪死"可证。
④ 因丙与火有关，"南方丙丁火"可证。
⑤ 丁：谐"疔"，讳生疔疮。
⑥ 戊属土，戊日本命不宜破土。

券①，庚不经络②，辛不合酱，③壬不决水，④癸不词讼，⑤子不问卜，⑥丑不冠带，⑦寅不祭祀，⑧卯不穿井，⑨辰不哭泣，⑩巳不远行，⑪午不苫盖，⑫未不服药，⑬申不安床，⑭酉不会客，⑮戌不乞狗，⑯亥不嫁娶⑰是也。有月忌日，则月之初五、十四、二十三。又有"杨公忌日""土王用事日"与"四离⑱""四绝⑲"诸日，具皆忌之。凡日以"除、危、定、执、成、开"为黄道；"建、满、平、收、闭、破"为黑道⑳。上官、入学忌"平"，合婚、制衣忌"破"，制帷帐忌"开"，启市贸易忌"闭"，洗头忌"建、破、平、收"。神煞之属，如太白、人神、长短星、日游神、触水龙等所值之日，则各有事，忌之。乡间之农夫，则忌戊日。是日不工作。有忌五戊者，自立春至社日止；亦有忌长年戊者。其平日之言语，忌讳尤多：元旦除日，忌妄语，曰"忌头、忌尾"。或书"童言不忌"四字，贴于门壁。每日清晨，忌言虎、豹、猿、猴等物，曰"放快"。患病忌言死，早行忌问路，赶船忌言翻、言破。烧窑忌言红，作酱忌言酸。生榇曰寿木，曰长生板。而衣裳、冠履，莫不

---

① 己为"自己"，未封口，害本命，讳打官司或立约，俗传打官司多输。
② 庚属金，金能断丝，故此日不宜取丝，恐给自家带来不利。
③ 辛：谐"腥"。此日做酱恐腐坏，生腥味。
④ 壬日属水，"北方壬癸水"可证。
⑤ 癸日属水，打官司多为"竹篮打水——一场空"。
⑥ 子日不宜求神打卦，俗传打卦不利于子女。
⑦ 丑为丑陋，丑日不打扮，不结婚，俗传会影响形象。
⑧ 寅属虎，虎为兽中之王，祀虎将使虎更凶，恐伤及六畜。
⑨ 卯为东方，东方甲乙木，因木克土，故卯日不能穿井，恐井垮塌。
⑩ 辰属天罗地网下的鬼神日，辰日鬼神出动，哭泣恐招来鬼神相害。
⑪ 巳：谐"事、死"，讳之。
⑫ 午为南方，南方丙丁子午属火，盖屋犯火星，易被烧毁。
⑬ 中央未（谐胃）属土（谐吐）。
⑭ 申属猴，猴好动，俗传安床不好睡。
⑮ 酉：谐"富有"之"有"，不随便见客人和请人吃饭，俗传酉日出账即空。
⑯ 戌属狗，戌日为狗的本命，故不乞讨或买卖狗。
⑰ 亥：谐"害"，属猪。巴蜀俗语说"十亥九不利"，不宜嫁娶。
⑱ 此即春分、秋分、夏至、冬至前一日。
⑲ 此即立春、立夏、立秋、立冬前一日。
⑳ 据成都市新都区木兰镇白兰章先生讲，"除、危、定、执、黄，建、满、平、收、黑"中，"成、开亦可用，闭、破不相当"。德阳地区选黄道吉日的口诀与此大致相同。参见陆泽怀等《德阳民俗》（内部资料本），1996年，第183页。

以"寿"字加之。此言之忌讳也。他如：巫师忌倒案，医者忌送终。新娘之房不容孕妇入，舆夫不于同行之门住杵，则又事忌之类也。至有同音之字而亦讳者，如伞曰"撑花"，斧曰"开山"，帆曰"蓬〔篷〕"，水曰"灰"，灯笼曰"亮壳"等，则船夫忌之。其他百工技艺，无不各有忌讳，惟江湖豪暴之徒，忌讳更夥。入其中者，凡一言、一行，必须深自检点。偶误犯之，轻则遭其呵斥，甚则施以责罚。其迷信迥非常情所能测者。谚曰"穷多忌讳"，信然。〔民国20年（1931）《达县志·礼俗门·风俗》〕

语言禁忌更多。平常忌说"鬼、虎、豹、猴、蛇、落、痣、破烂"等字和"栽岩、跌河、啃沙"等词。①

他如：

《说文解字·巴部》释"巴"为："巴，虫也。或曰食象它。象形。"又《它部》："它，虫也。从虫而长，象冤曲垂尾形。上古草居患它，故相问：'无它乎？'"有学者认为，"不管巴蜀的地理环境，还是巴蜀的部族，都与蛇有着十分密切的关系"。②巴蜀地区的人们与蛇朝夕共处，对蛇由畏到敬，由敬而求亲，以致产生蛇图腾或蛇崇拜。我们至今在巴蜀地区流行的有关蛇的方言中，可以看到对蛇的崇拜的痕迹。

旧时部分巴蜀人认为，对蛇不能直呼其名，而改称为"梭老二、梭二爷、长客、钻老二、干黄鳝、乌尔根、溜子、皮条子、顺子"等称呼。将蛇出洞称为"蛇腾洞"，认为看见的人则会死；将蛇进洞称为"蛇替死"，看见的人则会生；如遇见蛇竖着身子拦路，称为"蛇比高"，要将手中之物举得比蛇高，并念《祷蛇歌》③；遇见蛇爬树，则捡一小石块往天上扔，或马上往高处跑，千万不能让蛇高过你；蛇交配称为"蛇绞麻花儿"④，看见的人会大为不利，这时应马上喊山和树看，喊石头看，否则会性命不保；看见蛇蜕皮则马上脱掉

---

① 平武县县志编纂委员会：《平武县志》，四川科学技术出版社1997年版，第896页。
② 参见屈小强等《中国三峡文化》，四川人民出版社1999年版，第132～143页。
③ 如"一条蛇儿两头尖，摇摇摆摆路中间。念个咒儿赠与汝，佛爷拿哞念弥陀，浩浩南山去修仙"之类，俗传念后蛇即可离去。
④ 盐源县左所地区称为"蛇相娱"。参见盐源县文化馆《盐源县民间文学资料集》（第1分册，内部资料本），1988年，第143页。巫溪县文峰镇等地称为"蛇生雾"。乐山沙湾区弥为"蛇思春"。参见张明军等《中国民间文学集成·沙湾区资料集》（内部资料本），1988年，第122页。

衣服，否则不死也得脱层皮。①

部分巴蜀人还认为，不能用手比看见的蛇有多长，否则晚上睡觉时，蛇会前来做枕头；打死蛇后要将其首尾分开埋掉，否则蛇生还后会来报仇；进入院子或屋子的蛇称为"家神"②，绝不能打，更不能赶它们走；只能让它们自由进出；而对通体呈红色或白色的蛇更是奉若神明，认为它们主宰着住宅处的运气。

而巴县流传的蛇祖、蛇坟以及"屋基蛇是老祖宗打不得"的说法和习俗，则说明对蛇的崇拜和把蛇当作发财的吉祥物。巴蜀各地基本上对蛇都有讳称（见表3-6）：

表3-6　巴蜀部分地区对蛇的讳称

讳　称	地　区
梭老二	成都、重庆、隆昌、大足、自贡、泸州、蓬溪、开江、彭山、内江、井研、宣汉、金堂、邻水、乐山、郫县
梭老儿	汉源
梭针子	金堂
梭半儿	郫县
梭　梭	万县、邛崃
梭墩子	彭山
老　梭	金堂、乐山、万源、内江
干老梭	荣昌
梭二爷	邛崃、崇州
长　虫	梓潼、夹江、大足、自贡、剑阁、金堂
长　客	金堂
长居士③	峨眉

---

① 参见黄尚军《四川方言与民俗》，四川人民出版社2002年版，第208页。
② 家神：死去的祖先或其化身，如红蛇之类。
③ 巴蜀部分人称男为"大居士"，女为"二居士"，猴为"三居士"，虎为"王居士"，蛇为"长居士"。黄炎培：《蜀游百绝句》（林孔翼、沙铭璞：《四川竹枝词》，四川人民出版社1989年版，第300页）："'峨眉山'头居士多，士女蛇虎成一科。防区划定山居士，各长子孙雄岩阿。"

续表

讳 称	地 区
长老倌	梓潼
金串子	大足
罗机杆儿	
溜子	巫溪
皮条子	
躯颈	长寿
钱串子	大足、叙永、古蔺
干黄鳝	成都、重庆、南充、营山、渠县、彭山、西充、綦江、金堂、岳池、自贡、武胜、阆中、梓潼、乐山、遂宁
唧巴颈	邻水、丰都、巴中
乌老二①	

重庆诸多行业忌讳说"虎",改称"灰猫(儿)",有关学者认为是源于巴人以白虎为图腾,图腾有"祖宗"之义。② 类似忌讳说出的动物还有"老虎",而与虎同音、近音或相关的事物也要改换名称,如"腐、斧、府"都不能说③,腐烂要改称"水了、朽了","府"要改称为"县",豆腐、豆花儿改称为"灰蘑儿"④,斧子改称为"开山儿、开山(子)、猫儿头、猫儿刀、毛牛、大脑壳、铁脑壳、毛铁、斤瓜(爷)"等。老鼠要改称为"耗子、高大爷、喜马(儿)、地马儿、尖嘴巴、窖猪儿、老川、川帘子"等。⑤

---

① 此词特指"乌梢蛇"。
② 参见余云华等《重庆市志·民俗志》,西南师范大学出版社2009年版,第870页。
③ 老虎要改称为"扁担花、大头猫儿"之类。熊大容:《枪友儿》(《龙门阵》1989年第2期):"丛林中一阵旋风,接着一声长长的虎啸,扑出一条扁担花。"
④ 邛崃将豆腐干称为"干灰蘑儿",豆腐乳称为"红灰蘑儿",魔芋豆腐称为"黑灰蘑儿"。
⑤ 另有叙永、古蔺矿工称老鼠为"老师",而内江、威远矿工则称为"老师傅"。

因讳说"日"①，成都将向日葵改称为"向耳葵"，彭山称为"葵瓜子"，大足称为"太阳花"，金堂称为"太阳花、向儿葵"，万县称为"望红儿"。

因讳说"卵睾丸"，成都将鹅卵石改称为"鹅老石、广耳石"②，西昌改称为"鹅抱石"；因忌讳说"屄 [p'i⁵⁵]"女阴，故将与"屄"同音的字，改读为 [p'ei⁵⁵]，如"披衫子、披风、披（披）毛（儿）③、披麻戴孝、披荆斩

---

① 日：在巴蜀汉语方言中可为下流话，多指男子的性交动作。如有"日气、日火、日怪、日弄、日诀、日朗、日塌、日妈捣娘、日你先人板板"等词语。参见杨绍林《彭州方言中"日"的构词功能与语义演变》，载《地方文化研究辑刊》第5辑。盐源县文化馆：《盐源县民间文学资料集》（第1分册，内部资料本，1988年，第242页）："老丈人日气地骂他。"又（第102页）："一看桶里坐了一个人，大家很日火，就要打小星，说他把水井弄脏了。"吕峰等：《中国民间文学集成·四川省西充县资料卷》（内部资料本，1987年，第181页）："难怪我的日子好不起来，原来是土地老爷在日怪，莫忙，我要好好日弄他一下。"姜长秀等：《中国民间故事集成·重庆市铜梁县卷》（内部资料本，1988年，第299页）："这时太阳有些热了，妹妹还没结婚。嫂嫂看看天上的太阳，再看看妹妹的手势，也灵机一动挖苦妹妹说：'妹妹怕日手遮阴。'"也说"日诀"。彭贵华等：《中国民间故事集成·重庆市巴县卷》（内部资料本，下卷，1989年，第496页）："酒相公回到屋头，遭他堂客扯耳朵，跪踏板，日诀得狗血淋头。"也作"佮"。王洪林：《四川方言会通》（巴蜀书社2008年版，第144页）："半路打抢的风声很快传到王员外耳内，他合绝族侄，好事做到底，加倍送肉挑米，专人送拢曹家。"也说"嗒"。（清）刘省三：《跻春台》（江苏古籍出版社1993年版，第144页）："尊卑礼法无一点，公婆当作路人看。丈夫沾倒就开嗒，一时还要唤祖先。"今大邑县等地仍将责骂人说为"嗒人"。

② 成都习俗，正月初五日举行"送穷"仪式后，暗拾鹅卵石（喻"元宝"）归，寓意不空手回家且得财。此词另有对农民不敬的称呼之义。马骥：《散打笑星抽底火》（四川文艺出版社2004年版，第293页）："为了给'广耳石'争气，自己炒作自己，自己要求自己，自己折磨自己。"

③ 披（披）毛（儿）：刘海儿。李劼人：《李劼人选集》（第1卷，四川人民出版社1980年版，第105页）："（曾师母）不很好看。却是喜欢打扮，长长的披毛，梳得拱拱的，外面全没有那样梳法。"陈浩东等：《成都民间文学集成》（四川人民出版社1991年版，第1925～1926页）："坡上飘来一朵花，年纪只有十七八。一双眼睛圆又大，披披毛儿额上搭。两个酒窝脸蛋儿挂，配个樱桃儿小嘴巴。"前人：《续青羊宫花市竹枝词》（林孔翼：《成都竹枝词》，四川人民出版社1986年版，第104页）："而今世道重时髦，已老秋娘性更骚。最有一般当不起，芳龄五十打披毛。"也说"乖乖毛"。陆泽怀等：《德阳民俗》（内部资料本，1996年，第159页）："80年代起，男孩留成人发式，女孩蓄齐耳短发、额前梳'刘海'，俗称'披披毛'或'乖乖毛'。"

棘、批评、批判、披衣服、曹丕、土坯、坯子、身坯"等词中的"批①、披、丕、坯"。

一般人忌讳说"鸦、牙、哑、压、虎、鬼、梦、塔",不得不说时,分别改称为"鹊、柴、闭口、倒、猫、矮子、黄粱子、笋子";称厕所为"后头、茅大娘、轻松池",夜壶为"鸭子",月经为"(倒)霉事、霉活路、亲家(母儿)、大姨妈、洪②水",男根为"棒棒肉③、鸡儿、鸭儿④、红苕⑤、茄子、(下)老二⑥、二娃、小弟娃儿、幺弟娃儿、小脑壳、和尚(哥哥)⑦、光头儿(和尚)⑧、毛鲢鱼、和气棒",女阴为"(肉)蚌壳、扁扁[pia⁵⁵pia²¹]"等。男女发生性事为"打肉牙祭、睡荤瞌睡"等。

以上诸多巴蜀汉语方言词语,均从不同侧面反映了巴蜀民俗文化,多角度、多层次、立体式地折射出当时巴蜀人社会生活的方方面面。

---

① 蔡进:《"轰年"老师趣事》,(《龙门阵》1998年第3期):"我们平时谑称林姓者为'林光头儿',笑称孔姓者为'孔老二'。因比,凡一提及批林批孔,我们就用四川话喊'×林×孔',一个'批'字音就扰乱了一个班。"参见黄尚军《四川人的禁忌语》,载《西华大学学报》2006年第5期。

② 洪:也作"红"。

③ 重庆市巴南区安澜镇仁流乡坝上村马家桥戴学扬法师藏民间用书:《楚六做媒叹二嫂》(手抄本):"旦介:'幺八[爸]有话只管诉,你我叔嫂又何如?'生介:'二嫂容我来就诉,借你的罐罐(喻指女阴)煨我的棒棒肉。'"

④ 此词也戏称"夜壶"。郑蕴侠:《成渝道上客栈风情》(《龙门阵》1992年第6期):"小便屙到鸭儿头,屙屎到东厕。粪坑放有擦屎棍,莫撒我的床笆则[簧]。内行听上咐,空子怕日诀。"

⑤ 宜宾县双龙镇山歌:"清早起来眼皮跳,上坡遇到艳二毛。好得老娘趟子好,不是吃顿莽红苕。"

⑥ 《蜀报》(2000年11月24日第B2版):"两人再次发生搏斗,安心有一脚正踹在他的'老二'上,虽然不重,不致伤也不致命,但让他连连后退了好几步。"

⑦ 邓永明等:《中国民间故事集成·长寿县卷》(内部资料本,1988年,第391页):"小姐就说:'房中一把锁,问君谁能开?'……(捡狗屎的娃儿)就说:'小姐,只有等和尚哥哥来了。'"

⑧ 游翔等:《中国民间文学集成·四川奉节县卷》(上册,内部资料本),1989年,第354页):"(小姐说):'一把青铜锁,万人不能开。'……(放牛娃儿说):'我就奈不何,要让和尚来。'"

第四章

巴蜀汉语方言隐语

隐语是在特定社会集团内部使用且有意不为其他社会成员知晓的语言变体，其最重要的特点是秘密性。

巴蜀汉语方言隐语兼具地域方言和社会方言的特征，其语音和巴蜀汉语方言语音一致，一般没有特殊的语法规则，主要差别在词汇上。以下在社会语言学的背景下，对巴蜀汉语方言的部分隐语进行剖析，并对其产生的原因和内部分类进行解释。

第一节　袍哥隐语与巴蜀汉语方言词汇

巴蜀汉语方言隐语的历史非常悠久，明代李实《蜀语》：

官长曰崖○民间隐语。如，长官曰大崖，佐贰曰二崖。（《蜀语校注》，第8页）

近现代巴蜀汉语方言隐语非常发达，成为巴蜀汉语方言词汇中一个很有特色的部分，并且渗透到了巴蜀民众社会生活的诸多方面，清末巴蜀民间讲圣谕的故事底本《惊人炮》中由市井泼皮尹三说出的一段隐语即为明证：

二哥子，你家屋有一千多谷子，为甚摸锄子，又要挑担子，全不要吓［下］子？不想你哥子，活像站［颤］铃子：头戴缎帽子，身穿呢褂子，又是苏衿衫子，脚笼鸡蛋壳袜子，又是条镶鞋子，眼戴金夹子，手拿烟杆子，口衔玉石嘴子，肩搓褡裢子，赶场进馆子，不是炒肝子，就是爆肚子，常玩姜片子，油煎摆尾子，喜端小杯子，又爱闹荡子，包灶歇日子，暗里当倥子，他就算尖子，说你是傻子，把你当蛮子，只好孜羊子。这样过日子，何不分锅子，各坐各的房子，免得当呔子，也好挣银子，买田收租子，多喂鸡鸭子，蓁些拱头子，买匹黑骡子，御乘好轿子，走动喊夫子，该你耍排子，学个明亮子，丕振你妻子，打根金簪子，头戴银围子，耳吊翠环子，手戴玉圈子，指笼戒箍子，身穿红绿衫子，脚踩高底子，饱暖一辈子，快活两口子，你去想下子，莫说我叼它子。①

此例中"姜片子"是肉,"摆尾子"是鱼,"拱头子"是猪,"倥子"则指袍哥组织之外的人。

直至20世纪50年代,巴蜀汉语方言中还常出现隐语:

我林丁今天走了运了,本想送你老人家几斤"姜片子"(肉)呢,你又嫌油躐躐的;送你两条"摆尾子"(鱼)呢,你又嫌泫哇哇的;送你一只"长冠子"(鸡)呢,你又嫌毛漯漯的;所以素手操扰。②

而今在巴蜀偏僻乡村,仍有骟匠业等使用行业隐语:

嗨!金刀师刀子红发,指头红帅,水盆兴旺打了海把,东方进宝,西方拿财,四方得利,去也拿得来,不去也拿得来,金柱银柱双手捧住。人望人扶,纸望浆糊,花望叶扶,酒望提壶,城墙高万丈,里外要人帮,汗褂巴肉,瘦肉巴骨,大活路拉套索(骟牛马),细活路拉脚脚,滚刀皮烧得住连不住,一丈二尺八仰仗师友。③

近代巴蜀地区隐语较为发达,与近代巴蜀社会的状况,特别是与以巴蜀袍哥组织为代表的帮会盛行应有一定的关系。

一、袍哥概况

1644年,清军入关后,清政府对汉族采取武力镇压手段,汉人在以"天地会"为代表的各帮会的带领下,打出"驱除鞑虏、反清复明"的旗号,进行抗争。在当时,各地都有在反清旗帜下的帮会组织,其中规模最大的就是"天地会"。后来天地会中,又分出"哥老会"。道光、同治两朝以后,哥老会在巴蜀通称为"袍哥":

---

① 王洪林:《四川方言会通》,巴蜀书社2008年版,第53页。
② 刘裕能、马善庆、李明璋整理:《林丁犯夜》,载《红岩》1956年第6期。
③ 郑蕴侠:《闲话骟割匠》,载《龙门阵》1992年第2期。

哥老会亦名"袍哥",又名"江湖"。〔民国13年(1924)《江津县志·风俗志》〕

袍哥的组织奉行所谓的"兄弟道",以"五伦、八德"① 为信条。联络的据点最初称为"山头""香堂",随着会众的日益增多,才由山头、香堂改为"码头"②,码头多分为"仁、义、礼、智、信"③ 五个堂口。五个堂口一般是五类性质的人参加:"仁"字旗下汇集的是旧社会有面子、有地位的人物,"义"字旗下汇集的是有钱的绅士商家,"礼"字旗下汇集的是小手工业劳动无产者。有几句概括特征的谚语,即"仁字讲顶子,义字讲银子,礼字讲刀子",此外,还有"仁字旗士庶绅商,义字旗贾卖客商,礼字旗耍刀弄枪"的说法。至于"智、信"两堂的人,则多是旧社会中"最低级"的体力劳动者。

"袍哥"得名有几种说法:④

第一种是"袍哥"之名出自《诗·秦风·无衣》"岂曰无衣,与子同袍",意为入会兄弟有饭同食,有衣同穿。

第二种是来自《三国演义》,关羽被曹操逼降后,受曹一件锦袍,穿时却将旧袍罩在外面,曹问其故,关羽则说虽受丞相新袍,但不敢忘大哥旧袍,故袍哥组织取"袍"字作为帮会名称,意为"兄弟情深,忠义两全"。

第三种是"袍"与"胞"谐音,表示有如"同胞之哥弟"。

袍哥组织是巴蜀民间恃力型的互助团体,称兄道弟,义气豪爽,成员遍及各阶层,涵盖全社会。由于最初以与政府对抗的面貌出现,故袍哥组织一开始出现便转入地下秘密活动。为了生存和保密的需要,在长期的发展过程中,袍哥组织内部逐渐形成了一整套隐语,内行称之为"春点",即江湖切口。这些隐语只在帮会内使用,绝不轻易传人,故有"宁给十吊钱,不把艺来传;宁给一锭金,不传一句春"之说。

清初正是巴蜀地区移民增长的高峰期,由于特定的时代原因,袍哥组织在巴蜀发展得非常充分,川渝两地成为袍哥组织势力最强大、人员最多的地区,故《汉留全书》有"各省汉留之盛,莫过于四川""明末无白丁,清末无倥

---

① 五伦:君臣、父子、兄弟、夫妇、朋友。八德:孝、悌、忠、信、礼、义、廉、耻。
② 码头:也说"工口""社"。
③ 仁、义、礼、智、信:也说"威、德、福、智、宣"。
④ 参见吴伯康《四川袍哥》,载《龙门阵》1982年第4辑。

子"的说法。①

刘师亮在《汉留全书》中统计，嘉庆十五年（1810）至宣统三年（1911），哥老会在各省共开山堂36个，巴蜀就占了16个。据1949年的统计，四川和重庆共有职业和半职业袍哥约一千七百万人，仅成都、重庆的公中分社、支社就高达一千五百多个。

袍哥在巴蜀近代史上参与了一系列的重大事件，最著名的就是保路运动。清后期至民国年间，因为政权的更迭、社会的混乱无序，使广大百姓没有归依感、安全感，袍哥组织保护伞的作用便显得异常突出，组织规模发展迅速，权限日益扩大，甚至可以与政府一样行使各种管理权力，许多乡绅乃至官员都需借助袍哥的势力开展活动。

二、袍哥隐语

由于袍哥话在以上提及的历史背景下产生，其成员社会地位高，人数众多，分布区域广泛，导致袍哥话的涉及对象广、社会辐射面大，有的甚至进入普通百姓的口语，因而袍哥话也就成为今天认识巴蜀汉语方言隐语、研究袍哥历史、剖析袍哥文化的重要材料。

袍哥隐语在袍哥典籍中有较为系统的记载，如刘师亮《汉留全书》即收录了大量袍哥隐语，词目众多，涉及类别广泛（见表4-1）。

---

① 参见刘师亮原著，岳军续编《汉留全书》，民国35年（1946）版，新生印刷厂，第14页。"倥子"也说"白蓬儿"，本指未参加过袍哥组织的人。罗仲璠：《抢童子》（《龙门阵》1989年第5期）："第二步是组织抢童子的队伍。这当然由那些年轻力壮又喜帮闲的兄弟伙为核心，再约集一批'白蓬儿'年轻人，共同给某舵把子或大爷'挡起'。""倥"也作"空"。因旧时袍哥势力强大，此类人常受欺负。张平轼：《江湖一杰何歧山》（《龙门阵》1993年第6期）："举凡成年的男丁，一涉足社会，就得加入哥老会，找一座靠山，以免被视为'空子'，遭人欺凌。"民国13年（1924）《乐山县志·方言》："嘲平人为'空子'（'空'，去声），则社会党欺人之词。"民国18年（1929）《合江县志·礼俗篇》："空子，空，去声，谓遇事不谙，受人欺者也。"又："宁可与行家提鞋，不可与空子同财。"民国31年（1942）《西昌县志·礼俗志》："被欺骗曰'上当'，又曰'空子'。空，上声。又曰'当老欺'。""空子大爷"后也指袍哥组织的某些成员。光绪三十三年（1907）《广安州新志·风俗志》："入会之富家子，曰'空子大爷'，曰'摇钱树'。……皆美酒、梁肉，与众共之，而空子、么九籍其帐。看戏，赶会，有时匮窘，其党又借银钱与之。"民国20年（1931）《达县志·礼俗门·风俗》："初入会，必有'恩拜'，即'绍介'之谓也。付以'山堂香水'为号，取便结识也。有局面者入，一跃而跻班首者，曰'空子大爷'，但以西号为最尊。"

表4-1　《汉留全书》载部分隐语

通　称	袍哥隐语	通　称	袍哥隐语	通　称	袍哥隐语	通　称	袍哥隐语
1.饮食、药材类						
猪　肉	白瓜	鸭　蛋	昆仑	饭	粉子	酒	立干
牛　肉	火菜	白　醋	洪顺天	汩	滑水子	汤	海捞子
烧　鹅	金六	谷　米	洪沙药	鱼	活子	肉	姜片子
烧　鸭	金八	葡　萄	一心苗子	牛肉	角斤子	花　生	麻果子
烧　肉	金爪	爪　子	夹口子	汤圆	泡球子	青　药	粮草
毛　鸡	亚七	清　水	锡三合	生油	滑	咸　鱼	丫鬟
毛　鹅	亚六	药　梗	军器	白菜	青苗	烧　酒	家兴
毛　鸭	一丝八	槟　榔	主公				
2.物品、工具类						
牛　烛	牛亮	雨　伞	独脚	凭证	宝	菜　刀	跳
酒　杯	莲米 清勺子	雨　帕	顶公	木斗	木阳城	荷　包	玄风子
纸　扇	清风	筷　子	双筒橘子	白包袱	象牙卷子	绿　包	鹦哥卷子
大　碟	莲蓬	脚　香	桂枝	帮会	圈子 洪英	枕　头	鸳鸯子
茶　杯	连捧 咸清子	松　柴	洪柴	红包袱	朱卷子	被　盖	拖棚子
烛	古树	蚊　帐	炮台城 烛笼	床铺	戏台子	帐　子	慢天子
茶　壶	十本枝	大　货	绉纱	篮子	采花子	紫　壶	洞庭子
酒　壶	载	船	飘店子	当衣	困曹子	油　碟	把赞子
灯　笼	鱼虾坟帐	秘密书	海底 金不换	当票	朵子	车	轮盘子
汤　匙	勺子	饭　碗	莲花子 看花子	箱	腹子	笔	短便子
杆　子	通天子						
3.钱财类						
元　宝	树菜	借　银	法助	盘钱	号水	百　元	一百水
花　银	爪	代理钱	力助	洋钱	饼子	钞　票	花花子
花　钱	芝麻	一　元	一分水	十元	一寸水		
4.烟草、烟具类						
生　烟	生强	洋　烟	云油 文油	烟袋	歪把子	纸　烟	熏条子
熟　烟	熟强	孖姑烟		条强 寸强	鸦片	熏老子	如思烟	中强
5.衣物类						
衣　服	袈纱	油　鞋	采巴子	围腰	竹筒子	长褂子	衫子
新　鞋	兵兰	新　帽	万忙	外套	大鹏子	领褂	穿心
鞋　子	别温子	裤	叟风子	皮袍	梭衣子	汗衫	贴身子
草　鞋	铁板 顶公子	手　巾	五色丝罗	长袍	扫把子	围巾	盘龙子
拖　鞋	拖巴子	马　褂	蝴蝶子				

续表一

通 称	袍哥隐语	通 称	袍哥隐语	通 称	袍哥隐语	通 称	袍哥隐语
6.人体器官类							
胆	苦水子	肚子	瓶子	手	金刚子	脚	别头子
口	钳子	脸	扁面子	头发	青丝子	眼	罩子①
人头	张点子	牙	方条子	眼睛	珠照子	屁股	巴篓子
7.称谓类							
和尚	念参	老举	吃如忠	公事人	灰点马子	兵	棋盘子
师姑	念七	老伯	咬雪·	剃头匠	飘江子 扫青生	盗贼	二杆旗子
生监	进兴	一个人	一堂香	抬轿	力手子	姑娘	朵老篾
女人	才老茂 阴马子	抢犯	云马子 吼马子				
8.武器类							
火药	粉子	子弹	打子	刀	撩两子	手枪	筒子
9.动作类							
截路	打鹧鸪	打架	角裂	所到之处	开码头	睡	摊条子
去	逊	讲理	扯皮	靠床	歪一下	坐	稳
拜客②	拜码头	集会	开山	站	独	走路	踩线
小便	丢线	大便	丢堆子	剃头	扫青割草	洗澡	闹海
上席	列台子	吃	硬、受	饮酒	哈	吃烟	交强
食饭	打沙	饮茶	清莲	吃粥	打浪	打明火	吃如生
赌	栏把	柜台窃物	台子钱	看相算命	小生意	讲书	征册子
收买	架子	扭锁窃	卡公线	挖洞窃	气眼钱	行路	闯北

---

① 《蜀报》（1999年4月30日第10版）："我不是挡你财路，大家都是社会上找食的，不过以后抢人要看清楚，'罩子'放亮点，你看我这个样子，我都是想抢人想慌了的。"近年来也说"二筒（谐瞳）"。重庆晚报副刊部：《重庆崽儿重庆妹》（重庆出版社1998年版，第421页）："王光明气得一对'二筒'都要鼓出来了。"

② 此词在成都方言中有两义：一指新娘拜见参加婚礼的客人。（清）刘省三：《跻春台》（江苏古籍出版社1993年版，第56页）："把堂周了，正在拜客，新人在怀内取出半封冰橘糕，递与文锦曰：'人言拜堂要吃糖才好，你快吃些。'"陈浩东等：《成都民间文学集成》（四川人民出版社1991年版，第1695页）："一杯酒菜敬新客，祝愿夫妻都合得。自从今晚饮过酒，明日过堂就拜客。"二指见人。成都口语："你看你披头散发的，咋个出去拜得客哟！"

续表二

通 称	袍哥隐语	通 称	袍哥隐语	通 称	袍哥隐语	通 称	袍哥隐语
闯门窃物	生钱	荷包窃	个钱	摊上偷物	打眼钱	偷木料	乔庄
掌干	拿乎子	绑票	拖叶子	扯票	嚼叶子	盗墓	驾枯票
贩卖人口	条子钱	坐牢	造古文	梦	黄粱子 南柯子	生病	拖罗子
10.动物类							
通 称	袍哥隐语	通 称	袍哥隐语	通 称	袍哥隐语	通 称	袍哥隐语
牛	义角子	龙	溜子	虎	爬山子	马	跑蹄子
大鱼	川浪	羊	孝角子	鸡	凤凰子	狗	号天子 皮条子
鸭	琵琶子	鹅	绒球子	公鸡	花子脸	母鸡	血脚子
11.建筑物类							
通 称	袍哥隐语	通 称	袍哥隐语	通 称	袍哥隐语	通 称	袍哥隐语
城	圈子	酒馆	玉窑子	茶馆	黄汤窑子 晕汤窑子	妓院	花买宝子
茅屋	蓑衣	庙寺	斟哑吧	戏院	演古书子	澡堂	闸海窑子
厕所	骑马	理发店	拦草	衙门	威武窑子	瓦屋	玻璃
屋	格	桥	巴腮子	旅馆	拖条窑子	当铺	富贵窑子
大镇市	混子						
12.天象、五行类							
通 称	袍哥隐语	通 称	袍哥隐语	通 称	袍哥隐语	通 称	袍哥隐语
风	八面子	雪	花球子	星	亮光子	云	迟天子
雷	轰天子	月	娥媚子	闪电	恍天子	金	老爪子
木	甲乙子	水	清洁子	文	红光子	土	泥巴子

袍哥隐语分类细致,李子峰《海底》将隐语细分为13类,囊括了衣、食、住、行等各个方面;朱琳《洪门志》也将其分为"分类用语、海湖用语"两个大类共计16小类,为研究巴蜀隐语提供了重要参考资料。[①]

袍哥消亡以后,一些团体使用的隐语[②],有不少沿用旧时的袍哥话,其中有一些随着时代变化而产生的新词新义,但影响都不及袍哥话大。

中华人民共和国成立后,袍哥作为黑社会性质的帮会被瓦解,但其影响却在很长时间存在于巴蜀地区,袍哥话也有很多通过各种形式留传至后世,有的直到今天还在使用。

---

① 参见朱琳《洪门志》,河北教育出版社1990年版,第60~74页。
② 主要是犯罪性质的秘密团体。

第二节 巴蜀汉语方言隐语的义类特征

从义类的角度,可以把巴蜀汉语方言隐语的义类分为以下九类:①

一、"人"类隐语

这是巴蜀汉语方言隐语最多的一类,集中体现在职业和身份两个次类,而且内部的小类特点也很鲜明。

(一)职业次类

隐语对各类人的职业区别非常细致(见表4-2)。

表4-2 袍哥部分职业次类隐语

袍哥隐语	含义	袍哥隐语	含义
皮	"袍哥"通称	子曰通	老师
有皮的		百味通	厨师
光棍		剪披	学生
行家		搦星生	写字人
清水袍哥	有正当职业,社会地位较高的袍哥	受点	主人
职业袍哥	无固定职业和收入,在码头上混饭吃的袍哥	拐七	使女
浑水袍哥	成为土匪、专事劫掠的袍哥	济崩公	医生
浑水乌棒			
跳滩匠②			
		吼生	戏剧演员
青龙码头	参与盗匪活动的袍哥	廿三	和尚
响黄邱	打铜匠	廿四	道士
双线通	皮匠③	细	媒婆
连环通	花匠	空子	非袍哥组织的人

---

① 此以梅家驹等的《同义词词林》(上海辞书出版社1983年版)所分的12个大类、94个中类为参照。
② 也说"跑滩匠"。
③ 叙永县麻城乡现榜村何氏坛班藏《捯送科仪》[民国13年(1924)手抄本]:"花盘造起甚分明,奉请诸神上船行。诸魔鬼怪害人精,魑魅魍魉一伙人。……裁缝之鬼屈脚坐,代照[待诏,剃头匠]之鬼抹顶生。皮匠之鬼抽双线,银匠之鬼会倾银。铜匠之鬼把铜铸,机匠之鬼梭子哼。"

续表

袍哥隐语	含 义	袍哥隐语	含 义
断 轮	刻字匠	大 快	打家劫舍的江洋大盗
小 快	小盗		

袍哥称谓中有通称和专称，内部还有小类的区分。民国以后的巴蜀市井隐语，对土匪和小偷的分类较详细，再往后产生的隐语甚至对警察也有细致的分别。这类隐语多是犯罪团伙内部的专用语。

（二）身份次类

各类隐语对帮会内不同成员的身份有严格规定，以袍哥话为例，这种身份的规定实际上也是袍哥组织章程的重要组成部分（见表4-3）。

表4-3　袍哥帮会内不同成员身份职责

袍哥身份	含 义（职责）	袍哥身份	含 义（职责）
一条龙	帮内行管理之职的袍哥总称	边棚老板	次于"老摇"①
一 排	哥老会中最高的位置	在司哥弟	帮会中人
二 排	正直、重义、守信的人	大老么	年龄较大，专做杂役事务的人
三 排	专管内部钱粮和人事	新 福	新加入帮会的人
三 哥		新贵人	
五 排	承上启下，训练弟兄，执法惩戒，交涉联系，处理纠纷	么 大	哥老会开设的茶馆里的伙计
管 事			
六 排	巡风放哨，察看官府行动等	老太爷班子	文化水平、社会地位较高，有背景的帮会成员
巡 风			
六 爷			
八 排	负责执行纪律事宜	承	介绍入哥老会的担保人
九 排	培养新进，提升调补，登记弟兄排位	坐堂老帽	具有顾问、长老一类资格而不担任职务的帮会成员
十 排	负责传达、报告	提烘笼的	军师
营 门			
全 堂	舵把子、管事等头目总称	闲大爷	不负责具体事务、居于闲散地位的帮会大爷
龙头大爷	大头目	金带皮	有钱、有地位的清水袍哥
社 长			

---

① 老摇：袍哥头子，也说"舵把子"，而舵须摇，故称。参见邯郸学《遭土匪拉肥猪记实》，载《龙门阵》1982年第2辑。

续表

袍哥身份	含义（职责）	袍哥身份	含义（职责）
舵把子／（坐堂）大爷／（大）帽顶	帮内头目	下九流	无钱、无地位的清水袍哥
老摇	浑水袍哥头目	绅夹皮	加入帮会组织的绅士

帮内行管理之职的袍哥总称为"一条龙"，从"一排"到"十排"，他们各司其职，互相配合，处理帮会内外的具体事务。

对帮内头目的称呼多样，"全堂""舵把子""龙头大爷""凤尾大爷[①]""管事"等，皆为各类头目的称谓。帮内袍哥根据不同标准加以区分，不同的称谓，标志着帮会中人的身份。

除上面两个主要次类外，还有下面一些次类：

男女老少次类中，区分男女的称谓有：

天牌[②]男人，绣鞋女人，子孙窖儿良家女。

状况次类中，袍哥话以"壮猪"称有钱的当事人；一般隐语中，主要是绑票类称谓：

肉票[③]、肥猪、母猪、马儿、马客、缰、高脚骡子被贩卖的妇女。

[①] 蜀洪：《洪门兄弟》[上卷，（台湾）八八出版社1991年版，第184页]："这位周么爷名佑文……一直到今天还是么排……所以有时兄弟伙都叫他'凤尾大爷'，凤尾不必一步一步地提升，即可以转为龙头，开山设堂时，带路是他的职责。"

[②] 天牌："长牌"花色之一，共四张，每张两端分别有六个小红点、六个小黑点，共12个小点，为"长牌"中点数最多者。此词后引申指"资格老、名气大或德高望重的人"。如著名川剧表演艺术家阳友鹤就被称为"阳老天牌"。杨时川等：《中国民间文学集成·四川省内江市卷》（下册，内部资料本，1990年，第751页）："伍钧是清朝的举人，在外当过官，是资阳最有面子的人，人称'老天牌'。"

[③] 此指"被绑票的人"，也说"马儿、马客、缰"，贬称"肥猪"，女性称"母猪"。赎回被绑票之人称"取缰"。邯郸学：《遭土匪拉肥猪记实》（《龙门阵》1982年第2辑）："土匪把我们这种'肉票'贬称之曰'肥猪'，这也可算一种阶级仇恨的表现吧？文明一点，由猪升而为马，或叫'马儿'。……而马是有缰绳的，于是以缰绳代马儿，又把缰绳省称为'缰'……赎取我幺叔那时，我就经常听说'取缰'。"

亲人眷属次类涉及的称谓有：

韭菜园舅舅、黑心符、门斗钉后母、排琴①兄弟、孙食丈夫、果食媳妇等。

辈次次类称谓有：

伯叔"义"字会员对"仁"字会员的称呼，公公"礼"字会员对"仁"字会员的称呼，大伯年纪轻、地位低的会员对拜兄的称呼。

丑类次类中，袍哥话的"风仔"是奸细，"蛤蟆"是对官兵的蔑称，"鸡毛子"称不识相的乡团。后来的一般隐语要丰富一些，集中在罪犯、土匪和无赖、娼妓等团体方面：

老棒土匪，广匪打家劫舍的江洋大盗，小快小盗，刀（刁）客川北专事劫掠的匪帮，滥眼儿、滚龙地痞流氓，二吊五犯人，半截子么爸儿本地的地痞无赖，闹倌儿②嫖客，勾引他人妻女的淫棍，老梭女流氓，泡菜坛子、粉脸子妓女，干鸡子③乞丐。

在"人"这个义类中没有涉及体态、品性、才识、信仰的隐语。

二、"物"类隐语

"物"类隐语是指具体物的隐语，总量比较少，主要集中在用品和衣物食品中。袍哥话的用品隐语最多的是帮会内部的用品。哥老会的"仁、义、礼、智、信"五旗分别称为"一杆旗、二杆旗、三杆旗、四杆旗、五杆旗"，各不相混；凭证也有多种：

白鸽票入会凭证，公片宝扎哥老会的证书，花叶子名片凭证。

---

① 排琴：分为"上排琴"和"下排琴"，前者为兄，后者弟。
② 倌：也作"官"。庸人：《江湖八大门》（四川人民出版社1992年版，第71页）："妓女在她的'闹官'当中选择一位家道殷实而又'一保（宝气）二甲（呇音）'的嫖客，说他忠厚，终身可靠，要从良嫁他。"
③ 也喻指毫无分文的人。

后来一般市井用品隐语集中在钱粮上：

飞飞、粉子粮票，半飞地方粮票，满天星、漫天飞、全飞全国粮票①，中飞省粮票，搭子县粮票，钱粮票十市斤，棵粮票一市斤、小方②布票，担心钱敲诈乱搞男女关系者所得的钱，饴食钱被绑架的人的伙食费，圈板钱赎回被绑架的人质时须再加付的居住费；个百元银圆，一寸水百金，一尺千金，杠子（皮）人民币十元钱，菊排人民币一百元。

衣物、食品类隐语有：

八狗子棉袄，片子、穿人肉，火灵子、烧冲子酒，粉子饭，曼水子、曼灰子油，提头子、船帮子鞋子，皮子衣，顶天帽子，三只眼、聋周子裤子，熏筒儿袜子，宽帐子被子，喜花、喜头子纸媒子，黄丝子水烟，莲花子碗，滑石子筷子，老楚银子，方头子匣子，灰包子点心，格打子肘子，火杆子火把，亮筒子灯笼，尾巴毛，抓子床，朝天、抬马子桌子，曲二、长二板凳，撑子伞，走雪磨子，（熏）条子卷烟，饴食猪饲料，火冷子、纠头子酒，黄汤子茶③，青老、褶子衣服，饭粉子，猪肉姜片子。

机具次类隐语有：

连槽驳壳枪，牲口手枪，滚子汽车，驼车装运财物的货车，疙瘩门锁，天花板用来印刷入会凭证的木板。

市井隐语有：

米米子弹，通枪，短火手枪，大轮火车。

---

① 全国粮票：也说"国家粮票"，另有"女孩"及"妓女"之义。马骥：《散打笑星抽底火》（四川文艺出版社2004年版，第300页）："吉林轧钢厂的兔工（对青年工人的贬称），结扎了三回都失败了，反而生了三个——遭人贩子拐走了一个不算，还有两个清鼻子流起，都没有要到'国家粮票'。"
② 小方：也说"小方折子"。
③ "喝茶"的隐语为"茗黄汤子"。

这些隐语大都因作案的需要而产生，从中也可窥见产生的时代背景和使用者的一些情况。

身体次类有：

顺风耳朵，瓢儿嘴巴，盘子脸，锭子拳头，灯笼眼珠，梁子脑袋。

动物次类有：

封封子马，啄头子鸡，土条子、干黄蟮蛇，摆尾子鱼，毛毛各种毒虫，皮衫（子）狗，推屎爬蜣螂。

三、"时间与空间"类隐语

这个义类袍哥话只有空间次类隐语，多为对帮会掌控地、赌场、监狱或藏身地的称呼。如：

皮管街哥老会控制的城市，码头各帮各方会盟之地，某家场某地方官所管辖之地，草坝堂同行秘密说理处，快窑监狱，书房牢狱，香火堂子别人的堂屋，热堂子卧室，摇堂屋子，茶哨馆作为联络点的茶馆，火食堂子厨房、灶间，坟村庄，窑基房子。

市井隐语有：

卡房、二三三信箱看守所，道子监狱；舵窑基藏身的地方，稳子[①]窝藏土匪的人家，下家贼窝赃的人家，龙背土匪的老巢；兰场赌场，私窝子秘密的赌场，明堂子公开设立的赌场，宝宝公司赌博公司；庙府公安局，圈板猪圈，扯谎坝各种江湖生意人聚集的地方。

四、"抽象事物"类隐语

该义类的隐语不多，主要在机构次类中有一些，如团体、帮会组织为"工口"，设于各地的分支机构称为"堂"，另外还有"分棚、支棚、江湖会汉

[①] 邯郸学：《遭土匪拉肥猪记实》（《龙门阵》1982年第2辑）："这家碉楼稳子，主人是一对夫妇……两口子的生计全靠女的。窝匪藏'缰'，乃是为了捞口饭吃。"

留、社会、武堂子、桃（园）、社、总社、分社"等等。

经济类有：

盘子价格，母子赌博的本钱，搞头、搞场、搞眼收益。

这一大类中没有外貌、性能、性格才能、意识、比喻物、臆想物、疾病类隐语。

五、"特征"类隐语

"特征"义类中性质次类有一些隐语，以袍哥话为主，但数量不多：

顶苏气对待朋友尽心尽力、重义气，对红心为人仗义，够朋友，不拉稀（摆带）不退缩，不苏气对不住朋友，不落教、不依教不讲义气，不够朋友，打滚龙流落，方起使难堪等。

该类中没有外形、表象、颜色、味道次类隐语。

六、"活动"类隐语

这一类数量很多，主要有以下次类：

经济活动次类隐语数量极大，分类很细。如袍哥话关于抢劫绑票的隐语有：

摸桩谋杀人，冲囤子搭人梯入宅抢劫，挂红抢劫不成便自伤头面以加倍敲诈，踩水、相头脚到拟作案人家附近看地形、探虚实，看财喜抢劫财物，鞭子、宰根子借检查为名洗劫来往客商，写台口约集同党谋划劫人钱财，吹窑鸡、搂子抢人，抖门扇抢劫时脱人衣服，牵大黄绑架家财殷富的人，解疙瘩破门撬锁行窃，拱窖子偷窃，有肥母鸡探察到作案对象有银钱，准备下手盗窃，搂了物色抢劫对象，关圈拉肥、拉肥猪[①]绑票，

---

① 民国20年（1931）《三台县志·风俗》："民国八九年，溃军化贼。棒匪……其掠人勒赎，则有'接财神、拉肥猪、接观音、抱童子'诸名色。掠去之人，一律用黄蜡灌耳，药膏贴眼，甚有拷掠至死，而仅赎其尸者。较诸旧志所云'游惰为匪，偷窃牛马'甚十百倍矣。"

圈板钱赎回被绑票之人的费用，收江娃抢劫、绑票，抱童子劫持小孩做人质，以诈骗钱财，接观音劫持妇女做人质，以诈骗钱财，熛窑子烧毁被抢劫人家的房子，啄木鸟喻指借故敲诈山林主的无赖，凡不能满足其无理要求的，便伺隙焚烧其林木，拈高磴用手指拈钞票叠得高的那份。

市井隐语中对偷窃活动的细化达到极致，已经细化到偷窃的场所、物品、方式：

扣枪划片、抓皮扒窃，开片子用刀割兜扒窃，勾竿、吃竿竿钱用竹竿挑取室内衣物，收浆偷晾晒的衣服，卡腕腕、吃转子、扭砣砣扒窃手表，吃格子、摸团鱼在旅馆内盗窃，吃掉脸、吃瞟眼在车站、饭店等处偷窃提包，吃喜钱赢家给过路赌客提成，吃两条线、跟铁轨、撵大轮专在火车上行窃，撵滚滚（儿）① 在公共汽车上行窃，碰车门在公共汽车门口行窃，杀鸭子、宰鸭子扒窃钱包，整斋包扒窃挎包内的钱物，摇线子探察过路的有钱客商，伺机行动，敲路板拦路抢劫。铲地皮在公共场所行窃。

社交活动使用的隐语数量也很大，袍哥话中集中在帮会内的互助、仇怨等义类：

闹厂、结梁子与人结仇，叫梁子、拿梁子报仇，拿横梁子多事或从中插手，捞梁子双方和解、化解仇隙，做了想算计或杀害某人，搭白② 托人说项，搭台子调解允怨，拿言语通关节、说好话，袍下来解围。

---

① 滚滚（儿）：轮子。谭兴国、松鹰：《四川知识青年短篇小说选》（四川人民出版社1978年版，第106页）："（社员们给农机站）编了几句顺口溜，说是：农机站，运输站，滚滚转，油大饭……"
② 搭白：主动接着别人的话头往下说，插话。沙汀：《沙汀选集》（第3卷，四川人民出版社1984年版，第296页）："邵永春只顾吃饭，不搭白了，他知道这没有多少用处。"陈浩东等：《成都民间文学集成》（四川人民出版社1991年版，第438页）："青城魔君变了个芯哨的姑娘走来跟王长找话搭白，挨挨擦擦，趁王长不注意，把药米口袋给他换了。"另有"搭野白、搭飞白"等说法，指和不认识的人借故搭话。卢盛祥等：《中国民间文学集成四川卷·成都市东城区卷》（内部资料本，1989年，第136页）："这下子在床上爬起放倒也睡不着了，就麻起胆子跨到侧边船去搭野白。张飞杀岳飞地同人家广了半天。"

与互助有关的：

拿上服^① 外出求援的会员向外地会员说明自己请求的事由，认叨通过攀谈与帮会扯上关系以求得帮助，肘起、肘住竭尽全力地帮忙顶住，捡脚子出面帮忙收拾残局，鲊起给人以帮助。

袍哥话还有很大部分是有关帮会重要活动的：

出山会员升任大爷，嗨参加袍哥，有皮、有点点^②、在园参加了帮会，丢亥^③市盟誓，玩袍带、嗨皮有一定社会地位的上层人士参加哥老会，泡皮加入哥老会，通皮^④、点点红以加入哥老会为荣，保保举，恩恩准，做贤事各帮头目召开联席会议，插旗子在新的地方建立帮会的分支机构，坐堂帮会开会，攒堂开大会，堂子帮会中人聚会，爆堂子破坏帮会中人的聚会，镇堂子主持堂会。

恶行和司法惩戒次类也有相当数量：

串灶奸淫自家妇女，参灶与匪帮内同伙的妻子通奸，杀内场子使帮会内部成员受到伤害，花包袱破坏自己人的生意，卖暗中告密，出卖同伙，哑着点暗中埋藏着赃物，打背手私吞财物，剪骗骗吃食，越城翻墙外来的哥老会成员不经通报而直接闯入的违规行为，拉

---

① 服：也作"咐"。沙汀：《还乡记》〔文化生活出版社民国37年（1948）版，第154页〕："你们老人上咐过保甲没有？"
② 此指参加了帮会组织。反之则为"没有点点"。四川省政协文史资料委员会：《四川文史资料集粹》（第6卷，四川人民出版社1996年版，第586页）："我问过严老头和他的亲友，都没有点点（袍哥），假如占点点，拿出公口和全堂（舵把子、管事、三排）字样，可以少出钱领走。因为严老头是黄脚杆（没有点点的黄泥巴脚杆），索价两万银元，一个莫少。"
③ 亥：也作"海"。
④ 通皮：袍哥组织成员，也指与袍哥组织有联系的人。李劼人：《李劼人选集》（第1卷，四川人民出版社1980年版，第82页）："有力量的，还须要通皮，还须要有点势力，那才能把我们保护得住，安稳过下去。"原注："四川哥老会术语，通皮是和袍哥会门中人有交往，甚至就是会门中的人。皮指皮毛，代替袍哥的那个袍子。"

稀招供，抽底火①揭老底。

上述行为都是袍哥所不齿的。而袍哥内部的惩戒措施也是相当严厉的：

三刀六个眼命其当众自戕，吹灯（笼）剜眼睛，下丫枝、砍丫枝砍去手脚，抛了、毛了处死，扎膀子捆绑，抛灰抛下河，搁混子被袍哥组织除名。

其中未见教卫科研和迷信活动等次类隐语。

七、"现象与状态"类隐语

这一类数量不多，主要是"事态"次类和"境遇"次类隐语。

事态次类：

单线、拱窑、滚堂子一人，某家场赶得可以去某地方官所辖之地活动，得黄路有办法，得黄须进步有门路，整不住不能办事，整得住、搁得平能办事，风紧事急。

境遇次类：

带过有罪，栽岩摔跟头、倒霉，落马、泡了、泳了、端钵被捕，粲龙了被人当场识破，带彩受伤，天仓满了恶贯满盈，枝起受挫折，遇到阻力，碰壁，乌棒旗受到团伙

---

① 李劼人：《李劼人选集》（第1卷，四川人民出版社1980年版，第543~544页）："这是由于王壳子争了宠，抽他底火的老实话。所以他才刁主意一网打尽，而王壳子也才来一个在会府丢炸弹的诳报。你想嘛，连老葛都在生疑的事，哪能是真呢？"克非：《春潮急》（上海人民出版社1974年版，第1076页）："'哟！还想象去年上春一样，把供应粮剩下来，你好悄悄拿去卖黑市，放高利贷？没得那么安逸的果果糖！'——这简直是抽人的底火，亮人家的相。"罗清和：《方脑壳传奇》（伊犁人民出版社2000年版，第114页）："看得出，他是久跑江湖的老手，他这话是在暗示江湖上懂板眼的人，别乱抽抽底火。"唐枢，林皋：《蜀籁》（四川人民出版社1962年版，第179页）即收有"抽底火"一词。也说"抠底火"。四川省富顺县志编纂委员会：《富顺县志》（四川大学出版社1993年版，第670页）："抠底火，揭人之短。"也说"漏底火"。柯华等：《中国民间文学集成四川卷·成都市崇庆县卷》（内部资料本，1989年，第224页）："看告示的人中有个秀才，看出了他一字不识，还假装斯文，成心要漏他的底火。"

内部的责贬，摆豪闯下大祸，翻船罪行暴露，带汤[①]留下把柄，太平了生下孩子，对滚涨价一倍，两个对本利润为本金的两倍。

其中没有表情、始末、变化等次类隐语。

八、数字隐语和姓氏隐语

除上述各类之外，巴蜀汉语方言中还有数字隐语和姓氏隐语，以下略作分析。

（一）数字隐语

数字隐语的类型也不相同，每个行业都有自己单独的系统。巴蜀汉语方言数字隐语从"一"到"十"常见的有"普通数字隐语、行业数字隐语、手指数字隐语"三大类（见表4–4）。

表4–4　巴蜀汉语方言部分普通数字1～10隐语[②]

数字	隐语					
一	依苗苗草	腰	高	天	高	海	祥
	磕头作						
	王不干						

---

① 也指言语中有不妥当的地方。李劼人：《李劼人选集》（第2卷，四川人民出版社1980年版，第1521页）："植先的话带了汤。应当说是十七镇里全体四川官兵的公意。"自注："说话带汤是四川人常用的一句成语。意思是话言中有不妥的地方。"

② 表4–2、表4–3、表4–4据余云华、彭维金等：《重庆市志·民俗志》（西南师范大学出版社2009年版，第870页）；陆泽怀等：《德阳民俗》（内部资料本，1996年，第254～255页）；大邑县志编委会：《大邑县志》，四川人民出版社1992年版，第745页；四川省广安县志编纂委员会：《广安县志》，四川人民出版社1994年版，第754页；陈柏青等：《崇州民俗志》（方志出版社2011年版，第95～98页）及傅崇榘：《成都通览》，（下册，巴蜀书社1987年版，第42～49页）等编制。

续表一

数字	隐语						
一	大年初①	腰	高	天	高	海	祥
	路不拾						
	大家有②						
二	耳子草	坐	明	地	明	台	皮
	一心归						
	天不人						
	说一不						
	一心③管						
三	散钱花	立	韩	光	寒	斜	冒
	泥姑下						
	斗不竖						
	连二赶						
	接二连						
四	狮子头	歪	荇	时	舒	插	诗
	颠三倒						
	罗不歹						
	山盟海						

---

① 罗俊林、肖斧：《骗总爷》（四川人民出版社1980年版，第52~53页）："喜：大年初罗，大年初罗。幺：什么叫大年初？荷：他在展言子。大年初一，幺老爷打了他一下。幺：啊，挨打都在展言子。我还要打。喜：一星管罗，一星管罗。幺：什么叫一星管？荷：一星管二，你老人家打了他两下。他还是展的言子。幺：呵，还在展。我还要打。喜：臁二杆罗，臁二杆罗。幺：什么叫臁二杆？荷：臁二杆三，你老人家打了他三下了，他还是展的言子。幺：我怕你会展言子。我给你一个胡乱打。喜：张三李罗，姚期马罗，加官进罗，死人躲罗，龟子亡罗，天长地罗，火链火罗，火链火罗。幺：什么叫火链火？荷：火链火石，你老人家打了他十下，他完全都是展的言子。"句中有十个表示数字的以吊脚话形式出现的隐语："大年初"为"一"，"一星（秤杆上用作标记的星形符号）管"为"二"，"臁二杆"（胫骨，谐"连二赶"）为"三"，"张三李"为"四"，"姚期马"为"五"，"加官进"为"六"（谐"禄"），"死人躲"为"七"（俗传人刚死，每到一个七天，要受到阎王的严厉审讯，以辨其在阳间的善恶，并给予惩罚，故死者一般都要想法"躲七"），"龟子亡"（谐"王"）为"八"，"天长地"为"九"，"火链火"为"十"（谐"石"）。

② 隐去"益"（谐"一"）一词。

③ 心：也作"星"。

续表二

数字	隐语						
五	乌供养 / 初一十 / 吾不口 / 光眼骨 / 校场比 / 唱歌跳 / 纯其祖 / 魁手	甩	大	音	大	拐	对
六	留支皮 / 桃红柳 / 交不叉 / 坐吃俸 / 青红紫①	捞	雍	律	成	劳	劳
七	凄凉冈 / 桐油生 / 皂不白 / 死人撞 / 洞宾下 / 鹊桥会	桥	草	政	衣	条	造
八	巴地虎 / 乌龟王 / 分不刀 / 谈七谈 / 说七道 / 说七说	拉	梅	宝	寸	考	刀
九	舅普子 / 天长地 / 旭不日 / 高粱烤 / 满十少一	欠	湾	几	苟	烧	云
十	柿子圆 / 丰衣足 / 千不撇 / 拖衣落			重	丁	海十子	

---

① 此词为"绿"的吊脚话，在巴蜀大部分地区的汉语方言中，"绿"与"六"同音。

表4-5　巴蜀汉语方言部分行业数字1~10隐语[1]

地区名	行业名	数字1~10隐语名
成都	药材 茶叶行	音、色、春、水、岸、芸、里、池、千
成都	草帽 麻行	兵、文、菩、作、成、安、免、可、庆
成都	谷米 杂粮 过斗 六成行	定、眉、仓、梳、瓦、雍、灶、刀、龙台
成都	当铺 古董 玉器行	由、申、人、工、大、天、主、井、羊、非
成都	成衣 收荒行	干、元、春、罗、话、交、化、公、旭
成都	丝绵 绸缎 布帛 花行	许、欠、川、梳、上、高、皂、毛、丘
成都	小菜 青果 小生意行	流、断、言、溪、墓、闹、条、花、梢 启、拖、心、叉、潘、梭、才、耍、卧
成都	戏班 道士 端公 吹手 纸火行	姑、仪、刍、仔、蹶、傲、黑、爬、构
成都	院房娼妓行	腰、坐、立、歪、甩、捞、桥、拉、欠
成都	渔业行	条、边、撑、梳、妥、高、黑、毛、弯
成都	六畜行	海、抬、斜、插、拐、捞、条、搞、梢
成都	烟行	思、初、天、长、丑、夏、才、拍、梢
成都	银钱行	尤、代、貌、长、仁、耳、伯、令、王 幺、雁、苏、绍、丫、廖、俏、笨、绞、尔
成都	布匹 棉花 线子行	则、乃、心、梳、抹、高、抄、夯、丘
成都	理发行[2]	牛、月、汪、则、中、辰、星、张、崖、足
重庆江北区	菜帮	田、衣、寸、水、丁、木、才、共、巳、田 么、按、疏、枉、外、廖、俏、笨、绞、么
重庆江北区	百货帮	流、刀、汪、则、中、辰、星、张、亲、茶
重庆江北区	柳烟帮	合、时、堂、运、福、量、鼻、转、暂、驴
重庆江北区	屠业帮	杜、台、斜、茶、莫、劳、条、靠、烧、海
重庆江北区	牲牧帮	海、台、斜、茶、拐、荣、条、靠、烧、海
重庆江北区	糖业帮	丁不钩、天不人、王不杠、罗不维、吾不口、交不叉、皂不白、分不刀、旭不日、一
重庆江北区	米业帮	丁不钩、天不人、王不杠、罗不维、吾不口、交不叉、皂不白、分不刀、旭不日、不杠
重庆江北区		丝、粗、天、长、丑、煞、才、撇、俏、丝
长寿县	城关镇一带畜牧行	田、衣、寸、水、丁、木、才、共、成、红
长寿县	云集场一带畜牧市场	大不人、夫不人、王不立、罪不非、吾不口、交不叉、皂不白、分不刀、九不点、田不框

---

[1] 此类隐语巴蜀言志有载，如民国10年（1921）《合川县志·风俗》："市中小贩赶场，彼此各有隐语。仓卒闻之，不知何语。有'一高、二明、三寒、四书、五大、六雍、七草、八梅、九弯'。又有'一田、二伊、三寸、四水、五丁、六木、七才、八戈、九成'等类。彼此议价，不明言数目。"

[2] 郑蕴侠：《理发春秋》（《龙门阵》1991年第5期）："背剃头箱的发明了'罗祖帮'的通用隐语……如同行问你：'你今天搞个好多把头？'如答：'月中把'，即是二元五角。或答：'则的几。'即是四元多钱等。"

续表一

地区名	行业名	数字1~10隐语名
长寿县	洪湖场畜牧市场	逗、耳、太、查、拐、捞、条、敲、稍、满
	土布市场	一、丁、万、中、本、白、利、则、海、堂
		山、申、人、工、大、头、主、并、羊、非
	荒货	高、明、寒、书、大、川、差、上、是、金①
	交易业	田、巳、寸、水、金、木、才、共、成、停
	运输业	光、明、有、书、大、仇、田、寸、水、丁
	药材小贩	
内江	米粮帮	丝、粗、天、长、丑、财、撇、俏、丝
	米帮	十不杠、天不人、王不杠、罗不维、吾不口、交不叉、皂不白、分不刀、旭不日
	陈衣帮	么、按、蔬、拄、外［uai⁵³］、煞、财、笨、绞、么
	菜帮	么、按、蔬、拄、外［uai⁵³］、廖、俏、笨、绞、么
	青果帮	
	找扎帮	木、耳、散、丝、嘴、扭、屈、巴、九、木
	猪贩子	杜、台、斜、茶、莫、劳、条、靠［k'au⁵⁵］、烧
	百货匹头	流、月、汪、则、中、神、兴、张、爱、菊
	江湖	
	夏布业	兵、文、善、作、成、安、免、阔、庆、兵
	糖帮	丁不钩、天不人、王不杠、罗不维、吾不口、交不叉、皂不白、分不刀、旭不日
	牛贩子	海、台、斜、茶、拐、劳、条、靠［k'au⁵⁵］、烧
	棉烟帮	合、时、尝、运、福、量、鼻、转、辐、驴
宜宾地区	小商小贩	木兀儿、耳边儿、陕兴儿、狮头儿、嘴子、蹓子安、欺头儿、巴山儿、纠头儿、满钱（梗子）
	收荒匠	姑江、离江、中江、子江、许江、雍江、草江、巴江、弯江、勾江
	估衣业	
	医卜	牛、药、汪、则、中、神、仙、张、爱、足
	星相	
	叶烟行	师、初、天、长、丑、下、财、丕、翘
	猪牛贩	收、台、协、插、拐、捞、条、靠、梢
	药材行	音、色、春、水、岸、云、里、尺、天
	麻布行	兵、文、善、作、成、安、免、阔、庆
广汉地区	百货	流、月、汪、则、中、神、兴、张、爱、足
	布匹行	
	成衣行	么、按、书、杠、外、杀、财、笨、纹

---

① 旧时重庆估衣业这十个数字隐语为"高、明、寒、舒、大、成、衣、寸、苟、丁"。成都俗语云："高明寒舒大，饿死校场坝。"

续表二

地区名	行业名	数字1~10隐语名		
广汉地区	当铺行	由、生、人、工、大、天、王、井、羊、非		
	蔬菜行	尖、么、展、非、云、天、线、雷、足		
	收荒行	么、按、书、少、外、廖、俏、笨、纹		
	粮食行	丝、粗、天、长、丑、杀、财、散、俏		
中江县	百货行	外、月、汪、则、宗、神、星、章、艾、足		
青川县平武县	畜牧市场	海、台、邪、擦、拐、牢、挑、敲、烧		
	杂货行	刘、叶、汪、泽、中、神、仙、张、爱、菊		
灌县	蔬菜行	尖、腰、斩、飞、银、摇、桥、高、烧		
	川芎药材行	思、初、天、长、丑、霞、财、劈、乔		
	烟行	乌、银、仲、止、取、雍、黑、爬、泥		
	贩卖行	贩牛	么、暗、书、少、歪、撩、乔、奔、绞、鸡（齐）	
		贩猪牛	止脚、工空、横川、西尾、瞎丑、断六、皂脚、入开、龙台、田心	
		贩马猪牛	咬、肝、爪、茶、磨、劳、条、敲、烧、海	
	小菜行	尖、书、么、长、九、下、心、匹、纳、求		
	粮油行	定、眉、昌、书、瓦、雍、皂、刀、龙台		
威远县	饮食行	大年初（丢心落）、一心管（说一不）、大审苏（连二赶）、心中有、校场比、石板面、挨打受、乌龟王、天长地、一老一		
乐至县	饮食行	大年初（小生落难、单走）、一心管、大审苏（接二连）、和尚归（茶房酒）、满盘对、许田射（穿红着）、如胶似、逼七迈、天长地（满盘扣一）、满盘（一老一）		
什邡地区	谷米杂粮行	钟、眉、昌、书、开、雍、照、刀、光、台		
	叶烟行	师、粗、天、长、火、下、简、冂、少		
		司、稻、添、长、卫、夏、财、丕、翅		
	毛猪行	收、抬、匠、茶、拐、楼、条、烤、烧		
	小菜行	尖、么、斩、飞、银、天、限、来、足		
巴中市	一般商业交易	流、月、汪、杂、中、神、心、张、爱、足		
		软、抬、契、插、拐、劳、条、敲、梢、海		
		扁担、双数、困川、横木、缺丑、断大、歪十、双燕、长寿、直耿		
	猪牛行	么、双、山、四、月手、鸭公头、楞楞数、岔口数、驼背数、小梗数		
开江县		么、双、山、四、月手、鸭公头、楞楞数、岔口数、驼背数、小冕数		
		扁担、缺工、横川、横目、缺丑、断大、歪十、双燕、长寿、逢卮		
崇州地区	蔬菜行	尖、么、展、飞、银、天、钱、来、毫、足		
	筅筅行	么、按、书、绍、至、辽、桥、奔、绞、齐		
	估衣行	么、按、书、绍、至、召、撬、笨、绞、齐		
	油米行	棒子、挖空、横川、不回、瞎丑、担担、毛尾、入开、未九		

就一般行业而言，"天"代表数字"一"，"地"代表数字"二"，"光"代表数字"三"，"时"代表数字"四"，"音"代表数字"五"，"律"代表数字"六"，"政"代表数字"七"，"宝"代表数字"八"，"畿"代表数字"九"，"重"代表数字"十"，其原因分别是"天"最大，"地"为二，"光"指日、月、星三光，"时"指春、夏、秋、冬四季，"音"指宫、商、角、徵、羽五音，"律"指黄钟、太簇、姑洗、蕤宾、夷则、无射六音律，"政"指日、月、水、火、木、金、土七个星辰，"宝"指景天科、蝎子草等"八宝"[①]，"畿"指先秦时的行政区划"侯、甸、男、采、卫、蛮、夷、镇、藩"，"重"寓"重复"之意，即"一"的重复数字，"九"加"一"为"十"。[②]

表4-6　崇州地区汉语方言猪牛行0～99数字隐语

0	1	2	3	4	5	6	7	8	9
树	收	台	霞	茶	拐	劳	条	敲	烧
10	11	12	13	14	15	16	17	18	19
收树	重收	收台	收霞	收茶	收拐	收劳	收条	收敲	收烧
20	21	22	23	24	25	26	27	28	29
台树	台收	重台	台霞	台茶	台拐	台劳	台条	台敲	台烧
30	31	32	33	34	35	36	37	38	39
霞树	霞收	霞台	重霞	霞茶	霞拐	霞劳	霞条	霞敲	霞烧
40	41	42	43	44	45	46	47	48	49
茶树	茶收	茶台	茶霞	重茶	茶拐	茶劳	茶条	茶敲	茶烧
50	51	52	53	54	55	56	57	58	59
拐树	拐收	拐台	拐霞	重拐	拐茶	拐劳	拐条	拐敲	拐烧
60	61	62	63	64	65	66	67	68	69
劳树	劳收	劳台	劳霞	劳茶	劳拐	重劳	劳条	劳敲	劳烧
70	71	72	73	74	75	76	77	78	79
条树	条收	条台	条霞	条茶	条拐	条劳	重条	条敲	条烧
80	81	82	83	84	85	86	87	88	89
敲树	敲收	敲台	敲霞	敲茶	敲拐	敲劳	敲条	重敲	敲烧
90	91	92	93	94	95	96	97	98	99
烧树	烧收	烧台	烧霞	烧茶	烧拐	烧劳	烧条	烧敲	重烧

---

① 八宝：也为天子八种印玺的总称。参见罗竹风等《汉语大词典》第2卷，汉语大词典出版社1988年版，第23页。

② 参见傅亚光《旧时商业隐语》，载《龙门阵》1994年第2期。

一般而言，大宗交易涉及商业秘密，故旧时巴蜀生意人多穿长袍大褂，买卖双方一般以"捏指拇儿"①的形式讨价还价。一般有两种捏法：一是在袖筒子里捏，一是在长衫、衣襟或围腰下摆的遮挡下捏。这些隐语请看表4-7。

表4-7　巴蜀汉语方言部分行业"捏指拇儿"议价隐语

崇州地区	1	2	3	4	5	6	7	8	9	10
	直竖食指	直竖食指和中指	直竖食指、中指、无名指	直竖食指、中指、无名指、小指	五指全直竖	直竖拇指	单屈小指	直竖拇指与食指，其余三指紧屈	单屈食指	
巴中地区	捏食指	捏食指和中指	捏食指、中指、无名指	捏食指、中指、无名指、小指	捏五个指头	捏拇指	捏手心	捏拇指和食指	捏屈食指	捏食指

上述隐语，在巴蜀文学作品中有生动描写：

于此，足以证明我们的四川人，尤其是川西坝中的人，尤其是川西坝中的乡下人，他们在声音中，是绝对没有秘密的。他们习惯了要大声说话，他们的耳膜，一定比别的人厚。所以他们不能够说出不为第三个人听见的悄悄话，所以，你到市上去，看他们要讲秘密话时，并不在口头，而在大袖笼着的指头上讲。也有在口头上讲的，但对于数目字与名词，却另有一种代替的术语，你不是这一行中的人，是全听不懂的。②

老汉不答话，将还没完全卷好的烟卡在耳朵上，然后双手伸到那有点象旗袍的长衫下，拱起送到李克面前，勾了勾眼睛。李克明白是要他象旧社会做生意那样用手捏价钱。③

曾管事象发了火，陡地起身，霍地甩出长袍右袖，手却缩进了袖筒，袖

---

① 捏指拇儿：也说"摸指拇儿、摸手、打手语、打袖箭、袖内吞金"。而旧时巴蜀人将放在长袖中的礼物称为"袖子礼"。盐源县文化馆：《盐源县民间文学资料集》〔第1分册（内部资料本），1988年，第146页〕："打一场官司，不管你有没得理，先要挨一个银子的'袖子礼'。"参见刘希权《话说汉州"斗行"》，载《龙门阵》1994年第3期；李苏《安乐寺鬼蜮》，载《龙门阵》1986年第1期；四川省广安县志编纂委员会《广安县志》，四川人民出版社1994年版，第753~754页。
② 李劼人：《李劼人选集》，第1卷，四川人民出版社1980年版，第71页。
③ 克非：《春潮急》（上册），上海人民出版社1974年版，第15页。

口空荡荡地直晃:"干不干,就是这个!"胡团长走上去,把右手伸进那个袖筒。陈兴泰明白,这是用手指谈买卖。〔钟冲:《英雄崛起,啼笑皆非——饭铺掌柜陈兴泰奇遇》(《龙门阵》1983年第3辑)〕

他慈祥地笑笑:"你能够分辨词曲,算是有点小聪明;我这谜语一共是10个字,你回去慢慢地猜吧,三天之内告诉我。"

那两首曲儿是这样的:

下楼来,金钱卜落;问苍天,人在何方?恨王孙,一直去了;詈冤家,言去难留;悔当初,吾错失口。有上交,无下交,皂白何须问,分开不用刀。从今莫把仇人靠,千里相思一撇消。

第二首是:

下山去卜卦,天已晚,何处有人家?玉人儿全无一点直心话,欲罢无能;吾口哑;论交情却也不差。到而今皂白不明,分离情一刀割下。抛却奴手软力乏。细思量,口与心儿皆是假。

我冥思苦想,足足猜了三天,才知道这两首曲的谜底都是一、二、三、四、五、六、七、八、九、十,我像破译了一份高级密码。〔铁波乐:《利群茶馆话沧桑》(《龙门阵》1991年第3期)〕

在巴蜀地区,大宗买卖议价活动,主要使用隐语进行,以免他人抢生意或抬价、压价。① 后产生"袖筒子里头的生意"一词,喻指"暗箱操作的事情":

曾俊臣找到川盐银行经理石竹轩、大烟犯李茂卿做明股,甘绩镛、李春江二人做他袖筒子里头的暗股,集资三十万元。②

此外,数字隐语中还有"母猪屙屎""公狗屙尿"之类,应分别指"四吊一"和"三吊一",则需联系该词的文化含义,才能加以解读。③

---

① 参见张思重《商业隐语骗局多》,载《龙门阵》1990年第6期。
② 木公:《鸦片大王曾俊臣》,《龙门阵》1989年第6期。
③ "四吊一"和"三吊一"应该分别指母猪屙屎(用四只脚)和公狗屙尿(用三只脚)的形状。参见湛泉中等《中国民间文学集成·四川省云阳县卷》(内部资料本),1990年,第204~205页。

（二）姓氏隐语

巴蜀汉语方言姓氏隐语非常丰富，俗传是因为"从前绿林豪杰，犯了法，防止被官府逮捕，故意以谐音字来隐姓埋名"。① 在平昌县有《长弓十八子》的传说：

从前，有两个秀才一路去赶考。一天晚上，歇在一个客店里，老板娘问："二位贵姓？"这两位秀才为了显示自己有才，一个秀才答道："长弓十八子。"老板娘随口说道："张、李二位客官请住楼上。"这两个秀才听了老板娘的话后，十分佩服，于是问道："大嫂真不简单，请问贵姓？"老板娘答道："我有己［巳］点。"

两个秀才听了，感到莫名其妙，当晚睡觉，就在肚皮上划［画］来划［画］去，总划不出来是个什么字，直到天亮的时候才听见有人喊："巴大嫂，我们走了！"这时两个秀才才明白"我有己点"原来是个巴字，于是就在店家的门上写道："昨夜为你巴大嫂，把我肚皮都画穿。"②

重庆等地有《老大娘巧难篾匠》的传说：

一天，两个又走到一家，遇到一个老大娘。篾匠问老大娘有活路做没得，老大娘问他们姓啥子。两个篾匠为了卖弄一下精灵，就说："我们姓弯弓十八子。"老大娘说："呵，你们一个姓张，一个姓李，对不对？"篾匠说对，反问老大娘姓啥子。老大娘说："只要你俩［两］个把我的姓猜出来，凡是我屋头需要的篾货，都请你们做。"篾匠请老大娘说，老大娘就说："我姓楼上三十三，楼下三十三，三七二十一，七六一十三。"

这一下，就把篾匠难倒了。两个从上午一直想到下午，都没有猜出来。想走，又怕别人笑，连个姓都猜不出来；不走，天都要黑了，到那［哪］里去吃饭和住宿呵？正在这进退两难的时候，忽见来了一个小姑娘，拿了一根竹篙来点火，嘴里喊："白大娘，我来点个火咧。"这一下，两个篾匠才明白了，这

---

① 参见龙在天《旧日蜀中多怪事》，载《龙门阵》1981年第4期。
② 陈永久等：《平昌县民间故事资料集成》（内部资料本），1987年，第303页。另参见湛泉中等《中国民间文学集成·四川省云阳县卷》（内部资料本），1990年，第204~205页。

楼上三十三，楼下三十三，三七二十一，七六一十三，几个数字加起来，刚刚是整数一百！两个篾匠从此以后就不再卖弄聪明了。①

巴蜀姓氏隐语一般带有词缀语素。一类是以前缀"老"构成的姓氏隐语（见表4-8）。

表4-8　巴蜀汉语方言部分姓氏隐语

姓氏隐语	姓氏	姓氏隐语	姓氏	姓氏隐语	姓氏
老辣	姜／江	老滚	袁	老排／老桓／老横	王
老淡	韩	老糯	詹	老掉	左
老垒	吕	老且	祖	老磨	喻
老硬／老九／老坎	石	老咸［xan²¹］／老抹／老涂	颜	老喜／老红②／喜大爷／红先生	梅
老臭／老是	文	老甜／老蜜	唐／韩	老烟／地龙	邱
老焦	胡	老粉	白	老烟／老蔫／老浮	陈／成／程／承
老可	何	老弯／弯鼻子／老对／老方③	向	老歪／老偏	郑
老廉／老筛／老抗	赵	老跑	马	老妣／老昏／老肿／老金	黄
老咩	杨／扬／阳／羊	老踩	倪	老混	孟
老跳／老长／弓长十八子／长弓十八子④	张／章	老响	罗	老撞	钟
老弯／老弓／老弹	龚	老吹／老肿	肖／萧	老抓	猴
老甩／老丢	廖	老苦／老坎／老甜	田	老晚	孙
老沙	周／邹	老口／老哈／老有⑤	吴⑥	老瓮	谭

---

① 王觉等：《中国民间故事集成·重庆市卷》（下卷），科学技术文献出版社重庆分社1990年版，第478～479页。
② 红：也作"洪"。
③ 成都等地习俗，若正月初一，与历书上载明之太岁同姓的人见面和谈话，称"犯太岁"，故忌说太岁之姓，如甲申年，则此日忌讳与方姓人见面和说话。
④ 讳"脏"。
⑤ 讳"无"。
⑥ 荣昌县等地俗传因伏羲兄妹将所生孩子切成小块，挂在李树上的姓李，挂在棕树上的姓钟……最后剩下的一块没地方挂的就姓吴。参见罗民华等《中国民间故事集成·重庆市荣昌县卷》（内部资料本），1988年，第3～4页。关于伏羲兄妹造人烟以及百家姓的来历，参见吕峰等《中国民间文学集成·四川省西充县资料卷》（内部资料本），1987年，第3～5页。

续表

姓氏隐语	姓氏	姓氏隐语	姓氏	姓氏隐语	姓氏
老煨/老威	邓	老摆/摆尾子①	于/余	老花	谢
老梭	畲/佘	老抛	卿/青	老舍/老推	宋
老淋	汤	老瓢	叶	老涧	曹
老到	达	老涮	林	老脆	苏
老配	许	老皮	杜	老垮	皮
老右	左	老打/老吼/老炸	雷	老猫/老雌/老抓/老威	熊
老嗡	文	老拈	蔡	老是	庄
老问	沈	老筛	康	老硬	刚
老惩	易	老斗	丁	老撇	段
老仆	幸	老比	伍	老晒	秦
老寡	辜	老甜	唐	老笨	牛
老抄	黎	老染	麦	老光	赖
老裹	包	老浪/老挡	蒋	老扯	金
老扳	曾	老拱/老甩/老肥	猪/朱/诸	老捐/老圆/老圈	彭
老气	聂	老传	傅/付	老救/老补	冯
老瓦	姚	老塔	印/应	老用	钱
老飞	毛/郑	老寡	辜	老光	赖
老裹	包	老耍	龙	老悬	高
老熏	鄢	老猫	虎		

另一类是带"子、巴、已"或"里"的姓氏隐语（见表4-9）。

表4-9 巴蜀汉语方言部分姓氏隐语

姓氏隐语	姓氏	姓氏隐语	姓氏	姓氏隐语	姓氏
草头子	蒋	撑肚子	魏	扳弓子	张
望乡子	楼	两截子	段	大摸子	傅
双梢子	林	捣米子	褚	横行子	谢
大沟子	江	四方子	郑	大架子	祁
沟子	何	双口子	吕	义码子	郭
吹户里	萧	拱河里	姚	顶宫里	朱

---

① 巴蜀人忌直呼人姓，"老摆""摆尾子"借鱼摆尾的特点，作为"余、于"的姓氏隐语。李劫人：《李劫人选集》（第4卷，四川人民出版社1984年版，第295~296页）："住军队也没有多大的意思，不如绕到永川大'老摆'那里去入伙！"编者注："老摆，四川方言，姓余呼为'老摆'，'余'与'鱼'同音，而鱼又俗称'摆尾子'。"

续表

姓氏隐语	姓 氏	姓氏隐语	姓 氏	姓氏隐语	姓 氏
酵户里	阎	淹户里/漂码子	陈	围河里	金
匡巴	周	平巴/横伙巳	王	喉巴/冰天子	韩
抄巴/抄手子/十八子	李	千斤子	陈	围伙巳	金
响码子	罗	骚码子	杨/阳/羊	晒码子	易
撇码子	彭	九二马子	刘	马带铃	冯
双飘带	徐	马到成	龚	槐花子	黄
现水子	钱	十冬腊月	冷	四脚子	马
沙伙子	周/邹	老炎子/烟火子	陈/成/承/程①		

上表可见，有时一个姓不止一种隐语，一种隐语也不止表示一个姓。此外，巴蜀姓氏隐语还有诸多表现形式（见表4–10）。

表4–10　巴蜀汉语方言部分姓氏隐语

姓氏隐语	姓 氏	姓氏隐语	姓 氏
啃草子/老咩	羊	甜头子/老蜜	唐
末撇子/拱嘴子/老推	宋	顺水子/老漂/老顺/清鼻子/九二码子	刘
抄巴/抄手子/紫河里/老乱/十八子/子码子	李	干捞带/老晒/老炕/二十一田八	黄
灯笼子/亮户里/老廉	赵	老晚/晚辈子/跟头子	孙
匡巴/匡吉子/沙河里	周/邹	口天子/张口巴	吴
平巴/虎头子/横户里/横伙巳/横川	王	千金子/漂码子/淹户里/淹河里/老淹/老炎(子)/老浮/老漂	陈/成/承/程
白沙子/海水子/酵户里	阎/严	顶浪子/摆河里	于/余/俞
大滑子/浮水子	尤/游	喉巴/冰天子	韩
震天子/震耳子	雷	跳户里/弯弓里	张/章
老喜/喜大爷	侯/孟/史②	财源茂	盛
老喜/老红/喜大爷	梅	百个百	万

巴蜀民间故事还常将姓氏隐语等串在对话中，以考验听话人的智力：

来板儿说："要得。您贵姓？"柳先生说："我叫'救救姓'。"来板儿又问："您家住哪儿？我么哩时候上贵府拿钱喃？"柳先生唱道："我家左

---

① 这四个姓氏也可分别称为"包耳""跷脚""烂颈项""禾口"。
② 史姓：也称"老活"，讳"死"。

边一根'千层树',右边一块'啃石头',三步两道桥,吵吵闹闹一家人。待到月圆时来拿钱。"……他女人说:"你真是个书呆子,'救救姓'也就是说他姓柳;左边一根'千层树',意思是说有一根棕树;'右边一块啃石头',是说有一个碾米的磨子;'三步两道桥',是说他家门口有几步石梯子,下去有一个池塘;'吵吵闹闹一家人',就是说他是一位教书先生。十五的时候月亮才会圆,叫你去十五去拿钱。"(《中国民间文学三套集成·巫山县故事集》,第370~371页)

丈夫说:"他只说过'我姓拉长弓,比人早出世,住处闹哄哄,对门背背弓'。"妻子一听,哈哈大笑,说:"人家说得明白,他姓张,是教书先生,住在学堂头,对门是弹棉花的。"(《中国民间文学集成·四川成都市蒲江县卷》,第82页)

你要问我在哪里坐呢,那点叫扯紧又放松;要问我姓啥子呢,刮凌又吹风;你想收马钱呢,就在腊月终。……扯紧放松,一定是船上的人。刮凌又吹风,肯定姓冷。收钱要在腊月终,那是腊月三十夜。(《武隆县民间文学集成》,第141页)

我姓十冬腊月,家住东南西北。……他早早来到十字路口喊冷大哥。(《中国民间文学集成·四川省云阳县卷》,第200页)

一进东门一股风是冷嘛,门前一个大饶弓是开的染房嘛,刀刀树就是皂角树嘛,磕头春是碓窝嘛,隔壁一窝大土蜂是挨到他家有个学堂嘛。(《中国民间文学集成·四川奉节县卷》上册,第319页)

一个说:"我的姓是土上倒土。"一个说:"我的姓比你多两壁墙。"另一个接着说:"我的姓在你头上生秧,脚下生根。"这下,三个秀才明白了各自的姓:王、田、申。(《中国民间文学集成·四川奉节县卷》上册,第441页)

他家很穷,穷得来连谷草也没有一根,篾片子没有一皮[匹];长衫子剪杵把子,杵把子剪短袖子,短袖子剪褂子;头戴日月,脚穿爹妈做的鞋;连婆娘都没有娶到。(《中国民间文学集成·四川成都市蒲江县卷》,第236页)

来人问:"你爹呢?"他答:"我爹,肩挑日月街前转。"来人又问:"你妈呢?"他答:"我妈,手掌乾坤夜不停。"(《中国民间文学集成·四川成都市蒲江县卷》,第92页)

倒数第二则故事中的"日月"指光脑袋,"爹妈做的鞋",指赤脚;最后一则故事中的"日月",指挑豆腐的簸箕,而"乾坤"则喻磨子,上扇为"乾",下扇为"坤"。

此外,巴蜀人还将说一种特殊隐语称为"展言子①、说吊脚话②、翻蛮话"或"藏鱼尾"。其特点是只说出多字成语、俗语、书名等前面若干字,而落脚在最后没有说出的那个字,该字又往往可以谐多个音或义:

今天倒了霉,又把老本赔。哎哟,我无根发这一向赌钱不对头,贼娃子进书房摸到就是书(输)。那天没得钱捞梢,找到大老表,扯了个谎,把表嫂的圈子哄过手来,拿到这支猴儿跳(圈),我就拿去漂流浪(当),当了一点九里三分(钱),跑去压二龙抢(宝),只说马踏五(赢),谁知桂姐修(输),回去见了黎山老(母),手执鱼鼓简(板),先打悬起屁(股),又拿龙头拐(杖),独站鳌(占鳌)(头)高上打起柳林丢(包),眼睛后头流出来鼻脓口(水),这阵摸倒都还有点丝瓜牵(疼)。(《骗总爷》,第56页)

你才晓得我挨了呀!……可怜我高抬贵(手)险遭吊断,十二元(觉,谐"脚")打得来行路艰难,独站敖(占鳌)(头)打起了洞洞眼眼,黄龙缠(腰)打得来血迹斑斑!(《川剧传统剧目集成·推陈出新代表作剧目》卷二,第265~266页)

为起点黄金绀③,拉几条瞎子算④。小子见过丞相。⑤

---

① 也指说一般的谚语、歇后语。李劼人:《李劼人选集》(第2卷,四川人民出版社1980年版,第1324页):"嘿,嘿,倒会挖苦你老子!可是展言子又展错了,人家讲的是,公说公有理,婆说婆有理,哪里是东呀西的?"兴文县民间故事《展言子》〔四川省兴文县民间文学集成办公室:《中国民间文学三套集成·四川省兴文县卷》(内部资料本),1989年,第343页〕:"祝寿的亲友来了,孩子出来迎接客人就说:'亲戚邻(居),三朋四(友),今天是我爹的牛马出(生),备有庖有肥(肉),要招待你们吃杯黄昏玉(酒)。'"
② 南川等地另有吊脚诗。参见四川省南川县文化局、南川县民间文学三套集成编委会《中国民间文学三套集成·四川省南川县资料集》(内部资料本),1987年,第282~283页。
③ 黄金绀:也说"黄金干(色)、黄金杠(色)"。此处为"色"的吊脚话。卢盛祥等:《中国民间文学集成四川卷·成都市东城区卷》(内部资料本,1989年,第175页):"只见这儿到处都长着黄金干色的竹子,竹林中间有座庙子。"
④ 瞎子算:"命"的吊脚话。
⑤ 李致等:《川剧传统剧目集成·历史演义剧目·三国戏》卷二,四川人民出版社2011年版,第155页。

华蓥市流传的吊脚话：

那人的独占熬①（头），打起了添人进（口），流了点李狗屙（血），要是吹了八面威（风），定会抛粮下（种谐肿），他的黎山老（母），牵着猴子盘（儿），抱起龙子龙（孙），回到白（百）年成（家）。你戏他的家中贤（妻），他要你的瞎子算（命）。②

屏山县民间故事《拖衣落实③》：

叫鸡怕一（挨一刀），结巴郎怕二（说不清楚"二"字），老婆婆怕三（山），有钱人怕四（事），小姑娘怕五（武），屠夫怕六（烙），亡人怕七（七煞），烟锅粑④怕八（叭），烂衣裳怕九（揪）。⑤

……

远看是我家有贤（妻），背上背个猴子盘（儿），手里提点良浆水（饭），拿来叫我抓拿骗（吃），吃它一个二龙抢（宝谐饱），还是只等贪生

---

① 熬：应作"鳌"。
② 四川省华蓥市志编纂委员会：《华蓥市志》，四川人民出版社1995年版，第734页。
③ 实：应作"食"。
④ 烟锅粑：烟头。"粑"应作"巴"。"锅巴"本指焖饭时紧贴着锅焦了的那一层，成都人用以比喻烟抽完后剩下的部分。克非：《春潮急》（上海人民出版社1974年版，第70页）："李春山却不慌不忙，烟杆儿伸到抱鸡母棉鞋的底子上，轻轻敲掉烟锅巴，甩一甩，摔出竹管里的口水和烟油。"陈浩东等：《成都民间文学集成》（四川人民出版社1991年版，第205页）："包帕子的从身上取出夹子，轻轻个儿把烟锅巴夹出来，摸出绸帕子来揩。"也说"烟屁股"。因动物"屁股"多在末端部分，故引申为末端。克非：《春潮急》（上海人民出版社1974年版，第1042页）："王三哈哈搔搔松包脸，见桌上有个烟屁股，顺手捡过来嘘啦嘘啦吸着。"成都谚语："早晨一个烃屁股，当吃一个肥鸡母。"唐枢、林枭：《蜀籁》（四川人民出版社1962年版，第198页）："捡烟锅巴带择煤炭花，开的是双间铺子。"也说"烟蜂子"。宋发清：《扭曲与复归——文革中的操哥现象》（成都出版社1992年版，第52页）："一杆烟抽后的余段叫'烟锅巴'，其中短的叫'烟屁股'，长的叫'烟蜂子'。"
⑤ 杨定芳等：《中国民间文学三套集成·四川屏山县卷》（内部资料本），1987年，第187页。南溪县民间故事《笑话"九怕"》〔王代炳等：《中国民间文学集成·南溪县卷》（内部资料本），1988年，第484页〕："鸡怕一（刘），哑巴怕说二，风怕三（山），有钱人怕四（事），女人怕五（捂），屠夫怕六（绿），亡人怕七，烟锅巴怕八（叭），抹桌帕怕九（绞）。"

怕（死）。……你早点说我拖衣落（食谐十），我还不得受这个罪呢。①

合江县民间故事《李麻子的"言子"》：

这时有个过路人从那里经过，李麻子就喊起来了："喂，对面那个'路上行（人）'，请你捡块'飞沙走（石）'，赶一下那条'乌妈照（狗）'，免得它来咬我的'一年到（头）'。"②

什邡县民间故事《攒③言子》：

先煮几个"张公打（蛋）"来打尖，再买一斤"天长地（久谐酒）"，割两斤"张飞卖（肉）"，房子上炕得有"丈大丈（长谐肠）"。……"杀人放——（火）喃？""在背时倒——（灶）上！""是不是死儿绝——（女）拿了？""你去问猴子盘——（儿）嘛！"④

江安县民间故事《卖酒掺水》：

店主问妻子："扬子江中意如何？"妻答："北方壬癸已调和。"买酒人听说，转身走向对门，说："有钱不买金生丽。"店主追出店门，指对门酒店说："对门青山绿更多。"⑤

---

① 参见屏山县文化馆《中国民间文学三套集成·四川省屏山县卷》（内部资料本），1987年，第186~188页。
② 参见四川省合江县民间文学集成编委会《中国民间文学集成·合江县资料集》（内部资料本），1988年，第304~305页。
③ 攒：据王文虎、张一舟、周家筠《四川方言词典》（四川人民出版社1987年版，第452~453页），应作"㩒"。
④ 参见什邡县民间文学三套集成编委会《中国民间文学集成·什邡县资料集》1988年，第177页。
⑤ 参见江安县志编纂委员会《江安县志》，方志出版社1998年版，第808页。此段话中"扬子江中意"也可说"金木水火土事"，"北方壬癸"也可说"扬子江中"，"金生丽"也可说"拖泥带"，"对门"也可说"别处"。参见张思重《商业隐语骗局多》，载《龙门阵》1990年第6期。

上述最后一则故事句句用吊脚话，隐去了"水"。下表列出巴蜀汉语方言中的部分吊脚话（见表4-11）：

表4-11　巴蜀汉语方言部分吊脚话[①]

谜面	谜底	谜面	谜底	谜面	谜底	谜面	谜底
太师烹／话不投／太子登／王婆骂／时迁偷	机／基／鸡	杯杯装／太白醉	酒	邦有道／劳其筋／莫我肯[②]	骨	说一不／一心管	二
薛刚反／蜂包屎	唐／糖	连中三／合家团	圆	刮骨熬／观其所	油	阳世三[③]	监
死儿绝	女	比干挖	心	巴心巴	肝	慈不弄	冬
连二赶	三	猴子盘	儿	颠三倒	四	五百蛮	雷
支脚舞	手	二不挂	五	撞钟擂	鼓	挤眉眨	眼
光眼骨	六／碌	禄位高	升	黎山老	母	亡人撞	七
杀人放	火	燕子含	泥	说七说	八	棒棒烟	杆／干
十三太	保	天长地	久／九	庖有肥	肉	栽筋跶	斗
瞎子算	命／事	拖衣落	食／十	安安送	米	一年到	头
富贵有	鱼	魁星点	斗	玉石栏	干	雷贺梅	汤
架火发	烧	盖露名	烟	正月采	茶	净皮刮	蛋
胭脂水	粉	牛头马	面	渔鼓简	板	分销饮	盐
刘海砍	柴	毛焦火	辣／椒	大年初	一	家有贤	妻
鼻脓口	水	玉麦馍	摩	于汤有	光	足模手	印
酒色财	气	四喜发	财	喜里撒	钱	为国亡	枷
一刀两	断	福禄寿	喜	玉石嘴	贼	足镣手	肘
世龙抢	伞	弓腰驼	背	四马全	蹄	哑口无	言
倒挂金	钩／沟	万丈深	渊				

---

① 参见傅崇榘《成都通览》（下册），巴蜀书社1987年版，第23页。
② 莫我肯：骨头。实为《诗经·魏风·硕鼠》"莫我肯顾"之省语。"肯"谐"啃"，"顾"谐"骨"。
③ 此隐去"间"，谐"监"。成都习俗，阳宅一般修为"一进三间"，称为"长三间"，故谚语说"只要肯在衙门口旋，终究要坐几天阳世三"。

吊脚话在巴蜀汉语方言姓氏隐语中，使用非常普遍（见表4-12）。

表4-12　巴蜀汉语方言部分姓氏隐语

吊脚话	姓氏	吊脚话	姓氏	吊脚话	姓氏
儒林外/猫儿盖/星宿儿屙	史	今古奇	关/官	万古长	青/卿
高头大/千军万	马	二八提	蓝/兰	一笔勾	萧/肖
正南齐/一清二	白/柏	巴心巴	甘	习以为	常
花尔古/杂尔古	董	一刀两	段	马到成	龚
卖劝世①/千古奇	文/闻	四面八	方	一箭双	习
麻婆豆/九牛二	虎②	一年四	季	一呼百	应/印
飞沙走/老打老/一老一	石	鬼画桃/不亦乐	胡	人多为	王
太子登/儿孙满	唐	刘海戏	钱	万贯家	柴
金殿装/扯地皮/一路顺	封/丰	不对子/二不挂	伍/武	小巧玲	龙/农
千秋万/子孙万	戴/代	砍樵摆	杜	莫名其	缪/妙
跩[tsuai⁵⁵]瞎打	遂/税	糊里糊	涂	黎山老	母
四十八/方天化/万事大	节/戬/吉	两面焦/天地玄	黄/皇	大张旗/紧绷两张皮	古③
力争上	尤/游	打惊打	章/张	人心所	向
一本正	金/经	万紫千	洪	三亲六	戚/漆
细水常	刘	泥巴拉	沙	分久必	何
评雪辨	宗/钟	改容战	付/傅	别洞观	景
东周列	郭	林海雪	袁	安安送	米

有的姓氏隐语则以比喻、谐音、拆字等手法构成：

西土瓦——甄姓。"甄"字可拆为"西、土、瓦"三字。

木子先生——李姓。"李"字可拆为"木子"。

秤砣落水——陈姓、程姓④、成姓、承姓。"陈""程""成""承""沉"

---

① 本指出售劝人行善做好事和立身处世的《劝世文》。晨曦：《旧上海的川帮元老"姜善人"》（《龙门阵》1987年第1期）："姜蓉生为人热心，极爱帮忙，且见人就卖'劝世文'，叫人多做好事，不要带过。"
② 巴蜀人因避讳改读为"猫"。
③ 因"鼓"的两端一般会绷皮类，故名。云阳等地流传《紧绷两张皮》的民间故事。参见湛泉中等《中国民间文学集成·四川省云阳县卷》（内部资料本），1990年，第204~205页。
④ 南川县等地俗传"禾口程"与"包东陈"为一姓。参见南川县民间文学三集成编委会《中国民间文学三套集成·四川省南川县资料集》（内部资料本），1987年，第397~398页。

同音，讳"沉"，因秤砣入水会沉。

帽儿头①、老米干——范谐饭姓。

背时②倒——赵谐灶姓。

巴字胯下杵一点——巴姓。

高大爷的头，李大爷的脚，陈大爷的皮褂子翻转穿——郭姓③。

三点水不干，米下一丘田，打湿火米田边晒——潘姓④。

不冷不热——温姓。

弯弓一丈八——张姓。

磨啄倒挂起——丁姓。

此外，在巴蜀各地流传的民间故事和藏头诗⑤，也有不少与姓氏有关，如盐亭县民间故事《老娘不要哪个想》，即用诗歌和隐语的形式，表现了当地人

---

① 此指巴蜀饭馆卖的一碗冒尖的白米饭，也作"冒耳头"。（清）张慎仪著，张永言点校：《蜀方言》第308页）："饭店卖饭以两碗并一碗曰帽儿头。"自注："吴光耀《文钞》：'蜀道饭店饭平碗更覆其上，一碗，当得两碗，曰帽儿头。'"李劼人：《李劼人选集》（第2卷，四川人民出版社1980年版，第607页）："队长请我们到饭馆子里，每人消缴他三个帽儿头，外搭咸菜二碟，那才安逸哩！"厘注："帽儿头是四川一般饭馆里用的专门名词。一个帽儿头即是一大碗盛得堆尖尖的白米饭。大约一个帽儿头，可抵两平碗之量。"成都民谣："皮口袋（喻指肚子）早已空，帽儿头喊相公。"
② 巴蜀汉语方言有"背时"一词，意为"倒霉，不走运"，语气更重时则说"背时倒灶"。沙汀：《沙汀选集》（第3卷，四川人民出版社1984年版，第284页）："背时邵继春更倒霉，自己一气，把指头砍了，以为这一下没事了，结果遭罚了款！"唐枢，林枭：〈蜀籁〉，四川人民出版社1962年版，第308页）："穷生虱子富生疮，背时倒灶生疖疮。"成都民谣："你背时，我倒灶；你耍火，我来[nan²¹]尿。"一般而言，巴蜀人对灶神大多怀有崇敬、畏惧心理，但在特殊情况下，如家中频频发生诸如死人、死猪牛羊等灾祸，则一些人会祈求端公至家中做"倒灶"法事，再据事主家庭主妇生辰八字挑选吉日另打新灶，行安灶（神）仪式，以驱邪迎祥。
③ 参见朱德贵等《中国民间文学集成四川卷·乐山市洪雅卷》（内部资料本），1988年，第171页。
④ 参见朱德贵等《中国民间文学集成四川卷·乐山市洪雅卷》（内部资料本），1988年，第171页。
⑤ 成都市新都区木兰镇木兰村一组白兰章法师藏民间用书（手抄本）所载藏头诗："言身寸谢口天吴，禾火心愁竹付符。立木见亲门口问。西示风飘古月胡。"此诗指"谢、吴、愁、符、亲、问、飘、胡"八字。

对"田、岳、燕、石"四姓的理解，具有丰富的文化内涵。[①]

第三节　巴蜀汉语方言隐语的文化特征

巴蜀汉语方言隐语主要集中在袍哥组织和其他一些秘密团体[②]以及市井行会之中。这些组织及团体在结社过程中，有自己的价值观念、行为准则、伦理观念、法纪法规等，但这些价值观念和行为模式大多游离于社会主体文化之外，有的甚至与当时社会的主体文化相对抗，属于"亚文化"范畴。同时，其价值观念又受制于主体文化。这种特征在巴蜀汉语方言隐语中有比较明显的反映。

在前文提及的各个义类中，隐语的多少与秘密团体的活动密切相关，通过对各义类隐语的剖析，我们可以看到巴蜀汉语方言隐语义类系统建立的社会原因，而隐语的使用也可以反映出特定组织和社团的某些重要特征。

一、巴蜀汉语方言隐语义类系统建立的社会原因

巴蜀汉语方言隐语义类系统的特点显示，各义类中最为完善的有"人"类中的职业、身份次类，"活动"类中的涉及帮会政治性的活动和经济、社交次类，另外还有数字隐语和姓氏隐语。而有一些义类如外形、体态、信仰、见识等则难觅踪影。隐语义类形成这样的格局，有其深刻的社会原因。

以下我们以近现代巴蜀汉语方言隐语系统的主要代表袍哥话为例进行分析。

前面提及，在各类活动中使用秘密语言是袍哥保护和发展自己的重要手段，因此无论是帮会内的活动还是社交活动，他们都必须以一种隐秘的方式来表达，不可为外人道。这就一语道明了他们使用隐语的目的。

袍哥的组织系统非常严密，这实际上就是一个确定帮内、帮外人员身份的过程，因为规矩的建立必须依赖于内部成员关系网络的定型。由身份高低不同的成员构成一个相互制约、相互协作的机构，才能保证这个体系的正常运转。

---

① 这四个姓氏分别是："四个山字山靠山，四个川字川连川。四个口字口对口，四个十字颠倒颠"为田姓，"远看山重重，近看重重山。若猜我姓出，未免太简单"为岳姓，"孔明借箭草人充，曹操北兵走西东。一口想吞蜀吴地，却遭周郎用火攻"为燕姓，"三斗三，四斗四，二斗三升一个字"为石姓（三斗三、四斗四、二斗三相加为十斗）。
② 如偷盗团伙之类。

所以，袍哥内部对不同身份的人有极为细致的区分，而对帮外的无关袍哥组织内部事务的人，只须少量的几个统称，如"白袍、侄子、玲珑马子、五爸、贵四哥"等，并不做更细的区别。

"时间和空间"义类中，空间次类隐语多样，而且区别细致，这也是袍哥活动的需要。由于袍哥组织和活动的隐秘性，其众多活动展开的场所必须对外严格保密，以确保活动的顺利进行。由此造成大量空间次类隐语的出现和频繁使用。

袍哥内部的管理制度极其严格，对犯规者的惩戒条例既多又细。比如同为处死，其依据和方式就有区别：处以死刑的统称为"毛了""抛了"。袍哥若犯了不可饶恕的严重罪行，由本堂口的龙头大爷传堂，宣布罪行后，逼其自戕，称为"三刀六（个）眼"；或者在黑夜将其带到荒凉偏僻处，令其自己挖坑跳下去活埋，称为"挖坑自跳"，合称为"草坝场"。这就是行帮话"光棍犯法，自绑自杀""自己挖坑自己跳，自己安刀自己剽"的来历。[①] 若犯罪当诛而畏罪潜逃，龙头大爷派人将其暗杀，这称为"传了"。若奸夫、淫妇谋杀哥老会亲夫，用门板将其合钉四肢，写明罪行，沉入河中，这称为"钉活门神"或"放河灯"。根据罪行的轻重还有"搁光棍"[②]"吹灯笼""传堂训戒""挂黑牌""矮起""磕转转头""宰口"等其他的惩戒措施。正是在这一系列严厉规章措施的威慑下，早期的袍哥组织才能把来源各异、鱼龙混杂的各色人等约束起来，在社会中立足并发展壮大，这实是客观需要使然。

经济活动次类隐语数量极大，分类很细。这是因为在任何社会背景下，生存皆为第一要义，经济活动正是为了满足基本生存需要而进行。从袍哥组织来看，其最初的经费来源有"码头钱会费"之类的捐款，这些对于普通袍哥来说实际上是一笔负担，当袍哥势力壮大后，不少袍哥通过非正常渠道获得钱财，这是违背社会常理的，因此袍哥话关于抢劫绑票的隐语非常成系统。对市井隐语而言，其对偷窃活动的细化达到极致，这也是偷窃群体在当时社会生存方式的真实写照。

姓氏隐语占有很大比重，这是由帮会成员的多重身份造成的。由于他们长

---

① 参见车辐《锦城旧事》，四川文艺出版社2003年版，第74页。刘卓鲜：《王永梭传奇（上）》（《龙门阵》1994年第6期）："（他）对袍哥的'行帮话'和穿州过府的艺人、小商人、卖'打打药''跑滩匠'们的江湖'切口'也巨熟能详。"

② 搁光棍：也说"搁袍哥"。

年行走江湖，又常与官府为敌，行事多与正统相悖，因此往往不用本名，常以各种不同身份出没。姓氏隐语随之而丰富起来。

其次，巴蜀汉语方言隐语没有涉及的义类，也是我们观察的一个方面。

隐语是对特别需要回避的对象的指称，一些义类没有或少有隐语，原因大致有两类：一是其指称的对象无须回避，二是其所涉及的对象不为集团所关注。这其中也有内在的社会原因。

比如在"人"这个义类中，没有涉及体态、品性、才识和信仰的隐语。这几个次类主要是对人的评价，不用隐语有其社会原因，是巴蜀人以袍哥为代表的团体精神世界的真实反映。就品性而言，哥老会创建之初所奉行的道德行为规范"八德"是"孝、悌、忠、信、礼、义、廉、耻"，民国时期哥老会所奉行的道德规范是"忠、孝、仁、爱、信、义、和、平"，这是为中国传统社会普遍接受的道德准则，与主流社会的意识形态、更重要的是与人作为社会人的基本行为准则和道德评判标准高度一致，也正是袍哥组织赖以生存和发展的基石，是其必须要昭示于天下的东西，没有必要遮遮掩掩。就才识、信仰而言也是如此，袍哥等群体并没有独立于整个社会之外或者与社会价值取向相悖的才识评价体系和信仰。这应是这些次类隐语缺失的主要原因。

其他义类中，巴蜀汉语方言隐语没有或少有涉及的义类有：

"物"义类中的统称、拟状物、物体的部分，以及天体、地貌、气象、自然物、植物、排泄物次类，"时间与空间"义类的时间次类，"抽象事物"义类中的外貌、性能、性格才能、意识、比喻物、臆想物、疾病次类，"特征"义类中的外形、表象、颜色味道次类，"活动"义类中的教卫科研和迷信活动次类，"现象与状态"义类的表情、始末、变化次类，以及"关联""助语""敬语"三个大类。

这些类中没有或少有隐语的原因，大致不出前文提及的两种情况。

二、巴蜀汉语方言隐语反映的文化特征

巴蜀汉语方言隐语的不同义类表现及其分布，是特定时间、特定社会背景在语言中的具体反映，透过对近现代巴蜀汉语方言隐语的分析，可以反映特定社会集团的种种特征。这些特征带有浓厚的亚文化色彩。

（一）宗法制度烙印深刻，等级观念浓厚

宗法制度烙印深刻，等级观念浓厚，这是巴蜀方言隐语中表现出的最突出的特点之一。

袍哥组织是一种横向组织，它打破了传统的籍属、宗族观念。就其功能而言，随着时间的推移，已逐渐成为为失去乡土和家族依靠的人员提供庇护的组织，因而为大批来自于不同地方的流民所接受。但是传统的中国农业社会以血缘为纽带、以家族宗族为基本单位，天然的血缘关系带给了人们安全感，所谓"打仗亲兄弟，上阵父子兵"。传统的宗法制度已经在人们心中留下了深深的印记，人们加入到新组织中，就是要寻找一种新的类似于血亲家庭形式的依靠。

袍哥组织在发展壮大的过程中，构建起了一个不基于血缘关系的拟宗法制机构，把帮内成员定位在类似家庭成员的位置上。帮会内部辈次次类均用血亲称谓，哥老会下"仁、义、礼、智、信"五旗的成员中，"义"字会员对"仁"字会员称"伯叔"，"礼"字会员对"仁"字会员称"公公"，年纪轻、地位低的会员对拜兄称"大伯"，沿用了世俗血缘家族纵向关系中辈分的称谓。袍哥组织中更常见的则是以横向的兄弟关系作为纽带，管事的从一排到十排，即称为大哥到十哥。大哥又称"行一"，十排又称"小老幺""幺牌"，都是普通家庭中兄弟的排行。① 当会员进入不同的工口，就取得了在这个"家庭"中的身份，出门在外就有长辈照应、兄弟帮衬，同时也要遵从"家规"。这种没有血缘关系的家族制度，成为帮会管理的有效手段之一。刘师亮《汉留全书》的记载，袍哥的对内规制有"十条、三要"及"十款、十要"。"十条"中第一就是"父母要尽孝"，第二"尊敬长上"，第三"莫以大欺小"，第四"兄宽弟忍"等等。"十要"中第一也是"要孝悌和忠信"。

袍哥帮规皆依旧时家规而定，带有浓厚的封建色彩，其成员遵从儒家的"三纲""五常""四维""八德"，都是为了维护首领的权威地位和帮会内部秩序，对帮内人员起到了有效的制约作用。

对违纪犯规的成员，则视其情节轻重进行处罚，如"打红棍""黜名""三刀六（个）眼""挖坑自跳""安刀自剽""钉活门神"等，都是针对不同违规行为的惩罚。

---

① 朱泊：《船工旧事》（《宜宾文艺》1998年第2期）："事实上，从民国时期起，哥老会已多为官僚、军阀、豪绅、巨商等所控制，船工入了袍哥实际上成了被人操纵的工具。哥老会等级森严，船工入会多为'幺大'（又称幺满）或九排、十排，属于被统治的'下四排'（六、九、十、幺大）。常听命于头、二、三、五'上四排'（哥老会无四、七、八排，或云四排出过叛徒，七排龟子八排盗）。一遇龙头或三排当家、五排管事为私利与人发生纠纷时，'下四排'的'兄弟伙'便由六排（帮办）带领，为拜兄'出热'、拼命。"

不过，袍哥内部关于真正意义上的家庭成员隐语不多，有如下一些：

排琴兄弟，孙食丈夫，果食媳妇，门斗钉①、黑心符后母。

这同袍哥成员远离家庭和本乡本土有直接关系。亲人眷属次类数量少，这又是组织内部对现存的血缘家族观念相对淡漠的表现，这是他们与家族关系相对游离的现实使然。

中国经历了漫长的封建社会阶段，社会成员等级森严、门第观念极浓，这对中国社会及其成员的社会定位影响极为深远，每个人在出生的那一刻就已经被打上了身份的印章。在巴蜀汉语方言隐语中，等级观念得到了不同程度的反映。例如，在"人"类隐语中，涉及帮内身份的隐语数量最多，区分细致。袍哥组织中各类头目的名称纷繁复杂，如"全堂、龙头大爷、社长、舵把子、坐堂大爷、大帽顶、帽顶、大爷、管事、红旗管事、黑旗管事、正印、副印、礼堂、香长、原堂、监堂、陪堂、盟证、老摇、边棚老板"等，一应俱全。而帮中人等称谓，如"在园哥弟、大老么、老太爷班子、坐堂老帽、闲大爷、新福、新贵人、么大、承"，各不相同。这些名称各有所指，各色人等，各司其职，集团内部成员按照自己的身份行事，绝不越雷池一步。

值得注意的是，在巴蜀汉语方言隐语中，虽然等级分明，但却未见有明显的门户之见，所谓"英雄不问出处"，对帮内人员的出身没有仔细的分类，这与袍哥组织成员的来历有关。同治十年（1871）《合江县志》记载袍哥成员"以绌于衣食之游手闲人为多"，帮会中大部分成员当初都是因身无恒业、家无恒产，为了有所依靠而投奔入会，三教九流，鱼龙混杂，只要认同帮会的规矩、服从帮会的号令，家世、出身等都完全不在考虑的范围内。只要入得帮中，就成了有"皮"的人，除了帮中的地位，其他有关身份的要素全部被忽略了。

（二）互助、道义至高无上，个体生命渺小

帮会成员入会的初衷就是为了寻求保护与帮助，帮会最基本的功能也就是让成员得到最大限度的庇护。因此，互助与道义成为帮会成员重要的精神支撑，这在袍哥话中得到了充分体现。袍哥自称"光棍"，入袍哥会后希望得到扶助，正如巴蜀俗语所说"一个光棍，十个帮衬""光棍知道光棍苦，在帮方

---

① 重庆市巴南区鱼洞镇谚语说："后娘心，门斗钉，要好深来有好深。"

知帮中难"。往往是一个成员遇到困难，只要用帮内暗号表明自己的身份，在场的其他袍哥无论相识与否，立即会出手相帮，去"鲊起"，去"肘住"，所以，他们把仁义作为自己安身立命的根本，"有理光棍，不作无理勾当""三年可考一个举人，十年难学一个光棍"，便是其对自身的基本要求和肯定。

巴蜀汉语方言隐语中有关互助与道义的词语数量不少：

求张罗需要谋求他人的接济帮助，搭白托人说项，搭台子调解仇怨，拿言语通关节、说好话，拿上服会员外出时，向外地会员求援，说明请求事由，认叫通过攀谈与帮会扯上关系以求得帮助，走字样不同帮会之间相互联络，抬凳子袍哥人家相互恭维，亮膀子说真话，把话挑明。

而遇事则要"绷劲仗""捡脚子""袍下来"。这些隐语都是帮会内部成员彼此之间相帮互助的见证。

帮会内部成员关于道义的认识也主要限于对组织和成员的态度上，如特征类性质次类的词语：

不苏气对不住朋友，顶苏气对待朋友尽心尽力、重义气，拉稀（摆带）退缩，落教讲义气、够朋友，依教按规矩办事、讲情面。

上述词语几乎都是有关朋友义气的。凡不顾本帮成员利益的行为，则都被视为恶行，为帮内成员所不耻：

串灶奸淫自家妇女，参灶与帮会内同伙的妻子通奸，杀内场子使帮会内部成员受到伤害，花包袱破坏自己人的生意，卖暗中告密，出卖同伙，哑着点暗中埋藏着赃物，打背手私吞财物，抽底火，点水暗中告密，反水反叛，（放）黄①。

---

① （放）黄：（说话）不算数，（事情）告吹（多指主观可控的事）。（清）刘省三：《跻春台》（江苏古籍出版社1993年版，第255页）："妻：'又虑此事不雅相。'夫：'嫁过丈夫放了黄。'"李劼人：《李劼人选集》（第1卷，四川人民出版社1980年版，第471页）："可是一直等到这时候，菜也冷了，酒也凉了，一家婆媳急得像热鳌上的蚂蚁，生怕你又放黄了。"李劼人：《李劼人选集》（第2卷，四川人民出版社1980年版，第1081~1082页）："今天这场牌，恐怕要黄。"

此外，巴蜀汉语方言隐语却又折射着对生命个体的漠视。巴蜀汉语方言隐语中基本没有直接涉及意识形态的内容，不关心心理、感情，这是帮会组织内部生存状态的真实反映。以袍哥为例，无牵无挂的游民入帮会之后，心中便只有帮规帮纪，没有自身的价值观念，作为个体完全融入到组织中，没有思想，没有自主意识、没有生活目标、没有行为自由，几乎丧失了自身存在的意义，一切以帮会利益、舵主意志为准绳，故袍哥隐语中一切关于自然人的特征全部被忽略。因此"抽象事物"义类中的外貌、性能、性格才能、意识、比喻物、臆想物、疾病次类，"特征"义类中的外形、表象、颜色味道次类，"现象与状态"义类的表情、始末、变化次类，以及"心理活动"义类等，在巴蜀汉语方言隐语中都没有明确的反映，因为这些都是有关成员个体的内容，这是不为组织所重视的。

（三）经济地位至关重要

无论在何朝何代，生存是第一位的。任何一个集团要得以存在和发展，必须要有相应的经济基础。袍哥内部对经济地位的看重在隐语中有明显反映。如称谓类隐语中，称有正当职业的袍哥为"清水袍哥"，以与打家劫舍的"浑水袍哥"区别；又以"跳滩匠"称"浑水袍哥"，在巴蜀汉语方言中，凡以"匠"相称者，地位大多比较低下，可见这种称谓的区别已带上浓厚的评价意义。清水袍哥中有钱、有地位者称"金带皮"，与"下九流"相对。以"壮猪"称有钱的当事人，"肥猪票"称被绑票的人质。这些称谓都把经济地位放在极重要的位置。

帮会的各类活动中也以经济活动为主，抢劫偷盗、杀人越货皆为钱利，在这些活动中产生了大量隐语：

钩钩专门为作案者提供情报之人，点手熟知被作案人家情况且告知作案者之人，驼牛作案时运送赃物之人，长二①，青水子②，冲围子搭人梯入宅抢劫，有肥母鸡探察到作案对象有银钱，准备下手盗窃，煤签张子作案前烧纸钱以求神灵保佑，拉肥猪、收江娃抢劫、绑票，翻圈被绑票人员逃出监禁住所，抢兔子抢汽车，牵大黄绑架家财殷富之

---

① 也称"带线子"，即为作案之人带路的人。
② 其作用多同火把。多将草纸裹成筒形，浸入菜油，插在竹筒里制成。有的还将浸满松香、菜油的布筋，与两片竹篾合编，以备照明用。

人，看财喜抢劫财物，搂了物色抢劫对象，解疙瘩破门撬锁行窃，写台口约集同党谋划劫人钱财，护鞭子、宰根子借检查为名抢劫客商，马子奎被害人家抵御力量大，叫严口、摆地坝、上票、辗关分赃，起货相约去抢劫财物，一般事前已摸清底细，然后再下手，丢、赌销赃，鸡毛子作案时遇见的不识相的乡团人员，上盘与被绑票者的家属在赎金问题上讨价还价，巴帖子清末盗匪集团给富户下帖子，内言限时交给盗匪集团钱物若干等，若不予满足，往往进行绑票或洗劫，抱童子以小孩为绑票对象，打歪子旧时盗匪集团在江河上劫船，牵藤子强行抢夺农家的牛，掐股子私吞作案所获财物，挂溜子打仗，捡渣渣洗劫时，抢劫被褥、衣服等不甚值钱的东西。

以上都是围绕钱财进行的活动，显然，这些活动应是当时帮会团体赖以生存的基本手段。

随着时代的变化，隐语也在发生变化，其内部亦有消长，但有关经济活动的隐语始终很丰富，这之中以关于"钱"的隐语最为典型。

近代以来，钱币的变化比较大，随着其形制、材质、计量方式等的不同，关于钱的隐语也在变化。清末铜币有十文和二十文"龙板儿"，民国初年加铸五十文，护国战争后又铸一百文和老二百文。1932年，邓锡侯任成都造币厂厂长时，铸"小二百"，致使通货膨胀。后又出现四百文和充一百文、二百文的"锤板"，以及上面仅印一百、二百字样的"光板"。杨森任厂长时，成都造币厂所造五角银币，时称"厂洋"[①]。后四川军阀私造银币，统称为"杂板"的"汉板"[②]、钢板、川板[③]、周板、合川板、雅板[④]、渝板"乃至"纱

[①] 又称"厂板、厂版、帆船"。前人：《续青羊宫花市竹枝词》（林孔翼：《成都竹枝词》，四川人民出版社1986年版，第101页）："便利交通说有年，汽车今日见吾川。'春熙路'到'青羊'去，厂板才需一块钱。"朱寄尧：《两松庵杂记》（《龙门阵》1982年第5辑）："丙子（1936）成都还通行银币，常见的有袁大头、川版、帆船、厂版……铜元。"
[②] 其上铸有篆书"汉"字，故名。
[③] 也作"川版"，四川省铸造的钱币。
[④] 李苏：《安乐寺鬼蜮》（《龙门阵》1986年第1期）："拿银元来说，就有大清龙洋、民国三年造的'袁大头'，后来造的'孙中山''帆船'，云南的滇板，四川的川板、雅板、厂板、杂板，还有外国来的英国'女王'，墨西哥鹰洋等等。"

版①"等数十种半元银币泛滥全川,后又出现"新川板"②,另有"大头③、小头④、龙板⑤"等,就连一些县份、乡场乃至商店,也可自行制造钱币,如犍为县自造当十的锡钱,百花场、孝儿场自造当十的纸币,且一个乡场通用的纸币,到另一个乡场则成为废纸⑥,新津县一些商店自造"铜片钱、铁片钱、锡钱"⑦,致使社会动荡,物价飞涨,百姓怨声载道。⑧著名学者刘师亮曾写对联加以讽刺:

满市铜元破、烂、哑,三军都督邓、田、刘。⑨

巴蜀老百姓以"癫格宝、(癫)蜞蚂"称银锭,以"白恳子"称银元,以"壳子"称铜钱,以"好川"称四川造币厂银子成分重的银元:

邱老爷给他泡上茶,二话没说,就摸出几锭癫格宝要谢他。(《中国民间故事集成·重庆市合川县卷》,第292页)

串板,铜钱也。蜞蚂,银锭也。……光铜,好钱也。(《成都通览》下册,第41~42页)

最好你们回去给老子们送一千块白恳子来,如果把老子惹冒了火,老子就

---

① 也作"沙版"。李劼人:《李劼人选集》(第4卷,四川人民出版社1984年版,第134页):"提起钱来,见四串都是选择过的青铜大钱,整整齐齐,并无一个沙版、毛钱渗杂在内。"
② 参见吴绍伯、肖阳《旧中国的货币灾害》,载《龙门阵》1982年第3辑;憬晗《"三军"货币乱蜀》,载《龙门阵》1986年第3期。
③ 也说"袁头、袁大头",因其上铸有袁世凯头像,故名。可分为两类:一为"睁眼",一为"闭眼",以"睁眼"最为吃香。参见吴绍伯、肖阳《旧中国的货币灾害》,载《龙门阵》1982年第3辑。
④ 其上铸有孙中山头像,因头像比袁世凯头像小,故名。
⑤ 云南军阀所造,其上铸有龙,故名。
⑥ 参见艾芜《艾芜文集》第10卷,四川文艺出版社1989年版,第4~5页。
⑦ 参见新津县志编纂委员会《新津县志》,四川人民出版社1989年版,第458页。
⑧ 吴绍伯、肖阳:《旧中国的货币灾害》(《龙门阵》1982年第3辑):"那时我们做生易[意],票子贬值,把人骇得心惊胆战,一天要换几次价格标签,左手卖出去的货,右手就买不进来,整天象上沙场,忙着抓现货。借钱讲'日折',三天就是一个滚。不借又拖不起走。"
⑨ 邓、田、刘:分别指当时的四川军阀邓锡侯、田颂尧、刘文辉。

要撕掉这趟生意呀！（《洪门兄弟》上册，第255页）

打下菜子洞后，陈的经济实力大增，光五十两一个的银元宝砌螺蛳结底就码了三张大圆桌，至于洋钱（银元）、壳子（铜钱）更是用背篼背、箩筐抬。〔方椿深、谭宏永：《陈兰亭轶事》（《龙门阵》1990年第6期）〕

好，看全相取好川十元。〔杨槐：《和童子与满天飞》（《龙门阵》1982年第1辑）〕

此外，以"一挂""一串"称百文铜钱，以"吊"称千文铜钱①，以"个"称百元银元。币制改变后，人民币面值分别是分、角、元。纸质人民币称为"花子"。"大花子"指面额大的钞票，"小花子"指面额小的钞票。"散花（儿）"指五元以下的零钞，"驼子、驼背儿"指五元的纸币。而十元在很长时期，都是最大面额的纸币，于是就用"棒棒②、杠子（皮）"称十元人民币③；后来又有了百元大钞，隐语中便有了"菊排、四人头"等称一百元人民币。随着经济的发展，人们手中聚积的钱财越来越多，慢慢地有了千元户、万元户、十万元户等，于是，巴蜀市井隐语便用"一吊"称一千元人民币④，"一方（皮）"称一万元人民币⑤，"一砣⑥、一墩"称十万元人民币，用"小花子、渣渣"称面额小的钞票。这在20世纪三四十年前，都是很难想象的。

可以看到，虽然钱的形制、计量单位等在变化，但是关于不同钱币的隐语

---

① 清代铜钱称为"制钱"，每千枚以麻绳穿成一串，称为"一吊"。
② 朱寄尧：《旧成都私立中学点滴》（《龙门阵》1984年第6辑）："巍巍邓公，编纂之雄；背背亮瓦，走笔如龙；三大教授，七碗秋风；驼子棒棒，尽入箱中；缴款杀鸡，万宝归宗。"自注："驼子指五元纸币上的阿拉伯5字，棒棒指十元纸币上的阿拉伯10的1字。"
③ 参见宋发清《扭曲与复归——文革中的操哥现象》，成都出版社1992年版，第51页。
④ 民国年间四川省造的铜元，一百文的十枚、两百文的五枚，成都人称为"一吊"。参见朱寄尧《两松庵杂记》，载《龙门阵》1982年第5辑。
⑤ 《蜀报》（2000年12月26日第B4版）："旁边的一名知情者与记者搭讪：'这两天青石桥老板一天赚一方（一万）钱的多嘛。'"王永梭：《王永梭文集》（四川文艺出版社2000年版，第210页）："啥子叫一方？现在做生意，说一方就是一万元。"安知：《孙议员——形形色色的小人物》（《龙门阵》1990年第1期）："只要你人灵醒打得滑，贴两个干子，打起他老汉儿的招牌，再昆个啥子皮包公司，空手一抓就是几方皮。"
⑥ 《蜀报》（1999年7月21日第10版）："'我们还是按照赌场的规矩：亮梢吃铜。大家不要挂起空档，赌哪个的牙齿白嗦！'说着从提包里拿出几砣钱丢在桌上。"

却从未消失过，足见经济生活是百姓最为关心的部分。

（四）犯罪心理日益浓厚，组织性质蜕变

在巴蜀汉语方言隐语中，也蕴藏着时代变迁的信息。以用品类隐语为例，在袍哥话中，此类隐语主要集中于帮会内部所使用的有特殊意义的物品：

白鸽票入会凭证，公片宝扎哥老会证书，花叶子名片凭证，响片通知，水电报①利用江河水顺流而下传递的电报。

也有一些有关财物的隐语，但数量极少：

一号黄金，二号白银，三号鸦片烟，肥母鸡银锭，砣砣手表。

中华人民共和国成立以后，一些新日常用品类隐语产生，如大量的有关票证的隐语：

飞飞、粉子粮票的通称，半飞地方粮票，钱十市斤粮票，满天星全国粮票，棵一市斤粮票，小方、折子布票。

这些都是供给制时代的产物，那时人们吃饭穿衣，都必须依赖按人头供应的粮票②、布票、肉票、油票、奶票，糖票、酒票、肥皂票乃至知青票、产妇票等等，就连蔬菜都要按人头划菜证，离开这些票证寸步难行。③若要离开本地，则需要到相应的部门兑换全省粮票或全国粮票，否则到了异地，即使有钱也吃不上饭。正因为如此，今天很多人已不能理解但在当时却极为重要的票证如粮票、

---

① 成都等地有关于"水电报"的民间故事。参见洪钟等《中国民间故事集成·四川卷》（上册），中国ISBN中心1998年版，第272~273页。
② 旧时成都粮票分为"粗粮票"（购买玉米、面粉、豌豆、胡豆等）和"细粮票"（购买大米），"地方粮票"和"全国粮票"。"地方粮票"和"全国粮票"后分别衍生出"地方行政机构人员编制"和"中央行政机构人员编制"之义。旧时重庆市口粮计划供应的搭配比例为"八份细粮，二份粗粮"，"八搭二"本为对此比例的简称，后其义偏指"二"，意即"次品、劣等货"。
③ 参见夏振凯《票》，载《龙门阵》1987年第4期。李唯苏《关于〈票证歌〉的一段记忆》，载《龙门阵》1988年第5期。

布票等，就成了某些团伙觊觎的对象，也便有了各种各样的称谓。随着社会的发展，这些票据渐渐退出了历史舞台，与之相关隐语也逐渐消失。

仔细观察巴蜀方言隐语、尤其是袍哥话变化的细节，可以明显地感受到明末清初以来帮会性质、帮会组织的社会功能和地位的改变。

巴蜀近现代隐语的产生与袍哥组织的发达直接相关。袍哥组织产生之初与政权对立，但并不与社会对立，他们举起符合相当一部分民众心愿的反清大旗，为心中的民族利益和正义而战。袍哥"仁、义、礼、智、信"五旗对应"威、德、福、方、宣"五字，成员们都自认为是响当当的汉子，是顶天立地的英雄，为民族而生，为正义而战。因此，旧时代的袍哥组织在地方上有比较高的经济地位和社会地位，他们从反清组织发展到参与地方的行政管理，在社会上有一定的号召力和影响力，而且有相当一批有身份、地位的人都加入或依靠袍哥组织。实际上，在政府力量虚弱的年代，巴蜀的袍哥组织势力相当强大，他们涉足公共事务，成为一方秩序的维护者，因此袍哥以自己是袍哥为荣，帮外之人乃至于官府都对袍哥有不同程度的认同。有关帮会的组织活动、经济活动、社交活动等的袍哥隐语都非常丰富：

点点红以加入帮会为荣，插旗子在新地方建立帮会的分支机构，坐堂帮会开会，夹磨①，扎口子警戒守卫，心识收为门徒，掷金、掷拐子赌博，搭台子调解仇怨，亮膀子说真话、把话挑明，扎起②撑腰。

这些活动都是袍哥人家自己感觉光明正大、堂堂正正的行为。当然也有一些违规的活动：

---

① 夹磨：一指"挟制，刁难"。高缨：《云崖初暖》（人民文学出版社1978年版，第125页）："其实这些干人们，都遭周麻子敲索过，早已啧有烦言，一听锣儿受此夹磨，个个都愿明帮暗助，大家约，在周麻子行壶开宴之时，全部跑到新屋前去讨工钱。"克非：《春潮急》（上海人民出版社1974年版，第514页）："他已经下定狠心，李春山拆台就拆台好了，他徐锅巴胡决不消极地等待着受农业社的夹磨。"二指"进行严格培养和训练"。李劼人：《李劼人选集》（第2卷，四川人民出版社1980年版，第991～992页）："我们从当帽盖子起，便要受此夹磨，要不然，永远不能出师。"也说"搓磨"。（清）刘省三：《跻春台》（江苏古籍出版社1993年版，第23页）："做活路搓磨我都不上算，为什么要把儿赶出外边。"
② 也作"鲊起"。

关圈、拉肥、拉肥猪绑票，牵大黄绑架家道殷实的人，说聊斋①事先探明对方家底，再向其要钱，摆红灯开设鸦片烟馆。

这些活动在维护大义的原则下劫富济贫，倒也无伤大雅。

随着时间的推移，巴蜀袍哥组织慢慢与官府相互勾结，反抗的色彩降低，其内部成员失去了组织活动最初的目标，而生活上又大都处于不安定的状态，原来作为小生产者所拥有的勤劳、质朴、忍耐与善良的品质在群体中消失殆尽，正如毛泽东在《中国社会各阶层的分析》中指出的那样：

此外，还有数量不小的游民无产者，为失了土地的农民和失了工作机会的手工业工人。他们是人类生活中最不安定者。他们在各地都有秘密组织，如闽粤的"三合会"，湘鄂黔蜀的"哥老会"，皖豫鲁等省的"大刀会"，直隶及东三省的"在理会"，上海等处的"青帮"等，都曾经是他们的政治和经济斗争的互助团体。处置这一批人，是中国的困难的问题之一。②

在种种因素的作用下，这些失去了政治追求的各色人等便在利益的驱使下，开始从事种种非法行当，逐渐走向了与社会对立的状态。他们杀人越货、打家劫舍、贩卖人口、走私鸦片，成为老百姓人人惧怕的土匪，以至后来在巴蜀出现"见帮必见匪，帮匪不分家"的情况。一些原来与袍哥有关的称谓，也在发生变化，如民国31年（1942）《西昌县志·礼俗志·方言谚语》中所载"穷无所依而凶恶曰光棍"之类。

于是，与政权的对立使用的隐语，跟与社会公众对立所使用的隐语便产生了很大的不同，那些充满正义感、道德感、民族感的东西荡然无存。这种局面在隐语中有比较充分的体现，"浑水袍哥、浑水乌棒、青龙码头、水底蛟、扒山虎"都是为害一方的毒瘤，他们"挂红""保烟帮"，干着上不得台面的勾

---

① 也说"说斗斗、说子曰"，即对某件事情或某种行为作出交代，说出根据和理由，含有"发难、问罪"以及"逼迫"之义。克非：《春潮急》（上海人民出版社1974年版，第1024页）："回去交不到票，老子懒得说《聊斋》。"四川省政协文史资料委员会：《四川文史资料集粹》（第6卷，四川人民出版社1996年版，第39页）："老子今天受了气，二天来跟你娃说斗斗！""斗斗"也作"笕笕"。

② 毛泽东：《毛泽东选集》（第1卷），人民出版社1991年版，第8~9页。

当，这在任何时代都不被公众认可的。他们的行为越来越多地与社会评价体系相悖，这时的隐语则凸现了帮内成员的犯罪心理。

当袍哥组织被打击瓦解之后，后起的团体隐语和市井隐语中更多地反映出这些集团与社会的对立。公安系统是他们最大的敌人，这一类隐语很多：

白罗克、老幺、老姜头精明能干的干警，澳州黑便衣警察，红毛、卯生、吐狗检举揭发同伙的人，钩钩引蛇出洞的人，二三三信箱劳改单位，道子、卡房监狱、看守所，庙府公安局。

藏身、藏赃处的隐语也越来越多：

舵窖基藏身的地方，龙背土匪老巢，稳子窝藏土匪的人家，下家贼窝赃的人家，兰场赌场，私窝子秘密赌场，宝宝公司赌博公司，扯谎坝各种江湖生意人聚集的地方。

这些隐语在犯罪团体内部通行，反映出相关集团成员对自身价值和期望值的重大改变，他们对主流社会的价值体系充满了对抗、排斥与仇恨，完全走向了社会的对立面。

又如，中华人民共和国成立后，关于盗窃的隐语异常丰富，也应是这些团伙主要已靠偷窃为生的状态的真实写照。如"皮"本是袍哥自称，后来"皮匠""皮（二）哥"①却用来指扒手，这是其身份变异最明显的特征。而隐语中扒窃之类行为最好用的动词就是"吃"：

吃转子、吃格子、吃掉脸、吃瞟眼、吃喜钱、吃竿竿钱、吃两条线、吃滚滚儿钱。

这与袍哥话已有不同，表明他们的社会地位已发生了根本性的改变，在社会上普遍不被认同，经济能力每况愈下，只能糊口维持生计。②这些组织的性质与最初的哥老会、袍哥已有天壤之别，团伙成员的自我价值定位从此扭转，

---

① 也说"钳（谐钱）工""钳子""叮咚""偷跟儿""扒二哥"。
② 后来的隐语对钱、粮数量区分较为细致，大约也是经济吃紧的一个表现。

越来越朝着为人所不耻的方向发展，豪气与义气基本消失。

再如，丑类次类中，袍哥话有"风仔_{奸细}、蛤蟆_{对官兵的蔑称}、鸡毛子_{不识相的乡团}"等，袍哥心目中的丑类是很有限的，他们看不起无能的官兵、不义的奸细，其他的似乎都可以忽略。后来一般隐语的丑类则要丰富一些，集中在罪犯、土匪和无赖、娼妓等团体的有关称谓方面，这正是时代变迁的结果。当社会制度从根本上改变后，过去称霸一方的袍哥成为大众的对立面，成为改造的对象，也成为鄙弃的对象，所以这一类丑称逐渐增多。

在经济生活中，市井隐语的评价色彩也非常浓厚：

串子、串串儿_{黑市经纪人}，钱滚子[①]_{银钱业市场经纪人}，金苍蝇儿_{黄金贩子}，票耗子_{私吞票款的违法司乘人员}，偷油婆_{偷窃、倒卖汽油的人}。

巴蜀汉语方言隐语词汇，尤其是清代成都官话和重庆官话隐语词汇，形象生动地反映了当时巴蜀地区社会的方方面面，也见证了明清以来巴蜀社会的变化历程，是我们今天洞察巴蜀人情风俗、文化心理的一面镜子，其入神的表达、丰富的内涵，还有许多值得挖掘的内容。

[①] 李苏：《安乐寺鬼蜮》（《龙门阵》1986年第1期）："每一个'品仙台'，都拥有十几二十个脚跋鱼尾鞋、头戴瓜皮帽、身穿长袖过手长衫的'滚龙烂眼'，这种人安乐寺内都叫他们'钱滚子'。"

第五章

巴蜀境内的客家方言

客家方言是巴蜀境内仅次于官话方言的第二大汉语方言，它是清初由闽、粤、赣的移民带到巴蜀来的。此外，巴蜀境内还分布着被称之为"老湖广话、永州腔、安化腔、靖州腔、长沙话"的湘方言。战国时期，许多楚人入蜀定居，巴蜀地区楚人渐多。有学者认为二者语言相通。[①] 实际上，无论古代巴蜀语言与楚语是否相通，今天巴蜀境内的湘方言与古代的楚语都没有直接关系。巴蜀境内的湘方言，同巴蜀境内的客家方言一样，都是移民带来的。除了客家方言和湘方言，崔荣昌认为巴蜀境内还存在闽方言，而仪陇的磨盘乡、西昌的小渔村还有安徽话浓厚的痕迹。[②]

第一节　巴蜀客家人的来源

巴蜀境内的客家人自称"广东人、土广东、假广东"，"客家"的称谓始于20世纪80年代。如成都东山客家人全都自称为"广东人"，有时为了与今粤省的广东人相区别，则自称"土广东"。他们称操巴蜀官话方言的人为"湖广人"；而湖广人也以"广东人"或"土广东"来称呼他们。住在平原上的"湖广人"还背称他们为"山上的人"。关于客家人的来历，罗香林的《客家源流考》曾作过开创性的介绍，孙晓芬的《清代前期的移民填四川》《巴蜀的客家人与客家文化》，刘义章、陈世松等的《成都东山客家氏族志》，刘正刚的《十八世纪广东移民四川路线之考察》《清代广东移民四川考》，黄友良的《四川客家人的来源、移入及分布》等又有补充。这些论著认为，客家人是在明末清初"湖广填四川"的移民运动中，从闽、粤、赣地区迁徙至巴蜀的。

清朝初期，巴蜀连年战乱天灾，经过长达三十多年的战争，包括张献忠"剿四川"，清军入川的大肆屠杀，清军和地主武装与张献忠武装之间的围剿与反围剿战争，清军与南明武装的战争、南明将领内部的相互厮杀，"三藩之

[①]　参见崔荣昌《四川方言的形成》，载《方言》1985年第1期。
[②]　参见崔荣昌《四川方言的形成》，载《方言》1985年第1期。

乱"的拉锯战等一系列战争①，再加上战争带来的瘟疫和自然灾害，致使巴蜀人口锐减，地广人稀。

于是，清政府顺治、康熙、雍正三朝数度颁布移民诏令，最有效地起到鼓励移民入川的作用，之后，便掀起了一场轰轰烈烈的"湖广填四川"移民运动。由于当时移民的主要范围是"湖广行省"，而客家人多聚居在信息滞后、路途遥远的闽、粤、赣偏远山区，因此大规模入川的时间比湖广省的移民更晚。②

兰玉英、曾为志综合历史事实、族谱材料和成都客家人生活的地理环境几个方面的证据，认为客家人是在康熙末年以后才大量移入成都东山一带的。③

崔荣昌在《四川方言与巴蜀文化》中，引用60份客家族谱数据，除三户入川时间不明之外，其余57户入川的情况是：明朝入川的7户，清康熙初年入川的3户④，康熙末年入川的12户，雍正朝入川的15户，雍正年间入川的1户，乾隆朝入川的17户，道光朝入川的1户，还有1户周姓客家，其族人是在明万历和清康熙、雍正、乾隆几朝陆续迁入的。这就意味着，在57户客家人中，只有10.5户是早在明朝至康熙三十一年（1692）间入川的⑤，所占比例为18.42%，其余46.5户都是在康熙末年以后迁入的，有的甚至晚至道光年间，所占比例为81.58%。《成都东山客家氏族志》中辑录了34部成都客家人的族谱⑥，其中吴氏和胡氏两户祖上入川时间不详，李氏、冯氏、许氏、钟氏、刘氏和游氏六户祖上均为清初入蜀，其余26部族谱载其祖上是在康熙末年至乾隆年间到成都的，有的甚至晚至乾隆三十四年（1769），即康熙末年以后，到成都的客家人比例占81.25%。两组统计数据十分接近。由此可见，客家人是集中在康熙末年到乾隆中期的一百多年间逐步迁徙到巴蜀定居的。

关于入川时的情形，成都龙泉驿区同安街道办江志彬珍藏的《江氏族谱》记载：

我江氏者，广东惠州府永安县世族也。清康熙年时，两广大饥，草、叶、树

---

① 参见孙晓芬《清代前期的移民填四川》，四川大学出版社1997年版，第8页。
② 参见孙晓芬《四川的客家人与客家文化》，四川大学出版社2000年版，第20页。
③ 参见兰玉英《洛带客家方言研究》，四川人民出版社2005年版，第5~6页。
④ 包括康熙三十一年（1692）的资料。
⑤ 周姓客家前后各分0.5户计算。
⑥ 参见刘义章、陈世松等《成都东山客家氏族志》，四川人民出版社2001年版，第354页。

皮皆食尽。日死者无数，尸积道上如丘焉。而广东濒海，民性刚毅，喜远游，故当是时，皆相属外出焉。西蜀之地，沃野千里，仓廪殷实，居民豪富，自明季受献忠蹂躏、杀掠迨尽。斯时清方收入版图而数里无人烟矣。清廷一面徙湖广囚犯于彼耕种，一面诏两广居民自愿入蜀者弗禁，故当时两广皆相属入蜀焉。斯时吾海／玉清公等亦随之入蜀。因无资斧，路上停留多，前进缓，至蜀时已无无主之田矣，而归不得。公等忍苦耐劳，为人佣工，勤俭异常，稍有余资，则佃业于金堂牛头庙附近。又回粤同二兄迎慈母及父骸上川。斯时父子一堂，天伦无乖矣。①

这一段话具体说明了当时客家人入川的原因：

第一，明末清初时期，巴蜀"有可耕之田，无可耕之民"的特殊环境，为客家人的迁入提供了可行性。

第二，清廷历代政策的倡导起到了主导和促进作用。

第三，清初客家人"内部人口膨胀"和原居地恶劣的生存环境②，迫使他们外出谋生。

罗香林指出：

他们居住地域，山岭太多，出产太少，要想维持一家大小的生存和温饱，只好努力地向外发展以求改善经济地位的缘故。③

为了求生存、谋发展，举家迁徙到素有"天府之国"美誉的巴蜀，恐怕不失为一个良策。刘正刚把闽、粤客家人移民巴蜀的原因概括为"趋利求富拼力入川、逃荒入川谋求发展"和"其他原因入川"三种。④ 陈世松则通过清初闽西移民入川的个案研究，认为主要的内在原因是"闽西人口的剧增与生存空间日窄的矛盾所形成的推动力在起作用"。⑤

---

① 兰玉英：《洛带客家方言研究》，四川人民出版社2005年版，第7页。
② 参见罗香林《客家研究导论》，上海文艺出版社1992年版，第59页。
③ 罗香林：《客家源流考》，中国华侨出版公司1989年版，第60页。
④ 主要指宗族内部的矛盾。参见刘正刚《闽粤客家人在四川》，广西教育出版社1997年版，第26~35页。
⑤ 参见陈世松《清初闽西移民大举迁川内因的个案研究》，载福建省炎黄文化研究会、福建省龙岩市政协：《客家文化研究》（上），2004年，第25页。

巴蜀客家人来源于我国客家民系集中居住的闽、粤、赣地区，客家大本营的纯客县和非纯客县多达上百个。崔荣昌根据上述60份客家族谱资料，揭示了巴蜀客家详细的来源地（见表5-1）。①

表5-1　巴蜀部分客家来源地

江西	宁都、瑞金、兴国、泰和、万安、上犹、安远、武宁、吉安
福建	汀州、上杭、宁化、清流、龙岩、武平、永定、连城
广东	梅州、兴宁、大埔、龙川、长乐、河源、平远、乳源、博罗、韶州、乐昌、惠州

巴蜀客家人源自闽、粤、赣，但以广东为主。崔荣昌就上面60部族谱包含的61宗支进行研究②，得到的结论是：有43宗支由广东入蜀，有10宗支由福建入蜀，有8宗支由江西入蜀。又关于巴蜀客家人的祖籍，据刘义章、陈世松1999年至2000年的调查，族谱上记载的详细迁出地，包括广东的长乐（今五华）、梅州、惠州、兴宁、河源、连平、翁源、和平、永安、龙川、程乡、海丰、陆丰，江西的龙泉、龙南、崇义、上犹、安远等，另外还有一些迁出地只载广东或粤东。广东籍的则以长乐居多。③实际上，福建籍、江西籍客家人也不在少数。刘正刚根据民国16年（1927）《简阳县志》，对清代各省入籍简阳的闽、粤客家移民的原籍情况作了统计（见表5-2）。④

表5-2　民国16年（1927）《简阳县志》所载移民原籍

原籍	广东	长乐	兴宁	龙川	和平	归善	大埔	河源	永安	新宁	海丰	博罗	西宁	连平	广州府	嘉应州	不详
支数		73	29	9	6	3	1	3	1	2	1	1	1	2	1	2	26
原籍	福建	上杭	龙岩	武平	龙溪	宁化	南靖	莆田	汀州	不详							
支数		19	4	1	1	1	1	1	1	3							

---

① 参见崔荣昌《四川方言与巴蜀文化》，四川大学出版社1996年版，第163~172页。
② 其中的吴姓分甲、乙两支。
③ 参见刘义章、陈世松等《成都东山客家氏族志》，四川人民出版社2001年版，第341~349页。
④ 参见刘正刚《闽粤客家人在四川》，广西教育出版社1997年版，第52页。

上表中的广东长乐（今五华）、兴宁、龙川、和平、河源、连平、大埔、嘉应州（梅州），均为纯客家市县，福建的上杭、武平、宁化、汀州（长汀），也是纯客家市县①；广东的归善（惠阳）、海丰、博罗，则为非纯客家县。这就给我们提示了客家入籍简阳的两个重要信息：一是广东籍客家人的支数远远多于福建籍客家人，二是广东客家人中长乐客家的支数居多。

黄友良据巴蜀方志所载会馆资料的统计，也得出"从统计数据看，湖广、广东移民在比例上是高于其他省份的。广东籍移民绝大多数为客家人是无疑的"的结论。② 客家称谓本是一个他称，及至20世纪末，巴蜀客家人才普遍知道自己是客家人，之前只称"广东人"或"土广东"，至今也对这样的称呼感到亲切。成都客家人自称为"广东人"或"土广东"，隆昌客家人也自称为"广东人"，西昌黄联客家人自称为"假广东"，这从另一个侧面说明这些地区的客家人多来自广东。

四川仪陇客家人的祖籍，则以粤北韶关乳源县为主，如光绪《郑氏宗谱》：

原在福建省……迁于广东任居数世。祖元厚公康熙三十二年自粤东临川，弃祖地而迁西蜀川北道顺庆府仪陇县南阳里，地名李家沟山吊石落业。……次年，曾祖公郑弘仕置业新丰里，地名罗村溪长沟里。③

此外，仪陇县乐兴乡《饶氏族谱·序》记载，其祖上自粤韶州云门，迁于西蜀置业繁衍。乐兴乡《杨氏族谱》记载，其祖上顺治十八年（1661），从广东韶州府乳源县大坪寨迁至四川仪陇。

---

① 参见中国社会科学院、澳大利亚人文科学院《中国语言地图集》048B15-1，香港朗文（远东）有限公司1990年版。
② 如民国26年（1937）《犍为县志·建置》载，犍为县在民国中期有湖广籍会馆24个，占总数的23.5%；广东籍会馆20个，占19.6%；江西籍会馆18个，占17.6%；福建籍会馆7个，占6.8%；其他省籍的会馆33个，占32.3%。民国9年（1920）《绵竹县志·典礼》载，民国初年，绵竹县有湖广籍会馆8个，占总数的25.8%；广东籍会馆8个，占25.8%；江西籍会馆7个，占22.5%；福建籍会馆1个，占3.2%；陕西籍会馆7个，占22.5%。参见黄友良《四川客家人的来源、移入及分布》，载《四川师范大学学报》（社会科学版），1992年第1期。
③ 此谱及《饶氏族谱》《杨氏族谱》，分别为仪陇县乐兴乡郑上炯、饶勋义、杨显文等先生保存，并提供照片，谨此致谢。

朱德纪念馆的资料显示，仪陇马鞍的朱姓客家人是乾隆三十三年（1768）前后，从广东韶关入川的。先居广安县华蓥山，于嘉庆十五年（1810）左右，移居到仪陇马鞍山。至今，仪陇县的客家方言同粤北一带的客家方言仍相当一致。巴蜀其他点的客家人则主要来自粤东长乐、梅县、龙川、河源、惠州、兴宁等地。成都客家人的祖籍以粤东长乐、梅县居多；西昌客家人多来自梅县、兴宁、龙川；隆昌客家人多来自长乐、龙川、惠州、兴宁。其共同的来源是成都、内江、隆昌、荣昌、西昌几地客家人能用客家方言顺畅沟通的主要原因。由于祖籍地粤东和粤北客家方言存在着比较明显的差别，这就致使仪陇客家方言和巴蜀其他点的客家方言差异较大。

客家人的迁徙过程筚路蓝缕，历尽艰辛。关于移入路线，众多学者都认为主要通过水路与陆路两途：水路以出鄱阳湖入长江，溯江而至夔门；陆路由闽粤入江西取道湖南①、湖北入川，或取道湖南、贵州入川。② 经三峡入川系溯江而上。逆水行舟，道路险恶，费时费钱，除了少数富裕者，一般人不会选择此条路线。客家人越过湖南、湖北到了巴蜀，从川东入川的由川东分散到了巴中、广元、达县、仪陇、重庆、荣昌、隆昌、广安等地；西进到泸县、富顺、隆昌、威远等川南地区，有的就留在了川南，而有的继续西进到成都平原。从贵州入川的由川南沿着沱江溯流而上，沿途留徙。最后一部分来到成都平原。经过几番迁移，客家人在巴蜀散播开来，形成了如今的居住情况。今西昌一带的客家人则大都是从成都一带二次迁徙过去的。罗香林在《客家源流考》中也认为，会理一带的客家人，是清初迁到四川中部，后来再迁去的。③ 罗凉昭调查发现，今安宁河西岸的王姓客家人在川最早的居住地在成都雷家坟，抗日时期迁到西昌，故王姓家族应是从广东迁至成都，再由成都迁到西昌的。④ 2009年曾为志在西昌黄联关镇考察时，当地张、黄、刘、钟、蒋姓客家人，均说他们的祖先从广东迁往巴蜀，先在成都居留，后因到云南经商，途经西昌，见此地气候宜人、物产丰富，于是相约邻里，举家迁往本地，繁衍至今。

---

① 也有从粤东至湖南的。
② 参见陈世松等《四川客家》，广西师大出版社2005年版，第27页。
③ 参见罗香林《客家源流考》，中国华侨出版公司1989年版，第31页。
④ 参见罗凉昭、耿静《四川省西昌安宁河西岸客家情况调查》，载《客家研究辑刊》2002年第2期。

第二节　巴蜀客家方言的形成与分布

客家人大量入川，带来了客家方言。以籍贯来称呼人，古今一贯，从巴蜀各地客家人都称为"广东人、土广东、假广东"之类的名称中，可以看出广东客家人在巴蜀客家人中所占据的人口优势。① 因此，"广东人"这个称谓，既反映了"湖广填四川"中广东客家移民巴蜀的历史，又隐含了广东客家人同化了江西客家人和福建客家人的事实。"广东人"这个称谓就有"祖籍为广东省的人"和"说客家话的人"两重含义。第一个含义区别于江西籍和福建籍的客家人；第二个含义则包含了来自江西和福建的客家人。而在成都东山就有"江西的广东人""福建的客家人"和"广东的广东人"的说法，这个说法是对成都客家人内部的细分。

广东客家人移民巴蜀的人口优势，决定了广东客家方言在巴蜀客家方言形成过程中的语言优势地位，因此可以说，巴蜀客家方言是在广东客家方言的基础上经过交混和整合而产生的，这符合移民方言到达新居地以后，需要内部整合的演变发展规律。与巴蜀客家地区把客家人冠以"广东"的称谓相应，巴蜀客家方言在各地也都冠以"广东"省名，或称为"广东话"，或称为"广东腔"，这样的名称直接反映了广东客家方言在巴蜀客家方言形成过程的主导地位，该地位也就决定了巴蜀客家方言的基本面貌。从语言的三要素语音、词汇、语法来看，巴蜀客家方言跟广东客家方言有很直接的亲缘关系。崔荣昌也认为"四川的客家话与粤东北客家话有极大的一致性"。②

巴蜀客家方言的分布地域很广泛，1950年罗香林发表的《客家源流考》统计出了14个县市③，即：涪陵、巴县、荣昌、隆昌、泸县、内江、资中、新都、广汉、成都、双流、灌县、新繁、会理。1985年崔荣昌根据当时掌握的资料，确定为26个县市，1986年扩大到31个县市，1993年进一步确定为46个县市。到2001年，又增加了盐源、纳溪、江安、长宁、筠连、珙县、兴文、古蔺等八个客家方言分布点。加上重庆所辖的荣昌、永川、巴县、江津、南川5个区

---

① 黄尚军：《四川方言与民俗》（四川人民出版社2002年版）收集到的关于四川人来源的100部族谱，其中来自客家的有25部。就整个巴蜀客家而言，我们目前所见资料显示，广东客家约占67%，福建客家约占20%，江西客家约占13%。
② 参见崔荣昌《四川方言与巴蜀文化》，四川大学出版社1996年版，第181页。
③ 含今重庆市。

县，巴蜀客家方言分布点总数为49个。崔荣昌还谈到"若继续进行艰苦细致的调查，这个数字可能还将扩大"。① 根据曾为志的调查研究，长江沿线、沱江和岷江流域，几乎每一个县市都有客家方言的遗痕，这个数字远远大于49个。需要说明的是，尽管巴蜀客家方言分布地域很广泛，但由于巴蜀客家人居住分散、其方言处于弱势地位等原因，至今，很多县市虽有客家人，但仅保留了少数客家亲属称谓词，无人能说客家话了。

巴蜀地域辽阔，客家人分布广泛，历来人口统计不单列客家，所以对于客家人口，至今仍是个谜团。今见于学界的巴蜀客家人口数据也多为估算。如崔荣昌认为全川有客家人一百万以上②，另有学者主张三百万③，还有主张更多的。其判断标准为是否会说客家话。不过我们调查发现，有些祖籍来自非客家地区的人，混居在客家人群中，也慢慢学会了说客家话，虽然这种情况较少。尽管祖籍来源地也为一条重要的标准，可是许多人已经放弃了母语客家话，即使保留了部分客家称谓，或者家谱上明明白白地记载着祖籍，可他们却不认同自己的客家身份。因此，准确统计巴蜀到底有多少客家人，便成为一个难题，不过今天还有多少人会说客家方言，倒可以较为准确地估算。

巴蜀客家方言分布的格局是大分散，小集中。大分散是指广泛而分散地分布在巴蜀众多的县市，小集中是指在分布地以家族、村庄、区乡等为单位的集中分布。现存的巴蜀客家方言呈方言岛形态。这些客家方言岛主要分布在川西成都东山、川东南内江与隆昌、重庆荣昌、川西南西昌黄联关、川北仪陇乐兴以及资中石佛、威远石坪，总人口近七十万。

川西成都东山客家方言岛，是巴蜀境内最大的客家方言岛，位于成都市东北方向的浅山和近山地带，在地理上连续分布，涉及龙泉驿区及与之接壤的成都成华区、锦江区、新都区、青白江区、金堂县几个区县的26个乡镇，其边界大体是东至龙泉山，西至沙河，北至川陕公路南侧，南至老成渝公路北侧；面积约五百平方千米，客家人口总数约五十万。④ 据调查统计，在26个乡镇177个村中，客家人比例占90%以上的村有105个。⑤

---

① 参见崔荣昌《四川方言与巴蜀文化》，四川大学出版社1996年版，第172页。
② 参见崔荣昌《四川的客家人和客方言岛》，载《龙门阵》1984年第6辑。
③ 参见陈世松等《四川客家》，广西师范大学出版社2005年版，第46页。
④ 参见刘义章、陈世松《四川客家历史与现状调查·导言》，四川人民出版社2001年版，第5页。
⑤ 参见陈世松等《四川客家》，广西师范大学出版社2005年版，第47~48页。

成都客家人的大面积集中居住，是这个客家方言岛形成、保存的决定性原因。成都客家人的祖籍主要是粤东五华、梅县、兴宁一带，当地人把客家人称为"广东人"，或称"土广东"，把客家方言称为"广东话"，把巴蜀汉语方言称为"湖广话"。

川东南内江—隆昌—重庆荣昌客家方言集中分布在内江市东南郭北区的永东乡、永西乡、太华乡和隆昌县的界市、普润、周兴等乡镇，以及重庆市荣昌县盘龙镇，基本呈连续分布的特点。此外，隆昌西南面的胡家、付家、圣灯等乡镇还有比较集中的分布。崔荣昌指出，隆昌是川东最大的客家人聚居地，人口约二十万。[①] 据陈若愚的调查，内江郭北区在20世纪90年代初，还有一两千人讲客家话。[②] 近年来，由于政府和媒体对客家文化的积极宣传，该地点的客家人对客家身份的认同感明显增加，说客家话的人数有增加的趋势。2008年和2010年兰玉英、曾为志两次深入隆昌调查，发现隆昌下属各个乡镇，至今都有部分老人能说流利的客家话，基本上也很难找到跟客家没有渊源的非客家人。内江—隆昌—荣昌一带，目前当有十万人还能说客家话[③]，应无异议。

川西南西昌黄联客家方言分布在西昌境内的南宁区黄联关镇和盐中区中坝乡，具体分布情况如下：[④]

黄联关镇鹿马村一、二、八组，约五百人；
石坝村一、二、三、四、五组，约一千二百人；
大德村一、二、三、四、五组，约一千人；
东坪村三、四、五组，约一千人；
中坝乡大中村，约二千人。

以上共计六千人左右。黄联关镇大德村被称为凉山客家第一村，居民80%以上是客家人，普遍会说客家话和被当地人称为"四外话"的四川官话。西昌客家人的祖籍主要为粤东梅县、兴宁、龙川等地，当地人普遍把客家人称为"广东人"，或称"假广东"，把客家方言称为"广东话"，把两种相邻的四

---

① 参见崔荣昌《四川方言的形成》，载《方言》1985年第1期。
② 参见四川省内江市东兴区志编纂委员会《内江县志》，巴蜀书社1994年版，第762页。
③ 有部分人说得不流利。
④ 参见四川省西昌市志编纂委员会《西昌市志》，四川人民出版社1996年版，第985页。

川官话分别称为"四外话"和"保十三话"。黄联客家人也普遍会说客家话和"四外话"。

川北仪陇片客家方言集中分布在仪陇中部丘陵地区，包括永乐区的乐兴乡全乡和武棚乡全乡，日兴区的凤仪乡部分地区和大风乡部分地区，马鞍区的旭日乡部分地区、周河乡部分地区和马鞍乡部分地区，人口约五万。[①] 乐兴乡是仪陇客家方言使用的核心地带，乐兴乡总人口一万余人，一半以上的人会说客家话，用双方言交流。仪陇客家人的祖籍主要是粤北韶州府乳源县一带，当地人把客家人称为"广东人"，把客家话称作"广东话"或"土广东话"，把仪陇话称作"四邻话"或"四里话"。

此外，40年前崔荣昌描述自己的母语——威远县石坪乡客家方言时说，他的同辈人已基本不说客家话；2010年兰玉英、曾为志赴石坪调查，当地至今还有一些老年人能说流利的客家话，但整个方言岛已经呈基本消亡状态。跟石坪相邻的资中铁佛场，至今还有近万人能说客家话，同时他们还使用资中话进行交际。内江片内客家人的祖籍主要是粤东梅县、五华，石坪的客家人则主要来自河源、龙川。此片内普遍把客家人称为"广东人"，把客家话称为"广东话"，把巴蜀汉语方言称为"湖广话"，石坪把客家话称为"广东腔"。

第三节 巴蜀客家方言的特点

一、语音特点

巴蜀境内的客家方言，可以看成是客家方言的一个特殊的次方言，其特殊性在于它是闽、粤、赣客家人移民到巴蜀而形成的。成都、内江、荣昌、西昌、威远几地客家方言一致性较强，之间基本可以无障碍通话；而这几地与仪陇客家方言之间的沟通度则较低。从与闽、粤、赣客家方言的关系来看，巴蜀客家方言与粤东北客家方言有很大的一致性，其中仪陇客家方言与粤北客家方言的关系更密切，成都、西昌、内江各点的客家方言则与粤东五华、梅县等地的客家方言关系密切。跟它们比较，巴蜀客家方言在声母和韵母方面都简化了很多，在声调方面则都保留了入声，分为阴入和阳入。巴蜀汉语官话方言声、

---

① 参见崔荣昌《四川境内的客方言》（未刊稿），四川客家研究中心编印，2006年，第234页。

韵、调较之巴蜀客家方言简单得多，巴蜀客家方言声、韵、调的变化应该是受到了巴蜀地区官话方言的影响。

（一）声母方面

巴蜀客家方言古全浊声母字不论平仄，逢今塞音、塞擦音读为送气清音。如大定①［t'ai⁵³］、坐从［ts'o⁴⁵］、谢邪［tɕ'ia⁵³］、柱澄［ts'u⁴⁵］、跪群［k'uei⁵³］。古非组声母字多读唇齿音［f、v］，部分字保留重唇音读［p、p'、m］，如饭奉［fan⁵³］、文微［vən¹³］、斧非［pu³¹］、扶并［p'u¹³］、肥奉［p'ei¹³］、尾微［mei⁴⁵］、蚊微［mən⁴⁵］、蜂滂［p'uŋ⁴⁵］。

在梅县、五华客家方言中，古精组声母拼细音读［ts］［ts'］［s］，梅县、五华客家方言无舌面前音［tɕ］［tɕ'］［ȵ］［ɕ］，古见组拼细音读［k］［k'］［h］［ŋ］；巴蜀客家方言则尖团合流，古精组声母拼细音除了成都客家方言稍有特殊之外，其余一律读腭化音［tɕ］［tɕ'］［ȵ］［ɕ］。

成都东山多数客家方言点无翘舌声母，古精组字跟知庄章组字合流，大多读［ts］［ts'］［s］，有少数字腭化为［tɕ］［tɕ'］［ɕ］；成都金牛区天回镇和新都区境内的客家方言，有完整的声母［tʂ］［tʂ'］［ʂ］，不过辖字非常少，仅限于曾摄开口三等职韵字和臻摄开口三等质韵字，以及深摄开口三等缉韵字，且全都是入声字，如直、值、织、职、识、殖、植、食、蚀、质、实、失、室、侄、汁、湿、拾、十、日等。

西昌和隆昌两地有［tɕ］［tɕ'］［ɕ］与［tʂ］［tʂ'］［ʂ］的分别，辖字范围各不相同，西昌客家方言的翘舌音多于隆昌。另外，仪陇客家方言里个别精组字与知庄章组字，以及个别古心母字，也略带翘舌音色彩，不过这种现象仅出现在部分老年人口中，40岁以下的年轻人则无翘舌音，精组字和知系字在仪陇客家方言中，也有读［tɕ］［tɕ'］［ɕ］的情况。

（二）韵母方面

山摄一、二等舒声韵，基本有［ɔn/on］与［an］的分别，蟹摄一、二等，有［oi与ai/uai］的分别，如看［k'ɔn⁵³］山开一、间［kan⁴⁵］山开二、官［kɔn⁴⁵］山合一、关［kuan⁴⁵］山合二、妹［moi⁵³］蟹合一、抬［t'oi¹³］蟹开一、街［kai⁴⁵］蟹开二、灰蟹合一［foi⁴⁵］、怀［fai¹³］蟹合二之类。这保留了客家方言重要的语音特点。

---

① 此处"定、从、邪"等为中古汉语"三十六字母"的代表字。

从韵头来看，巴蜀客家方言除西昌外，四呼俱全。闽、粤、赣客家方言普遍无撮口呼，而巴蜀客家方言普遍具有撮口韵母，只是数量多寡不等。西昌客家方言仅有一个"靴[ye]"，其他各点均有成套的撮口韵母。

从韵尾看，巴蜀客家方言阳声韵已无[-m]尾，只有[-n]和[-ŋ]尾。其中山摄开口一等舒声韵字与合口一、三等字的分派规律有别：在华阳凉水井和新都泰兴客家方言中，山摄一等舒声韵字逢见系声母跟合口一等字逢端系、见系声母，以及合口三等逢知系声母与宕摄合流读[ɔŋ]，而在其他地点的客家方言中，这些韵母字则仍收[-n]尾。

梅县、五华客家方言的塞音韵尾[-p][-t][-k]齐全，分别对应于舒声鼻音尾[-m][-n][-ŋ]。而今巴蜀各地客家方言入声韵尾[-p][-t][-k]已全部脱落，统收[-ʔ]尾。闽粤赣客家方言没有[ɚ]韵，而巴蜀客家方言普遍有[ɚ]韵，成都、西昌、仪陇、隆昌都既有[ɚ]韵，又有儿化现象。

（三）声调方面

巴蜀客家方言声调数十分统一，都为"阴平、阳平、上声、去声、阴入、阳入"六个。平声和入声分阴阳，基本以古声母的清浊为依据：古入声中的清声母字归阴入，古入声中的浊声母字归阳入。在各声调的调型上，成都各点跟西昌、隆昌、荣昌一致性很强，仪陇和威远跟前三地不同，相互间也各异。总的说来，成都、西昌、隆昌、荣昌声调中，阴入调值低，阳入调值高；仪陇客家方言入声则刚好相反，阴入调值高，阳入调值低。

古次浊上声与古全浊上声字部分读阴平，如毛[mau^{45}]、蚊[mən^{45}]、尾[mei^{45}]、妇[pu^{45}]、忍[n̩in^{45}]、淡[tʻan^{45}]、坐[tsʻo^{45}]、舅[tɕʻiəu^{45}]、弟[tʻai^{45}]。这些特点跟闽、粤、赣客家方言完全相同。

从上述语言特点看，巴蜀境内的客家方言都保存了客家方言的重要特点。其中川西成都小片、川东南内江—荣昌小片、川西南黄联小片，在声母、韵母方面均具有客家方言的一般特点，在声调方面也具有跟梅县、五华客家方言较为一致的特点；仪陇客家方言则具有粤北客家方言的重要特点，其对客家方言一般特点的保存相对来讲稍弱，在声调方面跟巴蜀粤东片的差异也比较大（见表5-3）。

表5-3 部分客家方言点韵母、声调比较

		韵 母		声 调		
		哥果开一平歌见	狗流开一上厚见	阴平	阴入	阳入
梅县	粤东客方言①	[ko⁴⁴]	[keu³¹]	44	1	5
五华		[ko⁴⁴]	[keu³¹]	44	1	5
成都洛带		[ko⁴⁵]	[kiəu³¹]	45	2	5
内江隆昌		[ko⁴⁵]	[tsəu³¹]	45	3	5
西昌黄联		[ko⁴⁵]	[tsəu³¹]	45	3	5
乳源	粤北客方言②	[kɔu⁴⁴]	[tsɛu³¹]	44	2	5
翁源		[kou²³]	[tsɛu³¹]	23	2	5
乐昌		[kɔu⁴⁴]	[tsɛu⁴¹]	44	4	2
英德		[kou³³]	[tsɛi³¹]	33	2	4
仪陇		[kəu³³]	[kɛ⁵³]	33	5	3

上表显示，果摄开口一等字"哥"在成都洛带、内江隆昌、西昌黄联各点的读音高度统一，都读单韵母[o]，而在仪陇则读复韵母[əu]。读为[o]，跟五华、梅县相同，而跟粤北乳源等几个地点相异；读为[əu]，跟英德、翁源等地点十分接近，跟乳源、乐昌也相近，而跟粤东五华、梅县相异。流开一等的"狗"字，成都客家方言读齐齿音[kiəu³¹]，内江隆昌、西昌黄联一致读为[kəu³¹]，跟梅县、五华读音[keu³¹]比较接近，并能建立对应关系；仪陇读为[kɛ⁵³]，韵腹跟粤北各点相同，可能是[ɛu]或[ɛi]脱落韵尾所致。在声调方面，成都洛带、内江隆昌、西昌黄联一致性也很强，阴平读为次高升调，跟五华、梅县客家方言相近；阴入低、阳入高的特点也跟五华、梅县话一致。仪陇客家方言的阴平是33，为中调，跟英德客家方言一致，跟翁源也很接近；阴入高、阳入低是仪陇客家方言入声的读音特点，这跟粤北的乐昌客家方言是相同的。

仪陇客家方言跟成都、隆昌、黄联客家方言之间在语言特点上的重要差异，是巴蜀客家方言分片的重要依据，又跟来源的标准相吻合，跟地缘标准也

---

① 参见黄雪贞《梅县方言词典》，江苏教育出版社1995年版，第56页、第127页。魏宇文：《五华话同音字汇》，载《方言》1997年第3期。
② 粤北客家方言材料由中山大学庄初升先生提供，谨此致谢。

不冲突。同时，从语言特点观察，也许能够解释成都、内江、西昌几地客家方言沟通度高以及它们跟仪陇客家方言之间的沟通度低的原因。

从地缘看，巴蜀各地的客家方言有不同的特色，这种特色主要取决于祖籍方言的影响，同时还取决于所受到的官话方言的影响。仪陇客家方言独立成巴蜀粤北片，跟成都、内江、西昌客家方言的差异，便包括了地域差异。成都、内江、西昌三地因语音、词汇、语法的基本面貌上的一致性强、沟通度高，而同归为粤东片，但三地客家人使用的巴蜀汉语方言有别：成都客家人使用的官话是成都话，属于成渝片；内江客家人使用的官话是内江话，属于灌赤片的仁富小片，黄联客家人普遍使用的"四外话"，在语音上有系统的平翘舌音，没有撮口呼韵母，可以归到昆贵片。由于巴蜀粤东片分布的地域广，并且三地不同特色的巴蜀汉语方言带给了当地客家方言的不同影响，因此，兰玉英、曾为志根据其所处地点，将巴蜀客家方言分为川西成都小片、川东南内江小片和川西南黄联小片三个小片。[1]

二、词汇特点

巴蜀客家方言保留了大量的客家方言特征词，这些词往往是西南官话方言不具备的。关于方言的特征词，李如龙指出：

> 方言特征词是一定地域里的一定批量的，区内大体一致，区外相对殊异的方言词。[2]

温昌衍将客家方言的特征词界定为：

> 一定批量的区内方言多见、区外方言少见的客家方言词。[3]

从来源看，巴蜀粤东片客家方言跟五华、梅县客家方言有较大的一致性，而仪陇客家方言则不然（见表5-4）。

---

[1] 参见张一舟、邓英树等《四川省志·方言志》，方志出版社2013年版，第191～195页。
[2] 李如龙：《汉语方言的比较研究》，商务印书馆2003年版，第112页。
[3] 温昌衍：《客家方言特征词研究》，暨南大学博士学位论文，2001年。

表5-4 巴蜀部分客家方言与五华、梅县客家方言部分词汇

普通话	五华	梅县	成都	荣昌	西昌	仪陇
太阳	日头	日头	日头	日头	日头	日头
月亮	月光	月光	月光	月光	月光	月光
今天	今日	今晡日	中晡日	今晡日 今日	中晡日 今晡日	今日
白天	日子辰	日辰头 日时头	日子辰	日子辰	白日 日子辰	日头
夜里	夜晡辰	暗晡 夜晡	暗晡辰 暗晡	暗晡（辰） 夜晡里	暗晡夜 暗晡	夜晡头
上午	上昼	上昼	上昼	上昼	上昼	昼边
中午	当昼	当昼	中昼	半昼 昼边	昼边	昼边
下午	下昼	下昼	下昼 下晡	下晡 下昼	下昼	下昼
公牛	牛牯	牛牯	牯牛 牛公	牯牛 牛公	牯牯儿	牯牛
母牛	牛嫲	牛嫲	牛嫲	牛嫲	牛嫲	牛嫲
老鹰	鹞婆	鹞婆	鹞婆	鹞婆	鹞婆	鹞婆
大雁	大雁	雁鹅	雁鹅	雁鹅	雁鹅	天鹅
喜鹊	阿鹊	阿鹊儿	阿鹊	阿鹊子	阿鹊鹊	阿鹊子
麻雀	禾必子	禾笔儿	麻雀子 罗必子	麻鸟子	麻雀 麻雀子	麻鸟子
鲤鱼	鲤嫲	鲤儿	鲤嫲	鲤嫲	鲤鱼	鲤鱼
青蛙	蜗子	田鸡 蜗儿	青鸡 麻蜗子	蜗嫲	青蛙儿 青鸡 田鸡	青蜗子
苍蝇	乌蝇	乌蝇	乌蝇	苍蝇子 乌蝇	乌蝇	乌蝇 饭蚊子
虱子	虱嫲	虱嫲	虱嫲	虱嫲	虱嫲	虱嫲
跳蚤	狗虱	狗虱	狗虱	蛇蚤 狗虱	蛇蚤	狗虱
玉米	包粟	包粟	包粟	包粟 包谷	包谷	番粟
白薯	薯子	番薯	番薯	番薯	番薯	红薯
菠菜	角菜	角菜	角菜	角菜 田菜	菠菜	角菜
南瓜	冬瓜	冬瓜	番瓜	番瓜	南瓜	金瓜
萝卜	萝苤	萝卜	萝苤	萝苤	萝苤	萝苤
姜	姜嫲	姜嫲	姜嫲	姜嫲	姜嫲	姜
辣椒	辣椒	辣椒	鸡椒	鸡椒	辣椒	番椒
鸡窝	鸡斗	鸡栖 鸡斗	鸡窝	鸡斗	鸡窝	鸡斗
坟	坟地	地	地 坟包	地 坟包	坟	坟 山坟
锅	镬头	镬	镬头	镬头	镬头	镬头
扁担	担竿	担竿	担竿	担杆	担竿	担竿

续表一

普通话	五华	梅县	成都	荣昌	西昌	仪陇
学校	学校	学堂 学校	学堂	学堂	学堂	书房
头	头那	头那	头那 脑壳	头那 脑壳	头那	头那
头发	头那毛	头那毛	头发毛	头发毛	头发	头那毛
脸	面	面	面	面	面	面巴
前额	额门	额角	额门	额门	额颅	额头
眼睛	目珠	眼珠	眼珠	眼珠	眼睛	眼珠
鼻子	鼻公	鼻公	鼻公	鼻公	鼻公	鼻头
舌头	舌嫲	舌嫲	舌嫲	舌嫲	舌嫲	舌头
脖子	颈	颈筋	颈茎	颈茎	颈茎	颈项
乳房	奶姑	奶姑	奶	奶	奶奶	奶姑
肚子	肚拍	肚筒	肚拍	肚拍	肚拍	肚子
膝盖	膝头	膝头	膝头	膝头	磕膝头儿	膝头包
男人	男子人	男儿人	男个 男子人	男个 男子人	男个	男个
女人	妇道人	妇人家 妹儿人 大细姑	女个 妇娘子	女个 妇娘子 妇娘嫲	女人 女个	女个 妇娘嫲
姑娘	细妹哩	细妹儿	妹子	妹子 妹崽子	女娃儿	妹子人 满姑人
小孩子	细崽哩	细人儿	细崽子	细崽子 细娃儿	细娃儿	大细子
祖父	阿公	阿公	阿公	阿公	阿公	阿大
祖母	阿婆	阿婆	阿婆	阿婆	阿婆	奶奶
父亲	阿爸	阿爸	阿爸 阿爷	阿爷 阿爸	阿爸	爹爹 老者
母亲	阿娘 阿婆	阿姆 阿嫲	阿娘 阿婆	阿娓 伯娓 娭子（背称）	阿婆	娭□[ia³³] 娭子
舅父	舅爷	阿舅	舅爷	舅爷	舅爷	满舅
舅母	舅娘	舅姆	舅娘	舅娘	舅娘	舅娓
丈人	丈人佬	丈人佬	丈人佬	丈佬	老丈人	丈佬
丈母	丈婆	丈里婆	丈人婆	丈婆	老丈母	丈娘娭
公公	家官	家官	家官	家官	家官	老人公
婆婆	家娘	家娘	家娘	家娘	家娘	家娘
儿子	俫子	赖儿	俫子	俫子	俫子	赖子
媳妇	心舅	心舅	心舅	心舅	心舅	□□[san³³] [pʻei³³]
女儿	妹子	妹儿	妹子	妹子	妹子	妹子
女婿	婿郎	婿郎	婿郎	客婿郎	女婿 婿郎	干儿子
妯娌	子嫂	子嫂	子嫂	子嫂	子嫂	子嫂

续表二

普通话	五 华	梅 县	成 都	荣 昌	西 昌	仪 陇
前面	前面	前背	先行	前头 先行	先行	前头
后面	后面 后背	后背	后背	后头 后背	后背	后背
里边	里背	里背	里背	里背	里背	里背
外边	外面	外背	外背	外背	外背	外背
上面	上面	上背	顶高	顶高 上背	顶高	上背
下面	下面 脚下	下背	下背	底下 下背	底下 脚下	底下
下雨	落水	落雨 落水	落水	落水	落水	落水
掉下来	跌下来	跌	跌 落	跌	跌	跌
闻	鼻	鼻	鼻	鼻	鼻	鼻
吃	食	食	食	食	食	食
咬	啮	啮 咬	啮	啮	咬	咬
站	徛	徛	徛	徛	徛	徛
吃早饭	食朝	食朝	食朝	食朝	食朝	食朝
吃午饭	食昼	食昼	食昼	食昼	食昼	食昼
吃晚饭	食夜	食夜	食夜	食夜	食夜	食夜
穿	着	着	着	着	着	着
漱口	荡嘴	荡嘴	荡嘴巴	荡嘴	漱啜	涮嘴
洗澡	洗身	洗身儿	洗身	洗身	洗身	洗身
寻找	寻	寻	找	找 寻	找	寻
说	讲话	话讲	讲	讲	讲	讲
说话	讲话	讲话	讲话	讲话	讲话	讲话
哭	嗷	嗷	嗷	嗷	嗷	嗷
打架	打交哩	打交	打交 肇交 打捶①	打交 肇交 打捶	打捶	打交
是	系	系	系	系	系	系
小	细	细	细	细	细	细
宽	阔	阔	阔	阔	宽	宽
窄	狭	狭	狭	狭	窄	狭
亮	光	光	光	光	亮	光

---

① 打捶：打架。唐枢、林皋：《蜀籁》（四川人民出版社1962年版，第174页）："打捶离不得亲兄弟，出阵离不得父子兵。"李劼人：《李劼人选集》（第1卷，四川人民出版社1980年版，第100页）："这是昨天同人打捶打伤的。"另有"打冷捶、打冷砣子、打偷偷捶"，指"趁混乱场面偷着打别人"。重庆晚报副刊部：《逛市井走过场》（重庆出版社1999年版，第283页）："趁劝架'筛'人家一砣子，这叫打冷头，打冷槌。""捶"也作"锤""棰"。（清）刘省三：《跻春台》（江苏古籍出版社1993年版，第361页）："萧家四喜气性傲，讲他不听半分毫。角孽打棰[捶]如猴跳，无奈才拿板儿敲。"

续表三

普通话	五华	梅县	成都	荣昌	西昌	仪陇
黑	乌	乌	乌	乌	乌	乌
干	燥	燥	燥	燥	燥	燥
我	偓	偓	偓	偓	偓	偓
你	你	你	你	你	你	你
他	佢	佢	佢	佢	佢	佢
谁	哪侪	瞒人	哪只 哪侪	哪人 哪侪	哪侪 哪只	瞒人
什么	脉个	脉个	脉个	脉个	脉个	脉个
不	唔	唔	唔	唔	唔	唔
没（副词）	吂连	吂 唔连	唔曾 吂 连吂	吂连 唔连吂	唔曾 吂	唔曾

由于巴蜀各片客家方言的来源并不单一，且原乡客家方言词汇存在着差异，巴蜀客家方言词汇在自身整合的过程中，便保留了不同地点的客家方言特征词，出现了特征词重叠的情况。比如在成都客家方言中，"下午"有"下昼"和"下晡"两个说法，今梅县、五华都只有"下昼"而无"下晡"的说法，兴宁则只有"下晡"而无"下昼"的说法；"雾"有"雾[muŋ]¹³沙"和"雾露"的说法，今梅县和五华都只有"雾沙"而无"雾露"的说法，赣县则只有"雾露"而无"雾沙"的说法，因此，可以说巴蜀客家方言比较集中地传承了客家方言特征词。

巴蜀客家方言词汇不仅顽强地传承了客家方言特征词，也从巴蜀汉语方言中借用了许多词语。借词在巴蜀客家方言中的存在有叠置式和替代式两种方式。①

叠置式是指传承词与借词重叠使用的演变方式。如巴蜀各地客家方言中，"头"有"头那"和"脑壳"两种说法；"公牛"有"牛公"和"牯牛"两种说法；"睡觉"有"睡目"和"睡瞌睡"两种说法，"锅底灰"有"镬捞"和"锅烟子"两种说法。在这些例子中，前者是客家方言的特征词，是底层词，后者则是来自巴蜀汉语方言的借用词，是上层词。

替代式是指借词代替了客家方言原词的方式。如巴蜀客家方言中称"屁股"，不说"屎窟"而说"沟子"；称"肛门"，不说"屎窟门"而说"屁

---

① 参见兰玉英、曾为志《成都客家方言基本词汇的演变方式初探》，载《西南民族大学学报》（人文社会科学版）2011年第2期。

眼";称"聊天",不说"［□□tiam¹¹te¹¹］"而说"摆龙门阵";称"蜻蜓",少说"囊蚁子"而多说"虹虹猫儿";"大小便"除了说成"屙屎、屙尿"外,常说成"解大手、解小手";"吹牛"不说"车大炮"而说"冲壳子";"傻子或脑子迟钝的人"不说"戆牯"而说"瓜娃子";"傻"不说"戆"而说"瓜"。我们知道"沟子、屁眼、摆龙门阵、解手、冲壳子、瓜娃子、瓜"等词语,则是巴蜀汉语方言的特征词。

此外,巴蜀客家方言所传承的客家方言特征词语中,沿用古语词,或者以古语词作为构词材料的特点比较突出。古语词的数量往往比巴蜀地区官话多,以成都客家方言为例就有:

逐［tɕiuʔ⁵］

《说文》:"逐,追也。"今巴蜀客家方言言"追"曰"逐"。

髀［pi³¹］

大腿。《说文》:"髀,股也,从骨,卑声。"《广韵》上声荠韵傍礼切:"大腿。"巴蜀客家方言把大腿称为"大髀",并可延伸到牲畜,如鸡髀、鸭髀等。

晡［pu⁴⁵］

申时,即午后三时至五时。《广韵》平声模韵博孤切:"晡,申时。"巴蜀客家方言作"日、天"使用,如"昨晡、今晡"即"昨天、今天"的意思。

猋［piau⁴⁵］

奔跑,急速前进。《说文》:"猋,犬走貌。从三犬。"段玉裁《说文解字注·犬部》:"猋,引申为凡走之称。"《楚辞·九歌·云中君》:"灵皇皇兮既降,猋远举兮云中。"王逸注:"猋,去疾貌也。"《广韵》平声宵韵甫遥切:"奔跑,急速前进。"‖路溜（滑）,慢慢子走,莫猋咁（那么）快。①

偋［piaŋ⁵³］

藏匿。《说文》:"偋,僻寠也。"《广韵》去声劲韵防正切:"偋,隐蔽也,无人处。"‖偋偋迋迋个（偷偷摸摸的）唔系（不是）好人。

凭［pʻieŋ³¹］

靠,依靠。《说文》:"凭依几也。从几,从任。"《集韵》去声证韵部

---

① 本书"‖"后为例句,无出处者为口语,括号内为该词释义。

孕切："依几也。"‖凭倒大树好散凉（乘凉）。

沕［mi⁵³］

没入水中。《集韵》去声队韵莫佩切："潜藏也。"‖旧社会，带个（生的）妹子（女儿）差唔（不）多都拿来沕死。

疢［fan⁴⁵］

心里不舒服，有要吐的感觉。《广韵》去声愿韵芳万切："疢，吐 。"《集韵》去声愿韵方愿切："疢，心恶病。"‖心肝疢疢跳。

黗［tu⁵³］

黔深黑色。《集韵》去声暮韵都故切："色深黑。"‖样（这）条裤子乌黗红（暗红色），唔（不）多好看。

刟［tui31］

用力拉、拽。《改併四声篇海·力部》引《奚韵》："刟，着力牵也。"《康熙字典·篇海》："都罪切，堆上声，着力牵也。"‖遇到钓大鱼子，千万唔（不）要使劲刟，免得渠（它）焱了。

㴛［taʔ³²］

湿淋淋的样子。《集韵》入声合韵德合切："湿也。"‖水㴛㴛个（湿淋淋的）像将将（刚刚）走（从）水底背搂（捞）来（上来）。

启［tuʔ³²］

肛门；器物等的底部。《广韵》入声屋韵丁木切："尾下窍也。"《集韵》入声屋韵都木切："启，《博雅》：'臀也。'"此指肛门，引申为器物等的底部。‖屁眼启启都是乌个（黑的）。

燂［tʻan¹³］

燎，放在火上烧。《说文》："燂，火热也。从火，覃声。"《广韵》覃韵徒含切："火热也。"明汤显祖《邯郸记·召还》："你打的我血淋侵达的痛镬镬也，怎再领得你那十指钻钳泼火燂。"‖扯诶鸡毛，再拿到火顶高（上面）燂一下。

掭［tʻien⁵³］

使两边重量相等。《广雅·释诂三》："掭，担也。"王念孙疏证："《方言》注云，今江东呼儋两头有物为縢。"《集韵》去声嶝韵唐亘切："负担也，或从手。"掭‖孩子（担子）要掭头正（才）好孩（担）。

荡［tʻɔŋ⁴⁵］

洗涮。《集韵》平声唐韵他郎切："涤器也。"‖吃欸饭把嘴巴荡干净。

挼 [lo¹³]

双手互相切摩或手执物揉搓。《广韵》平声戈韵奴禾切："挼，《说文》曰：'摧也，一曰两手相切摩也'俗作'捼'。"‖你把你个衫挼欸嘛。

棘 [lieʔ³²]

尖锐像针的东西，刺儿。《广韵》入声职韵林直切："赵魏间呼棘，出《方言》。"‖吃鱼子把细（小心）棘。

痨 [lau⁵³]

毒。《说文》："痨，朝鲜谓药毒曰痨，从疒，劳声。"《方言》卷三："凡饮药傅药而毒，北燕、朝鲜之间谓之痨。"《广韵》去声号韵郎到切。‖渠（他）个鸡鸭遭痨死诶好几只。

坜 [laʔ³²]

坑，不单用。沟坜、河坜指沟、河。《集韵》入声锡韵郎狄切："坑也。"‖沟坜里好久都冇水来了。

爅 [luʔ⁵]

烫。《集韵》入声屋韵卢谷切："炼也。"‖死猪唔怕开水爅（比喻屡犯同样的错误或屡受批评而无动于衷）。

熿 [tsau⁴⁵]

干、干燥。《说文》："熿，焦也。"《广韵》平声豪韵作曹切："㶣木也。"‖到七月，收熿谷，大挍（担子）细挍挍（担）进屋。

剚 [tsʻɿ¹³]

宰杀；杀。《广韵》之韵直之切。《字汇》陈知切："剚，剚鱼。"‖人客来了，快剚只鸡来招待。

憏 [tsʻeʔ³²]

心跳：《集韵》入声薛韵尺列切。《类篇·心部》："憏憏，心动。"‖听渠（他）样（这）象子一讲，俺（我）个心憏倒憏倒个痛。

搲 [tsʻau⁵³]

不停翻动搅和。《广韵》去声号韵在到切："搲，手搅也。"《集韵》去声号韵在到切："搅也。"清顾炎武《天下郡国利病书·云南五·种人》："食无箸，以手搲饭。"‖窃娃子（小偷）把一间屋都搲完了，但是唔能（没有）偷倒值钱的东西。

捽［ts'uʔ⁵］

擦拭。《广韵》入声没韵昨没切："手捽也。"‖洗诶手把手捽干净。

唇［suən¹³］

边缘。《释名·释形体》："唇，缘也。唇者口之缘也。"《诗经·伐檀》："坎坎伐轮兮，寘之河之漘兮，河水清且沦猗。"此漘与唇音义皆同。‖门唇口即指门边上。

栖［tɕi⁵³］

鸡鸭等的栖息地。《集韵》去声霁韵思计切："鸡所止。"又作"栖"。《集韵》去声霁韵苏计切："鸡所宿也。"‖鸡栖里还有四个鸡蛋唔曾（没有）捡。

徛［tɕ'i⁴⁵］

站立。《广韵》纸韵渠绮切："立也。"《集韵》作"倚"纸韵巨绮切："立也。"‖徛要有徛相。

蜿［ɕiɛn⁵³］

蚯蚓。《玉篇·虫部》："蜿，寒蜿，即蚯蚓。"《广韵》上声阮韵虚偃切："寒 。"《广韵》上声阮韵许偃切："寒蜿，虫名，蚯蚓也。"‖红蜿和蜂糖水喝诶可以医小崽子（小孩）咳。

熻［ɕiʔ³²］

热。《广韵》入声缉韵许及切。《广雅·释诂二》："熻，爇也。"王念孙疏证："热与爇亦声近义同。"《玉篇·火部》："熻，热也。"‖今晡日（今天）天气熻热（闷热）得很。

圿［kaʔ³²］

身上的污垢。《广韵》入声黠韵古黠切："圿，垢圿。"‖一身个（的）油浼圿，冇哪人喜欢挨倒渠（他）。

晏［ŋan⁵³］

晚，天色不早。《小尔雅》："晏，晚也。"《吕氏春秋·慎小》："二子待君日晏，公不来至。"高诱注："晏，暮也。"《广韵》去声谏韵乌涧切："柔也，天清也，又晚也。"‖天咁（那么）晏了，快兜（快点）转屋了。

隐［ŋin⁵³］

触着凸起的东西觉得不舒服或受到损伤。曹植《七启》："乃使北宫东郭之畴，生抽豹尾，分裂貙肩，形不抗手，骨不隐拳。"唐人王梵志诗云："梵志翻着袜，人皆道是错。宁可刺你眼，不可隐我脚。"《广韵》上声隐韵于谨切："藏也，痛也，私也，安也，定也。"‖打光脚板走路好隐脚哦。

萦 [iaŋ⁴⁵]

收卷，绕。《说文》："收卷也，从纟，荥省声。"《广韵》平声清韵于营切："绕也。"‖搞快萦线，风筝要跌下来了。

坼 [ts'aʔ³²]

裂缝。《广韵》入声陌韵丑格切："裂也。"‖今年子天干，田底背（里面）都起经坼（裂缝）了。

食 [seʔ⁵]

巴蜀客家方言一般不用"吃"，普通话和巴蜀汉语方言中用"吃"的地方，都用"食"。① "食"可以作为动词单独运用，也可以作为语素构词，意义或具体或抽象。如"食喜酒、食奶、食朝（吃早饭）、食昼（吃午饭）、食夜（吃晚饭）、食得开（吃得开）"等。

三、语法特点

巴蜀客家方言在语法上，也有自己突出的特点，现择要加以说明。

（一）词法特点

1.构词特点

在构词法上，巴蜀客家方言跟普通话相比，有一些双音词词序相反，如：

公太—太公、婆太—太婆、麻芝—芝麻、蔗甘—甘蔗、凳板—板凳、欢喜—喜欢；人客—客人、牛公—公牛、鸡公—公鸡、钱纸—纸钱、气力—力气、闹热—热闹、紧要—要紧。

2.词缀特点

巴蜀客家方言名词的词缀丰富，表现在两个方面：一方面是有比较多的词缀，另一方面是有一些词缀的能产性很强。例如前缀"老"既可用于姓氏之前，如"老张、老王"；又可用于对平辈的称谓上，如"老同、老庚同庚的人、老妹妹妹、老弟弟弟、老表表兄弟"；还可以用于其他人或事物名称，如"老鸦乌鸦、老噭疯子"。"阿"可用于亲属称谓，如"阿公、阿婆、阿爸、阿娘、阿

---

① "吃亏"一词除外。

哥、阿嫂、阿姐、阿幺最小的儿子"；加在人的名字①前，如"阿文、阿根、阿英"；还可以加在某些动物名称前，如"阿秋燕燕子、阿鹊喜鹊"。"满"是一个普通话中没有的名词词缀，表示排行最末的，用于亲属称谓，如"满姨最小的姨妈、满子最小的儿子、满女最小的女儿、满公排行在末尾的叔公、满叔婆排行在末尾的叔婆"等。

后缀有"子、头、巴、公、嫲、婆、牯、哥"等。其中"子"尾的使用非常普遍，可用在名词、形容词和量词中，所构成的词，很多是巴蜀汉语方言和普通话中都没有的。用在名词中，"子"作为词缀，构成了很多不同于普通话的名词，在个别名词中体现出小称的意义；在形容词中它或作为词缀构词，或作为形容词生动形式的一部分，往往表示量增加了一点儿或程度超过了一点儿的意义，大都表示或喜爱或不如意的感情色彩；在量词中也可以作为词缀构词，还表示量少。

用在名词中，如"学生子学生、脚背子脚背、鸟子鸟儿、鹅子鹅、马子马、鱼子鱼、老鼠子老鼠、蚂蚁子蚂蚁、洋芋子土豆儿、樱桃子樱桃"。这些词中"子"尾不可缺少。跟"子"尾对应的后缀，梅县客家方言是"［□ε³¹］"尾、五华和兴宁客家方言是"哩"尾，今巴蜀各地客家方言已无这两个后缀，普遍用"子"尾，仪陇客家方言有时也用"儿"尾代替。

用在形容词中，如"几多子没多少、轻轻子、慢慢子、黄黄子、矮矮子、重重子、大大子、细细子"等；用在量词中，如"兜子、下子、滴子、只子、兜兜子"。巴蜀客家方言吸收了巴蜀汉语方言中部分带"子"缀的名词，如"贼娃子、沟子、青沟子、掟子②、两两子、斤斤子、分分子、角角子、块块子"等。

至于后缀"头"，如"老汉头老头儿、日头太阳、地头地点、罂头坛子、柱头柱子、墙头墙、镬头锅"，这些词中的"头"尾也不可缺少。

---

① 多为小名。
② 也说"（皮）砣子"，拳头。唐枢、林皋：《蜀籁》（四川人民出版社1962年版，第383页）："豪杰生来猛勇，掟子大如水桶，见了蜜蟥网网，一捶打个窟窿。"非文：《川渝口头禅》（第1册，西南财经大学出版社2000年版，第146页）："仗恃你块头大嗦？你是歪人！动不动对低年级小同学打锭子……"陈浩东等：《成都民间文学集成》（四川人民出版社1991年版，第1148~1149页）："张成愁眉苦脸地转到小溪河上撒网，一网下去拉起来一看，网里还是没鱼，只有一个砣子大的蚌壳。"罗清和：《方脑壳传奇》（伊犁人民出版社2000年版，第389页）："按照舍房的规矩，初进来报到的鲜兔是要挨一顿皮砣子的，只是这里大部份［分］人都是刚进来的，也就免了……"

用"公、嫲、婆、牯、哥"作词尾，常常表示人或动物的性别，还可以泛指动物、[1]身体器官、器物以及其他事物。这是客家方言一个比较突出的特点，也是巴蜀官话方言不具备的。[2]

在巴蜀客家方言中，"公、嫲"具有相同的性质和作用：一是作属性词，相当于普通话中的"雌、雄"或"公、母"；二是作词根；三是作词缀。

作属性词的"公、嫲"，用在表示动物名称的名词后，表示动物的性别：

鸡公、鸭公、鹅公、兔公、猪嫲、牛公、狗公、羊公、猫公；鸡嫲、鸭嫲、鹅嫲、兔嫲、猪嫲、牛嫲、狗嫲、羊嫲、猫嫲。

在成都客家方言中，如果雌性动物老而且瘦，往往用"嫲壳"去称呼，如：

鸡嫲壳、狗嫲壳、牛嫲壳、羊嫲壳、猪嫲壳。

作词根的"公、嫲"可用来构词：

公子雄性动物，嫲子雌性动物。

用"嫲"来构成指人的名词时，表示"妇女"或"女人"的意思，它或者是一个生殖符号，或者带贬义色彩，所以"嫲"并没有用来构成跟"公"相对应的那些女性亲属称谓，即没有"祖嫲、阿嫲"这样的称呼。"嫲"在巴蜀客家方言中已经很少用来指称女性了，且往往含贬义，这与梅县客家方言不同，如：

怀子嫲孕妇，月婆嫲产妇，泼嫲刁蛮泼辣的女人，歪刁嫲指刁蛮泼辣的人，多用于小儿语，烂婊嫲婊子，丫头嫲婢女，妇娘嫲妇女，老虎嫲泼妇，颠嫲子巫婆，抱女嫲童养媳。

---

[1] 不论动物的性别。
[2] 少数词语如"鸡公、鸡婆"除外。

"嫲"构成的词语还可以表示动物名、器物名、人体器官名、植物名等：

黄鸡嫲瓢虫，鲤嫲鲤鱼，虱嫲虱子，舌嫲舌头，姜嫲姜，勺嫲瓢，笠嫲斗笠，色嫲色子。

用"公、婆"来构成表示人的名词时，"公"用来称呼家族里系列的男性角色，如：

祖公、太公、阿公、舅公、老公。

"婆"用来指称女性，如：

祖婆、太婆、阿婆、舅婆、姨婆。

"公、婆"还可以附在词根后面构成名词：

猫公猫的总称，蚂蚁公蚂蚁，虾公虾，鲤公雄鲤鱼，天公，雷公，鼻公，鹞婆老鹰，黄蚚婆蟑螂，篓婆竹篾编制的多用来装鱼和黄鳝等的竹具，是非婆爱搬弄是非的人，月婆坐月子的妇女，伯婆父亲的伯母，观花婆女巫，袄婆棉袄，打卦婆①。

兰玉英认为"公、嫲"的用法，在成都东山客家方言里比较复杂，并且沉淀了客家先民的生殖崇拜观念，折射出了移民文化的特点。②

"牯"多加在"猪、牛、猫、狗"等后面，指雄性动物，如：

---

① 本指卜卦的女巫，因其在打卦时常念念有词，好似唠叨，故喻指"话多、爱唠叨的人（尤指女性）"。成都民谣："烧火佬，打卦婆。心比天高，命比纸薄。"也说"打卦虫"。四川省蒲江县志编纂委员会：《蒲江县志》（四川人民出版社1992年版，第775页）："打卦虫——爱说废话、喋喋不休者。"也说"破潲瓢"。"潲"多为用泔水、米糠、红苕藤等混合做成的猪饲料。"瓢"旧时多用对半剖开的葫芦制成，舀潲时，破潲瓢会将泔水之类滴漏出来，故可喻指"唠唠叨叨，不停地说没意思的话的人"。
② 参见兰玉英《成都东山客家方言中"公、嫲"的语言解读和文化解读》，载《中华文化论坛》2005年第1期。

牛牯、猪牯。

如果加上子尾，则一般泛指未长大的雄性动物：

牛牯子、猪牯子、猫牯子、羊牯子。

"牯"在梅县客家方言中还可以用来指人，如：

贼牯（男贼）、矮牯（长得矮的男性）。

巴蜀客家方言中却无此用法，较之梅县客家方言要狭窄得多。
"哥"构成的名词较少，如：

猴哥猴子，驴哥□ [tuʔ³²] 驴子，鹦哥鹦鹉，阿乌哥对调皮男孩的贬称。

用"公、嫲、婆、牯、哥"称呼某种男女或区别某些动物的雌雄，在许多南方方言中都有类似的现象，巴蜀客家方言也不例外。但和梅县客家方言相比，梅县客家方言中"公、婆、嫲、牯、哥"的能产性，要大大高于巴蜀客家方言，如：

觋公巫师，蜒公蚯蚓，扣公布纽扣，后婆填房的妇人，番婆外国女人，稳婆，老举嫲妓女，泼妇嫲泼妇，刀嫲刀，马嫲母马，伏勇哥旧称兵，蛇哥蛇，契哥姘夫。

上述说法均不见于巴蜀客家方言。
3. 第一、二、三人称代词单数领属格的变化

在成都、西昌、威远、隆昌、荣昌几地，"偓、你、佢（他）"三个代词，本念阳平，在主语、宾语的位置上不会发生读音变化，但在定语位置表示领属意义的时候，声调由阳平变成阴平。仪陇客家方言则例外，"偓、你、佢（他）"这三个代词，不管作主语、宾语，还是定语，均不变调，仍读作本调（见表5-5）。

表5-5 巴蜀客家方言第一、二、三人称代词单数领属格变化

方言点 人称单数		成都、荣昌	西昌	威远	仪陇
第一人称	非领格	𠊎［ŋai^{13}］	𠊎［ŋai^{13}］	𠊎［ŋai^{31}］	𠊎［ŋai^{21}］
	领格	𠊎阿姐 ［ŋa^{45}a^{45}tɕia^{31}］	𠊎阿姐 ［ŋa^{45}a^{45}tɕia^{31}］	𠊎阿姐 ［ŋa^{13}a^{13}tɕia^{53}］	𠊎个姊姊 ［ŋai^{21}kɛ^{33}tɕi^{53}tɕi^{21}］
第二人称	非领格	你［ȵi^{13}］	你［li^{13}］	你［ȵi^{31}］	你［n^{21}］
	领格	你阿姐 ［ȵi^{45}a^{45}tɕia^{31}］	你阿姐 ［li^{45}a^{45}tɕia^{31}］	你阿姐 ［ȵi^{13}a^{13}tɕia^{53}］	你个姊姊 ［n^{21}kɛ^{33}tɕi^{53}tɕi^{21}］
第三人称	非领格	佢［tɕi^{13}］	佢［tɕi^{13}］	佢［tɕi^{31}］	佢［tɕi^{21}］
	领格	佢阿姐 ［tɕi^{45}a^{45}tɕia^{31}］	佢阿姐 ［tɕi^{45}a^{45}tɕia^{31}］	佢阿姐 ［tɕi^{13}a^{13}tɕia^{53}］	佢个姊姊 ［tɕi^{21}kɛ^{33}tɕi^{53}tɕi^{21}］

4. 具有丰富的重叠式名词

通过语素重叠的方式构成名词，是巴蜀客家方言具有的重要语法特点，这与梅县、福建、江西等地的客家方言迥异。巴蜀各客家方言点都有相当数量的重叠式名词，有些名词甚至还是由客家方言的特色语素构成的。黄尚军、曾为志在论及成都客家方言的名词的重叠式时指出，丰富的重叠式名词不是成都客家方言固有的构词特点，即不是对客家方言特点的传承，而是客家方言到达成都以后吸收的四川官话的特点，[①] 以成都客家方言词汇为例：

坝坝、尖尖、沟沟、包包、凼凼、棒棒、槌槌、篮篮、根根、蒿蒿、蛾蛾、脚脚、箍箍、壳壳、藤藤、蒂蒂、瓣瓣、竿竿、钩钩、杯杯、揍揍塞子、敞敞漏斗、锤锤、疤疤、皱皱、滚滚轮子、篷篷、盒盒、角角。

成都客家方言的名词重叠式跟成都官话的名词重叠式的主要区别有：

第一，在成都方言中，AA式大都可以儿化，变成AA儿式词语，成都客家方言则不能儿化。如"杯杯、封封、片片、缝缝、手爪爪、花苞苞、鸡毛扫扫"等词，成都官话可以说成"杯杯儿、封封儿、手爪爪儿、花苞苞儿、鸡毛扫扫儿"，成都客家方言却一般不这样说。

第二，在成都官话中，阳平和去声的重叠式词语，后字要变读阴平，成都

[①] 参见黄尚军、曾为志《从名词重叠与儿化看成都话对新都客家话的影响》，载《汉语史辑刊》第11辑，巴蜀书社2008年版。

客家方言一般不发生这种音变。如"槽槽"和"皱皱",成都官话实际读音是 [ts'au²¹ ts'au⁵⁵] 和 [tsoŋ²¹³ tsoŋ⁵⁵],成都客家方言则仍读 [ts'au¹³ ts'au¹³] 和 [tsuŋ⁵³ tsuŋ⁵³]。

第三,重叠的词语不能完全对应。有些词语,成都官话有重叠式,成都客家方言没有重叠式;有些词语,成都客家方言有重叠式,成都官话却没有重叠式。还有一些词语,成都官话和客家方言都有重叠式,但重叠的语素不同(见表5-6)。

表5-6 普通话、成都官话、成都客家方言部分词汇

普通话	成都官话	成都客家方言
瓶子	瓶瓶儿	瓶子
绳子	索索	索嫲
绳子	绳绳儿	索嫲
坛子	坛坛	罂头
疙瘩	疙瘩	痛痛
包菜	莲花白	莲白白
皮肤上起的水疱	水泡儿	水泡泡
黑斑	黑斑	乌癫癫
树桠	树桠桠	树桍桍
裂缝	冰口(儿)	冰坼坼
植物等的茎	秆秆	梗梗

有的重叠形式还是成都官话中所没有的,例如"树尾尾、梗梗、莲白白"等。

(二)句法特点

巴蜀客家方言比较有代表性的语法有:

1.被动句

巴蜀客家方言中表示被动的方式跟普通话不同,被动句不用"被、让、叫、给"等介词引进施事,而用介词"分[pən]、拿分"及"拿给、遭"四个不同于普通话的介词引出施事或单用"遭"表示被动。"拿给"和"遭"都是四川官话甚至巴蜀汉语方言普遍运用的词语,"拿分"跟四川官话的被动标记"拿给"对应,张一舟等认为"遭"是一个训读字,本字当是"着"。① 可以肯定地说,巴蜀客家方言的被动标记"分",是对客家方言被动标记的保留和

---

① 参见张一舟、张清源、邓英树《成都方言语法研究》,巴蜀书社2001年版,第318页。

传承；"拿给"和"遭"是从四川官话中借入的成分；至于"拿分"的情况则比较复杂，就其读音来讲，还明显地保留着客家方言的特色，很可能是受巴蜀汉语方言"拿给"的影响对译而产生的。这就表明，语言和文化的交流融合在巴蜀客家方言中留下了深深的印记。如骂人不长眼睛，巴蜀客家话有以下四种说法，所用介词不同，意思却一样：

眼珠分裤子笼倒了——眼睛被裤子罩住了。
眼珠拿分裤子笼倒了——眼睛被裤子罩住了。
眼珠拿给裤子笼倒了——眼睛被裤子罩住了。
眼珠遭裤子笼倒了——眼睛被裤子罩住了。

2.处置句

用介词把动作支配的对象提到动词前边，以强调动作的结果，这样的句式称为"处置式"。普通话的处置式一般表现为"把"字句。巴蜀粤北片客家方言的处置式有"把"字句、"摎"字句，此外还有一种"V+诶+佢"的格式也有处置的意味。

巴蜀粤北片客家方言的把字句不如被动句发达，如：

A.落水了哦，把衫收进来。——下雨了，把衣服收进来。
B.你把样个事摎佢讲。——你把这件事情跟他讲。

"摎"字句，常常把受事放到句首，"摎"后用代词"佢"复指，以此种方式来进行处置，这是客家方言一个显著的特点。如：

C.菜馊了，摎佢倒诶。——菜馊了，把它倒掉。

此句句首的"菜"是真正的处置对象，"佢"是复指。又如：

D.剩饭摎佢食诶。——把剩饭吃了。

还有一种"V+诶+佢"式，这是一种受事前置句省略了受事主语的形式。在具体的语境里，在受事已明的情况下，用它表达处置意义，其中的"佢"是复指省略了的受事主语。这种句子往往是短句，使用祈使语气。如：

E.脱诶佢。——脱了它。
F.食诶佢。——吃了它。
G.捽诶佢。——擦了它。

3."有火① +V"句
这是成都客家方言很有特色的一种句式。这种句子是因果复句，前一分句说明原因，"有火+V"在后一分句说明结果，V是及物动词，涉及的对象在前一个分句里。从表意上看，"有火+V"表示V的动作要持续很久。例如：

A.个本书咁门笨贡（厚）[pʻən⁴⁵]，有火看。——这本书那么厚，要看很久。
B.咁门多柴火啊，有火縈。——这么多柴，要绾很久。

今新都、龙泉一带的官话方言受客家方言的影响，也有这种说法，而在巴蜀其他点的汉语方言中，我们暂时还没有发现此类说法。

4.紧A紧B句
"紧A紧B"大致等于普通话中的"越A越B"，B在程度上随着A的增加而增加。意思相当于"越来越"，如：

A.有兜人打牌输诶了就走，有兜人还想奔黑，结果紧输紧多。——（打牌）有的人输了钱就离开牌桌了，有的人想翻本，再接着打，结果越输越多。
B.草紧扯紧多。——草越拔越多。

四、巴蜀客家方言的发展演变

如前文所述，巴蜀客家方言发生了诸多变化。语音方面最大的变化是巴蜀各地客家方言声母分化出[tɕ、tɕʻ、ɕ]，多出声母[z]，如"如[zu¹³]、然[zan¹³]、桡[zau¹³]"；鼻音韵尾只有[-n][-ŋ]韵尾，无[-m]尾，入声

---

① "火"是同音字，本字待考。

韵尾只有［-ʔ］，无［-p、-t、-k］；韵母出现成套撮口呼（西昌除外）；巴蜀客家方言新增［ɚ］韵，成都、西昌、仪陇、隆昌都既有［ɚ］韵又有儿化现象。

巴蜀客家方言在语音上还出现了这样的演变情况：一是个别声母所辖字的范围开始减少，一些字的声母开始脱落，如"窝、了"，在新都泰兴和青白江日新、祥福一带多数人读为"［o⁴⁵］、［iau¹³］"，年轻人尤甚。而在成都其他点客话中则读为"［vo⁴⁵］、［liau¹³］"，声母［v、l］发生脱落。相同的例子还有"禾［vo¹³］、恶［ŋo⁵³］、鹅［ŋo¹³］"，声母脱落后读为"禾［o¹³］、恶［o⁵³］、鹅［o¹³］"；二是韵母发生变化，其中一个重要的现象是在巴蜀客家方言中，许多撮口呼字往往都可以读为齐齿呼，特别是老年人。如在成都客家方言中"居［tɕy⁴⁵］、锯［tɕy⁵³］、雨［y³¹］、裙［tɕ'yn¹³］、群［tɕ'yn¹³］、云［yn¹³］、运［yn⁵³］、靴［ɕye⁴⁵］、全［tɕ'yɛn¹³］、泉［tɕ'yɛn¹³］、雪［ɕyeʔ³²］"可以读为"居［tɕi⁴⁵］、锯［tɕi⁵³］、雨［i³¹］雨水节、裙［tɕ'in¹³］、群［tɕ'in¹³］、云［in¹³］、运［in⁵³］、靴［ɕie⁴⁵］、全［tɕ'iɛn¹³］、泉［tɕ'iɛn¹³］、雪［ɕieʔ³²］"。隆昌客家方言也有这样的情况。而西昌客家方言在无撮口呼的西昌官话语言环境中，至今除了"靴"等极少数几个字外，无成套的撮口呼。这大概可以为我们提供这样一个线索，巴蜀客家方言本来是没有撮口呼的，后来受到官话的影响，渐渐分化出撮口呼，这种分化发生的时间不会太久远，大概发生在19世纪末到20世纪初期，至今仍然没有完全完成分化，一些字仍然可以两读，且不区别意义。

词汇方面发生的变化主要集中在以下方面：

第一，特征词逐渐流失。

如前所述，一方面，巴蜀客家方言保留了批量的客家方言词；另一方面，就我们在巴蜀各客家方言点的广泛调查，客家方言特征词流失的现象也比较突出，有一些词今已无人能说，如"雹冰雹、火蛇闪电、天光日明天、豹攈大肚怀孕、屎窟屁股、马牯公马、驴牯公驴、猪哥公猪、蟾蜍罗癞蛤蟆、细螺哥蜗牛、火炎虫萤火虫、吊菜茄子、鲁粟高粱、过身去世、莳田栽秧、云吞馄饨、潾丫围嘴儿、遮哩伞"等。

而另一些词，一般只有七八十岁的老年人才知道，如"老蟹螃蟹、田塍田埂、篸婆笆篓"等，也已濒临消亡。

此外，颇具客家方言特色的"公、嫲、哥、牯、侪"等一些在客家原籍地能产性很强的名词词缀，在巴蜀客家方言中的能产性变得很弱，某些用法甚至

消失了。如"侪"在梅县客家方言中有四种用法：①

一是用在形容词后指人，如"大侪个头大或年龄大的人、细侪个头小或年龄小的人、肥侪胖的人、瘦侪瘦的人、高侪高的人、矮侪矮的人、衰侪运气不好的人"。

二是用在动词后面，也指人，如"食侪吃东西的人、看侪观众、买侪买东西的人、卖侪卖东西的人、做侪做的人、听侪听众、读侪读者、讲侪讲话的人"。

三是用在形容词或动词词组后，指人，如："耕田侪农民、看轻侪接生的人、有钱侪有钱者、无屋住侪无房者"。

四是用在数词后面，指人，如："一侪一个人、两侪两个人、你两侪你俩、佢两侪他俩、偃两侪我俩、佢三侪他们仨。"

巴蜀客家方言仅保留了第四种用法，且"佢三侪他们仨、你三佢你们仨"的说法已经消失。

第二，四川官话词语大量借入。

如前文所述，借词进入巴蜀客家方言，主要以叠置式和替代式的方式存在。曾为志根据中国社会科学院语言研究所资料室《汉语方言词语调查条目字表》，② 筛选了1275条基本词汇，对比了新都客家方言词汇和成都官话词汇的异同，指出新都客家方言与成都官话说法相同的词语共有282条，③ 占除去梅县客家方言、成都官话、新都客家方言、新都话四点一致剩余的963条词语的29.28%。这说明在词汇方面，巴蜀客家方言受四川官话的影响是十分明显的。④

语法上的变化主要体现在一些特殊的句式上。巴蜀客家方言句式的变化也是比较明显的。如"再吃一碗"，梅县客家方言说"（再）食一碗添"，⑤ 五华客家方言说"再食多一碗"。⑥ 从语序看，"添"和"多"都是状语后置，巴蜀客家方言中已经无这种用法，说"再食一碗"或"再多食一碗"。梅县客家方言中的"有"字句，如"有写信分佢我写信给他了，佢有来电话他来电话了"

---

① 参见黄雪贞《客家方言的词汇和语法特点》，载《方言》1994年第4期。
② 中国社会科学院语言研究所：《汉语方言词语调查条目表》，《方言》2003年第1期。
③ 这282条包括新都客家话中用子尾，而在成都话中用儿尾的词；或者成都话中用儿尾，新都客家话没有后缀的词语。
④ 参见曾为志《新都客家话与梅县客家话及成都官话词汇比较研究》，四川师范大学硕士学位论文，2006年，第63页。
⑤ 参见李如龙等《客赣方言调查报告》，厦门大学出版社1992年版，第448页。他：本字为"渠"，俗作"佢"。
⑥ "五华话"的例句由嘉应学院魏宇文博士提供，谨此致谢。

等,[①] 均不见于巴蜀客家方言。

梅县、五华客家方言一般用 [pun^{44}],写作"分"或"畀"表示被动。如"给他猜着了",梅县客家方言说"分渠断着哩"[②],五华客家方言说"畀渠口 [nuk^5] 嗷哩",成都客家方言说"拿分 [pən^{45}] /拿给佢猜到了";西昌客家方言说"拿给/给佢猜倒了";隆昌客家方言说"跟佢估倒哩",或者"拿给佢估倒哩";仪陇客家方言说"遭佢猜对了"。较之祖籍地,巴蜀客家方言的句式趋于简化。(见表5-7)

表5-7 "给我一本书"在梅县、成都等六地客家方言中的说法

普通话	给我一本书
梅县客家方言	1.分𠊎一本书
	2.分一本书𠊎
	3.分𠊎本书分
	4.拿一本书分𠊎
	5.同𠊎拿一本书
	6.拿分𠊎一本书
五华客家方言	1.分一本书分𠊎
	2.拿本书分𠊎
	3.分𠊎拿本书
	4.拿本书分𠊎
成都客家方言	1.分一本书分𠊎
	2.拿本书分𠊎
	3.分𠊎拿本书
	4.拿本书给𠊎
	5.给𠊎拿本书
	6.拿分𠊎一本书
	7.分𠊎一本书
	8.给𠊎一本书
	9.分一本书给𠊎

---

① 参见黄雪贞《客家方言的词汇和语法特点》,载《方言》1994年第4期。
② 参见李如龙等《客赣方言调查报告》,厦门大学出版社1992年版,第448页。他:本字为"渠",俗写作"佢"。

续表

普通话	给我一本书
隆昌客家方言	1.拿本书给佢
	2.给佢拿本书
西昌客家方言	1.给佢一本书
	2.拿本书给佢
	3.给本书给佢
	4.拿给佢一本书
	5.给佢一本书
仪陇客家方言	给佢一本书

成都客家方言的说法有九种，是因为其借用了四川官话的"给"代替"分"，导致说法增多。

语言靠拢①是语言接触的重要结果，会受到社会、政治、经济、地域及参与者之间的融合程度等复杂因素的影响。巴蜀客家方言的演变就是语言靠拢的一个生动例子，特别是在信息传媒高度发达的今天，这种变化比过去任何一个时代都快。语言文化的变迁都可以在现实生活中找到原因。影响巴蜀客家方言变化的社会因素主要有以下几点：

第一，人口成分的变化。

巴蜀客家人与"湖广人"交错杂居，人口上的劣势使其必然要学习四川官话。长期以来，居民成分的改变影响着巴蜀客家方言的演变走向。巴蜀客家人除了极少数人不会说流利的官话方言被称为"死广东"者外，绝大多数都是双方言的使用者。双方言的使用导致巴蜀客家方言受四川官话的影响，失掉了诸多客家方言特色，借用了许多四川官话的成分。成都龙潭寺与华阳凉水井的客家方言，好些词汇都类似成都官话，如巴蜀客家方言管"插秧"说"栽秧子"，管"赶集"说"赶场"，与多数客家地区说"莳田、赴墟"都不同。这应是受周围语言的影响。又如古全浊声母"电、住、夺"等字，多数客家方言读送气清音，而龙潭寺客家方言读不送气清音，也是受了四川官话的影响。②

有清一代，巴蜀某个区域内的客家人数量是比较稳定的，而进入20世纪以后，随着经济的发展，人口流动日益频繁。某些典型的客家地区，随着外来

---

① 语言靠拢：参与者一方接纳或使用甚至改用对方语言的现象。
② 参见谢留文、黄雪贞《客家方言的分区（稿）》，载《方言》2007年第3期。

人口的进入，客家人的比例直线下降。如成都市龙泉驿区十陵镇为典型的客家镇，全镇90%以上的人口为客家人。2014年，龙泉驿区总人口631990人，境外迁入19177人，境内迁出6346人。① 大量的非客家人进入客家地区，改变了当地的居民成分，也促使客家方言加速变化。

第二，经济的发展、交通的便利、社会生活方式的改变。

这是巴蜀客家方言变化的重要原因。巴蜀境内的客家方言点大都保留在地处偏远的丘陵和山区。这些地方交通不便，经济落后，与外界联系较少。即使是成都的客家人，也集中居住在龙泉山脉的浅丘地带，相比于成都市区以及西郊的"金温江、银郫县"，地理上处于劣势。过去交通不便，道路崎岖坎坷，行路艰难，"天晴一把刀，下雨一包糟"是这里真实的写照。与外界交往甚少，加之教育水平相对较低，人们的观念相对比较保守，因此当地方言演变比较缓慢。当然，也正是这些所谓落后的自然地理条件使当地客家方言在几百年后得以保留。

自从20世纪90年代以来，巴蜀地区的经济飞速发展，公路、铁路、乡镇企业、经济开发区的建设等，使当地非客家人的数量急剧增加；西昌市在客家方言的聚集地黄联关镇建立石榴生产观光基地，在新农村建设中，崛起了"西昌客家第一村——大德村"；仪陇县则打出了"红色旅游、元帅故里"的口号，积极发展旅游业；成渝高铁修到了隆昌，并在客家方言保留地界市镇设"隆昌北站"。如今，巴蜀客家人的居住地经济得到了长足的发展，加上交通的便利，客家方言受外界的影响逐渐增大，演变的速度也越来越快。

改革开放以来，巴蜀的客家人与外界的交往日益增加，如考上大学，到城里工作，出外打工等大范围的人口流动。为了融入现代社会，他们自觉或不自觉放弃了非客家人听不懂的客家话，转而使用四川官话乃至普通话。我们调查发现，一些客家人对自己的客家人身份和客家语言具有一种自卑的心理，认为自己说的话土气，不好听。特别是年轻人，以说四川官话或普通话为时髦，他们主动放弃客家方言；还有很多人显得无奈，也许这些会说客家话的客家人仍坚守着自己的客家情结，但他们的子女因缺少了语言环境，客家方言的传承在当今社会，终究会变得羸弱不堪。语言环境的缺失更加速了巴蜀客家方言的演

---

① 参见中共成都市龙泉驿区委党史研究室《龙泉驿年鉴（2015）》，四川师范大学电子出版社2015年版，第6页。

变进程。

第三，长期使用和仿效占据优势的普通话或四川官话。

无论是语音、词汇还是语法，巴蜀客家方言都借用了四川官话的成分。巴蜀地区的媒体使用的语言多为普通话或四川官话。电视机在巴蜀客家地区的普及率几乎是百分之百，四川电视台、重庆电视台方言类的节目对巴蜀各地客家方言的影响最为显著。20世纪90年代中期，足坛刮起了一阵黄色旋风，一句"雄起"响遍全中国。本来"雄起"一词早已进入巴蜀客家方言，如在成都东山一带的客家话中，被改造成了"雄等"，但是在足球场上或观看球赛时，成都东山客家人无论如何也不会叫"雄等"，而会和其他巴蜀人一样，大呼"雄起"，这就说明他们同时把成都官话的音也一并借来使用了。

社会方言中有一种特殊的"文理"和"土白"对立的现象，其中重要的一层含义就是指读书时用文读音读汉字，说话时则离开汉字使用方言口语。① 巴蜀客家人读书时，往往使用当地官话方言，② 说话时则用客家方言，这是一种特殊的文理和土白的对立现象。巴蜀各地教师无论是否客家人，从来都以官话方言或普通话作为教学语言。③ 长期以来造成的后果是使得许多书面语和新词、新语披着官话语音的外衣，进入到巴蜀客家方言中。这些词往往是巴蜀客家方言中原本没有的概念，尤以名词居多。

如"江"字在过去，无论是作为姓氏还是江河名、地名都读为"[kɔŋ⁴⁵]"，但是近年来无论小孩还是中年人都多读为"[tɕiɔŋ⁴⁵]"。这恐怕与教育不无关系。教育的普及又给巴蜀客家方言不断添加新的文读字音。如"虹"字本读为"[kɔŋ⁵³]"，而受普通话的影响，现在的年轻人都多读为"[xɔŋ³¹]"了。另外，教育的普及也让普通话词汇进入到客家方言中来，如"蝌蚪"在成都客家方言中称为"奶蚓子"，由于普通话的影响，现在的孩子几乎都清一色地称之为"蝌蚪"了；再如"传染"在成都客家方言中说成"过人、□[tsʻeʔ³²]人"，又有一种说法与成都官话相同，称为"惹人"，而现在的年轻人多说成"传染"了。

教育的普及也把官话更多地带进了客家方言，巴蜀客家儿童在语言态度

---

① 参见游汝杰、邹嘉彦《社会语言学教程》，复旦大学出版社2004年版，第25页。
② 现在巴蜀的客家孩子在学校多讲普通话。
③ 现在课堂上主要使用普通话，其他时间往往使用官话方言。

上，也以会说四川官话、普通话为荣，并很高兴他们有说四川官话、普通话的机会。① 借用和模仿的成分逐渐积累，最终有可能改变巴蜀客家方言的语音和词汇面貌。

第四，语言态度的转变。

这是巴蜀客家方言变化的内在动因。巴蜀各地的客家人基本上都操双方言。在双方言区，人们常常会遇到语言态度转变的问题。董同龢曾在《华阳凉水井客家话记音》里这样描述凉水井的客家人：

他们的保守力量很大的，虽然同时都会说普通的四川话以为对外之用，可是一进自己的范围，就有一种无形的力量使他们非说自己的话不可。据说他们都有历代相传的祖训，就是"不要忘掉祖宗的话"。小孩子如在家里说一句普通四川话，便会遭致大人的训斥。②

长期以来，巴蜀的客家人仍然恪守着类似"宁卖祖宗田，不卖祖宗言。卖了祖宗言，三代不团圆"之类的祖训，③ 至今仍保留着他们的语言和风俗。近年来，"不卖祖宗言"的祖训却受到了极大的挑战。语言态度变化的结果，是渐渐放弃了原来对本族方言的忠诚，让别的方言随意渗透，最后导致本族方言在别的方言影响下发生变异；有的甚至主动放弃了对本族方言的使用。在对巴蜀各地客家人的访谈中，我们发现只有极少部分老年人只会说客家话，极少说不流利的官话；中青年既会说流利的客家话，也会说流利的官话；一部分客家青少年只能说流利的官话，不能说流利的客家话。近年来，巴蜀地区中小学生会说客家话的比例呈直线下降的趋势。

调查中我们还发现，以前有部分非客家媳妇嫁到客家家庭，她们慢慢学会了说一口流利的客家话。过去客家人也一般很少与本地人通婚，④ 现在的情

---

① 参见彭锦维《成都市郊客家聚居区十陵镇农家村儿童语言使用情况调查》，载陈世松等《四川与客家世界：第七届国际客家学研讨会论文集》，天地出版社2005年版，第971页。
② 董同龢：《华阳凉水井客家话记音》，载《历史语言研究所集刊》第19册，中华书局1987年版，第81页。
③ 成都市龙泉驿区等地流传"客家人只说客家话，不说湖广话的故事"。参见张志明等《中国民间文学集成四川卷·成都市龙泉驿区卷》（内部资料本），1989年，第100～102页。
④ 成都市龙泉驿区等地流传"客家人不与湖广人通婚的故事"。参见张志明等《中国民间文学集成四川卷·成都市龙泉驿区卷》（内部资料本），1989年，第103～104页。

况则大为改观，娶进来、嫁出去的都很多。以前娶进门的媳妇儿不讲客家话往往会遭到责骂，现在大家认为无所谓。这种与非客家人结婚的结果，是出现了大量不会讲客家话的下一代。特别在当下，如果母亲不是客家人，不会说客家话，她生养的儿子多半不会讲客家话。于是在一个普通的客家人家庭里，我们便常常可以看到这样的现象：老年人坚持说着客家话，青少年满口的官话，中年人对内说客家话，对外说官话。据曾为志调查，隆昌县第一初级中学邬雨来老师家中，父亲为该县周兴镇客家人，说客家话，母亲为湖南籍后代，说湖南话，二老育有三子。邬雨来三兄弟自小学习语言时，就形成了这样的语言习惯：与母亲讲官话方言，与父亲则讲客家话，三兄弟相互间也说官话方言。其母后来也学会了客家话，她跟家中亲戚可以说客家话，但从不与三个儿子讲客家话。这样因人而异改变语言使用习惯的情况，一家人都已见惯不惊，这样的特例在客家地区还不少。可见，语言态度的转变和语言习惯是巴蜀客家方言变化的又一重要因素。

社会因素和心理因素是巴蜀客家方言发展变化的外因，它们为巴蜀客家方言外部语言环境的发展变化提出了要求、提供了动力。但是，语言能不能接受和满足外部因素的要求，怎样把这些外部因素的要求和动力，转化为各种各样的具体的发展变化，还取决于语言自身的内在因素。这些内在因素和外在因素融合促成了巴蜀客家方言的演变。

巴蜀客家方言中的各个子系统之间的相互影响、口语和书面语的相互影响，都是影响其发展变化的重要因素。口语和书面语的脱节，使得官话方言作为读书音大量侵入。如：客家方言本身是没有撮口呼的，可是巴蜀客家方言却四呼俱全，① 一方面因为受官话的影响，[y] 作为元音韵母和介音进入到客家方言语音系统内；另一方面，撮口呼的借入导致巴蜀客家方言的声母系统发生变化，② 部分精组和见组字，原本读作舌尖前音和舌根音的声母，腭化产生了舌面前音 [tɕ tɕʻ ɕ]。

语言各要素的发展变化总是相关联的。反过来，声母系统的变化又会影响韵母系统发生相应的变化，最终达到动态平衡。如"细"在成都、隆昌客家方言中老派有 [se] 和 [ɕie⁵³] 两读，老派读为 [se⁵³]，官话读为 [ɕi²¹³]；当

---

① 西昌客家方言话的撮口呼正在逐渐形成。
② 当然也受到齐齿呼的影响。

"细"的声母变为[ɕ]时，其韵母相应变化为[ie]。

语言是由若干个子系统构成的大系统。在这个大系统中，各种语言单位和各种语言规则，都以一定的方式相互关联着。因此，每个语言单位、每种语言规则的发展变化，都是相互关联的。外部因素的影响和内部系统的调整造就了今天的巴蜀客家方言新面貌。

第四节　巴蜀客家方言与客家民俗

语言是文化的载体，方言则像一面镜子，它可以反映出一个民族或一个地区的社会历史、时代习俗和风土人情。许多方言词语的形成与发展会受到该地区民俗的制约，有的方言词语本身就是民俗的躯体与灵魂，因此，从方言词语入手往往可以管窥当地的民俗。

清初，各地移民来到巴蜀，带来了新的方言和新的文化。原乡移民文化也被移植到巴蜀大地，并且在接下来的一段时间内，由于聚居人口、地理环境、心理认同等因素的作用，原乡移民文化或被完整保留，或被改造，或者消亡。另一方面，土著文化也渐渐浸透到移民人群中去。如来自福建的移民在巴蜀很多地方都建起了会馆，供奉妈祖，称作"天后宫、天上宫"，作为江海保护神的妈祖信仰被带到巴蜀。然而，可能由于巴蜀地处内陆，远离大海，妈祖渐渐失去了佑泽世人的作用，故今天巴蜀各地的"天后宫"仍在，但妈祖信仰已不为人知。与之相反的是，千百年来，巴蜀土著为了纪念李冰造福巴蜀而兴起的川主信仰，却在移民人群中广为传播。[①]

巴蜀境内广泛分布着官话方言、客家方言、湘方言以及闽方言、安徽方言的底层等。这些不同的方言也反映着不同来源地移民的某些民俗。巴蜀客家人的迁入还催生了与之相关的部分方言词语。

巴蜀客家方言词语反映了许多客家民俗，即使有些民俗事象正在逐步消失，而反映这些民俗事项的词语仍然活跃在口语中。

一、巴蜀客家方言与生活习俗

旧时，巴蜀客家人崇尚蓝色，衣服质朴无华，但求耐穿、舒适、大方。

---

① 参见于一《二郎神崇拜和二郎戏》，载《文史杂志》1993年第2期。

囿于当时的经济条件，一件衣服往往要穿很多年，于是就有了"烂衫烂裤唔爱丢，好遮羞""大哥新，二哥旧，三哥着个烂衫袖"的谚语。前一句意思是"烂衣服不要丢，缝缝补补也好蔽体"，后一句意思是"老大穿过的衣服，传给老二、老三穿"。

过去，巴蜀客家人制作衣服多用棉纱、苎麻之类自己纺的"家机布"，一般为一尺二寸宽，称为"一鲁班尺"。布纺好后，用青枫树叶熬成的汤，染成咖啡色；或者用蓝靛染料染成蓝色。客家人统称衣服为"衫裤"，传统的衣服有：①

对门襟衫

有长款和短款两种，男女皆可穿。其栏式是上窄下宽，正面开缝无领或者浅领，袖子宽长。袖围与衫围较阔，领围、袖口、衣摆内折一寸，并用同色布料缝边，多钉布纽扣，也有钉铜纽扣的。

长衫

这是男子在春秋或者冬天时穿的外衣，比短衫更长，更宽，衣服下摆呈扇形。

大襟衫

没有衣领，一般五个布纽扣，长至膝盖，从左肩至右肋斜下开襟，表面不设口袋，口袋在里层，男女样式一致，女装则在襟边加一两条花边，以示区别。"大襟衫"衣袖宽大，多为蓝色。穿时，也可用白色的裤带扎在腰间。

旧时，男女一般都不穿内裤，成都客家方言戏称为"挂空挡"，有钱人往往加穿一条"摇裤（内裤）"。但一般都要穿内衣，内衣称为"汗褂子"②。一般平民一年就只有两季衣裳，寒暑服饰无多大区别，夏季衣服用薄夏布③做成。夏衣的颜色多为白色，长袖的称"汗褂子"，短袖的称"领褂子、褂子"。冬衣则用厚布，御寒的衣服一般是棉袄，巴蜀客家方言称为"滚身

---

① 本书此类词语以成都东山客家人传统服饰为例。
② 汗褂子：吸汗的贴身短衣。
③ 夏布：也说"热布、麻布、苎麻布"。巴蜀方志有载，民国17年（1928）《大竹县志·物产志》："麻布宜夏，一称'夏布'，大别之，有粗细两种……粗布就中又细分为二：一曰'蚊帐布'……一曰'口袋布'。……（细布）可析为二：一曰'中布'……一曰'宽布'。……极细者几同丝线，用路最广。乡俗，女儿添箱，率用数十百斤，以之赠遗。远方多珍贵之。"

子^①、马褂子、袄婆"。

客家人传统的下装为"大裆裤",特点是宽裤脚、深裤裆,裤脚一般为七寸。男女的"大裆裤"没多大差别,女装多在裤脚处缝上一片绣花布,称为"苏边",以作装饰。

客家人还有一种特别的裤子称为"斗头裤",也称"交头裤",是一种类似于绑腿的裤腿,无腰身,只有两条库管,穿时用带子固定在腿上。

过去巴蜀客家人常常把钱物放在呈三角形钱的袋子里,拴在腰间,这个钱袋子称为"裹肚子",藏在"大裆裤"里。巴蜀客家歇后语"裹肚子装钱——钱靠你",[2]表示强烈否定,意即"并不是全靠你",或者"根本就没有依靠你"。冬天,客家老年人往往拴一条围腰[3],可使里层的衣服保持洁净,还起到保暖的作用,另外还可以牵起下摆装东西,客家人称为"衫帕"。

婴孩穿的衣服一般称为"和尚衫",从一生下来一直穿到两三岁。"和尚衫"无纽扣,穿时用布带系好。最大的特点是衣服不锁边,应是取"生儿育女,幸福无边"之意。还有一种供婴孩穿的连体衣服,称为"麻蚵子[4]裤子"。

过去,巴蜀客家老人喜欢头缠布帕。经济条件好的则缠"纱帕子",颜色多为黑色或青色。夏天或雨天戴草帽,或者斗笠,巴蜀客家方言称为"笠嫲"。冬天,男性也戴一顶称为"瓜皮帽"的帽子。女性的帽子样式则比较丰富,如:

披披帽

也称"凤帽",一般用篾片或麦秆编成,形似草帽,帽子两侧各有一片长

---

① 滚身子:多为有衬里的短袄,一般有"夹、棉、皮"之分,因贴近上身保暖得名。熊大容:《灯草客》(《龙门阵》1989年第1期):"他们身穿对襟汗套或滚身衣,脚著稻草鞋或线耳子竹麻草鞋。肩上披着一个结染白花的蓝布褡裢,里面装的是钱钞和食物。腰间缠一根粗麻绳子,上面别着一根两尺多长的烟杆。手里举着一根长竹竿,上面挂着几大团白花花、亮闪闪的灯草。"

② 这实际是一句骂人的话,因为"裹肚子"一般挂在腹下,靠近生殖器。巴蜀客家话称男性生殖器为"鸟子、朘子"。巴蜀客家方言"钱""全"同音。"钱靠"谐"全靠","靠"由"靠近"义引申为"依靠"。

③ 围腰:围裙。吴因易:《梨园谱》(上海文艺出版社1980年版,第235页):"这时候,她正双手撩起围腰下摆,在上面擦着手掌中的汗水,眼睛四处张望。"成都民谣:"大红鸡公红尾子,比不得娘家当女子。鸡公叫,晌午到,拴起围腰上锅灶。"

④ 麻蚵子:一种灰麻色的蛙,多生活在地里。双流县等地称为"土蛾蚂儿"。

约六寸的布条垂下，布条下有带子，可系左颈下，遮住耳朵。有的"风帽"并无顶部，也有的在帽子缝上棉布，下垂布条，有遮阳、防雨、防尘的功能，为客家妇女独特的头饰。

巴料子

两侧各有一块布条垂下的帽子，可以遮住耳朵，往往为老年女性佩戴。

披肩帽

用竹篾或麦草编成的无顶草帽，帽檐缝挂三块布，多用以遮阳。

猫公帽

小孩儿戴的虎头帽。

旧时，客家人的鞋子都是自制的，先将碎布片一层层用浆糊粘牢，做成"布壳子"，用来做鞋底。鞋面则用"家机布"缝制，多为白底黑面。春秋二季的鞋子统称"单鞋"，男性有一种布鞋做成宽口船型，不用鞋带，称为"朝元鞋"。因为不用弯腰系鞋带，容易穿着，故又称"懒尸鞋"。女性单鞋多为绣花鞋。冬天穿着的棉鞋，可以统称"抱鸡嫲①鞋子"。

棉鞋男女有别，男性的又可称为"阿公鞋"，女性的棉鞋侧边开口子，有的用丝绸在鞋上做成花朵样，称为"阿婆鞋"。除了布鞋，还有"棕鞋"和"草鞋"。

巴蜀地区盛产稻米，因此，巴蜀客家人和湖广人一样，主要以大米为主食。饭有干、稀之别。干饭又有"甑子饭、焖饭、燅［ɕin⁵³］镬饭"若干种，在干饭里加入玉米粒煮的饭称为"桂花饭"②。玉米粉和水捏成团煮粥，称为"汤圆饭"。过去粮食短缺，客家人常常将麦子炒熟后捣碎制成糊，称为"麦羹"。稻米也可如此食用，称为"米羹"。

巴蜀客家人从广东带来了番薯，并对番薯有着难解的情结，旧时，成都客家方言骂人"笨"即称"大番薯"。番薯除了蒸着吃、煮着吃、烤着吃外，已可煮好捣成糊状吃，称为"番薯羹"，还可制成香甜可口的"番薯干"。过去成都客家人还常常将番薯制成番薯糖。制作方法是：将番薯去皮，切成丝，放进锅里煮成八成熟，捞起晒干。然后和沙炒，筛净后，加油、红糖、花生，放

---

① 四川官话称"孵"为"抱"，客家话本应称为"孵"。"抱鸡嫲"实则是借用了四川官话的语素，加上客家话语素构成的。

② 米多、玉米粒少做的饭，成都官话称为"银包金"，反之则为"金包银"。在粮食奇缺的年代，巴蜀饭店里一般只有后者出售，且需用粮票购买。

进碓窝里舂成团，切块食用。

袋子饭

将饭煮好后，和菜捏成团，用布袋装好，吊干即成，最大的特点是便于携带，出远门泡开水即可食用。类似今天的方便饭。

吃狗肉

客家人喜欢吃狗肉，据说有祛邪补身、抵御寒冷的功效，也将这一习俗带到了巴蜀。成都客家人至今还流传这样一句谚语："吃哩心肺唔盖棉絮，吃哩狗肠唔着袄婆。"

米果

这是成都客家人最喜欢吃的食品。先取适量面粉或玉米粉，加糖、水和匀，揉捏成圆形。蒸饭时，贴在铁锅边上，盖上锅盖，旺火蒸数分钟，饭好即熟，这种馍贴锅的一面有一层锅巴，吃起来香脆可口。

艾米果

清明节前后，巴蜀客家人用艾草、棉花草蒸清明饽饽，名"艾米果"。新都客家童谣云："棉花草，做米果，姐婆外婆食哩屙坨坨便秘。"

粄　甜粄　发粄

此为客家传统乡土小食，泛指用糯米、粳米或薯粉所制食品，可当点心用，也可作主食。做法有蒸、煮、炒、煎、炸等，配料有肉、菌、蔬菜等。在闽、粤、赣客家地区，"粄"的做法有很多，今巴蜀地区只有少数老人还能记起这一传统客家食物。如"甜粄"的做法，是糯米混合饭米，磨成米浆后，除去水分，加入少量食用油和砂糖和匀，放入蒸笼里，用猛火蒸，约一个半小时就可起笼。"发粄"是客家人过年过节常吃的糕品，多为米粉加"酵头"，经过发酵蒸熟，顶部像一座尖顶的小山峰，且出现裂缝。类似于巴蜀人吃的"发糕"。做成长条形的"发粄"，也称"马蹄子"，逢年过节、乔迁之喜，巴蜀客家人常常缠上红纸馈赠亲友。

麻糍

即糍粑，是巴蜀客家人喜爱的一种食品，四月插秧、十月初一牛王爷生日，以及过年必吃。糍粑的原料主要是糯米。先用冷水浸泡糯米一天后，滤干水，放到木甑里蒸熟后，倒入石臼，舂成凝胶状。成都客家人舂麻糍须用箬竹，舂好捏成小团，蘸糖食用，清香可口。

酿豆腐

一道客家名菜，其做法为：将豆腐切成四方小块，中间挖空；将洗净泡软的香菇、榨菜剁碎，加入调料，做成肉馅，嵌入豆腐中心，蒸熟，淋上酱油、香油食用。这道菜在成都、隆昌、仪陇等地均已不见，唯西昌客家地区至今盛行。

硬八间

巴蜀客家人称住的"四合院"为"四合头屋"。进门处是厅下厅堂和下厅进门处隔着天井与厅下相对的厅，其间为天井。厅下、天井、下厅的左右侧都是房屋，一般有六间，加上两个厅，合起来共八间房，故名。

假六间

简易的四合院，厅下及其两边的房间比硬八间的更小，看起来像六间，实际还是八间。

屙痢门

"屙痢"一般用作骂人语，"拉肚子"的意思。"屙痢门"指"后门"。客家人认为四合院不宜开后门，开后门意味着要散财，家庭不昌盛，故名。

二、巴蜀客家方言与人生礼俗

人生活在一定的社会环境里，须经历社会礼俗的熏染，受道德法律的约束。最具人生阶段特征和象征性礼仪特征的民俗事象是诞生礼、成年礼、婚礼、葬礼，这四种礼仪习俗构成了人生礼俗的主要内容。这些民俗文化经历千百年的传承，在巴蜀客家人身上延续至今。巴蜀客家方言涵盖的内容广泛，特色鲜明，有很多方言都与之有关，从一个侧面反映了这些人生礼俗。如：

雨水节　送寄生

成都客家习俗，雨水节当天，出嫁的女儿，要用寄生[①]炖猪蹄或熬鸡汤，送给年满60的父母吃，以报答父母的养育之恩。此外，还要给父母置办一条丈二长的红腰带，为其"接寿"，祈求父母寿缘[②]绵长，称为"送雨水、送寄生、炖雨水"。如果是新婚，父母还要回赠雨伞，雨伞可遮风挡雨、消灾免

---

① 寄生：寄长在大树上的小树、藤草一类的植物。
② 寿缘：寿数。吕子房：《川北灯戏》（四川文艺出版社1986年版，第267页）："咦，人逢稀奇事，必定寿缘长。我赵二虽然没有接过婆娘吗［嘛］，红白喜事该还是见得多嘛！就没有见过估倒说媒的！我就不信哪个歪人敢做啥！"

难，象征女儿、女婿人生旅途顺利平安。① 久不怀孕的女子，其母往往会缝制一条红裤子，让其贴身穿着，据说，这样可以尽早怀孕。

八月半

即中秋节。八月十五晚上巴蜀客家人有祭拜月亮的习俗。祭拜者多为妇女。当晚在月光下点上香蜡纸钱，摆好月饼，祈求月光娘娘保佑五谷丰登、家人无病无痛。磕头行礼之后，全家人便将作为供品的月饼分而食之。旧时，小孩子磕头时最高兴，因为磕头后，可吃到月饼。

定根

旧时，孩子一落地后，家人会在孩子落地之处，钉一枚鞋底针，称为"定根"，成都东山一带有为数不少的人以"龙根、火根、土根、树根、秧根"给男孩子取小名，盖因东山客家人认为，人就像树木一样是有根的，根一旦定好，孩子就不易生病，容易养大。孩子在12岁以前，还没有自然长成根，需借助人为的力量让孩子"添根"，以增强生命生长的力量。"根"的意义已抽象化，泛化为一种助生命成长的神秘力量的符号了。带"根"的名字被赋予超人的力量，从信仰看，这应是语言的灵物崇拜。②

洗三朝　瞌睡钱

婴儿出生后第三日，要举行沐浴仪式，称为"洗三朝"。洗婴儿的一般是家中的女性长辈，如奶奶、姑妈、婶娘等。洗澡水用陈艾、陈皮、院子四角的屋茅草熬制而成。水中往往煮上一两个鸡蛋。洗澡时将鸡蛋剥壳，去掉蛋黄，再用纱布将蛋白和银圆、银镯子之类纯银器包裹，趁滚烫时在婴儿头部、背部、胸腹等处按摩，凉了再将纱布加热，反复几次后解开纱布，若银器呈红色，表明婴儿体内风热重，蓝黑色则风寒重，客家人谓之"推风"，可解体内风热湿寒。洗三已毕，亲友探视婴孩，给一定数目的钱称为"瞌睡钱"，俗以为孩子日后才好睡易长。中午，主人宴请宾客，一般先吃两个荷包蛋，再正式开席。

砍绊脚索

巴蜀客家传说人在出生前，双脚都被阎王用绊脚索捆住，学走路时，一定

---

① 洪雅县等地有《五月初五打伞的来历》的传说［朱德贵等：《中国民间文学集成四川卷·乐山市洪雅卷》（内部资料本），1988年，第128～129页］。另说为繁体字"傘"拥有人字较多，可寓意"人丁兴旺"。

② 参见兰玉英《成都东山客家方言中关于生命的民俗语言现象诠释》，载《西华大学学报》（哲学社会科学版）2005年第3期。

要将绊脚索砍断才行。婴儿初学走路时，长辈要用刀在双脚之间砍斫三下，表示已将绊脚索砍断，以后走路就不会磕磕绊绊地老是摔跤了。

看妹子

巴蜀客家人相亲，从男方的角度，称为"看妹子"；从女方的角度，一般称为"打照面"。看人的地点常常是在镇上或者幺店子① 等公共场合，一般由男女双方的父母、舅娘、婶娘、嫂嫂等参加。双方如果满意则下馆子吃饭，不满意则不吃饭。有的则由女方的父母、舅娘、婶娘、嫂嫂等，在"红爷"的陪同下到男方家，当面考察小伙的相貌和为人处事的能力。如果女方同意在男方家里吃午饭，那就意味着未来的女婿被看上了。也有男方亲属备上礼品到女方家"看妹子"的。

食转口酒

男女双方交往一段时间后，若两情相悦，就商量订婚。订婚后双方家长旋即改口，将先前称呼的"某大姐、某大哥"改称为"亲家"。当事男女也改口称呼"阿爸、阿娘"，谓之"食转口酒"。

迎嫁祖　猪头扁尖

此为成都东山客家最典型的婚礼习俗。过礼时，男家用抬盒装上"迎嫁祖、猪头扁尖"、糖果糕点及肉、面、红蛋、花生等在媒人的带领下送往女家。

"迎嫁祖"是用红纸做的男方的祖宗牌，一般写有"某氏堂上历代高曾远祖位"的字样。女子出嫁前，先要辞谢祖宗，再拜"迎嫁祖"神位，表示改姓出嫁了。"猪头扁尖"一般由红纸缠绕的一个猪头、一副猪肘、一只扁尖鸡组成，用作辞祖、拜"迎嫁祖"时的祭品。东山客家歌谣：

猪头扁尖，换你屋下个家里的大毛辫_{代指大姑娘}，急得你阿娘嗡嗡千哭貌。

而成都东山客家哭嫁歌所唱"迎嫁祖公倕_我唔不拜，拜哩_了祖公改哩姓"，表达的就是女儿不愿叩拜"迎嫁祖"，不愿离开父母的心情。后来结婚

---

① 幺店子：也说"幺花（儿）店子"，场镇间的路边小店，多卖日杂用品或茶水、小吃，也供行人歇脚。"幺"也作"腰"。沙汀：《还乡记》〔文化生活出版社民国37年（1948）版，第123页〕："皂角桠路边上有一家腰店子，紧靠在大河边，只有两间茅棚。"

仪式趋于简化，迎嫁祖神位多已不写，但至今挂了红的猪头、猪肘、扁尖鸡仍然不可或缺。

五子衣

男方过礼到女方的全套新娘装，称为"五子衣"，一般包括"汗衣、裤子、袍子、夹衫、单衫"共五件，故名。

匣

结婚时，如果女方阿公_{爷爷}、阿婆_{奶奶}，姐公_{外公}、姐婆_{外婆}健在，过礼时，男方会专门为其准备礼物，称为"匣"。一般是两斤猪肉、一只一斤多的小母鸡、两把挂面、红蛋、花生、糕点等物；也有折合成钱币的。

交亲蛋　带路鸡　公婆鸡

女方回给男方的嫁妆里有一套新郎装，包括帽子、装郎衫_{新郎上衣}、装郎裤_{新郎的裤子}、裤头带_{裤带}、袜子、装郎鞋_{新郎的鞋子}。① 一双装郎鞋中塞的两个鸡蛋，称之为"交亲蛋"，拜堂时作为交换之礼物，类似于今天用于交换的戒指。三朝后夫妻食用"交亲蛋"。另外，男方过礼时，往往会带一只公鸡_{开啼的公鸡}，寓意今后有出息来，称为"带路鸡"。回礼时，女方会相应地回一只仔母鸡_{表示女儿身}，此鸡称为"公婆鸡"。

絯系新围腰

过去，新娘牵进门时，"家娘_{婆婆}"要围一件新围裙回避，一般是躲在自己房间内，据说这样日后才能管得住媳妇，客家方言称为"絯系新围腰"，故客家人常用此词取笑要做婆婆的人。

拜灶神　拜堰塘

巴蜀客家旧俗，结婚的第二天，新娘要进厨房祭拜灶神。爱捉弄人的亲友常常会将厨房用水泼湿，再在地上放一个大筛子。新娘若直接跪在筛子里拜，则会被大伙抬起来逗乐；有人在砧板上放一把刀、一个萝卜或土豆，要求新娘三刀切成八块。此风俗意在捉弄新娘，也为了考验其应变能力。拜完灶，新娘还要出门拜堰塘，并挑水回来。俗传挑了水回家，以后养育小孩才奶水充足，此举意在考验新娘子能否胜任田间劳动。

改姓　出二道姓

巴蜀客家称女孩子出嫁为"改姓"。如上文哭嫁歌所述"迎嫁祖公偓_我唔_不

---

① 巴蜀客家谚语说："女穿婆家衣，男穿女方鞋。"

拜，拜哩祖公改哩姓"。妇女嫁二嫁则称为"出二道姓"，这些都是封建社会女从夫姓的宗法制度在语言上的遗留。而今随着人们婚恋观念的改变，这两个词也用得少了。

烘　胎

新人入洞房后，有人提出花轿上的烘笼，奔入厨房，添火加炭，置于地上，用一大箩筐翻转扣住，牵引新娘坐箩上，称为"烘胎"。新娘坐完，亦有好事者将婆婆按坐在箩筐中逗乐，并念诵歌谣："今年坐箩箩，明年当阿婆奶奶。"此意为盼新娘早生贵子，承嗣香烟。

逻^①三朝　嫽三工

结婚后第三天一大早，新娘的母亲就得出门去探望女儿，并在男方吃早餐，称为"逻三朝"。因为要赶早饭，出门时一路上露水未干，故"逻三朝"也称"逛露水"。吃完早饭，母亲接女儿回家住一天，称为"嫽三工耍三天"。有的在婚后九天，母亲才接女儿回家，称作"逻九朝"，女儿回家则可任意盘桓，称为"嫽九工"。

此外，巴蜀客家还有一些婚俗词语传承下来，因为使用范围较窄，很多人已经不知道它的意思了。如新娘擦眼泪的手绢儿称为"叫嘴帕"，夫家称为"细^②家"，婆婆除了称为"家娘"，还可贬称为"细家蛮婆、小家蛮婆"。这样的称呼只保留在如《骂媒婆》"食哩小家一筒烟，你就夸小家有几千。食哩小家一碗饭，你就夸小家有几万"以及反映婆媳关系的"蛮婆兴个（的）六月六，十条栏杆晒唔满，小家蛮婆骂一班"等巴蜀客家哭嫁歌词中。

猪来穷，狗来富，猫公来了扯孝布　收脚板（儿）印

部分巴蜀人认为，人死之前，总会有些预兆：或是乌鸦等在死者生前住的屋边啼叫；或是狗发出类似哭的叫声；或是别家的猫到了死者的家，因此民间流传这样的俗语："阿鹊叫喜，老哇叫丧"，"猪来穷，狗来富，猫公来哩扯孝布"；或是死者的亲朋好友家中突然发出莫名的响声，俗传这是死者前来"收脚板（儿）印"。所以我们常常会听到人们开玩笑说："少走些路，死了难得去收脚板印。"

---

① 逻 [la^{13}]：在巴蜀客家话中，意为"看望、探视"。
② 细：小。受成都官话的影响，也说"小家"。

出煞　烧倒头纸　老钱罐

人初死，应立即将死者床帐撤下，以免死者永堕天罗地网，并将屋顶用长竹竿戳开一洞，称为"出煞"①，然后家属孝子立即在死者咽气之处多烧纸钱，曰"烧倒头纸（钱）"，以备死者出入阴间之用。成都客家人认为，此时给死者烧的纸钱不会被阴曹官吏抽成，全部为死者所得，因此，"倒头纸"往往多烧。②装有"倒头纸（钱）"焚烧后的灰烬的罐子，称为"老钱罐"，摆放在灵前，最后与棺材一同埋葬。

绣龙　孝堂棍

绣龙指"孝冠"，孝堂棍即"孝棍"③。

打狗粑

此指分别串在桃树枝、柳树枝上的两串馍，每串两个。停丧时，将其放在死者手边。巴蜀客家传说，人死后去往阴间的途中，会路过一个恶狗村，到时先用"粑"喂狗，恶狗即不来咬人。如果恶狗吃完东西，仍然要咬人，则可用树枝鞭打驱赶。

偷寿碗

年过花甲的老人过生日或寿终，参加祝寿或治丧的人在饭后偷走饭碗，希望能像老人一样健康长寿。俗传被偷的碗越多，主人就越吉利、越高兴。如果客人不偷或偷得少，主人还要专门送。今巴蜀客家地区老年人过生日也常专门烧制寿碗，送给客人，以作留念。

点　主

巴蜀客家习俗，人死后祭奠时，要举行点主仪式，多在出丧前一夜举行。若死者是男子，点主官则由宗族中德高望重的最长者担当；若死者是女子，则由女方娘家的兄弟或子侄担当。点主官均为男性。

以下为新都木兰镇木兰村三组林祖陶老人及泰兴镇美泉村三组何瑞珍老人的"点主"仪式中使用的部分词语：

---

① 出煞：人刚死去时，将其房上的瓦揭一片或在草房上戳个洞，以便灵魂升天。参见黄尚军、王振、游黎等《巴蜀汉族丧葬习俗研究》，四川民族出版社2017年版，第54页。
② 也有人认为，"倒头纸"应烧三斤六两，寓一年有三百六十天之意。参见黄尚军、王振、游黎等《巴蜀汉族丧葬习俗研究》，四川民族出版社2017年版，第54页。
③ 成都官话称为"出丧棒"。参见黄尚军、王振、游黎等《巴蜀汉族丧葬习俗研究》，四川民族出版社2017年版，第174~178页。

点主台

"点主"仪式开始前,大门外设立用八仙桌搭成的点主台,分为上下层。上层一张桌子为点主台,点一对白蜡、一炷香;下层两张桌子,燃三对白蜡、三炷香,设立香帛所、酒樽茅沙所、加冠更衣所、迎神送神所等。摆放五副碗筷,并供奉"女办三牲",即女儿、女婿为去世的父或母备办祭奠用的一头猪、两尾或四尾鱼、一只公鸡。其中猪、鸡一定要亲手喂养大。

神主(牌)

"神主(牌)"简称"主",本是古时为已逝君主、诸侯做的牌位。此俗巴蜀客家沿袭至今。其点主所用"神主(牌)",多为"栗木枣底"木制牌位[①],高约一尺、宽约三寸、厚约半寸,分为内外两层:外层当中手书"天锡上寿××谥××讳××老府君(或老孺人)之神主",或"新故显考(或妣)××谥××讳××之神位";内层当中同样手书"天锡上寿××谥××讳××老府君(或老孺人)之神主",或"新故显考(或妣)××谥××讳××之神位",两侧书生辰、卒年。写好后安在一个长方体的木座上,蒙着黑纱,系以红丝,"点主"时去掉黑纱和红丝,成主后再系上红丝,蒙以黑纱,待到除灵之日方可除去。牌面上所题的字数,一般要合"生、老、病、死、苦"黄道五字中之"生老"二字,在写的时候,要故意将"年"字写成"秊","月"字写成"冃","日"字写成"囗","时"字写成"旹","神"字写成"袡","主"字写成"王",均缺一笔,举行"点主"仪式时,请点主官分别添上所缺之笔,俗称"点主"。

"点主"时,由孝长子怀抱神主牌,跪在厅堂,面向大门外,神主牌则面向厅内。点主官手执沾了朱砂的新毛笔,礼生高唱"日吉辰良,天地开张,今日点主,大吉大昌"之类吉语,分别请点三官"点生(卒)年、生(卒)月、生(卒)日、生(卒)时",以及"穿内(外)神、点内(外)主",即用朱

---

① 栗:谐"立";枣:谐"早",含"立子,早子",即"早生贵子""成家立业"之意。参见黄尚军、王振、游黎等《巴蜀汉族丧葬习俗研究》,四川民族出版社2017年版,第203~205页。另说为有一个不孝之子的母亲,因怕挨逆子打,以头撞板栗树而死,此子良心觉醒,砍此栗树雕栗板牌,"早晚三叩首,神昏一炉香",成为远近闻名的孝子,此举后传开,百姓称此栗板为"灵牌子"。参见游前等《中国民间文学集成四川卷·成都市金牛区卷》(内部资料本),1988年,第92~93页。德阳等地则传说板栗树根始终缠抱着它最原始的种子,用之作神主牌,寓"木本思源"之意。参见陆泽怀等《德阳民俗》(内部资料本),1996年,第114页。

笔添上所缺笔画,再"左贯耳、右贯耳","通天庭、贯地府"后,继唱"前光百代,后裕万年"等,便告礼成。

据我们田野调查所得资料,成都地区客家"点主"仪式大体流程如下:①

1. 盥洗

领祭人:行四大礼。
初跪,鞠躬,初起;
亚跪,鞠躬,亚起;
三跪,鞠躬,三起;
四跪,鞠躬,俯伏长跪。
领祭人:请点主官,净巾沐手。

四大礼毕,点主官还礼。孝男孝眷人等则于亡灵前进献食物,并请乐队师傅奏乐。

2. 安位

领祭人:盥洗已毕,孝眷人等平身,执杖,起。作《升官图》一曲,迎点主官登台。孝男孝眷人等,止于点主案前,行点主官安位四大礼:
初跪,鞠躬,俯,初起;
亚跪,鞠躬,俯,亚起;
三跪,鞠躬,俯,三起;
四跪,鞠躬,俯,俯伏长跪。
母亲灵位前,孝男起主,鞠躬,跪。
孝男举手,上香。
陪祭人:进香,以香归于灵炉。

---

① 此为黄尚军、曾为志、罗亮星于2006年和2010年实地调查新都木兰镇木兰村1组林祖陶丧事和木兰村3组包克珍丧事所得,谨此致谢。有关巴蜀地区汉族"三献礼"的情况,请参见黄尚军、王振《成都市新都客家三献礼的主要流程与功能——基于近十年来对新都及周边地区的田野调查》,载《西华大学学报》(哲学社会科学版)2016年第5期。

领祭人：孝男举杯，斟爵。

陪祭人：进爵，以爵倾于茅沙。

领祭人：孝男举手，献财帛。

陪祭人：进财帛，以帛焚于望燎。

领祭人：孝男举手，献清茶鲁酒。

陪祭人：进鲁酒清茶。

领祭人：献三牲酒醴。

陪祭人：进酒醴三牲。

领祭人：举手上香。

陪祭人：香上。

领祭人：引灵牌子出帏，报亲恩。点主台下一声跪，亲笔点来代代升。

3. 迎主

领祭人：孝男开襟出主。

陪祭人：主出。

领祭人：执事者代为传主。

陪祭人：主传。

领祭人：请点主官接主。

陪祭人：主接。

领祭人：请点主官去红丝。

陪祭人：红丝去。

领祭人：请点主官启蒙头。

陪祭人：蒙头启。

领祭人：请点主官拆主。

陪祭人：主拆。

领祭人：请点主官握主。

陪祭人：主握。

领祭人：请点主官揭主。

陪祭人：主揭。

领祭人：请点主官排主。

陪祭人：主排。
领祭人：请点主官延主。
陪祭人：主延。

4. 点主

穿神，竖主，点生年、生月、生日、生时，点卒年、卒月、卒日、卒时，左贯耳，右贯耳，光前，裕后。然后，系红丝，盖蒙头。

5. 点疾
"点主"结束后，部分巴蜀人认为，用点主的朱笔点在身上有疾病的部位，即可痊愈。

领祭人：眼生蒙，头脑儿昏，有什么疮毒、鱼子，都可以点哈。
领祭人：请点主官释管。
陪祭人：管释。

6. 揖主

领祭人：请点主官离位，三揖主。
初揖主，
再揖主，
三揖主。

7. 赞主

领祭人：请点主官赞主。
点主官：古帝以来有三王，
王字加点有主张。
今日神主是我点，
后代儿孙得荣昌。

8. 赠后

领祭人：请点主官赠后。
点主官：大富大贵，平平安安。
领祭人：请帮忙师傅为点主官放炮。

9. 谢官

领祭人：请点主官还主。
陪祭人：主还。
领祭人：孝长君开襟怀主。
陪祭人：主怀。
领祭人：孝男孝眷人等，酬谢点主官四大礼。
初跪，鞠躬，俯，初起；
亚跪，鞠躬，俯，亚起；
三跪，鞠躬，俯，三起；
四跪，鞠躬，俯，执杖，起。
请乐师作《送将军令》一大调，以送点主官禄位高升。

10. 安神

领祭人：穿神点主礼仪周，怀抱神主泪欲流。
安放庭中堂上坐，默佑儿孙荣华富贵万代秋。
孝男鞠躬，跪。
领祭人：孝男开襟出主。
陪祭人：主出。
领祭人：安于灵位前，孝男举手，面灵上香。
陪祭人：进香，以香归于灵炉。
领祭人：司樽者举杯，奠爵。
陪祭人：进爵，将爵滴于茅沙。
领祭人：献鲤鱼、鲜鱼。

陪祭人：进鲤鱼、鲜鱼。
领祭人：献俎豆、仪文、祭器。
陪祭人：进俎豆、仪文、祭器。
领祭人：献一切不腆之祭仪。
陪祭人：进一切不腆之祭仪。
领祭人：凡仪献毕，请傧安主。
点主已毕，祀事已成。请主正坐，以享以歆。
安毕，孝眷人等就地叩首，再叩首，三叩首。
礼毕，平身，起。

11. 奏乐

领祭人：位位乐师果有才，四面八方都是好招牌。
吹得孝子肝肠断，吹得孝子痛心怀。
也不要你吹别调，请你吹一首《站台》①。

以下仅对"点主"中的部分词语略作分析。

俯 伏②

鞠躬初跪，初起；鞠躬亚跪，亚起；鞠躬三跪，三起；鞠躬四跪，四起；俯伏长跪。

此词指"俯首伏地"，多表示恐惧屈服或极端崇敬。点主仪式开始后，众孝子身着麻衣，腰缠麻绳，头戴"绣龙^{孝冠}"，手拿"孝堂棍^{孝棍}"，面向大门外，俯伏跪在点主案前，请点主官沐手、净面，登上点主台。成都客家俗语

---

① 此歌节奏较快，适于闹丧。
② 词头以下例句，为新都县木兰镇木兰村三组林祖陶（男，92岁）老人"点主"仪式中所用赞礼原文。下同（参见曾为志、黄尚军《四川新都客家丧俗中的"点主"仪式》，载《"移民与客家文化"国际学术研讨会论文集》，广西师范大学出版社2005年版）。

"一尺零五寸,娘死儿奔生"①,意为俗传婴儿刚出生时,身长一尺零五寸,此长度与孝棍长度相同②。在"点主"及其他丧葬仪式上,众孝子需以之拄地而行,时间一长则腰酸背疼,此时此景,便让人不由自主地想到父母生养自己的百般辛苦。

茅 沙

> 司樽者举杯,奠爵,进爵,以爵滴于茅沙。

此词古称为"包茅",即包扎的青茅,其作用有二:一是滤去酒滓;二是在祭祀时将包茅立在地上,把酒自上浇下,酒滓留在包茅中,酒顺着包茅一点点渗下,意味着神饮了酒。

接 客

接待宾客。成都客家丧俗,客人前来吊唁时,孝子们要到路口迎接,逐一给客人磕头,客人应还礼。

家 祭

本指家中对祖先的祭祀。宋陆游《示儿》诗:

> 王师北定中原日,家祭无忘告乃翁。

今新都客家丧俗,在死者出殡的前一夜,一般都要在家中举行隆重的祭奠仪式,称之为"家祭"。孝家请人写出死者生前的苦情与功德,由领祭人宣读,众孝子跪在灵柩前聆听,亲友旁听。

点翳子

迷信者以为"点主"的朱砂笔带有神力,点在患病部位即可痊愈。点主仪式结束后,当地有疾病的乡民纷纷上前,请求点主官用朱砂笔点患病的部位。又因多数老人皆请求点翳子(白内障),故以"点翳子"一词代称这类做法。

以上仅对客家习俗中部分词汇作了简略分析,从中可见,成都客家方言词

---

① 王洪林:《四川方言会通》(巴蜀书社2008年版,第136页):"那时娘生下儿一尺五寸,一盆水洗起来娘裹衣裙。"
② 另一种说法为:棍子为一尺七寸长,其中的一尺五寸,代表人出生时的身长,再加上天的一寸和地的一寸。

汇系统历史悠久，一定程度上体现出古代汉语与现代巴蜀汉语方言之间"源"与"流"的关系，并且承载了十分丰富的文化内涵。

除此之外，还有一些方言词语反映了巴蜀客家人的民间信仰和生活经验，例如：

月光娘娘

对月亮的尊称。巴蜀客家人敬畏雷、闪电、月亮等自然物，八月十五晚有祭拜月亮的习俗。客家人相信月亮有灵，忌讳用手指月亮，尤其是小孩儿，俗传指了月亮，会被月亮割掉耳朵。月亮有灵性，用手去指也是不敬的，同样，用手指指人也是不敬的行为。这应是月亮崇拜，乃至万物有灵信仰的遗迹。

日头水

此指下大雨时，太阳仍旧当空照耀，多在夏季出现。巴蜀客家谚语"日头水，晒死鬼"，意思是"雨住后，阳光更烈"。四川官话也有类似的说法："下了雨的太阳，死了男人的婆娘。"

月光长毛

月光通过云层中的冰晶时，经过折射，在月亮周围形成的不明亮的大圆环的现象，客家谚语"月光长毛，大水泡泡"，意思是出现"月光长毛"的现象，次日往往会下大雨。

月光荷（担）枷

此即月晕，即月亮周围笼罩着一层朦朦光晕，民间认为月亮受难，被戴上了枷锁。此天象又能预示天气。巴蜀客家谚语"日子辰戴枷长江水，暗晡辰戴枷草唔生"，意思是天亮时出现月晕，未来一段时间雨水很多，夜里出现月晕，今后一段时间则会干旱。

鳌鱼眨眼睛

此即地震，巴蜀客家传说大地由一条巨大的鳌鱼背负着，一旦鳌鱼稍有眨眼之类的细小动作，就会发生地震，巴蜀客家俗语说"鳌鱼眨眼地翻身"。

砍诶树子免得老鸦叫

巴蜀客家俗以为乌鸦栖息在屋子附近的树木上是不祥的预兆，若把树木砍掉，使之无栖身之地，乌鸦就不会在附近叫了，比喻根除祸根，常用来骂贪吃的孩子。

十家牌

"十家牌"本是一块详细记录着十户人家家庭情况的牌子，其得名源自明正德年间南赣巡抚王守仁推行的一种监控民众和发动民众相互监控的制度——十家牌法。据《王阳明全集》记载,以每十家为一个单位,每家置一小牌,上面写着本户籍贯,人丁数目,有无寄住和暂住之人,以凭查验。十家另置一大牌,牌上写明同牌十家户主姓名、籍贯,各户主要人员、职业、房屋。每家轮流值日,每天到同牌家中检查人口出入动静,哪家多了何人,从何地来,来做何事,少了何人,去向如何,一一记录报告乡官。如一牌之中隐瞒事实,出现事故,则十家同罪。① 后巴蜀客家方言用"十家牌"指"爱打探他人隐私、爱管闲事的人",此行为被称为"清十家牌"②。此词后引申出"串门儿聊天,惹是非"之义。

挑疳积

客家人把小儿面黄肌瘦、胃口不佳的病,称为"疳积"。俗以为用银针扎刺患者食指、中指、无名指或小手指的第二指节关节处,析出其中的亮白色黏液,即可治愈此病,称为"挑疳积"。

揽饮食

多指小孩经常吃撑着,食物长期停滞在胃里不消化,导致消化功能受损,面黄肌瘦的疾病。一旦如此,可以正面搂抱患"饮食"者腰部,渐渐向上,发力,使其背部骨骼发出"咯咯"的响声后,可治愈此疾,称为"揽饮食";也可让患"饮食"者俯卧,向上提其腰背部肌肉,使之发出"咯咯"的响声,以治愈此疾,称为"扯饮食"。

此外,川剧是巴蜀居民非常喜爱的戏剧形式,川剧艺术丰富了百姓的文化生活,川剧行话也极大地丰富了巴蜀汉语方言,③ 这些词语也进入到了巴蜀客家方言:

板 眼

传统唱曲时,常以鼓板按节拍,凡强拍均击板,故称该拍为"板";次强拍和弱拍则以鼓签敲鼓或用手指按拍,称为"眼",合称"板眼"。巴蜀客家方言指"主意、名堂、花招"。

---

① 转引自许怀林《客家社区的大转折——〈虔台志〉中的南赣特区》,载《客家研究辑刊》2008年第1期。
② 也说"请十家牌"。文枢等:《旧成都的"人市"》(《龙门阵》1984年第2期):"要爱干净,要勤快,少说话多做事,不要'请十家牌'。"
③ 参见杨梅《四川方言与川剧》,载《文史杂志》1994年第5期。

搭飞白

两人或多人商谈事情或者聊天，第三者不摸头尾，插言其中，被称为"搭飞白"，也喻指"借故搭话，无话找话说"：

那几年"拓儿"车少，索道周围卡厅、夜总会的服务小姐都爱坐"摩的""八零"车开得稳，不乱搭飞白，不像其它摩的，一上车就泡子翻翻的找小姐打话平伙，荤的素的一下子就端出来。（《重庆崽儿重庆妹》，第94页）

"搭飞白"也是川剧的传统表现手法之一，指舞台上两组戏围绕同一事件交叉进行，两个在不同环境中活动的角色，以各说各的方式，表达各自的心理活动，客观上形成内在的相互联系，从而产生特殊的舞台效果。

开黄腔　黄腔顶板[①]

"黄腔"本指"演员唱曲音调不准"。"开黄腔"喻指"说话腔调不准确而显别扭"，即"说外行话"。"唱顶板"指"演员唱得不合节拍"，日常口语中指"唱反调"。"顶板"和"黄腔"结合产生了一个新词"黄腔顶板"，指"唱戏走调"。"黄腔顶板"在巴蜀客家方言中指"对着干，唱反调"，意在使对方难堪。

此外，"过场、颤翎子[②]、幺唔倒台"等，这些源于川剧行话的词语也在

[①] 此词成都官话也说。张建蓉等：《四川戏剧小品集选》，（内部资料本，四川省文化厅1997年，第257页）："哎呀呀，黄腔顶板的，你听完了再说嘛！"周克芹：《许茂和他的女儿们》（四川文艺出版社1994年版，第217页）："唱得黄腔顶板的怪难听，许贞嘴一瘪。"也说"黄腔走板"。成之新：《百年沧桑一条街》（《龙门阵》1988年第2期）："一些懂行的戏迷，则有意要来看这黄腔走板、麻麻渣渣的端公戏，取乐开心，寻找了话柄，为茶余酒后摆龙门阵增添了笑料。"

[②] 也作"战灵子、战翎子、战伶子、占林子、潢铃子、颤铃子、赞林子"。此指川剧演员主要是武生以及花旦、武旦表演仙女和女将时，颤动头上作为装饰的雄性野鸡翎毛，多表现内心得意之状。川剧称为"翎子功"。俗传川剧表演艺术家康芷林在所演《八阵图》中，有号称"六十四个凤点头"的翎子功绝招。后以"颤翎子"称爱炫耀、爱咋呼、爱出风头、好表现的人。中国戏剧家协会四川分会：《四川小戏选1949—1979》（四川人民出版社1980年版，第213页）："还有哪个呐，就是那个（指篾笆门）战翎子嘛。"艾芜：《艾芜文集》（第6卷，四川文艺出版社1986年版，第12页）："颤铃子，我听见你说过一百回了……叫喊的麻雀，没四两肉的，真是！"也喻指流氓。蜀洪：《洪门兄弟》（上册，［台湾］八八出版社1991年版，第181页）："胡玉惠见伊大川把她的辫子拉到了，于是吓得大叫道：'妈呀！赞林子呀！你们快来捉赞林子哟！'"

巴蜀客家方言中扎下了根，常见于巴蜀客家人的口中。

　　以上从生活习俗、人生礼俗、民间信仰等方面，探讨了巴蜀客家方言与民俗的关系。由此可见，巴蜀客家方言承载了大量的客家民俗文化，尤其是其中的民俗词语不仅是语言符号，而且是具有象征作用的民俗符号。因而，从方言学的学科视角去探究民俗文化很有必要。

第六章

巴蜀汉语方言的发展趋势

方言存在的整个过程，总伴随着变异和整合。综观20世纪的100年，特别是中华人民共和国成立70多年来，巴蜀汉语方言的发展变化尤为突出。

第一节　巴蜀汉语方言的发展趋势

一、语音的变化

改革开放以来，随着广播、电视等传媒的普及，普通话的推广以及学校教育的影响，普通话对巴蜀汉语方言的变化起到了至关重要的作用。半个世纪以来，随着推普工作的开展，普通话的影响越来越大。当今40岁以下的中青年，差不多都接受过多年的学校教育和普通话训练，普通话直接引起了巴蜀汉语方言的诸多语音变化。

这种变化也受巴蜀汉语方言区内部强势方言的影响，就整个巴蜀来看，成都官话、重庆官话是强势方言，就某个市县来看，市县话是强势方言。由于受政治、经济、人口流动、追赶时髦等因素的影响，目前整个巴蜀汉语方言的发展趋势是乡村方言向市县话靠拢、大多数市县话向成都官话和重庆官话靠拢，引起的连锁反应，即巴蜀大部分地区的方言都有向成都官话或重庆官话接近的趋势。同时我们也该看到，巴蜀汉语方言语音向普通话靠拢，但总的来说在音类上并未产生分合，只是某些字的读音发生了变化。如20世纪以来，成都、重庆等中心城市居住人口相对稳定，其间也有一些外地人迁入，但他们对四川官话的影响并不是很明显，故四川官话在20世纪前期和中期，均处于相对稳定的状态。但随着改革开放的深入，这些地区与外界的交流日趋频繁，四川官话也发生了明显的变化，这种变化主要体现在年轻人身上，他们较多地使用普通话的语音、词汇和语法。①

语音变化受共时的、外部因素的影响是主要的，而不是只受历时的、内部因素的限制。其变化就像从远古流来又向未来流去的一条河流。它流向何方，不是取决于它从何处流来，而是取决于它在这个阶段所处的"地理环境"。这个"地理环境"就是来自其他语言或方言的影响。②

（一）声母

一些与普通话有差异的非古入声字声母渐渐向普通话靠拢。这种现象在40岁以下的中青年人群中尤为突出，甚至一些老年人也跟着说。

如禅母字"蝉、禅、晨、辰、唇、纯、醇、常、尝"等字，在巴蜀汉语方言中的声母原为舌尖擦音[s]，现在变读为[ts']："蝉[ts'an]、禅[ts'an]、晨[ts'ən]、辰[ts'ən]、唇[ts'uən]、纯[ts'uən]、醇[ts'uən]、常[ts'aŋ]、尝[ts'aŋ]"，声母变为与普通话相同。精组字"燥、噪、造"原声母读为[ts']，现在变读为[ts]，与普通话相同。见母字"溉、概、盌"原读为[k']，今变读为[k]，与普通话一致。③成都有一处著名的景点称为"浣花溪"。"浣"为匣母字，巴蜀汉语方言老派读为[k'uan⁵³]，如今年轻人都读为[xuan²¹³]了。成都著名寺院——昭觉寺，成都官话老派发音为[tiau⁵⁵tɕyo²¹sʅ²¹³]，"昭"字保留了古音；如今许多巴蜀人都读为[tsau⁵⁵tɕyo²¹sʅ²¹³]，甚至读为[tsau⁵⁵tɕye²¹sʅ²¹³]了。而另一寺院"大慈寺"，老派读为[t'ai²¹³tsʅ⁵³sʅ²¹³]，新派读为[ta²¹³ts'ʅ²¹sʅ²¹³]。

再如"领导、发抖""导、抖"是定母字，巴蜀汉语方言原读声母为"导[t']、抖[t']"，今变读为"导[t]、抖[t]"。部分见系字巴蜀汉语方言

---

① 参见杨梅《成都语音百年来的发展演变》，载《西南民族学院学报》1997年增刊。周及徐《20世纪成都话音变研究——成都话在普通话影响下的语音变化及规律》，载《四川师范大学学报》（社会科学版）2001年第4期。如成都人口中的"阶级"一词，读音演变过程应为"[kai⁵⁵tɕie²¹]—[tɕiei⁵⁵tɕie²¹]—[tɕie⁵⁵tɕi²¹]"。而表示"时髦"义的词汇，则由"洋盘、操、摩登（儿）（崇州儿歌：摩登儿摩洋盘，嫁给蒋委员。又有飞机坐，又有汽车玩）、港、苏气、苏派、杭式、跩、提劲、腿"等，逐渐演变为全国趋同的"吊爆、反形"等。

② 参见周及徐《20世纪成都话音变研究——成都话在普通话的影响下的语音变化及规律》，载《四川师范大学学报》（社会科学版）2001年第4期。

③ 此处及以下部分内容参考了周及徐《20世纪成都话音变研究——成都话在普通话的影响下的语音变化及规律》〔《四川师范大学学报》（社会科学版）2001年第4期〕的研究成果，谨致谢。

原读舌根音，现受到普通话的影响，声母颚化读为舌面音，形成新旧异读。如老派"间房间[kan]、敲[k'au]、觉[kau]、解[ka]、窖[kau]"，新派读为"间房间[tɕian]、敲[tɕ'iau]、觉[tɕiau]、解[tɕiɛi]／解[tɕie]、窖[tɕiau]"。张一舟在谈到中江话时也指出：某些见系二等字声母读为舌根音，皆、戒、街、解读为[kai]，声母在年轻人中颚化为[tɕ]。①

部分匣母字受普通话影响声母由[x]变成[ɕ]。如老派"蟹、鞋"读为[xai]，"咸、陷""闲天不赶集的日子"的"闲"读为[xan]，"杏"读为[xən]等。新派读为"蟹[ɕie]、鞋[ɕie]、咸[ɕiɛn]、陷[ɕiɛn]、闲[ɕiɛn]、杏[ɕin]"。

古入声字的声母在巴蜀汉语方言中也发生着同样的变化。

澄母字"泽、择"，巴蜀汉语方言声母原读为[tsʻ]，今变读为[ts]；定母字"铎[t'o]"变读为"铎[to]"声母变为与普通话读音相同，韵母声调均不变。

除此之外，巴蜀汉语方言中有而普通话中无的声母——舌面后鼻音声母[ŋ]和舌面前鼻音声母ȵ在年轻人中开始渐渐消失。如疑母字"额、恶、哀、挨、矮、爱、熬、袄、傲、讴、偶、藕、怄、安、按、岸、暗、恩、昂"声母本为ŋ，现在这些字被许多年轻人读成了像普通话一样的零声母。"仪、疑、宜、艺、义、议、阎、严、研、砚、毅、嶭"等字，在巴蜀很多地区都读为[ȵ]，今天也有很多年轻人读成了零声母。特别是青年学生为了追赶时髦，将第一人称代词"我[ŋo]"这个使用频率非常高的词，读成了[o]。另外，"硬[ŋən]、樱[ŋən]"又被很多受过教育的年轻人读成了[in]，不仅丢失了声母，韵母也发生了改变，变得和普通话一样了。

谈到成都官话的舌尖音时，甄尚灵认为《西蜀方言》记录了舌尖前后两套擦音、塞擦音，是19世纪后期成都语音的实际读法，舌尖后音混同于舌尖前音，是后来的发展变化。②肖娅曼1999年调查了成都市区居民230人，认为60岁以上的人群，年龄越大，保存舌尖后音声母者的比例越大，60岁以下基本无人保存舌尖后音声母。③其实在成都市的成华区十里店、二仙桥、龙潭寺，金牛

---

① 参见张一舟《〈跻春台〉与四川中江话》，载《方言》1998年第3期。
② 参见甄尚灵《〈西蜀方言〉与成都语音》，载《方言》1988年第3期。
③ 参见肖娅曼《关于成都话舌尖后音声母的调查》，载《四川大学学报》（哲学社会科学版）1999年第6期。

区的洞子口、天回镇一带,成都市所辖的新都、郫县、彭州、都江堰,① 至今仍保留着全套的舌尖后音声母［tʂ］［tʂʻ］［ʂ］［ʐ］,不过在年轻人口中,舌尖后音渐渐混入舌尖前音。1986年,黄雪贞在《西南官话的分区(稿)》中举例说四川的北川、安县保留了［tʂ］［tʂʻ］［ʂ］声母,② 而今天的北川和安县新派方言保留舌尖后音的情况已经比较少了。

即使在西昌、自贡、内江等保留全套舌尖后音的方言区,新派［tʂ］［tʂʻ］［ʂ］［ʐ］的发音部位也已不同于老派,［tʂ］［tʂʻ］［ʂ］［ʐ］的实际音值介于［ts］［tsʻ］［z］和［tʂ］［tʂʻ］［ʂ］［ʐ］之间③。内江城区已经出现［ts］［tsʻ］［s］和［tʂ］［tʂʻ］［ʂ］混读的倾向。与内江接壤的荣县话中,则随着2005年8月章佳等乡镇划入自贡贡井区,④ 县境内原来存在的翘舌音声母也随之消失。⑤ 这是上述方言区方言发展的一个显著的趋势。

今川东渠县、大竹方言无舌面前鼻音声母[ȵ],"牛＝油[iəu]、泥＝夷[i]",但在30岁以下的部分年轻人特别是学生人群中,"牛、泥"变读为"牛[ȵiəu]、泥[ȵi]";还有部分人受重庆方言的影响变读为"牛[niəu]、泥[ni]",这种变化还不稳定。

据《四川方言音系》,米易话、盐边话到20世纪50年代,仍无[ȵ]声母,⑥ 而据兰玉英的最新研究,这两个县的方言都出现了[ȵ]声母。⑦

(二)韵母

一些与普通话有差异的非古入声字声母渐渐向普通话靠拢。这种现象在40岁以下的中青年人群中尤为突出,甚至一些老年人也跟着说。

韵母的变化以古入声字居多,如:

部分梗、曾、深摄入声字"立、粒、缉、集、习、袭、急、击、激、积、极、迹、即、籍、脊、级、劈、辟、僻",韵母在巴蜀各地有的读［i］,⑧ 有

---

① 都江堰市区官话方言以金马河为界,分为河西话和河东话,此处指河东话。
② 参见黄雪贞《西南官话的分区(稿)》,载《方言》1986年第4期。
③ 参见段英《四川西昌方言的现状及发展趋势》,载《语文研究》1998年第3期。
④ 这几个乡镇属荣县东路话,声母分平翘舌。
⑤ 参见张一舟、邓英树等《四川省志·方言志》,方志出版社2013年版,第155页。
⑥ 参见甄尚灵等《四川方言音系》,载《四川大学学报》(专号)1960年第3期。
⑦ 参见兰玉英等《攀枝花本土方言与习俗研究》,巴蜀书社2011年版,第36~37页。
⑧ 如广安市。

的读［ie］，① 有的有［i］［ie］两读。② 现在不论是否读为入声调，在各地年轻人口中，都广泛存在读成［i］韵母，向普通话看齐的现象。另外通摄合口三等入声字"曲、续、蓄、狱、育、域、欲"韵母由"［yo］"变读为"［y］"；臻摄合口三等字"律［nu / no］、率效率［so］"变读为"律［ny］、率效率［ny］"；江摄开口三等字"学［ɕyo］"变读为"学［ɕyɛ］"。还有一些古入声字是声韵一起变的，如通摄合口入声字"卒、族、俗、速、肃、宿"在成都官话中由"卒［tɕyo²¹］、族［tɕ'yo²¹］、俗［ɕyo²¹］、速［ɕyo²¹］、肃［ɕyo²¹］、宿［ɕyo²¹］"变读为"卒［tsu²¹］、族［ts'u²¹］、俗［su²¹］、速［su²¹］、肃［su²¹］、宿［su²¹］"；这些字在川东北一带，③ 原读为"卒［tɕy²¹］、俗［ɕy²¹］、速［ɕy²¹］、肃［ɕy²¹］"，而今在年轻人口中也变成了"卒［tsu²¹］、俗［su²¹］、速［su²¹］、肃［su²¹］"。

大部分属通摄、江摄合口二、三等入声字，原读韵母为［u］，今变读为跟普通话一致。如："镯、粥、轴、肉、绿"在成都官话中原读为"镯［tsu²¹］、粥［tsu²¹］、轴［tsu²¹］、肉［zu²¹］、绿［nu²¹］"，今变读为"镯［tso²¹］、粥［tsəu⁵⁵］、轴［tsəu²¹］、肉［zəu²¹³］、绿［ny²¹］"。

以上谈到的是古入声字韵母的变化情况，非古入声字韵母也呈现出向普通话靠拢的趋势。例如：止摄、蟹摄开口三、四等字"臂、披、坯合口、批、譬"等，在巴蜀很多地区韵母都读为［ei］，今变读为"臂［pi］、披［p'i］、坯合口［p'i］、批［p'i］、譬［ɔ'i］"。"批、披"等阴平字的变调，仅仅出现在部分年轻人口中。一般来说，了解这一文化背景的巴蜀人，一般是不会读为［p'i⁵⁵］的④。止摄字"被、备、眉"老派读法韵母为［i］，现变读为［ei］，跟普通话一致。

止摄合口三等字"慰、虽、遂、隧、穗"韵母由［y］变成［uei］，成都官话原读为"慰［y²¹³］、虽［ɕy⁵⁵］、遂［ɕy²¹³］、隧［ɕy²¹³］、穗［ɕy²¹³］"，今变读为"慰［uei²¹³］、虽［suei⁵⁵］、遂［suei²¹³］、隧［suei²¹³］、穗［suei²¹³］"，跟普通话基本一致。

臻摄合口字"尊、村、存、寸、论、孙、损、笋、榫、轮、墩、钝、盾、

---

① 如成都市新都区、郫县。
② 如成都市区。
③ 如南充市。
④ 因讳此音。

吞开口"等，在巴蜀很多地区都读为开口韵［ən］。今变读为合口韵［uən］，跟普通话一致。

梗摄合口三、四等字"营、萤、荣、尹"，在巴蜀各地原读为撮口前鼻音韵母［yn］，即读为"营［yn］、萤［yn］、荣［yn］、尹［yn］"，今变读为"营［in］、萤［in］、荣［yoŋ／zoŋ］、尹［in］"，跟普通话韵母相同。

此外，巴蜀各地"医院"的读法，从老派"［i⁵⁵uan²¹³］"变读为"［i⁵⁵yan²¹³］"；"郝姓"老派读"［xe²¹］成都、［xo⁵⁵］汉源、［xo²¹］旺苍"，新派读为"［xau⁵³］"；新派说"硬［in／ən］、杏［ɕin］、鹦［in］、樱［in］"，不说"硬［ŋən］、杏［xən］、鹦［ŋən］、樱［ŋən］"；"永［yn］、咏［yn］、泳［yn］"读成了"永［yoŋ］、咏［yoŋ］、泳［yoŋ］"；江摄开口三等字"项［xaŋ］、巷［xaŋ］"变读为"项［ɕiaŋ］、巷［ɕiaŋ］"。"雷、累、垒、类"的韵母，又有由合口韵［uei］变读为开口韵［ei］的现象，但是这种变化不稳定，在蟹摄、止摄合口三等字中也不成系统。

"珊"老派巴蜀汉语方言读为［suan⁵⁵］，新派读为［san⁵⁵］；"琼"老派读为［tɕyn²¹］，新派读为［tɕ'ioŋ²¹］；"旭［ɕyo²¹］"被新派读为［ɕy²¹³］。① 声调也由阳平变成了去声。"彩虹"老派说"虹［kaŋ²¹³］"，新派说"彩虹［ts'ai⁵³xoŋ²¹］"；"亩、茂"等字的读音，巴蜀境内的成渝片绝大多数县市与灌赤片的岷江小片、仁富小片都读为［moŋ］，而今受普通话的影响，年轻一代大都读为"亩［mu］、茂［mau］"。

成都市郊的新津、邛崃、大邑、崇州、蒲江，把部分果摄开合口字如"波、菠、玻、婆、多、罗、窝、过、坐"等读成［u］韵母，"抱鸡婆窝窝"听起来像"抱鸡蒲呜呜"，这是当地方言的一大特点，而今这些字逐渐变读为［o］韵母了。此外，［ie］读成［i］，"姐=己［tɕi⁵³］、爷=姨［i²¹］"；［y］［ye］都读成［y］，"靴=虚［ɕy⁵⁵］"，新派读法也渐渐读成了"姐［tɕie⁵³］、靴［ɕye⁵⁵］"。山摄合口一等字"端、短、段、断"，老派读为开口呼"［tan］"，新派读成合口呼"［tuan］"，与成都官话相同。

岷江流域大邑、邛崃、蒲江以至青神、沐川一带，将"甘蔗"读为［kan tsən］，如今［kan tse］的说法也渐渐流行开来。

---

① "珊、琼、旭"在巴蜀汉语方言中多用作人名。

1960年四川大学有关专家对中江话的调查显示，该地无［yɛn］［yn］两韵，而今天中江话里很多人中已经有比较完整的这两个韵母了。张一舟认为早在《跻春台》中，"中江话撮口呼就混入齐齿呼。如：怨恨误作厌恨，言误作援"。在韵脚字中，"女、趣、砌、馀、躯、屈、锯、去"等［u］韵字押韵，说明它们的韵母不是［y］，当念［iu］。①

　　《四川方言音系》还显示西昌、宁南、冕宁无撮口呼。如今，西昌话新派比老派增加了［y］［ye］［yan］［yn］四个韵母，比老派减少了［iu］韵母。老派无撮口呼韵母，新派有撮口呼韵母。如"菊、曲"，老派读［iu］韵母，新派都读［y］韵母；"决、绝"，老派读［ie］韵母，"却"，老派读［io］，新派都读［ye］；"选、元、权"，老派读［ian］，新派读［yan］；"军、云、群"，老派读［in］，新派读［yn］。②攀枝花仁和区也无撮口呼，梁德曼预测：

　　虽然仁和区和邻近的云南话里没有撮口呼韵母。从这些地方到市中心区的人毕竟是少数人。他们之中的青年人都因此觉得自己的话土，不好意思，努力改变自己没有撮口呼的口音。③

　　20多年前的预言如今在许多年轻人口中得到了应验。兰玉英全面调查了攀枝花、米易、盐边方言后指出：

　　米易话和盐边话在撮口呼的项目上也高度一致，都具有［yu、y、yɛ、yo、yn、yong］六个韵母，普通话和成都话都只有五个，米盐话还多出一个［yu］，可以说米盐话的撮口呼是很发达的。④

　　应该说，撮口呼的出现、齐齿呼的分化，是这些地区方言演变的一个大趋势。

---

① 参见张一舟《〈跻春台〉与四川中江话》，载《方言》1998年第3期。
② 参见段英《四川西昌方言的现状及发展趋势》，载《语文研究》1998年第3期。2010年，曾为志、兰玉英实地考察西昌城区官话方言时，也发现了部分年轻人中的这一变化。
③ 梁德曼：《四川省渡口市方言的现状和未来》，载《方言》1985年第4期。
④ 兰玉英等：《攀枝花本土方言与习俗研究》，巴蜀书社2011年版，第40页。

老派荣县话无［aŋ］［iaŋ］［uaŋ］［iɛn］［yɛn］五个韵母，阳声韵大幅合并，［aŋ=an］［iaŋ=iɛn］［uaŋ=uan］［iɛn=in］［yɛn=yn］。"钱"与"情"读音相同，"间"与"巾"音无区别，故荣县人发这些音时常常被人取笑。大概受普通话、成都官话以及这种"尴尬"的谐音的影响，今年轻人群口中，［aŋ］［iaŋ］［uaŋ］［ian］［yɛn］这五个韵母开始出现。

乐山、青神、沐川假摄开口三等字韵母，老派读作［ei］，新派改读为［e］。三地方言中没有［e］这个韵母，新派读音借用了成都官话的韵母。如"者［tsei］、遮［tsei］、车［ts'ei］、撤［ts'ei］、扯［ts'ei］、蛇［sei］、射［sei］、社［sei］、惹［zei］"，新派读作"者［tse］、遮［tse］、车［ts'e］、撤［ts'e］、扯［ts'e］、蛇［se］、射［se］、社［se］、惹［ze］"。赖先刚认为这是一种时尚的表现。①

以上讨论的是由于普通话的影响导致的巴蜀汉语方言的变化。此外，从内因上说，音系内部的结构调整也可以引起语音变异。巴蜀汉语方言的这类音变，以［an］［ian］［uan］［yan］韵尾的变化最为突出。巴蜀汉语方言［an］［ian］［uan］［yan］的韵尾［-n］，有从川东②向川北、川西、川南逐渐弱化的趋势。甄尚灵指出：

> 四川方言的an iɛn uan yɛn四个韵母，-n有三种情况：A.舌尖着势抵齿龈；B.舌尖作势不抵齿龈；C.元音鼻化。大体说来，A组主要分布在川东地区，B组主要分布在川北、川西地区，C组主要分布在川西、川南地区。……我们从这三组的地区分布也可以看出语音的逐渐变化。③

也就是说，巴蜀汉语方言［an］［ian］［uan］［yan］韵尾［-n］的共时地区差异，体现了［-n］由川东向川北、川西、川南逐渐弱化的趋势。今天的成都官话，韵尾［-n］存在着弱化、鼻音化甚至脱落和变异的情况：从弱化［an］［ian］［uan］［yan］到鼻音化［ã iã uã yã］和变异［æ］［iæ］［uæ］［yæ］。鼻音化出现在中年人群中，而许多青年学生和时髦的女青年则

---

① 参见赖先刚《谈谈乐山方言语音的偏移》，载《天府新论》2004年第6期。
② 含重庆地区。
③ 甄尚灵《四川方言的鼻尾韵》，载《方言》1983年第4期。

干脆将它们读成了［æ］［iæ］［uæ］［yæ］。只是这一语音的内部变化还处在整合过程中，还未定型。

此外，还有一个明显的变化是成都官话中助词"的"的读法，在年轻人中由［ni^{55}］变成了［ne^{55}］。这一变化大概最先在赶时髦的年轻人中流行，后来经过方言类的电视节目主持人的推波助澜，渐渐形成了稳定的新派读法。

（三）声调

声调的变化突出表现在古入声字的读音上。灌赤片区岷江小片保留了入声调类；灌赤片区雅棉小片古入声归入阴平，成渝片区古入声归入阳平，灌赤片区仁富小片古入声归入去声。如今，巴蜀各地的官话方言中不少古入声字的调类，都变得跟成都官话甚至跟普通话基本一致了。成都官话"微信"的"微"和"龙泉驿"的"驿"由阳平调读成了去声；"蜀都大道"的"蜀"和"索尼"的"索"，在很多年轻人口中变得跟普通话一样读上声了，听起来像"鼠都大道""所尼"；①"捏"由阳平变读为阴平；"绕城高速"中的"绕"，由上声变为去声；游泳的"泳"，由去声变读为上声；"研究生"读为［iɛn^{21}tɕieu^{55}sən^{55}］，"研"由阴平变为阳平，"究"由去声变为阴平。

我们还注意到一个现象：在上述成都市所辖的11个保留了入声的方言点，如"吃"在温江、崇州、双流、新津、都江堰河西、大邑、邛崃、蒲江读为［tsʻɘ^{33}］，在新都、郫县、彭州、都江堰河东读为［tsʻɚ^{33}］，今受到成都官话的强势影响，在年轻一代中许多人渐渐改读为［tsʻɿ^{21}］。这类读音还发生在"食、实、室、湿、十、识、质、职、执、汁"等入声字上。可见这些地方的入声有归入阳平的趋势。

"帆、微、薇、危"的声调有阳平和阴平两读，老派四川方言读作阳平调，新派受普通话影响读作阴平调，跟普通话一致。从社会层面看，这种音变又经由年轻人向中老年人扩散，现在一些中老年人在普通话影响下也像年轻人一样，把"帆、微、薇、危"读成了阴平。

受普通话影响，一些字的声调被类推跟普通话声调读音一致。如典型的"学生腔"所读的"涛［tʻau^{21}］、岗［kaŋ^{55}］、诊［tsən^{55}］"，今变读为"涛［tʻau^{55}］、岗［kaŋ^{53}］、诊［tsən^{53}］"。这种类推还多发生在入声字上，如"吸引""约定""文摘""激动""夕阳"等词语中的"吸、约、摘、激、

---

① 参见张一舟、邓英树等《四川省志·方言志》，方志出版社2013年版，第24页。

夕"均为入声字，在保留入声的方言区中读为入声调，在成渝片方言区中绝大多数读为阳平调。

学生人群中还有这样一种类推情况，直接根据语音对应关系把普通话读音变成四川方言，这种变化不仅仅发生在声调上，也发生在韵母上。如"潜［tɕ'iɛn^{53}］""科学［k'ə^{55}ɕye^{21}］""个别［kə^{213}pie^{21}］""虱子［sʅ^{55}tsʅ^{53}］""窠臼［k'ə^{55}tɕiəu^{213}］""弯曲［uan^{55} tɕ'y^{55}］""住宅［tsu^{213}tsai^{21}］""宅男［tsai^{21} nan^{21}］"等，这样的例子不在少数。

总而言之，巴蜀汉语方言声调的变化虽然受到了普通话的影响，但它是在声调类推的前提下进行的，总的来说，不会改变声调的调值，也不会改变无入声区的调类。有入声的方言点会出现部分入声字归入其他调类的现象，最后入声也许会消失，但这需要相当长的时间才能完成。

（四）尖团音由分趋合

《四川方言音系》150个方言点中南江、巴中、仪陇三地的官话分尖团音。这三个点同时也有［ts］组和［tʂ］组声母。现在三点的尖团音已经渐渐消失，舌尖后音已经逐渐混同到舌尖前音中。我们2010年在仪陇金城镇的实地调查表明：仪陇老县城官话的尖团音已经消失，舌尖后音已经逐渐混同到舌尖前音中。①

黄雪贞谈到四川境内的南江、通江、巴中、达县、仁寿、荣县、内江、彭县②、大邑、蒲江等地的方言分尖音和团音。实际上现在成都市所辖的彭州、大邑、蒲江三地的方言并无尖音和团音的区别了。甄尚灵指出，《西蜀方言》语音表明成都官话在19世纪后期尖音和团音还分得很清楚，可是到20世纪50年代已无踪迹可寻了。③至于仁寿、荣县、内江的方言也已找不到尖音和团音的踪影。如：节=结、酒=九、清=轻。只有南江、通江、巴中、达县等地的少数老年人保留这一语音特点。

以上谈到的这些变化往往没有经过逐步变化和积累的过程，从原音值变到目标值，突变到位，普通话的影响是引起变化的主要因素。考虑到趋同于普通话的变读盛行于青年学生中的情况，这种趋势今后会日益增强。

---

① 巴中市、广元市下属的一些乡镇的方言仍保留尖团音，舌尖前音和舌尖后音分明。广元、巴中市区和仪陇县城官话无尖团音的区别，舌尖后音已混入舌尖前音，但少数老年人除外。
② 今彭州市。
③ 参见甄尚灵《〈西蜀方言〉与成都语音》，载《方言》1988年第3期。

二、词汇的变化

在语言的各个子系统中，词汇同社会的联系最为密切，其发展变化速度也最快。以明李实《蜀语》而论，其收录的某些方言词语或某些方言用法，不少在当今的巴蜀汉语方言中已难觅踪影。例如"牛肉曰牛干巴"，今天的巴蜀汉语方言中已很难听到了这种说法了；"铸铧曰写"，今天的"写"已无"浇铸"义，"浇铸"义的方言说法变为"倒[tau^{213}]"①了；"馄饨曰扁食"，而今天多称"抄手"。再如，李实《蜀语》所记"女许字曰女○下女，尼虑切，读若御"②中"女"的这种用法，直到百多年前出版的《西蜀方言》中仍还有记载："你的姑娘女了人没有？"③民国18年（1929）《云阳县志·礼俗下》所载"以女许人曰女"的说法；民国18年（1929）《合江县志·礼俗篇》所载"梁子，谓连续之山岭也。又谓仇衅也，又称军队也……抽华界，谓田界犬牙交错不清也……掌柜，店主称主人也。又为人称普通店工之词。……待诏，呼剃头匠。……空子，'空'去声，谓遇事不谙，受人欺负者也。……骚神、燕儿毛，均谓人之轻薄也。……啯噜子、老二，皆谓匪也。……土库，谓室之以土筑也。……'王'字头，谓虎也"；民国17年（1928）《长寿县志·人事部·方言》所载"关楗曰'捎惎'，音'消息'。……犬曰'嚎天'，猪曰'拱嘴'，牛曰'喳角'，蛇曰'躲颈'"等词语，今天也基本听不到了。

以下为老成都人部分常用词汇，在今天的成都人尤其是年轻人口中已很少听到了（见表6-1）：

---

① 倒[tau^{213}]：实际是"铸"古音的保留，今人多以音求字，写作"倒"。
② （梁）顾野王：《玉篇·女部》："女……又尼虑切，以女妻人曰女。"《广韵·去声·御韵》："女，以女妻人也，尼据切。"
③ ［英］钟秀芝（Adam Grainger）：《西蜀方言》（*Western Mandarin*），Shanghai: American Presbyterian Mission Press，1990年版，第123页。这种用法的"女"，该书注音为［y^{213}］。

表6-1 部分逐渐消失的巴蜀汉语方言词汇例举

例词	普通话词义	例词	普通话词义	例词	普通话词义
胰子	香皂	寒二哥 寒老二①	伤寒病	手插子	匕首
幺师	旅店中的服务人员	弹子房	台球室	清十家牌	串门儿
栈房	旅店	扇鹅毛扇子②	充当军师	洋碱	肥皂
裹袋儿	钱包	电棒	手电筒	清汤	清楚 明白
拿铜	挣钱	骂花鸡公	指桑骂槐地叫骂	闹倌儿	奸夫
滚水	开水	二五(子)③	鬼	胡瓜	南瓜
猫(儿)猫(儿)	老虎	灰毛儿④	豆腐 豆花	衣胞子⑤	胎盘
打脱离 砍草帘子⑥	离婚	老摆	鱼	十家院坝(儿)⑦	大杂院

---

① 荣昌话也称"疟疾"。罗民华:《中国民间故事集成·重庆市荣昌县卷》(内部资料本,1988年,第125页):"过了几年,张骨东害寒老二死了。"

② 也说"掌鹅毛扇"。杨文凯、岚声:《滚龙束士侠》(《龙门阵》1986年第6期):"为王掌鹅毛扇的四川富顺人史伯英,黄埔三期学生,是康泽入川时左右膀。"

③ 二五(子):一为"鬼"的讳称。(清)刘省三:《跻春台》(江苏古籍出版社1993年版,第390页):"背时鬼呀!未必今天撞二五,回家就把我栽诬。口口说是无耻妇,下次还要切头颅。"前人:《新式美人竹枝词》(林孔翼:《成都竹枝词》,四川人民出版社1986年版,第116页):"二五年来睡得宽,要驱二五又何难。在家头发齐鬓起,纵是魔鬼胆也寒。"艾芜:《丰饶的原野》(《艾芜文集》第6卷,四川文艺出版社1986年版,第109页):"汪四麻子惊喜起来了,原来昨夜在那墓地边上,看见的并非是什么'二五'而是偷树子的贼人……"二为"纸牌中的黑七点",因其造形为上面两点,下面五点,故名。陈浩东等:《成都民间文学集成》(四川人民出版社1991年版,第1962页):"'三四'挨刀鲜血喷,'幺四'溅了血一身。'拐子'吓得站不稳,'二五'小鬼是凶神。"

④ 张懋等:《中国民间故事歌谣谚语集成·重庆市双桥区卷》(内部资料本,1987年,第145~146页):"一颗豆儿圆又圆,推成灰毛儿卖成钱。出家人来端一碗,多放香(读象)料少放盐。"注云:"灰毛儿:方言,豆腐乳。这里指豆花。"香:应作"蕃"。

⑤ 也作"医包子",俗传包医百病,故名。

⑥ 本指乞丐离婚,因无财产可分,只得将同睡的草帘用刀砍为两半。后指"离婚"或"夫妻分居、分炊"。克非:《春潮急》(上海人民出版社1974年版,第142页):"背时婆娘!前年就跟我砍了草帘子了。而今她是她,我是我,两不相挨,谁还指望她给你做活路!"也指"翻脸"。克非:《春潮急》(上海人民出版社1974年版,第417页):"当然,那天砍草帘子,事情并不完全怪你哥子,先不先,我态度上就有缺点,该担待二分责任。"也指"散伙"。克非:《春潮急》(上海人民出版社1974年版,第973页):"要散你就早点散!散了好各奔前程,莫东拖西拉,眨个眼,春耕大忙抵拢了才来说砍草帘子。"

⑦ 刘可继:《"九里三分"的菜篮子》(《龙门阵》1994年第4期):"这些菜贩……如遇上十家院坝就干脆挑进去卖。"

续表

例 词	普通话词义	例 词	普通话词义	例 词	普通话词义
刀刀（儿）客	土匪	打 广	出远门	唱顶板①	唱反调
				打拗卦	
				打犟绊②	
				打顶张	
				顶肋巴	
丢瞖子	飞媚眼	待诏	理发师	梭叶子	妓女
坐不熄	应付不了	刘全进 挂挂钱	傻瓜	妖哥子	妓男
相	世故 吝啬	老坎	土包子 吝啬鬼	悄麻雀	小偷
亲候	拜访 收拾 处罚	办交涉	洽谈	吊膀子③	调情
打滚龙	混生活	打满堂红④	找理由惩罚有过失之人及全体有关的人	皱额髅	本指猪头，喻指愚蠢的人

近百年来，特别是近六十年来，巴蜀汉语方言词汇发生了巨大变化，这种变化总体来说有两种情况：一是由于时代和社会的剧变，与此密切相关的巴蜀汉语方言词汇内部产生的变化；二是由于普通话大力推广导致的巴蜀汉语方言词汇的变化。

巴蜀汉语方言词汇的发展变化主要体现在旧词的消亡、新词的产生和词义的变化三个方面。

（一）旧词的消亡

旧语词指的是反映旧事物、旧意识的用词。⑤ 随着社会的进一步发展，一

---

① 阳友鹤：《我的学艺经过》（中国戏曲研究院：《川剧旦角表演艺术》，中国戏剧出版社1959年版，第3页）："有一次，我排《双兔缘》这出戏，唱顶了板，教师一鞭打下来，把我的头打了个洞。"

② 克非：《春潮急》（上海人民出版社1974年版，第830页）："今年可不许再打犟绊了！听见么？"

③ 林孔翼：《成都竹枝词》（四川人民出版社1986年版，第93页）："花仙草圣久无人，忽报'蓉城'出嬲神。是有聪明非正直，吊成膀子始成真。"宋发清：《扭曲与复归——文革中的操哥现象》（成都出版社1992年版，第179页）："旧时的茶铺，社会功能极多，诸如讲礼信，谈生意，说评书，会朋友，搞联络，吊膀子，开赌场……"

④ 李劼人：《李劼人选集》（第4卷，四川人民出版社1984年版，第123页）："老师收了眼镜，送出各家父兄，又从'竹竿子'起直到哭生止，一人三十大板，打个满堂红。"中国戏剧研究院：《川剧旦角表演艺术》（中国戏剧出版社1959年版，第3页）："特别奇怪的是有这样一种不合理的规矩：一个学生犯了错误，全体学生跟着倒霉挨打，这叫'打满堂红'，据说为了'打一惩百'，使学生互相监督、警惕。"

⑤ 参见詹伯慧《汉语方言及方言调查》，湖北教育出版社1991年版，第212页。

些旧的事物和现象开始慢慢消失，随之产生的旧语词也从人们的口头淡出。

1.时代的进步，观念、习俗的变化导致旧词消亡

（1）反映旧事物、旧现象、旧观念的词语随着社会生活的变迁逐渐消亡。

一些词语因其所指称事物或现象消失而消亡，如以下列出的有关鸦片烟的诸多词语（见表6-2）。[①]

表6-2　有关鸦片烟的部分词语

词语	释义	词语	释义
南土	产于宣汉县南坝场的鸦片	五把半 十三太保 坐枪 短一寸	烟枪名称
正路货 迤西路 大山南土	产于云南西部的鸦片	梅生 奇珍 吮香 石浆 青草	烟斗品种
横路货 个子货	从贵州毕节及云南迤东运入川的次等鸦片	打烟泡子	用特定方法制作用于吸食的鸦片烟泡
老吹 膏子	鸦片烟	烟灰 （扒扒）[②]	嗜吸食鸦片者
黄鳝脑壳[③]	鸦片烟花蕾的俗称	抽懒捐	逼迫不愿种植鸦片烟的农民交纳烟税

[①] 参见四川省政协文史资料委员会《四川文史资料集粹》（第6卷），四川人民出版社1996年版，第525～550页。

[②] 唐枢、林皋：《蜀籁》（四川人民出版社1962年版，第177页、第227页）即收有"把烟灰昼夜磋磨"和"枯烟灰"两词。戈风：《团年》（《川西文艺》第1卷，第3期）："烟灰，不要说得好听，你龟儿那个东西都丢得脱吗，老子手板心头煎鱼跟你吃！"后泛指嗜烟如命之人。宋发清：《扭曲与复归——文革中的操哥现象》（成都出版社1992年版，第67页）："老哈人也骂了，皮也肇了，歉也道了，场也圆了，真算得快刀打豆腐——面面光生。烟灰被搞得无地自容，可碍于对方来头，又有姚女士这种惹不得（的）歪人扎起，只好气往肚里吞，脸往包里抹，自认晦气。"杨槐：《神童子与满天飞》（《龙门阵》1982年第1辑）："刹时间一个貌不惊人，平庸得出奇的'烟灰扒扒'，一下子生意兴隆，应接不暇。但他一点也不矜持，仍然是有气无力，烟瘾未过足的样儿。"

[③] 徐才安：《刘老太爷出家》（《龙门阵》1987年第2期）："铲烟不用锄头，用的是几丈长的一根粗篾片，使两个壮汉子各执一头，站在烟地的两边，将篾片比烟花和黄鳝脑壳下五寸左右的地方，呼呼呼地拉上两遍，烟花和黄鳝脑壳即全部弹掉和割去。"

续表

词 语	释 义	词 语	释 义
安烟	民国期间迫于禁烟令，四川军阀贩售鸦片烟转入地下状态，强迫销售与普通人家	烧匠	烟馆打手
娘送女	吸完鸦片不吐烟，喝一口浓茶咽下	风搅雪	先吸一口纸烟，不吐出烟接着吸食鸦片①
笾笾烟馆	对小孩所提的装用于出售的鸦片的竹笾的戏称		

至于旧时巴蜀人的穿着打扮的词语，随着社会生活的变迁，已渐渐"作古"（见表6-3）。

表6-3 部分消失的巴蜀汉语方言词汇

类别	名称	含义	类别	名称	含义
帽子	布帽子		衣服	阿侬袋	辛亥革命前流行的一种穿在长袍上的男式便衣。类似马褂。大襟、小袖口，底襟有袋，可以盛物，比马褂方便，但一般不在正式场合穿
				卧龙袋	
	草帽子			阿娘袋	
				马褂儿	
	瓜耳皮③（帽儿）	形状如半个西瓜皮。无檐、窄檐或包有装饰窄边，多为黑色的绸、呢绒或纱制作		一口钟②	
				千家衣④	用从千家万户讨来的小块布缀成的衣服
	大檐帽			夹衣	

---

① 另有"美女脱衣、虾蟆晒肚、金蝉脱壳"等吸烟方法。
② 李劼人：《李劼人选集》（第2卷，四川人民出版社1980年版，第22页）："袍子的款式裁缝得很好，腰肢上扎了两道宽褶，一下子就显得细腰之下摆钗撒开，很象一把刚收起的统伞，所以这种袍子又叫作一口钟。"郑蕴侠等：《"麻乡约"的兴衰》（《龙门阵》1984年第5期）："夏天时，他们不包号头，带顶草帽，上系红色丝带，领下打一个大蝶蝴结。冬天披一件黑色的一口钟（大氅），看起来相当威武。"
③ 杨大和：《我的四婶玛丽·安妮》（《龙门阵》1990年第1期）："四婶知道我们怕父亲，有时见我父亲不在家，就找来一顶'瓜儿皮'戴起……学着父亲的样子来吓唬我们。"米庆云：《彭汝尊与同善社》（《龙门阵》1984年第1期）："但看见那里的人，几乎尽是头戴红珠缎瓜皮帽，身穿花缎马褂，狐皮袍子，衣着讲究，举止豪阔。"广汉等地传说此帽子与乾隆皇帝到汉州有关。参见陈家康等《俗文雅汇》（内部资料本），第37页。
④ 崔显昌：《这儿也有个"奇迹王朝"——记旧蓉城的乞丐》（《龙门阵》1983年第3辑）："穿的'千家衣（意为用从千家万户讨来的小布块缀成的衣服）'，吃的万家谷（意为搜罗人家残汤剩饭为食），盖的肚囊皮，垫的背脊骨（意为岂但无被盖，连衣服也没有）。"

续表

类别	名称	含义	类别	名称	含义
帽子	八角帽		衣服	汗衣	夏天贴身穿的中式小褂儿
	篾帽子	用篾条夹棕片编制的尖顶宽檐的帽子，多为放鸭人所戴		小衣	
				汗褡子	
				汗襟儿	
				汗褟(儿)	
				汗褂(儿)	
	牛屎帽子	因其形似一小堆牛粪，故名		袄袄儿	
裤子	背背裤			滚身儿	中式对襟紧身棉袄，也指无袖紧身小袄
	大脚(脚)裤子			蒋介石背心儿	圆领汗衫
	大腰裤子			和尚领衫衫儿	
衣兜	荷包儿		其他	阑干①	清光绪中叶，四川女性的服装多为上衣下裙，通身缘一道锦缎辫子
	明包				
	暗包	裤子上的暗包，一般在裤兜附近，袋口狭窄，多用来装表或纸币			
	表包	窄，一般用来装表或纸币		响古②	博古花样的"阑干"
	差	上装包称为"上差"，下装包称为"下差"			
鞋子	千层鞋				
	棕裹脚				
	肉皮鞋③				
	上脚烂④				

他如：

旧时成都尤其是郊区如杜甫草堂一带林木参天，柴源茂盛。历代文人墨客多写词章咏颂，如清代六对山人《锦城竹枝词百首》即有一首专写成都市民的

---

① 参见李劼人《李劼人选集》第1卷，四川人民出版社1980年版，第118页。
② 参见李劼人《李劼人选集》第1卷，四川人民出版社1980年版，第118页。
③ "赤脚"的戏称。聂云岚等：《中国歌谣集成·重庆市卷》（科学技术文献出版社重庆分社1989年版，第155页）："唱歌郎穿青布鞋，栽花郎穿花花鞋，庄稼汉穿烂草鞋，打鱼郎穿肉皮鞋。"
④ 杨文凯：《下里巴"女"》（《龙门阵》1983年第6辑）："（烂皮鞋经过一番修整）不异于一双新皮鞋……知道底细的叫它'上脚烂'，上脚三天就原形毕露。"

烧柴情况：

> 十万人家午爨忙，桤柴石炭总烟光。
> 清风白粥茅檐下，釜底红花印块香。①

木柴总类繁多，如构木、松木、柏木、青枫以及杂木柴等。主要通过水路和旱路运来，水路柴以眉山"张坎松柴"和邛崃"南河柴"最为有名。② 而各种木柴中青枫柴既好烧，又熬火，故成都俗语说："除了青枫没好柴，除了郎舅没好亲。"旧时成都外东锦官驿外南河口有"柴码头"，以供市民买大宗木柴备用。③

旧时成都富豪人家在餐馆大宴宾客后，剩下的残羹冷菜，被餐馆收集起来，混在一起又卖给穷苦人家吃的菜，俗称"洗胡子汤汤""杂拌儿""二娃子汤汤""大杂烩""剩八味儿"，戏称为"神仙菜"④，其中不乏整只鸡吃剩下的骨架，因其状如同灯笼，故名"灯笼鸡"；整条鱼被吃掉肉后剩下的骨架，因其状如同篦子，故名"篦子鱼"；"甜烧白"之类的蒸菜，瘦肉及馅儿被吃掉，剩下的少许肥肉及肉皮，因其状如同天上的弯月，故名"月亮肉"；吃剩下的又细又长的粉条丝，故名"麻姑献寿"；而残留在杯中，又被餐馆收集起来卖给穷人的酒，因沾有油珠，其状如同天上的繁星，故名"星星儿酒"。同"神仙菜"一块煮熟的面条，称为"杂菜面"，多为贫苦人家所食。

而清代及辛亥革命前后，成都东南西北四门外的一些小饭铺，将死猪的内脏以及死狗、死猫乃至鲜活的老鼠肉等加上调料，煮一大锅，卖给穷人、乞丐，称为"十二象"⑤。

巴蜀地区的饭店卖饭，把平平的两碗扣在一个碗里，将满满的一碗饭称

---

① 林孔翼：《成都竹枝词》，四川人民出版社1986年版，第43页。
② 参见崔显昌《米珠薪桂话当年——旧蓉城日常生活漫忆》，载《龙门阵》1985年第1期。
③ 参见何韫若《锦城旧事竹枝词》，中国三峡出版社2000年版，第55页。
④ 也说"折窝子"。叶博夫：《资中婚嫁习俗》（《龙门阵》1987年第3期）："除给众人赏钱之外，照例还得提出一大壶酒和两桶'折窝子'来，交给叫化头用汤瓢分给众乞丐享用。"
⑤ 也说"十二生相"，寓意"从鼠到猪肖象的动物全有"。参见李劼人《李劼人选集》第1卷，四川人民出版社1980年版，第36页。

之为"帽儿头",有的也将用深边平锅煮闷熟,①或用饭盒、海碗蒸熟的干饭,②用刀划成八牙,一牙一牙地分售,故称之为"牙牙饭、挨刀饭",主要供拉黄包车、架子车的苦力食用。③而"包饭铺"即指旧时成都市东大街一带专为旅客、单身汉以及学生们所设的按照一定天数收费的小饭店。或两菜一汤、三菜一汤,饭以吃饱为止。旧时贫苦人家常挂在嘴边的词语,今已基本消失(见表6-4)。

表6-4　部分已经消失的巴蜀汉语方言词语

词　语	词　语
赖食猴(儿)④	具砍头甘结
赖事猴儿	脚模手印
赖食汉儿	脚　榨
赖死汉儿	赤脚大仙⑤
赖时候	开横线子
半截鞋	奓门喜

---

① 一般约两斤或五斤米的干饭。
② 一般约一斤米的干饭。
③ 文枢等:《旧成都的"人市"》(《龙门阵》1984年第2期):"双方谈妥路程、货物、价钱,便照例由'车老板'招呼进附近的'牙牙饭'馆,饱餐一顿。"成都民歌:"前生不孝爹和娘,今生落倒滚滚儿行。吃了好多挨刀饭,睡了好多没脚床。"另参见刘可继《"九里三分"的饭摊子》,载《龙门阵》1996年第4期;何韫若:《锦城旧事竹枝词》,中国三峡出版社2000年版,第256页。旧时腊月三十晚上吃完年夜饭后,给果树喂的年饭也称"挨刀饭"。一般是家庭主妇右手拿刀,左手端一碗汤菜饭,带上两三个小孩,走进自家院子附近的果树,大人问:"结不结?"小孩答:"结。"大人又问:"结好多?"小孩答:"千是千,万是万。"大家同说:"砍两刀,抹点饭。"然后大人用刀在果树上象征性地砍个口子,往口子中塞点年饭。俗以为此后果子会丰收。民国28年(1939)《巴县志·礼俗》:"今县俗,自二十四日至三十日,阖家祀先,团聚饮食。或邀戚友,曰'吃年饭'。乡农以刀刃果木中干,塞以年饭,曰'易接'。"参见刘仁富等《中国歌谣谚语集成·重庆市大渡口区卷》(内部资料本),1988年,第29页。
④ 多指社会上的无业流民,往往受雇于高利贷者,逼债户还债,赖着债户要吃喝,且常趿着鞋出门,故名。
⑤ 喻指打赤脚的人。刘有德:《遵茅盐道话沧桑》(《龙门阵》1993年第6期):"脚上呢?终年都是用稻草编成的草鞋,两天换一双,结实的也只能穿三天左右。自己编不来而又无钱购买的,就只好当'赤脚大仙'。"

续表一

词 语	词 语
升升米	个个钱①
筒筒米②	撮撮钱③
合合米④	分儿分儿钱
斗斗米⑤	毛毛钱
毛毛柴	转转儿火⑥
把把柴⑦	罐罐饭⑨
杆杆柴⑧	

---

① 营山县民间文学三套集成编写领导小组：《中国民间文学集成·营山县资料集》（内部资料本，1987年，第173页）："儿子常出去做生意挣点个个钱回来花。"
② 张孝忍：《绅粮窝"整米"漫忆》（《龙门阵》1993年第6期）："就那时来说，自家碾米吃是件阔气而又漂亮的事情，要有钱有势有身份的人才能办到，比起买升升米、筒筒米、合合米过日子的人，不啻有天渊之别。"
③ 李劼人：《李劼人选集》（第2卷，四川人民出版社1980年版，第1360页）："虽然天不绝人，也找过一些撮撮钱。"自注："撮撮钱也是从前四川社会上通常用语，意思是所入极少，不过小钱一撮。"也作"错错钱"。木公：《鸦片大王曾俊臣》（《龙门阵》1989年第6期）："哪知成都的鸦片堂子浑得很，地头蛇和坐地猫把干吃净，外来户针插不入，水泼不进。刘胡子只好见缝插针，小敲小打，捡点错错钱。"也说"渣渣钱"。
④ 四川省合江县民间文学集成编委会：《中国民间文学集成·合江县资料集》（内部资料本，1988年，第238页）："有个秀才家里很穷，经常买合合米吃，是有名的'干鸡子'。"聂云岚等：《中国歌谣集成·重庆市卷》（科学技术文献出版社重庆分社1989年版，第740页）："檐老鼠，夜夜来，又掷骰子又打牌。锅头煮的合合米，灶头烧的把把柴。"
⑤ 重庆市文联群众文艺编辑部：《群众文艺》（1956年1月号）："几十年没煮过谷子，往年价总是买斗斗米、升升米，买一升，吃一升，今年口粮留得足足的，再也不要买米吃了。"
⑥ 熊大容：《灯草客》（《龙门阵》1989年第1期）："山间旅店，房子又矮又小。冬天，每间房里都有转转儿火，岂容、岂敢将灯草放在室内？"也说"堆堆火"。游柱先等：《中国民间文学三套集成·珙县民间文学集》（内部资料本，1989年，第277页）："他边说边捡干竹蒿［篙］，烧起了堆堆火。棒客些见他没得啥油水，全身已冻僵了，向会儿也好，就坐成一团向火。"
⑦ 成都民谣："王幺姑儿，会做鞋；败家子，不回来。好吃烟，好打牌。锅头煮的筒筒米，灶头烧的把把柴。鸡儿叫，狗儿咬，背时老子回来了。"
⑧ 胡霖生：《"当官不如当娼，当娼不如从良"——旧社会贪污图》（《龙门阵》1982年第6辑）："我当时住在江汉路，经常看见中央军校一些老教官，穿着将官服，戴着全金板板的领章，手上用手绢提着一点米和一小把杆杆柴，真是'升升米，把把柴'，就这样惨淡的过日子。"
⑨ 小仁：《困难时期的"饮食文化"》（《龙门阵》1992年第2期）："他们冒着极大的危险去偷食堂的'罐罐饭'。"

续表二

词 语	词 语
捆捆柴	八宝饭①
疙篼柴	连水干②
吊（茶）壶	满堂响③
娃娃柴 水泡柴	生粉子④
杆杆烟	杯杯酒
	杯儿酒⑤
口口烟	口口酒
碗碗茶	毛毛菜⑥
老梭边⑦	洋芋坨
包谷粑	玉麦饭
红苕屎	万家谷
没脚床	八脚床⑧

巴蜀旧时俗语有"爬不完的坡坡坎坎、穿不完的烂布襟襟、吃不完的红苕皮皮"，"穿的鼻子，吃的耳朵"，"盖的肚囊皮⑨，睡的背脊骨"，"三十谐石一口锅，四十谐石一间床"等，以及旧时重庆一带流行的顺口溜"衣裳起索

---

① 王家鼐：《我参加抗日远征军的经历》（《龙门阵》1986年第1期）："有些同学去'壮丁'营房那边观察，发现'壮丁'们吃的是灰黄色的大米、玉米、泥沙'八宝饭'。"
② "焖锅饭"的俗称。
③ "锅巴肉片"的俗称。因上此菜时，要在盛装刚出锅的油炸锅巴的碗或钵中浇上滚烫的带汤汁的肉片之类，会发出较大的响声，故名。
④ 煮得半生不熟的米饭。
⑤ 陆泽怀等：《德阳民俗》（内部资料本，1996年，第175页）："民国时期，县城、乡镇场上和有的桥头、路口、公路旁，开有一些零酒店，既卖出堂零酒，又摆桌两三张卖杯杯酒，以杯为计量单位，每杯约二两，故俗称'杯儿酒'。"
⑥ 本指"小白菜"之类不值钱的小菜，也喻指"鸡鸭"之类。龙泉驿区地方志编委会：《成都市龙泉驿区志》（成都出版社1995年版，第694页）："鸡、鸭类食物叫'毛毛菜'。"
⑦ 重庆官话指咸菜中最低劣的一种，因多用青菜的边、脚叶子腌制而成，故名。重庆市江北区民间文学集成编辑委员会：《中国民间故事集成·重庆市江北区卷》（内部资料本，1987年，第367页）："宵夜的时候，煮饭的端出一钵老梭边，船二哥些敢怒而不敢言。吴癞子看到菜恁个孬，心头鬼火冒。"
⑧ 罗民华等：《中国民间故事集成·重庆市荣昌县卷》（内部资料本，1988年，第7页）："有女莫嫁折扇郎，熬更受夜命不长。吃了多少合合米，睡了多少八脚床。"一合为半斤。当地糊扇子的摊子，多为两张凳子（共八条腿）上放一块门板，白天用于做活，晚上当床，故名。
⑨ 肚囊皮：腹部的皮肤。"肚囊"指肚子，以其形似囊，故名。成都民谣："青天是我屋，月亮当蜡烛。盖的肚囊皮，睡的背脊骨。"

索，寒冬打光脚。盖的干谷草，睡的破竹筹"；资中县拥共乡一带流行的民谣"困牛山，一根棍，红苕芋子来当顿。要吃白米饭，除非得毛病。到大井坝买升米，回来人都死得梆梆硬"；①成都东门一带流行的顺口溜"穷椒子、臭椒子，步出门槛就是粪塘子，粪塘子上草棚子，竹笆子上烂席子，上面住的干鸡子。苍蝇儿、蚊子加耗子，臭虫、虱子、蛆儿子，生活不如叫花子"之类，即使到了20世纪50年代"大跃进"及其以后的一段时期，也是"吃的低标准，穿的二尺布②，住的垮房子，走的弯弯路"，以及在20世纪60年代，成都市东六街一带要道路口冬天常见的老年贫困妇女"卖火"③等现象，都随着当年生活在巴蜀大地上的穷苦贫民生活水平的提高已经消失了，反映当时生活习惯的词语也渐渐"作古"。又如在20世纪90年代以前，成都人参加宴席，往往会在席间用干荷叶将桌上的油酥花生、糖油果子、酥肉、烧白之类打包带回家，给家中看家的老人或小孩吃，称为"包杂拌儿"④。成都市新都区一带，席间往往都有一道油炸裹着芡粉的猪肝的菜，称为"酥肝儿"，故又名"拈酥肝儿"。而旧时成都卖烧鸭子的小店铺，也兼卖度数很低的热老酒，价钱便宜，一般是两文制钱一大碗，平民百姓一次可喝上几大碗也不醉，只是肚子胀而已，故戏称此种喝法为"照水碗、胀死狗"。⑤

---

① 参见杨时川等《中国民间文学三套集成·四川省内江市卷》下册（内部资料本），1990年，第951页。
② 参见井研县文化馆《中国民间文学集成·井研县资料集》（内部资料本），1989年，第345页。因在特定的年代，如"大跃进"时期，一年一人只配发三尺布票，故衣服只能为"二尺"。黄尚军、李国太于2010年7月12日实地调查现居新疆五家渠市的成都锦江区三圣乡人刘桂芳得知，刘桂芳1959年（11岁）到新疆，结婚时母亲给她的嫁妆即为全家人攒积了一年的五丈多布票，而爸爸、妈妈和三个弟弟付出的代价，是一年没有添置新衣服，两个小弟弟在大年三十晚上为此曾号啕大哭。
③ 因旧时成都人一般在室内不烤火，多以烘笼儿取暖，故普通人家可去"买火"。卖火者多为老年贫苦妇女，一大早即端坐街头，身前摆放两口铁锅：一口装上烧有青枫炭的火种，另一口则盛满以助燃的锯木面及木炭等。极贫困者则装炭屑及成段截短之干草。参见何韫若《锦城旧事竹枝词》，中国三峡出版社2000年版，第151~152页。
④ 也说"包鲊包儿"。参见何韫若《锦城旧事竹枝词》，中国三峡出版社2000年版，第262~263页。此俗彭州市小鱼洞镇、成都市新都区泰兴镇等地至今犹存。"鲊"也作"杂"。渠县作家协会：《渠县文学作品选》（内部资料本，1999年，第115页）："可别忘了，给你二公公带'杂包儿'回来呀！"
⑤ 李劼人：《李劼人选集》（第2卷，四川人民出版社1980年版，第852页）："老酒酒精很轻，平常人都可喝上几碗，不致甚醉，只是把肚子灌胀而已。此种喝酒法，名曰照水碗，又曰胀死狗。前者以质言，后者以量言。"

以前，巴蜀场镇间的路边多有小店，主要卖小百货、日杂用品或茶水、小吃，也供行人歇脚，称为"幺（花儿）店子"，随着经济的发展，这类小店已经非常少了，即使还存在，大多也已改名成了"超市"，"茶馆""幺（花儿）店子"的说法，也已被年轻人遗忘。

旧时成都、重庆等地稍有档次的客栈，等级制度即很分明。一般说来，上客房称为"上官房"，配白铜洗脸盆、锡灯盏；东西厢房配木洗脸盆、铜灯盏；仅有包袱行李的称为"包袱客"，配瓦灯盏、瓦洗脸盆；而住通铺的则称为"干人"，点"四支花亮油壶（子）"①，只能在大木盆中用手捧水洗脸，俗称"猫儿洗脸"②，十几个客人也只能在大石盆中一块洗脚。③ 万源等地客栈如遇客人太多，只得围着火炕烤火过夜，戏称"扛火龙神"，也称"睡板凳觉"。④

旧日腊月十七日开始，典当行业商家便开始在自家店门前摆摊，推销各式旧衣帽鞋袜之类的"死当"物品，推销人手执推销品高声朗唱，这种做法称为"喊当"，现在也基本看不到了。

还有一些反映旧时生产、生活器具的名词，也已逐渐消亡（见表6-5）。⑤

---

① 亮（油）壶（子）：锡或土陶烧制的油灯。陈浩东等：《成都民间文学集成》（四川人民出版社1991年版，第644页）："他觉得怪，拿起亮油壶子跑去看。"也说"亮壶"。余永华等：《中国民间文学集成·重庆市永川县卷》（内部资料本，1988年，第263页）："幺师，把亮壶的灯心给我点大点，拿油来把亮壶灌满。" 另有"油壳子"。鹤子：《连山的糍粑——旺实》（广汉市民间文艺家协会：《汉州民风》2012年第1期）："第二天五更天，钟幺娘点着一盏屁亮屁亮的油壳子，放在窗台上。"
② 也说"花猫儿洗脸"：本指猫用前爪梳理面部的毛。后指不用毛巾而用手捧水洗脸，因状同猫洗脸，故名。也指受奚落或批评。克非：《春潮急》（上海人民出版社1974年版，第612页）："听说李克维顾他表姐儿，遭文如仁抓住了把柄，给了个猫洗脸，有不有那回书呀？"又（第1071页）："把我批评一顿，给我一顿花猫洗脸不算，还，还，还叫我去吃苕菜！那东西只好喂猪，是人吃的吗？"
③ 参见郑蕴侠《成渝道上客栈风情》，载《龙门阵》1992年第6期。
④ 参见四川省万源县志编委会《万源县志》，四川人民出版社1996年版，第924页。
⑤ 此种情况，我们若查阅巴蜀各方志所载有关词语，便可清晰见到。如民国20年（1931）《南川县志·风土》"居处"条下："邑户散居，木材、陶瓦，囊时尽敷应用，故多木架房屋（其纯用土筑者，多系贫俭之家，规模狭小，名曰'土口'），旧式曰'四火头、三火头、四合天进（前后厢房、乐楼、下厅）、九柱长五间、七柱三间、一正两横、单向三重堂、两重堂'等名。"

表6-5　部分旧时生产、生活器具的名词

词语	释义	词语	释义
火绳①		火镰（儿）②	镰形的小铁块，用以敲打坚硬的卵石之类，可取以火
麻秆儿火把③	用沤制过的麻秆做的火把	牵藤火把④	用川江拉上水船报废了的竹片牵藤截成约三尺长的一段做成的火把
竹绞火把	多用干后的慈竹、木竹、斑竹做成	柏树皮火把	多用干柏树皮做成
葵花秆火把⑤	多用干后的向日葵秆做成	火柴苑	一根火坑中未燃完的柴篼
松油（蜡）烛		牛油（蜡）烛⑥	
桐油灯⑦		菜油壶⑧	

---

① 艾芜：《艾芜文集》（第2卷，四川人民出版社1984年版，第191页）："官兵的炮火，厉害得很，并不象普通用的明火枪，须用火绳点燃。"

② 沙汀：《还乡记》〔文化生活出版社民国37年（1948）版，第103页〕："那一年我两个上街赶梓橦会，去买火镰。"唐泽民等：《中国民间故事集成·重庆市合川县卷》（内部资料本，1988年，第147页）："老头儿望到他，笑嘻嘻地说：'吃烟的人，哪个火镰儿都没得哟！'"另有"火镰耳巴子"一词，喻指用力很猛的耳光。陈浩东等：《成都民间文学集成》（四川人民出版社1991年版，第668页）："女人还没有回过神来，脸上就挨了他两火镰耳巴子。她被打得火星子直冒。"

③ 麻：也作"蔴"。艾芜：《艾芜文集》（第4卷，四川文艺出版社1986年版，第25页）："他小时，晚间从舅父家里回来，吉生老表一路送他，便正是点这样的蔴秆火把。"

④ 李劼人：《李劼人选集》（第2卷，四川人民出版社1980年版，第1125页）："在灰扑扑的倒明不暗的夜色中，百多条牵藤火把，加上无数支军用折迭亮纱灯笼，从土地祠大黄桷树底，蜿蜒到龙泉山的高丘曲涧之间。"

⑤ 克非：《春潮急》（上海人民出版社1974年版，第880页）："说完，也不管主人同意不同意，径自去鸡笼旁边抽过一根葵花杆〔秆〕，就灯盏上点燃，打着走了。"

⑥ 李劼人：《李劼人选集》（第2卷，四川人民出版社1980年版，第315页）："东门有成例，总要三梆之后，继之点完一支牛油蜡烛，到初更鼓快敲动时才关。"艾芜：《艾芜文集》（第5卷，四川文艺出版社1986年版，第264页）："韦美珍生怕他从后面赶来，加快抑步，跑到村外的晒谷坪上去，灯笼里的牛油蜡烛烧完了，她就摸黑地走。"

⑦ 刘有德：《遵茅盐道话沧桑》（《龙门阵》1993年第6期）："（川南盐巴客）早上启程，越早越好，大多数半夜就点上'松油烛'或者'桐油灯'煮饭，天不亮就出发。"

⑧ 巫怀毅：《成都小吃忆往》（上）（《龙门阵》1989年第6期）："早些年月，小摊的照明只是一个菜油壶插在盘上。"

续表一

词 语	释 义	词 语	释 义
万年蜡①		麻油灯（盏）②	
万年烛			
巴壁子③		手照子④	用锡、铜或陶瓷等制成，以菜油为燃料、棉纱为灯芯的一种壶形灯具
滚子灯⑤		满堂红⑥	一种形似"手照子"的油灯，多为黑色釉陶制品，灯嘴三至四个，常以铁钩挂于壁间，或悬于堂上，因多照得四壁亮堂，故名
火 笼⑦		百步灯⑧	其体形如一大搪瓷缸，中置粗芯油壶，外罩反光片，缸把对过，嵌以凸玻镜聚光使燃

---

① 崔显昌：《旧蓉城日常生活漫忆之二——油的往事》（《龙门阵》1985年第3期）："有一种名曰'万年蜡'的东西也很有趣，它是用镔铁捶成蜡形，外髹红漆，内置油、芯，点燃，远望如蜡，实为一盏哄人兼骗鬼的油灯而已。"

② 李劼人：《李劼人选集》（第2卷，四川人民出版社1980年版，第1168页）："隋世杰连忙用手掌遮住麻油灯盏笑道：'慢点！慢点！莫把灯弄熄了！'"

③ 四川省梓潼县志编委会：《梓潼县志》（方志出版社1999年版，第958页）："紧随其后是令人惊异的点'七星灯'的汉子……这种灯本是挂在墙上作照明用的，俗称'巴壁子'。"参见何韫若《锦城旧事竹枝词》，中国三峡出版社2000年版，第115页。

④ 四川省广汉市广汉县志编委会：《广汉县志》（四川人民出版社1992年版，第594页）："锡、陶制作的灯盏、手照子、油壶子等灯具，1954年照明改用煤油后即被淘汰；白铁皮和玻璃等制作的煤油灯具，到80年代初又因改用电灯而逐渐淘汰。"

⑤ 谢荣才：《解放前的邮政》（《龙门阵》1990年第1期）："所有的邮差都有一个圆形的写有'邮'字的灯，叫做'邮灯'，又叫'滚子灯'。"

⑥ 程大力：《亦威亦谐 大武大趣——僧门武术家侯仲约记略》（《龙门阵》1995年第3期）："夜半赌兴正浓之际，侯师突然用板凳把屋内高挂的一盏'满堂红'灯打灭，然后挥舞板凳在黑暗中乱扫。"此词在"文化大革命"期间还有"全家老少均为革命干部、党团员"的含义。陈宛茵：《乡曲之侠——杨媪》（《龙门阵》1992年第6期）："'我屋头有女儿、女婿、外孙，人多咧。我女子是生产队妇女主任，女婿是大队支书……连我那外孙子都是团员咧。'……那头头一听她家竟是满堂红，不免产生几分敬意。"另成都人称"所有的人（尤其是小孩）挨打"为"挨满堂红"。参见崔显昌《漫话川竹》，载《龙门阵》1992年第1期。

⑦ 四川省合江县民间文学集成编委会：《中国民间文学集成·合江县资料集》（内部资料本，1988年，第21页）："半夜时，他提着火笼去解手。"

⑧ 参见崔显昌《旧蓉城日常生活漫忆之二——油的往事》，载《龙门阵》1985年第3期。

续表二

词 语	释 义	词 语	释 义
千电[1]	"煤气灯"初出现时的俗称	火碗	用一个大碗装上油,再加一大把灯草,多为旧时戏台照明所用[2]
自来月		火篙	天上黑黢了,地下看不倒,打发小老幺,急忙办火篙
秤杆	桔槔[3],使用杠杆原理打井水浇菜的一种工具	五更鸡[4]	因古诗"三更灯火五更鸡,正是男儿发奋时。黑发不知勤学早,白首方悔读书迟"得名。也称"焙羹箕",一种类似小煤油炉的小型炊具。竹篾或铁、或镍制,内置油壶,加上棉线芯子点燃,以煨羹粥、热汤药等
桴炭灯[5]	用瓦罐装上桴炭做成的灯	高脚灯[6]	
火柜[7]		砸 [tsaŋ²¹] 衣棒（棒）	洗衣棒

---

[1] 木公：《鸦片大王曾俊臣》（《龙门阵》1989年第6期）："茶馆晚上点的都是三个火头的菜油壶。王政平去与这类人物联络时,便给他们送上一盏'千电'。它比200瓦的电灯泡还亮,挂在茶馆中间,半条街都照得通明。"潘子衣：《我的四川朋友》（《龙门阵》1990年第1期）："我还觉得四川话的表现能力丰富生动,有幽默感。哪怕是土语也很风趣；自行车叫'洋马儿',煤气灯叫'自来月',孩子顽皮叫'千翻',说大话叫'冲壳子'等等。"

[2] 参见四川省江安县志编纂委员会《江安县志》,方志出版社1998年版,第490页。

[3] 刘可继：《"九里三分"的菜篮子》（《龙门阵》1994年第4期）："在新南门致民路一带的菜地,由于没有灌溉沟渠,菜农便用桔槔打井水浇菜。"

[4] 参见崔显昌《旧蓉城日常生活漫忆之二——油的往事》（《龙门阵》1985年第3期）。谭明理、刘彦邦《锦城话旧——祠堂街的吃》（《龙门阵》1994年第2期）。"鸡"也作"箕、机"。李骏名：《成都名小吃"小笼蒸牛肉"史话》（《龙门阵》1987年第5期）："他得知姚树成的想法后,遂向姚建议：用五更箕煨口蘑加进去,可能会提味的。"

[5] 参见杨时川等《中国民间文学三套集成·四川省内江市卷》（内部资料本）,上册,1990年,第108页。

[6] 陶亮生：《蜀中联语偶谈（二）》（《龙门阵》1987年第2期）："丁公大轿行至某条街,远望有一家的门联字迹十分端楷,急命轿旁持'高脚灯'的衙役：'你照照我要看。'"

[7] 胡麟生：《旧社会禁烟奇闻》（《龙门阵》1982年第2辑）："最讲究的要算春熙路的'南土售店',如'阿尔岛''太平洋'等。陈设非常华丽,豹皮褥子玻砖床,章罗斗子虾须枪,冬天暖脚有火柜,煨茶还有五更机。"

续表三

词 语	释 义	词 语	释 义
裹袋儿 裹肚子 裹肚(兜)儿②	系在腰间或裤带上的布制钱包，呈三角形，多绣有图案，因旧时多用金属钱币	磬捶(儿)包袱①	"磬捶(儿)"本指祭祀时，敲打钵形响器的木捶。"磬捶(儿)包袱"喻指小包裹
(牛)蓑衣	披在牛身上以御寒的蓑衣	龟背③	竹编外衣，多用于套在田间劳作者的背上，以遮挡烈日曝晒。另有将观音竹用弦线缀成网眼状的各片缝合的竹编内衣
狗屎筿笼④	拾取狗粪用的一种竹器，多为放牛的小男孩所用	粪刮刮 刮屎片儿	用于收集狗粪的木刮子
		粪夹子	用于收集狗粪的竹夹子

---

① 刘仁富等：《中国民间故事集成·重庆市大渡口区卷》(内部资料本)，1988年，第27页)："老板留他，他不干，劝他吃饭，他也不吃，进屋去把磬捶包袱一打，杀贴起就出来。"卢盛祥：《中国民间文学集成四川卷·成都市东城区卷》(内部资料本，1989年，第245页)："第二天，他背个磬捶儿包袱就出门了。""捶"也作"锤"。何洁：《慈悲的狱神》(《龙门阵》1987年第2期)："那些惊魂未定的新犯，在他的指引下，挟起自己的磬锤包袱。"

② 巴蜀俗语说"拆裹袋儿做大襟——改斜(谐邪)归正"。(清)傅崇榘：《成都通览》(上册，巴蜀书社1987年版，第485页)："假银者谓之苍录锡，假铜者谓之白镏，又充洋铜。此二样，或作手圈，或打成簪子，或做成裹肚子链链……"李劼人：《李劼人选集》(第2卷，四川人民出版社1980年版，第1473页)："(顾天成)随即撩起皮袍，从裹肚兜里摸出十块龙洋，递与高嫂嫂：'你拿去！'"车辐：《锦城旧事》(四川文艺出版社2003年版，第75页)："嫩豆花儿关上房门，取下腰间沉甸甸的裹袋儿，捏一捏裹袋儿里的银元、金戒指。又把吴老幺才解下来的那一根也捏了一捏，同她的差不多一样的分量。"荥经人称清代用布缝制的这种带子为"上码子"。四川省荥经县民间文学三套集成编委会：《中国民间文学集成·荥经县资料集》(内部资料本，1986年，第111页)："周海河去解手，看到柱头上挂了一个上码子……他用手一摸，上码子里头装有几十锭银子，提起来很重。"另有"褡裢子"，指"搭在肩上的装物、钱的口袋"。艾芜：《艾芜文集》(第3卷，四川人民出版社1984年版，第269页)："接着一大捧李子，便一面小心地塞进褡裢子里面，一面说道……"陈浩东等：《成都民间文学集成》(四川人民出版社1991年版，第511页)："民国开初年间，有人还亲眼看见蓝大顺提起根禅杖，戴起顶斗篷，背起个褡裢子，红头花色的，胡子一尺多长，硬实得很。"参见杨福永等《中国民间文学三套集成·盐亭县资料集》(内部资料本)，1988年，第63页。

③ 参见崔显昌《漫话川竹》，载《龙门阵》1992年第1期。

④ 崔显昌：《漫话川竹》(《龙门阵》1992年第1期)："大点的男孩子，这时就要挽上一只竹编的狗屎鸳篼，握着一副竹片烤制的狗屎夹夹，四出捡狗屎(也包括禽粪)给家里积肥了。"

续表四

词 语	释 义	词 语	释 义
倒扑坛①	专门用于盛装咸菜的瓦坛，多用干净干谷草塞在坛口，再将坛子倒扣于装有清水，口径略大于坛口的盛器里，以保鲜	红船	专供施救用的涂抹成红色的梢船
水平担②		涨水架子③	
捆绑房子④	多用竹子和木棒搭建在江边等处的房子	木捼子	用原木围成的屋子。多见于深山之中
灶披⑤	一种中式平房的厨房外，临灶的一方搭的简陋房屋，一般无墙壁，只供生火时避雨和堆柴火用	（茅草）偏偏（儿）⑥ 拖把（儿）	在院落角等处搭建的简陋棚子，多作为牛栏猪圈
拖檐 私檐子	在横房左右续修的房屋	偏厦子	在旧式穿拉房子的山花垛子巴壁接修的房屋
千柱落脚	用密立的木棒排列为墙壁的房屋	狗烤火棚子 狗向火棚子	门前两木交叉，上叉内横一木，其下端置于土坎上，在木二扎篾片、盖茅草而成的棚子

---

① 罗民华等：《中国民间故事集成·重庆市荣昌县卷》（内部资料本，1988年，第10页）："从前，荣昌泡咸菜全是倒扑坛，没有坛檐。"今在巴蜀偏远地区仍可见倒扑坛。

② 《华西都市报》（2002年10月12日第8版）："（配钥匙）以前都是挑子走街串巷，一边把钥匙串打出声音，这种担子称为'水平担'。"

③ 四川省政协文史资料委员会：《四川文史资料集粹》（第6卷，四川人民出版社1996年版，第359页）："河坝街'十字口'以下的房屋夹'涨水架子'。在每年四月二十八'药王会'前拆除，中秋以后又重新架起来。"

④ 参见廖尚可《刘湘的'海陆空'神化五军》，载《龙门阵》1988年第3期。巴县等地有关于"捆绑房子"的传说。参见彭贵华等《中国民间故事集成·重庆市巴县卷》（上卷，内部资料本），1989年，第600~601页。德阳等地也说"埋权权房子"，多以竹、木搭成三角形骨架，上盖稻秸、麦秸，以粗篾或草帘编成墙壁，隔分内外。参见陆泽怀等《德阳民俗》（内部资料本），1996年，第142页。

⑤ 李劼人：《李劼人选集》（第3卷，四川人民出版社1981年版，第150页）："无法可想，他只好仍旧设法和老寡妇恢复了好感。商量着把原住的一间正房退了，只占了那间耳房，后面一半间灶披也不要。"

⑥ 曾智成：《哥将马》（《龙门阵》1989年第6期）："张姆姆，我们想在过道搭个偏偏，挡得着你们过路吗？"刘西源：《龙狮斗》（西南交通大学出版社1993年版，第197页）："又亏各位同在天涯沦落不相识的伯伯、婶婶哀怜，让兄妹俩在城隍庙街城隍菩萨神龛脚搭了个茅草偏偏落脚。"

续表五

词 语	释 义	词 语	释 义
（落地）窝棚 落地窝铺	多用三根原木捆绑成的呈钝角三角形的房架，稍长的一根居中，在其两边绑树条或木条，用篾条加茅草而成的窝棚。大山人常用之守秋	撮箕口	一般有两个磨角，两端转拐多各修二至四间
		三合头	
		一杆枪[①]	一般修成三至四间，呈"一"字形，或瓦、或草盖顶。中间为堂屋，两侧寝室各一，第四间多用作厨房兼储藏室。屋角一般安猪圈、禽笼，外搭茅棚以掩粪池，兼放柴草。屋前有院坝，扦插竹、藤、篱笆作围
一颗印[②]	厨房、寝室、猪牛圈等挤在一块的房屋	一条枪	
马屁股[③]	接房檐续修在主房两端的房屋	顺水条子	用篾条扎小木棒而成的椽子
汗水刮刮[④]	用斑竹篾片之类削制成的弯形的可刮去汗水的工具	飞划子[⑤]	用桨或木瓢等划的小船。特指"水上的贼船"
		划子船	
偏厦子	山花垛子巴壁接修的房子	钥匙头	多以堂屋、正房、转角、厢房组成
		曲尺拐	
		尺子拐	
磨把手[⑥]		竹涧[⑦]	平剖成两半的竹筒，用于接出檐水，保护墙壁和街檐免受雨水冲刷

---

① 参见陆泽怀等《德阳民俗》（内部资料本），1996年，第142页。川西北有的"一条枪"形如木匠的曲尺，即有像枪管的一溜正房外，右边还有如枪柄的半截厢房。

② 参见四川省江安县志编纂委员会《江安县志》，方志出版社1998年版，第497页。

③ "木撂子、尺子拐、马屁股"等词语，参见青川县志编委会《青川县志》，成都科技大学出版社1992年版，第889页。

④ 刘有德：《遵茅盐道话沧桑》（《龙门阵》1993年第6期）："盐巴客为了行路方便，不让汗水迷糊眼睛，只好用斑竹篾片削制成一种弯形的刮汗工具，名曰'汗水刮刮'。"今双流县农村用稻草秆在额头处围一圈并留出稻草秆的两个头以便汗水下滴，应为之遗风。

⑤ 四川省政协文史资料委员会：《四川文史资料集粹》（四川人民出版社1996年版，第571~572页）："据说'飞划子'是一个涪州走私商人发明的，他依照端午节竞渡龙舟的样子，加以改制，船身狭而长，底板光滑，涂成与江水相似的颜色，用四人或六人推船，不用桡桨，每人拿木水瓢一把，以瓢划水前进，水既无声，又行驶如飞，故有'飞划子'之称。"聂焱等：《中国民间文学三集成·涪陵市资料集》（内部资料本，1989年，第87页）："船上就放了个划子推他上了坡。"《成都通览》（上册，巴蜀书社1987年版，第304页）："河中之贼船，舟人谓之'划子船'。"

⑥ "磨把手"的磨角多为厨房。参见陆泽怀等《德阳民俗》（内部资料本），1996年，第142页。

⑦ 克非：《春潮急》（上海人民出版社1974年版，第189页）："那房顶每条瓦沟的下端，都插着一根两尺来长的竹涧。有了这些竹涧，遇逢下大雨，房檐水便会泻出很远。"

续表六

词　语	释　义	词　语	释　义
土 口	低而小的土墙、草顶房子	金包银①	外土墙、内木架的房屋
状元碗②	一种质地极为粗劣的红色土陶碗。旧时人认为只配乞丐用，故名	软晌午③	川西北地区农忙季节如栽秧时，干活到半晌午，由主人家给干活的人送到田间的吃食
		幺台	

大量带有时代特点的词语，也随社会生活的变迁逐渐消失了，如：

定更炮　午炮　拉未时

辛亥革命前后，成都市区因钟表不普及，每天到了起初更时和正午十二点，总督衙门即要点响被称为"铁铳子"的土炮报时。④ 清末城门置炮报时，天刚黑放头炮，也称"起更炮"；八九点钟放二炮；十一二点放三炮；天将亮放天明炮，也称"醒炮"。后演变为由成都工业落后的标志"两根半烟囱"之一的成都造币厂工人交接班时所鸣的汽笛声为报时标志，称为"拉未时"。⑤ 总督衙门放炮的习俗直至保路风潮起来后才完全消失。⑥

过山号

旧时农村在腊月祭灶后，多用鲜竹节做成若干节相衔接的"过山号"以吹奏，⑦ 表示年关已近。⑧

六腊⑨之战

因教师解聘、续聘常在寒暑假期间，改旧时每年农历的六月及腊月，成都乃至外县诸多大、中、小学的教师为争夺各学校下一学期的聘书而四处奔走

---

① 古蔺县志编纂委员会：《古蔺县志》（四川科学技术出版社1993年版，第643页）："房屋以板筑土垒墙。若先立木架再筑土围，称'金包银'。"

② 克非：《山河颂》（上海文艺出版社1980年版，第150页）："由铁鸭公出面，在柜台上要来一盘臭烘烘的瘟猪儿肉，一斤用状元碗装着、吃了只会打脑壳的玉米烧酒。"

③ 参见克非《春潮急》，上海人民出版社1974年版，第879页。

④ 射洪县老衙门大堂口有三具铁炮，每日正午12时，朝天轰鸣三声，称为"放衙"。此炮民国年间仍存。

⑤ 参见崔显昌《旧蓉城的市声》，载《龙门阵》1982年第4辑；尚可《旅馆·栈房·歇客店——旧成都的旅馆业》，载《龙门阵》1983年第6辑。

⑥ 参见李劼人《李劼人选集》第1卷，四川人民出版社1980年版，第422页。

⑦ 一般每节长约三四寸。最细一节为号嘴。

⑧ 参见四川省政协文史资料委员会《四川文史资料集粹》第6卷，四川人民出版社1996年版，第344页。

⑨ 六 [nu^{21}]：六月。腊：腊月。

活动，接不到聘书的，即成为失业者。场地一般设在成都市区少城公园的"浓荫""鸣鹤"和"绿天"这几家茶馆中。教育界戏称此为"六腊之战"①，以六月这一场争夺最为激烈：

从星期一到星期五，每天六七点钟的功课，星期六还好，只四点钟，若果光教一个中学又好啦，但是教的乃是三个中学，都是老主顾，和他已发生了除非死、除非自己告退是绝不会有六腊之战的恐惧的历史。（《李劼人选集》第3卷，第323页）

剪眉毛②
此为袍哥话，即袍哥之间相互调戏妻子。若调戏了当龙头大爷的拜兄的老婆，则称为"扯龙灯胡子"。③后引申为"欺人欺负上脸"：

不料姓周的也不是好惹的，回信奉陪，并先剪去了张大爷的"眉毛"（把引起事端的童养媳整死）。（吴剑洲、奋斋：《宁雅文人羊仁安》，载《龙门阵》1989年第1期）

成都俗语说"砍得脑壳，剪不得眉毛"，这也许是因为"人活脸，树活皮，电灯泡子活玻璃"：

你晓得，我是给他包了的，齐旅长容得下你剪他的眉毛么？你想想看。何

---

① 也作"六蜡战争、泸纳之战、泸纳战争"。黄炎培：《蜀游百绝句》（林孔翼、沙铭璞：《四川竹枝词》，四川人民出版社1989年版，第305~306页）："每见师随官去来，年年六腊战场开。此名毋乃不祥甚，学海金堤要自培。"自注："护国之役，泸州、纳溪间战役为最有名，称'泸纳之战'。各校学期告终，教师相以争位，戏名为'六腊之战'。'泸纳'与'六腊'蜀音相近故也。"参见崔显昌《旧蓉城的市声》，载《龙门阵》1982年第4辑；知命《解放前成都教育界的形形色色》，载《龙门阵》1982年第6辑；何韫若《锦城旧事竹枝词》，中国三峡出版社2000年版，第99页。
② 另有"剪边子"一词，指"夺走相好、姘头"。李劼人：《李劼人选集》（第2卷，四川人民出版社1980年版，第196页）："这算啥哟！难道害怕我剪他的边子吗？唉！目前顾三爷归了正，有管头了，还敢在外头乱来么？"
③ 参见曾伯炎、黄泽荣《钉门神》，载《龙门阵》1983年第5辑。

况他每天晚上都要到这儿来的,我想,万一碰倒了,多不方便呀!我吃罪不起的,军爷。(《锦城旧事》,第93页)

也比喻"当面塌台":

那是1939年的一天,一伙红了眼的"壮丁贩子"闯进"人市",抓走了几名青壮年。邓大爷大发雷霆,大骂"壮丁贩子"及其后台"不落教",断他的财路,"剪"他邓某的"眉毛"。(文枢、吴剑洲、崔显昌:《旧成都的人市》,载《龙门阵》1984年第2期)

背时的军犯

这是渠县老人骂人的口头禅,应与当地较为偏僻,古时为流放之地有关。若有人急急忙忙走路,与人撞个满怀,被撞老人往往会说:"你个背时的军犯,你去充军啊?走这么快!"

四六分饭馆

以前宜宾的炒菜馆和饭铺是分开的,各为一业,互不侵犯。到清末,两者互相兼营,融为一体,旧时统称其为"四六分饭馆"。"四六分"的"分",是旧时饭馆中的一种计价单位,炒菜一般每份四分,六分则为一份半,相当于现在的中份菜。客人买菜多买四、六分,人们遂把"四六分"作为"饭馆"的称呼。时至今日,大部分人对这些称呼早已十分陌生,只是把卖饭菜的地方通称为"馆子",到饭馆吃饭称为"下馆子"。

尿巷子

此指旧时乡镇上供人解小便的小巷。为方便赶集人,巴蜀乡镇一些人家在僻静的小巷子中,靠墙安放尿桶之类,供人内急时小便用,旧时也不失为小镇一道风景线:

北斗镇是并不大的。它只有一条正街,两条实际上是所谓尿巷子,布满了尿坑、尿桶和尿缸的横街。(《淘金记》,第2页)

绅粮太婆一看纸条落了,慌忙到处去找,一眼看到尿巷子墙上贴得有一张纸条子,还有不少人在看。(《中国民间故事集成·重庆市江北区卷》,第413页)

倒马桶子

直至20世纪70年代，一大早成都市区各大街小巷便响起阵阵"倒马桶子了"的吼叫声，这是苦力用拉粪车挨家挨户收取马桶、夜壶中的大小便。

（送）水坊

旧时成都人喜饮清澈甘甜的锦江、府河水，故东大街一带即有专为大餐馆、大茶铺送河水的机构，称为"（送）水坊"，并在固定时间由（送）水坊的水夫送水上门，取水通道即水津街旁的水东门巷、通惠门附近的西水巷和北门的一水巷、二水巷。①

露水保爷

此即在十字路口"撞拜"的干爹。旧时成都、渠县等地，父母为让小孩健康成长，多在清晨用竹篮装少许酒菜，携小孩至十字路口或桥梁处，或东南西北任一城门口，第一个过路之人即为保爷。来人吃点酒菜，为小孩取名，取一随身物品给小孩。俗以为若能遇见乞丐则为最好。

跳丰收舞

一些知青下乡时，偷窃集体或农民田里的蔬菜或家禽：

知青们"跳丰收舞""串队"等行动，他是绝不参加的，一如天马行空独来独往。（蒲志军：《世家子弟》，载《龙门阵》1991年第6期）

自带饭票

指有正式工作单位和固定收入：

第一是城里有工作，自带饭票的，这类女子行市高，眼睛望到天上，要找什么金珠玛米或高子，连一米八的大汉她们都不考虑，你我还不到一米七，半残废，更是望尘莫及。（《方脑壳传奇》，第127页）

不行，不行，农村女娃子啥都好，就是饭量大，担怕我们两娘母的定量都不够她一个人吃，你最好找个城里自带饭票的女娃子稳当些。（罗鹤：《林眼镜的婚事》，载《龙门阵》1996年第2期）

---

① 参见刘西源《成都街道数字掌故》，载白朗等《锦官城掌故》，成都时代出版社2013年版，第199页。

飞鸽牌

"飞鸽"与"永久、凤凰"本为中国三大自行车品牌之一。在20世纪物资紧缺的时代，购买自行车需凭票。后来"飞鸽"让人联想到在天空飞翔的鸽子，可以四处随意落脚，于是用来指代生活与工作不固定的人，特别是不安分守己的女人：

找女娃子不要找飞鸽牌，要找永久牌和凤凰牌。（成都口语）

点 球

成都习俗，凉菜一上，便可斟酒，第一杯要倒满，而且一般是大家共饮，第二杯以后斟酒有讲究，一般流行斟八分，即所谓"菜七酒八"。喝酒中至少有三个回合：第一回合是主人敬酒于客人，大家一齐共饮；第二回合是主人单独敬客人，俗称"点球"；第三回合是客人饮毕回敬主人。

以下列出部分已经消失了的词语（见表6-6）。

表6-6 部分已经消失的词语

词 语	释 义	词 语	释 义
草圈圈	在待出售的物品上插上一根挽成形似"9"的小谷草圈，作为变卖物品的标志	讲圣谕	"圣谕"为皇帝的训示。"讲圣谕"即将朝廷颁布的训示条文按一定礼仪形式并结合相关内容，在讲白中辅以唱词，用本地乡音说唱的曲艺形式。因所讲唱的内容来自"圣上"，得让全体老百姓知道了解，故名。后比喻讲冠冕堂皇的大道理
草标标			
草标子①			

---

① （清）傅崇榘：《成都通览》（上册，巴蜀书社1987年版，第485页）："有人在场口上，手拿一绺瓜皮，插个草圈圈，言说我才买的，没得盘缠，哪个买，我相因卖。"参见吴晓飞《卖水人与"机器水"》，载《龙门阵》1994年第3期。唐枢、林枭：《蜀籁》（四川人民出版社1962年版，第442页）即收有"头插草标"一词。渠县等地也说"打花儿"。

续表一

词语	释义	词语	释义
端甑子	夺人之妻	奔门喜	刚结婚即怀有胎儿
掐过眼睛	参加过袍哥	签押房	旧时官衙中主管官员的办公室
火背篮	炮烙之刑，即用煤油桶装满烧红的木炭放在犯人背上烙皮	嘴掌子	旧时用于打女性的刑具
		手掌子	
		背条花子	
亲候	亲自过问，拜访	矮起	跪下
花街①	清末巡警道周孝怀将妓女集中在成都市新东门新华街一带，设置"监视户②"，称为"特区"	柿子园③	本指今北较场地方1890年前为土娼聚集之地，后泛指娼妓场所
新华街			
花街天涯石			
五担山④	清末民初成都妓女聚居的地方	鸡毛店⑤	本指没有被子，住店者晚上钻入一条装有鸡毛的麻袋中睡觉的小店，后代指条件十分简陋的小旅店
烧匠	旧时专门伺候人烧大烟，替人裹烟狍子的人	翘宝	元宝
冲壳子	在玉米壳中睡觉	秧铺盖	用晒干了的未栽插完的剩余秧苗做成的被子
滚大案	犯了大案而最终有办法抵赖过去	会哨	本指几支人马会聚，泛指会聚
兼扯	互相搭配，互相调济	来路货	旧指进口的货物

---

① 木公：《鸦片大王曾俊臣》（《龙门阵》1989年第6期）："刘胡子成天躲猫猫，后来老伴吃了挂面，女娃子被帐主子卖到花街上当了监视户。"

② "监视户"后为"娼户（谐妇）"的代称。李劼人：《李劼人选集》（第2卷，四川人民出版社1980年版，第424～425页）："看台上那个卖风流的女人，是成都新来的监视户。"参见尚可《旧成都的旅馆业》，载《龙门阵》1983年第6辑；秀清等《解放前成都的扬州妓女》，载《龙门阵》1988年第5期。

③ 李劼人：《李劼人选集》（第1卷，四川人民出版社1980年版，第196～197页）："你这婆娘，少要在人跟前绷架子！你的底细，怕老子们不晓得吗？柿子园的烂货，老子们要够了的！"

④ 刘师亮：《成都青羊宫花市竹枝词》（林孔翼：《成都竹枝词》，四川人民出版社1986年版，第97页）："谁家官眷斗云鬓？画得眉毛弯又弯。仔细审详浑不是，似曾相识'武担山'。"自注："'武担山'为成都娼寮萃集之所。"

⑤ "毛"也作"茅"。（清）万清涪：《南广竹枝词》（林孔翼、沙铭璞：《四川竹枝词》，四川人民出版社1989年版，第110页）："歇'鸡茅店'胜'粑毛'，容得'粑毛'亦幸叨。秋令一交更数转，愁闻雪虐更风号。"自注："打干火栈房曰'鸡茅店'。'粑毛'，露宿宇下、檐边之谓也。"艾芜：《艾芜文集》（第1卷，四川人民出版社1981年版，第11页）："铺面卖茶的一家鸡毛店里，我从容不迫地走了进去。"

续表二

词语	释义	词语	释义
（棒）老二① 刀刀儿客 敲路板子的 棒客 弯二	土匪，武器精良、组织严密、武艺高强、有后台者称"广棒老二"，武器简陋、组织松散、武艺不精、无后台者称"土棒老二"，人马众多者称"大棒老二"	火筷子	夹炉中煤炭或通火的用具，用铁制成，形状像筷子，一端用铁链子连起来
钱串子②	①旧时穿铜钱使之成串的工具，多为木柄铁针，长约一尺。②爱钱如命者的代称	桐油石灰	搓制成条状的桐油与石灰的混合物，旧时多用以补缸、坛罅隙
黄丝③	经盐腌制的大头菜切成的细丝	箍桶④	木桶用久了，篾箍会松动，致使桶出现缝隙，请专人重新箍好
马灯⑤	旧时对接待洋人的妓女的称呼	走花猪	阉猪时未完全将卵巢割尽的母猪
水打棒	漂浮在水中的尸体	吃冷稀饭	婚前性行为
打布壳儿	旧时用糨糊把碎布片一层一层地粘贴在一起，晾干后多用来做鞋底儿	吃节节粮	当地出产什么即吃什么
吃对时饭⑥	一昼夜只吃一顿饭	两掺	供一天两顿使用的掺有荞麦、红薯或马铃薯的饭食
吃汪胆	吃豹子胆	吃老米饭	喻指没有职业闲待在家
销缴	耗费	汪凡	份量足，体积大

---

① 陈培德等：《中国民间故事集成·重庆市璧山县卷》（内部资料本，1987年第199页）："原来他屋头那些儿没教得好，有的当强盗，有的当'老二'。"李劼人：《李劼人选集》（第4卷，四川人民出版社1984年版，第257页）："看来，比真正的棒老二（绑票匪徒也）拉肥猪还轧［扎］实得多。"又（第1卷，四川人民出版社1980年版，第94页）："爹爹今天遭了棒客抢，连云片糕都遭抢走了。"刘西源：《龙狮斗》（西南交通大学出版社1993年版，第150页）："不答应，难道象棒老二敢明火执仗的白日青光抢人？"
② 参见何韫若《锦城旧事竹枝词》，中国三峡出版社2000年版，第148页。
③ 参见何韫若《锦城旧事竹枝词》，中国三峡出版社2000年版，第153页。
④ 聂云岚等：《中国歌谣集成·重庆市卷》（科学技术文献出版社重庆分社1989年版，第111页）："师也高来徒也高，师徒二人一样高。出林笋子高过母，箍桶要数老篾条。"
⑤ 参见何韫若《锦城旧事竹枝词》，中国三峡出版社2000年版，第271页。
⑥ 庸人：《江湖八大门》（四川人民出版社1992年版，第178页）："前生不孝二爹娘，今世落在挖药行。吃了多少对时饭，穿了多少破衣裳。"旧时成都由于两顿正餐前后相距时间太长，故有"过早、过午、消夜"作为补充。参见何韫若《锦城旧事竹枝词》，中国三峡出版社2000年版，第254～255页。

续表三

词　语	释　义	词　语	释　义
烧对时火	一天煮两顿饭	刨青黄	以未成熟的青玉米磨成浆后，和以少量面粉做成的食品，多用以解决缺粮之急
操卧龙岗	戏称"饿肚子"	吃大户	旧时贫苦人家到大户人家去白吃饭
皮口袋①	戏称"肚子"	大孃②	对女佣人的尊称
拉半边	两个租车夫合拉一辆车	拉中杠	充当板车主力
拉一牙	四个租车夫合拉一辆车	踩倒爬③	对人力车夫的贬称
拉飞蛾儿④	板车的副手，一般是在车辕的边上套上绳子拉车，旧时多为连早饭都吃不起的青少年充当	李狗（儿）的妈	老成都人对"十恶不赦"之人的代称，应源于川剧目连戏《李狗上菜》
刮刮匠⑤	集市上代买方撮米、过斗挣工钱的斗户	打过河	经纪人的俗称
包包梢	大宗买卖，为避免他人知道，只需带样品看货、议价，成交后也只需付少量定钱，双方本钱犹如揣在口袋中似的	板板梢	小宗买卖，双方本钱犹如放在木板上似的
清册子 靠门神⑥	在街上沿门乞讨	钻格子⑦	专拣茶坊、旅店、烟馆之类的场合乞讨

---

① 成都俗语："皮口袋已空，帽儿头（饭馆卖的一碗用另一碗反扣的冒尖的白米饭，因饭冒出碗口像戴着的帽子，故名）喊相公。"
② 重庆市江北区民间文学集成编委会：《中国民间故事集成·重庆市江北区卷》（内部资料本，1987年，第413页）："一天，她同大孃一起去赶场。"
③ 梁定林：《旧成都的人力车》（《龙门阵》1982年第6辑）："在旧成都，要当一名卖苦力的车夫养家糊口是极不容易的……费尽心机'挤'进这个行业的人，还被人骂为'踩倒爬'。"
④ 蛾：也作"娃"，文枢等：《旧成都的'人市'》（《龙门阵》1984年第2期）："每天清晨，一些板车、架架车的'车老板'因人手不足临时在这里雇'飞蛾儿'。"也比喻当副手。非文：《川渝口头禅》（第2册，西南财经大学出版社2000年版，第107页）："要得，你当总经理，我跟你拉飞蛾儿！"流沙河认为"飞蛾儿"即"绋维"。
⑤ 参见何韫若《锦城旧事竹枝词》，中国三峡出版社2000年版，第57~58页。
⑥ 参见四川省政协文史资料委员会《四川文史资料集粹》（第6卷），四川人民出版社1996年版，第125页。
⑦ 车辐：《锦城旧事》（四川文艺出版社2003年版，第13页）："坐呀！听说你安了家了呀，安了家还在外边东飘西荡做啥子，带起老婆钻格子，你倒无所谓，你大爷脸上过不得呀，你总是大爷超拔的呀，你大爷不能不管。"

续表四

词　语	释　义	词　语	释　义
打靶食①	备办以敛财或求周济为目的的生日酒席	操②	
操哥	男阿飞	操妹儿	女阿飞
教练机③	喻指乱搞男女关系的女阿飞	插兄	对上山下乡的男知识青年的戏称
插妹（儿）④	对上山下乡的女知识青年的戏称	提劲打靶掀飞机⑤	说大话、逞威风、豪强霸道
舵婆	社会上各种地方势力或黑社会的女性头目	扇盒盒儿⑥	对找女朋友的戏称
散眼子	自由散漫、行为不检点或不求上进的人	禅［san²¹］客	干活时偷奸耍滑且四处溜达的人

---

① 不治酒席，仅用拜帖获得少许零钱的称为"打干靶席"。参见四川省政协文史资料委员会《四川文史资料集粹》第6卷，四川人民出版社1996年版，第355～356页。

② 此词在"文化大革命"期间的成都话中，含义十分广泛，衍生出诸多词语，如"操兄弟伙（类似'嗨［xai⁵⁵］袍哥'）、操（模仿）学派、操（练）扁挂、操（绷起）漂亮、操得转（吃得开）、操得亮（一呼百诺）、操得趸（耍手脚，不露相）、操得烂（见钱就捞）、操得横（又说'不讲道理，不要命'，也说'提起脑壳耍'）、操得落教（出了事不乱咬内部人员）、操得把细（既要厮混又不出格）、操得老辣（火色拿得到家）、操得花哨（到处乱扇'合合儿'）、操得霸道（在兄弟伙中搞'顺我者昌，逆我者亡'）"。他如"操幕僚、操打手、操大富大贵、操老实沟子、操贴心豆办（儿）"等，具有很强的表达能力。后世也有沿用。《达州日报》（2001年4月8日第1版）："你急啥子嘛，常言说靠山吃山，就光凭'光灰尘市'的名气，还怕'刷刷'吃不起饭嗦？哪个都晓得：身上穿得再操，鞋儿灰扑扑的你就抖不起来。"波乐：《"十二怪"记事》（《龙门阵》1988年第5期）："有的人虽然鄙夷不屑地将他哂为'跟班'，但也一致公认他是司令的'贴心豆办'。""贴"本作"铁"。"铁心豆瓣（儿）"本指"沤制不能达到酥软的豆瓣"，引申指"趋炎附势、助纣为虐的小人"，含贬义。

③ 何满子：《插妹的故事》（《龙门阵》1993年第6期）："插妹乃虽只有十七岁，她在当学生时就曾和好几个人谈过恋爱，操过教练机。"

④ 何满子：《插妹的故事》（《龙门阵》1993年第6期）："那插妹是他们被送往川北一个生产队插队时的两个女知青之一。"

⑤ 宋发清：《扭曲与复归——文革中的操哥现象》（成都出版社1992年版，第99页）："老子那二年提劲打靶掀飞机的时候，你虾子还在横起搭鼻子。你也要操！"

⑥ 张仁霖：《银疙瘩发财记》（《龙门阵》1989年第2期）："疙瘩，钟哥子想把你的表借来戴几天，他要去搞盒盒儿。干不干？"冯水木、冯至诚：《长歌当哭——"文革"中的歌谣》（《龙门阵》1988年第1期）："不捡烟锅巴呀，不喝加班茶呀，也不去打群架，搞上一个漂亮的盒盒儿，带到农村去安家。嗦——呀拉嗦，带到农村去安家。"

续表五

词语	释义	词语	释义
钢鞭（材料）①	喻指能置对方于死地的证据	真钢②	喻指真本事，过得硬的真心话
舵爷	①袍哥在各码头的头领。②社会上各种地方势力或黑社会的头	纸货铺③	①制作和出售用于丧事的各种纸扎制品的店铺②"文化大革命"时期，对"（群众专政）指挥部"的谐音，表达了人民群众对其"打、砸、抢"行为的痛恨
舵把子		纸火铺④	
		纸扎铺⑤	
龙头大爷		找扎铺⑥	
		扎纸铺	
土知⑧	"回乡知识青年"的贬称，即指当地初中以上学历，户口原在城镇，后下乡插队的青年	散知⑦	对不随父母单位定点下乡而自己投亲靠友下乡的知识青年的简称
		洋知	对大城市下乡的知识青年的称呼
		赖青⑨	对没有正当理由却赖在城里不下乡的知识青年的简称

---

① 林祖庆：《跛子和瞎子》（《龙门阵》1988年第6期）："（瞎子）还能指出当着何人、对着何事、恰逢何时的确凿事实，以无可辩驳的钢鞭材料，抽打得跛子站起来接受批斗。"

② 安知：《知青沉浮录》（四川人民出版社1988年版，第236页）："你虾子敬酒不吃吃罚酒，哥他们今天喊你见点真钢！不择文比武比，任随你挑！"又（第157～158页）："然而她却不是那种'假小子'型的浅薄角色，肚皮头很装了些'真钢'。"憬晗：《沉渣的泛起——大哥外传》（《龙门阵》1987年第6期）："老胡过（吐露）的这几句真钢，很有嚼头。恐怕打天下的人的诀窍，多半就在里头。"

③ 沙汀：《困兽记》〔新地出版社民国34年（1945）版，第312～313页〕："他向他们述说着一直以来租赁房子的经过，而且，不断的发着牢骚。'你们是本地人，介绍一两间吧！'……'要上课方便啊！在那［哪］一节街呢？''在唐纸货铺子里！'吕康说的冥屋，惹得大家都嗤的一声笑了。"

④ 安知：《伪知青》（《龙门阵》1987年第5期）："他又滔滔不绝地吹起了'舵爷如何如何在A县南桥以祖传十八路梅花掌丢翻三个群专''扯师怎样怎样布置攻打C区纸火铺'。"

⑤ 王代炳等：《中国民间文学集成·南溪县卷》（内部资料本，1988年，第102页）："他来到纸扎铺，要定做一尊大佛，说是原先在新庙子许的愿。"

⑥ 四川省珙县民间文学集成办公室：《中国民间文学三套集成·珙县民间文学集》（内部资料本，1989年，第303页）："龙头找扎铺里，扎了很多金童玉女、青狮白象、金银斗伞、灵房纸火等日古弄棒的东西。"

⑦ 郝勤：《知青教师》（何世平等：《蹉跎崛起》，成都出版社1992年版，第287页）："象我这样的'散装'知青，当时已既无锣鼓喧天的欢送场面，也没有什么老贫农流着热泪拉手的欢迎仪式。"

⑧ 蒲志军：《世家子弟》（《龙门阵》1991年第6期）："对于'土知'，我们这些从成都府下来的'洋知'们，对他们总是很打不上眼的。"

⑨ 陈凤云：《点长》（何世平等：《蹉跎崛起》，成都出版社1992年版，第100页）："他比我们高一年级，毕业后在家里当了一年'赖青'。"

续表六

词语	释义	词语	释义
社青	"在办事处待业的社会青年"的简称	病青①	"患有特殊疾病的知识青年"的简称
社闲②	"社会闲散青年"的简称	垮丝	①拧螺丝钉或螺丝帽时，用力过猛而使丝口损坏。②喻指事情做到中途失败了
点水	指认着人告密	青皮③	①幼儿臀部青色斑痕。②代指调皮而不懂事的男少年（含贬义）
喷痰④	①说出不满的言论。②喻指人受了窝囊气无处表述时开口说话	发杂音⑤	发表自己的不同看法，多为反对意见
走经化痰	故意捣蛋，吓唬或刁难人	吃麻饼的	保皇派
号号儿票	①物资供应缺乏时发放的购货凭证。②旅馆住宿票	崭⑥凳儿	崭新
全链盒	猪血和石灰调制的混合物，涂抹一层在竹篾之类器具内壁，使之不漏水⑦	白网⑧	白色的网球鞋，20世纪六七十年代流行穿

---

① 施蜀：《彭褙褙》（《龙门阵》1990年第6期）："那年，我们一群被称为'病青'的小青年被办事处照顾到某体育场作季节性的临时工。"
② 殷明辉：《卖"夜光皮鞋"的年轻人》（《龙门阵》1993年第3期）："那段时间火车站、人民北路一带的自由市场反倒异常热闹。'社闲'们把这个当成一个难得的发财机会。"
③ 《商务早报》（2000年12月27日第D4版）："但是孙悟空在一次竞争上岗中因为没有文凭而意外落选，另一个从来都被孙悟空瞧不起的青皮竟然替代了他的位置。"也说"青沟子（娃娃）、青沟子崽儿"。宋发清：《扭曲与复归——文革中的操哥现象》（成都出版社1992年版，第159页）："马哥，你都是吃铁吐火舀秤砣的角色，未必还怕他青勾［沟］子娃娃吗［嘛］哪个！"
④ 陈浩东等：《成都民间文学集成》（四川人民出版社1991年版，第1442页）："（杨林标）说完端起酒杯就喝，大夹大夹地拈菜吃，气得三个秀才喷痰。"也指人受了气无法表述、开口说话。非文：《川渝口头禅》（第1册，西南财经大学出版社2000年版，第28页）："看到了老板的不对，也没得哪个敢喷痰！"
⑤ 《华西都市报》（1997年3月6日第14版）："比如安排值夜班不再与大家商量，他说了算……谁要敢发点杂音，红包扣你无商量。"
⑥ 崭：附着在形容词"齐、新"等之前，表示程度，多含褒义。艾芜：《艾芜文集》（第1卷，四川人民出版社1981年版，第77~78页）："山路则全是酱红的泥土，颜色崭新，仿佛自开天辟地以来，就没人走过。""崭"可重叠为"崭崭"，今成都等地也说"齐崭崭""新崭崭"，其语义应比"崭"更重。
⑦ 参见刘清尚《昔日东大路》，载《龙门阵》1993年第1期。
⑧ 重庆市江北区民间文学集成编辑委员会：《中国民间故事集成·重庆市江北区卷》（内部资料本，1987年，第417页）："来给他理发的是个'梭梭咪'操妹，穿的是白网鞋，小管裤。操哥心头好高兴。"

续表七

词 语	释 义	词 语	释 义
甩尖子（皮鞋）①	很尖的尖头儿皮鞋（多为男式）	提虚劲	假充内行、正经
（大）蜡波②	男同志的一种发型，因抹了不少发蜡，头发光亮而呈波浪形，故名	干[kan²¹³]子	对干部子弟的不敬的称呼
街娃儿	不务正业、游手好闲的城镇青年	绷劲仗	硬充力气大，硬充好汉
腿师③	本事很大的人	抢手④	两个练过拳术的人相互较量
挣表现	通过努力做事获取领导或同事的好感	凫上水	喻指巴结讨好有权势的人或不遗余力地靠近上流社会，用不正当手段求得升迁
散仙	"文化大革命"中对逍遥派的戏称	宰子⑤	①本指用来斩断铁条的钢制工具，状如楔子。将其置于铁条要弄断的部位，再用重力猛击。②喻指"作决定，拍板"
读田中大学的	"干农活的"的戏称	土耳其⑥	喻指"土里土气、未见过大世面的人"
吊子 鼎锅 鼎罐	用于炖煮东西的炊具，罐状，无耳，两脚，多为铁制	铁戳子	打纸钱用的铁制工具，一端呈半圆形

---

① 林德伟：《"太医"传奇》（《龙门阵》1987年第6期）："太医右手提着一只牛腿，左手提着他那双十分格式的'甩尖子'皮鞋，拖泥带水地走了进来。"

② 蜡：也作"拿"。宋发清：《扭曲与复归——文革中的操哥现象》（成都出版社1992年版，第189页）："'文革'操哥也讲究'拿波'，但头发的长度，既不如以前老操哥的'大包头'，也不如以后'业余华侨'那种男女同式的'大背头'。"

③ 马骥：《散打笑星抽底火》（四川文艺出版社2004年版，第115页）："这一生当中演过'幺师'，扮过'水师'，摆过'皮师'，当过'墨师'，现在是'腿师'。"

④ 宋发清：《扭曲与复归——文革中的操哥现象》（成都出版社1992年版，第118页）："一天，柳老头儿正关门在枕席上向一个女弟子亲授'九阳神功'，不料，胡夏带了一波兄弟伙逼上门来找他抢手。"

⑤ 车辐：《锦城旧事》（四川文艺出版社2003年版，第274页）："这回各路人马会齐，等于成渝两地名角大会演，有睹头的。这头把交涉办好，宰子落盘，我马上就发电报，那头就好登广告，贴海报。"

⑥ 铁波乐：《采购风情录》（《龙门阵》1991年第6期）："（七八个少年）对我拳打脚踢，边打边骂我是'土耳其''厌二毛''屁眼虫'。"陈仲质：《我的好友"神农氏"》（《龙门阵》1991年第4期）："他身材很瘦小，上穿一件土织老蓝布对襟衫，下着同样料子的'反扫荡'抄腰裤，加之剃个光头，显得特别土气。到校不久，他便得了个'土耳其'的绰号，常常受到同学的奚落。"

续表八

词 语	释 义	词 语	释 义
打太极拳①	喻指推诿	公 房	特指人民公社时期属于生产队的场屋，多用于保管粮食与召开社员大会等
粑粑工分（儿）②	特指公社化时期干不费力的活得到的工分	凉拌中学③	特指"文化大革命"时期以接受出身不好而受冷遇的学生为主的民办中学
钓 票④	喻指在影剧院门口等待从退票人手中购买票	读耍门⑤大学的	对游手好闲之人的戏称
玩西湖镜儿	喻指耍花招儿	胸裕子	胸罩
五岳朝天	仰面躺下的样子	坐水台子	坐茶馆

和过去相比，现在的孩子拥有太多的玩具和新的游戏方式，如电子游戏、电脑游戏等。过去巴蜀城镇街头巷尾、乡野田间常见的儿童游戏在当今社会难觅踪迹，渐渐被人遗忘，而反映这些游戏的词语也逐渐消失。如：模仿家庭生活，学大人煮饭、炒菜的游戏，成都称为"扮姑姑筵（儿）"⑥，仪陇称为"扮假假客"；翻动手指上的细绳，变换出各种花样的游戏，成都称为"翻手绞绞"，新都称为"翻天花板"，仪陇称为"翻套儿"；将书籍报纸折叠成四方形，用手在地上拍打定输赢的游戏，成都称为"拍豆腐干儿"，南充称为"扚波"。再如"斗鸡、跳拱、打碑、丢窝儿⑦、打地牛（儿）、抟牛儿抽陀螺、跳房

---

① 王奇：《十年风雨——一个小人物在"文化革命"中》（《龙门阵》1988年第5期）："就是这样，我同他们软磨硬抗，打了三个半月的'太极拳'。"
② 张仁霖：《银疙瘩发财记》（《龙门阵》1989年第2期）："疙瘩累死累活整一天，才挣八分工。他觉得太惨，想吃粑粑工分。"
③ 陈德仁：《"凉拌"校友章明》（《龙门阵》1992年第5期）："那民办中学的学生大多是出身不好而受冷遇的人，因之人们戏呼之为'凉拌'中学。"
④ 殷明辉：《王串串》（《龙门阵》1994年第4期）："我老远就望见王串串站在军区影剧院门口的台阶上。他好像在'钓'电影票。"
⑤ 耍门：谐厦门。"厦"在成都话中与"耍"同音，读为[sua⁵³]。
⑥ 李劼人：《李劼人选集》（第2卷，四川人民出版社1980年版，第512~513页）："两个娃儿却不能出去。叫菊花带去扮姑姑筵。"刘西源：《龙狮斗》（西南交通大学出版社1993年版，第63页）："老妻忙去拾蛋，不料五岁儿已将蛋打破，加了调稀的发面和红糖，搅在碗内，要和小伙伴们办'姑姑筵'。"也说"办锅锅筵儿"。"筵"也作"宴"。
⑦ 王庆方等：《中国民间文学集成·四川成都市彭县卷》（内部资料本，1988年，第69页）："小时候，他妈惯肆[恃]他，丁点儿大的学会丢窝儿、拌钱，长大了就当游神。"

（子）①、划甘蔗②、打哇哇、踩影子、挤热和、挤油渣儿、点脚斑斑③、裤裆棋、六子冲［ts'oŋ²¹³］④、老和尚⑤、喊三棋⑥、识拳儿⑦"之类的游戏已经消失，能记得住这些名称的年轻人可能也不多了。

过去，巴蜀老年人一开口就说"老话说得好"，当今的年轻人则一般不会这么说了。还有一些反映旧观念的词语也渐渐消亡，如在科学不昌明时产生的对一些自然现象的带有想象和不科学的说法：

太阳宝儿、太阳公公、太阳妹妹、太阳菩萨——太阳。

月儿光、月亮婆婆、月亮哥哥、月亮菩萨——月亮。

鳌鱼翻身——地震。

天狗吃太阳、太阳落难——日食。

天狗吃月亮、月亮落难——月食。

---

① 也说"跳格"，儿童游戏，即在地上画几个方格，写上序号，一只脚提起，一只脚着地，沿格子边跳动，边踢瓦片或小石头，按序号依次经过各格，提起的那只脚不落地且瓦片或小石头按顺序经过方格者为胜。

② 也说"划蔗"。林孔翼：《成都竹枝词》（四川人民出版社1986年版，第60页）："撞钟划蔗儿童嬉，每到冬来闹不清。更有米花糖叫卖，汤元彻夜唤声声。"

③ 旧时一种儿童游戏，若干儿童坐成一排，伸出双脚，由一个儿童用食指依次点数，边点边唱："点脚斑斑，脚踏南山。南山大斗，一担二斗。猪蹄马蹄，我来宰蹄。"唱到这里，点唱的儿童便用手掌做成刀砍物状，被点到的小孩必须马上将脚缩回，如果因动作太慢"脚被砍了"，便要受到惩罚。

④ 也说"六子凑、六子棋"。一种棋类游戏，棋盘多为四方形中加一个菱形，双方各三子，用两子将对方一子堵在一角落无退路，即可吃掉该子，先被吃尽者为输家。廖铭：《"六子冲"与"喊三棋"》（《龙门阵》1997年第6期）："来来来，下几盘'六子冲'。于是就在地上用尖角石子画起棋盘，一方找些树枝折成短节，一方就地取材找几枚石子，摆好'厮杀'起来。"卢盛祥等：《中国民间文学集成四川卷·成都市东城区卷》（内部资料本，1989年，第102页）："碰到你妈的鬼了，昨黑了我们还下六子凑，啥子就几千年了！"

⑤ 庸人：《江湖八大门》（四川人民出版社1992年版，第17页）："（老人）天天同场上小孩在场头、场尾走'六子冲''老和尚'（乡间棋名）。"

⑥ 廖铭：《"六子冲"与"喊三棋"》（《龙门阵》1997年第6期）："和'六子冲'相似，流传在我们家乡的还有一种'喊三棋'。"

⑦ 识拳儿：两个或两个以上的儿童同时伸出握起的右手或双脚，口中有节奏地喊出"识——拳儿"或"找——钱"等。游戏规则是"剪刀剪手帕，手帕包砣子（拳头），砣子击剪刀"。用手玩的叫"识手拳儿"，用脚玩的叫"识脚拳"。陈浩东等：《成都民间文学集成》（四川人民出版社1991年版，第2020页）："螃蟹螃蟹八只脚，两个眼睛这么大一坨。坨砸剪，剪剪帕，帕包坨。识——拳儿。"成都等地儿童以之为游戏。

太阳戴草帽子（圈圈）、太阳戴枷——日晕。
月亮戴草帽子（圈圈）、月亮戴枷——月晕。
星宿儿屙屎——出现流星现象。
天河——银河。
虹［kaŋ²¹³］吃水、虹下土——弯形彩虹的一端接在地平线上。
刮旋头儿风——没脑壳鬼出来了。
遭雷抓、遭火闪打——因不孝而受到雷电击打。

如今这些说法在巴蜀汉语方言中，基本上都换成了相应的普通话词语。反映旧事物、旧现象、旧观念的词语逐渐消亡，是这一时代烙在巴蜀汉语方言词汇上深深的烙印。

（2）反映民俗事象的词语随着该民俗的变化或消失而渐渐消亡。

方言和民俗的关系非常密切，在新民俗出现的基础上往往会产生一些新的方言词语；这些方言词语又对民俗的形成和巩固具有很强的凝聚作用。一般来说，反映民俗的方言词语比与之对应的民俗更具生命力。虽然如此，随着民俗的消失，方言词语也就失去了对应物，也必将失去存在的价值。尤其在当下，这种消亡非常迅速。

在20世纪80年代以前，巴蜀广为流行的民俗词语，到了40多年后的今天，很多已经被人遗忘了，这种情况在城市、在年轻人身上体现得尤其突出。

如巴蜀部分地区将赴宴称为"吃九碗（儿）"或"吃九斗碗（儿）"。①"九碗（儿）"本指筵席上的九道主菜。成都人一般不说"八大碗、十大碗"，原因是酒席吃剩下的称为"剩八碗儿"，引申指"残汤剩水"，故放八碗菜的酒席称为"叫花子席"。以前，猪槽、狗碗多是用石头凿的，于是就有了"吃十碗_{谐石碗}的"之类骂人为"狗、猪"的说法，因此宴席上的菜不能是十碗。② 如今的年轻人只知道"九大碗"，却鲜有了解"八大碗、十大碗"的深层含义。

如今巴蜀人的婚礼融入了太多的西式婚礼的元素，传统的婚俗反而逐渐

---

① 艾芜：《艾芜文集》（第6卷，四川文艺出版社1986年版，第219页）："霉了，你还想割麦子！九斗碗摆在面前，你还不晓得吃哪（呐）。"
② 参见黄尚军《四川方言与民俗》，四川人民出版社2002年版，第169页。

被人淡忘，由此导致了许多反映传统婚俗的词语渐渐消亡。如"媒婆"被称为"红爷、吃三百杯的、媒（猪）脑壳、啃猪脑壳的"，大概是因"媒"与"霉"同音，不吉利。而今年轻人一并称之为"媒人、媒婆"。

婚期一旦确定，女方就着手为新娘制作一套陪奁家具，称为"打行架"：

谯楼鼓打三更转，耳听父母把话传。媒人已对木匠谈，打堂行架做陪奁。（《中国歌谣集成·重庆市卷》，第302页）

从前，有个姓漆的木匠，他在离家十多里远的老表屋打完行架后，酒喝得二麻麻的，撺起行头就往屋头走。（《中国民间故事集成·重庆市合川县卷》，第249页）

旧时，陪送的家具一般为木制，如大花板床、立柜、梳妆台、方桌、凳子、椅子之类。其中的大花板床特别讲究，一般以柏木或楠木做成，有内外栏杆、抽屉及放铺盖卷儿的格子，还有贴上佛金的龙抱床柱。茶几、立柜均是双数。另有方桌一张，圆凳八根，小方形包脚凳两根，踏脚板（儿）一个，称为"双行架"，为富裕人家所做，一般人家只是"打单行架"，即衣柜等均为单数。①

巴蜀地区的行架是生活中必不可少之物，具有较高的实用价值；另一方面，它们其中一部分又同时具有象征意味，表达了人们对新娘、新郎的良好祝愿，如"连二柜_{有两个抽屉的木柜}"和"连三柜_{有三个抽屉的木柜}"②，意为"接二连三"生子，反映了"多子多福"的旧观念。

在结婚的当天或前一天，要举行"过礼"的仪式，将新娘的嫁妆抬到新郎家。旧时，大户人家过礼，所办陪奁都用抬盒装盛。渠县一带则用竹编的"包杠"。过礼时，往往一大群人吹吹打打，抬着嫁奁，一路浩浩荡荡，十分热闹。以下列出岳池、威远、华蓥、合川等四地男方过礼之物（见表6-7～表6-10）。

---

① 成都旧称木制家具为"行架"，有"全堂"和"半堂"之分，成都市区锣锅巷街即为行架集中销售地。参见何韫若《锦城旧事竹枝词》，中国三峡出版社2000年版，第46～47页。
② 罗俊林、肖斧：《骗总爷》（四川人民出版社1980年版，第60页）："总横今天没得事，你去把连二上（的）叶子烟杆给我拿来，我要敲下马铠子。"《成都晚报》（1999年1月25日第10版）："他把连二柜上压着照片的玻板瞟了一眼。"

表6-7 威远男方过礼之物中的"仪" [1]

类别	说明
家祖仪	新娘祖父、祖母领受此礼
外祖仪	新娘外祖父、外祖母领受此礼
辞亲仪	辞父仪和辞母仪的合称。新娘父母分别各受一礼
敬神仪	在女方堂屋中领新娘子行礼的人受此礼
步仪	女方的送亲客受此礼,份数和送亲人数相同
红宾[2]仪	媒人受此礼。
客仪	给新娘冠笄时,开脸之人受此礼
梳仪	为新娘梳头及装扮之人受此礼
姊妹仪	新娘的兄弟、姐妹及岳父母的媳、婿受此礼。一般为多人一起受礼
羊仪、鹅仪、鱼仪	在男方所过礼物中有羊、鹅各一只,鱼一条。女方宰杀此三物之人受此礼
过山仪	挑送嫁妆的人领受此礼
开盒仪	男方的彩礼送到女方时,女方出来接礼仪盒的人受此礼
茶果仪	在婚礼上撒糖果、祝福新人的人受此礼
迎灯仪	结婚日,将新娘从闺房引至堂屋,提灯照明的人受此礼
雷仪	婚礼上放火铳以避邪的人受此礼
乐仪	花轿之后为新娘吹打送行的乐队受此礼

---

[1] 此表中的材料为黄尚军与威远县新场中学王文玉老师,于2007年2月14日至16日在威远县新场镇麻柳村11社实地调查王刚贤先生、张奉全先生等所得,谨此致谢。"仪"即婚礼上的各种红包。在婚嫁的过程中,对参与婚礼的人,新郎、新娘及其家人一般准备若干红包,并在红包上写上"(某)仪",以便在行礼之时交给受礼之人。男方在过礼之前,要将各种礼仪红包准备好,放入一个红盒子(礼仪盒)内。在过礼时,用一张红纸折一个红包,内装盐、茶、米、豆,该红包一并放入礼仪盒中,寓意在过礼途中压住各种邪神鬼怪。女方得物后,又送回男方。部分巴蜀人认为,在婚礼中,会有许多邪气随着双方人员的来往而出现,故需要避邪。避邪的方式各不相同,如巴蜀各地多以盐、茶、米、豆等避邪,花轿中安放的镜子、宝剑等物也属此。在威远,新娘出嫁时要带上一个用红青两色布制成的三角形布包,内装有七粒米和一道灵符以避邪。另外,请压轿娃儿、放火铳、放三眼炮等也可避邪。

[2] 红宾:当地人对媒妁的称谓。

续表

类 别	说 明
回神仪	举行回车马①仪式的人受此礼
厨 仪②	女方厨师受此礼

表6-8 岳池男方过礼之物

类 别	说 明
主礼食物	礼猪一般半边，富裕人家牵一头活猪，贫寒人家至少一腿肉
衬抬盒类	猪肉四块③，每块约二斤重；挂面两斤；糖两斤；中心点有红五花的餈粑一对；熟米四至八升；酒两壶；鸡两只④
穿戴类	新娘婚日所穿衣服、鞋袜、红绸缎方帕⑤、花冠、首饰、化妆品
冠笄、祭奠等类	红蛋若干、五色线若干⑥、梳子一把、篦子一把；香蜡两对、纸钱若干、鞭炮两挂

表6-9 华蓥男方过礼物品中的"三茶六礼"

类 别	说 明
盐	单独一包，散装至少一斤
茶	一般一包或一斤
米	主要为米头子⑦
豆	象征性的各一包
糖	

---

① 回车马：让为新娘送亲的阴间亲人乘坐的车马返回时举行的仪式。李劼人：《李劼人选集》（第1卷，四川人民出版社1980年版，第321页）："（花轿）照例先搁在门口，等厨子杀一只公鸡，将热血从花轿四周洒一遍，意思是退恶煞，而习俗就叫这为回车马。"彭贵华等：《中国民间故事集成·重庆市巴县卷》（内部资料本，下卷，1989年，第505页）："过去成亲，过场多得很。就拿新姑娘出嫁那天来说，就要兴回车马。"也称"退煞"。隗瀛涛：《古稀之年的回忆》〔谭继和等：《青史留真》（第1辑），四川人民出版社2010年版，第227页〕："花轿一进大门，轿夫抖擞精神，跑步前进，一口气抬至堂屋之前，骤然停住。'回车马'的仪式迅即开始。一人手缚一只公鸡，一只手持利刃至花轿前，一刀将鸡杀死，把鸡血滴洒在花轿的四周。这叫做'退煞'，说是将新娘可能带来的魔鬼驱走，去不吉利为吉利。"
② 此仪视总仪数而定。若前面的为双数，可不行此礼；若前面的为单数，则要补上，以达到双数。
③ 也可为六块或八块。
④ 有的另有鸭两只。
⑤ 方帕四角悬小钱，表示"出进四方财宝"。
⑥ 送六小束寓"六六高升"之意，送九小束寓"九九长寿"之意。
⑦ 米头子：从脱壳的米粒里选出来的未脱壳或未脱尽壳的米粒。

续表

类 别	说 明
肉	猪肉，双数整斤，如两斤、四斤
鸡	活物，双数，一般四只或六只
鸭	
红 蛋	用于新娘冠笄，一般八个
红麻绳	用于新娘冠笄

表6-10　合川男方过礼物品[①]

类 别	说 明
茶食礼	盐一包，茶一包，杂糖四包
上梳礼	在礼盘中放红蛋二个、梳子一把、篦子一把、抿子一把、网子一个以及上梳礼钱等
走拨礼	二床铺盖以下送半边猪肉，四床铺盖以上送一头猪，外有一只鹅、一只羊
肚痛肉	一块三至五斤重的猪肉
离娘鸡	一只母鸡，可供放红大轿用
长流水	一只母鸭
踩轿米	一斗二升
露水衣[②]	用好布料做成的衣服，俗称"脸面衣"。贫苦人家多是借来的，摆起做一下样子，过礼后即归还
露水帕	盖头
歌堂茶	主要是杂糖茶食
去水席	在手盒中装能供两桌人吃用且去了水的膀扣席[③]

一般人家把礼物准备好，装进抬盒等，将所有礼物一一写在清单上，然后

[①] 参见聂云岚等《中国歌谣集成·重庆市卷》，科学技术文献出版社重庆分社1989年版，第359～360页。

[②] 酉阳县民间文学集成领导小组办公室：《中国民间文学集成·酉阳土家族苗族自治县民间歌谣谚语资料集》（内部资料本，1978年，第90页）："我今不穿露水衣，不受人家老少欺。大脚鞋子穿不得，穿了离娘又离爹。今日搭了露水帕，要受人家老少骂。"

[③] 手盒：用木头做成，高约一尺，宽约一尺，长约二尺六寸。盒内隔成大格子和小格子两格。上有盖子。大格子一般装酥肉，小格子多装瓜子、花生、糖果之类吃食。装好后，锁上锁，贴上红纸封条。由抬手盒的人，用竹子扁担挑，挑子一头是手盒，一头是酒壶、鸭子、肚痛肉等。迎亲手盒多由"半超超娃儿"（半大个小男孩）挑着，娶亲日先于娶亲队伍回到新郎家。巴蜀俗语说："排手盒最着忙，忙起回去好铺床。男人等到好装郎，细娃儿等到看拜堂。"参见聂云岚等《中国歌谣集成·重庆市卷》，科学技术文献出版社重庆分社1989年版，第362页。

男子的母亲再清点给媒妁或押礼先生①。媒妁或押礼先生此时往往说些吉利话。如在岳池县，媒妁要说"丰盛！丰盛"之语，俗传如此夫妇就能早生且多生子。

如今这些民俗基本消失了，关于"打行架""连二""连三""过礼""抬盒""包杠"之类称呼以及有关词语，也被人渐渐淡忘了。

巴蜀汉族婚俗过礼时，男方一般都会特意准备一块七八斤重的猪肉，谓之"离娘肉"或"离娘菜"；结婚前一晚，女方要宴请亲朋好友"吃花园儿酒"，并邀请十个或十二个未婚姑娘共唱哭嫁歌，称为"陪花园儿""坐花园儿"，川东谓之"坐歌堂"。反映这些习俗的词语也与这些习俗一样，已经消失殆尽了。

还有一些词语被普通话词语代替，如"逗新媳妇儿、搅新媳妇儿、砸[tsaŋ²¹]新姑娘儿"被说成了"闹洞房"。

生育习俗中，民间认为，有一种专门残害小孩的鬼②，喜欢长得漂亮的小孩儿和好听的名字，所以巴蜀人忌讳说小孩"乖、胖"而改说"丑"，小孩就易养成人，故小孩生病往往也称"变狗（狗）、装狗（狗）"。

第一个闯进刚生孩子的人家，称为"逢生"③，对主人家来说是喜事。所以，主人家要煮"红糖醪糟儿蛋"敬上，④并且要把逢生人吃醉，俗传若不吃醉，婴孩脾气就不好。有的还要打发逢生人（红）封封儿，借以除灾。如主家不煮蛋或不打发，逢生人则撕开自己的裤脚缝，俗传可使婴孩爱哭泣，不好养育。民间传说婴儿长大以后，性格乃至长相多与逢生之人相似，故产妇家的亲戚常要找借口，支使一位不知道这家生孩子而又品行好、长相好的人到产家去

---

① 押礼先生：也说"大东、料理先生"，重庆巫溪县文峰镇一带称为"路总管"，多司督送礼物之职。
② 如惊风鬼、旋头儿风鬼（也称"没脑壳鬼"）之类。
③ 逢生：碰巧第一个闯进刚生孩子的人家。也说"踩生、碰生"。陈浩东等：《成都民间文学集成》（四川人民出版社1991年版，第1274页）："天亮后，讨口子走到张家院子，正好踩着生，原来昨晚张员外的媳妇生娃娃。张员外听说门外有人踩生，赶忙喊手下人请他进来，招待酒肉饭吃。"营山县民间文学三套集成编写领导小组：《中国民间文学集成·营山县资料集》（内部资料本，1987年，第65页）："张驼牛家生了男娃儿，她碰了生，还请她吃了碗糁[醪]糟蛋。"另成都双流俗语有"男逢男，霉三年；男逢女，霉到底"之说。有的地区又认为碰见生男孩，会有血光之灾；碰见生女孩，则会大富大贵。如成都龙泉驿区俗语有"男逢男生，四脚长伸；男逢女生，穿金戴银"之说。
④ 成都等地忌煮两个，因其寓意为"卵子蛋"。

逢生。

　　这种习俗的产生有其时代背景，以前产妇多在自己家中，由"接生婆"接生，如今都在医院分娩，医院里人来人往，"逢生"之人到底是谁，难以辨清，因此，这些民俗词语与民俗也渐渐因为失去了存在的空间而慢慢消失。类似的还有"吃百家饭、穿百家衣"以及祈求小儿停止夜哭的"夜哭帖子"[①] 等。

　　丧事中的民俗词语也大量消亡，如民间认为死者临死前几天，死者的亲朋好友家中常常会发出一些异响，这是死者前来"收脚板儿印"。人死过后，要取下死者床上的蚊帐，称为"破天罗地网"或"推帐子"。然后把房顶弄个洞，称为"出煞"，也称"出死星"[②]，否则死者的灵魂寻不着路出去。墓穴有的是生前就做好了的，称为"金井"[③]；挖墓坑称为"打金井"[④]。部分巴蜀人认为，出丧和下葬的日子必须经过认真推算，一般是据死者出生、去世的时辰和家人的生日来推算。[⑤]

　　（3）随着现代化、城市化的进程，反映农耕文明的词语逐渐消亡。

　　四川、重庆是传统的农业地区，在几千年来的农耕生产生活中产生了大量的与之相关的词语。如今，随着城市化、城镇化的推进，随着产业结构的调整，这些词语也渐渐失去了生存的土壤。年轻一代"五谷不分"，错把小麦当韭菜的笑话也时有发生。综观巴蜀农村现状，三四十岁以下的年轻人，基本上

[①] 旧时孩子时常夜哭，长辈往往将"天黄黄，地黄黄，我家有个夜哭郎，过往君子念一念，一觉睡到大天光"或"小儿夜哭，请君念读。如若不哭，谢君万福"等咒语写在红纸上，贴在马路边上的电线杆或树上等显著位置，供人念诵，俗以为这样孩子就不会夜哭了。

[②] 民国12年（1923）《眉山县志·民俗》："亲甫没，使人持竿破屋瓦，三呼三答，曰'出'，谓为'出死星'，盖即'复魂'之义。复而不生，始行死事。"也说为"出煞"。民国21年（1932）《南溪县志·礼俗》："又以长竿缚纸钱，穿绝气处屋上瓦，以通阳光，谓之'出煞'。""出煞"所用木棒称为"戳魂棒"。参见克非《山河颂》，上海文艺出版社1980年版，第273页。

[③] 金井："墓穴"的讳称，也说"金坑、地井"。陈宗树口述，陈徐、杨健整理：《"轿马儿"的故事》（《龙门阵》1987年第1期）："前几天我们就抬起这位唐阴阳去看地，他向丧家玩了一套看'地井'的把戏，讲了什么'十贱'，'十贫'和'十不葬'，而要的是啥'十贵'之地。"

[④] 巴蜀诸多地区均有"打金井"的习俗。都江堰民歌："初十日子请帮忙，鸳筥锄头送坟场。金井要打丈二深，叫郎睡倒好翻身。"

[⑤] 主要是儿子的生辰八字。参见黄尚军《四川方言与民俗》，四川人民出版社2002年版，第77页。

不再参加田间劳作，种庄稼的大都是五六十岁的老年人，故反映农业生产、生活的部分词语在年轻人群中渐渐失传（见表6-11）。

表6-11 部分失传的有关农业生产的词语

短颠	薅草	晗谷耙儿	吃案板菜
发苑	薅秧（子）	犁弯	吃白眼饭
谷怀胎	秕壳	连盖	铲草皮子
焱线	二粱秕壳	斗框	断顿
壅脚	放吊	囤子	任务蛋
牛嘴笼笼	沤草皮子	牛打脚	吃龙肉
舂米	沤醪糟儿	公房	拜客
粪脚子	推耙子	灰房	叫当
粪疙瘩	枷档子	鹅公包	茗板田
薅田	晒篁	篾子房	犒狗
挣妃妃工分儿	幺台	瓜瓢	吃秋水
吃对时饭	提子	放大水筏子	还绷子
点大蜡	鸡毛火炭片子	笕水	啃生魔芋
粪塘子	炒虫	捉寒林	卖高脚黄
尿水船	送穷	收刀捡卦	摸夜螺蛳
鲊海椒	打行架	万年台	木马
吃盆盆肉	卖豁皮	香炉脚脚	李扯火
砍膪头	吹吹儿稀饭	薅刨	炕土
鼎罐	打太平锣	鸡罩	浆窝子
放高脚骡子	扯地皮风	就口馍馍	杀田坎

巴蜀汉语方言中存在大量的谚语，大多与农业相关。如今，随着工业化、城镇化的推进，人们纷纷涌入城市。许多年轻人宁可进城打工而不愿种地，原有的农业生产受到冲击，与之相应的是反映气象、农时、农业生产、农业习俗的谚语、歇后语快速地消亡，如"云朝东，一场空；云朝南，水满田；云朝西，披蓑衣；云朝北，黑一黑"。这是通过观察云的运动测天而总结出的气象谚语。如"春丙阳阳，无水栽秧；夏丙阳阳，干断长江；秋丙阳阳，干谷上仓；冬丙阳阳，无雪无霜"，"早上烧天[①]不等黑，黑了烧天晴半月"，"早

[①] 烧天：也说"烧霞"，出现红色彩霞的天气。成都谚语："一年难得看到几个火烧天。"又："早上烧霞，等水烧茶。黑了烧霞，干死蛞蚂。"

上胭脂红,无雨必有风""早上朵朵云,下午晒死人",这些都是通过观测云霞来预测一季或一天的气象的谚语,在缺乏科学技术的时代都是劳动人民的宝贵财富。冬季是保墒、灭虫的好季节,多雪的冬天一般都预示着来年丰收,这就有了"霜降起风又下雨,麦子收成了不起""麦盖三床被,来年垫倒馍馍睡""麦是谷子的影子,雪是麦子的铺盖"等谚语,表示雪对于保墒、灭虫有着很好的作用。再如"火烧乌云盖,大雨来得快""火烧灶额底,三天下大雨;火烧灶额头,三天大日头""黑了起露水,明天无雨水;黑了露不上,明天有雨降""黄昏有雨大太阳,早上下雨落不长""黑云过河,大雨滂沱",等等。

农业对于时令节气的要求很严格,"不违农时"是获得丰收重要条件,故掌握气候的变化条件的规律是非常重要的,过去这样的俗谚有很多,如"二月二,点豆豆儿""春分秋分,好点花生""寒潮胡豆霜降麦,立冬菜子绵不得""寒露、霜降,胡豆儿、豌豆儿点到坡上"等,这是提醒农作物必须在适当的时节栽种。"惊蛰点南瓜,结得一杷拉"等,则明显地展现出适时种植的好收成。"过了芒种不种棉,过了夏至不栽田"则是说明过播种、栽插的时节,就不要再去种植了,因为即使种植后,也是没得收成的。"不管啥子谷,过了白露都要割",说明庄稼的收割也是有着时令节气的限制。

除了气象谚语、时令节气谚语外,还有许多关于耕作种植经验的谚语。从土壤的改良、种子的选育到农作物的生长管理一系列的农业活动,都有相应的谚语与之对应。"保秧如保命,留种如留金""种子过筛,苗苗长得乖""种好苗儿粗,子饱苗儿壮"等,是说有好的种子,才会有好的庄稼。耕犁田地的谚语有"耖得深,耙得烂,一碗泥巴,一碗饭""光犁不耙,枉把力下""头道耖深,二道耖浅,三道把土壅到根""八月耖田一碗油,九月耖田光骨头""白露快把土挖松,种起庄稼嫩冬冬"等等。

(4)交际语紧随时代的特征,亲属称谓呈现简化的趋势。

巴蜀习俗,当客人至主人门前时,常常会说"客走旺家门",主人立即出门迎接,连声说"稀客,稀客",客人会说"走得勤哦""又来了""舍得走"。客见主人时说"好享福哦",主人说"在受饿"。把客人迎进屋后,立即递上叶子烟,倒上茶水,有的还会送上热毛巾,称为"打(热)帕子",讲礼貌的客人会先坐到左边,主人要邀请他到右边坐下,因左边谓之"小边",右边称为"大边";而席间,年纪大、辈分高或者最尊贵的客人,还会被邀请坐到面朝大门的被称做"上八位儿"的位子。客人离开时,主人送客,多说"吃了饭再走""简慢了""空坐一阵""慢慢走,二天来耍";客人多说"请了,请了""道谢了""打搅了""改天再会""请转"等。上述交际用语中的绝大多数,在今天已经很少能听到了。

另外,还有一些旧时生活中的常用交际词汇,在年轻人口中渐渐被普通话代替。①

此外,一些含贬义的交际语并无适当的普通话词语与之对应,也慢慢被遗忘了。如"垫桌子脚脚②,抹桌橔子③"之类。

再者,亲属称谓的变化非常明显,呈现出向普通话靠拢的趋势。最显著的莫过于对父母的称呼了。过去,巴蜀汉语方言中对父亲的称呼有"爸爸、爹④、伯伯",也有少数地方称为"爷[ie²¹]或[ia²¹]、爹、爸"。而母亲大都称为"妈(妈)、娘娘、母、婶婶、阿□[tse⁵⁵]、大大"。⑤而今巴蜀各地的年轻人都称为"爸爸""妈妈",甚至出现了"老爸""老妈"的称谓。

妻子在巴蜀各地的称谓也不尽相同,如:婆娘、屋头的、女的、娃儿他妈、烧锅的成都、老婆子巴中、女人广元、主人家富顺、饭厨子、家子仪陇、媳妇儿江油、堂客重庆、右客万县、婆儿客荣昌、伙儿哥仁寿、老乡崇州。而"老娘儿"为成都人本用来背称老年妇女,含贬义,到了20世纪80年代,渐渐用来面称妻子,如今在成都市区使用频率很高。

不过从20世纪90年代起,随着港台流行文化的强势影响,"老婆"这个外来词被巴蜀人接受并广泛使用,有取代上述称谓的趋势。

爷爷、奶奶、外公、外婆的称呼开始简化,巴蜀各地都呈现出向普通话靠

---

① 如"揉包包散(大事化小,小事化了)、打圆凿(打圆场,说好话)"之类。
② 也说"塞桌子脚脚",喻指打杂。成都口语:"你哥二回接儿媳妇儿,帮到塞桌子脚脚算兄弟伙的。"此语多为调笑、自谦时用,表面上是说自己乐于在人前马后跑腿出力,实际意为预祝听话之人多生女儿,隐含"可娶之为自己儿媳"之意。巴蜀婚俗,一般在选好的吉日良日安新床,床的位置则根据新郎、新娘的生辰八字、门窗与神位坐落的方向等原则而定,要顺着屋梁安,不能安"骑梁床",并且床的四个脚不能用石块垫。而成都等地俗传垫了床脚,睡后要生四个床脚女。平昌等地俗传垫了床脚,要生十个儿子。
③ 收拾残局、烂摊子,处理难以处理的善后工作。
④ "爹"有[tie⁵⁵][ti⁵⁵][tia⁵⁵]等读音。
⑤ 参见杨时逢《四川方言中几个常用的语汇》第53本,第1分册,台北"中研院"史语所集刊,第126页。

拢的趋势。如：

爷爷：姥爷、公、爹爹[tia⁵⁵tia⁵⁵]中江。
奶奶：婆婆、娘娘自贡、老奶西昌、奶奶[nai⁵⁵nai⁵⁵]宣汉。
外公：家公、外爷、姥爷、阿公西昌。
外婆：家婆、家家、婆婆、姥婆西昌。

英语中，aunt 这个单词可指称"姑妈、伯母、舅妈、阿姨"，如今在巴蜀地区青少年口中呈现这样一种现象，即将"姑妈、姨妈、舅妈、表婶、表姑妈、表姨妈"等，一律称之为"孃孃"。指称堂兄弟、堂姐妹、表兄弟、表姐妹等较疏远的关系时，人们常在"兄、弟、姐、妹"前加排行或姓名。现实中，很多年轻人甚至不能区分"堂""表"关系，面称直呼其名，背称"哥、弟、姐、妹"。事实上，很多"80后""90后"根本就分不清这些亲人间的关系。不论背称、面称，不分亲哥、亲姐与堂哥、堂姐、表哥、表姐，一律称为"姐姐""哥哥"。这大概是因为时代发展，宗法观念日益淡化，特别是计划生育政策实施后，家庭成员减少，亲属关系不分内外。

20世纪初，在仁寿、汉源等地，"婶娘"和"叔娘"一样，都指父亲的弟弟的配偶。今在仁寿、汉源等地，"婶娘"也可以指称父亲哥哥的配偶。而在平武、梓潼等地，除指义父外，"干爹、干爸、干老子"和"干妈、干娘"还可称自己以及兄弟、姐妹的岳父母，"干儿"可称"女婿"。现在这些地区这样的称谓也很难听到了。其变化应是与普通话的大力推广、文化程度的普遍提高，以及强势方言文化影响分不开的。①

（5）特色词和俗谚的变迁。

巴蜀汉语方言有很多颇具地域色彩的形象生动的词语，我们暂且称之为特色词。如今这些词语有很多也正悄然发生着改变。如成都人说人"傻"谓之

---

① 参见陈颖《四川方言亲属称谓的特点》，载《西华大学学报》（哲学社会科学版）2010年第6期。

"瓜"，以"瓜"为语素组成的词语有"瓜娃子、瓜儿、瓜（不）兮兮①、瓜戳戳、瓜屎、瓜眉瓜眼、瓜宝器、半瓜精"。②"瓜"可谓是成都官话的一大特色词。重庆和川东等地则一般不说"瓜"而说"哈［xa⁵³］"③，如"哈儿、哈宝儿"。但随着重庆成为直辖市，原来巴蜀汉语方言的权威代表语言由成都官话变成了成都官话和重庆官话，重庆方言随着直辖市的确立而变得越发强势。加上经济、文化的原因，受其影响，成都官话也渐渐吸收了许多重庆官话的成分。现在成都人骂人"傻"，除了用"瓜"外，也常常说"哈"。④

川东南充一带言"小"曰"咪［mie⁵⁵］"⑤，如"咪（咪）娃儿小孩儿、咪牛儿小牛、咪板凳儿"；巫溪、渠县一带，此义说"细"，如"细娃儿、过细小心"。如今这个特色词也常常被说成了"小"。

西昌用"□［tsa⁴⁴］"表示"这样"；用"□［tsan³⁴］"表示"现在"；用"□［niu⁴⁴］"表示"没有"。如：这个字是□［tsa⁴⁴］写的；我□［tsan³⁴］

---

① 瓜（不）兮兮：傻呼呼，傻里傻气。卢盛祥等：《中国民间文学集成四川卷·成都市东城区卷》（内部资料本，1989年，第221页）："两个财神弄得无法，人家不开门，财送不脱，咋个好回去见玉帝呢？就只有在门口一边瓜兮兮地站起。你看现在有些人的门上都巴得有财神，就是这样子来的。"张建蓉等：《四川戏剧小品集选》（内部资料本，1997年，第438页）："哎！黄三娃，平时看到你瓜不兮兮，关键时候你还是打得滑喃！"
② 这组词均为骂人用的脏话，意即"傻"，含较重贬义。
③ 阿波：《无林不发榜》（《龙门阵》1993年第5期）："连文盲都认得的钱票，这位公子却不识，你说'哈'不'哈'？"
④ 成都话形容人脑袋反应迟钝，多说"胎、刘、瓜、哈、憨、莽、木、神、广、弯、乔"等词。《华西都市报》（1999年12月30日第17版）："说你乔，你硬是乔，你记住这样一个分寸——午饭、晚饭这类花大钱的事，你绝对要激流勇退，坚决缩在别人背后。"称傻瓜、反应迟钝之人为"莽［maŋ⁵⁵］子、哈儿、刘前进、挂挂钱、瓜娃儿、神头儿、胎胎、胎神、胎盘、弹娃儿、弹绷子、弹木匠、方脑壳、乔脑壳、乔老爷"等。《现代艺术》（2014年第11期）："你老公脑壳是胎的，走路是盘的，就是个资格的胎盘，干脆把他休了一了百了。"《商务早报》（1999年6月18日第B1版）："李扯火这几天火冒三丈：乔脑壳这个东西，手机关了，传呼不回，电话不接，房门不开，连个影影都看不到！"《商务早报》（1999年6月22日第B1版）："嗄小姐一想起乔得翻杠的乔总乔脑壳，差点当场就把180元一副的金丝眼镜跌到地上了。"称不谙世事者为"脑壳头有疙瘩、脑壳头有乒乓、脑壳头有包、脑水有点儿不转、脑壳短路、少个频道"等。《商务早报》（1999年5月3日第B3版）："这些节目一点都不精彩，你咋个鼓掌鼓得那么起劲？脸都笑烂了，我看你怕是脑壳有包？"《蜀报》（1999年12月13日第9版）："'你娃娃脑壳里有乒乓！'古二娃的嘴角挂着一种诡秘的笑容，摇头晃脑地说。"
⑤ "咪"为俗字，（明）李实：《蜀语》（巴蜀书社1990年版，第89页）作"蔑"，即通"篾"。

要走了；我□［niu⁴⁴］读过大学。受到强势方言成都官话的影响，"□［tsa⁴⁴］、□［tsan³⁴］、□［niu⁴⁴］"这类独具西昌特色的方言词，随着使用范围的缩小，使用频率的降低，也将逐渐被"这样、现在、没有"代替。①

"母亲改嫁带到男方家去的儿女"，巴蜀汉语方言称为"带头（娃儿）广汉②、德阳、猪耳朵双流、猪搭头、皮汔瘩西充③、皮搭搭儿子仪陇、上水泥鳅永川、车车娃儿内江"；而比喻随身带着的孩子、老婆，称为"拖斗（儿）"④，受普通话尤其是受影视剧的影响，现在很大一部分人称为"拖油瓶""包袱"。

又如旧时管理城乡街道村庄事务的可称"客长⑤、乡约"，现今多称"社区委员会主任、村民委员会主任"。

类似这样的变化还有今巴蜀人少说"大鸭子、两边摆、巍巍、鸭子们［mən⁵⁵］哥"，多说"鹅"；少说"砍草帘子、拉豁⑥、拉爆、打脱离"，多说"离婚"；少说"额颅、眼眨毛、牙巴、尖尖牙、脸包儿、磕膝头儿、屁巴骨"，而多说"额头、睫毛、牙齿、虎牙、脸蛋、膝盖、尾椎骨"等。

巴蜀谚语、歇后语是最具地方特色的语言，如今也面临着消失的困境，如：

戥秤定人心。

一品官，二品客。

千根头发一根簪。

不求柴开，但求斧脱。

烘笼烘笼，越烘越屃。

行上人商家的柜房，住家人户的歇房寝室。

---

① 参见段英《四川西昌方言的现状及发展趋势》，载《语文研究》1998年第3期。
② 四川省广汉市广汉县志编委会：《广汉县志》（四川人民出版社1992年版，第599页）："如有前夫子女带到后夫家，亦被人称做'猪耳朵——带头'。"
③ 西充也指"男子上门带来的儿女"。
④ 殷明辉：《王串串》（《龙门阵》1994年第4期）："大丈夫不遇知于当世，毋宁独善其身。条件不成熟，何必弄个'拖斗'来挂起呢？"
⑤ 方椿深、谭宏永：《陈兰亭轶事》（《龙门阵》1990年第6期）："陈家原籍石柱县大歇乡陈高村，本有出租土地十余石，上三辈均是当地客长（负责管理街道事务）。"
⑥ 《商务早报》（2000年11月15日第D4版）："郎呀郎呀，你到底是要那个黄脸婆，还是要我这个卷心菜？你说你跟婆娘早就拉豁了，为什么还要绑到现在？郎呀郎呀！"

裁缝怕补烂皮袄，放牛娃儿怕扯谷草。
灯影儿不走路，有人提线线。
端公庆不到自己的坛，医生散不到自己的寒。
接亲娘子送亲客，接亲舅子送亲狗。
癞疙宝爬花椒树——麻嘎嘎肉。
八仙桌高头上面放尿罐罐尿壶——不是个东西。
百灵鸟碰到鹦鹉儿［ŋən⁵⁵ ŋɚ⁵⁵］鹦鹉——会唱的碰到会说的。
半天云头半空中掉棒棒——天棒[①]喻指鲁莽从事，不知天高地厚的人。
空棺材出丧——木谐目中无人。
丁丁猫儿蜻蜓想吃樱桃——眼都望睖了比喻办不到。
升子头车碗——取方就圆。
耳朵头安毛线——听进去了。
大清律做衣穿——浑身是罪。
袍哥耍刀——该歪。
吃鸦片烟擤鼻子——两头都捏倒。
十个铜钱少一个——九文谐"久闻"。

（6）民间生活用语都市化、书面化、文明化。

现代化、城市化的进程，导致反映农耕文明的词语逐渐消失，同时也改变了人们的生活观念。一些原本较为粗俗的说法渐渐被较为文雅的说法取代。如巴蜀各地对厕所的称呼五花八门，仅成都地区就有"茅房、茅厕、茅坑、茅厕坎、松活堂、猪圈房、轻松池、东池"的说法，现在一般都称之为"厕所、卫生间、洗手间""轻松池、东池"的说法已经逐渐不为人知了。上厕所则一般说成"解手、解大手、解小手"，还有"去松（下）包袱、去放水[②]"的比喻说法和"去大使谐屎馆"的戏谑说法。现在大多数人尤其是接受过教育的年轻人，常常换成了较为文雅和隐晦的说法了，如"上厕所、去一号、去WC、去卫

[①] 彭贵华等：《中国民间故事集成·重庆市巴县卷》（内部资料本，下卷，1989年，第471页）："从前，有个叫张老五的天棒，为人豪强霸道不讲理，经常跟一些不三不四的人在一起鬼混。"
[②] 《重庆晚报》（2002年1月10日第3版）："记者借口'上厕所'予以拒绝，对方称'厕所有人洗澡，过来把"水"放了再去嘛！'"

生间、去洗手间、去方便一下"等。

巴蜀农家将竹子划为篾条，分之为青篾和黄篾，黄篾又可析出二黄篾。青篾即竹皮，多用于编扎一些生活用具；黄篾为析竹皮剩下的废料，手艺好的篾匠还可将其一分为四，分出二黄篾、三黄篾和屎篾①。二黄篾、三黄篾照样可用于编扎竹器，只是质量比青篾稍差。今天随着生活方式的改进，这些词语也渐渐被人遗忘。再如"雀雀儿屎、蚊子屎、土痣子"说成"雀斑"；男阴"鸡巴②、鸡儿、鸭儿、锤子、毛鲢鱼、（下）二哥、甩甩"和女阴"（麻）屄、蚌壳"以及性交"日"等说法，在受过教育的人群中的使用频率逐渐减少，往往被诸如"下身、下头、那个③"等隐晦的词语代替。这些词语用在副词与形容词中间还表示程度加深，如"非鸡巴安逸、非鸡儿安逸非常安逸、稀鸡儿烂④"，其用法的使用频率也在相应减少。非说不可时，常常被隐晦的合音词

---

① 屎篾：也说"刮屎篾片儿、揩屎棍儿"，竹篾析出的废料，或挽成圈，或截为三五寸长，旧时将之置于厕所，供人大便后揩屁股。巴蜀谜语"一块篾片儿三寸五，中间夹的霉豆腐"，谜底即此。

② 鸡巴：男性生殖器。艾芜：《还乡记》〔文化生活出版社民国37年（1948）版，第259页〕："他两爷子都是好惹的么？他不给你，把俺鸡巴啃啦！"此词多用于骂人，带有强烈的否定语气。贺大舜等：《中国民间故事集成·重庆市合川县卷》（内部资料本，1988年，第391页）："贼娃子下得跑回去了，拢屋就按到婆娘骂：'你这个龟娼妇！探个甚么鸡巴虚实，你说是伞把把，你看一下，这不是枪打的吗？'"合江县有关于俗语"不愿皇官招驸马，只望甩脱臭鸡巴"的民间故事。参见四川省合江县民间文学集成编委会《中国民间文学集成·合江县资料集》（内部资料本），1988年，第173～175页。也说"屄"。（明）梅膺祚：《字汇·尸部》（上海辞书出版社1991年版，第123页）："屄，渠尤切，音裘，男阴异名。"巴蜀民间俗作"球"。艾芜：《艾芜文集》（第8卷，四川文艺出版社1989年版，第382页）："哭个球呀，我早明白，哪一个是好东西？……一个个都靠不住呀！"陈浩东等：《成都民间文学集成》（四川人民出版社1991年版，第1819页）："门神惹我发了话：若不是唐王封你官职大，我两把把你扯球它来烧球它！"也说"锤子"。罗清和：《方脑壳传奇》（伊犁人民出版社2000年版，第98页）："开锤子玩笑！老子又没惹你们，挖苦我干啥？爬开，不准在我门口站着！"

③ 《成都商报》（2000年12月10日A10版）："史进问：'那他们那个你们没有喃？'小妹儿抽泣道：'我们绝对不得让他们那个我们。'"游翔等：《中国民间文学集成·四川奉节县卷》（内部资料本，上册，1989年，第385页）："书生本姓宋，十科九不中。屋头妹娃子，谨防别人……我们女儿家，不说那个——弄。"

④ 张懋等：《中国民间故事歌谣谚语集成·重庆市双桥区卷》（内部资料本，1988年，第11页）："他们那些担煤炭的，一路都是棍棍棒棒的，就去打奉教堂，把教堂打得稀鸡儿烂。"

替代，变为"非加^①安逸、非鸡儿［tɕy ɚ⁵⁵］安逸"。

一些常用的说法也在渐渐发生改变，在城市，"吃晌午"的使用频率已经没有"吃午饭"的使用频率高了。民间生活用语都市化、书面化、文明化，导致一些较为粗俗的词语渐渐消失。

（7）行业用语、隐语、禁忌语渐渐消失。

行业用语是某个行业的专门用语，一般人听不懂：^②

张桶匠问到底箍些啥子，石二老者才说："箍个爪爪桶、中午桶、小儿桶，还有有底无盖桶、无盖有底桶，两个耳朵高耸耸，底底抖得动，两头望得通……还有一个桶，落在水头乒乓砰、尾巴翘起向天空……还要箍个外国金丝桶……这桶是：下无底来上无盖，四面城墙不通风。六街三市闹轰轰，十字路口在当中。千军万马里面住，中间卫［跕］个赵子龙。"（《中国民间文学三套集成·珙县民间文学集》，第402～403页）

不多不多，只四样东西：打个挨姐坐的，打个内凳凳，打个外凳凳，还做个千匹篾条不回头。（《中国民间文学三套集成·巫山县故事集》，第303页）

请你去给我家箍箍无底无盖和有底有盖、有底无盖的桶，你意下何如？（《中国民间故事集成·重庆市长寿县卷》，第195页）

我呀！编几个小东西个：一个天凸凸、二个地凸凸、三个千丝篾挑［条］不回头，外加一个乌烧［梢］蛇钻灶孔。（《中国民间故事集成·重庆市大渡口区卷》，第159页）

先跟我打一个团团旋、双手捧，再做一个千丝篾条不回头、乌梢蛇钻灶孔，外加一个鸡扒扒。（《武隆县民间文学集成》，第164页）

天拱拱，地拱拱，千丝篾条不锁口，窸窸窣窣两手捧。你们把它编成四样东西。（《中国民间故事集成·重庆市卷》下卷，第478页）

---

① 加：应为"鸡巴"的合音，多见于川西崇州、大邑、邛崃、蒲江、新津等地。
② 此处行业用语指为广大老百姓熟知的行话，即脱离了秘密语而成为人们口头交际的那一类方言词语。

上述对话中使用了不少编制行业用语。主要为篾匠①用语，一般说来，"爪爪桶"即洗脸盆，②"中午桶"为打饭用的小饭盆，"小儿桶"即尿桶③，"有盖无底桶"为饭盆，④"有底有盖桶"是马桶⑤，"有底无盖桶"为秧盆、水桶，"两个耳朵高耸耸，底底抖得动，两头望得通，无底无盖桶"为甑子，⑥所谓的"外国桶"即蜂桶。⑦"挨姐坐的"是筐筐，"内氅氅"是甑底子，"外氅氅"是甑盖子，"千匹篾条（丝）不回头、千丝篾条不锁口"是刷把，⑧"天凸凸"是锅盖，⑨"团团旋、双手捧"是竹筛。至于"人在两头中间桶"⑩、"人在中间两头桶"⑪以及"乌烧蛇钻灶孔"⑫、"白鹤钻洞洞"⑬、"无风自来风"⑭、"一角、二角、三角"⑮、"上拱对下拱、地凸

---

① 云阳县、平昌县等地称篾匠为"青龙背上剥（刮）皮的"，武隆县称为"青龙背上走一转的"。参见湛泉中等《中国民间文学集成·四川省云阳县卷》（内部资料本），1990年，第153页；陈永久等《平昌县民间文学资料集成》（内部资料本），第1卷，1987年，第209~210页；杨友仁等《武隆县民间文学集成》（内部资料本），1992年，第163页。
② 因每天都会用手爪摸它，故名。
③ 多用于小孩大小便，故名。
④ 旧时贫寒人家常用饭盆盖锅，故名。
⑤ 也说"子孙桶"，多为新娘嫁妆。
⑥ 蒸饭用的甑子将底子抖开，即为中空。重庆市大渡口区庙湾一带称为"双手抱"。
⑦ 蜂桶横放即不分底和盖，蜂房内部似三街六市，蜂王戏称为"赵子龙"。
⑧ 重庆称"千丝篾挑不回头"，仁寿称"千斤条子"。巴蜀各地均忌讳用刷把头拍打灶头，俗以为拍打后会受到惩罚。
⑨ 重庆市大渡口区庙湾称为"扑倒仰"。
⑩ 此为澡盆。
⑪ 此为粪桶或水桶。
⑫ 参见刘仁富等《中国民间故事集成·重庆市大渡口区卷》（内部资料本），1988年，第158~159页。
⑬ 此为筛子，因筛米时似白鹤钻洞，故名。
⑭ 此为簸箕，因其簸米时生风，故名。
⑮ 此分别为斗笠、撮箕、犀水笆。

凸"①、"鸡怕"②、"天供拱"③、"地拱拱"④、"窸窸窣窣两手捧⑤"等，这些词语的真正含义，外行人士一般是不知晓的。

又如一些对行业的称呼语如"理发师"，以前称为"待诏（儿）、剃头匠、剃脑壳的、揎（脸）盘子的、刮芋儿的"，现在多说成"理发师"；"刀儿匠、杀猪匠"被年轻人说成了"屠夫"。他如"骟（猪）匠⑥、锡匠、箍桶匠、补锅匠、装人匠、纸火匠、镢匠、捡瓦匠、竿竿匠、吆鸭子的"等词语⑦，因为行业的消失，也在逐渐消失。

有的行话也已经公开或半公开（见表6-12）。

---

① 此为筲箕，用之盛饭时，即"上拱对下拱"。盐边永兴乡一带传说，灶神因说了假话，被雷神打聋了，玉帝又将之贬入凡间，变成筲箕。贪吃贪赃，每次淘米滤饭，总要私藏米粒在缝隙里，故常被因打了他被贬入凡间而变成刷把的雷神刷腰打背，久之即肚大背驼。参见管树华等《攀枝花市故事卷》，四川民族出版社1990年版，第88~90页。

② 此为响篙，多用于驱赶鸡等的竹竿，一端做成破片状，因摇动时可发出响声，故名。也说"响壳儿、响刷、响竹"。四川省南川县文化局、南川县民间文学三集成编委会：《中国民间文学三套集成·四川省南川县资料集》（内部资料本），1987年，第284~285页。

③ 此为甑盖。

④ 此为甑箅子。

⑤ 此为米筛。

⑥ 旧时巴蜀农村，骟匠行当关涉千家万户，其供奉华佗为祖师爷，自称为"两祖会"。巴蜀汉语方言中有不少关于该行当的俗语，如"骟猪匠的竿竿——拗卵、饭吃了看你今天的猪儿咋个骟""毬经不懂当骟猪匠""骟鸡不要钱，绷绷儿还要还""骟猪匠，敲马锣，骟你公，骟你婆""牛角几吹吹，卵子成堆堆""马锣铛铛响，顿顿喝四两"等。该行当敲马锣、吹牛号的规矩是"一喊，二应，三等，四不来，五走路"。骟割方法分为"站骟、割骟、锤骟、抬骟"。骟小母猪分为"冒花、靶子、摸皮、条子"，骟大母猪分为"海底、条子"等。参见郑蕴侠《闲话骟割匠》，载《龙门阵》1992年第2期；陈柏青等《崇州民俗志》，方志出版社2011年版，第25页。

⑦ "竿竿匠、吆鸭子的"两个词语指"以放鸭子为生的人"。"吆鸭子"在成都话中有"最后一名"之义。《华西都市报》（1998年12月17日第9版）："4年前，成都市图书馆曾在全国计划单列市、副省级城市图书馆首次评估中'吆鸭子'。"

表6-12　部分公开的行话

词　语	释　义	词　语	释　义
白　粉	海洛因	数　数①	人民币
驼　背	面额五元的人民币	青蛙皮	面额五十元的人民币
大团结③	面额十元的人民币	四人头②	面额一百元的人民币
杠　子		伟人头	
		老人头④	
一　吊	1000元人民币	一　方	一万元人民币
		一　坨	
杨花子⑤	妓女	娿子（娃娃）	男妓
卖　弄		大辫子娃娃	
溜　子		吃相公饭的⑥	
猫　儿⑦		象　姑	
		兔儿爷⑧	

① 刘晓川：《袍哥办报记》（《龙门阵》1985年第5期）："'他提了啥子条件？'蔡玉彬插问。'还不是说数数。'邓全斋比着数钞票的动作说。"也说"贿儿"。参见杨智云《来hui儿辨》，载《龙门阵》1989年第5期。

② 《华西都市报》（1997年2月28日第14版）："张老幺平时也晓得这是吃钱的把戏，这天却真是'昏君'了，就蹲下去试一手，想赢他一张'四人头'，再买只公鸡好过年。"重庆晚报副刊部：《逛市井　走过场》（重庆出版社1999年版，第11页）："老板一把将我拉住，一边咕哝着这样卖'要蚀到唐家沱'，一边还是给我把衣服装好了，接过我给的两张'伟人头'又弹又照才放我出门。"

③ 陈浩东等：《成都民间文学集成》（四川人民出版社1991年版，第1509页）："这天，她手气太孬，半天'不开福'，身上揣的三张'大团结'已所剩无几了。"

④ 《商务早报》（1999年12月15日第C2版）："'大姐你需要啥子呢？''票儿，老人头、青蛙皮，拿来嘛！'张二婶眉毛上长虱子——甩过去一副好眼虱（谐色）。"

⑤ （清）王正谊：《达县竹枝词》（林孔翼、沙铭璞：《四川竹枝词》，四川人民出版社1989年版，第198页）："杨花又逐柳花飞，深碧钗荆浅碧衣。郎自进烟奴进酒，大家看遍醉人归。"自注："土娼俗名'杨花子'。"

⑥ 参见李劼人《李劼人选集》第1卷，四川人民出版社1980年版，第29页。

⑦ 庸人：《江湖八大门》（四川人民出版社1992年版，第218页）："妓女叫溜子。"铁波乐：《一个王室的后裔》（《龙门阵》1993年第1期）："唯有女人，他们最喜欢了，我就投其所好，高薪聘请了几个'猫儿'——就是现今四川人给妓女取的名字。"

⑧ 李劼人：《李劼人选集》（第4卷，四川人民出版社1984年版，第186页）："'兔儿爷'二珠先生不说了，虽言语举动荒伦重浊些，毕竟眉目清扬，颜色美好，还有一般可爱人处。"

续表

词　语	释　义	词　语	释　义
鸡	妓女	幺哥（子）①	男妓
		幺童	
		鸭子	
		屁巴虫②	

　　隐语是个别社会集团或秘密组织中内部人懂得使用的特殊用语。③ 隐语属于社会方言，其功能在于保密性，即某些社会集团为避免外人了解其交际所使用的替代性秘密语词。但随着时间的演进，有些隐语会演变成为社会用语，失去隐秘性，被大家熟知。④ 旧时巴蜀秘密社团很多，因此诞生了很多隐语，如对姓氏的称呼，如"老有吴姓、老欻［ts'ua²¹］林姓、老顺刘姓、老拱朱姓、老滑尤姓、游姓、老活、儒林外史姓、今古奇关姓、官姓、千军万马姓、二八提蓝姓、兰姓、正南齐白姓、柏姓、巴心巴干姓、甘姓、花尔古董姓、一刀两段姓、四面八方姓"等。如今的年轻人对于这些隐语已经是非常陌生了。

　　"禁忌"是人类社会较为普遍的现象，作为普遍存在的一种语言现象，巴蜀人也拥有自己的成系统的言语禁忌。这些禁忌在老年人群中较为讲究，而年轻人普遍不遵守禁忌风俗，故禁忌语大量消亡。

　　巴蜀俗语说："清早起来三道快，猴子、老虎与妖怪。"部分巴蜀人特别忌讳说凶猛的动物和鬼怪，尤其是早上。旧时巴蜀人尤其忌讳说"老虎"，主要原因应与清初巴蜀闹虎患有关，但凡沾了与"虎"同音的字，往往改说成"猫儿"。如"豆腐"，永川称为"灰毛"，彭山、南溪、宜宾、高县、云

---

① 马骥：《散打笑星抽底火》（四川文艺出版社2004年版，第169页）："马耳门建议他把伦敦皮鞋加个墩墩儿，但他坚决不当幺哥！"

② 重庆市巴南区安澜镇仁流乡坝上村马家桥戴学扬法师藏民间用书《楚六做媒叹二嫂》（手抄本）："听你一言心作怨，开言骂声楚老六。哪个做媒先来武，世间哪有这本书？不是看你把媒做，皮［劈］头根［给］你两夜壶。各人回去卖屁股，我也不要到我的屋。"《商务早报》（1999年1月15日第A3版）："杨小姐说，哪［那］些女的找'鸭子'可能是对丈夫的报复吧。因为许多男的有了钱后就去找'鸡'或包'小蜜'，那他们的妻子也可能出于泄愤，就包'鸭'来报复他们了。"

③ 参见黄伯荣、廖序东《现代汉语》上册，高等教育出版社2007年版，第264页。

④ 此处所谓隐语即指这一类词语。

阳、大足、巴中、隆昌、邛崃称为"灰猫儿"。①

发展到后来，凡与虎同音或相关的字和事物也要改换名称，巴蜀汉语方言"斧、府、腐"和"虎"同音，都要避讳。民间不能对"斧头"直呼其名，而要改称他名。云阳、绵阳、万县称为"开山儿"，广安、广元、巴中、铜梁、忠县称为"开山（子）"，乐至称为"猫儿头"，金堂下五区、广元称为"猫儿"，双流称为"猫耳、毛牛"，云阳称为"大脑壳"，南充称为"铁脑壳"，成都、郫县、都江堰河东方言区、渠县、巴中、蓬安称为"毛铁"，铜梁称为"斤瓜"，遂宁称为"斤瓜爷"，蓬安称为"金官爷"，彭山、邛崃、金堂上五区称为"猫儿刀"。② 但很多年轻人不了解这一禁忌，甚至也不知道"灰猫儿""开山儿""猫儿刀"之类的说法，而直呼为"豆腐""斧头"了。

更有趣的是，南部县五灵乡岐山村，生活着一个独特的家族：村子里近百人姓"虎"。无独有偶，成都市新都区龙虎镇也居住着为数不少的"虎"姓居民。他们虽然都姓"虎"，却自称姓"猫儿"。③

因忌讳说蛇，宜宾将姓"畲、佘"的改称为姓"梭"或"老梭"；④ 射洪等地将作为姓氏的"畲[se²¹]"，直接读作"梭[so⁵⁵]"。与"蛇、蚀"同音的"舌"，也要避讳，如作为食物的"猪舌"，巴蜀汉语方言改称为"利子、赚头、猪赚子、招财、桥梁、大吉大（利）、了颠儿"等。而重庆人忌讳"王大姐"，巴县人忌称"老师傅"，眉山人忌称"老大爷"；⑤ 因部分巴蜀

---

① 邛崃将豆腐干称为"干灰猫儿"，水豆腐称为"水灰猫儿"，豆腐乳称为"红灰猫儿"，魔芋豆腐称为"黑灰猫儿"。
② 参见黄尚军《四川方言与民俗》，四川人民出版社2002年版，第211页。
③ 此为曾为志于2011年实地调查所得。
④ 安知：《牡丹初放却先残——川南英烈》（《龙门阵》1985年第5期）："原来当时袍界中忌讳甚多，因川南土音佘与蚀同音，很不吉利；又佘与蛇亦同音，四川俗称蛇为'梭老二'，故佘竟成手下弟兄伙都呼他为'梭大爷'。"
⑤ 这几个词语在当地方言中分别指称"妓女、老骚客、干儿子"。巴蜀言志对一些巴蜀人的语言忌讳有诸多记载，如民国33年（1944）《彭山县志·民俗篇》："乡俗之忌，以倾灯油、损器物、晨起闻说'鬼、耗'为最，凡年头、岁尾，有偶损碗盏或他物者，则以为大不祥（俗语云：'正月忌头，腊月忌尾。'）。平时亦忌之。操业之忌倾灯油，倾则常介介，赌徒尤忌之。星相术人晨起闻说'耗'，其恶亦同。至讳饭曰'粉子'，箸曰'划杀子'，则亡命之人所忌也。讳番瓜曰'胡瓜'，薤菜曰'藤藤菜'，陈饭曰'凉饭'，箸曰'篙竿'，饭碗曰'莲花子'，搁曰'放'，则船夫之所忌也。'倾油、损物、鬼耗'之说，则仍忌之无异焉。"

人忌"四"谐"事、死",忌"二"谐"鬼老二",忌"七"谐"截、凄、欺",旧时袍哥组织机构即不设立"老二、老四、老七"等,①如今年轻人对此已经十分陌生了,甚至不懂这些方言和习俗的含义了。这就充分说明,对词语和行为的忌讳,往往跟人的思想意识有关,科学越昌明,忌讳词语就越少。

2.词语的更替加速旧语词消亡

《蜀语》《蜀方言》《西蜀方言》②《成都通览》《四川方言汇通》以及清代、民国年间巴蜀各地的方志,都记录了当时巴蜀方言的很多词语,用巴蜀汉语方言写成的文学作品《跻春台》《死水微澜》《南行记》《在其香居茶馆里》《春潮急》以及民间用书《耗子告猫》《八字斗虫》《槐荫配》《春兰送酒》《修脚》《财神》《楚六做媒叹二嫂》《醒瞌睡》《放牛》《盗扇骂牛》和巴蜀各地的山歌、民谣、民间故事与神话传说也收录了当时的大量方言词语。如果把今天的巴蜀汉语方言词语同一百年以前的巴蜀汉语方言词语对比,甚至同更近一点的巴蜀乡土作家李劼人、沙汀、艾芜等的作品中的方言词语相比,就会发现旧词的消亡在近半个世纪来,正在加速进行。巴蜀汉语方言词汇的演变呈现向普通话靠拢的趋势,而各地的方言又向成都官话、重庆官话靠拢。新词的广泛使用导致新词渐渐取代旧语词,并加速旧语词的消亡。

如"筷子",青川县、南江县老年人多说"箸(子)",成都讳称"篙竿"③,达州讳称"划签儿",万县讳称"划食子",而今多说"筷子"。成

---

① 另一种观点认为,不仅袍哥排位中没有行四、行七,就连洪门、天地会、各地哥老会、三合会等组织,也不设置这两个行位。根据汉留发展史,凡有投靠清朝、叛变帮会等事,一般都是姓名或排行与"四、七"相关的会员所为。而对于不设"四排",民间还有别的解释,称四排是为常山赵子龙所留,其跟随刘备之后,被认作四弟,但是桃园结义中又无赵子龙,属于后来补进者,并无结义拜天敬神的仪式,故设虚席,以示区别。参见奂灵君《四川袍哥研究》,四川师范大学硕士学位论文,2012年。

② 参见甄尚灵《〈西蜀方言〉与成都语音》,载《方言》1988年第3期。

③ 篙杆:也作"篙竿",为撑船的木杆或竹竿。"筷子"谐音"快止",故改称。周芷颖:《新成都》〔成都复兴书局民国32年(1943)版,第62页〕:"篙竿,筷子也。"刘西源:《龙狮斗》(西南交通大学出版社1993年版,第32页):"朝天门码头水更深,趸船篙竿不照样扠么?"车辐:《锦城旧事》(四川文艺出版社2003年版,第84页):"由小梅女人打发了五角钱的云南龙板银元,船夫笑眯眯地收下了,并特意把篙杆靠在码头的石阶上当个扶手,目送他们上了岸。"成都俗语说:"篙杆打水——此起彼落"。李致等:《川剧传统剧目集成·推陈出新代表作剧目》(卷二,四川人民出版社2011年版,页195):"杯子两个,两双篙竿,菜齐开宴。"

都老人多说"索索"①、"索子",年轻人多说"绳子"。广安有一首哭嫁歌,内容为一位妇女编唱歌谣,骂一个围观歌堂会的男性:

一匹荷叶窝又窝,哪来一个鬼东哥?
只有男人来吃酒,哪有男人来听歌?

此歌中"鬼东哥"指"猫头鹰",仪陇也称为"猫官头",渠县、开江、长宁称为"夜食鹰",遂宁称为"夜哇子",长寿称为"鬼顶壳、鬼顶锅",成都称为"夜猫子",温江称为"猫儿狐",邛崃称为"倒啄猫儿",都江堰称为"万恶滔天",开县称为"猫儿头",而现在年轻人大都说成"猫头鹰"。

又如,随着社会经济的发展,关于货币的方言词语也在不断发生变化,旧时因用铜钱,故"挣钱"称为"拿铜""吃钱"称为"吃铜""耍钱"②称为"耍铜""吝啬"③称为"克铜、啃铜、抠铜、恨铜":

他自言自语地说:"声容并美,稳定拿铜。"(《锦城旧事》,第242页)
评功论赏,亮骚吃铜,这是你们这行的规矩,咋个?你还不好意思嗦?(《蜀报》1999年12月9日第10版)
哎呀,冤家呀,他又是克铜的,听着扛抢,焉有不着急的嘛。(《川剧传统剧目集成·历史演义剧目·三国戏》卷二,页59)
你克铜遇着我耍铜手,升官罢职我手头。(川戏《鞭督邮》,第1235页)④
天杀的狗贼,你老倌向来啃铜,跟他说了,怕会气死呀。(《川剧传统剧目集成·历史演义剧目·三国戏》卷二,页56)

---

① 陈浩东等:《成都民间文学集成》(四川人民出版社1991年版,第1606页):"太阳落土又落坡,老板叫我搓索索。索索搓得丈二长,拿去西方拴太阳。"
② 耍钱:赌钱。嗜赌称"耍烂钱"。聂焱等:《中国民间文学集成·涪陵市资料集》(内部资料本,1989年,第452页):"正月耍钱是新年,郎骑白马去耍钱。一耍铜钱三五吊,吊吊都是青钱的。"
③ 此义也说"刻财"。四川省戏曲研究所:《四川地方戏曲选》(第1辑,四川人民出版社1960年版,第383页):"你这个刻财鬼,都舍得把东西借与别人么?快拿出来,退还与人家。"
④ 此为残本,无法辨识版本信息。

菝面多加辣子红，内添肑子外添葱。
打杯烧二连天醉，莫怪田翁只恨铜。（《成都竹枝词》，第84页）

梓潼县等地将吝啬之人称为“啃铜匠”：

从前，有个吝啬财物的人，外号叫啃铜匠。（《中国民间文学集成·梓潼县资料集》，第274页）

清代为方便计数和携带，铜钱往往用麻绳串成一百文和一千文一串，成都人常用“串枚”称“铜钱”，用“一挂”称“一串”，把串成串的铜钱称为“挂挂钱”：①

有些娃儿顽一天，把挂挂钱使完了，还没进过二门。（《李劼人选集》第2卷，第209页）

走遍亲朋拜遍年，谁家款待最周全。
便宜唯有回娘屋，儿女多收挂挂钱。（《成都竹枝词》，第84页）
米线玲珑米叶鲜，安排果饼过新年。
欲令儿女都欢喜，除夕分穿挂挂钱。（《四川竹枝词》，第188页）

过年时，成都小儿希望得到压岁钱，就会戏谑地唱：

红萝卜，蜜蜜［min^{55} min^{55}］甜，看到看到要过年②。
大人吃饱三顿饭，娃娃要拿挂挂钱。

双流县白沙乡儿歌：

---

① 另有“通洞钱”。艾芜：《艾芜文集》（第2卷，四川人民出版社1984年版，第14页）：“清朝时候，兴使通洞钱，成百上千，使用索子穿起。”

② 旧时成都人将正月十六爬城墙“游百病”，称为“过厚脸皮年”。俗以为正月十五大年已过，还要继续过年，故名。冯家吉：《锦城竹枝词》（林孔翼：《成都竹枝词》，四川人民出版社1986年版，第86页）：“厚脸今朝百病游，红男绿女烂盈眸。大方天足行飞快，反觉金莲步步羞。”

拜年拜年，沟子屁股朝到外前。

不想你的腊鸡公，只想你的挂挂钱。

此外，人们还用"光铜"称"好钱"。用"蜞蚂""翘宝"指称"元宝"，盖因取其形似；用"老票子"称"国民党时期的钞票"，用"圆圆"[①] 称"金、银元"，用"卡子、卡房[②]、等等房[③]、二二三"称"拘留所"，用"猫儿笼"[④] 称"监狱"。这些说法如今也几乎听不见了。

这些变化在多数情况下，都是常用词语的民间说法被科学术语、普通话代替。类似的词语如下（见表6–13）：

表6–13　部分被科学术语、普通话代替的词语

词　语	释　义	词　语	释　义
手笼子	手套	雁鹅	大雁
老鸹［ua⁵⁵］[⑤]	乌鸦	鸦雀（子）	喜鹊
波丝	蜘蛛	雷蚣虫	蜈蚣
虼蚤子	跳蚤	檐老鼠儿	蝙蝠
		夜白鹤儿	
黄婆娘	蟑螂	虰虰猫儿	蜻蜓
		麻螂子	
偷油婆		羊咪咪	
		羊嘎虰虰儿	
亮火虫	萤火虫	鱼老鸹	鸬鹚

---

① 《蜀报》（1999年3月31日第5版）："他'炒'过邮票，收集过'老票子'（国民党时期的钞票）、打圆圆（倒卖金、银元）、卖表、卖药品。"
② 余永华等：《中国歌谣谚语集成·重庆市永川县卷》（内部资料本，1988年，第112页）："河边淹死会水匠，会打官司就怕坐卡房。"
③ 石昭辉：《"新生活运动"的风波》（《龙门阵》1986年第3期）："就这样，一官一卒，捉了两个'犯人'，关进了'等等房'。"
④ 傅正深：《一个十五岁少年所见的广汉起义》（《龙门阵》1986年第1期）："'违抗者关进"猫儿笼"，绝不姑宽！''猫儿笼'即监狱，这本是报更夫平常的一句口头禅，此刻人们听了也胆战心惊。"
⑤ 也说"老鸦"。筠连县等地传说鸦雀和老鸹为一娘所生，均拜凤凰为师。鸦雀勤快讨人喜欢，老鸹懒惰被人嫌弃。参见筠连县民间文学集成办公室《中国民间文学三套集成·筠连民间文学集成》（内部资料本），第2分册，1988年，第109~110页。

续表

词　语	释　义	词　语	释　义
雨　鞋	筒靴，分为"长、中、短"三种	太阳戴草帽儿	日晕
水（靴）鞋			
风　屑	头皮屑	月亮戴枷	月晕
风　癣			
鳌鱼翻身	地震	向耳葵	向日葵
		太阳花	
箍子①	戒指	吃整笼心肺	独吞
		吃整黄鳝	
舔肥屁股	拍马屁	栈　房	旅馆
舔肥沟子			
抱大脚杆			
歇　号②	住旅店	学　堂	学校
歇栈房		黉　门	

成都官话的"后［xəu⁵³］头"表示"里面"③，赵振铎认为是旗人的语言，④老成都人常常说，现在很多外地人也跟着学。岷江流域一带方言说"什么"为"嬢ᵉ邛崃、嬢些ᵉ夹江、嬢根儿⑤ᵉ大邑、乐山、嬢（儿）ᵉ西昌"，而三台说"啷个"，遂宁说"啷门"，威远说"啷子"，永川说"啷格"，合川说"啷概"，达州说"啷该"，渠县说"啷格子"，阆中说"啷凯"，龙泉驿说"啷块子"，涪陵说"啷么"，云阳、巫山、巫溪说"么子、么哩"，黔江说"哪样"，现在当地的年轻人都接受说"啥子"或"什么"了，向成都官话、重

---

① 也说"箍箍"。一指"戒指"。聂云岚等：《中国歌谣集成·重庆市卷》（科学技术文献出版社重庆分社1989年版，第542页）："他拜婆婆为干母，买些礼物来送奴。头回送奴两匹布，二回送奴金箍箍。"卢盛祥等：《中国民间文学集成四川卷·成都市东城区卷》（内部资料本，1989年，第417页）："丫头子端饭香一路，甑子都是银箍箍。长年穿的大绸裤，丫头儿戴的玛瑙珠。"二指"形状像戒指的东西"。成都谚语："黄桶再好，也要有个箍箍。"
② 彭贵华等：《中国民间故事集成·重庆市巴县卷》（下卷，内部资料本，1989年，第239页）："白大嫂开了一间栈房，一天晚黑，来了两个歇号的人，白大嫂问他们：'二位先生贵姓哪？'"贺大舜等：《中国民间故事集成·重庆市合川县卷》（内部资料本，1988年，第286页）："有一天，一个卖纸的人去歇号，走到栈房，伙计问他叫啥子名字，他说叫任黄。"
③ 陈浩东等：《成都民间文学集成》（四川人民出版社1991年版，第993页）："这方锅魁，面上一层又酥又脆，后头瓤子又软又绵又香又麻又不粘牙巴，吃过后有回味，硬是安逸！"
④ 参见邓英树、张一舟等《四川方言词汇研究》，中国社会科学出版社2010年版，第213页。
⑤ 也作"嬢各儿、嬢钩儿"。

庆官话乃至普通话靠拢。再如成都、邛崃、雅安等地，将"整理、收拾"说成"煞贴"，现在年轻人多说成"收拾、整理"；成都骂人"傻"为"瓜"，川东多说成"哈、憨、痴、莽"，川南西昌等地说成"□［ɕin²⁴］"，今许多巴蜀人也多说成"瓜"；"倾倒"，成都说为"倒"，中江、三台、南充说"空""耳"；"水烫"，成都说"烫"，双流、彭州说"滚"，重庆、中江说"瀬"，广安说"烧"，巴中、南江说"熬"；至于"机器水①、洋马儿②、洋油、洋铲、洋烟、洋灰③、洋房子④、洋火⑤、洋笔、洋灯影（儿）、洋碱⑥、（洋）胰子⑦、洋茄子⑧、洋槐⑨、洋裁缝、电火戏、电火器⑩、洋戏"，现年轻人多说"自来水、自行车、煤油或汽油、铲子、纸烟、水泥、楼房、火柴、铅笔、幻灯、肥皂、香皂、西红柿、刺槐、缝纫机、电影、电灯、

---

① 吴晓飞：《卖水人与"机器水"》（《龙门阵》1994年第3期）："听说这是要埋'机器水'主管道，就连我们院子也要通'机器水'。"经查《龙门阵》1994年第3期单行本与合订本，发现本文题目中的"卖"，原文目录作"买"，单行本封面作"卖"。
② 自行车。李劼人：《李劼人选集》（第3卷，四川人民出版社1981年版，第141页）："就象那些学生娃娃，你就再改好了，他还是不坐。为啥呢？是叽咕车，没有洋马儿漂亮！"
③ 李劼人：《李劼人选集》（第3卷，四川人民出版社1981年版，第60页）："本来是别墅，所以围墙之内就广种了些树，除了笔端一条洋灰走道外，全是树，全是永远长不高大的一些果树、花树。"
④ 也说"墩墩儿房子"。20世纪80年代初期，德阳人戏称城镇居民楼为"火柴盒"。参见陆泾怀等《德阳民俗》（内部资料本），1996年，第149页。
⑤ 此为"火柴"，也说"火草"。四川省中江县民间文学三套集成办公室：《中国民间文学集成·中江县资料集》（内部资料本，1988年，第269页）："你硬要买每根都划得燃的火草哟！"
⑥ 肥皂。达州称肥皂为"臭肥皂"，称香皂为"香肥皂"。
⑦ 李劼人：《李劼人选集》（第1卷，四川人民出版社1980年版，第213页）："近来最得用而又为全家离不得的，就是一般人尚少用的牙刷、牙膏、洋葛巾、洋胰子、花露水等日常小东西。"肖红英：《知青生活断忆》（何世平等：《蹉跎与崛起》，成都出版社1992年版，第42页）："唯一好处是每月可把全队人的定量肥皂买完，因为他们用不来'洋胰子'。"
⑧ 此为西红柿，双流县等地也说"洋海椒"。民国24年（1935）《古宋县志·食货志·物产·植物》："番茄，形圆，色红，俗呼为洋茄子，可充素馔之用。"
⑨ 民国21年（1932）《万源县志·食货门·物产》："洋槐，一名'灰杨'，此种近由实届自外购来。白花，结荚藏子，易长，十年可以合抱。"民国18年（1929）《合江县志·物产·植物类》："杨槐，高三四丈，颇易繁殖。叶密阴浓，甚饶风景，惟经秋则摇落。实夹长荚，熟时，子黑黄，可生长。"洋槐即杨槐，原产地在北美洲，清朝时传入中国，槐树包括两种：一为中国本来就有的槐树，即古籍中出现的槐树，是通常所说的"国槐"；另为洋槐，俗称"刺槐"。
⑩ 吴晓飞：《卖水人与"机器水"》（《龙门阵》1994年第3期）："不久，我们院里家家户户都安上了电灯。……有了'电火器'，路上掉根针都看得清楚。"

留声机";"不知道",广元称为"摸不倒",万源称为"找不倒",内江、城口称为"晓不得",南充称为"晓不倒",宜宾称为"清不倒",今许多人也说为"不晓得、知不道、不知道";"一块人""一泼人""一铺床""一窝树子""一匹山",今多说为"一个人""一群人""一间床""一株树子""一座山",尤其是年轻人。这些说法呈现出向省会城市成都或重庆靠拢的趋势。可见,巴蜀汉语方言词汇多以成都官话、重庆官话和普通话为整合标准。

3.某些方言词颇具特色的义项消失

旧语词的消亡是巴蜀汉语方言词语发展的一大趋势,此外,某些方言词的义项也开始消失,主要是固定的引申义、比喻义消失(见表6-14)。

表6-14 固定引申义、比喻义消失的部分词语

词 语	释 义	词 语	释 义
二簸簸①	①本事不大不小,既非顶能干而又不算糊涂的人。②喻指旧时转租土地,而自己不从事劳动的中小粮户	子曰铺②	私塾
社会病③	梅毒	苏二姐④	"士兵"的译音
码头病			

---

① 参见李劼人《李劼人选集》第4卷,四川人民出版社1984年版,第254页。
② 戏称"鸡婆学堂"。朱寄尧:《两松庵杂记》(《龙门阵》1982年第5辑):"那些私塾的老师们,不过是为了糊口而开设'子曰铺'的冬烘学究或读过几本四书五经的人而已。"陈世聪:《乡音》(《龙门阵》1989年第5期):"稍大点,快10岁了,我读完了外公办的'鸡婆学堂',离开了山区,去到农村市镇读小学。"
③ 杨文凯:《下里巴"女"》(《龙门阵》1983年第6辑):"这姑娘得的是'社会病',又叫'码头病',梅花攻心,无法药救。"
④ 前人:《成都竹枝词》(林孔翼:《成都竹枝词》,四川人民出版社1986年版,第108页):"相谈摩骨具先知,共道王家瞎子奇。底事反遭苏二姐,一摩摩得哭嘻嘻。"

续表一

词 语	释 义	词 语	释 义
三换	只能在收荒匠手中换花生、胡豆和烘笼的破旧东西	换煨①	营山等地农村人用小捆木柴换取城市人的粪便，一般是一两把柴换一挑②
跳端公	①跳神。②比喻装神弄鬼、耍手腕	跳乱坛	①胡乱跳神以糊弄人。②喻指做不固定的打杂的差事③
抵门杠④	①用来顶住门的粗大木棍 ②喻指骨干力量	转盘子	喻指手表
三转一响	①自行车、手表、缝纫机、录音机的简称。②喻指时髦高档家用品。③代指钱会的一种⑥	三呢一磅⑤	①人字呢、华达呢、灯草呢和一磅毛线的简称。②喻指高级衣料
永久牌	①一种品牌自行车。②喻指职业、收入稳定且对爱情、婚姻忠贞或扎根某单位之人	飞鸽牌	①一种品牌自行车。②喻指职业、收入不稳定且对爱情、婚姻不忠贞之人
解放牌	思想开朗、敢说敢做之人	数数	钱
		子弹⑦	
		话儿	
二吊五⑧	囚犯	（钢）手表⑨	手铐
		（大）罗马表	

---

① 参见营山县民间文学三套集成编写领导小组《中国民间文学集成·营山县资料集》（内部资料本），1987年，第354页。
② 成都地区则多用胡豆、豌豆及少量的蔬菜之类等换取，称之为"尿水胡豆儿、尿水豌豆儿"，统称为"尿水菜"。参见何韫若《锦城旧事竹枝词》，中国三峡出版社2000年版，第131页。
③ 李苏：《困兽就擒记》（《龙门阵》1984年第4辑）："他狗娘的周金鱼，上年下了老娘俩口子的通缉，弄得我那当家的腊月三十都跑出去'跳乱坛'。"
④ 巴蜀汉语方言还可称"女婿"。
⑤ 中华人民共和国成立初期，巴蜀农村流行的择婿标准一般是"三呢一磅，找个对象"。参见陈柏青等《崇州民俗志》，方志出版社2011年版，第102页。
⑥ 参见陈柏青等《崇州民俗志》，方志出版社2011年版，第102页。
⑦ 《蜀报》（1999年12月15日第10版）："哪想到古二娃的脸皮比城墙还厚，他嬉皮笑脸地对'采购'说：'本人子弹不多，专门吃个热火。'"
⑧ 因旧式镣铐是以两个大铁环套在手（或脚）上，其间用五个小铁环相连，故称。
⑨ 也指"西式手铐"。非文：《川渝口头禅》（第2卷，西南财经大学出版社2000年版，第207页）："上门女婿是外省来的'流窜犯'，刚把喜事办完捆，就遭公安局戴上了'钢手表'。"王奇：《十年风雨》（《龙门阵》1988年第5期）："看看押送我的那个'造反派'满脸得意的神色，再看看我手上戴着的'大罗马表'，我站了起来，尾随他走出了车站。"

续表二

词语	释义	词语	释义
打太极拳①	虚假客套，推诿	玻璃②	白开水
夜光皮鞋③	特指利用夜色出售的质量伪劣的皮鞋	打补丁儿④	临时替代
花生米⑤	"子弹"的戏称	算过街八字⑥	打探邻居间的生活琐屑之事
忍气汤 和气汤⑦	茶水	二十响 介绍信⑧ 和气草⑨	香烟
地雷⑩ 手榴弹⑪	酒	剪剪妹	打草鞋所用剪刀

---

① 崔显昌：《旧蓉城茶馆素描》（《龙门阵》1982年第6辑）："二是把票子捏得挷紧，口在喊'这儿拿去'，手却在挽圈圈，这也是假招呼，叫'打太极拳'。"

② 崔显昌：《旧蓉城茶馆素描》（《龙门阵》1982年第6辑）："堂上的白开水有几个雅称：一曰'银汤'，一曰'玻璃'，一曰'空碗'。"

③ 殷明辉：《卖'夜光皮鞋'的年轻人》（《龙门阵》1993年第3期）："假如路灯熄灭，街上行人多了，该产品便容易'漏黄'，不仅难于出手且要遇着麻烦。所以，他们便戏谑地把这个玩意儿称为'夜光皮鞋'。"

④ 崔显昌：《旧蓉城茶馆素描》（《龙门阵》1982年第6辑）："一是给堂上、瓮子上打打下手，必要时打打补钉，即短时间内当当堂倌或瓮子匠。"

⑤ 余清超：《特等功臣彭富礼》（《四川群众》1954年第4本）："你死到临头还抖啥子威风，老子送你颗'花生米'，管叫你倒在地上一辈子爬不起。"文编工：《长舌可怖》（《龙门阵》1982年第6辑）："谁愿意无端吃一颗斜刺里飞来的不要钱却赔命的'花生米'呢。"

⑥ 邯郸学：《记一个斋姑娘的一生》（《龙门阵》1983年第2辑）："但冷场天，人们闲着没事，老街坊、老邻居，茶馆里一坐，爱说李家长、张家短，挨家排户地'算过街八字'。"

⑦ 游翔等：《中国民间文学集成·四川奉节县卷》（上册，内部资料本，1989年，第323页）："（员外）把茶端起说：'这是和气汤。'"

⑧ 香烟。殷明辉：《罗编师》（《龙门阵》1993年第1期）："过去说的烟是和气草，茶是忍气汤，现在又发展了，叫做'烟是介绍信，酒是手榴弹'。"张建蓉等：《四川戏剧小品集选》（内部资料本，1997年，第118页）："（示钱）这个是你马先生的一支二十响、两颗手榴弹加地雷的代用符号！"

⑨ 郑茂泉：《中国民间文学集成·安县资料集》（内部资料本，1987年，第342页）："一片烟来两头尖，掐了两头吃中间。这烟本是和气草，支人待客它为先。"于和荣：《烟乡民俗珍闻》（《龙门阵》1996年第1期）："烟是和气草，大事小事化得了。"

⑩ 地雷：也可指"粪便"。《重庆晚报》（2001年7月31日第2版）："最可恶的是狗儿让人担惊受怕，乱埋地雷。"

⑪ 瓶装酒。宋发清：《扭曲与复归——文革中的操哥现象》（成都出版社1992年版，第53页）："生就喝跟斗儿酒的命，就不要天天想着提手榴弹！"熊炬：《软卧奇遇》（《龙门阵》1989年第6期）："有些生意人，小家办事，只晓得送礼，打不开门，就拿茅台、五粮液这些手榴弹去炸。"

续表三

词语	释义	词语	释义
棒棒哥	打草鞋的工具，多为一尺长短的一节硬木	弯弯哥①	编制草鞋的人字形工具，编时将草鞋鼻子套在人字顶端，再在人字下两端各系一根活绊绳，便于操作
翘鼻子		腰 弯	
挨膵头②		挨夹食（伤寒）③	
挨门闯④		扡 皮⑤	磨洋工
满门闯			
箩 筛⑥	用于筛面粉的筛子，多以铜丝做筛底	灶鸡子⑦	①蟋蟀。②喻指调皮捣蛋的小男孩
收圆儿⑧	娶儿媳	打发女	嫁女

---

① 陈浩东等：《成都民间文学集成》（四川人民出版社1991年版，第1120页）："从前，有个草鞋妈妈，岁数很大了，一个人天天打草鞋。她腰缠弯弯哥，手摸棒棒哥，统着剪剪妹。"参见何韫若《锦城旧事竹枝词》，中国三峡出版社2000年版，第142页。

② "挨膵头"隐含"被宰杀"之义，故喻指"受欺骗"。宋发清：《扭曲与复归——文革中的操哥现象》（成都出版社1992年版，第180页）："茶兄好谈茶，用钱又大方，开茶钱的义务便经常性地落到他身上。起初，他还自以为豪爽，久而久之，便发觉有人专门混在兄弟伙中白喝别人，一种'挨槽［膵］头'的失落感油然而生。"憬晗：《商界流星俞凤岗》（《龙门阵》1988年第6期）："而这一下就要'常义兴'号拿出四万银元，这陕西老板哪里愿挨这么大个'槽［膵］头'？心一横，拖起不盯。"

③ 也说"挨夹食子"，由同时得了停食症和伤寒病，而引申为"夹杂在是非之中受气，受冤枉"。宋发清：《扭曲与复归——文革中的操哥现象》（成都出版社1992年版，第150页）："截车售酒后，钱兄在好几天中都得意洋洋，以为这一招不亚于李自成开仓赈饥，却万万没有料到挨了夹食伤寒。"

④ 此为对"乞丐"的戏称。洪虹：《吉利话》（《四川群众》1954年第8本）："第二天上午到了城里，又遇上一群讨口的。……他们是干啥的？……挨门闯，挨门闯。你两个二天也要跟他们一样！"不给钱吃饭之人也说为"南翁"。谭明理口述，刘彦邦整理：《锦城话旧——祠堂街的吃》（《龙门阵》1994年第2期）："'南翁'多是衣衫褴褛的'叫化子'，饿极了，只好厚起脸皮进店混食。"对他们的惩罚是顶上板凳，跪在店门口，直至有好心人替其付款方可起来。

⑤ 小凡：《头一天》（《群众文艺》，重庆人民出版社1956年1月号）："你们不要用一个眼睛来看人，我姓何的，不会给合作社搞他两天，就拖三天的皮。"

⑥ 流沙河：《金牛和铁牛》（《四川群众》1954年第4本）："我爹那件穿了二十年的烂棉袄，满是大洞小眼，活像一张箩筛，穿不穿都是一样。"

⑦ 都江堰童谣："黄蟮死了一根柴，蜞蚂爬倒不起来。虾子公公来吊孝，螃蟹背板上门来。虹虹猫儿（蜻蜓）去相帮，花蛾蛾（蝴蝶）上街去买菜。灶鸡子（蟋蟀）来把道场做，蚂蚁子就要拉去埋。泥鳅赶忙来打洞，螺蛳哭得嘴歪歪。"

⑧ 也说"交待儿、金圆儿"。娶儿媳。合川县民间文学集成编辑委员会：《中国民间故事集成·重庆市合川县卷》（内部资料本，1988年，第343页）："（陈百顺）想了这样想那样，大女隔一年把要交待。二女也是半超人了。幺落宝儿还在读小学，这一摊子，我一个人来啷个收拾啥！"也说"收圆儿"。艾芜：《艾芜文集》（第3卷，四川人民出版社1984年版，第153页）："做喜事，我还有不晓得的！相帮哪回得到我。他们收圆儿打发女，总要在下半年去了。"

续表四

词语	释义	词语	释义
墨盘①	砚台	白墨②	粉笔
睁眼瞎(子)③	①眼疾的一种，即空有双眼但看不见东西。②喻指空有双眼而不识字之人	(眼睛)搬不得家④	不具备迁移能力
打(水)漂漂⑤	儿童游戏，把小石片等沿水平方向用力掷出，使其贴着水面连续跳跃前进，以远者胜	放烂药⑥	

---

① 艾芜：《艾芜文集》（第8卷，四川文艺出版社1989年版，第345页）："哼，小伙子，你不是卖嘴巴的么？请问你，哪个卖嘴巴不说谎？……我还有药，他喃，墨盘，乌龟壳。……你呢，哼，不就是一张嘴巴，再加两根刮屎片么？"聂云岚等：《中国歌谣集成·重庆市卷》（科学技术文献出版社重庆分社1989年版，第405页）："远看小姣白又白，你是墨盘我是墨，墨儿放在墨盘上，问你挨得挨不得。"挨：谐音"礳"。

② 李劼人：《李劼人选集》（第2卷，四川人民出版社1980年版，第1475页）："教务长毫不理会，拿起白墨便写。"

③ 沙汀等：《四川十人短篇小说选》（四川人民出版社1978年版，第121页）："原来是一张红色油光纸，上面印许多字，我是个睁眼瞎子，一个字也不认得。"也说"黑眼窝（儿）"。克非：《春潮急》（上海人民出版社1974年版，第544页）："我和老杜都是黑眼窝儿，不识得字，没写申情书。就让我口里说，你记下吧。"罗清和：《方脑壳传奇》（伊犁人民出版社2000年版，第548页）："哪晓得炮耳朵是黑眼窝，他把名片倒起看了半天，又退给了贾丸药，说那个劳什子不晓得是啥东西，关不到银子买不到米，没球得用。"

④ 也说"眼睛搬不倒家"，喻指"认字能力不强，不能举一反三"。唐枢、林枭：《蜀籁》（四川人民出版社1962年版，第294页）："眼睛搬不得家。"其否定式为"眼睛搬不得家"。其反义词为"眼睛搬得（倒）家"。合川县民间文学集成编辑委员会：《中国民间故事集成·重庆市合川县卷》（内部资料本，1988年，第475页）："读了两三年书了，才认得到这么个字，还说眼睛搬得家！"

⑤ 非文：《川渝口头禅》（第1册，西南财经大学出版社2000年版，第157页）："儿时玩过'打漂漂'的游戏：站在河边，甩出小片瓦块或片状石块，使之擦着水面跳跃飞行，用力越大跳的个数越多，煞是好看。"罗清和：《方脑壳传奇》（伊犁人民出版社2000年版，第403页）："他都不怕别人笑他当方脑壳，你我用几百元打水漂漂，进公司去当经理，至少可以利用那个舞台在实践中检验自己的才能。"

⑥ 此词有两义：一指"背后说人坏话"。田苗：《警察兵打法院》（《巴蜀风》1996年第1期）："听这一说大家就都蔫了气，绿眉绿眼不作声，薛附臣气得瞪眼：'戴警长，我没得罪过你哟，兴来放烂药哩！'"也说"下烂药"。又："因驱逐吴俊生时戴和二刘都很好，出了大力，不会背后下烂药来坏二刘家人的名声。"二指"出坏主意"。艾芜：《艾芜文集》（第6卷，四川文艺出版社1986年版，第183页）："老四，你这家伙，看着都要了，你又来放烂药！这样你默到帮了你二娘的忙么？帮了倒忙！"沙汀：《淘金记》（人民文学出版社1962年版，第124页）："'你又在下烂药了！'彭胖说，忽然丢心落意地笑了。"

续表五

词 语	释 义	词 语	释 义
敷汤药①	伤了人赔偿医药费	扯拗拐②	
扯怪叫③	故意捣蛋	听战国的④	旧时站在场外免费听说书艺人讲书的观众
洗干澡⑤	在拥挤的人群中扎堆	下楼⑥	下台

现在表中词语用得较少了，常常被普通话词语代替。

又如巴蜀幼儿摔跤或碰伤后，皮肤上起紫青色的包块时，大人边给他轻揉，边念"妈妈妈妈看看，包包包包散散"，称为"揉包包散"，后引申为"使大事化小"。该词的引申义近年来也被"大事化小，小事化了"代替了。而"研（墨）[ŋai²¹me²¹]"除了指"磨墨"外，巴蜀汉语方言常用作骂人语。随着毛笔的使用机会减少，加上这个词被新派读成了[ian²¹ mo²¹]，从而逐渐失掉了骂人语的成分。⑦而成都官话表示"遭受"义的"挨"和"抬油"

---

① 陈浩东等：《成都民间文学集成》（四川人民出版社1991年版，第2045页）："王大娘，你的狗儿咬倒我了，敷汤药！"罗清和：《方脑壳传奇》（伊犁人民出版社2000年版，第60页）："罗汉明知她说这话的目的是想要自己给太婆敷汤药的钱，内心不服，指着太婆对那妇女说道：'你叫太婆自己摸着良心说，到底是不是我撞倒她的。'"
② 克非：《春潮急》（上海人民出版社1974年版，第720页）："前些日子，你总疑神疑鬼，怪我把孟二胡子当王牌储备起来，等你扯拗拐时好挟制你。"
③ "叫"也作"教"。沙汀：《还乡记》〔文化生活出版社民国37年（1948）版，第60页〕："杂种，就是这样爱扯怪教！"克非：《春潮急》（上海人民出版社1974年版，第227页）："你怎么不晓得哇？你少扯怪教，我清楚！那两亩田土改评的产量是六石四斗，按人民政府规定的政策：鳏寡孤独缺乏耕作能力的人的田土出租，应三五交租。"陈浩东等：《成都民间文学集成》（四川人民出版社1991年版，第1074页）："马岭寺内的长老和尚收了一个徒弟，名叫法生。法生进庙后，经常与师父扯怪教。"另说为"踩怪叫"或"踩拐脚"为轿行用语，指抬工步伐不协调。参见何满子《"踩拐脚"的语源絮谈》，载《龙门阵》1987年第1期。
④ 罗子齐、蒋守文：《"文状元"智服赵尔丰——评书艺人钟晓帆趣闻》（《龙门阵》1994年第4期）："另有一些人则不进入茶馆，在外面站着听，到收费时便纷纷离去，这样既听了书却又不付书资。因'站'与'战'同音，故这部分听众便被称为听'战国'的。"
⑤ 李劼人：《李劼人选集》（第2卷，四川人民出版社1980年版，第115页）："若在十年前，叫他去挤戏场，洗干澡，绝对没话说；何况还在戏园子里，舒舒服服坐在椅子上，端着茶碗，旋吃旋看？"
⑥ 廖上柯：《蓉城市招拾趣》（《龙门阵》1987年第4期）："解放以后，老板们为了那一块招牌，多次交代与书写人之关系，都下不了楼，又悔不送了。"
⑦ "研（墨）[ŋai²¹（me²¹）]"之"研"，成都等地方言说为"礠"，俗作"挨"，故可为"挨述"之省语。

一词，因谐音"挨述男阴"，故作为成都隐语。① 在20世纪80年代以前，使用频率很高，但随着生活方式的变化，买卖油均不用再抬，也逐渐失掉了骂人语的成分。

巴蜀人尤其是农村人非常好客，每逢客至，主人便会"煮上一碗开水"，不明就里的人往往发出"开水何以要煮"的疑问。其实，这里的"开水"专指荷包蛋或醪糟儿蛋。如果因时间关系或其他因素而没有来得及煮开水，主人便会十分抱歉地说："真不好意思，连开水都没有吃一口就走了。"如今，了解"开水"的这层含义的人也越来越少了。

（二）新词的产生

新词的产生在任何时代都是词汇发展变化的普遍现象，巴蜀汉语方言也不例外。其产生的原因大致有以下两种：

1.新事物、新现象、新概念导致新方言词语的产生

随着社会的发展，新事物、新现象、新概念层出不穷，新的方言词语也应运而生。如清末、民国、抗战时期、"大跃进"时期及"文化大革命"期间产生了不少新词语（见表6-15）。

表6-15　清末以来新产生的部分方言词语

文明鞋②	耍狗蝇③	抗日酱油④	抗日牌蚊烟

---

① 老成都人在吵架时，若对方说出"挨（述）"一词，则被骂方一般会回敬一句："抬油嘛东大街。"疑为因旧时老成都居民聚居的成都市东大街附近有著名的菜油集散地"油篓街"得名。

② 李劼人：《李劼人选集》（第2卷，四川人民出版社1980年版，第70页）："太太正换好了一双鞋口上绽须子的文明鞋。"

③ （清）六对山人：《锦城竹枝词》（林孔翼：《成都竹枝词》，四川人民出版社1986年版，第57~58页）："耍狗蝇藏黄鳝尾，大毛辫贴太阳膏。醉归舍屋嫖包月，闲约窝家赌烫毛。"自注："俗指泼皮为耍狗蝇，似本前人'狗苟蝇营'语意，腰下暗藏小尖刀，名黄鳝尾。又浓发少年与龙阳等者，名大毛辫子娃娃，两鬓旁用红缎剪膏药如围棋子大，贴以助媚，谓之太阳膏。呼妓为舍屋。包月亦俗语。诱人局赌名烫毛。"

④ 钟冲：《英雄崛起　啼笑皆非——饭铺掌柜陈兴泰奇遇》（《龙门阵》1983年第3辑）："现在时兴抗日，连二仙庵出的蚊烟也改名'抗日牌蚊烟'，胡大爷太和老号的酱油，也要改名'抗日酱油'。"

续表

局　面①	虎列拉②	警报鞋③	豆脚公爷④
二水公爷⑤	盐巴公爷⑥	觋　神⑦	照半身相⑧
烂友儿⑨	翘宝脸巴儿	耍头儿⑩	翘辫子⑪
和二流	赖时猴儿	囚皮汉儿	翻山镜⑫
烂仗（娃儿）	扯　师	腿　师	嘴　子
胀头子	杂　皮	天棒（捶儿）	修补地球的⑬
天仓坝信箱135车间⑭	烂杆儿	烧烂烟的⑮	水烟客

---

① 李劼人：《李劼人选集》（第2卷，四川人民出版社1980年版，第72页）："偏不出去，为什么打扮得这么局面？"自注："局面，即齐整，即漂亮的意思，在清朝末年，这个词颇为流行，现在只偶尔使用一下。"

② 焦克明：《一页渐被忘怀的历史——针灸在成都侧记》（《龙门阵》1993年第1期）："因为霍乱又叫'虎列拉'，所以一时间成都谈'虎'色变。"

③ 多指男性所穿结带操鞋，女性所穿后跟接绊至脚颈的平地便鞋，因抗战期间常有日机空袭警报，故名。

④ 前人：《成都竹枝词》（林孔翼：《成都竹枝词》，四川人民出版社1986年版，第123页）："朝朝酒地与花天，豆脚公爷到处溅。借问何来如此阔？他家请好老长年。"

⑤ 李劼人：《李劼人选集》（第4卷，四川人民出版社1984年版，第137页）："最可恨的，就是那些驮米的瘦马，被一般二水公爷骑着，一颠一蹶，跑来跑去。"

⑥ 徐式文：《虫精县长升官记》（《龙门阵》1989年第1期）："这罗六千娇百媚，一到自流井，就倾倒了不少的'盐巴公爷'。"

⑦ "觋"也作"觲"。巴金：《巴金选集》（第1卷，四川人民出版社1982年版，第232页）："刚才我到学堂来，一路上被一些学生同流氓、觋神跟着。"原注："觋神，即一些专门调戏妇女的年轻人。"旧时重庆的一些通衢大街上树立有惩治觋神的石条，称为"觋神桩"。南溪县等地流传《众神怕妥［觋］神》的民间故事。参见王代炳等《中国民间文学集成·南溪县卷》，内部资料本，1988年，第377~379页。

⑧ 沙汀：《沙汀选集》（第3卷，四川人民出版社1984年版，第285页）："'你们这里也兴照半身相？'方白懂得照半身相就是罚跪的别致称谓，他略带惊异问道。"

⑨ "友"也作"眼"。李劼人：《李劼人选集》（第2卷，四川人民出版社1980年版，第1602页）："来的若是街坊上的滥友儿，那就莫说头。叫他们爬开！"

⑩ 罗俊林等：《骗总爷》（四川人民出版社1980年版，第30页）："嫁个男人叫耍头儿，不务正业，游手好闲，学会了砸捧勾挂，招摇撞骗，呈头钱也用煞搁了，他还不打主意。"

⑪ 此为"死亡"义。

⑫ 一种能穿过山透视的望远镜。陈仲质：《"日白"匠》（《龙门阵》1989年第5期）："嘿，这个'翻山镜'硬是安逸，龙家山的茅草都看得清楚。只是没有看到地下的宝物。"

⑬ "农民"的雅称。

⑭ 对每天挣1.35元钱的临时工的戏称。天仓坝：露天的平地。20世纪五六十年代，四川国防工矿等因保密需要，多以某某信箱称呼。参见殷明辉《剪影艺人张眼镜》，载《龙门阵》1992年第1期。

⑮ 此为对吸毒者的蔑称。

这种现象在近半个多世纪以来，尤其是改革开放以后更为显著。又如：

（臭）坤

在成都官话中本指"摆资格，讲排场地享受"。后产生出"坤哥"一词。这些所谓的"坤哥"，其实是社会上的混混，绝大多数没有真本事，相反，不少人还见识浅陋：

啊B，寄居蓉城五年有余，一直在餐饮行业"混"。有人称呼他"老板"，是因为，他常常"臭坤"。但多数人都叫他"弯脚杆"。（《商务早报》1999年3月26日第C4版）

勾兑

此为酿酒行业用语，简单说来就是白酒刚造出来以后，不同酒窖出的酒，味道是不一样的，需要靠勾兑统一口味，去除杂质，协调香味。而勾兑也不是简简单单地向酒里掺水，而是包括了不同基础酒的组合和调味，是平衡酒体，使之保持独有风格的专门技术。在巴蜀汉语方言中，它又表示通过一定手段达成某种交易。如"请客送礼、谈情说爱、调解纠纷"，乃至"勾勾搭搭"等，均可称为"勾兑"。大概因为拉关系、达成交易总离不开酒，使"勾兑"的常用义发生了转移，后又因粉碎机、搅拌机，产生出"搅拌"一词，表达做某些只可意会，不可言传的事情：

搞醒豁没有哦，李四哥，现在都啥时候了，你那点礼物还在"勾兑"，人家早就轰隆隆地"搅拌"了。（冉云飞：《成都新八景》，载《龙门阵》1995年第1期）

民国初年，将行为端正而有些迂腐、固执的人称为"方先生""走方格格路的"①，20世纪六七十年代却称为"操正步的"。

将人打得不成人形，20世纪五六十年代以前多说"打成糍粑、打成筛

---

① 李劼人：《李劼人选集》（第3卷，四川人民出版社1981年版，第160页）："你是个方先生，她们都曾经向你漏过口风，希望你先提出来说的，你却走的是方格格路：成都的风气，从没有女家先向男家开口的，所以她们才商量了好久，特为喊我去讲明白。"

筛①、打成龟背"②，20世纪七八十年代多说"打成蜂窝煤、打成变形金刚"，近些年来则多说"打成熊猫儿"③。形容两人关系很铁，以前多说"拜把子兄弟、同年姊妹、拈香姊妹、你哥子、我兄弟、鸭子脚板儿、打成死疙瘩（儿）、打成捆子④、捆把把柴⑤、影子、齿轮（儿）⑥、搅家"，现在多说"铁杆儿、铁哥们儿、闺蜜、死党"。

又如交通工具，最早的是"烧骨油"的"11号车（子）"⑦，以及使用人

---

① 憨唅：《沉渣的泛起》（《龙门阵》1987年第6期）："这人顿时被子弹打成筛筛，成了尧大哥的替死鬼。"
② 指挨打的人被打得护住两肋，弓起后背，直不起腰。憨唅：《沉渣的泛起》（《龙门阵》1987年第6期）："好几个兄弟伙迅速抽出匕首，随手戳去。这正好应了操哥们提劲时的两句话：打成龟背，戳成筛筛。"
③ 也说"弄成熊猫"。《华西都市报》（1999年11月3日第3版）："你瓜婆娘等到，等老子中了头彩，喊几个丘儿把你弄成熊猫！"《商务早报》（1999年12月15日第C2版）："我拱到人堆里，见地上跪着个干部模样的中年人，手膀膀遭反扭成鸡翅膀，一张脸早被打成了熊猫脸。"
④ 此语意为"结成团伙"，也说"打成捆捆、捆成把把、挽住一坨"。卢盛祥等：《中国民间文学集成四川卷·成都市东城区卷》（内部资料本，1989年，第218页）："曹操想，刘关张桃园结义打成捆子对他称霸不利，就打条戳烂他们的手足之情。"宋发清：《扭曲与复归——文革中的操哥现象》（成都出版社1992年版，第233页）："两人既已动情，便都不计前嫌，声称就是海枯石烂也要'拴成把把，打成捆捆'，终身厮守。"
⑤ 四川省云阳县云阳镇人民政府：《云阳镇志》（内部资料本，1989年，第301页）："以至人们都以占帮派为荣，以麻羊子（未入帮派的人）为耻，连青年学生也'捆把把柴'。"章玉钧等：《川剧文化研究》（四川人民出版社2007年版，第349页）："什么叫捆把把柴？……结成弟兄，别人打我你帮忙，别人打你我帮忙。"
⑥ 《成都晚报》（2002年11月13日第10版）："市民梁秀怡和董刚于今年10月28日结婚。晚上婚宴散席后，一帮'齿轮'朋友非要闹洞房不可。"
⑦ 成都人戏称步行为"拌脚板儿（劲）、甩连二杆、甩火腿、坐11号车（子）、烧骨油"。安知：《知青沉浮录》（四川人民出版社1988年版，第152页）："偶尔进城去和已在县农机厂工作的扯师摆摆龙门阵，来回就要甩一百多里的连二杆。"《商务早报》（1999年11月13日第C2版）："弯脚杆又咋了？老子是坐车坐弯的！你的脚杆打得伸，还不是甩火腿甩伸的嘛！"又《商务早报》（1999年12月16日第C2版）："并且本车不烧汽油，只烧骨油，所以不会遇到汽油涨价的风险。"邯郸学：《记一个斋姑娘的一生》（《龙门阵》1983年第2辑）："我家去南充110里，那时没有公路，来去学校，全靠开动自己的'十一号车'。"《华西都市报》（1997年3月2日第14版）："你妈是厂里最节约的人，没兴月票报销时，上下班硬是要踔［拌］个把小时的脚板劲。"

力的"鸡公车、架架车①、坦克车②、梆梆车③、黄包车"等。民国时期出现"木炭车④、乌龟壳壳车小轿车"。20世纪70年代,出现了一种烧柴油的简易三轮手扶式拖拉机"砰砰车",这种车只有前进挡,无倒挡,人们形象地称之为"永向前"⑤。公交车出现后,农村人称城镇公交车为"街车",乡村长途客车为"班车"。出租车出现后,城镇人称出租车为"租儿",非正规出租车称"野租儿"。而20世纪八九十年代,又相继出现了"拖板儿鞋⑥、小四轮儿、微微儿车⑦、拓拓儿⑧、面疙瘩⑨、黄笆笼⑩、绿苍蝇儿⑪"等。先是成都街头出现"偏三轮儿"自行车,常常是丈夫骑着妻儿坐着出门上街的交通工具,俗称"炮耳朵⑫(车)"。后来炮耳朵(车)经常被用作载客的工具,成都人仿照称出租车为"的"的说法,而把载客的偏三轮称为"炮的"。再到后来,偏三轮被摩托车代替,后又把用来营运的摩托称为"摩的",乘坐

---

① 也说"板板车"。拉此车的力夫聚集的行会称为"板板行",也称为"滚滚儿行"。成都民谣:"七十二行,板板车为王。颈项拉细,脚杆拉长。"
② 旧时成都用于运送粪便的胶皮轮子班车,其上多安放一个椭圆形的大木桶,形似坦克,故名。
③ 旧时以敲击竹梆为喇叭的车辆。
④ 冯叔灿:《吊尸岩的悲剧》(《龙门阵》1984年第4辑):"石天柱就在一家私营公司开着一辆七拼八凑的木炭炉子客车。木炭车,就是不用昂贵的汽油,而用木炭代替动力的一种汽车。"参见何韫若《锦城旧事竹枝词》,中国三峡出版社2000年版,第260~261页。
⑤ 因其发动机轰鸣声极大且车头镶嵌有"永向前"三个大字,故名。流沙河:《文人拉车记》(《龙门阵》1995年第1期):"在故乡12年,眼看架车没落,最后消亡。先是故乡的架车队购置了砰砰车,后来换成载重汽车。"也说"嘣(也作'蹦')嘣车、抱鸡婆车",后泛指柴油小三轮货车。张仁霖:《银疙瘩发财记》(《龙门阵》1989年第2期):"我们大队几个知青搭乘公社的'蹦蹦车'去县城看电影。谁知道大家兴高采烈爬上车,'蹦蹦车'却整死发不燃……当'蹦蹦车''蹦蹦蹦'地叫起来的时候,大家一片欢呼。"《蜀报》(1999年7月15日第6版):"有人提议上高速公路撑一下,唐五哥气鼓气胀地说:'都一个钟头了,他就是坐着抱鸡婆,也已经拢了内江,撑鬼大爷啊?'"马骥:《散打笑星抽底火》(四川文艺出版社2004年版,第291页):"走路飞快……就像开飞车的港手,见人就超——永向前!"
⑥ 一种平头小货车,形似拖鞋。
⑦ 微型货车,简称"微车"。
⑧ 此即奥拓牌小汽车,戏称"奥奔"。马骥:《散打笑星抽底火》(四川文艺出版社2004年版,第105页):"什么时候开'奥奔'接您回家家?"
⑨ 今南江人称多用于乡村载客的面包车。
⑩ 今成都市蒲江县称多用于乡村载客的面包车,因其上部漆为黄色,故名。
⑪ 今成都市彭州市称多用于乡村载客的"金杯牌"面包车,因其下部漆为绿色,故名。
⑫ 炮耳朵:怕老婆的人。

"𤆵的""摩的"称"打𤆵的""打摩的"。现在,甚至把坐飞机称为"打飞的"。

自行车是舶来品,巴蜀汉语方言称为"洋马儿、洋马车"①,骑自行车戏称"滚铁环"。现多说成普通话词"自行车"。20世纪八九十年代,成都出现了电动自行车。因最早的电动车是在普通自行车上装电瓶而成,故称"电马儿"。尽管今天的电动车已跟自行车很不一样了,但仍称"电马儿"。然而受广告和传媒的影响,"电瓶车"的说法也渐渐为大家所接受。类似的情况还有"洋油、洋火"②、洋碱、胰子、电棒"分别被"煤油、火柴、肥皂、香皂、电筒"代替。在达州地区,香皂还有一个说法即"香肥皂",而重庆地区则称为"香胰子",西充称为"胰子碱"③,可视为"胰子"至"香皂"的过渡词语。④

成都谚语说"歪戴帽子斜穿衣,长大不是好东西""歪不歪,看鞋鞋;恶不恶,看脑壳""干虾儿提劲,光头儿亡命""脚下无鞋周身穷"。随着社会的发展,巴蜀人的衣着服饰,也发生了很大变化,反映出鲜明的地方特色和时代特征:

> 农工子弟安于朴陋,搢绅之家亦不尚文饰。除应穿袍褂,间或绸缎而外,寻常皆大布衫(俗称"毛蓝白定")、青布褂,一体朴素。袍褂亦取颜色老到,式样庄重,无各样新艳夺目之色、奇巧特异之式。或有好尚巧艳者,乡里疏而远之,不与同坐。〔光绪三十二年(1906)《越巂厅全志·风俗志》〕

---

① 崇州儿歌"洋马车,叮叮当,考上(上面)坐个死瘟丧;洋马车,滚滚圆,考上坐个洋时盘"可证。20世纪六七十年代,成都人称新自行车为"崭凳儿",称破烂不堪的自行车为"国民党车子、垮杆儿车子、烂朽杆儿车子、烂垮垮车子",因为时人开玩笑时常说这种破车"除了铃铛不响,周身都在响"。
② 洋火:也称"自来火"。光绪末年《江北厅乡土志·物产》:"松,本境多有,可作木料。近年火柴厂须松木造签,蘸药成自来火,其用尤宏。"
③ 吕峰等:《中国民间文学集成·四川省西充县资料卷》(内部资料本,1987年,第377~378页):"大嫂为啥不梳头,没得桂花油。大嫂为啥不洗脸?没有胰子碱。"
④ 类似的过渡词语还有:成都崇州称自行车为"洋马车",达州称苍蝇为"苍蚊子",成都蒲江称妻子的母亲为"岳母娘"。这些词语的组合方式应出现较早,如"宝器"与"瓜瓜"中部分语素组成的"瓜宝器"一词。另有"瓜莽子",应为"莽子"与"瓜娃子"中部分语素组合而成。

可见在清代，巴蜀人的穿着，还深刻地反映其"食古不化"的思想观念。而至民国时期，有钱人家"白绸衫子、缎子鞋、毛皮衫子、毛皮鞋"，穷苦人家只得"粗布衫子、粗布鞋"。偶有各种短装、夹克、中山装出现，但富者主要是穿长衫，着马褂；并由中式裤，到西式裤，从穿双梁盘云缎子鞋，到轻便朝元鞋、皮鞋，雨天穿钉鞋；从戴瓜皮帽①，到宽舷呢帽，有的免冠露发。而贫者则着短衫，拴围腰，多数人赤脚，有的穿草鞋，头缠白帕或青帕，极少数包红帕。

改革开放初，巴蜀地区出现了一个新词"业余华侨"，当时国门初开，一些前卫时尚者模仿归国的华侨装束，身着花衬衣、大裤腿，佩戴蛤蟆镜。对于这样打扮的人，人们奉送一个雅号——"业余华侨"②。

旧时巴蜀地区以农耕为主，工业很不发达。③普通百姓粗布衣衫，粗茶淡饭。随着社会的发展，巴蜀人衣着、穿戴、打扮发生了很大变化，也衍生了许多新的方言词（见表6–16、表6–17、表6–18、表6–19）。

表6–16　部分有关穿着打扮的新词语

词　语	词　语
大滚镶④	（长）绖绖⑤
偏绖（绖）⑥	双绖（绖）⑦

---

① 瓜皮帽：可分为"平顶、穹顶、四六镶制"等。
② 参见邓英树、张一舟等《四川方言词汇研究》，中国社会科学出版社2010年版，第104页。
③ 民国时期，西南重镇成都市工业仅有"三根半烟囱"。
④ （清）刘省三：《跻春台》（江苏古籍出版社1993年版，第163页）："那一日山坡去打望，见一妇生得甚展扬。论年纪二十五六上，虽布衣却是大滚镶。"
⑤ 聂云岚等：《中国歌谣集成·重庆市卷》（科学技术文献出版社重庆分社1989年版，第62页）："鬏鬏妹么绖绖妹哎，拉起拢来配一对哟。"又（第612页）："爪爪抓住长绖绖，原来是个光和尚。"
⑥ 清代儿童的辫子太短小，多偏在脖子一旁，故名。也喻指"孩童时代就要好的朋友"。重庆市江北区民间文学集成编辑委员会：《中国民间故事集成·重庆市江北区卷》（内部资料本，1987年，第68页）："黑了歌号的阵，又碰到个偏绖朋友，听到说他没撑到自己的船、饭、号钱都帮他开了。"陈培德等：《中国歌谣谚语集成·重庆市璧山县卷》（内部资料本，1987年，第45页）："好个小伙不唱歌，绖绖拖齐后颈窝。站起象个人熊样，卫（[ku⁵⁵]，蹲，应作'跍'）起象个鬼灯哥。"
⑦ 合川县民间文学集成编辑委员会：《中国歌谣谚语集成·重庆市合川县卷》（内部资料本，1987年，第180页）："大河涨水水冒沙，那位大姐梳头发。梳子梳了篦子篦，头绳扎个双搭搭[绖绖]。"

续表一

词 语	词 语
縠縠	汗帕子①
诸葛孝　诸葛巾	锅圈②
六瓣小帽	三把抓（裤子）
成都样③	礼服袍
马　褂	卧龙袋
军机坎	背　身
云　头	条　镶
文武条	半　镶

---

① 戏称为"抹桌帕"。作为服饰习俗，巴蜀至今犹存，有白色、黑色、蓝色和红色，另有青丝帕子，多为偏远地区年长者所用。成都市都江堰地区有的将头帕折成方形顶在头上的，称为"首幅儿"。而今川西双流、郫县等地所服头孝布还有黄色、红色等。参见黄尚军、王振、游黎等：《巴蜀汉族丧葬习俗》，四川民族出版社2017年版，第169~173页。
② 郑明华：《宜宾县解放的一些回忆》，载中国人民政治协商会议宜宾县委员会文史委员会：《宜宾县文史资料汇编》（内部资料本，第2卷，2013年，第561页）："头顶戴锅圈（包的帕子），肩上披云肩（打了漫肩布的衣服），脚踩水巴虫（草鞋），裤子透风穿。"
③ 光绪三十三年（1907）《广安州新志·风俗志》："衣服之用，冠履并重。州之城乡，习尚朴素。康、雍时，冬夏礼冠，制圆而小，士庶皆布衣称身，以青、蓝为正色。礼服袍长三尺八寸，褂短五寸。富贵始用裘、帛，皆短襟窄袖。绅衿用靴。有短褂长二尺，以表上衣，曰'马褂'，取便乘马也。又有紧身，袖小，与衣齐长，仅二尺一，曰'卧龙袋'。有'军机坎'，袖大八寸，而短仅二尺。有'背身'，古曰'半臂'，以杂色覆中，身无袖，长尺八。贵者始丝履。乾、嘉中，冬冠前后椭，夏冠形如盔头靴，皆高底小帽。冬尚毡帽，即'唐羊毛浑脱帽'，故里巷先辈，布素袍冠，虽燕居出游，无敢亵服，犹古风焉。道、咸中，冬、夏冠皆尚圆，靴皆薄底，履皆绚头为饰，曰'云头'，曰'条镶'。同治中，衣服尚宽大，外褂视袍，仅短三寸，马褂长二尺四寸。光绪初，袖宽八寸或尺，脚裤大一尺，缘以蓝、青杂锦。其里用红、绿色布，曰'洋式'，曰'成都样'。小帽皆绒缨大结，贱隶皆丝绢、裘狐，下品皆僭用大红雨帽。今衣冠制，又小而返古矣。妇女旧买编他发，曰'假髻'，古之髻也。道光末，忽尚假纂，编发胶漆，两题翘起如船，中通以挽髻，钗钿、簪珥皆骨角，首饰皆用银翠，或代以白铜。花用剪彩，或通草，或胶丝，成片染色。同治中，锦衣缘四周以花边，或杂色，宽四寸，又加栏杆三道，饰以锦牙锯齿，曰'苏镶滚'。脚裤缘边五寸，曰'彩裤'，曰'灯笼裤'。履皆弓鞋，古曰'缠屐'，曰'雀头履'。底用木底，近又变为靴鞋，如男皂靴式。光绪末，簪珥、手镯、搔头更雕嵌金玉，穷工极巧，亦服饰之极变也。"

续表二

词　语	词　语
箭杆袖①	韭菜叶
假　髻	苏　镶
彩　裤	刀刀裤（儿）②
大脚（脚）裤	灯笼裤
（接腰）反扫荡③	刷把裤（儿）④
幺二三	
抄腰裤	
收腰裤⑤	机器裤儿⑦
折裆裤儿⑥	

---

① 民国18年（1929）《合江县志·礼俗》："清光绪以前，男有服茶青、雪青、绛黄诸杂色者。宣统以后，则尚玉色及浅、深灰色。民十以后，又尚天蓝丝织品。同、光以前，尚小花。光绪末，尚大花。民国后，复尚小花。迩来又尚大花。服之裁制，清道光间为小袖，名'箭杆袖'。咸、同后，衫、裤及袖皆宽博，男袖大至尺余，女袖至一尺七八。光绪末，复返窄小，男袖至三四寸，女袖亦四五寸。迄今又尚宽博矣。妇人服，其色向杂。光绪初，缘边镶寸余绣花缎条，并镶颜色栏干，服长。光绪中，缘边镶四五寸缎条，加栏杆，名曰'满镶'，缘仅镶襟、袖、领圈者，名'半镶'，缘服均短。光绪末，镶寸余叠缎条，名'文武条'。条外并以花瓣、蟠花，服又长。宣统间，仅缘窄边，名'韭菜叶'，或缘一线青边，服复短。民国以来，则皆不缘，而服尤短矣。"

② 铁波乐：《狂人苏眼镜》（《龙门阵》1993年第3期）："每逢三八便心惊，不敢张狂惹女人。非是哥们无胆志，只缘阿妹太精神。丝光袜子刀刀裤，花布衫儿褶褶裙。借问先生何处去？阴寒角落竹牌声。"宋发清：《扭曲与复归——文革中的操哥现象》（成都出版社1992年版，第103页）："下装一定要折出印子，俗称刀刀儿裤。"

③ "旧式扎腰裤"的戏称，一般裤筒上接有五寸白布腰，裤腰、裤脚特大，穿时先顺扎，即左向右折；后反扎，即右向左折，再卷一圈，成扭结状，无裤带之类，故名。陈仲质：《我的好友"神农氏"》（《龙门阵》1991年第4期）："他身材很瘦小，上穿一件土织老蓝布对襟衫，下着同样料子的'反扫荡'抄腰裤，加之剃个光头，显得特别土气。"

④ 成都谚语："千疤衣，刷把裤，头上缠根抹桌布。"朱泊：《船工旧事》（《宜宾文艺》1998年第2期）："风吹当成扇凉风，雨打帮我洗衣裳。七尺布连条刷把裤，两百钱买双新草鞋。脑壳刮得光溜溜，白布汗褡亮胸怀。收收拾拾赶耍场，哪个舅子不说好人材。"

⑤ 刘有德：《遵茅盐道话沧桑》（《龙门阵》1993年第6期）："上身多数是粗糙的土机布缝成的简易'对襟褂子'，下面是极不合体的收腰裤，疤上重疤，长长短短。"

⑥ 四川省自贡市民间文学三套集成编委会：《中国民间文学三套集成·四川自贡市卷·故事卷》（上册，下卷，内部资料本，1989年，第408页）："为首者中等身材，上着白大绸对襟汗衫，下穿玄色折裆裤儿，脚登丝耳草鞋，蓄了一个'马桶盖'的头式。"

⑦ 肖红英：《知青生活断忆》（何世平等：《蹉跎与崛起》，成都出版社1992年版，第42页）："但是我们的裤子，却被年轻姑娘悄悄借去，以有一条'机器裤儿'为荣。"

续表三

词 语	词 语
叉叉裤①	抖抖（儿）裤儿②
干部裤儿③	小脚脚（裤儿）④
	（小）管裤
喇叭裤	直筒裤
萝卜裤	健美裤
顶瓜头	茶花头⑤
学生头	拿破仑头⑥
博士头	中山头
东洋头⑦	泡泡头⑧
大平头	大分（分）头
小平头	小分（分）头⑨

---

① 大邑民谣："昨年望倒今年富，今年还穿叉叉裤。"成都民谣："叉叉裤，偷萝卜。狗来了，爬桑树。"

② 郑茂泉等：《中国民间文学集成·安县资料集》（内部资料本，1987年，第253页）："有个乡干部，穿的抖抖裤。前面是'日本'，后面是'尿素'。"

③ 参见铁波乐《荒唐岁月荒唐事》，载《龙门阵》1993年第6期。

④ 《成都晚报》（1998年10月26日第10版）："小脚脚裤儿登场，不过不怎么大众化，只有操哥、操妹才敢穿。"巴蜀百姓评价说，这种裤儿把屁股包得绑紧，"东半球、西半球"十分清晰。"文化大革命"期间，认为有伤风化被禁，街上戴红袖套的执勤者见到就剪，故成都小儿一见此种裤子，便唱："电报鸡儿小脚脚，操哥操妹儿跑不脱。"此例中的"电报鸡儿"，即指20世纪70年代成都地区满街可见河南老乡贩卖的河南小鸡崽。这种鸡崽因使用电孵化，故相对成都本地母鸡孵化的鸡崽而言，价格极为便宜，只是普通人家不易养活。富裕人家则多购买来供小儿养着玩。

⑤ 刘仁富等：《中国歌谣谚语集成·重庆市大渡口区卷》（内部资料本，1988年，第61页）："我娘房里一盏灯，嫂嫂正在理青丝。头顶梳的盘龙景，经佑二更劳心。妹妹往天梳蝴蝶，还能孝敬父母亲。今天梳的扎花顶，要离嫂嫂归别人。"又（第230页）："杨柳树，滴点油，大姐二姐梳光头。大姐梳的盘龙转，二姐梳的茶花头。"最后一句也作"二姐梳的顶瓜头"。宜宾县横山镇山歌："三更鸡儿叫啾啾，娘叫女儿快梳头。左梳右梳盘龙现，右梳左挽插花镂。盘龙现，插花镂，梳个燕尾在后头。"

⑥ 《成都竹枝词新咏·男孵神》（林孔翼：《成都竹枝词》，四川人民出版社1986年版，第246页）："拿破仑头时道妆，紫薇衣称紫薇郎。金环戒指分明记，何事春心竟不忘。"

⑦ 晋宁：《刘伯龙清乡记》（《龙门阵》1996年第2期）："官兵见其身着丝绸褂，留着'东洋头'，以为是畏罪潜逃的'匪首'。"

⑧ 帅希彭：《枪毙'三鸡公'案补遗》（《龙门阵》1990年第2期）："从城内走出三个小伙子，为首的一个梳着泡泡头，着白大绸短裤褂，脚蹬毛织贡圆口鞋。"

⑨ 曲洪：《杂感五则》（《龙门阵》1997年第1期）："后来时兴赶新潮，老少爷们又蓄起了头发，大背头、小分头流行开来。"

续表四

词　语	词　语
大元头	兴登堡头
小元头	
把子头①	飞机头②
空中堡垒	大香蕉卷
	小香蕉卷
波浪式③	骑士
好莱坞明星	出水芙蓉④
乌云髻	官云鬓⑤
扎花顶	披披毛儿
毛辫子⑥	烂鸡窝⑦
鸭屁股⑧	燕儿窝⑨

① 李劼人：《李劼人选集》（第1卷，四川人民出版社1980年版，第230～231页）："女的哩，则竖着腰肢，梳着把子头，穿着长袍。"
② 尹贤：《四十年代的中学男女生之间》（《龙门阵》1997年第5期）："由于学校（或是教育部）规定女生是齐耳短发，头发往下发展不行，个别女生如杜××头发就向前隆起，作'飞机头'状，她因此而获得了我们男生赠予的外号'杜飞机'。"
③ 又可分为"大波浪"和"小波浪"两种。陈家康等：《俗文雅汇》（内部资料本，第188页）："（新娘）乌黑的头发烫起卷卷，人家说叫波浪式，我说像是麻花圈圈。"
④ 参见郑蕴侠《理发春秋》，载《龙门阵》1991年第6期。
⑤ 余永华等：《中国歌谣谚语集成·重庆市永川县卷》（内部资料本，1988年，第70页）："奴家听到喜心内，收拾打扮出绣帷。前面巧梳官云鬓，后梳燕尾照红绳。又梳又挽盘龙饼，又梳又挽水波云。又梳又挽一条龙，又梳石榴一点红。"
⑥ 杨时川等：《中国民间文学三套集成·四川省内江市卷》（下册，内部资料本，1990年，第997页）："冤家打扮正年轻，毛辫子打齐屁股登[䠀]。盘子脸儿紫红唇，眉毛弯弯多爱人。"
⑦ 前人：《新生活竹枝词》（林孔翼：《成都竹枝词》，四川人民出版社1986年版，第115页）："土娟头饰烂鸡窝，闺秀名媛亦效他。散乱枯焦称作美，良心自问究如何？"
⑧ 傅正深：《行路难——一位老友的一段经历》（《龙门阵》1987年第6期）："收拾王占山的汉子，脑后留有俗称'鸭屁股'的巴掌大一绺头发。"
⑨ 刘师亮：《成都青羊宫花市竹枝词》（林孔翼：《成都竹枝词》，四川人民出版社1986年版，第97页）："乡女村姑态若何？晾头梳个燕儿窝。可怜不解红妆事，却把胭脂打一坨。"

续表五

词 语	词 语
牡丹刘海	髻髻（儿）①
	油漩（髻）②
	麻花儿（髻）③
（毛）纂④纂（儿）	桂花香
恩哥凤点头⑤	狮子球⑥
蓬蓬头⑦	（倒）揪揪（儿）⑧
冲天炮⑨	刷把头

① 其形似圆形的饼子，多为已婚妇女将头发梳成单辫，盘至后脑勺，用叉子或簪子别住。刘师亮：《成都青羊官花市竹枝词》（林孔翼：《成都竹枝词》，四川人民出版社1986年版，第97页）："宝髻由来羡'蜀都'，牡丹刘海赛'姑苏'。而今又变新花样，髻髻多梳太极图。""髻"也作"饼"。李致：《大妈，我的母亲》（《龙门阵》1994年第4期）："在各种节日和办喜事的日子，伯伯主动帮助大妈梳好'饼饼'和穿好裙子。"
② 前人：《续青羊官花市竹枝词》（林孔翼：《成都竹枝词》，四川人民出版社1986年版，第101页）："巧梳云鬓近如何？花样年来变得多。头饰又兴油漩髻，中间一个大窝窝。"
③ 杨文凯：《下里巴"女"》（《龙门阵》1983年第6辑）："只见她周身灰大绸，趿起两片拖鞋，油光水滑的头发，往后挽团麻花饼。"
④ "纂"也作"缵、鬈、髻"。井研县文化馆：《中国民间文学集成·井研县资料集》（内部资料本，1989年，第413页）："月亮粑，月亮台，成都姐姐要回来。梳的头，挽的缵，骑的骡儿打的伞。"大足有"女人为啥梳毛鬈"的传说。参见郭相颖等《中国民间故事歌谣谚语集成·重庆市大足县卷》（内部资料本），1988年，第70页。邯郸学：《记一个斋姑娘的一生》（《龙门阵》1983年第2辑）："蓝布短衫，青布裤子，青鞋青袜，背后不是拖着长发辫，而是象结了婚的妇女梳一个髻，只是前额纼部分头发梳来横着向后，不是挺直向后，这正是老处女和斋姑娘的不成文规定的发式。"
⑤ 洪雅县民歌：《梳个恩哥凤点头》（朱德贵等：《中国民间文学集成四川卷·乐山市洪雅卷》，内部资料本，1988年，第294页）："山歌不唱不风流，菜子不打不成油。头油打采敬天地，二油打来嫂梳头。油罐子挂在花窗上，口衔木梳手擦油。左边又梳盘龙转，右边又梳插花楼。盘龙转，插花楼，梳个恩哥（鹦鹉）凤点头。问你恩哥点啥子，点倒幺姑娘会梳头。"
⑥ 井研县文化馆：《中国民间文学集成·井研县资料卷》（内部资料本，1988年，第403页）："三块姊妹一展平，三块姊妹一路行。前头姑孃本姓张，头上梳个桂花香。中间姑孃本姓刘，头上梳个狮子球。后头姑孃本姓金，细眉细眼像观音。"
⑦ 重庆儿歌："幺妹儿梳个蓬蓬头，头上擦的桂花油。"
⑧ 前人：《成都竹枝词》（林孔翼：《成都竹枝词》，四川人民出版社1986年版，第107页）："吊梳纂纂学苏州，浪说披毛近下流。花样随常都在变，而今又尚倒揪揪。"
⑨ 吴有梧、徐忠辉：《杂技艺人张一飞》（《龙门阵》，1993年第4期）："只见小金贵头上束了个'冲天炮'。"

续表六

词 语	词 语
马桶（子）盖（盖）①	鬏鬏儿（头）②
剪刀岔③	羊角叉④

表6-17 部分头饰词语

词 语	词 语
立毛根儿⑤	独毛根儿
偏毛根儿	鸦雀尾巴
双毛根儿	刨花（儿）头⑥

---

① 多为小男孩所留之发式，也指理发师因技艺不好而理出的一圈凸凹不平的男性发型，因形如马桶盖子，故名。李劼人：《李劼人选集》（第1卷，四川人民出版社1980年版，第359页）："上午十点钟时，一般嘈杂的小孩，都一齐到了学堂。七高八低，穿着五颜六色的衣裳，有梳了发辫的，有扎着刷把头的，也有才留着马桶盖的。"至清末，一般人多剃光头，少数老头仍留马桶盖，即前面剃光，后面留的头发约齐耳根，以示对清朝尚有感情。
② 锦庵：《成都竹枝词》（林孔翼：《成都竹枝词》，四川人民出版社1986年版，第243页）："委地青丝七尺长，天然美丽焕容光。如何剪断蓬飞乱，烫起鬏鬏色黯黄。"
③ 合川县民间文学集成编辑委员会：《中国歌谣谚语集成·重庆市合川县卷》（内部资料本，1987年，第178页）："清早起来把床下，拿起梳儿梳头发。小姣梳个剪刀岔，燕儿尾巴紧紧扎。"
④ 李伯雄：《"洋房子走路"——汽车初到成都的故事》（《龙门阵》1988年第6期）："头上还梳了两个小女孩的羊角叉，中间还梳了一个用红头绳扎成的冲天毛根。"
⑤ 毛根（儿）：发辫。李劼人：《李劼人选集》（第1卷，四川人民出版社1980年版，第101页）："妈妈没起来，今天毛根儿都没人梳了。"沙汀：《淘金记》〔文化生活出版社民国35年（1946）版，第48页〕："只等自己眼睛一闭，这个来提一下毛根，那个来提一下，几提，就提光了！"成都歇后语："斤肘肘儿（木偶）的毛根儿——栽一撮。"也说"毛根子"。郭沫若：《郭沫若选集》（第1卷，上册，四川人民出版社1979年版，第23页）："我听见那鬼叫的声音在那远远的河边上。我的毛根子撑了几撑。""毛"也作"帽"。李劼人：《李劼人选集》（第2卷，四川人民出版社1980年版，第1384页）："剪了帽根儿，不大好看，我觉得不忙剪的好。"
⑥ 《华西都市报》（1997年3月17日第14版）："在物资匮乏、生活简单的那些年代，只要看见哪个女的穿了件鲜艳点的衣服，或去理发店烫了个刨花头出来，就有人在背后撇嘴，说她洋盘。"马骥：《散打笑星抽底火》（四川文艺出版社2004年版，第169页）："卷发，成都人叫刨花。"

续表

词　语	词　语
分分头①	梭梭头
	梭梭咪
	鸭屁股头
	凉爽式
姆姆式	玉女式
港式毛根儿	大包头②
（大）拿波（头）③	反蜡波④
招呼式	乘风破浪式
撇三	菊花式
三角头	丝丝头
爆炸头	根根立
偏花	一匹瓦⑤
妹妹式	鞋底板⑥
子弹头	火烧新毛房⑦

① 又分为"偏分、中分"。"偏分"也说"（王）保长头"，因电影《抓壮丁》中主人公王保长即梳此发型，故名。沐川县民间文学三套集成编委会：《中国民间文学集成·沐川县资料集》（内部资料本，1989年，第75页）："三个小姐一路行，头一个本姓丁，搽脂抹粉象观音。二一个本姓刘，团团脸儿分分头。"又宜宾县双龙镇情歌："吃了饭来未烧烟，把娇按在灶门前。又怕婆婆来点火，又怕公公来烧烟。看牛娃儿来碰到，黄丝帕儿来包倒。一送送到大河边，长江水儿慢慢流，免得私娃撞石ما。长江水儿慢慢漂，免得私娃撞石包。满了三天来看你，私娃还在回水沱。不是为娘不要你，你爹是个短缝缝，你妈还是分分头。"
② 宋发清：《扭曲与复归——文革中的操哥现象》（成都出版社1992年版，第19页）："他的发型，操学派时，梳'大包头'；操政界时，梳'标准式'。"
③ 殷明辉：《民间琴师邵胡琴》（《龙门阵》1993年第2期）："只见他梳着大拿波的发式。""拿"也作"蜡"。马骥：《散打笑星抽底火》（四川文艺出版社2004年版，第72页）："蜡波头是他的形象专利。"
④ 马骥：《散打笑星抽底火》（四川文艺出版社2004年版，第72页）："麻花边分，朝左梳，俗语叫'反蜡波'。油光水滑的，叭儿亮！蚂蚁二去都要掉下来；花尖子很高，别两根钢夹子才压得倒卷卷。"
⑤ 曲博：《"战校"生活》（《龙门阵》1996年第5期）："农民穷得响叮当，一个强劳力干一天的工分算下来，还不够铲一次'一匹瓦'的理发钱。"
⑥ 参见古蔺县志编纂委员会《古蔺县志》，四川科学技术出版社1993年版，第642页。
⑦ 对刚理过发这一行为的戏称。

表6-18　部分帽子词语

词　语	词　语
包　条	帽条子①
鳌头帽子	唐羊毛浑脱帽
纳　子②	铜盆帽子
箇头帽③	瓜（耳）皮（帽）④
风　帽	银菩萨帽
草窝子⑤	棕帽儿
草帽子	毡窝（儿）帽⑥
	毡窝（子）帽子
遮遮帽	推屎爬儿帽子⑦
遮阳帽	
土耳其帽子⑧	博士帽⑨

① 简阳县志编纂委员会：《简阳县志》（巴蜀书社1996年版，第684页）："老年妇女头上戴用的包条（亦称帽条子），其前大都装饰缀有玉质或银质帽花。"参见何韫若《锦城旧事竹枝词》，中国三峡出版社2000年版，第146～147页。

② 刘仁富等：《中国歌谣谚语集成·重庆市大渡口区卷》（内部资料本，1988年，第42页）："头顶要数脑壳上，纳子（女人戴的帽子）都是银绸镶。"

③ 民国13年（1924）《江津县志·风土志》："伶之帽为'个头帽'，特大者为'个箇'。字或作'盔'。"

④ "文化大革命"期间，成都流行"戴瓜皮帽的是地主，戴毡窝儿帽的是奸商，戴博士帽的是汉奸，戴鸭舌帽的是特务，戴凉帽的是耍家"的说法。

⑤ 刘有德：《遵茅盐道话沧桑》（《龙门阵》1993年第6期）："（盐巴老二）头上，有的是一条巾巾吊吊的白布帕子，有的是半截油光发亮的青丝帕子，还有用稻草编成的'草窝子'，用棕丝织成的'棕帽儿'。"

⑥ 用毡子冲压成盆状，多为下层社会男子即老人所戴。吴因易：《梨园谱》（上海文艺出版社1980年版，第274～275页）："第一部车上，坐着一位头戴毡窝帽子，鬓发苍苍而却剃去胡须的老者。"后衍生出"戴肉毡窝儿"一词，指性交时男下女上的姿势。车辐：《锦城旧事》（四川文艺出版社2003年版，第128页）："只有钱少票价便宜的普通座，男看客才坐在女宾楼厢下，男观众限于经济，无可如何，常常听到他们自我解嘲似地说道：'妈的要霉人，出钱坐普通座，戴肉毡窝儿，妈的头上顶的尽是牝货。'""毡窝（子）帽子"成为20世纪二三十年代成都市"帽子一条街"的复兴街上的"三不解"之一。参见老卒《福兴街轶闻》，载《龙门阵》1997年第1期。

⑦ 傅正深：《一个十五岁少年所见的广汉起义》（《龙门阵》1986年第1期）："一个戴'推屎爬儿'帽子的家伙，回头狠狠踢了她一足。"

⑧ 曾荣华、戴德源：《还我双腿》（《龙门阵》1982年第3辑）："他头上戴了顶'土耳其'獭皮帽，长大的狐皮袍子盖住脚上的双梁棉鞋。"

⑨ 蜀洪：《洪门兄弟》（上册）（［中国台湾］八八出版社1991年版，第623页）："这时还是春天，九指王这天穿了一件长夹衫子，头上戴了一顶博士帽。"

续表

词 语	词 语
鸭舌帽	凉帽
披披帽①	尾巴帽
荷叶帽	四季帽
猫儿（猫儿）②帽	猪嘴帽
羊角帽	兔儿帽
狗狗帽	和尚帽
纠纠帽	圈圈帽
绒帽	撮撮帽③
猪槽帽	风雪帽
盘盘帽④	大盖帽

表6-19　部分鞋袜词语

词 语	词 语
桶子鞋⑤	尖尖儿鞋⑥
靸鞋⑦	翘鼻头
凤凰嘴	布壳鞋⑧
京踏鸟⑨	夫子履
钉靴	双梁鞋

---

① 罗俊林、肖斧：《骗总爷》（四川人民出版社1980年版，第97页）："那个娃娃披披帽上的铃铛吗［嘛］是他娘老子心痛他。"陆泽怀等：《德阳民俗》（内部资料本，1996年，第157页）："风帽，尖顶后的披风延至肩背，玄色缎与布制多种，夹衬棉花。民国二三十年间，男女老人在冬季戴的较多，因后有披肩至背心，也说'披披帽'。"此帽民国年间较为流行，与巴蜀客家妇女所戴"披披帽"不同。
② 猫儿（猫儿）：也称"麻猫儿、花猫儿"，成都人对老虎的讳称。
③ 马骥：《散打笑星抽底火》（四川文艺出版社2004年版，第87页）："军帽刚刚兴起就又有了撮撮帽，瓜拙拙的毡窝儿帽还没戴两天就喜欢起了导演帽。"
④ 多为执法人员所戴。
⑤ （清）蓝选青：《梁山竹枝词》（林孔翼、沙铭璞：《四川竹枝词》，四川人民出版社1989年版，第189页）："看过公头嫁女娃，送亲小娇几乘排。春风底事吹箫起，露出红绫桶子鞋。"
⑥ 小脚女人穿的鞋。
⑦ 有皮制、棉制两种，多分为"长筒、中长筒、短筒"三种。此鞋重庆称"筒棉鞋"。
⑧ 李清：《苦学忆当年》（《龙门阵》1997年第4期）："黄栋臣很会打扮，他穿的鞋晃眼看似皮鞋，实为布壳鞋。"
⑨ 民国31年（1942）《西昌县志·风俗志》："前辈多著方头宽帮朝元鞋。继则京踏鸟、夫子履、双梁鞋盛行。近代朝元鞋复兴，头圆而不方，底模左右足，不相易履，屯西式兼用焉。"

续表一

词 语		词 语
拜 鞋①	双梁鞋	媒 鞋
爪子鞋		钉 鞋②
鞋爪儿		剪刀口
花 鞋		铁马子
蚌壳鞋③		平 鞋
笼 鞋④		襻襻儿鞋
朝圆儿鞋		本 鞋⑤
毡窝儿鞋		四眼儿（鞋）⑥
粗草鞋⑦		细草鞋⑧
鳝鱼骨子草鞋⑨		花花草鞋
谷底板儿草鞋		踏青鞋⑩
谷草草鞋		竹麻草鞋
麻板草鞋		泡花草鞋

---

① 民国10年（1921）《合川县志·风俗》："新妇拜舅姑及亲长，均必呈具男、女鞋各一双，谓之'拜鞋'。……又择吉日，婿、妇具茶点、财物，诣媒氏，谓之'谢媒'。无论富贫，必具男、女鞋各一双，谓之'媒鞋'。"
② 多为厚木或抹有桐油的布做鞋底，一般钉有十来颗铁钉或爪圈，可防水防滑。成都歇后语："穿钉鞋拄拐棍儿——把稳又把稳。"黄炎培：《蜀游百绝句》（林孔翼、沙铭璞：《四川竹枝词》，四川人民出版社1989年版，第308页）："滑竿新制出黔军，二十年来未始闻。双脚穿将'铁马子'，有声橐橐蹴山云。"自注："滑竿便于坐卧，二人肩以行。民国6年（1917）黔军入川，始推行此制。舁夫脚穿'铁马子'，则登山更便。"
③ 鞋帮形似蚌壳的棉鞋。参见云阳县志编委会《云阳县志》，四川人民出版社1999年版，第1022页。
④ 清代小脚女人穿的两双鞋中穿在里面的软底鞋。参见大邑县志编委会《大邑县志》，四川人民出版社1992年版，第722页。
⑤ 清代小脚女人穿的两双鞋中，穿在外面的硬底鞋。
⑥ 《成都晚报》（1998年10月26日第10版）："过了一阵，又返朴［璞］归真，布鞋卷土重来，不过是一种系带子的布鞋，江湖上称'四眼'，因为它有四个系带子的小孔。那阵子，若不穿四眼，绝无档次可言。"
⑦ 多用全稻草制成。
⑧ 多用稻草内茎制成。
⑨ 多抽取草芯编制。此为广汉中兴特产，四川省广汉市广汉县志编委会：《广汉县志》（四川人民出版社1992年版，第161页）："汉州草鞋历史悠久，有'金堂袜子汉州鞋，要穿草鞋中兴来'之说。"另说为"金堂辣子汉州鞋"。参见罗永成等《中国民间文学集成·广汉市资料集》（内部资料本），1988年，第132页。
⑩ 民国18年（1929）《南充县志·风俗》："清明前后十日，皆为踏青节。《蜀农杂俎竹枝词》：'春闺巧绣踏青鞋，每到清明步六街。绮陌芳塍游迹遍，宕渠年少恣诙谐。'"

续表二

词 语	词 语
（棕）凉鞋①	丝鞋
水爬虫草鞋②	鱼骨梅花朵草鞋③
蓑草草鞋④	水草鞋⑤
麻窝子（草鞋）⑥	皮筋麻耳草鞋⑦
片巾草鞋⑧	布筋筋草鞋⑨
凉草鞋⑩	偏耳（子）草鞋
满耳（子）草鞋⑪	满窝子草鞋⑫

---

① 也称"棕丝凉鞋"。光绪三十四年（1908）《郫县乡土志·物产》"（棕）凉鞋"条下："郫中妇女抽棕心嫩叶，擘之成丝，仿南边凌波式，编作凉鞋。"

② 巴蜀俗传草鞋为大禹王所发明。罗永成等：《中国民间文学集成·广汉市资料集》（内部资料本，1988年，第131页）："（大禹王）顺手扯起那把山草，搓呀！编呀！一会儿编成了一双像草鞋虫样儿的鞋子。……这种山草叫梭草。这鞋叫'水爬虫草鞋'。后来的船工、纤夫顶爱穿。""爬"也作"巴"。徐伯荣：《赖汤元发迹史略》（《龙门阵》1993年第1期）："（赖汤元）又想到20多年前逃离资阳时穿了一件烂蓝布衫子、一双水巴虫草鞋那副凄惨相，更同情家乡人。"安县谚语说："打草鞋才在缠鼻子。"遂宁谚语说："后手不来，吊只草鞋。"又："前妻当草鞋，后妻当奶奶。"万源谚语说："早雨晏捞柴，晏雨打草鞋。"成都谚语说："玩又玩不来，尼龙袜子套草鞋。"又："草鞋无娘，越穿越长。"

③ 罗永成等：《中国民间文学集成·广汉市资料集》（内部资料本，1988年，第132页）："后来人们又用稻草、破布条条、丝线等编出了线耳子、丝耳子的鱼骨梅花朵草鞋。"

④ 参见古蔺县志编纂委员会《古蔺县志》，四川科学技术出版社1993年版，第642页。

⑤ 水草鞋：草鞋的一种，主要用于走滑路。宜宾横江山歌："歌郎不用钥匙开，拳打脚踢手搬开。背上背起书箱子，怀中揣起书本来。头上戴顶乌纱帽，脚上穿双水草鞋。"

⑥ 用谷草和竹麻编制的草鞋。广汉市民间文学三套集成编委会《中国民间文学集成·广汉市资料集》（内部资料本，1988年，第131页）："（大禹王）撕下一片片竹皮，搓呀！勒呀！编呀！很快编制成了一双'麻窝子草鞋'。那竹皮，就是后来的'竹麻'。"

⑦ 李成春：《王维舟万县脱险记》（《龙门阵》1983年第2辑）："四名轿夫分前后左右站定，脚蹬皮筋麻耳草鞋，腰扎五尺皂色汗巾，待令出发。"

⑧ 丛地：《半边街半边岩》（打印稿，1996年，第256页）："李婆婆的草鞋再没打了。值此，半边街渊源世纪的片巾草鞋历史被切断并永不复返。"

⑨ 多用稻草加碎布条编制。

⑩ 底子用全谷草编制。黄炎培：《蜀游百绝句》（林孔翼、沙铭璞：《四川竹枝词》，四川人民出版社1989年版，第306页）："爱搜风物入诗牌，饱看成渝赶集街。土俗长袍笼短褂，缠头赤足草凉鞋。"自注："成都、重庆间，甚多此类服饰，农夫上集亦如此。"

⑪ 郑蕴侠：《大辟廖守义记实》（《龙门阵》1989年第6期）："那冯占标头缠青丝帕包头，左耳边吊起'指天恨地'的包头尾子，把黑色大氅一脱，上穿密门扣子紧身，下穿蓝色兜裆裤子，脚缠裹腿，脚蹬满耳红花草鞋。"

⑫ 多为山区即深丘地区普通民众穿，一般用纯麻或竹麻加麻筋编制而成，状如布制的朝元鞋。

续表三

词 语	词 语
麻打草鞋①	麻耳（子）草鞋②
线（线）耳（子）草鞋③	皮耳（子）草鞋
	铁草鞋④
耍人草鞋⑤	系系草鞋⑥
丝（耳）子（编花）草鞋⑦	（麻板）丝耳（子）草鞋⑧
多耳麻鞋⑨	布底板儿草鞋
	猫鼻梁⑩
皮底板儿草鞋	鞋爪子草鞋

---

① 艾芜：《艾芜文集》（第1卷，第15页）："'喂，你们要草鞋么？新从昭通带来一挑，这是一双样子，看！要不要？'……一个悠然自足地说：'还是穿我们的麻打草鞋好！'"

② 都江堰一带三献礼歌诗《赞采茶诗》（陈浩东等：《成都民间文学集成，四川人民出版社1991年版，第1754～1757页）："为儿亲，去采茶，手提筐，身穿麻。山又高，路又窄，哭哭啼啼往前跨。……手执杖，头顶冠，麻耳草鞋脚下穿。为采茶，上高山，顾不得山遥路远，急急忙忙往前钻！"

③ 清末民初，在成都花会凉粉摊旁打锅盔的师傅，往往是头缠青纱帕，腰围蓝布围腰，身穿大襟大袖衣，脚踏线耳子草鞋。《成都晚报》（1999年4月29日第10版）："农历十月初一北门城隍庙会期，成都已开始冷了，而他还是一双线耳子草鞋，永远是那件油腊片的蓝布衣裳。"

④ 丹棱县顺龙乡官厅村一带流行的《殷天君咒语》："此丧不是非凡丧，化为黄金书乡［香］。抬夫不是非凡夫，化为八大八金刚。脚穿一双铁草鞋，风里去，雨里来。不怕玄［悬］岩并陡坎，金沙普地一坦光。为有祖师高万丈，封山色［塞］海有功劳。八大金刚其［齐］得力，腾云驾雾上九霄。"

⑤ 多为休闲或走亲戚时穿。

⑥ 聂云岚等：《中国歌谣集成·重庆市卷》（科学技术文献出版社重庆分社1989年版，第428页）："系系草鞋细细搓，一心打来送情哥。扯根头发搓进去，才好套住情哥脚。"

⑦ 四川省政协文史资料委员会：《四川文史资料集粹》（第6卷，四川人民出版社1996年版，第593页）："民国5年，黄清沅已经满了18岁，打扮成一副'绿林'英雄模样，头戴卷顶的亮草帽，（夏天）身穿白绸敞褂子，腰系红带子，足登丝子草鞋，腰杆上还斜插一支白郎宁（手枪）。"

⑧ 曾伯炎、黄泽荣：《钉门神》（《龙门阵》1983年第5辑）："这日镇上来了一人，身穿白绸汗衫，青绸大裤，脚下麻板丝耳草鞋。"

⑨ 郑蕴侠等：《"麻乡约"的兴衰》（《龙门阵》1984年第5辑）："他们著一色青布小袖紧身，下穿兜裆叉裤，打蓝白相间的绑腿，头缠青丝帕号头，脚蹬多耳麻鞋，鞋尖上一朵大红绒花，背插单刀或背背鞭剑，左右两腿各插一柄匕首。"

⑩ 参见筠连县志编纂委员会《筠连县志》，四川科学技术出版社1998年版，第737页。

续表四

词　语	词　语
花花草鞋①	鱼尾巴鞋②
双梁棉鞋	老家公鞋③
瓮鞋	鹞子鞋④
提筅鞋⑤	响底底鞋
板板儿鞋	（布）祥祥儿鞋⑥
解放鞋⑦	水胶鞋
槽眼儿鞋男式圆口布鞋	敞篷鞋
白网（鞋）	蓝网（鞋）

---

① 鞋尖缀有一朵圆形丝绒彩球，多为儿童所穿。
② 沙汀：《淘金记》（人民文学出版社1962年版，第228页）："烂钟奎头戴尖顶瓜皮，身穿一件已经洗浆白了的蓝布单衫，一件可以保暖的黑棉马褂。脚上是圆转自如的鱼尾巴鞋。"四川省自贡市民间文学三套集成编委会：《中国民间文学三套集成·四川自贡卷·故事卷》（上册下部，内部资料本，1989年，第513页）："他是长滩街跛鱼尾鞋的'鞞神'，平时谁都怕惹他，说他眼睛一眨就几个板眼，没人惹得起。"
③ 一种中式棉鞋，鞋口较浅，由两片鞋帮絮棉花做成，接缝在正中，并可把脚背遮住，穿起来舒适暖和。主要在农村地区流行，分为"老家公布鞋"和"老家公棉鞋"。李劼人：《李劼人选集》（第2卷，四川人民出版社1980年版，第172页）："（老头儿）把双老家公布鞋撇在裤带上，赤脚打着雨伞，萧萧闲闲地走到中心高台前来。""老家公棉鞋"也说"抱鸡窝鞋、抱鸡婆（窝窝）鞋、抱鸡母棉鞋"。沙汀：《淘金记》（人民文学出版社1962年版，第191页）："他穿着整齐，头上是棉瓜皮帽，脚下还保持着好多年以前的旧式派头，穿着抱鸡窝鞋，裤脚扎得非常妥贴。"刘西源：《成都街道数字掌故》（白朗等：《锦官城掌故》，成都时代出版社2013年版，第200～201页）："清代至上世纪60年代，三倒拐与纯阳观和鹅市巷一直是布鞋的专业生产街，店铺鳞次栉比有百多家，以单棉布鞋做工精细、价廉物美著称，远销云、贵、藏的广大地区，哔叽圆口鞋、皮底绢面男女鞋、双扣、抱鸡婆鞋在川西享有盛名。"
④ 罗永成等：《中国民间文学集成·广汉市资料集》（内部资料本，1988年，第345页）：'幺兄弟，你实在逗为嫂爱，为嫂给你做一双鹞子鞋，幺兄弟你穿起跑四外，把为嫂的手艺显出来。"
⑤ 徐勋等：《从脚说起》（四川人民出版社1980年版，第93页）："金丝绒旗袍换成粗布半衫，提筅鞋代替了麂皮高跟。"
⑥ 多为女性所穿。马骥：《散打笑星抽底火》（四川文艺出版社2004年版，第87页）："'时尚轮流在转，结束就是开始'，穿戴的感悟上下都有份——尖尖脚的年代刚刚结束就有绊绊[祥祥]鞋的到来；军靴刚刚取代'抱鸡婆'，'甩尖子'又拱了出来。"
⑦ 浅筒军用胶鞋。李小海：《小青年爱玩枪》（《龙门阵》1993年第5期）："戴草帽穿解放鞋的崽儿，听见没有，过来！"也指供包裹后又放开的小脚女人穿的鞋。另有"解放脚"一词，指"包裹后又放开的小脚"。陈宛茵：《回忆"巴不得先生"和那个"修道院"》（《龙门阵》1994年第3期）："（她）一面撒开一双解放脚，奋不顾身地扑进已倒塌半边的实验室中。"

续表五

词　语	词　语
干湿鞋	高蹬蹬儿（皮鞋）①
尖头儿满（皮鞋）②	甩尖子（皮鞋）
接尖（皮鞋）③	马莲草鞋④
三接（截）头（皮鞋）⑤	棕袜子⑥

他如，从辛亥革命前流行的穿在长袍上的男式便衣"阿侬袋"，民国时期男子所穿的"半背⑦"，抗战时期青年妇女穿的"父母装⑧、长衫子⑨、短褂子"，到"披衫子、滚衫子、紧身（儿）⑩、蜈蚣虫衫子、水爬虫衫子、对门

---

① 前人：《续青羊官花市竹枝词》（林孔翼：《成都竹枝词》，四川人民出版社1986年版，第104页）："玫瑰苕皮丢满阶，苕皮踩倒谨防蹉。仰天一个翻筋头，咻[跙]断人家高蹬鞋。"旧时成都顽皮小孩看见穿高跟鞋的时髦女郎，即边模仿士兵齐步走的步伐，边唱儿歌"一二一，一二一，高蹬蹬儿皮鞋不讲理"，借以调侃。
② 20世纪40年代末，成都等地流行"尖头儿满（皮鞋）"，多为有钱人家少爷所穿。参见海粟《八斗"尊师米"》，载《龙门阵》1996年第4期。
③ 20世纪70年代末，成都等地流行"接尖皮鞋"。后由10元一双涨至20元一双（当时一般人月工资约为四十元）。男青年多在鞋掌底钉满铁钉，鞋跟底钉上铁"蹄"，走路时踢踏作响，以示威风、时髦。而重庆等地则流行"火箭皮鞋"，即指鞋头部多为接尖样式，似火箭头形状的男式皮鞋。参见曾晓渝等《重庆方言词解》，西南师范大学出版社1996年版，第145页。
④ 宜宾县横江镇山歌："马莲草鞋两股绳，郎穿草鞋山上行。不怕山高路又滑，打柴采药妹放心。"
⑤ 鞋尖极似可甩离。《成都晚报》（1998年11月16日第10版）："堂哥大喜过望，忙将家中值钱的东西卖掉，跑到县城买了双黑色的三截头皮鞋，套地[在]脚上，将全队的小伙子都骇住了。"
⑥ 此即鞋袜合一，多以棕片铺于木楦头，内外蒙一层麻布，以棕丝绳扎成袜子的形状，外套满耳草鞋。参见四川省万源县志编委会《万源县志》，四川人民出版社1996年版，第915页。
⑦ 西服背心。参见李劼人《李劼人选集》（第4卷），四川人民出版社1984年版，第253页。
⑧ 上穿中式面襟短衫，下着西式裤子。
⑨ 参见朱德贵等《中国民间文学集成四川卷·乐山市洪雅卷》（内部资料本），1988年，第283页。
⑩ 李劼人：《李劼人选集》（第4卷，四川人民出版社1984年版，第237页）："还不是那些二十来岁的小伙子！还不是那样的打扮：青纱头巾，鬓边斜插一朵纸花，密排扣子的各色绸紧身，拴一条四寸来宽的腰带，一大把胡子拖在裤裆下面，脚下则大半是漂白琢袜之外，套一双有五色绒球的麻耳草鞋！"

襟、姆姆式、大衣件①、二马裾②、现一截③、全链盒④、开衫儿、大翻领（青年服）⑤、比色板⑥、海魂衫儿⑦、蝙蝠衫、阳光服⑧"；从"新三年，旧三年，缝缝补补又三年"的旧衣裤到"疤疤重疤疤"的"百衲衣、衲坨⑨、千叶衣⑩、千层衣⑪、千巴衣、牛衣秧毡⑫、草鞯棕衣⑬、蓑衣"，以及

---

① 也说"妈妈式"，多为衣襟右扣短衣。
② 小袖无领短衫。代指短得不合体的衣服或裤子。沙汀：《沙汀选集》（第3卷，四川人民出版社1984年版，第131页）："他身材瘦小，穿着一件以往一般二流子常穿的所谓'二马裾'棉紧身。一顶海昌蓝干部帽高高地掀在脑瓜子上，额头上耸起一大绺头发。"
③ 也作"县一级、省一级"，特指困难年代，姊妹多的人家中，小的接力赛似的穿大的疤疤重疤疤的衣裤，外衣多比内衣短一些，被人讥讽为"现（谐'县'）一截（干部）、省一截（干部）"。
④ 因衣服太短，往往一打呵欠，肚脐眼儿就露了出来。
⑤ 其款式多为坐领青年服与西服的杂糅。
⑥ 某些女性常在长袖衬衣里再穿短袖衣，依次把领翻出，领上呈现出多种色彩，时人谑之为"比色板"。
⑦ 海军战士贴身穿的带有蓝色横纹体衫。在20世纪六七十年代，为成都等地时髦青年喜爱，一度成为知青的特有穿着。
⑧ 刘华媛：《读〈龙门阵〉志感》（《龙门阵》1995年第2期）："贫妇背筐走遍城，探头垃圾绕群蝇。豪华车内'阳光女'，笑指斯人不亽生。"自注："半裸时装又称'阳光服'。"
⑨ 也说"千层衣、千疤衣、万年衣、衲坨"，指补丁特别多的衣裳，为旧时船工工作服。因其形似和尚衣，矮领，无纽扣，在右肩、腋下及衣摆等处用布带子打活扣，且用针线层层补缀，故名。参见邱昌明《漫话旧时船工习俗》，载《龙门阵》1994年第1期；马自林等：《城口县民间文学三集成》（内部资料本，1938年，第244页）："背二哥（哈）划不着（哟），三十几岁（哈）无老婆（哟），汗水淌齐腿肚子，衣服裤儿穿得像衲托［坨］。"
⑩ 此即用小块破碎布拼制而成的衣服。蔡逸：《对联丛话·杜柴扉赠妓联及其他》（《龙门阵》1989年第6期）："头戴千叶笠，怎比海龙帽，身穿千叶衣，怎比锦缎袍。走到街上，漫道众人要笑，连狗都要咬。都说你是乞丐张灵，我却认得你是柴扉野老。"
⑪ 王以培：《沉沙》（漓江出版社2012年版，第107页）："扯船子……衣服是千层衣，又叫千巴（疤）衣，烂了又补，补了又烂；不怕太阳晒——你穿厚点越凉快。那阵拉儿疙瘩一件衣服称几斤。"巴蜀船工航行至某站口，多停航休息一天，称为"洗衲坨"。
⑫ 多用稻秧晒干编成。钱正杰：《包弼臣逸事》（《龙门阵》1985年第2期）："两件破茅屋里，没一床好棉被，盖的是冬天给牛御寒的'牛衣'秧毡。"
⑬ 此即棕衣，清代涪陵、芦山等地男子上坡干活时，多穿此服。今多作为雨具或冬天为牛御寒。（清）朱黼：《芦风竹枝词》（林孔翼、沙铭璞：《四川竹枝词》，四川人民出版社1989年版，第208页）："不种桑麻不种棉，御寒无具耸双肩。宵来冷气侵人骨，草鞯棕衣也得眠。"

"草盖瓦、瓦盖草"①,到新衣裤补疤、露洞、剪绺为时髦;从20世纪70年代以前的巴蜀民众普遍烤烘笼儿,使用外包有棕包或棉布套的类似保温瓶的"包壶"②,到20世纪80年代出现的水烘笼儿热水袋、电烘笼儿③,随着社会发展、物质丰富、观念更新,衣着穿戴也百花齐放,这些旧词语也就很少出现在巴蜀人的口头中。

20世纪80年代后,以电脑为代表的电子产品涌入内地,随着当今科技的飞速发展,新事物层出不穷,大量新词、新语也应运而生。如电脑最早被巴蜀人称为"方脑壳"④,后来多说成电脑,又有台式和笔记本之分,由此诞生了"台式机"和"笔记本、本本"的说法。"照相机、胶卷、傻瓜相机、数码照相机、卡片机、单反、单电"的说法也进入到巴蜀汉语方言,并引申出"脑壳方的、脑髓不转、脑壳进水、脑壳搭铁、脑壳短路、脑壳有雾、脑壳有包"⑤、"脑壳有乒乓、脑壳有雷、脑壳有千年虫"之类的说法,⑥成为所谓的时髦青年的交流中不可或缺的词语。科技语言和网络语言大量进入到巴蜀汉语方言中的

---

① 庸人:《江湖八大门》(四川人民出版社1992年版,第178页):"挖药人穿衣,多是内面好。外面烂,叫做'草盖瓦'。反之,对那些油滑子弟,金玉其外、败絮其中的穿法,则叫'瓦盖草'。"
② 崔显昌:《盐、茶及其他——旧蓉城市民生活漫忆之三》(《龙门阵》1987年第1期):"为了让茶水保温的时间延长一点,人们还可在它的外面加一个棉套或者棕包,号称'包壶'。"
③ 也说"电婆"。《华西都市报》(1997年2月24日第14版):"吾蜀冬夜,睡卧脚寒。……改用烘笼吧,哪里找柴炭?何况家人忧惧火灾,不允。易之以汤婆,灌沸水又嫌麻烦。电婆就不麻烦了,只能管半夜。"
④ 《成都晚报》(2001年7月23日第2版):"在具体事项的处理上,能做到谁处理,谁负责,权责明确。俗称'方脑壳'的计算机,会对我们手中的印章(俗称'圆脑壳')产生更大的影响。"《成都商报》(2001年11月3日第A2版):"市干道指挥部领导除经常'逛'工地查问题外,还率先推出了'方脑壳'(即计算机)指挥并管住'圆脑壳'(指公章)的创举。""方脑壳"也喻指"脑袋不灵活的人"。章玉钧等:《川剧文化研究》(四川人民出版社2007年版,第350页):"你硬是个方脑壳哦!"后发展出"脑壳方"的说法。罗鹤:《林眼镜的婚事》(《龙门阵》1996年第2期):"你脑壳咋那么方哦?"
⑤ 《成都晚报》(2002年3月13日第32版):"弄得这个女的再也忍不住,冲起身就大吼了一声:'你脑壳头有包嗦?'"
⑥ 冉云飞:《成都新八景》(《龙门阵》1995年第1期):"成都人称不谙世事没长醒豁者为脑壳上有'包',亦称有疙瘩或方脑壳,等等。时下又幽默地晋升为脑壳上有'乒乓'。"《商务早报》(1999年11月13日第C2版):"据说,关于脑壳的问题,市面上已有新说法:'你娃脑壳有雾!''你娃脑壳有雷!'不过,最具时代感的说法是这样的:'你娃脑壳有千年虫!'"

例子不胜枚举。

2.新观念引起新方言词语的产生

巴蜀是一个传统的农业大省,自古以来人们轻视商业。巴蜀汉语方言中有大量词语都跟农业相关,如"吊脚楼"①本为巴蜀地区的一种竹楼,下层仅几根柱子支撑房屋。后清末巴蜀商业产生出"修吊脚楼"一词,喻指"买空卖空"之义,因这种没有坚实根基的投机行为像吊脚楼一样不牢靠。

改革开放以来,传统的婚姻观受西方文化的冲击,逐渐倾向于自由化、个性化。20世纪80年代"第三者"随着"第三者插足"应运而生。一部分先富起来的人开始喜新厌旧,追求刺激。而有些女孩子为了追求金钱,一时间出现了"傍大款、小蜜"等新词,到今天的"二奶、小三儿、第三个纽子"等词也成为了巴蜀汉语方言中的时髦新词。

新中国成立前,成都人称当兵为"吃粮",称"士兵"为"粮子、二尺五"②、丘八(大爷)、分兵"。新中国成立后有了新型的军民关系,于是巴蜀汉语方言中对士兵就产生了新的"老解、解哥子、兵哥子"或"转哥子"之类说法。③"哥子"本是巴蜀汉语方言中带有尊敬意味的称呼,如成都人常说"张哥子""李哥子""你哥子,我兄弟",多表示对对方的尊重。④

应该注意到的是,随着社会发展,通信、交通的日益便捷,巴蜀与其他地区的联系越来越频繁和紧密,获取新信息的渠道更加畅通,因此无论是指称新事物、新现象还是新概念,人们都更倾向于直接使用其他方言或共同语中的词语。如"忽悠、闪电"等词,表示"巧设陷阱,引人上钩、上当"的意思。巴蜀汉语方言没有和它直接对应的词语,20世纪八九十年代,受港台文化的影响,巴蜀人借来说成"晃点",进入新世纪,赵本山一句"忽悠"使之强势地进入普通话,渗透到了巴蜀汉语方言中,尤其是年轻人使用甚多。再如赵氏小

---

① 也说"虚脚楼"。余永华等:《中国歌谣谚语集成·重庆市永川县卷》(内部资料本,1988年,第75页):"山歌好唱难排头,木匠怕修吊脚楼,石匠怕打石狮子,铁匠怕打铁绣球。"
② 二尺五:旧指国民党的军服,借指穿军服的人。艾芜:《艾芜文集》(第8卷,四川文艺出版社1989年版,第474页):"那时还不是和你先生一样,穿的二尺五。我是在军需方面做事的。"李劼人:《李劼人选集》(第4卷,四川人民出版社1983年版,第360页):"那时凡是抱着破土碗在街上喊'善人老爷,锅巴剩饭'的小乞讨通没有了,通穿起二尺五寸又长又大的灰布军服去当丘八大爷去了!"
③ 参见邓英树、张一舟等《四川方言词汇研究》,中国社会科学出版社2010年版,第47页。
④ 此说法有时也含戏谑味。

品中的东北方言词语"火了""太有才""不差钱""必须的"。总的来看，纯粹的新方言词语的数量不大。

3. 社会生活的变化发展导致方言词语词义的变化

（1）新义的产生。

随着巴蜀地区社会生活的变化发展，尤其是20世纪80年代以来，巴蜀汉语方言词语的词义也在发生变化，一部分方言词语乃至普通话词语产生了新义（见表6-20）。

表6-20 部分产生新义的词语

词语	释义	词语	释义
革命	上自习	学习（文件）①	打扑克、打麻将之类
奋发图强	化妆	钓花	男生追求女生
钓虾	女生追男生	老男人	打小报告者
红辣椒	执勤很严的学生干部	苦瓜	受老师批评者
名古屋	明目张胆地讨别人便宜者	闷棒敲头	老白干
夫妻同床	花生	土头拱	猪拱嘴
身后摇	猪尾巴	健美西施	牛蛙
孤男寡女	鸭、鸡	超级伟哥	牛鞭
青龙过江	菜汤	歪货	假货
桶儿货	可成桶生产的假货	穿山甲	收罗山区土特产的人
铲铲客	四处钻营的小本生意人	埋地雷	购进一般文物后重新埋在乱坟堆内，以假充真
木疙瘩	调拨木材的采购	电猫儿	组织钢材以供买卖的采购员
棒棒鸡	扛一根木棒在码头、街上替人挑运货物的人都可以消费的妓女	（营业）执照②	"结婚证"的戏称
		（睡务）发票③	

---

① 马骥：《散打笑星抽底火》（四川文艺出版社2004年版，第40页）："身边有很多'麻将艺术家'+'运动员'+'讨人嫌'，'学习文件'的时候老爱自言自语地说：'打得好臭！'"

② 《商务早报》（2001年4月21日第C2版）："五月到，太阳照，新郎新娘开心笑。初夏时节把婚结，双双对对领执照。"

③ 马骥：《散打笑星抽底火》（四川文艺出版社2004年版，第66页）："要不然，先享受'已婚待遇'，再扯'发票'不迟。"

续表

词 语	释 义	词 语	释 义
公共汽车 大巴①	低档妓女	罚款单	结婚请帖
挂空挡②	只穿外面的裤子	先上车，后买票③ 先尝后买	先结婚，后恋爱
（提）口袋（的）④	包工头儿	掐豌豆（儿）尖⑤	喻指争抢高级人才
弹歪脉⑥	不按规章制度办事	动大刑	下功夫或花大力气使某事物有大的改变

他如：

放高脚骡子　放（飞）鸽子回笼⑦

"高脚骡子、（飞）鸽子"均指"被贩卖的妇女"。这是对以假意结婚为手段，骗取钱财的最形象的说法。近一二十年来，有人以妇女为诱饵，假意将其介绍给别人，结婚过一段时间后，当对方放松了警惕，把对方的钱财一卷

---

① 大巴：意为"大家都可爬 [pa⁵⁵]"。妓女在成都官话中就有多种称呼，如"监视户"（清末民初）、乐户、娼子〔（清）张慎仪著，张永言点校：《蜀方言》第275页："游妓曰娼子。"〕唱婆子（参见林孔翼、沙铭璞《四川竹枝词》，四川人民出版社1989年版，第37页）、逢人配、货儿子（抗战初期）、摩登儿、姑娘（习用"扬州台基"的喊法。跑旅馆的姑娘又分为"包身"和"分账"两种）、花花（暗娼）、凭 [pʻən⁵⁵] 电（线）杆的（伫立街灯下招客者）、钻（水）格子的（到旅馆或茶馆找客者）、玩家、吊膀子的（街头强行拉客者）、满天飞的（到各种公共场所拉客者）、梭夜子、粉脸子（因其多涂脂抹粉）江流、玩家、找（或作"爪"）家、卖弄、洋盘货、烂货、全国粮票、幺姑娘、王大姐、猫儿、（野）鸡、姨（子）婆（娘）、公用品"等。又可分为负有鸨母卖身钱的"代账"、还清了鸨母卖身钱的"自账"、陪酒作乐的"花头、打茶围的、摆盘子的"，以及"游娼""从良的"等。中华人民共和国成立前，重庆顺口溜"到了重庆城，山高路不平。口喝两江水，笑贫不笑淫"，即形象地反映了这些现象。参见秀清口述，侯少煊、熊倬云、米庆云整理的《解放前成都的扬州妓女》，载《龙门阵》1988年第6期。

② 不穿内裤，只穿一条外裤。成都俗语："穿件衣裳像风登儿，穿条裤儿挂空挡。"

③ 《华西都市报》（2000年4月10日第13版）："他和老婆的婚姻，用他的话说是'先上车，后买票'。十多年前方义正值青春年少，血气方刚，恋爱不久即生米煮熟饭，结婚是唯一的出路。"

④ 殷明辉：《卖"水葡萄"的女人》（《龙门阵》1992年第3期）："朱氏的兄弟把周凤引去见维修组的最高首脑×队长（又称×口袋）。""提口袋的"旧时也称"乞丐头"。

⑤ 《重庆晚报》（2001年11月18日第1版）："'双高'人才会，高校争掐'豌豆尖'。"

⑥ 《重庆晚报》（2002年3月10日第2版）："公益性公墓喊价销售，谁安葬于此后人要发。这个公墓在'弹歪脉'。"

⑦ 参见（清）傅崇榘《成都通览》（上册），巴蜀书社1987年版，第469页。

而空。或者先让对方给一定的钱财,当这女人和对方准备操办婚事时,找个机会逃跑,就像训练有素的鸽子放飞后让它自己回来一样。近些年来,港台影视中称"失约"作"放鸽子",受其影响,巴蜀年轻人也接受并大量使用这种说法,反而对其表示诈骗的意义知之甚少。同时,巴蜀汉语方言表示"失约"有一个专门的熟语,即"丢死耗子"或"甩死耗子",年轻人对此也非常陌生了:

安冷板凳,丢死耗子。(《滴滴经》,第28页)

男的看了看说道:"绝对是遭甩死耗子了,不过连甩几天,女的也太黑了嘛!"(《成都商报》2000年9月24日第A6版)

西胡①镜儿

此即西洋镜,本指一种娱乐器具,若干幅画片左右推动,周而复始,观众从透镜中看放大的画面,因画片多是西洋画,故称"西胡镜儿"。②巴蜀人称"看少见的东西,看令人奇怪的东西""看热闹"为"看西胡镜儿"。现在的西胡镜儿也一般用来指故弄玄虚诱人上当的事物或手法了。

假 打

此泛指一切虚假的行为,大概源于执法部门打击违法犯罪的假冒伪劣行为时,做样子,走过场,工作毫无成效,并非"真打",百姓谓之"假打"。后经李伯清评书一传,"假打"一词红遍巴蜀各地,成为人们的口头禅,词义又有所扩大,泛指一切虚假的行为:

王耳门说这话当然是在假打,杨仲厚却不揣冒昧,他明知王耳门在假打,却来了个假话当成真话听,处[杵]礼当成贺礼收。(《方脑壳传奇》,第587页)

---

① 胡:也作"湖"。
② 旧时"西洋镜(儿)"在成都、云阳等地也说"小电影(儿)"。湛泉中等:《中国民间文学集成·四川省云阳县卷》(内部资料本,1990年,第345页):"三月是清明,姨妹爱死人。高低鞋儿脚下蹬,走路响铮铮。一步丁当响,二步响二声。走路活像西洋镜,打扮观世音。"(清)傅崇榘《成都通览》(上册,巴蜀书社1987年版,第287页)对其有记载,并配有图片。

以下为巴蜀汉语方言中的"假"族词:

表①假,假精灵②,假过场③,假哥(儿)④,假(绷)公爷不真诚待人者⑤,假瓜儿表面聪明而实则糊涂的人,假巴意思假装,假惺惺;假眉假眼虚情假意、装模作样,假巴一二、假巴二三、假巴二五、假巴二娃子⑥,假女娃子有某些女性特征的男子,假男娃子有某些男性特征的女子,假婆⑦,假假生意,假比,假哥菜⑧,假过郎场⑨,假绷⑩,搭假力,打假票,假八字,假棒客,假丧⑪,烧

---

① 应为"不要"的合音词。"表假"也称"表崩"。(清)傅崇榘:《成都通览》(下册,巴蜀书社1987年版,第25页):"表崩,与表假同。……表假,言莫充很也。"
② 陈浩东等:《成都民间文学集成》(四川人民出版社1991年版,第1122页):"马脸大至假精灵,默倒是'踏',欢欢喜喜回去了。"
③ 此指故意表现出来的不真实的动作或情况。李劼人:《李劼人选集》(第2卷,四川人民出版社1980年版,第1624页):"我早晓得四川独立是一个假过场,是谁我们的,是……他龟儿赵屠户耍的把戏!"成都歇后语说:"斤肘肘儿丢意子(抛媚眼)——假过场。"
④ 旧称二十来岁,不大正派,好闲荡,摆阔气的年轻人。也说"假(二)哥"。泛指做事虚为的人。《中国民间文学集成·重庆市巴县卷》(下卷,内部资料本,1989年,第500页):"有个爱绷面子的家伙,本来就穷得起灰,偏偏要操漂亮,大家背地里都喊他假哥。"也可指"嫖客"。(清)刘省三:《跻春台》(江苏古籍出版社1993年版,第163页):"结交些狐群和狗党,每日里出入在龟房。当假哥四处把祸闯,一见得妇女就想方。"唐枢,林枭:《蜀籁》(四川人民出版社1962年版,第48页):"假哥假得多。"又(第177页):"把假哥方起了。"(清)傅崇榘:《成都通览》(下册,巴蜀书社1987年版,第41页):"假哥,嫖客也。"也指"苤蓝"。又(第42页):"假哥,苤蓝菜也。"
⑤ 也说"二水公爷",指旧时成都好闲荡,摆阔气的年轻人。李劼人:《李劼人选集》(第4卷,四川人民出版社1984年版,第137页):"最可恨的,就是那些驮米的瘦马,被一般二水公爷骑着,一颠一蹶,跑来跑去,弄得尘头十丈,如雾如烟。"
⑥ 多指淘气的年轻人。
⑦ 永川县志编修委员会:《永川县志》(四川人民出版社1997年版,第869页):"假婆:指外祖母。"
⑧ 民国16年(1927)《简阳县志·礼俗篇》:"蕨兰曰'假哥菜'。"龙泉驿区地方志编纂委员会:《成都市龙泉驿区志》(成都出版社1995年版,第693页):"苤蓝叫'假哥菜'。"
⑨ 石柱县志编纂委员会:《石柱县志》(四川辞书出版社1994年版,第587页):"不真诚:假过郎场。"
⑩ 成都歇后语说:"鸡脚神戴眼镜儿——假绷正神。"
⑪ 部分巴蜀人认为,逝者的生辰和死辰的干支相冲、相克会犯煞气,则会有家人相继死去,故要想法破解。双流等地的一般做法,是用黄泥捏假人和假棺材,将其在发引时先发出,再发真丧。

假香，假过场，假假生意，假老子①，假脸（壳儿）②，假推杯③，假洋盘④（儿）无知，逗能，追逐时髦之人，假老练⑤，假素芬儿⑥，假行势⑦，踩假水，屙假屎，打假锤⑧，打假叉，打假老鸹⑨，打假票⑩，打假雷⑪。

雄 起

此词应与"斗鸡"习俗有一定的关联。⑫斗鸡时，两只公鸡嘴对嘴，怒目

---

① 今渠县三汇等地指姑妈、伯父、叔父等，也可指为占便宜，口称自己是别人父亲的人："他是假老子，真老子在这儿坐起的。"
② 假面具。（清）刘省三：《跻春台》（江苏古籍出版社1993年版，第281页）："只有开头一人，戴个假脸，走一步响声锣，'吃兜吃兜'的到还好听，不知是啥东西。"
③ 假意推辞。参见唐枢、林皋《蜀籁》，四川人民出版社1962年版，第48页。成都歇后语说："猫儿不吃死耗子——假推杯。"
④ 车辐：《锦城旧事》（四川文艺出版社2003年版，第125页）："倘是遇到火气旺盛的年轻小伙子，马上就给骂出来：'龟儿假洋盘，屁眼儿痛，不听招呼。'"
⑤ 此词指假充内行、正经的人。宋发清：《扭曲与复归——文革中的操哥现象》（成都出版社1992年版，第175页）："我说你这个人呀，啷个老是操假老练啊！你以为哥他们不晓得自己在提虚劲嗦？"
⑥ 此词中"假"谐"贾"，今多以"贾素芬儿"调侃巴蜀女性名字取得很土气，也喻指假情假意的人。
⑦ 喻指无知而善于逗能的人。"势"也作"市"，或指老年人身体健康，精神好，或指年轻人能干。（清）刘省三：《跻春台》（江苏古籍出版社1993年版，第422页）："你那们行市，那样能干，怎么问我要钱？""行势"当同源于"杭式"，古有"上有天堂，下有苏杭"之说，苏杭的家具、服饰等为人推崇，故将来自苏杭的物品称为"杭式"，或称为"苏气、苏派"。后"杭式"引申为"能干"、"苏气、苏派"引申为"漂亮"。参见张厉冰《四川方言中的"苏气"》，载《文史杂志》2004年第2期。
⑧ 克非：《春潮急》（上海人民出版社1974年版，第1066页）："他们打的是'假锤'，他幺叔你千万莫去！"
⑨ 参见唐枢、林皋《蜀籁》，四川人民出版社1962年版，第172页。
⑩ 参见（清）傅崇榘《成都通览》（上册），巴蜀书社1987年版，第491页。
⑪ 沙汀：《还乡记》[文化生活出版社民国37年（1948）版，第352页]："场子里的人声更嘈杂了。他们打着假雷，故意拿自己人当靶子来揶揄保长。"
⑫ 四川大学赵振铎教授即持此观点。重庆、南充歇后语"鸡公打架——雄起"可证。另有人认为，"雄起"为袍哥用语，川东一带盛行。《华西都市报》（1999年4月14日第9版）："当时，重庆的地痞流氓争强斗狠，也爱把'虚啥子，雄起'作为口头禅，就跟成都的'扎起'一样普及。"后引申出"勃起"之义，反义词为"雄不起"。《成都商报》（2000年11月15日第A7版）："但是让我痛苦不堪的是，丈夫是一个'雄'不起的人，我想到过离婚。也许是昏了头，有一次我竟然和一名同学'越轨'了。"

相视，脖子拔高，红羽直立，健翅双展，威风凛凛，此之谓"雄起"①。公鸡一旦摆出这一姿态，意味其将要出击，好似吹响冲锋的号角。②后"雄起"曰"冲锋""出击"义，引申出"用激烈的言辞或行为回击对方"的意思：

但有时遇到刚入道的新手侵犯"领地"，却会大打出手。如果一方"雄起"，则另一方自动退出。（《华西都市报》1999年7月12日第10版）

成都街头闹纠纷，常常可以听到"谨防老子们给你娃雄起"的说法。
20世纪90年代中期，伴随四川全兴足球队在全国刮起的黄色旋风，"雄起"一词蜚声全国。巴蜀球迷用"全兴队雄起"，以示"加油"和"鼓励"；巴蜀人用"汶川雄起"，以示汶川特大地震后对灾区的支持。
伴随足球热，还有一个词语传遍各大球场，那就是"下课"。"下课"本为教学用语，③与"上课"相对，因"下课"意味着课的结束，于是便引申出了"结束"之意，又被球迷创造性地用于"解除职务"：

瓦希德下课，梅加瓦蒂上台。（《重庆晚报》2001年7月24日第8版）

对巴蜀地区姑娘择偶标准的演变，在方言词语上也有所体现：中华人民共和国成立初期，巴蜀农村流行"二呢一磅"，即"人字呢、华达呢、一磅毛线"；而在县城中则流行"三圆"，即"政治上，党团员；单位上，证章圆；工资上，几十圆"。20世纪60年代，则发展为"五圆"，即"政治上，党团员；相貌上，似演员；身体上，运动员；态度上，服务员；工资上，几百圆"。20世纪70年代要求的是"三转一响"，即"手表、自行车、缝纫机和收音机"。20世纪80年代是"四十八只脚、六十四只脚、七十二只脚"。进入20

---

① 参见贾雯鹤《"雄起"小考》，载《文史杂志》2000年第6期。"雄起"的反义词为"耸起"。蜀东人：《了闲碎语》（打印本，第20页）："球队征战去，吹捧求实际。评语过了头，自嘲多没趣。大声叫'雄起'，成绩在哪里。顺数变倒数，怕是真'耸起'。"自注："川语方言之'耸起'是指鸡斗败发怵或人衣服穿得单薄、两手抱胸，冻得缩也。亦可以用'熊起'。"
② 参见张文君《成都话词语研究》，四川师范大学硕士学位论文，2009年，第299页。
③ 由教学用语产生出比喻义的词语还有一个"背书"。《华西都市报》（1997年9月20日第18版）："要是我们违反规定乱收费，上级查起来了，咋个去背书？"

世纪90年代,则要求若干个"(插)头",即收录机、照相机、洗衣机、电视机、录像机、电冰箱等。

理发行业的一些术语也被赋予了新义:

洗(脑壳)

本指在理发店洗(头),引申为"数落、批评",当面数落为"湿洗",背后数落为"干洗",数落至极乃至扩大到做事情超出一定的界限并且带来很大的危害为"洗白":

秦晓得意之极,用电话"洗"老妈脑壳。(《华西都市报》1999年6月24日第2版)

吃喝玩乐,还是要有个分寸依个规矩,这方面成了瘾,那就会真正地被"洗白",整"翻船"。(《华西都市报》2000年3月23日第15版)

后衍生出"洗小脑壳、洗小头、洗老二"等词,[①]为"性交"之义。

此外,交通工具的进步也使一些词语被赋予了新的意义。如随着大巴、中巴车的普及,"巴"字便衍生出新的意义:

巴哥 巴妹

对中巴车上招揽生意的司机或售票员的戏称:

中巴车生意兴隆,财源滚滚,离不开那伙拎着票箱的年轻人。在激烈的竞争中,他们变得精明能干,颇能相机行,那巧舌如簧更是了不得。为具重庆特色,不妨称其为"巴哥、巴妹"。(《重庆崽儿 重庆妹》,第223页)

重庆人对巴哥、巴妹儿们一手勾住车门,一手挥着票箱,扯起喉咙揽生意的场面太熟悉了。(《逛市井 走过场》,第223页)

黑猫(儿)警长

此本为动画片《黑猫警长》中的主角,后引申为对"穿黑色制服执法的城

[①] 另有"洗耳朵、洗眼屎、洗眼睛"等词。马骥:《散打笑星抽底火》(四川文艺出版社2004年版,第107页):"真正要警惕的是美丽动听的话,难听的话一般都是忠言,忠言一般都要洗你的耳朵。"又(第171页):"凡见识过他摆杂的人都会兴奋地赞许:'简直不摆了!又遭洗眼屎了!'"

管人员"的戏称：

唯一使他伤脑筋的是那些戴着大盖帽、穿着黑色制服，监察市容的"黑猫警长"。（铁波乐：《官贩人家》，《龙门阵》1993年第2期）

麻将术语也大量进入巴蜀普通老百姓的生活，其中的不少词语也产生了新义：

割麻和 [fu²¹] ①

本指打麻将时不该和牌的却和了牌，后引申为"蒙混过关"：

你娃打麻将都要割麻糊。（《商务早报》2000年4月26日第C2版）

当相公 ②

本指打麻将时因多摸或少摸一张牌而无法和牌，比喻对某个行业不熟悉而无法操作：

每个人在生产流水线上，要"有吃就吃，有碰就碰"，做好本职工作，不要随便"出冲"，也不要做"相公"，生产质量一定要做"清一色"，不许来"垃圾活"，任务完不成的，奖金就请他吃"白板"。当然，工作干得漂亮的，奖金就是"双勒子"。（《逛市井 走过场》，第567页）

---

① 和：俗作"胡""糊"。
② 相公：本指妓男。李劼人：《李劼人选集》（第1卷，四川人民出版社1980年版，第276页）："骆师笑道：'太监果然不好，连那话儿都要脱了。这样好了，封你当相公，前后都有好处，对不对？'"也说"像姑、旱监视户、鸭子、卖屁儿的、卖沟子的、半截肠子不装屎的、幺哥（子）、屁儿虫、屁爬虫、屁眼虫"。《成都晚报》（2002年9月8日第18版）："马耳门建议他穿高跟鞋，但他坚决不当'幺哥'，立志去学骨科。""屁儿虫、屁爬虫、屁眼虫"也指善于逢迎奉承者。宋发清：《扭曲与复归——文革中的操哥现象》（成都出版社1992年版，第205页）："他们在'左'氏集团那里身价倍僧，在人民群众的心目中却咸了地地道道的'屁爬虫'。自己臭不可闻不说，而且殃及本厂。"罗清和：《方脑壳传奇》（伊犁人民出版社2000年版，第156页）："不过卖的时候到要注意，别让屁儿虫抓到，反而麻烦大。"

下叫

本指打麻将时有了"叫",可以和牌:

中国队百战百败的根子终于拿给牛黄博士的手捏倒了,李扯导师感叹道:难怪不得中国队下不倒叫!(《商务早报》1999年11月25日第C2版)

修长城

此指打麻将:

你们白天要同吃"忆苦饭",晚上还要研究修"长城",半夜三更还要到"地下基地"去"体验生活"。(《商务早报》1999年10月29日第C3版)

麻匠

特指嗜好打麻将的人:

小老板王王自编自唱麻将歌:坐成一圈,打成肺炎;输的秋风黑脸,赢的脸都笑烂;连战五个通宵,眼睛起黑圈圈。欢乐的是数钱,倒霉的是玩完;被人一铲三,回家吃铲铲。上家整成清对,下家只好撤退;老婆利爪抓脸,带伤不好上班;赌来赌去输得惨,又费马达又费电。赢了钱朋友成了仇敌,输了钱盗款成了罪犯;原来修的方城,是关麻匠的猪圈。(《成都商报》2000年4月9日第B3版)

他如"开和① [fu²¹]、单钓、打生张、海底捞、抠底、自抠、换叫、二

---

① 《重庆晚报》(2001年9月30日第12版):"今年的洪水来得晚,特别是秋汛,一涨就是半个月,到现在也没有退的意思,停留在嘉陵江磁器口岸边的打渔船已经有半个月没有'开和'了。"

筒①、幺鸡、对杵、打顶张②、搓白板③、送菜④"等词语，也随着社会生活的发展而逐渐产生了新的意义。如某人媳妇搓麻将成瘾，死在麻将桌上，殡葬时她丈夫写的悼词：

婆娘，昨天你娃两块眼睛睁起还像二筒，今天咋个就整成了二条。不晓得东南西北风哪个龟儿子幺鸡把你害了！你的追悼会开得很巴适，清一色尽都是你的麻友，人些排成一条龙给你告别，每块人给你献上一杠鲜花。你一辈子都望倒打麻将起坎，然果⑤还是白板一块。今天到火葬场，到头来你还是着别个烫卷了，烧糊了，化成烟烟了。

（2）词义的变化。

词义变化有两种不同的情形：一是词义在具体语境中的变化，二是词义在语言发展历史上的变化。⑥巴蜀汉语方言词汇词义的历史变化主要体现为三种方式：词义的扩大、词义的缩小、词义的转移。

摆龙门阵

巴蜀汉语方言称"聊天、闲谈"为"摆龙门阵"：

苟新日新又日新，谁将斯道觉斯民。苦心摆尽"龙门阵"，郑监图成有泪

---

① 筒：也作"瞳"。《华西都市报》（1999年6月11日第20版）："当一堆花里胡哨的图文重现时，屋子里再也没有了哈欠声，网虫们的'二瞳'都瞪大了。"
② 此词今有"对着干"的意思。《成都晚报》（2011年6月17日第22版）："百度两高层打顶张。"也说"打丁丁"。吕峰等：《中国民间文学集成·四川省西充县资料卷》（内部资料本，1987年，第25页）："这个文人被放出来后，装了满肚子的气，又不敢和他公开顶撞，就阴倒和他打丁丁。"
③ 《重庆晚报》（2001年9月30日第12版）："小唐们每天的收获好时有几斤鱼，不好时搓白板的时候也有。"
④ 喻指打麻将等只输不赢。这种人成都等地戏称为"送伯伯"。马骥：《散打笑星抽底火》（四川文艺出版社2004年版，第317页）："将自己的牌照上成'对对和'，和手机号码配成'姊妹花'，人家一看到9911就晓得是'送菜'的车来了——尽是麻将术语。"
⑤ 结果，最后。另说为"杀角、杀过、杀锅、煞割、煞各、煞过"等。参见刘启铨《漏网的"杀角"》，载《龙门阵》1989年第6期；贺光琦《也谈"杀过"》，载《龙门阵》1989年第6期。
⑥ 本书指后者。

痕。(《四川竹枝词》,第309页)

此词的来源,川东渠县一带有以下传说:

唐朝皇帝曾敕封张世贵为统帅,让薛仁贵做他的部下。张世贵看出薛仁贵带有"龙气",是个不简单的人,于是眼红薛仁贵,只让他当了个伙头军。一天,皇帝前来检阅,下诏要看五花八门的阵式,张世贵想尽苦方也无法满足皇上的要求。关键之时,薛仁贵自己站出来,摆出了符合"龙意"的阵式。民间还传说薛仁贵是天上带有"龙气"的白虎星下凡,而这个带有"龙气"的薛仁贵的将才被张世贵"闷藏"起来了。这个传说后来成为人们茶余饭后的谈资,为大家津津乐道,后逐渐引申出"聊天、闲谈"之意。同时,"闷"也写成了"门",这就是把"聊天"称为"摆龙门阵"的语源之一。①

而成都等地称院子门为"龙门(儿)、龙门子"②。闲暇之余,人们喜欢坐在龙门(儿)下聊天,称为"摆龙门阵"。后来词义扩大,也泛指一切形式的"聊天、闲谈"。③

渣渣　渣滓

"渣渣、渣滓"在巴蜀汉语方言里可指"垃圾":

一匹红绫四只角,新郎你要听我说。
要帮新娘来煮饭,还要扫地把渣渣撮。(《成都民间文学集成》,第1700页)

此词也指"没有什么油水的物品":

---

① 王松柏:《浅析部分四川方言词语的民俗语源》,《达县师范高等专科学校学报》2000年第3期。
② 成都谚语说:"讨口子争龙门子,争一阵还是别个的。"因旧时乞丐晚上往往宿在人家屋檐下龙门子处。
③ 参见伯鲁《"龙门阵"源考三说》,载《龙门阵》1980年第1辑。因巴蜀农家修房子一般为坐北朝南,在农家小院内听故事的人一般面对北面坐,屁股朝着南方,故"聊天"也说"屁股朝南"。如巴县口语:"他们几个一吃了夜饭,就屁股朝南。"巴蜀地区建筑习俗,修房需请先生看风水,一般以龙门定坐向,有"斜开、歪开、角开"之别。

黄豆黄豆圈圈，簸箕簸箕圆圆。大豆腐，卖大钱，小豆腐，卖小钱，渣渣豆腐卖毛钱。（《成都民间文学集成》，第2025页）

喜欢上网下围棋，和朋友一起喝"渣渣酒"，摆龙门阵。（《重庆晚报》2001年12月2日第5版）

从"垃圾"一义引申为"品质不好的人"，[①]与"社会垃圾"的意思相近，词义扩大。

再如当今巴蜀生意人多用"叔（叔）、哥（哥）、孃（孃）、姐（姐）"等，称呼中年乃至老年男女，以拉生意，可见这些词语的词义也在扩大。

巴蜀汉语方言中"吃"的含义和普通话中的"吃"基本相同，但巴蜀汉语方言中的"吃"还可以兼指"喝""吸"，如"吃酒、吃茶、吃水、吃烟"。不过在年轻人"吃"和"喝""吸"绝不相混。"吃"呈现词义缩小的趋势。以前，讽刺"对别人的挖苦讽刺无动于衷"的人叫"吃宽面"，现在"吃宽面"这个词语的该义项也鲜有人知，很多人只知道它的本义了。

缩　水

本指某些纺织品、纤维等下水后收缩，也指食物因水分消失而体积减小。[②]也可喻指"貌丑"：

如果女娃子就算脸盘子和身胚子长得不很缩水，如果没有上过学受过教育，只凭天生能源，嫁人不会嫁给别人，说刻薄点，不嫁坏人、瓜人，多半只配嫁给孬人。（《蜀报》2000年12月30日第C2版）

来　电

此词比喻"有感觉乃至产生感情"：

可能是我的朋友太善良了，可能看到对方确实来了电，不忍心再说谎，于是实话实说。（《成都商报》2000年10月4日第A8版）

不经意之间，晃儿又抖擞起来。邻居便知道他又"来电"了。笑问道："晃儿，哪里又骗到一笔钱？"（《逛市井走过场》，第105页）

[①] 此义也说"人渣"。
[②] 参见韦一心等《乐山方言词典》，四川人民出版社1998年版，第229页。

"来电"的反义词为"不来电":

漂亮姑娘们都不接招,她们还不光是看不惯"土老肥"的粗俗样,也嫌他们儿子闷头闷脑不来电。(《成都晚报》2002年3月18日第15版)

新加坡
"新货"的戏称:

"新加坡"这个词在收藏品市场上流行不久,意思是"那玩意儿不是老货是新货"。(《华西都市报》1999年5月30日第12版)

也称"全兴":

也有全兴酒的嗜好者,或全兴球队的拥护者,爱把新货称为"全兴(谐新)"。(《华西都市报》1999年5月30日第12版)

进四医院的　四医院出来的
成都市第四人民医院主要收治精神病员,故此词可代指精神病人。而泸州人因泸州市精神病医院位于灯杆山,故称"精神病人"为"进灯杆山"的。绵阳人却说"莫跟他一样,他是从绵阳三医院出来的"。

又费马达又费电
此词喻指虽花费了大力气,却收效不大:

方言剧是写给我们这个方言区的人看的,能在云、贵、川、渝火一把就不错了,干嘛非得去全国火一把,弄得又费马达又费电的?(《成都晚报》1999年10月29日第10版)

除了词义发生变化外,巴蜀汉语方言一些词语的感情色彩也发生了变化,这种感情色彩的变化,主要是指某些方言词语本来不带明显的感情色彩,或其所带感情色彩有褒、贬之分,但随着社会的发展,感情色彩发生了明显的改变。如"走人户"一词,在巴蜀诸多地区一般指到亲戚或朋友家去做客,已见于清代，如光绪三十三年（1907）《广安州新志·风俗志》：

礼往人家，曰"探亲"，曰"走人户"。

记倒哈，走人户，去要礼信，转来也要礼性，才免得别个笑话。（中国民间故事集成·重庆市合川县卷》，第449页）

此词在民国期间，产生出"抢人"之义，民国29年（1940）《彭水概况·社会概况·方言》"走人户"条下：

匪中隐语，谓抢人曰"走人户"。

今丹棱县顺龙乡一带，民间法师把至丧主家参加治丧活动称为"走人户"显然是受避讳习俗的影响，同时也应是向丧家示好，而将本应称为"赶坨子会①"的丧俗词语，改称为巴蜀人交际活动中的常用词语"走人户"。

又如用"婆娘、婆娘家（家）"俗称"妇女"，已见于元杂剧：

你看人似桃李春风墙外枝，卖俏倚门儿。我虽是个婆娘有志气。（《西厢记》第三本，第一折）②
谁着你戏弄人家妻儿，迤逗人家婆娘？（石君宝《秋胡戏妻》第四折）③

在巴蜀地区，"婆娘"一词常称自己或他人的妻子，本为中性词，无褒贬：

男人心想，本来自己的婆娘和老汉没得不干净的事，那些烂牙腔的硬要说些来掉起，让她去朝一下山好，也了她一个愿。（《中国民间故事集成·重庆市合川县卷》，第265页）
从前，有个手艺人，抬娶了个婆娘。这婆娘样儿长得细眉细眼，精精灵灵的，就是有一点不好：懒。硬是懒得烧蛇吃地。（《中国民间故事集成·重庆

---

① 赶坨子会：参加治丧活动的讳称。南江县、平昌县称"吃坨子肉"，彭州市称"吃坨子会"，会东县称"吃发财酒"，郫县称"吃豆腐汤汤"。
② （元）王实甫著，王季思校注：《西厢记》，上海古籍出版社1978年版，第97页。
③ （明）臧晋叔：《元曲选》第2册，中华书局1980年版，第554页。

市合川县卷》，第455页）

那军统的猫杀劲陡然生起："你个老狗日的，婆娘偷人的虾子尖脑壳①！老子今天要除脱你！"（《巴蜀风》1996年第1期）

不过成都、重庆等地还有骂妇女的"瓜婆娘、死婆娘、疯婆娘、懒婆娘儿、烂婆娘儿、嫩婆娘、瘟婆娘、舍屋（婆娘）②、婆娘嘴、打婆娘锤"以及

---

① 虾子尖脑壳：虾头尖，且退着走路，故在成都官话中代指"胆小怕事的人"。成都谚语"量（视）你虾子没得二两血"或"虾子没得四两血"，讥刺听话方胆怯且没有真本事。中国戏剧出版社编辑部：《川剧喜剧集》（中国戏剧出版社1962年版，第431页）："他那种人我是把他量死了的，虾子没得四两血。""尖脑壳"本指乌龟的头，代指乌龟，喻指妻子与人通奸的男人。王洪林：《四川方言会通》（巴蜀书社2008年版，第99页）："陆龟子，脑壳尖，妇人相交姚二官。"重庆市巴南区安澜镇仁流乡民间用书（手抄本）《春兰送酒》："旦唱：'奴家开言冒了火，无非去当尖脑壳。'"陈宛茵：《天涯何处无芳草——记我的农民朋友——胡氏昆季》（《龙门阵》1992年第3期）："（我）有意逗趣地问他：'常听乡亲们开玩笑，喊别人"尖脑壳"，是啥子意思？'他扑哧一笑，立即四肢划动，把头颈一伸一缩，说：'就是这家什——乌龟。'"克非：《春潮急》（上海人民出版社1974年版，第1077页）："现在听见铁鸭公一喊嚷，都顿时'省悟'过来，马上丢了李春山，把锋芒转回来对准李克：'是呀！不准你李克去充尖脑壳！'"贺大舜等：《中国民间故事集成·重庆市合川县卷》（内部资料本，1988年，第470页）："你们还说女人家找了野男人，他自己的男家就是尖脑壳。也不对！是他男的奈不何她啥，当然该卷点脚嘛。"也说"戴绿帽子的"。方刚、李眉：《不带武器的敌人》（《川西文艺》第1卷，第2期）："你跟老子搞得好，我都快戴绿帽子了。"参见聂云岚等《中国歌谣集成·重庆市卷》，科学技术文献出版社重庆分社1989年版，第542页）。也说"乌嘴（儿）"。唐枢、林皋：《蜀籁》（四川人民出版社1962年版，第259页）："乌嘴戴凉帽，学学人见识。"陈浩东等：《成都民间文学集成》（四川人民出版社1991年版，第1587页）："母老虎偏会卖妖娆，哪个不晓得她的男人在把乌嘴当。"在四川官话中，"虾子、斗笠、甑箅子"等，均呈圆锥形，故隐含"男阴"义。又因俗称男阴为"鸡巴"，而"巴眼"则为"鸡巴眼"的略语，故喻指"女阴"。聂云岚等：《中国歌谣集成·重庆市卷》（科学技术文献出版社重庆分社1989年版，第61页）："奴家今年十四五哦，一朵鲜花貌笃笃哦。……小伙你年纪轻轻么把血吐哦，打不得巴眼就怪不得奴哦。"

② 也说"老舍、舍物（儿）、舍污大嫂"。王洪林：《四川方言会通》（巴蜀书社2008年版，第66页）："今乃端阳佳节，河下甚是闹热。几只龙船抢彩，男妇重重叠叠。出来许多老舍，又有无数嫖客。切莫之乎也者，谨防秀才失格。"营山县民间文学三套集成编写领导小组：《中国民间文学集成·营山县资料集》（内部资料本，1987年，第98页）："平时看你道貌岸然，其实喃你才是个舍污大嫂烧拜香——假装正经哩！"李劼人：《李劼人选集》（第2卷，四川人民出版社1980年版，第113页）："何尝把我看作一位太太，一定疑心是你们叫来陪酒的啥子婊子舍物……"如今，"老舍、舍屋（婆娘）、舍妇儿"等皆已退出历史舞台，而被"小姐、鸡、小妹儿"等取代。

"落了雨的太阳,嫁二嫁的婆娘;麻(子)婆娘擦粉——亏了老本;麻糖钻子钉铛响,好吃婆娘嘴巴痒;婆娘回娘屋要带根帕帕,吹牛儿冲壳子要个架架;婆娘婆娘,吃人的大王,吃你不死,嫌你命长;① 婆娘死在娘屋——没事;唢呐匠接婆娘——自吹"等俗语,均含典型的贬义。

随着社会文明的发展,巴蜀人尤其是妇女们觉得"婆娘"这个词粗俗,于是"婆娘"就渐渐变成多含贬义的方言词:

对人自尊曰"老子"。贱称人妇曰"婆娘"。〔民国16年(1927)《简阳县志·礼俗篇》〕

龟儿文婆娘② 要不完了!巡个鸡巴夜,丑表功!人家那个地方没有安得有步哨,要老子出来碰魂?(《川西文艺》第1卷第3期)

晃眼看她背影,那婆娘操得还可以,等转拐时我把她逼下车来,一看,哼,才是她妈个老癞格宝蟾蜍。(《扭曲与复归——文革中的操哥现象》,第217页)

在今天的巴蜀人口中,"婆娘"指妻子,多用于背称。老年人多说"屋头人",青年人多说"爱人、老娘儿";不太客气的说"女人",不客气的才说"婆娘"。更有甚者,将看不起的男性也称为"婆娘"。③

类似的词语还有:

跳 颤④

本指活蹦乱跳的样子:

一个健康跳颤的女子,正是每个农民的理想配偶。(《还乡记》,第78页)

后喻指能够活跃或过于活跃,好出风头:

---

① 也说"先吃裤儿,后吃衣裳"。
② 文婆娘:贬称当时政府中被称为"文代表"的一位男性工作人员。
③ 黄尚军1956年2月出生并生长在成都市东大街,邻居中的小男孩,被小伙伴们截取名字中最后一字,加以"婆娘",多用作戏称,如"金婆娘、福婆娘"等;而对成年女性则多在"婆娘"前加上姓氏,以示极端蔑视,如"林婆娘"之类。
④ 颤:也作"战"。

同事乙踏屑："人家那些多血质的也不是这个样子，我看他纯粹是过于跳颤！"……这个女娃子今后是块当官儿的料，别看她瘦筋筋的哇，好跳颤喽！（《川渝口头禅》第3册，第41页）

巴蜀汉语方言还有一些称谓词，背称和面称是分得很清楚的，近年来也发生了变化。如背称父亲"老汉儿、老头儿"，现在许多年轻人也用于面称。此外巴蜀民间夫妻之间的称呼，旧时多"打抹和 [mo^{53} xo^{21}]"，即相互不直接称名字，而以双方都意会的词语相称，如互称为"娃儿他妈、娃儿他老汉儿"，对子女称"你们妈、你们老汉儿"，对外人称"我婆娘、我老娘儿，我男的，我当家人，我外间人以及我屋头那块"等，近年来夫妻间多相互称名，或在姓前加以"小"或"老"字。①

他如，成都彭州话"帮起""逗起""挡起""㧅 [nau^{53}] 起""扎起"等词义变迁，渠县话"牙刷"② 等词语的用法，特别是近年来在使用语境上的区别，也在一定程度上反映出一些巴蜀人的社会意识、思想观念的变化以及追求时髦的心理。③

三、语法的变化

学术界通常认为，语言的三要素中，语法的稳定性最强。巴蜀汉语方言也是如此，相对于语音和词汇而言，巴蜀汉语方言的语法变化比较小，以下略加探讨。

---

① 参见陆泽怀等《德阳民俗》（内部资料本），1996年，第32页。
② "牙刷"在渠县话中有"肮脏"之义，在今渠县人尤其是年轻人口中常常听到。
③ 参见杨绍林《彭州方言"×起"词义变化所反映的等级观念》（《地方文化研究辑刊》第4辑，巴蜀书社2011年版）。另有"扎场子"，意为"从旁助威"。《成都商报》（1999年10月25日第A2版）："由于公司跟部分购物点有联系，能不能麻烦大家在下个购货点下午去转转，买不买没有关系，给我扎个场子。""扎墙子"则意为"一群人应邀去给某当事人壮声势或以力相助。宋发清：《扭曲与复归——文革中的操哥现象》（成都出版社1992年版，第89页）："她一面陪着笑脸与彪哥周旋，一面带信邀约她的兄弟伙前来扎墙子。她的兄弟伙走拢一看，见是彪哥，连忙下矮桩，陪不是。"今合江方言中作为小青年和少年儿童爱称的"小鬼"一词，旧时为县人所讳，多作为骂人语。"乡巴佬"一词则含有亲切之意。至于"扯蛋""乱弹琴"以及诸如"mark（问题）""modern（时髦）""pass（证件）""bye-bye（再见）"等外来语与汉语的混用，也在一些场合能听见。参见合江县志编纂委员会《合江县志》，四川科学出版社1993年版，第755页。

巴蜀很多地方用"只有那么＋形容词"表示程度极高，而双流、仁寿、自贡、内江、隆昌、泸州一带则用"少＋形容词"表示相同的意思。① 如"这个东西只有那么安逸了""这个东西少安逸""他跑得只有那么快了""他跑得少快"在口语中，"只有那么"和"少"有时和表示男阴的"鸡巴"连用，说成"少鸡巴"，意义与"只有那么"和"少"完全相同。同样的说法在大邑、邛崃一带用"非""非鸡巴""非鸡儿"表示，如"非好看""非鸡巴好看"。有时候"非鸡巴"合音说成"非加"，而"非鸡儿"音变为"[fei^{55}tɕyɚ^{55}]"。以上说法多在农村或40岁以上男性人群中出现，而在年轻人中，这种说法正在消失。

受传媒的影响，一些地方味浓郁的语气词被年轻人广泛接受。中江话的特色语气助词"瓜②了"，被其他地区的人借去，用在句尾，往往带有戏谑的口吻，如"走瓜了""飞瓜了"。但总起来看，语法方面的变化较小，远远不如语音、词汇方面明显。

第二节 巴蜀汉语方言演变的原因

语言是一个开放的系统，任何一种语言都不可能是自给自足的，因此，巴蜀汉语方言的演变是符合事物发展的一般规律的，其变异是多方位、多层次的。在信息快捷、传媒众多、科技发达的今天，这种变异比过去任何一个时代都快。

语言的变迁可以在现实生活中找到原因，巴蜀汉语方言演变的社会因素主要有以下几点。

一、人口迁徙

社会生活是安定繁荣或动荡衰败，对方言的演变影响很大。③ 巴蜀汉语方言在历史上距今最近的一次重塑当发生在清前期，当时巴蜀兵燹为灾，社会衰败，人口锐减。"湖广填四川"的移民运动导致了巴蜀人口结构和人口空间分布发生了巨大变化，对巴蜀的社会结构和社会面貌产生了强烈的震荡和冲击。湖北

---

① 参见干红梅《浅析四川话中表示程度深的副词"少"》，载《四川师范大学学报》（社会科学版）2003年第5期。
② 瓜：也作"呱"。
③ 参见李如龙《汉语方言学》，高等教育出版社2007年版，第38页。

方言、客方言、湘方言、赣方言、陕西方言、闽方言随着移民进入巴蜀，经过长时间的文化冲突和交融，四川官话的新格局形成，客方言和湘方言作为强势非官话方言保留到了今天。这个过程中，不同来源地的人口数量起到了决定性的作用。

抗战时期，巴蜀地区是大后方，东北、华北、华东相继沦陷后，国民政府西迁重庆设立陪都，大批工厂、学校、企事业单位迁移，东部人口也随之内迁重庆、四川。陈彩章《中国历代人口变迁之研究》记载：① 当时，西南各省，主要是四川、云南、贵州等省自1937年10月到1941年接收东部移民1000万~2000万人。四川为西南大省，接收移民的人数比例当然最高，是主要的外来移民消化地区。

中华人民共和国成立后，继解放军南下、"三线建设"、改革开放之后，三峡开始移民，四川和重庆两地，又迎来历史上新的一轮移民迁徙，但所不同的是，这次是和平时代的迁徙。改革开放后，巴蜀地区人口流动更为频繁，数量更大。以成都为例，根据第六次全国人口普查人口数据统计分析：② 10年来，成都市净增长人口135.72万人，迁移增长达120.59万人、增长比重占88.85%。表明人口增长主要以迁移增长为主，九成是外来人口，且迁移性人口增长占人口增长的比例逐年增加。

20世纪以来，外来人口的内迁没有改变巴蜀汉语方言的整体面貌，虽然他们带来的方言很快淹没在巴蜀汉语方言的茫茫大海中，却也带来了新元素和新的冲击。南迁的北方人所操的北方话受巴蜀汉语方言的影响，腔调发生变化，形成了独特的"川普"。例如在"三线建设"和开发资源的基础上发展起来的移民城市攀枝花，建设人员从全国二十几个省、市、自治区以集团形式前来，又按以行业组成的集团安置，居住在特定的区域，形成一个个独立的"单位"。单位人员的活动局限在单位内，与外界基本不接触，加之大山阻隔，大河阻拦，加重了单位的"自闭"状态。单位内部人员仍操原籍方言，形成一个个独特的"城市单位方言岛"。城市单位方言岛的第一代居民都是移民，移民使用自己原来的方言。第二代、第三代则有了变化。③

---

① 转引自石维、林元亨、马小兵《格老子四川人》，中国画报出版社2009年版，第78页。
② 参见王眉灵、青健《10年增135万人 9成是外来人口》，载《成都日报》2011年9月11日第1版。
③ 参见梁德曼《四川省渡口市方言的现状和未来》，载《方言》1985年第4期。兰玉英等：《攀枝花本土方言与习俗研究》，巴蜀书社2011年版，第5页。

再如西昌，1990年全国第四次人口普查显示：1985年7月1日至1990年7月1日迁到西昌的常住户口达38000多人，其中迁入城区的占54.84%，巴蜀地区内迁入的占92.27%，且主要来自成都、自贡、内江、绵阳、南充、重庆；7.63%为外省迁入。外来人口涉及各行各业，他们及他们的子女，大部分说的是成都官话、重庆官话或一种接近成都官话和重庆官话的巴蜀汉语方言。市内中小学、幼儿园中的相当一部分老师来自外地，而且除语文、外语课外，未完全实行普通话教学。这些都对西昌方言现状的形成产生了很大影响。①

上述可见，人口迁徙是导致巴蜀汉语方言发展演变的主要原因之一。

二、教育的普及和普通话的影响

1955年，全国文字改革会议和现代汉语规范问题学术会议上确立了普通话的地位，该会议规定普通话以北京语音为标准音，以北方话为基础方言，以典范的现代白话文著作为语法规范。此后五十多年，国家一直在大力推广普通话，以期推进汉语和汉字使用的规范化，为各方言区人们之间的交际提供更多便利。20世纪90年代以后，随着教育的普及，以及现代信息传递手段的广泛应用，广播电视事业的迅猛发展，普通话深入到社会的每一个角落。如今人们使用普通话的场合越来越多，普通话的强势推广，一方面有利于规范汉语和汉字在全国的使用，增强各族人民之间的交际，另一方面，不可回避的是，普通话的推广深刻地影响着方言的发展，客观上加速了方言的弱化和消亡。

如前文所述，巴蜀汉语方言在语音、词汇上受到了普通话全方位的冲击，致使巴蜀汉语方言新的文白读音大量增加，书面用语成规模地进入到口语中。夏中义认为成都青少年普遍自觉地学习和使用普通话始于"文化大革命"时期。而近四十年来，青少年们时时将普通话中的一些音节机械地移植到成都官话的对应音节中来，先后使成都官话的几百个字发生了变读。成都官话语音变读明显受到普通话影响，变读音主要是机械地、局部地、近似地模仿普通话。②在词汇方面，许多普通话词语渗透进巴蜀汉语方言词汇系统，并为年轻人广泛使用。这些词汇涵盖面广，包括实词和虚词，请看表6-21。

---

① 参见段英《四川西昌方言的现状及发展趋势》，载《语文研究》1998年第3期。
② 参见夏中易《近四十年成都话语音变动现象考论》，载《成都大学学报》（社会科学版）2002年第4期。

表6-21 普通话词汇渗入四川方言词语例举

名　词			
丁丁猫儿——蜻蜓	偷油婆——蟑螂	蛰蛛、波丝——蜘蛛	巴壁虎儿、四脚蛇——壁虎
抽箱儿川东——抽屉	毛根儿——辫子	冰口儿——裂缝	刷把星、扫把星①——彗星
牙巴——牙	攡单——床单	斤肘肘②——木偶	藤藤菜③、蕹菜——空心菜
手插子——匕首	纸鹞子——风筝	枋子、寿枋④、木头、老房子——棺材	擦黑、麻麻黑、打麻子眼——傍晚
动　词			
攡——铺	巴——贴、粘	蹬打——应付	逮猫儿⑤——捉迷藏

---

① 部分成都人认为，出现这种星会预示凶灾。李劼人：《李劼人选集》（第2卷，四川人民出版社1980年版，第167页）："恰恰去年出现了扫把星，恰恰今年就不清净。"

② 也说"木肘肘（儿）"。陈浩东等：《成都民间文学集成》（四川人民出版社1991年版，第1078页）："关帝庙里也生意兴隆，闹热得很：演木肘肘的，卖打药的，看相的，算命的，朝会的，人多得拥挤不通。"

③ 《重庆晚报》（2001年11月21日第11版）："特别是他每天必备的一盘藤藤菜，旺旺的火炒出来的叶子，青翠油亮，爽极了！"也说"无心菜、空筒菜、饿死老公菜"，在大足等地有关于此菜的民间故事。参见郭相颖等《中国民间故事歌谣谚语集成·重庆市大足县卷》（内部资料本），1988年，第122~123页。

④ 民国27年（1938）《泸县志·食货志·商业·木帮》："木料汇集澄溪口河坝，由雅河运来者，较江安运来者为佳。桷料全由永宁河运来。营此业者二十余家，称'条木帮'。寿枋由永宁河运来者最多，南广次之，合江最少，营此业者三十余家，称'枋子帮'。"

⑤ 逮猫儿：一指"捉迷藏"，儿童游戏。先指定一人当"猫儿"，再选一人当"蒙猫儿官"，将"猫儿"的眼睛蒙上。等其他人都藏起来后，"蒙猫儿官"便放开手，让"猫儿"去寻找藏起来的小孩。陈浩东等：《成都民间文学集成》（四川人民出版社1991年版，第860页）："两人从小一起长大，一起寻过柴，一起割过猪草，一起读过书，一起逮过猫。"也说"藏猫儿"。高缨：《云崖初暖》（人民文学出版社1978年版，第307页）："'爹'，顺子闪动着大眼睛笑着说：'这又不是藏猫儿闹起耍的，这是跟敌人斗争呢！'"卢盛祥等：《中国民间文学集成四川卷·成都市东城区卷》（内部资料本，1989年，287页）："这个女娃子就陪着瓜娃子耍，藏猫儿啊，逮蝴蝶啊，还多合得来的。"二指"嫖娼"，为后起义。铁波乐：《一个王室的后裔》（《龙门阵》1993年第1期）："可惜他对我的忠告置若罔闻，不仅照样赌钱，还到处寻花问柳，大逮'猫儿'。"

续表一

动 词			
舔肥——巴结	巴望——盼望	办招待①——宴请客人	收钱、算账——买单
打脱离——离婚	体、种泸州——遗传	打和声②——随声附和	戳火——完蛋
打波儿——接吻	打锤——打架	穿夜、通天亮——通宵	吃巴片（儿）、吃欺头——占便宜
形容词			
造孽——可怜	相因——便宜	把细——小心、当心	舒气③——漂亮
正南齐北④——正式	出得众、出得色——大方	抠——吝啬	费、皂、千翻儿——调皮
光杵杵——光秃秃	卡白——苍白	花鼓铃铛——花里胡哨	贼呵呵——贼头贼脑

---

① 卢盛祥等：《中国民间文学集成四川卷·成都市东城区卷》（内部资料本，1989年，第376页）："万俟省晓得人家来拜生麻［㧬］不脱要办招待，他又舍不得，就干脆出去躲了，只让儿子在家收礼信。"非文：《川渝口头禅》（第2册，西南财经大学出版社2000年版，第190页）："我们班组的人有点啥好事都办了招待，就他一个人稳起，几回都躲过了，简直是个老坎！"

② 邱漾、陈谦：《办陪奁》（《四川群众》1954年第1本）："你也是耗子眼光，跟倒打和声！"也说"伙倒伙倒把寿拜"以及"前头作揖，后头弯腰"。

③ 或当作"苏（气）"。一指"漂亮好看"。俗语有"上有天堂，下有苏杭"之说，"苏（气）"言"有苏州气派"之意。民国24年（1935）《灌县志·礼俗纪》："苏，奢丽也。苏州风物奢丽，他处因谓'奢丽'曰'苏'，或曰'姑苏'。姑苏，苏州山，苏州所由得名。或曰'苏气'，言其有苏州习气。"沙汀：《淘金记》（人民文学出版社1962年版，第188页）："直到寡妇那么苏气地收拾好了，老板娘这才小声而热情地完成了她的任务。"二指"大方，脱俗，有气派"。（清）刘省三：《跻春台》（江苏古籍出版社1993年版，第410页）："老子生来家豪富，爱的玩格与玩苏。就是丫鬟和奴仆，时常打扮美而都。何况妻是挨身肉，小年正好乐欢娱。"又（第325页）："你看那正直人何等苏气，酒筵中都尊他坐在上席。"李劼人：《李劼人选集》（第1卷，四川人民出版社1980年版，第27页）："与一般乡下新娘子，只要见了生人，便死死把头埋着，一万个不开口的，比并起来，自然她就苏气多了。"李劼人：《李劼人选集》（第2卷，四川人民出版社1980年版，第1323页）："你大方！你大方，以前借的钱，都该还！要还就完全还，还一些不还一些，成啥名堂！对！把老子的褡裢、裹肚一齐拿来，等老子今天去绷个苏气！"也说"苏派"。王洪林：《四川方言会通》（巴蜀书社2008年版，第64页）："美人美人，邀邀约约一大群。……十指尖尖如嫩笋，蛾眉弯弯月半横。穿戴苏派又齐整，八宝耳环亮铮铮。"也说"苏态、姑苏"。唐枢、林皋：《蜀籁》（四川人民出版社1962年版，第35页）："人材多俊雅，打扮又姑苏。"

④ 正儿八经。唐泽民等：《中国民间故事集成·重庆市合川县卷》（内部资料本，1988年，第14页）："咳咳，这座山没有正南其［齐］北的路咯嘛。"

续表二

副　词			
昼时——随时、经常	八方——到处	把连——全部	统共——总共、一共
要不要——有时候	架势、直见①——不停地	高矮②——无论如何	枉自——白白地
介　词			
赶——比	走走达县来——从	等等他先走——让	遭、拿给——被、让

上表中破折号前是四川官话的一般说法，破折号后是对应的普通话说法，在接受过较长时间教育的青少年人群中，普通话的说法明显增多，甚至有被流行范围更广的普通话词汇取代的趋势。

总体看来，巴蜀汉语方言出现的这些新的变化与普通话更加接近，而且，这种变化还可能会进一步迅速扩散。此外，成都和重庆分别是四川、重庆的政治、经济、文化中心，区位优势使得成都官话、重庆官话成为强势方言，各地人们在心理上积极接受和学说成都官话和重庆官话。巴蜀汉语方言除了向普通话靠拢外，各地方言也积极向省会方言靠拢。因此，"劣势"方言向"优势"方言靠拢，方言向共同语靠拢是巴蜀汉语方言发展的一大趋势。

三、交通的便利、经济的发展

巴蜀地处盆地，四周均为险峻之山脉，交通十分不便。古代人进出巴蜀，除了栈道以外，水路是重要的交通孔道，移民往往也溯江而上或沿河而下，散迁河流两岸。有学者认为，一条河流的流域也常常成为一个经济区。在同一个

---

① 不停地。唐泽民等：《中国民间故事集成·重庆市合川县卷》（内部资料本，1988年，第91页）："龙王见风把大龙吹得直见打滚儿，只好撑拢去把他接到。"

② 非要，一定。克非：《春潮急》（上海人民出版社1974年版，第1017页）："经说明后，卖主大为感动，高矮要拉金毛牛去进饭馆，金毛牛生死不肯去。"罗清和：《方脑壳传奇》（伊犁人民出版社2000年版，第514页）："那人听说我在当翻译，认识很多海外企业家，高矮说他有一张藏宝图，价值连城，要我邀约一个外商来共同开发这批宝藏。"也说"横［xuan²¹］顺"。（清）刘省三：《跻春台》（江苏古籍出版社1993年版，第219页）："二差不依，只想与乔摆些口案，横顺要钱。"高缨：《云崖初暖》（人民文学出版社1978年版，第146页）："听到！管你看到没看到，横顺是人不摸虫虫不咬手！团总有言，昨天的事任何人也不兴乱说，若是半句不投笼，小心各人的沙罐！"也说"红黑"。（清）刘省三：《跻春台》（江苏古籍出版社1993年版，第170页）："（大明）从此不准水生多读，凡读书写字对对，比他稍微很些就要打他，红黑把他逼住。""高矮""横顺""红黑"，都由有两个语义相反的语素构成，与"反正"相似，表示事情的发展不受正反两个方面情况的影响。

经济区,方言自然容易接近,并且往往能维持相对的独立性,^①于是,同一种方言在不同的地域产生地域差异。细究起来,这也许就是今岷江流域的方言具有许多共同点的重要原因。

改革开放以来,巴蜀的交通发展迅速,形成公路、铁路、航空、航船四位一体交通网络。其中对巴蜀方言影响最大的是铁路和公路。铁路、公路串起沿途的城镇,形成新的经济圈。一方面,中心城市的方言通过交通线向外扩散;另一方面,沿线的居民有较多的机会跟中心城市的方言接触,因此,道路沿线的方言更快地向当地的中心城市靠近。如位于318国道和212国道交会处的南充市嘉陵区火花镇方言和318国道自嘉陵区出城区所经的第一个乡镇西兴镇方言,与离嘉陵城区较远的礼乐镇、龙蟠镇、太和镇等地方言相比较,火花镇、西兴镇方言演变比较厉害。南充西北方向的金宝镇、集凤镇、太和镇人原来常听见的[an]和[aŋ]不分以及[f]和[x]不分的现象,在今当地人尤其是年轻人口中,已经很难听见了。而318国道自嘉陵区出城区所经的最后一个乡镇大道镇方言,语音和词汇特色还比较鲜明,但近年来,该镇成为新修铁路、高速公路的重要枢纽,方言已发生急剧演变,如大通人原来说"落雨、洋咪咪"等词语,现多说"下雨、蜻蜓";在外地人听来,"撮箕"与"除去"发音相似,如今这二词的发音在当地人口中,尤其是年轻人口中,也有所区别了。

我们实地调查发现,在20世纪90年代末期,成都市老成灌路到都江堰市沿线一带如郫县两路口,就已经不大容易听得到"正宗"的郫县方言了。今国家级风景区都江堰市以岷江为界,分为河西、河东两个方言区。历史上,河西山区较贫困,河东平原较富庶,两岸人常常能闻一语而辨出"河西娃儿_{河西人}"与"河东娃儿_{河东人}"来,^②而今尤其是在风景区内,连提篮买菜的白发老太太也会用当地"椒盐普通话"^③给游人指路。彭州三界镇三界村因北与什邡马井镇阙家湾接壤,东与广汉三星镇群力村黄家板板桥相邻而得名。当地俗语云:"一早晨麦_迈三县回屋,锅头的饭还不得熟。"在该村三组的荒河坝上,有一土改至公社化时修建的老院子,住有游、杨、韩三姓人。其中游姓为广汉人,最早居于此院;而杨、韩二姓为彭州人,公社化时迁来。"知、吃、诗、日"

---

① 参见周振鹤、游汝杰《方言与中国文化》,上海人民出版社2015年版,第64页。
② 如都江堰市河西人称"两把手、月儿光",河东人则称"两口子、月亮婆婆"。
③ 椒盐普通话:也说"川普",指带有很浓的四川官话方音色彩的普通话。

等字，游姓老人说广汉话，念为［tsʅ⁵⁵］、［tsʻʅ²¹］、［sʅ⁵⁵］、［zʅ²¹］，而杨、韩二姓老人则说彭州话，说为［tʂɚ³³］、［tʂʻɚ³³］、［ʂɚ³³］、［ʐɚ³³］。一边保留了入声，一边却没有入声。今该院子长大的年轻人甚至中年人，也大多不念为入声，也不念为卷舌音了。

又如成都市近郊的双流县东升镇，分别与成都市区、新津县及华阳镇接壤，其方言可分为三大块：以县城南昌路为界，一边街区居民说"抱鸡婆［pʻu²¹］窝窝［u⁵⁵u⁵⁵］头"，一边街区居民则坚决否认，认为这种说法"好土哦"。在南昌路农贸市场上，既可听见"鸭［iæ³³］子、老娘子、曲蟮子、猫儿［mɚ⁵⁵］狐_{猫头鹰}、峨眉山_{螳螂}、梭梭［su⁵⁵su⁵⁵］板"之类新津口音，也可以听见"鸭［ia³³］子、老娘儿［ȵiɚ⁵⁵］、鲢巴儿［pɚ⁵⁵］_{鲢鱼}、猴子_{螳螂}"之类华阳口音，还可以听见"鸭［ia²¹］子、夜猫子、扯师_{擅长闹纠纷的人}"之类成都市区口音，其复杂程度自不待言。

就成都市所辖西部区、市、县而言，离市区最近的温江方言和较远的邛崃方言演变最为厉害，我们认为主要原因，应是邛崃市离成都市区虽有一百多千米，历来却为交通要道，但是成温邛高速公路修通以后，与外界的交流迅速扩大，外地人到该市平乐古镇、天台山旅游休闲的不少，对当地方言的影响不言而喻。而离成都市区仅四十多千米的崇州市的方言却很古朴。也许是因外地人一般仅从崇州市路过，较少停留，故崇州方言比较完整地保留了古代汉语的特征。如"让_{责备}、相_{点数}、瞄_看"之类。

就成都方言声调而言，变化也十分大。无入声的成都官话只有四个声调：阴平55、阳平21、上声53、去声213；金堂话也只有四个声调：阴平55、阳平21、上声42、去声13。温江、郫县、崇州、新津、新都、都江堰、双流、大邑、邛崃、蒲江、彭州等11个区县市均为五个声调，多一个入声调33[①]。

成都市区中与有入声的郊县、区毗邻的乡镇，也有入声调。如龙泉驿区的柏合镇，锦江区的琉璃乡南面的几个村，武侯区的石羊乡、簇桥乡以及三瓦窑以南的村，青羊区的文家乡、苏坡桥及苏坡乡清水河以西的几个村，金牛区天

---

① 这些区、县、市入声调的调值均为33。古入声字在成都及金堂官话中绝大部分归入阳平调，如"吃、屋、谷、哭、族、速"等字；也有少部分归入阴平，如"萨、剔、摸、屐、拉、喝、逼、挖"等字；归入上声的有"饺、唠"等字；归入去声的有"压、蛰、窟、酷、踱、诺、幕、雹、栅、剧、射、易、液、腋、划、玉、忆、亿、翼、欲、泄、饰、式、轼、拭、错、跃"等字。

回镇的一些村等，都有入声调。当然，随着时代的变化，居住在这些地方乡镇上的青年人的入声调逐渐向阳平调转化，如成为新工业区的青白江区大弯镇及龙泉驿区的龙泉镇，成都市区口音已占绝对优势，郊区有入声的地区也正在逐渐缩小，只是这些地方大部分农村人及老年人仍说有入声的本地话。[①]

四、其他原因

巴蜀部分受过良好教育的百姓出于语言心理的欲望，仿效普通话和优势方言成都官话、重庆官话中的语音、词汇和语法成分，甚至改说普通话。这在城市里"80后"父母身上体现得较为明显，出于接受教育的需要，如怕孩子听不懂老师讲的普通话，往往要求孩子从小说普通话，自己也和孩子讲普通话。这种现象在生活中并不少见。导致的结果有可能改变四川官话的语音、词汇和语法结构，从而造成四川官话的宏观演变或类型渐变。例如四川官话的[ŋ]和[ȵ]两个声母，在大多数年轻人口中已呈现脱落的趋势，"我[ŋo]、饿[ŋo]、爱[ŋai]、艾[ŋai]、矮[ŋai]、岩[ŋai]、硬[ŋən]、业[ȵie]"等字，被读成了"我[o]、饿[o]、爱[ai]、艾[ai]、矮[ai]、岩[ian]、硬[ən]或[in]、业[ie]"，这种现象比较普遍，绝非个案，在不久的将来会更加显著。

再如前文所述，成都官话韵尾[-n]存在着弱化、鼻音化甚至脱落和变异的情况，最早出现在时髦女青年口中，后来被广大青年乃至少数时髦中年人接受，并逐渐蔓延开来。新的变化在语言心理上被当作了新的时髦，这大概是审美心理变化和模仿引起的音变。

此外，政治因素也对巴蜀汉语方言产生了一定的影响，如某人头上虽剩下几根头发，并盖住部分秃顶，巴蜀人戏称为"地方支持中央"，完全秃顶称为"中央支持地方"等。至于中华人民共和国成立初期以及"文化大革命"期间，人们常挂在嘴上的"列宁服、自由呢、革命菜[②]、革命草、革命头、革命

---

① 参见梁德曼《成都方言词典引论》，载《方言》1993年第1期。
② 《成都商报》（2000年12月7日第B1版）："中国的野菜达一千多种，常见的野菜达二百多种，四川民间常食的野菜也有一百多种，比如我们常见的蕨根、蕨菜、马齿苋、侧耳根，也有我们没有听说过的革命菜、小车前、诸葛菜等。"

饭、解放菜①、解放鞋、操哥、操妹（儿）、盒盒（儿）、盖盖（儿）、钢鞭、硬火"以及"吃好要展睡成盘龙、提劲打靶揎飞机②"等词语，今天几乎听不见了。又如原行政属于地区级的温江行政机关，已与成都市区机关合并，机关工作人员大多到成都市区上班，其方言迅速向成都官话靠拢，故今成都市级机关中，温江口音的人员在逐渐减少。由此可见，随着现代化的进程，巴蜀各地方言演变的确很快，其趋势也十分明显。

---

① 李苏：《"西霸天"徐子昌伏法记》（《龙门阵》1991年第3期）："那阵我们与解放军一样吃大灶伙食。组内预备两个大脸盆，炊事班分菜，吃的是粉条、肉片、土豆、莲花白一锅煮，那阵叫'解放菜'。"
② 揎飞机：也说"揎火车"。

结　语

　　语言不仅是人类交流的工具，也是文化的载体，同时，任何一种语言都系统反映出其使用人群的思维结构和审美意识。据研究统计，史前人类有一万二千余种语言，但今天只剩下六千余种，而其使用人口还在减少。甚至有研究人员预测，到21世纪末，在全世界的大部分地区，约90%的语言可能被强势语言取代，[①]缘由十分复杂。但一种语言的消失，无疑意味着与之对应的文化的灭绝。地理大发现以前，世界处于相对孤立状态，各地人群交流很少，因此，无数种地方性的语言得以传承。地理大发现后，随着资本主义的广泛传播，孤立的地方性族群与文化均被纳入世界体系之内，强势语言与文化逐渐让一些使用人群较少的语言消失。如今，英语确立了其世界性的主体地位，成为通用语言，在经济、文化、政治等各方面发挥着重要作用。由此可见，一种语言地位的确立，与操这种语言的人群的地位与权力有着密切的关系。

　　任何一种语言的消失都是人类文明的损失，因此，为创造一个和平、平等、和谐、丰富多彩的世界，呼吁重视并加强濒危语言的保护和抢救工作，并在这一领域不断加强国际合作是必需的。当今世界倡导尊重全球文化多样性，语言也是重要对象。联合国教科文组织早在1989年就通过了《保护民间创作建议案》，规定在人类口头和非物质文化遗产中，语言是重要的遗产形式。

　　实际上，语言并无优劣之分，只有使用人数的多少之别。为了向全球宣传保护语言的重要性，促进母语传播运动，避免地球上大部分语言消失，联合

---

① 参见联合国教科文组织濒危语言问题特别专家组《语言活力与语言濒危》，载范俊军编译《联合国教科文组织关于保护语言与文化多样性文件汇编》，民族出版社2006年版，第31页。

国教科文组织于1999年提出倡议,从2000年起,每年的2月21日为"世界母语日"。中国是联合国人类非物质文化遗产公约缔约国,又是具有数千年辉煌文明和灿烂文化的古老国度,在人类文化和语言多样性保护方面,负有重要责任。目前,国内一些少数民族学者[①]也开始关注母语,提出保护和传承母语,并用母语进行文学创作。爱惜母语是对族群文化的尊重,同时也是族群认同的重要纽带,而方言可谓地域人群的"母语"。

作为人群日常生活、生产中交际工具的方言,同样无优劣之分。人们应该意识到,方言既是地域文化的载体,又是地域文化十分重要的组成部分。同时,它的重要性还在于体现着地域人群的思维特点和他们对客观世界的认识。但现代社会中由于普通话的推广,使得人们在认识上出现偏差,如确立普通话的中心地位,却将方言逐渐边缘化。实际上,方言具有重要的使用价值和特殊的文化价值,是各具特色的地域文化的基础,比如中国数百种地方戏曲和说唱艺术形式都是以当地方言为依托的。同时,方言还是地域文化发展中一种重要的黏合剂,属于不可再生的非物质文化遗产。方言本身也是一种文化,甚至是一种情结。讲方言包含着对地域文化的心理认同,在表情达意上有其他语言不可替代的价值,沉淀着一个地区的人群极为隐秘的智慧结晶。

当然,我们在肯定方言价值的同时,也必须承认普通话作为一门具有更广泛的交际性语言被提倡是必要的。著名语言学家周有光认为,当今世界已经进入"双语言"的时代,他指出:

二次大战之后,有一百多个殖民地独立成为新兴国家。在语言工作上,它们面对两项历史任务:一方面要建设国家共同语,另一方面要使用国际共同语。日常生活和本国文化用国家共同语,国际事务和现代文化用国际共同语。[②]

这虽然是就一国语言与世界语言而言,但"双语言"的提法,无疑为我们探讨普通话与方言的关系提供了借鉴。

普通话是加强地域人群经济、文化等方面交流必不可少的工具,但作为一

[①] 如彝族诗人兼学者阿库乌雾。
[②] 周有光:《文化学丛谈》,语文出版社2011年版,第93~94页。

个有十多亿人口的多民族国家,存在多种语言,甚至各种语言内部存在诸多方言差异是毫不奇怪的,语言不应该也不可能完全整齐划一。语言的多样性本身反映出文化的多样性。国家的基本语言政策是"推广普通话",但这并非要消灭方言,普通话的推广与方言的保护并不矛盾。时任中华人民共和国教育部语言文字应用管理司司长的杨光在2004年召开的第89届国际世界语大会上作《人类文明的目标与状态:语言文化的平等与多样化》的发言时指出:

> 普及普通话,不是要消灭方言,而是要使公民在说方言的同时,学会使用国家通用语言,从而在语言的社会应用中实现语言的主体性与多样性的和谐统一。①

随着国际、国内交流和人员流动的频繁,尤其是在20世纪90年代中期以后,许多地方本土语言的使用环境逐渐丢失,逐渐被人们视为"土"的标志。许多年轻人都觉得说自己的地域语言很土。他们虽然对地域方言有感情,但在与现代社会的接触中,却因为经济的落后而对本地域方言失去自信,进而选择放弃。巴蜀方言的传承也面临着同样的问题,这就要求我们必须以开放的心态,重视保护和用心传承巴蜀方言。我们认为,应该采取的具体措施如下:

首先,地域人群的心理认同是方言得以传承的基础。目前,诸多方言之所以成为必须呼吁保护的对象,原因便在于使用它的年轻一代在现代文化的汪洋大海中,心理上开始排斥方言土语。现代社会里,许多人将所操语言与经济状况联系在一起。许多家长在教育小孩时,也将普通话视为高雅的语言,而拒绝教授小孩方言,导致小孩长大以后,失去了讲方言的能力,这种普遍存在的现象是方言传承中最令人担忧的问题。如果追溯更深层次的原因,则在于地域经济的发展相对滞后,水平相对较低。因此,传承巴蜀方言最根本的措施便在于发展巴蜀地域经济,使其摆脱一种从属地位。

其次,扩大方言的交流空间。任何语言的存在,都以交流为前提,保护方言先要有一定空间让它获得交流的机会。参照上海、杭州、香港等地的做法和经验,影视、广播、报刊、曲艺节目等手段是传承的重要方式。巴蜀方言在这方面也取得了一定的成功。如《抓壮丁》《傻儿师长》《王保长》以及《山

---

① 《中国教育报》2004年7月28日第3版。

城棒棒军》《让子弹飞（四川方言版）》《猫和老鼠（四川方言版）》等影视作品播出后，不仅没有因为使用方言而降低票房或收视率，反而受到大家的喜爱，加深了巴蜀方言在外地人心中的印象。在这方面可做的工作还很多，比如，在公交车和地铁的报站中，使用普通话与四川官话双语报站方式。

  再次，鼓励地方性文学作品的创作。文学创作中使用方言可以使作品更加诙谐幽默，表情达意也更加生动。此类作品的传播不仅使读者能够感受到地域方言的魅力，而且也可以呈现地域文化的丰富。在这方面，著名川籍作家李劼人、艾芜、沙汀等做出了重要贡献。他们的作品，不仅使用了大量四川官话，而且穿插了诸多巴蜀民俗的场景，使得作品所塑造的人物形象更加丰满，所呈现的社会背景更加真实。由此可见，文学作品是传承和传播方言的一种重要途径。

  总之，巴蜀方言作为巴蜀地域文化和巴蜀地域人群特征的重要体现和表现形式，具有丰富的特性和宝贵的价值，一旦消失，将是中华语言文化宝库和人类文明成果的重大损失。中华文化多样基因传承并发扬光大，以及珍贵的非物质文化遗产代代相传，显然离不开巴蜀方言乃至全国各地方言的传承与保护。

主要参考文献

巴山濒危文化遗产丛书编写委员会：《遥江歌谣校补图注》，四川民族出版社 2019 年版。

（晋）常璩著，任乃强校注：《华阳国志校补图注》，上海古籍出版社 1987 年版。

陈世松等：《四川通史》，四川大学出版社 1993 年～1994 年版。

陈　原：《社会语言学》，学林出版社 1983 年版。

崔荣昌：《四川方言与巴蜀文化》，四川大学出版社 1996 年版。

崔荣昌：《四川方言的形成》，《方言》1985 年第 1 期。

戴庆厦：《社会语言学概论》，商务印书馆 2004 年版。

邓英树等：《四川方言词汇研究》，中国社会科学出版社 2009 年版。

董同龢：《华阳凉水井客家话记音》，科学出版社 1956 年版。

傅崇榘：《成都通览》，成都时代出版社 2006 年版。

葛剑雄等：《中国移民史》，福建人民出版社 1997 版。

胡昭曦：《"张献忠屠蜀考辩"：兼析"湖广填四川"》，四川人民出版社 1980 年版。

胡昭曦：《巴蜀历史考究研究》，巴蜀书社 2007 年版。

华学诚：《周秦汉晋方言研究史》，复旦大学出版社 2003 年版。

华学诚编，曹媛辑校：《历代方志方言文献集成》，中华书局 2021 年版。

黄尚军：《成都方言词汇》，巴蜀书社 2006 年版。

黄尚军等：《巴蜀牌坊铭文研究》，四川民族出版社 2013 年版。

黄尚军等：《四川方言与民俗》，四川人民出版社 2014 年版。

黄尚军等：《巴蜀汉族丧葬习俗研究》，四川民族出版社 2016 年版。

黄尚军等：《巴蜀汉族巫道文化研究》，四川民族出版社 2019 年版。

黄　涛：《语言民俗与中国文化》，人民出版社 2010 年版。

黄雪贞：《西南官话的分区（稿）》，《方言》1986 年第 4 期。

兰玉英等：《汉语方言接触视角下的四川客家方言研究》，中国社会科学出版社 2015 年版。

李国太：《中国风俗图志·川西卷》，泰山出版社 2020 年版。

李　蓝：《六十年来西南官话的调查与研究》，《方言》1997 年第 4 期。

李如龙：《汉语方言的比较研究》，商务印书馆 2003 年版。

李如龙：《汉语地名学论稿》，上海教育出版社 1998 年版。

李实著，黄仁寿、刘家和校注：《蜀语校注》，巴蜀书社 1990 年版。

李恕豪：《扬雄〈方言〉与方言地理学研究》，巴蜀书社 2003 年版。

林　向：《童心求真集——林向考古文物选集》，科学出版社 2010 年版。

刘君惠等：《扬雄方言研究》，巴蜀书社 1992 年版。

刘义章等：《成都东山客家氏族志》，四川人民出版社 2001 年版。

刘正刚：《闽粤客家人在四川》，广西教育出版社 1997 年版。

刘志成：《文化文字学》，巴蜀书社 2003 年版。

罗常培：《语言与文化》，语文出版社 1989 年版。

罗香林：《客家研究导论》，上海文艺出版社 1992 年版。

潘悟云、邵敬敏：《二十世纪中国社会科学·语言学卷》，上海人民出版社 2005 年版。

曲彦斌：《民俗语言与社会生活》，社会科学文献出版社 2012 年版。

曲彦斌：《语言民俗学概要》，大象出版社 2015 年版。

四川省地方志编纂委员会：《四川省志·方言志》，方志出版社 2013 年版。

四川省地方志编纂委员会：《四川省志·民俗志》，四川人民出版社 2009 年版。

宋晓南：《宋代四川语音研究》，北京大学出版社 2012 年版。

宋永培等：《中国文化语言学辞典》，四川人民出版社 1993 年版。

孙晓芬：《清代前期的移民填四川》，四川大学出版社 1997 年版。

孙旭军：《四川民俗大观》，四川人民出版社 1989 年版。

谭　红：《巴蜀移民史》，巴蜀书社 2006 年版。

谭继和：《巴蜀文化辨思集》，四川人民出版社2004年版。
汪启明、赵振铎等：《中上古蜀语考论》，中华书局2018年版。
王艾录、司富珍：《语言理据研究》，中国社会科学出版社2002年版。
王　笛：《袍哥》，北京大学出版社2018年版。
王　炎：《蜀志类纂考释》，中华书局2021年版。
向　熹：《汉语避讳研究》，商务印书馆2016年版。
刑福义等：《文化语言学》，湖北教育出版社1990年版。
徐中舒：《论巴蜀文化》，四川人民出版社1982年版。
杨　琳：《汉语词汇与华夏文化》，语文出版社1996年版。
游汝杰：《中国文化语言学引论》，上海辞书出版社2003年版。
余云华等：《重庆市志·民俗志》，西南师范大学出版社2009年版。
袁庭栋：《巴蜀文化志》，巴蜀书社2009年版。
詹伯慧：《汉语方言及方言调查》，湖北教育出版社2001年版。
张伟然：《湖南历史文化地理研究》，浙江古籍出版社2021年版。
张晓虹：《文化区域的分异与整合》，上海书店2004年版。
张一舟等：《成都方言语法研究》，巴蜀书社2001年版。
中国社会科学院语言研究所编：《中国语言地图集（第2版）：汉语方言卷》，商务印书馆2012版。
周及徐：《戎夏探源与语言历史研究》，商务印书馆2015年版。
周有光：《文化学丛谈》，语文出版社2011年版。
周振鹤、游汝杰：《方言与中国文化》，上海人民出版社1986年版。
[日]桥本万太郎著，余志鸿译：《语言地理类型学》，北京大学出版社1985年版。
[英] L.R. 帕默尔著，李荣等译：《语言学概论》，商务印书馆1983年版。
[美]爱德华·萨丕尔著，高一虹等译：《语言、文化与人格》，商务印书馆2011版。
[美] 史皓元、顾黔：《汉语方言分区的理论与实践》，中华书局2011年版。
[法] 罗朗·布洛东著，祖培、唐珍译：《语言地理》，商务印书馆2000版。
[日] 柴田武著，崔蒙译：《语言地理学方法》，商务印书馆2018年版。

本书在写作过程中还参考了四川和重庆的部分地方志、《龙门阵》杂志中相关文章，以及四川各县市民间文学集成和文史资料中的相关资料，特此说明。

后　记

　　《巴蜀文化通史·方言卷》从确定选题到最终完成，已近二十年了。古人云"十年一剑"，如今用近二十年光阴铸造的"剑"是否锋利，只有留待读者评说。

　　《巴蜀文化通史·方言卷》的编写，本应对巴蜀汉语方言溯其源，明其流，考其理，究其因，寻找其发展规律，这确实是我们撰著此书的初衷，但在写作过程中逐渐发现，由于巴蜀汉语方言发展的特殊性，很难用"史"这一纵线将全书架构起来。加之，自元至清数百年连续不断的移民活动，使巴蜀文化经历了前所未有的重组，形成了文化"多元并置"的局面，这便造成宋代以前的巴蜀汉语方言的全貌在今天已难窥究竟。故写作巴蜀汉语方言的"通史"，就目前的情况看，还有较大难度。故此，我们在征求了《巴蜀文化通史》学术委员会专家学者的意见后，决定将着重点转向横向的空间维度，同时照顾纵向的时间维度，阐释在"湖广填四川"大移民活动影响下，巴蜀汉语方言的文化特征，尤其注重抓住巴蜀历史、文化发展的整体脉络，并结合民俗学、考古学、历史学等学科的研究成果，探秘巴蜀汉语方言的民俗文化之根，力图做到以文化释读语言，用语言管窥文化。

　　从文化的角度研究语言，罗常培等前辈学者在20世纪上半叶已肇其端，到20世纪90年代，一度还有学者倡导"文化语言学"研究。该研究具体到方言，则不仅需要有扎实的语料基础，更需将方言释读与地域文化联系起来。但联系巴蜀文化研究汉语方言，并不是件轻松的事，它不仅要求研究者具备方言学的相关知识，而且还要求其对巴蜀历史以及文化有较为系统的认识和了解，尤其需要对与巴蜀汉语方言词源有密切关系的民俗文化有较长期的观察。

后 记

为了能更好地完成本书，近二十年来，我们到巴蜀大地实地考察，系统调查了巴蜀民俗文化，尤其对巴蜀婚姻丧葬习俗、生产生活习俗、民间信仰习俗等进行了专题研究。为广泛搜集巴蜀汉语方言语料，我们还对巴蜀碑铭文献、谱牒文献、口头文学以及科仪文书等以往语言学界较少关注的民间文献资料和实物做了广泛调查与搜集，目前作为《巴蜀文化通史·方言卷》的衍生作品：《四川方言与民俗》《巴蜀牌坊铭文研究》《巴蜀汉族丧葬习俗研究》《巴蜀汉族巫道文化研究》《中国风俗图志·川西卷》《通江民间歌谣校补图注》等已先后出版。正是在这些研究基础上，我们才逐渐对巴蜀汉语方言的文化内涵有了一定认识。

写作是一件苦差事，但终于要结出"果实"了。在这枚果实生长的过程中，我们获得了诸多专家学者的帮助。现在想来，如果没有他们一如既往地关注、关心和鞭策，或许我们早已经放弃。因此，在余下的字纸上，必须表达对他们的敬意和谢意。感谢这部书主编章玉钧先生和谭继和先生的器重，尤其是在作者（黄尚军）因疾病困扰产生放弃写作的念头时，两位先生无微不至的关怀和悉心指导，给了其战胜病魔、写好本书的勇气和力量。在本书出版之际，又经慎重考虑后，允许我们根据实际撰著情况，调整了作者排名顺序。审稿专家林向先生、胡昭曦先生、彭邦本先生等在理论和方法上给予诸多启示，并指出了书稿中的不足之处。令人万分悲伤的是，当年曾对我们万般关照和诸多提携的李绍明、林向、胡昭曦、贾大泉、万本根、沈伯俊等先生，在近几年先后仙逝，此书出版后，再也无缘聆听先生们的教诲了。

感谢西华大学地方文化资源保护与开发研究中心主任、西华大学文学院院长潘殊闲先生给予的热心指导，在田野调查遇到瓶颈时，为我们指明方向。感谢四川师范大学科研处、文学院、全国高校"黄大年式教师团队"——巴蜀文化研究与传承教师团队、四川濒危活态文献保护研究团队的领导和同仁对我们科研工作的大力支持，感谢四川省遂宁市政法委书记刘波涛多年来为我们的田野调查付出的心血，以及四川辞书出版社的冷雪编审对本书的关爱。感谢四川人民出版社的谢雪老师和本书的特约编辑徐英老师对本书编写体例及编校质量付出的心血，成都完美科技有限责任公司周建东先生、莫琳女士为本书排版付出的辛劳。

本书的写作分工如下：李国太撰写导言和结语；黄尚军、李国太撰写第一章；李国太、黄尚军撰写第二章第一节，黄尚军、李国太、周帅撰写第二节，李国太撰写第三节；袁雪梅、黄尚军撰写第三章第一节，李国太、黄尚军撰写第二节、第三节；袁雪梅、黄尚军撰写第四章第一节，袁雪梅撰写第二节、第三节；曾为志撰写第五章；曾为志、黄尚军撰写第六章。本书统稿工作由黄尚军、李国太完成。四川师范大学文学院吕东辉、邹毅、文露参与了本书的田野调查、资料整理，四川师范大学历史文化与旅游学院张波、佟思远参与了部分文献的核对工作。

李国太　黄尚军

2021年10月1日

图书在版编目（CIP）数据

巴蜀文化通史. 方言卷 / 章玉钧, 谭继和主编；李国太等著. —— 成都：四川人民出版社, 2021.12
ISBN 978-7-220-10567-8

Ⅰ.①巴… Ⅱ.①章… ②谭… ③李… Ⅲ.①文化史—四川②西南官话—语言史—四川 Ⅳ.①K297.1

中国版本图书馆CIP数据核字（2017）第280108号

BASHU WENHUA TONGSHI
FANGYAN JUAN

巴蜀文化通史 方言卷

李国太　黄尚军　袁雪梅　曾为志　著

出 品 人	黄立新
项目统筹	谢　雪　董　玲　谢　寒
责任编辑	薛玉茹
特约编辑	徐　英
封面设计	张　科
装帧设计	经典记忆　戴雨虹
责任校对	舒晓利
责任印制	祝　健
出版发行	四川人民出版社（成都三色路238号）
网　　址	http：//www.scpph.com
E-mail	scrmcbs@sina.com
新浪微博	@四川人民出版社
微信公众号	四川人民出版社
发行部业务电话	（028）86361653　86361656
防盗版举报电话	（028）86361653
制　　版	成都完美有限责任公司
印　　刷	成都东江印务有限公司
成品尺寸	180mm×260mm
插　　页	14
印　　张	35.25
字　　数	620千
版　　次	2021年12月第1版
印　　次	2021年12月第1次印刷
书　　号	ISBN 978-7-220-10567-8
定　　价	160.00元

■ 版权所有·侵权必究

本书若出现印装质量问题，请与我社发行部联系调换
电话：（028）86361656